U0484207

齐善鸿中华三圣经典心读丛书

论语心读

齐善鸿 著

立君子风范（上）

華夏出版社
HUAXIA PUBLISHING HOUSE

图书在版编目（CIP）数据

论语心读 ： 立君子风范. 上 / 齐善鸿著. -- 北京 ： 华夏出版社有限公司，2024.9

ISBN 978-7-5222-0702-5

Ⅰ. ①论… Ⅱ. ①齐… Ⅲ. ①《论语》— 研究 Ⅳ. ① B222.25

中国国家版本馆 CIP 数据核字 (2024) 第 085820 号

论语心读：立君子风范

作　　者 齐善鸿
责任编辑 黄　欣　龚　雪
责任印制 周　然

出版发行 华夏出版社有限公司
经　　销 新华书店
印　　装 河北宝昌佳彩印刷有限公司
版　　次 2024 年 9 月北京第 1 版
2024 年 9 月北京第 1 次印刷
开　　本 710mm × 1000mm 1/16 开
印　　张 55.25
字　　数 820 千字
定　　价 299.00 元（全 3 册）

华夏出版社有限公司　地址：北京市东直门外香河园北里 4 号　邮编：100028
网址：www.hxph.com.cn　电话：（010）64618981

若发现本版图书有印装质量问题，请与我社营销中心联系调换。

总序

中华有“三圣”：老子李耳、孔子仲尼、六祖惠能。代表他们智慧的《道德经》《论语》《坛经》，是中华优秀传统文化中的三部经典，它们犹如中华历史文化中的“北斗”，为一代代华夏儿女照亮心路。

人首先是自然的，但其本质又是社会性的，人不是单独的个体，而是众生和天地万物的集合体。人生的本质，不是为自己谋取物质的私利，而是集合众生与天地万物的能量，构筑一个超级的自我——超我，并为现实中的众生创造价值与幸福，从而使自己成为有价值的人和幸福的人。这就是中华文化中“无我”的本质所在——无小我，造超我，福众生。由此让自己走向人生的富足和圆满，而让精神与心灵获得绝对的自由。

一、忧心与庆幸

可惜的是，现实中的一些人陷入了自我和自私的泥潭中。陷入自我的人，总是自以为是，总是在用个人的有限经验和知识去理解无限的世界和与自己不同的其他生命，甚至还会去诋毁别人、抬高自己。有的人还将这种思维方式和做法强加给自己的亲人、朋友、部下和整个社会。于是乎，他所到之处都是“要求、指责、抱怨和愤怒”，一片乌烟瘴气，一片肮脏和混乱。为自己构筑出这样一个充满负面能量世界的人，当然过得并不快乐。令人唏嘘的是，在我们所处的这个时代，这样的人似乎有点多。正如一位觉者所说的那样，现今的人类正处在“科技文明日新月异与人文精神日落西山”这两种不同力量的反复绞杀中。值得庆幸的是，越是这样的局面，越容易促进人类的觉醒，也确实产生出一大批觉者。只是不知道，你是否是觉者之一？这是这个时代涉及每一个人利益的核心问题。

可惜的是，在教育普及率日益提高的当下，仅学习科学知识似乎无法让人们活得快乐和幸福。这就需要人生和人文智慧的教育，也就是说，在主流的科学教育体系中，需要加强人生与人文智慧教育比例。众所周知，知识不能等同于能力，能力不能等同于品德，科学知识不能等同于人生智慧，归根结底，对教育的检验是要看是能否有效促进人类自身的进化和增进人类福祉与促进文明的发展。

可惜的是，很多人被眼前的物质利益所迷惑，沉湎于物质享受中，从而沦为赚钱机器。正如圣人所警示的“君子役物，小人役于物”。世间还有一个很尴尬的景象：没有人想成为“小人”，但因为自己不明君子与小人的区别，在厌恶小人的同时，自己却成了小人。实际上，维持生命活动所需要的物质资源是极其有限的，如果物质资源的消费超过生命活动之所需，人就会生病，寿命就会缩短，精神生活就会变得空虚与扭曲，就会与自己的人生目标相背离，就会成为自己的敌人！于是乎，哲学家们提出了一个著名的论断：世间只有一个敌人，那就是迷失的自己。这也就意味着，人一旦迷失了精神方向，就会成为自己人生中的敌人，就会自我伤害，直至自我毁灭。经历过人间繁华的人会意识到，真正的人生不是物质的饕餮盛宴，而是精神对物质的胜利，是在战胜物质的同时，让自己的精神持续不断地成长和壮大！

值得庆幸的是，中华民族拥有一万年的文化史、五千多年的文明史，并且正处在国势国运上升的光明时期。正是因为拥有了这样悠久的文化与文明的历史，每个华夏儿女都先天拥有一座智慧的宝藏。只是要看谁能够打开这样一座宝藏的大门。纵观历史，我们不难发现，历朝历代，只有少数人才有机会进入文化传承的这座宝藏。现如今，随着知识形态和科技手段的日新月异，许许多多的人都拥有了这样的机会。拥有机会并不等同于掌控机会，更不等同于将智慧的宝藏变成自己的能量。若是忽视本民族的文化宝藏，只依靠个人经验和有限的科学知识，外加个人不断膨胀的物质欲望去为自己奋斗，无异于捧着金饭碗要饭吃，那可就成了人间最大的笑话。遗憾的是，很多人陷入了只重视科学知识、只相信个人经验、只为自己谋私利的危险漩涡中，甚至有人因此出现了中毒症状：用自己掌握的有限科学知识去排斥甚至诋毁悠久的文明传统；活在自己的认知中，不接受甚至排斥其他人的认知；只为个人私利而无视社会公益。也许，人们正在忘记人生的真实目的——人文精神也好，科技文明也罢，再加上自己个人的想法和追求，这一切都是为了让人活得明白、活得快乐和幸福，并能走向更加光明的未来。若是离开了这一目的，只沉迷于现在的认知与追求，就不可能找到人生幸福与健康发展的真正答案。

值得庆幸的是，我们这个时代出现了一大批觉醒了的智者，正在领导这个国家前行并日益强大。尤其值得注意的是，中华文明是一种追求真理的文明，因此是一种开放和不断吸纳、创新与持续壮大的文明。我们不仅尊重自己的历史，不仅在历史的基础上不断开拓创新，还同时保持着对人类一切先进文明的尊重、接纳、吸收、转化和凝练。众所周知的自强不息和厚德载物，正是华夏子孙自我建设和勇猛开拓的哲学与辩证的智慧信条。“为学日益，为道日损，损之又损，以至于无为，无为而无不为”，正是华夏儿女“去伪存真、去粗取精、纲举目张、透过现象看本质”之哲学智慧的体现。世间众生，人生万象，“若见一切法，心不染着，是为无念。用即遍一切处，亦不着一切处；但净本心，使六识出六门，于六尘中，无染无杂，来去自由，通用无滞，即是般若三昧，自在解脱，名无念行”，则为华夏儿女提供了“心不为奴，心定为主”这一人生功夫的秘诀。

令人忧心的是，无论是受过良好教育的社会精英，还是略有知识的普通百姓，已经有不少人陷入了焦虑、烦躁和抑郁中。这正说明：拥有知识不足以支撑人生，缺乏人生智慧，人生正能量不足，就很容易导致诸多病态现象的出现。许多人不知道的是，历史上的圣人智慧和现实中的觉者智慧，正可以解决这些问题。关键是“文化之药”就在那里，可很多人要么视而不见，要么听而不闻，总之就是够不到，因此也进不到心里。

令人欣喜的是，许许多多有志之士正在勤奋地学习圣贤智慧和当今的觉者智慧，并在不同程度上提高了自己的人生质量。一些觉醒了的家长，带领孩子学习圣贤智慧，让一个个小生命焕发出生命的力量。

说到圣人和圣人智慧，有人在问，难道他们说的就是真理吗？这个问题要是去问圣人，圣人肯定不会承认。真理一旦经由语言表达，就会因文字的局限性而生出障碍，以致无法淋漓尽致地表现出真意。同时，对于同样的文字，读者总是带着自己的主观局限性去理解，很少有人能把圣人智慧准确无误地吸纳进自己的生命。关键是，圣人智慧是引导众人接近真理的一座桥梁。这一点，恰恰被很多人忽视了。

可能有人会说，凡是人说的肯定有局限性，也免不了会有糟粕出现。这话不假。文化，是经历历史的洗礼而不断地推陈出新，但绝对不会因为有糟粕而全部被否定掉，就如同给孩子洗完澡时要把脏水倒掉，但不能把孩子一起倒掉一样。也就是说，对历史文化、圣人和经典进行全面的、绝对的肯定，显然是有违科学精神与追求真理的理性精神的。但同时，将某些自己还理解不了的思想斥为糟粕，甚至连同其思想体系也全面排斥，是过于武断和轻率的，也是不可取的。

更具普遍性的一个问题是，许多人将中华文化当成一种知识，并用自己的知识和经验去评价和审视之。虽然文化在形态上表现为一种文字与知识的形态，但其本质却是要用自己的人生和生命亲证的智慧体系。一定要明白的是，读圣贤书确实可以增加知识量，但并不能直接增加智慧。因为智慧是知识与实践结合后的体悟与提升，绝对是获得智慧过程中不可或缺的环节。若是离开了这条核心主线，仅仅用自己的知识和经验去评价中华文化，就很难得到什么益处。在三十多年的知识学习与人生修行历程中，我接触到很多修行者，那些不断地领悟智慧的人，都是将圣贤智慧与个人的人生与生命连续不断进行结合和验证的人，他们都从中获得了诸多益处。

在讨论上述问题时，曾经有修行者说出这样的话：先不论对自己的祖宗是否尊敬，那些以为自己可以评说圣贤的人，自己此生真的有把握成为高于圣贤的圣贤吗？换一种说法，若是承认圣贤智慧是产生自高维的智慧，那我们还处在低维状态的普通人又如何才能看清或者真正理解圣人的智慧呢？

二、中华三圣智慧的精髓

老子及《道德经》。老子用五千言的篇幅，阐释了道学智慧的核心思想：人的主观不能脱离客观事实与规律，人的主观活动必须依靠客观事实和规律。纵观人间所有的苦难与灾难，都与人的主观膨胀与自以为是有关，核心就是主观一旦膨胀或者以自我为中心，就会脱离客观规律和事实，就会制造灾难和痛苦。尤其是人类还创造了自己的知识体系、道德准则、权力与制度等，就更要小心和认真地审视这些人为的、主观的产物是否合于客观规律。否则，脱离了客观规律的主观认识，就一定会因为违背客观规律、对抗客观规律而让人的行动与结果出现错误。若是再将错误归于外界和他人，而死守着所谓正确的主观愿望与道理，那就无法从根本上解决问题，错误、痛苦与灾难就会持续不断。尤其要注意的是，人类时时刻刻都会产生出无数的念头和难以遏制的欲望，这些主观力量会将人诱导到偏离客观规律的方向上。若是不能解决这样的主观问题，若是不能通过修行升级自己的思维与观念而让自己脱离客观事实与规律，就极有可能理直气壮地犯错，以致害人害己。当然，老子不仅仅是对现实主观的批判者，更是给出解决问题“药方”的智者。“多言数穷，不如守中”“致虚极，守静笃，万物并作，吾以观复，夫物芸芸，各复归其根。归根曰静，是谓复命，复命曰常，知常曰明，不知常，妄作凶”。老子的教导，就是告诉我们要不带任何偏见地接近客观事实，去洞察客观事实的规律，也就是贴近大道。同时，老子也在思维方法上给了我们很多指引：有无相生，难易相成。反者道之动，弱者道之用。知雄守雌，知白守黑，知强守弱。故贵以身为天下，若可寄天下；爱以身为天下，若可托天下。上善若水，水善利万物而不争，处众人之所恶，故几于道。善者不辩，辩者不善。天之道，利而不害。圣人之道，为而不争……老子也为人们提出了立世的坐标：上善若水，少私寡欲，虚极静笃，为道日损，玄德无我。如此这般，就可让真我中的道心呈现，就能去除主观干扰，就能与大道合一，就能时时刻刻按照大道的节律思考和行动。如此这般，就能将万物与众生视为大道的显形，就不会对这些显形的现象进行人为的、简单粗暴的指责、评价与判断，就能够以天道之心为万物与众生“代言”，就能够达到“无为而无不为”“不争而天下莫能与之争”的自由和逍遥的境界。

孔子及《论语》。在世人看来，孔子是一个年少时遭遇父母离世的可怜的孩子。但孔子关心的却不是自己的温饱，而是天下人的命运。固然，想重新回归周礼的愿望让人觉得有些“愿望主义”的迂腐，但孔子毕其一生与弟子们共同讨论人生各种问题背后的规则法则，为后世子孙留下了“向道宏愿”“仁德之道”“好学之道”“内省之道”“中庸之道”“忠恕之道”“君子之道”等思想，尤其是开创了私学教育的先河，打破了官学的垄断，为众多普通人提供了开化明智的机会，也因此被后世尊为“至圣先师”。孔子的“向道宏愿”以“朝闻道，夕死可矣”而名传于世。孔子所崇尚的“好学之道”也超越了一般的知识学习，进入了“参悟大道”的境界。孔子又将天道的法则演化成人间的“仁德之道”，为人与人的关系确定了最高的价值准则。与此同时，孔子将“内省之道”“中庸之道”“忠恕之道”确立为红尘中人修习“君子之道”的基本方法，如此就能够领悟基于天道的人间智慧。人若是能够在现实中领悟天道在人间的运行规律，也就能修成人间的君子，甚至成为人间的圣人。

六祖惠能及《坛经》。六祖惠能童年时家道中落，没有机会读书认字，与老母亲相依为命。但其慧根甚利，听闻经书中充满智慧时心生向往，关键是其不俗的根性令五祖弘忍大师十分欣赏，进而生出怜惜、悯爱之意，收留其在东山道场做点杂役。是金子总会发光。人若有光明的向往，不管身在何处，不管做什么，总能接近大道。惠能在做杂役时，就表现出一心为道的可贵品质。在弘忍大师出题考弟子时，他以一首《菩提偈》——菩提本无树，明镜亦非台。本来无一物，何处惹尘埃——脱颖而出，表现出了不俗的领悟力，得到弘忍大师的认可，从而继承中华禅宗的衣钵。尤其是在继承衣钵的当晚，他顿然领悟“自性”，可谓是觉悟中的极致：“何期自性，本自清净；何期自性，本不生灭；何期自性，本自具足；何期自性，本无动摇；何期自性，能生万法。”六祖对“自性”的顿悟，成了修行者觉醒的根本法则。六祖继承衣钵之后，面对所发生的是是非非，领悟到“衣钵之相”也是人间的祸端，于是，他弃“衣钵之相”而以智慧思想留世传承，后经弟子整理而成《坛经》。尤其难能可贵的是，惠能大师对当时世间传播的深奥的佛理进行了改造以适合平民学习参悟，使得深奥的智慧与人间的生活得以紧密连接，让人们懂得了“修行就在世间，生活就是修行”的妙理。

说起中华传统文化，往往离不开儒释道三家，无数受儒释道文化滋养的华夏儿女成为时代的觉者与精英，让中华文明代代相传，并不断创造出各种奇迹。儒家孔子发现了生命中的“仁心”，只要人能够以此心待人，就能够摆脱世俗功利和邪恶之心，就能够建立和谐的关系。道家老子发现了真命中的“道心”，这是联通天地万物和人间众生的关键法门，也是摆脱主观有限的认知，洞察天地万物与人类自身规律的心智节点。禅宗六祖惠能发现了生命中的“自性”，这是生命本自具足的核心能力，一旦自性觉醒，人就能摆脱一切外相的束缚，而见得万物与生命的真相，就能摆脱被幻相迷惑的幻觉，就能够了悟一切。这三家祖师和他们的智慧，在当世流行的科学与知识之外，为人们打开了一扇高维智慧的天窗。尤其重要的是，借助儒释道的智慧，人们能够破除对外部世界的迷惑和迷信，将心智的焦点转向自身，如此修行就能让自己成为真正的主人——既不是外物的奴隶，也不是自我中心的牺牲品。同时，儒释道的智慧也为人类的信仰提供了一个正确的方向，从过去久远的崇拜外物或者编造神灵并让自己匍匐在地的那种“神奴”幻象中走出来，懂得了人类这种高智能生命心智进化的方向：人不是做什么神灵的奴仆，而是要通过领悟大道让自己成为人生的主人。若是人间有神，那也是觉悟了的人，绝不是人造出来的虚幻的偶像。特别值得一提的是，历史上的圣人和大觉者，都反对人们将其作为神灵进行膜拜，只是世人大多痴迷，宁愿将觉者作为神灵膜拜，就是不愿意去遵循觉者的指引去悟道。这就是迷信——因为心智痴迷而将觉者作为神灵膜拜，就是不去参悟大道真理！

三、中华智慧破解人性之谜

人们总会提到人性，但对人性深入系统的思考却不多见，更多是对现实中的人性表现进行简单的概括，如“性善”“性恶”之类的说法，但却没有真正深入到人性的本质中。可以这样说，人类生活中的很多认知，都离不开对人性的认识，对“人性”认知之正误，直接决定了对人生中很多现象的认识，而由这种认识所决定的行动及结果，就会决定人的命运！

用哲学的智慧看文化，透过现象看穿本质，透过文字洞察智慧。综合起来看，儒释道三家祖师的智慧为中华儿女揭示了“人性”的本质，破解了常规认识中对人性的错误认识，也让一些流行的“人的本质就是神的奴仆”和“人性就是自私”等论调成为被人唾弃的文化垃圾。马克思站在人类社会的角度，提出了“人性”的“二重性”——自然属性与社会属性，并揭示了人的自然属性是基础，但又附带着人类社会的社会属性，又是在社会属性的制约与引领下活动的。若是将人置于天地宇宙中，中华文化告诉了我们“人性”的进化系统：人性，是关于人之属性的总称，由三个阶段和它的动态进化组成。最低级的是人的“自然性”，准确说就是，人性最初始和最低级的状态，就是人的“动物性”，极端点就是“兽性”。随着成长与进化，就会进入一个中间的状态，这就是人在社会中发展出的“道德性”，是人在文明发展中被赋予的符合社会规范的自我与人际的关系之价值与行为属性。而人性最高级的形态，就是人的神圣性，也就是超越经验与知识、超越自我认知局限性、超越外部物质与世俗利益的高级心智状态。人生的本质，就是人性从自然性向道德性的进化，并以神圣性作为人生的最高追求。有的人更多地表现为自然性和动物性，这样的人连社会化的、起码的或者足够的道德属性都没有发展出来，因此很容易沦为社会中的落魄者和失败者。离开了向神圣性的进化，道德性也往往会成为内外不一、状态不稳定的生命属性与状态，在无关紧要时会表现出浅层的道德性，却在紧要关头又会失去道德性而退化到动物性。那些能够进化出足够强大的神圣性的人，会有彻底断绝退化到动物性的可能，也会让道德性在人间具有稳定性和深刻性，让自己的心灵彻底摆脱外物、主观、经验与知识的羁绊，得到真正的自由。正如人们所说的那样，真正的人生不是物质的饕餮盛宴，而是精神对物质的胜利。真正的人生不仅仅是对物质的胜利，还是对自我、经验与知识、科学局限性以及基于模糊认知的迷信的连续不断的超越，持续逼近真理。人性的这样一个进化的序列，才是人性动能的本质，也是主观能动性得以发挥的必然的轨道与方向。掌握了这样一个人性的动能体系，就可以理解和解释人世间各种各样的错误、痛苦和挫败。掌握了人性的这样一个规律体系，就可以为每个生命的人性进化找到一个光明而正确的方向。

四、从“传统文化”到“文化传统”

说起中华传统文化，人们往往会聚焦于古文化，但其本质上是一个民族“文化传统”的根基部分，又是代代相传中不断进化的鲜活的文明体系。若是孤立和静止地看待文化传统，就会失去对其文化“动能”的理解力。中华传统文化，是经历历史上无数人发现、提出、提炼并经过无数人验证，又被代代传承和发展，最终形成的民族文化之“道统”的文化精髓与文化基因，因为有传承的价值而成为文化道统的，这才是我们所说的传统文化之真谛，也就是从“传统文化”到“文化传统”的动态历程，也即鲜活的“文化道统”，这就是理解中华文化的历史与现在、内部与外部、现状与发展的关键所在。当然，各民族的文化，也是在与其他民族的各种形式的交流中相互交融、相互吸纳并不断推陈出新的。也就是说，任何一个民族的文化也是时刻处在发展过程中的，是一个开放性的文化发展系统。自然，强势的文化会吸纳或者最终同化弱势的文化，这也是文化发展中的一个客观规律。纵观中华民族文化的发展历程，就是一个不断吸纳、不断融合的过程。而经历了五千年人类历史检验、交流与融合的中华文化传统，是仍然具有强劲发展力的、具有鲜明优势的文化道统。

需要特别说明的是，“中华道统”包含着一万年前直至今日的所有经过历史检验的文明内涵。尤其特别值得注意的是，在“中华道统”传承中，近百年来由无数中华优秀儿女前赴后继，经历了艰苦卓绝的伟大奋斗所形成的伟大成果，也是中华道统在当代最鲜活的表现。众所周知，在近百年的历史发展中，一代代中华优秀儿女带领着广大的中国人民，引领中国从黑暗走向光明，从弱小走向强大，并一直保持着发展和前进的强劲动力。而一代代中华精英，也正是那些参悟了中华智慧道统的精英，他们是实事求是的精英、与时俱进的精英、不断进行自我革命和自我超越的精英、全心全意为人民服务的精英。同时，中华精英也是不断吸纳各民族先进文化、人类科技新文明，并推动中华文化传统不断发展的精英。由此可见，中华文化传统的发展，是“参悟中华文化传统＋不断进行自我革命并超越自我＋吸纳融合各民族先进文化＋掌握人类科技文明＋实践中不断验证与优化＋以无我境界全心全意为人民服务”的“六合一”的文明发展模式。中国近百年的国势逆转、复兴与腾飞，也充分证明了以中国共产党为核心的中华精英和广大中国人民所创立的新文明所具有的先进性。当今世界，身处百年未遇之大变局，世界格局正在发生剧烈的变化，这背后的力量，就是旧文明的不断腐朽与衰败，就是新文明对旧文明的替代，这就是我们有幸正在见证的人类新旧文明交替的伟大的时代。

落后的必然腐朽，落后的必然会被淘汰。即使一时先进的文明，也可能在发展变化中落后，或者在自我的停滞与倒退中走向衰败，这是人类文明兴衰的基本规律，也是文明的周期律。因此，充分、完整、准确地理解中华文化传统，紧紧把握文化发展的规律，始终保持中华文明在世界变局中的先进性和方向的正确性，让中华文化始终保持发展的动力，自信但永不自满，自豪但永不骄傲，这是让中华民族打破文化兴衰周期律的关键所在。

祝福祖国！祝福中华文明！致敬推动中华文明发展的所有使者们！

走进孔子的心灵世界

说起孔子，国内可谓无人不知、无人不晓！

不仅如此，孔子还是世界级的名人，美国联邦最高法院门楣上就有孔子的雕像。至于美国人到底理解了多少孔子的思想，就是另外一回事了。

每一个中国人，或多或少、直接间接的，不管个人主观上是否愿意，几乎都会受到孔子思想的影响。与中国比邻的国家，甚至形成了“儒家文化圈”。即使那些反对或者否定孔子的人，若是将其身心完全与孔子的思想相剥离，恐怕也就面目全非了。由此可见，作为一代文化宗师的孔子，已经深入每个中国人的生命中！

一、到底有多少个“孔子”？

当然，关于名人的争论往往是很多的，赞成、欣赏和膜拜者有之，反对、厌恶和诋毁者亦有之。正所谓，“一千个读者眼中就会有一千个哈姆雷特”，这一观点的理由是：认识同一问题时，每个人都有各自不同的视角，每个人也都有各自的道理。这就是典型的“公说公有理，婆说婆有理”的世俗逻辑。但很多人可能没有进一步想过，“真正的哈姆雷特”只有一个，其他的“哈姆雷特”都是其他人臆造出来的。

参照以上的世俗逻辑，那就自然会得出一个结论：有多少知道孔子的人，就会有多少个孔子。但是，“真正的孔子”只有一个，其他的“孔子”也同样是人们臆造出来的。如果停留在“臆造”的状态，那就会出现一种尴尬的景象：那根本不是在说孔子，而是借着孔子说自己。实际上，我们都知道，应该去了解那个“真正的孔子”，而不是一味地臆说孔子！

二、我对孔子的误解

我本是一介凡人，与历史上成为圣人的孔子相差千里。即使注解《论语》，也只是想着借助孔子的智慧走出自己的无知和痛苦。我们这代人，与孔子的缘分还真是有点特殊。几十年前，在根本不知孔子的情况下被带着“批孔”才知道历史上有这样一位人物，在那个年代，孔子是一位反面人物，这是那个特殊年代的特殊剧情。

我有幸在恢复高考后考上了大学，当时是充满了兴奋与欣喜的，一方面是终于有了“出人头地”的机会，也终于得到了一个“铁饭碗”。学了五年医学，又开始学习心理学、司法鉴定、管理学，但自己的问题却一直解不开：我不会与人相处，总是简单生硬；我不会说话，一说话总是让别人不悦；我自己也不快乐，甚至也不知除了工作我还可以做什么。但冥冥之中总感觉人生不应该是那般简单机械，可就是找不到生路和活路，只是机械地活着。

后来，经前辈指点，开始明白人生既需要科学，也需要国学。于是，我开始在中华文化经典中寻找答案。那时读《论语》，就像找东西一样，需要时直接去找有关的段落。七年前，一次机缘巧合，我将心完全沉入《论语》中，半年多的时间，几乎屏蔽了外界的所有信息，整日与孔子“周游列国”。结果发现，过去的我，根本不懂得真正的孔子，说来说去，也更多是只言片语或者道听途说。更要命的是，不仅仅是“不了解”“不理解”，还会浅薄地去做一些如今看来很可笑的事情：在不了解时就开始批判，在不理解时就开始非议。当然，也遇到了一些跟我类似的人，怀着满腔的怒火批判孔子。我突然领悟了很多年前听别人说的一句话：“历史上的圣人都是被后世的不肖子孙们糟蹋的。”不懂得孔子却要批判孔子，是不是很可笑？拿着孔子的只言片语，对孔子的整个思想进行批判，是不是很偏激？读了孔子的思想却不去认真践行，却以俗人的浅见去大放厥词，是不是很冲动？没有真正理解孔子的思想逻辑，却用孔子的只言片语来注解自己的思想，是不是很浅薄？

三、要读懂《论语》，就要了解真正的孔子

很多人或多或少地会经历一些艰难困苦，后天的努力基本上都是为了摆脱痛苦的阴影。年幼时的孔子与许多人一样，经历了十分艰难困苦的童年，家道没落，生活贫困，没有尊严，没有地位。孔子努力摆脱这种窘境，在做很多具体的事务时，十分用心和踏实，让人信任，让人欣赏。他不仅关注自己的生存，还在思考那个时代的困境以及解救之法。今天看来，一个普通人，尤其是身处社会底层的人，能够在一些具体事务上做到让人欣赏、让人放心，甚至受人重用，这不恰恰就是掌握了改变自己命运的钥匙吗？虽然身处社会底层，虽然地位卑微，但能够关心时代与社会的大问题并寻求解决的方法，这不正是一个人走出困境，甚至创造逆袭般人生的“支点”吗？正如宋代爱国诗人陆游所说：“位卑未敢忘忧国。”若是能够从孔子年轻时的作为中得到启示，也许很多人就有机会走上改变自己命运的光明道路！

说起孔子，人们更多的是关注他的思想，或者思考他的思想的正误。但若是能够像孔子那样做到“具体事务见品性与能力”“关心时代见抱负与境界”，也许就能够得到孔子的真传了。

学习科学的我，亦需要文化来滋养自己和提升自己的修为，这是我学习传统文化的“私心”。渐渐地，我也发现古人在历史的语境下所表述的具体观点，可能在今天看来有值得商榷的地方。也就是说，任何一个人的思想都可能有局限性，因此也需要在后世人的质疑、批判中得以进化和完善。所以，继承传统，还要用自己的人生去印证，不能只是读书和就文字说文字，否则，就变成了“打嘴仗”。在继承的同时，还要根据文明的发展和时代的需要展开创新与发展的工作，不能将学习变成简单的复古。可

是，我们在现实中常常见到两类很典型的现象：一类是忙于“打嘴仗”，却没有用自己的人生去印证。试想，只用脑子思考却没有用实践体悟的争论，最终能得到真理吗？估计又是“公说公有理，婆说婆有理”的一个新版本而已。另一类是将对圣人和祖先的尊重僵化成不能变动其任何文字，也不能质疑其任何思想，让人感觉完全是一种没有理性的维护，一种近乎迷信的崇拜。在中华文化复兴的今天和未来，我们要对上述两种倾向始终保持警惕。

孔子一生当中留下了许许多多的思想，只是因为当时的记录能力所限，孔子的学生们也只能凭着记忆整理出了万余字的《论语》。很显然，这万余字的《论语》也只是孔子思想中的只言片语。尽管如此，我们依然能从《论语》中看到孔子的思想架构与逻辑的周圆，更能够看到孔子在实践理想中形成的那种信仰级的意志和为人处世的修行悟道之心。

四、《论语》心读，发现孔子思想的精彩

《论语》流行的解本通常分成二十篇，每一篇的名字通常取开篇前两个字。二十篇中包含着不同主题的思想，于是乎，学习中在看到某一个观点时，往往会前翻后翻去寻找类似的思想。很显然，传统的编排方法，对于想集中学习某个主题的人来说，有很多不便。

这次我注《论语》，完成了一个多年的夙愿，就是重新按照主题来整理内容，这样就能够方便读者更加集中地学习和了解孔子某一主题的思想与智慧。本书重新提炼了《论语》中的核心思想，并归成六个主题（保留了原版本中的标号）：一是好学，二是仁德，三是修行，四是作为，五是礼制，六是治理。

第一主题，好学。初看“好学”二字，看不出什么出奇之处，很多人会将其理解成“劝学”。但孔子用自己的生命践行了“好学”的神奇与美妙，他将“好学”提升到不可思议的高度：孔子好学，孔子认为他最得意的弟子颜回也是好学的，除此之外，他没有再见过好学的人。原来，孔子所说的好学，是心灵深处的一种力量，无须外部督促和监督，就会与万事

万物、芸芸众生进行自动化的、智能化的对接，让自己的生命底色与一切相遇的事物的核心与本质联通。这样的过程，与世俗的目的毫无关系，而是自得其乐，进入了忘我的境界：明了世间一切，无忧、无惧。话说到这里，一些朋友可能会想到“格物致知”“一通百通”“信仰”等描绘至高境界的词汇。这就是孔子所说“好学”的神奇与精彩！

第二主题，仁德。在《论语》中，孔子多次谈到“仁”，而且将其作为思想纲领，其他一切美德都是“仁”的次一级的表现，都要接受“仁”的统摄。孔子经常与弟子们谈论一些很出色的人，弟子们问孔子这些人算不算达到了“仁”，孔子竟然说“不知道”。很显然，孔子的回答基本上倾向于否定。也就是说，那些很出色的人，尽管能力强大，其他一些品质也很优秀，但仍然没有达到“仁”的境界。孔子自己，更是将“仁”作为面对一切现实的核心纲领，甚至可以说是将“仁”作为自己的“信仰”来践行。夸张点说，孔子认为若是没有“仁”，也就没有“人”，这个“仁”既是人之所以为人的底线，也是引领人走向巅峰的神圣力量。说到这里，研究传统文化的人很容易联想到佛学中的“佛性”和道学中的“道性”——那些个生命中最具决定性的力量。也难怪有人说，几大圣人中，老子发现了“道性”，佛祖发现了“佛性”，六祖惠能发现了“自性”，孔子发现了“仁”，阳明先生发现了“良知”，总之，他们都发现了生命中最神奇、最强大、最具决定性的力量。

孔子所说的“仁”，可谓一种极其霸道的程序：不管别人如何做，也不管别人如何待我，我心中只有仁德这样的根基和方向，任何的外部力量都无法动摇之。任凭风动幡动，我心如如不动。

话说到此，我们应该理解孔子所反复强调的“仁”是什么级别的智慧了吧？信仰级啊！

第三主题，修行。说起修行，很多人以为离着自己很远，甚至以为修行这种事是出家人要做的事。在漫漫人生路上，当我们被别人“修理”时，肯定非常痛苦。当被客观事实和规律“修理”时，又很无奈，甚至悲观地认命。一些病态的人，在“修理”别人时会感到很过瘾、很愉悦。很多人活到知天命的年纪，又感慨地说，原来人生就是一场修行。有一些主动修行的人会说：主动“修理”自己就是一种觉悟，因为我们都不完美，我们的当下并不是人生中的美满巅峰。为了追求终极的完美，我们就要不断地“修理”自己。进入修行轨道的人自然知道，当被别人或者某些事件“修理”时，即在接受一种特殊形式的教化，也是一种特殊的恩遇，甚至是造化。

没有人甘于平庸。当修行成为一种习惯时，也就是无须刻意调动意识就能主动地随时随地“修理”自己时，人就无时无刻不在成长。积累到一定的程度就会发生质变，就会成为那些不修行的人眼中的奇迹。

由此看来，修行不是某些人的专利，而是每个生命走向更加美好未来的基本的心智程序。

第四主题，作为。孔子看到了人间万象，你我也在自己的生活和工作以及交往中看到了人间的各种现象。是否有这样的感触：君子的作为让我们舒服和感动，而小人的作为让我们痛苦和不齿。说起来，世上没有人誓做小人，可世上的小人从来没有消失过。为何崇尚君子的人总是遇到小人呢？为何别人有时会把我们说成小人呢？为什么不愿意做小人的人有时也会成为小人呢？

通过学习《论语》就会发现：没有人喜欢做小人，但清楚小人标准的人又很少。几乎人人都想做君子，但清楚君子标准的人也不多。

《论语》中“君子”二字出现频率极高，与君子有关的内容可谓浓墨重彩。孔子与弟子们在交谈中时常会提到君子与小人的话题。君子和小人，已经成了孔子的一个非常基本的价值判断模式。

对于今天的人来说，若想做君子，总结一下《论语》中关于君子的标准性描述，就会豁然开朗。这些标准不一定全面，但总结完后就会发现：这些标准对于我们的人生来说基本够用了！

第五主题，礼制。“礼”或者“礼制”，在中华文明中是一个具有特殊意义的概念，是衡量文明的重要标志。据考古发现，一万年前就有了礼或者礼制的痕迹与证据。这到底是什么呢？众所周知，人类的文明是对应着低级动物的野蛮而言的，人类文明就是摆脱兽性，标志就是礼制的出现。礼制就是用一种文化的力量建立社会秩序。这里涉及礼制的四个核心属性：一是规矩，二是文化形态，三是建立秩序的目的性，四是超越兽性的人性。可以说，人类的礼制，是从文化与制度上彰显人类独有的文明。

当下，礼制就是关于人类所有制度与规范的总称，既包括国家的制度，也包括生活中的各种行为规范。人人都在追求自由，但有文化功底的人知道世间没有绝对的、无条件的自由，一切自由都是在特定的制度框架内进行的。否则，自由就变成了肆意妄为，就是任性，就是不懂规矩，就会伤害到别人的自由。因此，成熟的人会将自由置于自我约束之下。

第六主题，治理。孔子一直强调的是，那些学得了知识和智慧，并且拥有了仁德根基和知晓礼制的人，要去参政议政，去造福社会。

关于治国理政，孔子有一个基本的逻辑：首先人要好学，然后夯实自己的仁德，自觉遵守并娴熟运用礼制。在具体的工作中要摆正自己的位置，不要越位，更不能僭越。以忠恕之道理解别人，以中庸之法处理具体事务，用仁德的宽广心胸吸引志同道合的人、辅佐有道的明君，绝不霸占位置苟活而不作为。

在治国理政方面，孔子谈到了自己心目中的偶像，也就是《论语》中被反复提到的尧、舜、禹、汤、周文王、周武王六大圣贤。孔子的潜意识中有这样一种设置：圣人负责治国，君子负责辅佐。

当弟子问到治国理政的基本原则时，孔子提出了“尊五美，屏四恶”。这在当下依然具有非常重要的借鉴意义。

德国哲学家黑格尔的一句名言：人类唯一能从历史中吸取的教训，就是人类从来都不会从历史中吸取教训。

当今时代科学技术日新月异，但人文精神的发展稍显滞后。全世界很多人都为此感到焦虑。很多智者将目光转向了东方的大国——中国，认为世界文明之未来在于东方，在于中国。

说起来，作为中国人，生下来就在悠久文明的熏陶中成长，这是何等的幸运啊！

个人和社会的发展，既离不开科学，更离不开国学。科学与国学应该是个人和社会发展的两个车轮，是人生中的标配。

我们正处在一个剧烈变革的时代，但变革的是现象，不变的是规律。

我们在变革中躁动，唯有沉心静气，才能够重回正轨。

我们需要保持一点起码的理性，别轻易用自己几十年的经验去否定沉淀了千年的智慧。

我们需要保持一点对幸运的觉知，让我们在接续中华历史道统的历程中，走出知识与经验的小我，戒掉不足一道的成就所产生的傲慢。

我们要格外珍惜所拥有的上万年的文明史。只要沉心静气，我们就可以在这样一个躁动的时代，借用先祖与圣贤的智慧有所作为，如同一个历史的“冲浪者”，尽情表演但又可以避免人生的倾覆。

顶礼孔子，顶礼中华圣贤！

目录

第一篇

学习之道

好学，是生命深处觉醒后的信仰之光！

好学的信仰，带着我们奔向命运的光明顶！

一　篇序

学习，这两个字我们都很熟悉。

学习，可以让我们掌握知识；而没有知识，人就如同没有开化一样。

学习，就是给自己的灵魂安装精神的程序。如果有灵魂而没有程序，就会出现我们所熟悉的灵魂空虚。

学习圣贤经典，就是给自己的灵魂安装高级的智慧程序，这是人生中最重要的事情之一。

学习，很重要，否则，灵魂就会空转。既然是这样，那如何学习可就是门大学问了！

圣人孔子，是学习的楷模，是学习的大师。正是因为他的“好学”，他才成为圣人。

孔子的“好学”，已经不是一般的喜欢学习，其关键是一个“好”（hào）字，表面意思是成为偏好或者爱好，实则是成为生命的固有程序，近乎信仰！一个“好”，让人从为世俗的功名利禄而学，变成了令自己十分享受的一种精神生活方式！

反观现实中，学习的目标往往都是与世俗功利性目标联系在一起的，如学习就是为了考个好学校、升官发财等。学习本身已经不再是目标，冠冕堂皇的“学以致用”恰恰又矮化了学习的重要价值，打着实用的目的肢解了学习本身的奥妙：学习本身就是全方位地建设自己、强大自己的人格和增长自己的智慧，这是优先级的，能够学通的人自然就直接将学习与悟道打通了。至于说“学习也要结合实际”这样的观点，在逻辑上貌似合理，却是不完整的：学习结合实际，是追求外在的印证，关键是还要反哺自己的生命，从而升级智慧直至进入悟道的境界！这样的学习，才是孔子所倡导的“好学”之本意！

孔子“好学”，谁是老师呢？孔子以大道为师，以先圣为师，以万众为师，以生活为师，吸收了人类文明和天地生活的能量，通晓了生命与万物的规律，成为圣人！

我们以什么为师呢？你正在向往什么，羡慕什么，模仿什么？这一切都是自己的师！如果选对了，你的生命和生活就会步入正轨。否则，就会过得一塌糊涂，而且还会在糊涂中不知所以。

学习，就是读懂人生处处的“无字天书”，以正道、正心、正念来理解天地间的一切。

学习，不仅仅是看书、背书，更是生活中处处的自省，随时发现自己的过失，勇于改变，精进不止！一方面在内心求证，另一方面在生命上求证，同时还要在自己的生活中证明！

学习，就是知行合一，明白了就要去行动，如此才能修行出真正的功夫！

说到底，圣人所说的“好学”，是高于世俗功利性目标的，是人间大智者的修行悟道之核心所在——一切都是学习，一切都是悟道！

二　学习之道的思想纲领

孔子说自己并非生而知之，都是学习得来的。

你呢？若是不学习，你会是什么样子？

尤其是，孔子所说的学习可不是我们平时说的学习，而是“好学”！

孔子成圣之道——好学

孔子自言，非生而知之。

既然如此，孔子成圣只能是通过后天的学习。

学习，人人知之。但达到好学境界，就非人人明白了。

了解孔子的好学，可以帮助我们了解圣人的心路历程。

了解孔子的好学，可以帮助我们检视自己的学习状态。

何谓“好学”呢？绝不是简单地学习知识，而是要参悟知识背后的“道理”，也就是“修行”！

学习价值之道——悟道

“学习”二字，几乎每个人都认识。

为什么学习？似乎每个人也能说出一二。

但是，关于学习的再具体一些的价值，就不是很容易说清楚了。

世人学习，多与世俗功利性目标连在一起，更多是变换身份或者找到一种高级谋生方法而已。

世人学习，有极少数人明悟，懂得了为建设圆满极致的“超我”而学习，于是他们成为历史时空中灿烂的星辰！“为探索真理而学习！”“为中华之崛起而读书！”

由此可见，学习目标的设定，直接决定学习的性质和最终的成效——生命被托举的高度！

孔子本人和孔门弟子们，正是领悟了学习的价值，才让自己的生命步入正道，并成为历史上一道独特的人文风景。

由此可见，孔子所言“好学”与历史上被一般人传说的“读书就是为了升官发财”完全不在一个层次上。

先师教育之道——善教

说起教育，很多人会想到学校和老师。

但是，孔子进过哪所学校，又正式拜过哪位老师呢？

很显然，孔子成长为圣人最关键的过程就是：首先，他是个“好学之人”，参天地之造化，读万物众生之蕴意，不耻下问，不畏上请，建立了广泛吸纳能量的学习模式；其次，孔子本身就是个自我教育者，用学习到的知识武装自身，再通过内省不断修正，也积极地去寻求高人正道的匡正；最后，他才是教育学生和其他相关人的老师。由此可见，孔子好学的关键是：广泛吸纳，教学相长，随时返回进行自我教育，随时进行反省和匡正，如此循环往复。

每个人小的时候，主要是用自己的灵性对接这个世界，外部的教育主要依赖家庭中长者的言传身教。故而家庭中的长者如何进行自我教育，将是影响生命幼年成长的关键力量。

随着人的成长，学校老师、社会“老师”、生活现象与事实、个人体验等，又会成为教育的核心。理解先师孔子的教育圣道，是自我教育和教育他人的关键。

学习内容之道——正道

学习很重要，这是无可置疑的。

不管你愿意不愿意，实际上每个人随时随地都在学习、被教育和自我教育。

有人说教育是洗脑，实际上，教育是用正道武装灵魂。平时，每个人都在主动和被动地洗脑，只是身处其中而有所不知。

批评经典的人，斥之为洗脑，实际上，这本身就是先前被洗脑的证明。

只是，那些排斥圣贤思想而陷入“另类被动洗脑”的人是悲哀的，主动学习圣贤智慧的人是觉悟和幸运的。

可见，学习是永恒的、随时随地的。只是，需要搞清楚学习什么和教育什么，这才是最为重要的问题。

当然，人类多姿多彩的文明都指向了一个共同的方向：正道！

若是忽视这一点，就可能被各种形式的歪门邪道所迷惑！把科学知识绝对化是不客观的！把狭义的文化与科学的价值相分离甚至相对抗更是无知！把科学的价值与能力绝对化，也就是迷信化！把狭义文化的价值绝对化并呈现出自身的高傲，更是对文化的曲解。

学习方法之道——善学

工欲善其事，必先利其器。

当明白了学习的重要性之后，就要弄清学习本身的规律，这样的学习才能取得最佳效果。

这就是学习之道，而只有懂得了学习之道，才能取得学习的最佳效果。

学习之道的核心就是：立志——学习志向高远者，可以雄心切入万事万物的本质与终极的规律中；利人——利己则会让学习的成效极度缩水，利众可以让学习的动力与成效不断增强和放大；启智——学习不是简单地装进知识，更主要的是要参悟知识背后的大道原理，如此才能够举一反三、举一反十、触类旁通、一通百通，直至悟道；落地——学习贵在于应用中检验和印证，否则，学习的人就会变成书呆子；谦卑——学习者不能因为学习有所收获而骄傲自满，越是学习，越是发现自己离着真理很远，就会越谦卑，就会进一步激发学习的动力。

尊师爱徒之道——捍卫

学习，就是做学生！在真理面前，所有人都是学生，老师的本质更像是“师兄”。

学习和做学生，不会因为毕业而终止，只是换个不同的场所继续学习和做学生。

做学生有四个关键的诀窍：一是以人人为师、事事为教材；二是要学无止境，进而开发出超常的生命智慧；三是要结缘名师，能得名师点悟，人生少走弯路，本身就会增加生命的“思想利润”，学会做学生，是人生竞争力的基础和关键；四是学生要随时捍卫师尊，抵制各种非议或者挑拨。

结缘名师，与师成为生命智慧的共同体。尊师不迷师，“吾爱吾师，吾更爱真理”，爱真理不代表不尊师。处理好这些辩证关系，是每个人智慧中既核心又基础的能力体现。

三　正文心解

学而第一

1·1　子曰："学而时习①之，不亦说②乎？"

【注释】①时习：时，一般解读为"时常"或者"适时"。习，有"复习""温习""习练"等多重含义。孔子可能更加强调"学以致用"。②说：音 yuè，通假字，通"悦"，表示高兴、愉快的意思。

【释义】学了知识又时常温习和练习，从知到行，在知行中参悟老师所教导的道理，这样就能够时时感受到自己的长进，人生还有什么能比自己时时进步更快乐的事情呢？人若如此，岂不快哉！

【要点】(1) 学而时习之。(2) 不亦说乎。

【语境与心迹】孔子为什么开篇就讲学习呢？这里讲的学习是什么意思呢？

孔子自幼可谓不幸，如何立世呢？只能靠自己学习。孔子凭借自学成圣，可谓是历史上最励志的故事之一，也是孔子人生中最重要的经验。孔子说自己"非生而知之"，可知他的知识和智慧都是后天学习来的。想想看，那个时候的教育状况没法与现在相比，史书也没有记载孔子上过什么学堂，他的知识与智慧几乎完全靠自己的勤奋好学得来。故而孔子十分强调"好学"的重要性。也正因为自己"好学"——一刻不停地学习体悟和实践，绝不是学习知识的表皮，而要参悟知识背后的原理，也要亲身去实践和印证，如此可以为人师。这些在《论语》中都有相关言论的佐证。

孔子强调的学习是“学以致用”，反对空洞的背诵和只学不思的“囫囵吞枣”式的学习。学了做什么呢？学好了就去做官服务社会，学好了就可以做君子、做仁者，就能有利于他人和自己。学什么呢？学习先王圣主的伟大人格，学习君子的风骨，学习忠恕、中庸的智慧，学习仁德之道，学习周礼，学习各种技艺，等等。这种全面性、综合性的学习，相当于将文科和理科、家庭和社会、理论和实践、历史与现实有机地结合了起来。如此这般学习，就可以让自己获得渊博的知识与全面的技能，就可以更好地去服务社会。

学习学习，学了就要时常温习，抓住机会就去练习和印证，不断地去参悟，于是就会有一个惊奇的发现：如此学习，如同发现了智慧的“泉眼”。若只是一知半解就以为学明白和掌握了，这就是浅尝辄止，就会一次次错过发现智慧“泉眼”的机会，最终就会误了自己。学习，有个重要的规律：我们是从无知或者不知的状态开始学习新的知识的，刚开始学习时，我们的感觉与那些能够把知识写出来或者讲出来的人，或者那些能够在实践中进行印证和创新的人的感觉是有巨大差距的。故而，老师一讲，学生就说懂了或者明白了，这本身就是浅薄的表现。孔子的学生颜回，就是深悟孔子所说的“好学之道”的典型。可见，孔子在“学而时习之，不亦说乎？”这句话中，要表达的不仅仅是知道了知识，而是提升了境界，是一种自身心智与行为的变化，更是一种常生常新的生命力的表现。若时刻能够沉心参悟，时时提高自己，不断接近真理，不断升华灵魂，人生哪还有什么其他的事情比这个更让人喜悦的呢？

值得特别关注的是，孔子也突出强调了“学”与“习”的差异性！从“学”到“习”的过程，隐含着从理论到实践的过程，是从思想到行为的一种进化，这才是孔子要表达的真正思想内核！在孔子那个时代，还没有“理论”与“实践”这样的哲学概念，于是孔子选择了“习”这种以“小鸟反复试飞”为代表的意境，来说明不能读死书，要把“内参外行”结合起来。只有不断完善自己的知识体系和提升自己的实践能力，才能让自己不断蜕变，才能彰显学习的价值。孔子一贯强调的“内参外用”才是其提倡学习的根本出发点。学习者能够解答思想上的困惑，能够在实践中提升自己的能力，能够收获更大的成果，这能不快乐吗？关键是，一旦真正体验到学习能够给予生命智能化的蜕变的感觉，就会上瘾的。也许，这就是孔子所说学习之“乐”的真谛吧！

【接圣入心】

学习，是生命成长的重要历程。学习能力，是一个人生命力的重要表现。

学习，是增长知识和智慧的重要方法，不学习就没法增长知识和智慧，也就无法摆脱愚昧与个人局限。

人有精神，也就需要精神生活，生活也更需要精神财富。学习，本身就是人的一种精神活动，也是人的一种精神生活，这一活动本身就是生命的一种财富。在学习中有重要收获的人会将学习和读书变成人生的信仰。

学习，也是一种美德，善于学习的人，能发现别人的长处，懂得尊重别人；为人虔诚谦卑，能与别人和谐相处；能专注于提高自己的内涵而不会外求，行为举止儒雅，文质彬彬而不粗野。

学习中，人们常会有几种误解或者易犯几种错误：

- 听懂了，以为就明白了，不求甚解。
- 听讲时，只用耳朵不用纸笔，过后就忘。
- 记录时，只记明白了的，不记不明白的。
- 读书时只用眼睛，不动脑、不用纸笔记录，没有多维思考。
- 只是满足于一知半解，却不去反复参悟。
- 只是遇事时思考，平时却不看书不储备知识——书到用时方恨少。
- 只是计划要做的事情，却没有计划自己的学习。
- 以为搞明白了的，也不去实践检验。
- 做完的事情，也不进行系统性总结。

•一旦有所成，就会骄傲自满，就会得意洋洋，于是又开始了犯傻的历程。

“学而时习之”，就是用“学”去获取智慧的信息；“习”就是将学到的知识与自己的既有知识进行整合和升级，并与生活和生命实践去对接，进而获得运用知识时所产生的自我体验、行为能力、现实策略、实践艺术等。能够娴熟地运用所学知识，才能算是暂时学会了。这也就是知识与能力的区别与联系。关键是，学习是一个连续不断、自我超越和向着悟道方向——真理方向前进的过程，如同人的呼吸一样，片刻不能中断。这样的学习，才能学成独立的灵智。

深悟学习大道就是将学习变成悟道：学习是一个连续不断、全方位提升和更新自己的过程，人生就是个连续不断、全方位学习的过程。人人是老师，事事是教材，处处是课堂，时时是考试，总结是为了提高，请教是走捷径，谦虚能吸纳，实践出真知，道德是基石，求知是动力，理想是方向，自新是诀窍，积累出奇迹。

纵览人生不难发现，好学与不好学，实际上是两种生命状态。好学的人，时时、事事都能让自己进步；不好学的人，自以为是，自作聪明，指手画脚，像个无知的小丑。

【格言】愿意学习的人，生命状态是时常更新的！善于学习的人，灵魂是十分愉悦的！

1·8　子曰：“学则不固。”

【释义】孔子说：“学习可以使人不固执、不闭塞，因为学习能拓宽我们的视野和认知领域。”

【要点】（1）君子好学。（2）好学就不会顽固。

【语境与心迹】超强的学习能力，是人类进化的重要力量。在动物界，低级动物与高级动物的一个重要区别，就是学习能力的差别。在人世间，不同的人之所以有不同的命运，是因为学习能力有强弱之分。孔子看到了那些不好学的人，总是固守在自己的经验中，总是蜷缩在自我的硬壳里，这样的生命就永远没法绽放，就像没有苏醒一样！不学习的人必然会局限在个人狭隘的经验中而难以有本质性的提升，不学习的人常常会抗拒新鲜事物，常常拒绝改变自己过去的习惯，这就是固步自封、画地为牢。一个不学习的人，就如同陀螺在原地打转，不断重复着过去的自己；不学习，就不会增加自信，就会因为自卑而固执，进而演化成自负。一个不学习的人，也许会思考，也许会看书，但只是积累知识的量，却没法真正地让自己发生质变，反而会在一知半解之时，就到处卖弄。这样的知识的量积累得越多，就会越自以为是，就会越瞧不起他人，就越会自视清高地攻击他人。实际上，浅薄至此，依然如同陀螺一样在自我狭小的空间里打转。一般而言，一个爱学习的人，持续向好的可能性较大，因为在学习进步中会消化掉低级的习气，可见，爱学习本身就是一根救命的稻草！一个不爱学习的人，持续向好的可能性不大！因为不学习正道知识，庸俗甚至邪恶就会乘虚而入！

【接圣入心】

在生活中，不爱学习的人，总是顽固地与人争论。不爱学习的人，你很难与其进行有效的讨论，因为他一直坚持自己的观点。不爱学习的人，总是自以为是，总是喜欢对别人品头论足，总想证明自己很有见解。可不学习的人，肚里没货，用什么与人争论呢？顽固地坚持什么呢？有什么资格去评论别人呢？

实际上，学习就是对旧我的不断淘汰与超越，就是自我的不断更新和“新我”的诞生。人生下来，就开始一刻不停地向着衰老前进，唯有学习才是对抗衰老的力量。不学习的人，将比爱学习的人衰老得更快。大脑是生命的神经中枢，不学习，大脑退化。精神是生命之魂，不学习，精神弥散，生命衰微。

人的衰老分成三个方面：一是身体的衰老，二是大脑的退化，三是心气的衰弱。要防止衰老加速，就要从大脑和心灵两个方面入手，而连续不断地学习，则是保持大脑和心灵年轻的秘诀。

从生到死，人的身体经历了一个连续不断而漫长的变化过程，只是我们无法察觉每一天的变化，这是一个客观的过程。与人的身体变化相伴随的，就是每时每刻我们的大脑和心灵的状态，这也是我们保鲜自己生命的关键入手之处。对于无尽的知识和真理来说，我们活到老，就要学到老。对于保鲜生命来说，要想活到老，就要学到老。

当一个人不再学习时，当一个人拒绝新的事物与知识时，当一个人变得日益固执时，就是一个人的精神开始衰老之时。

有的人，过早停止了学习，好像关上了学习的心门。正如作家所说：有的人 20 岁就死了，到了 70 岁才埋葬。这说的就是，那些不学习而让灵魂停止了成长的人，实际上后面的人生只是一具行尸走肉了！

有人说，人生就是一场修行。这个道理实际上说的是：时时学习、事事自省、持续进步。让自己越来越好、越来越强大，自己的进步就是美好命运的核心能量源！就会辐射到人生中的方方面面。若是放弃了这样的人生模式，就是在浪费自己的生命！

人世间，一切痛苦和焦虑、一切对生命和生活的破坏，都来自心灵能量的不足。若是不学习而只知蛮干，即使有小成，也是在艰难维系。此时算算账，也是得不偿失的。

学习对于一个生命的意义如此重大，为何很多人不会将此设定为生命第一程序呢？一是尚没有危及生存；二是与笨蛋或者一群比自己差的人相比，自我感觉良好；三是明白了道理，但缺乏坚定的意志与有效的方法；四是没有人对其实施强制措施。

学习到极致，精神和灵魂不断地成长，直至超越肉体的边界及其约束，也许，这才是真正的人生观与生命观，也就是人生与生命的真谛。

【格言】学习就是完成“破茧化蝶”的人生飞跃，乃至于飞升！

1·14 子曰："君子食无求饱，居无求安，敏于事而慎于言，就①有道②而正③焉，可谓好学也已。"

【注释】①就：靠近、看齐。 ②有道：指有道德的人。 ③正：匡正、端正。

【释义】孔子说："君子，饮食不求过饱，居住不求过分舒适，总之物质生活不求过分的享受，也不会为此花费过多的心思。但在工作上勤劳敏捷，说话却小心谨慎，到有道的人那里去匡正自己的偏差，这就可以算是好学了。"

【要点】(1) 君子好学。(2) 食无求饱。(3) 居无求安。(4) 敏于事而慎于言。(5) 就有道而正。

【语境与心迹】孔子从四个方面阐释了"好学"的属性：一是节制饮食，保持生理欲望不过分；二是不过分追求居住条件，不贪图享乐；三是谨言慎行，做个修行者；四是求知问道，亲近高人高道，时刻校正和提升自己。实际上简单讲就是两个方面：一是要严格控制"外求"，节制物质与生理欲望；二是要牢固锁定"内求"，将内心与心灵的提升和成长作为人生主线。孔子之所以如此主张，是因为他看到了世间的一些糟糕的景象：很多人只是追求饮食温饱和居住舒适，但做起事来懒惰，想说什么就说什么，有了错误也不去找人匡正，或者有人给匡正时自己也不买账，甚至是百般为自己辩护，但自己心里也知道自己有问题，于是内心非常焦虑。正因为如此，孔子才用君子的标准来提示大家应该看淡物质生活，强化精神需求。君子是追求精神境界的人，试图通过不断的学习摆脱对物质的迷恋。简单点说就是，所谓的好学，就是简化我们的物质生活，丰富我们的精神生活，到有道的人那里匡正自己的心性与言行。众人皆知孔子是个教育家，实际上，孔子谈得最多的是人生的修行。也就是说，孔子实际上是个大修行者！否则，何以练就万古不灭的圣光呢？

【接圣入心】

实际上，人生就是一个持续不断的进化过程，就是“从兽到人再到圣”的历程。有人总结了三种不同的生命模式：一是生理与物质欲望主导型，这样的人整日基本上都围绕着生理欲望与物质转悠，精神生活贫乏。这样的人，在古代就被称为小人，也许就是还没有长大的人吧！这样的人，一生都在物欲、情欲中沉浮。二是物质和精神并行的人，典型的就是文人骚客，吟诗作赋，放荡不羁。这样的人，看似生活丰富，实则没有找到正道。三是完成了精神对物质超越的人，就是孔子所说的生活简朴、淡泊，精神生活成为主频道，灵魂的成长早已超越了肉体的人，如大君子、圣人、伟人和其他有成就者。

君子食无求饱，养生学告诉我们，吃饭七分饱。如果一个人在过了身体的成长期之后，依然有过分的食欲，就不再是身体需要了，而只是心理上的欲望或者是生理上的一种习惯。这样的人通常没有很充实、很健康的精神生活，因此导致生理欲望过于旺盛或者没有更高级的生理习惯来替代。这样的人通常给自己的身体增加了很多负担，超重会导致身体多个脏器的疲劳与加速衰老。中国古老文化和现代西方科学都已经证明，适当的节食和科学的断食，有助于减少疾病的发生和延长寿命。

君子居无求安，说的是人对自己的居所不追求过分的舒适，现代人把自己的居所装修得过度豪华，对居所的舒适性有过分的追求，恰恰是不利于身心健康的。比如说，硬板床就比软床更利于养生。过分地追求舒适，就容易导致脊柱弯曲、精气散乱、思想萎靡，这也是容易生病的一个原因。关键是，如果将精力花费在过分追求物质生活上，生命价值的成长线基本上就废了。

君子敏于事而慎于言，说的是君子将自己的心思聚焦在做事上，用在缜密的思索和管控自己的言行上。也就是说，君子的生活是以修行为中心的，只有修行才会让自己越来越好。若不修行，一个人就会容易冲动，就会说话不动脑子，就会轻易做决定，就会经常发脾气！如果你

看到这样的人，肯定有一种感觉：这个人有点像一个安装了“盗版软件”的人。

君子就有道而正焉，说的还是君子的精神生活。君子勤于自省，不迁怒不贰过，时时能够更新与提升自己，并亲近有道的人，不断地匡正自己人生的方向和做法。如此这般，生命就向着合道的方向不断接近，最终就可能得道、成道。小人则反之，最终也就只能是灰飞烟灭了。

做到了以上四点，就算是“好学”了。注意，孔子之“好学”，意思可不是一般的父母或者老师督促孩子读书，而是指修行、修道！可千万别将其理解成一般性地爱好学习和读书！好学之修行修道，核心是说靠修行来摆脱对物质生活的依恋，不断地充盈自己的精神世界，以此提升自己心灵的高度，就是通过学习悟道，向着得道、成道的方向前进！

为政第二

2·2 子曰：“诗三百①，一言以蔽②之，曰：‘思无邪③。’”

【注释】①诗三百：诗，指《诗经》一书，此书实有305篇，三百只是取其整数。 ②蔽：概括的意思。 ③思无邪：此为《诗经·鲁颂》中的一句，此处的“思”作“思想”解，无邪，一解为“纯正”，一解为“直”。

【释义】孔子说：“《诗经》三百篇，其核心的精神可以用一句话来概括，就是‘思想纯正，绝无邪念’，如此才能滋养人的精神。否则，那些以诗之名毒害人的淫词滥调岂不也能登堂入室了！”

【要点】(1) 君子正道。(2) 诗三百。(3) 思无邪。

【语境与心迹】孔夫子爱诗，并在教育弟子时很强调诗的学习。那么什么是诗呢？“诗者，志之所之也”，即某种志、愿望，把它语言化，让它表达出来。当然，诗不是平直的日常白话，而是一种如灵魂游走于时空的语言表现方式。懂得了诗的这般“诗意”，也就懂得了孔夫子喜爱诗的真正缘由了。故而，古往今来，志向高远者无不爱诗。自然，灵魂被困住的人，也就不会有什么大志向，恐怕就会把诗视为无用了。同时，也要小心，若是不能用诗来滋养精神与灵魂，只是忘情肆意，搞出一些淫词滥调来标榜自己，那就歪曲诗的本质了。

孔夫子一方面很热爱这些诗，另一方面也有文化担当，他觉得这些历史上曾经存在过的东西，有人情、有社会现状、有喜怒哀乐，千万不要让它们散失了，要把它们记下来。所以，他就从当时有记录的诗歌中找到了 3000 多首，然后归纳整理。这 305 首诗，孔夫子把它们拿来当教科书，用来教育自己的弟子。这些诗中有人情、事态、社会变迁等文化因素，所以不是纯粹地为艺术而艺术。这就是孔夫子要花那么多心思去整理这部《诗经》的原因。哪怕只是整理《诗经》这一件事情，就足以让孔子不朽，因为诗对人类社会发展存着长远和深刻意义。从汉武帝起就把“诗”称之为“经”，“经者，常也”，这个叫法是从织布机上的线衍生来的：织布机上面的线，直的就是“经线”，横起梭子穿来穿去织出来的线就叫“纬线”。所谓“经”，就是纲领的意思，一个社会需要有纲领性的东西，就叫“经”，所以汉代就把它叫作《诗经》。孔子从诗中概括出了中国文化中的核心思想，就是思想纯正、绝无邪念。我们所熟悉的一些词汇，如善良、良知、博爱、忠诚、正信、公正等，都是在表述这样的核心思想。

【接圣入心】

人与诗的关系，是人的灵魂与万物、时空的关系，也是生命与万物的关系，也可以称为生命之道。不能打通这样的万物、时空与人的灵魂的关系，人的灵智就会被锁定，就很容易落入低级思维的泥潭中。

人生中的很多问题，都来自内心深处两种念头的搏斗：大部分人内心深处，既有好的、正的念头，也有坏的、邪的念头，既认为好的、正的是应该的，也认为坏的、邪的是合理的或者难以抗拒的。我们的头脑中就像有两个小人，一正一邪，他们经常处在对抗当中。正如西方哲学家所说的那样：人性的本质，一半是天使，一半是魔鬼。

正因为人内心深处进行着这样一场旷日持久的正邪之战，人类的文明才具有了存在的价值：为内心的正义助力，去战胜内心的邪恶。

现实人性的状态，也许可以用“一半是天使，一半是魔鬼”来形容，若是将此视为人性的本质，那可就错了。因为这种状态说的只是人性的一种不健康的状态。人性的本质，是对兽性的超越，是向着神圣性接近。人性的觉悟，恰恰是对自己内心深处正邪力量的觉察，并持续不断地增强自己正义的力量，来战胜或者化解邪恶的力量，并让人的心灵和灵魂向着阳光、正道和纯洁的方向前进。这里要注意区分的是：“人性现实状态”和“人性之本质”，万不可将现实的病态当成本质。

真切地认识内心深处的这场战争，为正义助力去战胜邪恶，让人性中的神圣性照亮人生，这就是人类一切文明的宗旨，也是个人修行的核心任务。

一个真正的修行者，能够不断地强大自己内心正义的力量，从而使得邪恶的力量无法主导自己的思想和行动，于是有了健康、平安和成功的人生。当然，大成者还练就出了正义不朽的神圣灵魂！

整日忙忙碌碌而没有修正自己内心的人，常常会忽视内心的这场持续进行的搏斗，于是就呈现出人生的起起伏伏：正义占优势时，人就做好事，于是有成就；邪恶占上风时，人就做坏事，一件坏事就可能抵消掉所有的成就，甚至会毁灭自己的生命。这样的人生，就是消耗、折磨和痛苦的人生！

很多人在经历了很多事情之后，终于明白了一个道理：人生就是一场修行，就是不断增强正义的力量去战胜邪恶力量的过程，就是助长生命中神圣力量不断成长壮大的历程。

什么是正？什么是邪？说得简单一点就是一句话：利人为正，利己为邪；思邪则心邪，思正则心正，心正则行正，最终生正果。

如果一个人没有修行，在现实环境中也能有很多成就，但也极可能因为邪恶作祟而毁掉所有成就。修行吧！没有修行的人生，定是充满变数的，也是缺乏保障的。而良好的修行，助长出的正义、阳光、神圣的精神能量，恰恰才是人生中最强大的力量和最昂贵的“保险”。

【格言】诗意心道，思邪心邪！思正心正，终成正果！

2·4 子曰：“吾十有①五而志于学，三十而立②，四十而不惑③，五十而知天命④，六十而耳顺⑤，七十而从心所欲不逾矩⑥。”

【注释】①有：同“又”。 ②立：站得住的意思。 ③不惑：掌握了知识，不被外界事物所迷惑。 ④天命：指无法以人力来支配的生命规律，也是独立于人的主观意志的客观规律。 ⑤耳顺：有多种解释，一般是指能正确对待那些于己不利的意见。 ⑥从心所欲不逾矩：从，遵从；逾，越过；矩，规矩。

【释义】孔子说：“我 15 岁立志于学习；30 岁能够掌握自立于世的基本能力了；40 岁能不被外界事物所迷惑，拥有了自己的主见；50 岁懂得了天命，也就是自己的命理和此生的使命；60 岁可以正确对待各种言论，心悦诚服地接纳和吸收；70 岁能达到随心所欲而不越出规矩的自在逍遥境界了。”

【要点】(1) 孔子的心路历程。(2) 十有五而志于学，三十而立，四十而不惑，五十而知天命，六十而耳顺，七十而从心所欲不逾矩。

【语境与心迹】这段话，是孔子在描述自己的人生和心智历程，是一个成为圣人的人的心智历程。后人常常引用孔子的这段话来描述自己，但能够领悟这些话背后真正含义的人却很少。人们可能会纳闷儿：怎么孔子能够经历这样的心路历程，一般人却做不到呢？这就要从孔子的家世说起。据《孔子世家》记载，孔子的曾祖父孔防叔为了逃避宋国内乱，从宋国逃到了鲁国。孔子的父亲叔梁纥是鲁国出名的勇士，叔梁纥先娶施氏，生九女而无一子，其妾生一子孟皮，但有足疾（另一说法为孟皮小时候爬树摔伤的）。在当时的情况下，女儿和残疾的儿子都不能继嗣。叔梁纥晚年与年轻女子颜氏生下孔子。由于孔子刚出生时头顶的中间凹下，又因孔子的母亲曾去尼丘山祈祷，然后怀下孔子，故起名为丘，字仲尼（仲为第二的意

思，叔梁纥的长子为孟皮，孟为第一的意思)。孔子3岁时候，父亲叔梁纥病逝，之后的家境相当贫寒。怎么办？家世的优越和孔子所感受到的没落，促使他奋发学习。正是因为好学，孔子才走出了自己的人生低谷，20岁时就已经学识渊博，被当时人称赞为“博学好礼”。同时，鲜为人知的是，孔子继承了父亲叔梁纥的英勇，身高九尺三寸（约今1.9米以上)，臂力过人，远非后世某些人认为的文弱书生的形象。并且，孔子酒量超凡，据说从来没有喝醉过。但孔子从不以勇武和酒量等为傲。孔子青年时代曾做过“委吏”（管理仓库的小官)、“乘田”（管理牧场的小官)，事无大小，均能做到近乎完美。孔子由于超凡的能力和学识，很快得到提拔。到孔子51岁的时候，他被任命为中都宰（相当于现在的市长)，政绩非常显著；一年后升任司空（相当于现在的住建部部长)，后又升任大司寇(相当于现在的公检法司最高长官)；56岁时，又升任代理宰相，兼管外交事务。

由此可见，家世、家风如同家族的一股能量，从祖辈传承下来，深藏于命中。但家世的衰落和因此经历的苦难与承受的委屈，又犹如对生命的一种“淬炼”，那高洁的心灵与那尘世泥土的芬芳融合在一起，造就了一个勇猛精进、不断提升和蜕变的非凡的生命。

【接圣入心】

吾十有五而志于学，这是一个有抱负的人的情怀。很多人在这个年纪，还不知道为什么而学习，甚至还很贪玩，或者沉迷于各种各样的迷乱心志的活动中，如当今社会中很多年轻人上网打游戏、玩手机、泡歌厅等。孔子在年轻时就立下了与同龄人不同的志向，也早早地确定了自己的人生方向。再看历史上成就伟大事业的人，如明朝的王阳明先生、敬爱的毛主席和周总理，他们在十几岁时就在学习与志向上表现出了与众不同。阳明先生十几岁就立下的“读书做圣贤”之宏愿，毛主席的《心之力》展示的伟大生命的磅礴之力，周总理“为中华之崛起而读书”的伟大志向，无不彰显着伟大生命的“初心”。故而中华文化之第一修行法则即为“立志”！中国古训中一直告诫人们的就是：早立志，立大志。正是立志，决定了一个生命的方向，而方向又决定了一个人的灵魂高度和终极命运。这也是很多人对不同人的命运出现重大差异的疑惑之处，也正是人命运的重大秘密：年轻时，你能够将自己的灵魂置于巅峰吗？这可能决定一个人一生中思想活动的范围和空间大小，因为思想的不同高度，直接决定了人生的空间大小。

在人生的思想高度与时空定位确定之后，后续的重点就是如何架构其中的内容和夯实人生的每一步了。三十而立，说的是到了30岁具有了立世的品德与能力。孔子所说的立世，一是明确而坚定仁德的方向，二是承担生活中的各种责任而不用再依赖父母，三是匡扶人间正道的伟大使命。孔子能够做到三十而立，得益于其早年立志和用心学习。我们知道孔子是文武双全的人，不仅坚信仁德，而且精通六艺，潜心钻研周礼，他在同龄人当中，显得早熟而稳重。在我们的现实生活中，很多人通过教育学到了很多知识，但生命的理想以及与之相一致的思想和价值观还不是很明确，或者不是很坚定，倒是一心利己、投机钻营、偷奸耍滑、应付差事、追求享受、牢骚抱怨、耍小聪明、害怕吃苦、受不了委屈、不愿吃亏、胸无大志的人很多。虽然拥有了不少知识，但如何做人、如何生活、如何交友、如何孝敬老人、如何经营感情、如何面对挫折与荣誉、如何无愧于时代等诸多问题，对于很多人来说，还是没有明确的答案，他们自然也不具备这方面的能力。所以，直至今日，能够真正做到三十而立的人还是不多的。

芸芸众生，有的人只是活着，有的人是为了悟道，这二者是有着本质区别的。四十而不惑，说的是人到了40岁，对于人生中的重大问题都有了明确的答案，没有迷惑，能抵制诱惑。这实在是不容易啊！没有迷惑真的很不容易啊，这就说明孔子到了40岁明白了人生的方向与目的，知道了人生中的轻重缓急，能够正确面对人生中的荣辱得失，能够看清人间世事的大趋势和时弊的症结，这都是因为他明确了人生的方向与使命，

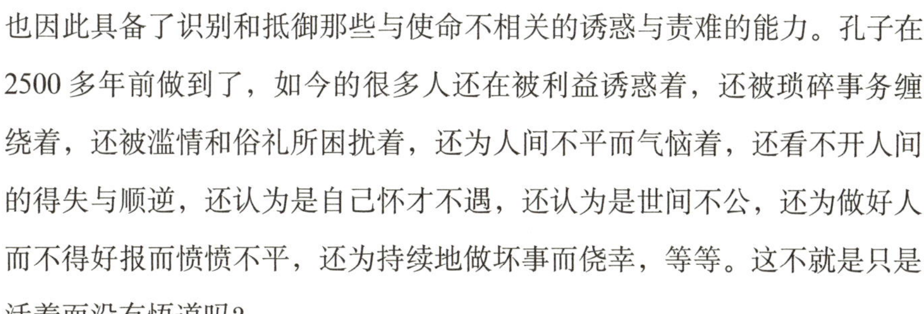

也因此具备了识别和抵御那些与使命不相关的诱惑与责难的能力。孔子在2500多年前做到了，如今的很多人还在被利益诱惑着，还被琐碎事务缠绕着，还被滥情和俗礼所困扰着，还为人间不平而气恼着，还看不开人间的得失与顺逆，还认为是自己怀才不遇，还认为是世间不公，还为做好人而不得好报而愤愤不平，还为持续地做坏事而侥幸，等等。这不就是只是活着而没有悟道吗？

五十而知天命，说的是孔子到了50岁很清晰地知道了生命的本质、生命与天地万物的关系，也清楚了此生要完成什么样的使命。于是他能够专注和聚焦，没有了彷徨和犹豫，做任何事情也能够保持心中坦然、无怨无悔。再看现实中，还有不少50岁的人，依然没有找到人生的方向，仍然有很多的怨气，不少的人已经放弃了奋斗，甚至有的人还是一心为自己，对上不知天命，对下不能做榜样，不知希望在哪里，又有些不甘心。人生半百，竟然还是处于这样一种精神迷乱的状态，真的让人唏嘘。

通过前面的修道过程，人才会有生命悟道的道果。六十而耳顺，孔子这样说自己60岁时的状态：听什么话都有耐心了，什么样的话都能听得进去了，听到什么都能够做到不急不躁了，不管听什么人讲什么都能懂得那样想那样说的合理性和必然性了。于是，孔子的神态和面容变得慈悲而祥和，看年轻人说事做事就想起自己的过去，面对一切都能够泰然自若。好一副悠闲自在的景象啊！好多年前，听一个年长的朋友讲，人生的第二次诞生是从60岁开始，前60年都是历练，后40年才是成熟。一些励志故事也常常会讲到人到老年要重新发奋，进而改变命运。

修道悟道得道，人生就是自我进化、自我解放和获得心灵自由的历程。活了70年，作为大修行者的孔子，七十而从心所欲不逾矩，仁德、忠恕、中庸智慧已经内化为习惯，不再需要思量和算计，跟着心走，又不会破坏社会的规矩，心灵平静，精神富足，没有了负能量，依然能够积极进取，活得有滋有味儿，这就是活明白了啊！有一位活了100多岁的老学者，在自己80多岁的时候还依然从事创作活动，有人问他，您还需要为名利而工作吗？老人家说，活着就要做事，做事才能活着；活着就要学习，学习才能活好；学习就是悟道，得道才是真正的活好！

孔子对自己人生各阶段的描述，启迪我们：人生就是一段修道、悟道的历程。作为普通人，虽然不一定能够达到孔子的水平和高度，但起码知道了人生修道、悟道的本质，也就找到了生命正确的方向和努力的目标。

【格言】志学好学，做修行者，越修越圆满！

2·9 子曰："吾与回①言终日，不违②，如愚。退而省其私③，亦足以发，回也不愚。"

【注释】①回：姓颜名回，字子渊，生于公元前521年，比孔子小30岁，鲁国人，孔子的得意门生。 ②不违：不提相反的意见和问题。 ③退而省其私：考察颜回私下里与其他学生讨论学问的言行。

【释义】孔子说："我整天给颜回讲学，他从来不提反对意见，看起来像个蠢人一样。等他退下之后，我考察他私下的言论，发现他对我所讲授的内容有参悟、有发挥，可见颜回其实并不蠢，而是开启了'好学'的模式。"

【要点】(1) 孔子赞颜回。(2) 终日不违。(3) 学则不固。(4) 学后能发挥。

【语境与心迹】在这里，孔子对颜回的学习状态进行了一番描述，后人常常不解：像颜回这样的学生能算是好学生吗？我们所熟知的好学生一定是勤学好问的吗？原来，这是颜回特别聪明的地方：自己离着老师的思想差距很大，凭自己浅薄的认识去质疑什么？好好听着，用心参悟、去践行就是了。任何人想要掌握知识，都要靠老师引领入门，再通过自己的思考、参悟和实践转化成自己的理解与体悟。颜回的好学，首先是找到了正确的学习方法。正是因为如此，颜回进入了接近孔子思想的"快车道"。同样都是学生，同样都在努力，为什么孔子独赞颜回最为好学？恐怕就是因为颜回"会学、善学"而领悟了学习之道吧！颜回是孔子最得意的学生，他不仅在思想上非常尊重老师，而且很善学，能够举一反三、举一反十，同

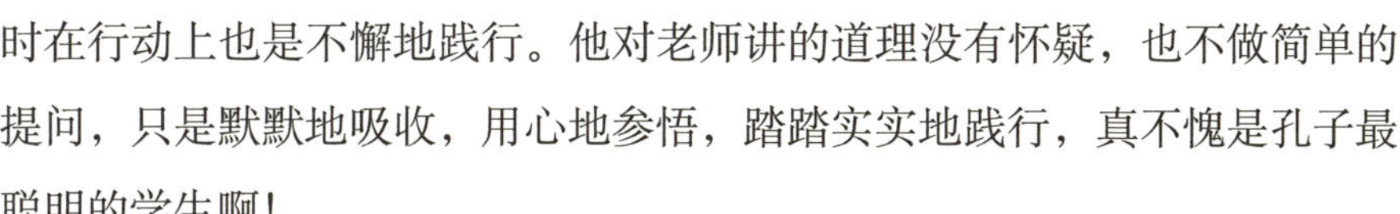

时在行动上也是不懈地践行。他对老师讲的道理没有怀疑，也不做简单的提问，只是默默地吸收，用心地参悟，踏踏实实地践行，真不愧是孔子最聪明的学生啊！

【接圣入心】

颜回的学习是很虔诚的，是在心里面使劲，也就是用心参悟，并在行动中见效。

颜回的学习方式是，默默地吸纳，跟随老师的思维，在言行上进一步发挥。

说到这里，很多人会问：不是说勤学好问才是好学生吗？实际上，学习一点、参悟一点、吸纳一点，就去践行，在践行中去体会，然后不断升级、不断自我超越，这才是正确的学习方法。若是在自己还没有参悟，也没有践行时就只管不断地发问，就很容易让自己停留在粗浅的认知状态。若是一旦问清楚了就以为自己明白了，反而失去了进一步参悟的动力，若是同时失去了践行的动力，这样的学习多半就会变成书呆子式、“书虫”式的学习。

当然，如果刚开始学习就怀疑老师，那就不可能学到知识，只会在自己原有的经验和有限知识中徘徊。所以，对于学生来说，既然随师学习，就要信师，就要尊师。学生随师学习，最大的忌讳是“疑师”，用自己有限的知识去判断老师，肯定是不明智的；用自己有限的认识去判断知识的有用无用肯定是愚蠢的，因为按照自己目前的水平，眼前看起来没用的知识，未来或许是至关重要的知识。当然，等学到高级阶段，就可以将“疑师之学”和“敬师之恩”结合起来，既在学问上敢于推陈出新，又不妨碍自己尊重老师。当然，真正的师者永远是鼓励学生质疑和超越自己的。

在小的时候，我们喜欢哪个老师就会认真地学习那个老师的课程，这是孩子的喜好情绪在起作用。作为合格的学生，不会以是否喜欢老师作为前提，而是放下情绪判断，学习每一位老师的长处。

【格言】尊师敬师，用心参悟，贵在行动！

2·11　子曰："温故而知新①，可以为师矣。"

【注释】①温故而知新：故，过去沉淀下来的；新，新体会、新发现。

【释义】孔子说："温习学过的知识时，能有新体会、新发现，就可以当老师了。"

【要点】（1）温故。（2）知新。（3）可以为师。

【语境与心迹】孔子在给学生讲解如何学习和学习的三个层次的问题。"温故知新"现在已经成了一个成语，而这个成语出自《论语》。"温故而知新"涉及学习的三个层次：刚刚学习新知识时，是从不知到初知的层次，这是第一个层次；等到将理论结合实际反复实践之后再去温习以往学习过的知识时，就会对那些知识产生新的体会，这就进入了学习的第二个层次；第三个层次，正因为有了独到的体会又能够将自己所学教给别人，也就是具备了输出的能力时，就可以当老师了。当然，成了老师依然还要加紧学习，不能停滞。因为，老师教学生只是一个自我学习的环节，而不能将其作为学习的终点。毕竟，在真理面前，老师也是学生！老师只有成为持续不断地接近真理的悟道者，才可能成为充满魅力的智慧启迪者！

【接圣入心】

人生的学习也有三个层次：一是自己能了解和明白具体的知识内涵；二是能够将知识用于实践；三是还能将知识与运用知识的能力教给别人。

"温故而知新"，表面上的意思是，当重新审视已有的知识或经验时，又对其有了新的认识：

- 初学知识时，常常只是明白了字面上的含义，但别忘了"读书百遍，其义自见"。可见，学习需要连续不断地深耕细作。
- 当我们带着头脑中这些知识与自己已有的知识和经验进行了无数次的碰撞之后，再进入社会生活中实践一段时间，再回头看这些文字，就会对文字的内涵和其中的道理有更丰富、更深刻的理解。此时，同样还是那些文字，但对文字的理解，已经变得更加丰满和鲜活了。

• 当有意识地将这些知识应用于实践的时候，可能就会对知识产生很多新的理解。此时，若是给别人讲解这些知识，就能够将这些知识产生的背景、要面对的问题和对问题的解释与解决方法都讲出来，让听讲的人能够豁然开朗。孔子认为，一个人如果到了这个阶段，就可以当老师了。

掌握了知识并不等于会运用知识，会运用知识也并不等于能够将知识教给别人。现实中我们所说的“高分低能”，指的就是这种情况。

当然，我们不要忘了，教育的目的是教书育人，受教育的目的是通过学习知识学会做人和做事。因此，道德与素质的养成是教育的核心与基础。在知识学习与能力培养中，要重视道德与素质的养成。

如果一个人能够温故而知新，懂得践行道德与运用知识的技巧，体会到践行道德与运用知识的效果，并且能够指导别人时，就可以为人师了。

现实中，教育最令人忧虑的是，不少学生学习只是为了通过考试，结果导致“高分低能”。老师在知识教育方面花费了大量的工夫，却在培养学生的道德素养方面缺乏系统、全面、连续和能够落地的教育方法，以至于培养了一些智力高情商低、能力强道德差的教育“次品”。

在正规的学习中，教师的作用是非常重要的。自己懂得知识和能够运用知识，并不一定能做老师。要做老师，就必须能够将自己明白了的知识传授给学生并教会学生。除此之外，教师自身的言谈举止以及在业务课的讲授中如何贯彻道德素质教育，也是教育工作的核心与关键，仅仅讲授书本知识而不重视德育，也不是完整的教育。

至此，我们知道了“温故而知新”背后的内涵：“故”中既包括了自己所学的知识，也包括了运用所学知识形成的经验积累；“新”则包括了自己不断更新的体悟，以及能够将这种积淀下来的、运用知识的智慧和体验传授给别人并教会别人。

当然，老师不仅仅是知识的传授者，还是真理的探索者。否则，只教书不育人的老师，多半会自误和误人了！

【格言】温故知新，生命自新！

2·15　子曰："学而不思则罔[1]，思而不学则殆[2]。"

【注释】①罔：迷惑、糊涂。　②殆：疑惑、危险。

【释义】孔子说："一味读书，只停留在表面而不做深入思考，就会陷入惘然无知而没有真正的收获；不读书学习，没有知识积累却喜欢空想，自然就会生出许多疑惑，自然不能明白相关事理和人心。"

【要点】(1) 学习中的"学"与"思"。(2) 学而不思则罔。(3) 思而不学则殆。

【语境与心迹】孔子教导弟子们如何学习，并指出了两种错误类型：一是只读书不会思考的书呆子，二是不读书只思考的空想者。子路初见孔子时是不好学的，经过孔子的引导，逐渐懂得了学习的重要性。子路曰："南山有竹，不揉自直，斩而用之，通于犀革（犀牛的皮制品）。以此言之，何学之有？"孔子曰："括而羽之，镞而砺之，其入之不亦深乎？"子路再拜曰："敬而受教。"（子路说："南山有一种竹子，不须揉烤加工就很笔直，削尖后射出去，能穿透犀牛的厚皮，所以有些东西天赋异禀，又何必经历学习的过程呢？"孔子说："如果在箭尾安上羽毛，箭头磨得锐利，箭不是能射得更远更深吗？"子路听后拜谢说："真是受益良多。"）孔子说："苗而不秀者有矣夫！秀而不实者有矣夫！"孔子告诫学生们，学习切忌虚荣，要学有所获，学有所成。孔子说："诵诗三百，授之以政，不达；使于四方，不能专对。虽多，亦奚以为？"这是在提示学生们，学习不能只是熟读背诵，还要将所学多应用于实践。

【接圣入心】

孔子从学习与思考这两个维度，分析了"书呆子"和"空想者"这两种错误的学习类型。

"书呆子"指的是那种死读书、读死书和读书死的学习者。这样的人也可能是博览群书、学富五车的人，但因为缺乏独立思考的能力，满脑子装的都是知识，都是别人的思想，唯独不会独立思考。有人认为这样的人适合做学者、研究员或者教师，实际上这是错误的，因为研究员既不能脱离独立思考，也不能脱离实际；教书也不能仅仅是传授知识，还要教会学生分析和解决问题的方法。

“空想者”指的是那种喜欢思考问题但又不太喜欢读书的人。不读书学习，就无法继承人类的文明成果，就只能基于个人有限的经验进行思考，就会变得狭隘和片面。当用没有知识的头脑进行思考时，就如同开车没有挂上挡一样，只能空转。这样的人多是现实中忙忙碌碌、陷于具体事务中，他们一心想把事情做好，但因为自己的思维能力和理论基础非常薄弱，所以总是思虑不成熟，继而做出不成熟的行为。

人们可能会问：为何会出现“书呆子”和“空想者”这两种类型呢？大家注意到没有，这实际上是将“学习之道”的“程序”人为拆解后的状态：本来，学习之道是“学——思——行”循环往复、螺旋式上升的过程，可有的人把这三个要素割裂了，只取了其中某一部分或者某两个部分，于是，整个程序就变得不完整了。如同一个人使用了盗版软件，因为缺了一些程序，就会出现问题。

看来，中国文化中认识万事万物的核心方法就是讲究“阴阳”和“辩证”，就是“学——思——行”的统一，任何时候让自己停留在一个环节或者方面时，都只会产生偏见。若一味固执己见，就是愚蠢了。

【格言】学思不贰。

2·17　子曰：“由①！诲②女③知之乎！知之为知之，不知为不知，是知也。”

【注释】①由：姓仲名由，字子路。生于公元前542年，孔子的学生，长期追随孔子。②诲：音huì，教导和明示之意。③女：音、意同“汝”，你。

【释义】孔子说：“仲由啊，我教给你怎样做的道理，你是不是明白了呢？

一定记住，知道就是知道了，不知道就仍然是不知道，这就是学习时要诚实、要有自知之明的要诀啊！”

【要点】（1）君子自知。（2）知之为知之，不知为不知，是知也。

【语境与心迹】孔子真是手把手教子路，真可谓“耳提面命”。给他讲完了，还要问是不是明白了，又害怕子路不懂装懂，接着告诉他：“知之为知之，不知为不知，是知也。”这句话在后世流传很广，说的是对待学习的态度，也是人的美德与智慧。这段孔子对子路的问话，可以看出孔子师心之感人！由此可见，真正的老师是要为学生的学习结果负责的，因为老师和学生之间是不可分割的关系：学生学好了，也就是老师教好了；如果学生没学好，老师也不管，那么老师就太不负责了。

【接圣入心】

“不懂装懂”，说的是学习中一种虚伪的态度与做法。

学习，来不得半点马虎，要实事求是，要不耻下问，要虚心请教。如果不这样做，即使学习了，也依然是稀里糊涂，这就失去了学习的意义。由此可见，学习的前提是学习者要有必备的道德品质。如果品质欠缺，单凭智力是学不好的。

孔子对子路说的这些话，表明他对教育与学习持一种十分认真的态度。我们也知道，在学习方面，子路比不上颜回和子贡他们那样用功和聪明，子路甚至强调实践胜于学习，所以才有了孔子教育子路的这番话。当然，这也是孔子针对子路的特点所进行的因材施教。

在学习中，人们为什么会“不懂装懂”呢？不好意思？害怕丢面子？怕被别人耻笑？怕老师批评自己笨？实际上，这些想法恰恰是一种无知，也是一种学习品性的不端，这种差劲的品质又会反过来影响学习的效果。

可见，做什么都要有相应的心态和品质，学习也是如此。如果心态和品质不到位，就很难真正吸收到智慧。学生在老师面前可以完全放下防备，可以绝对坦诚，因为老师对学生是无害的。

在教育中，教育的效果来自老师和学生之间顺畅和有效的互动。

作为老师，需要知道学生对他所讲的知识是不是真懂了，还有什么不懂的。老师了解了学生的情况，才能够进一步进行有针对性的讲解，学生也才能够通过老师的讲解，把不懂的搞懂。这个过程，需要师生间的紧密配合。

【格言】不自欺，既是勇气，也是学习的品性！

八佾第三

3·23　子语①鲁大师②乐，曰："乐其可知也：始作，翕③如也；从④之，纯⑤如也，皦⑥如也，绎⑦如也，以成。"

【注释】①语：告诉，动词用法。　②大师：大，音 tài，大师是乐官名。　③翕：音 xī，意为合、聚、协调。　④从：音 zòng，意为放纵、展开。　⑤纯：美好、和谐。　⑥皦：音 jiǎo，分明。　⑦绎：连续不断。

【释义】孔子和鲁国乐官谈论演奏音乐的道理时说："奏乐的道理是可以知道的：开始演奏，各种乐器合奏，协调而动听；继续展开下去，悠扬悦耳，音节分明，连续不断，一气呵成。"

【要点】(1) 君子乐道。(2) 始作，翕如；从之，纯如，皦如，绎如，以成。

【语境与心迹】孔子真是多才多艺，关键是做什么事情都很用心。正因为如此，孔子学习任何知识都很有心得，这不，又在和鲁国乐师谈论演奏音乐的道理呢。孔子是悟道的人，哪怕是自己不熟悉的事务，他也学习得很快，就是因为他能够用心把握里面的规律。相有千万，大道唯一。音乐可以陶冶人的情操，孔子对学生的教学内容中就有乐理的部分。

【接圣入心】

真正的教育，是要帮助学生实现全面的成长。从孔子与弟子的交谈中我们看到，孔子本人所涉猎的方面和教导弟子们的内容是非常广泛的。这种全面教育和全面成长的思想，依然适用于现代教育。

在这段话中，孔子讲解了音乐演奏的过程。从开始演奏，到各种乐器合奏，连绵起伏不断，声音悠扬悦耳，最后得以完成。从孔子的这段话中，我们能够看到孔子认识事物的思维方式：从开始，到中间过程，再到结束，整个过程中各种乐器相互配合，连绵起伏，悠扬悦耳，直至完成。这不仅仅是演奏一首乐曲要经历的过程，很多事也都要经历类似的过程，人生也不例外。

孔子的自学精神是非常了不起的，他钻研人间许许多多的事情，从而具有了非常了不起的智慧。这也是孔子能够成为圣人的原因之一。

联想我们自己，我们可能也学了很多知识，也尝试在某一领域精进，但能否在某一领域成为真正高水平的专家呢？对于做过的事情，我们能否将其中的道理说清楚呢？若是学了也做了，仍然是稀里糊涂的，丝毫体会不到其中的乐趣，更多的是无奈和被迫，这样的做法就是浪费生命，这样的人生就难有进步，也就没有高质量的生活和工作。

【**格言**】用心格物，处处是道。

3·25　子谓《韶》①："尽美②矣，又尽善③也。"谓《武》④："尽美矣，未尽善也。"

【**注释**】①《韶》：相传是古代歌颂虞舜的一种乐舞。　②美：指乐曲的音调、舞蹈的形式。　③善：指乐舞的思想内容。　④《武》：相传是歌颂周武王的一种乐舞。

【**释义**】孔子讲到自己十分推崇的《韶》这一乐舞时如此评价："艺术形式美极了，内容也很好。"谈到有瑕疵的《武》这一乐舞时这样评价："艺术形式很美，但内容却差一些。"

【**要点**】(1) 孔子评论《韶》和《武》两种乐舞。(2)《韶》形式尽美，内容尽善。(3)《武》形式尽美，内容没尽善。

【语境与心迹】孔子非常推崇《韶》，认为《韶》达到了形式与内容尽善尽美的境界，而《武》这种乐舞就差强人意，只是形式上很美，但内容上还没达到尽善的境界。孔子在这里评论了艺术。他很重视艺术的形式美，更注重艺术内容的善。也就是说，评价一种艺术，既要看它形式上的美，也要看它内容上的善。这与现今有些人所认为的“只批评丑恶、不赞扬美好”这一原则似乎有很大的差异，很值得人们思考。同时，孔子的这一评价似乎还有更深的一层含义：《韶》为舜乐，舜位乃尧禅让而来，成为千古美谈。《武》为周武之乐，武王伐纣，匡扶正义，但也同时是以臣犯君，有违君臣之礼，有点不尽善尽美的感觉。

【接圣入心】

任何事物都有形式与内容，既没有脱离内容的形式，也没有脱离形式的内容。

美好的艺术，一定是形式上的美和内容上的善的有机统一。

如果没有美好的形式，至善的内容就难以充分表达。若是没有至善的内容，任何美妙的形式，都可能成为心性混乱的导火索。

练功也是一样，内在的功夫通过外在的功夫来表现：若是没有内在的功夫，外在的功夫就是花架子；若只是说自己有内功，而没有外在的功夫表现，就可能是吹牛。

现实中，我们许多人急功近利，不愿坐冷板凳，不愿练基本功，不甘寂寞，因此使得外在的功夫或者艺术失去了内在力量的支撑。也有人一味追求外在的形式，但内容上非常苍白，那些外在的形式常常只是供人们自娱自乐，再过分点的甚至成为惑乱人心的诡异邪术！

中国文化，也是做人做事的文化。对自己，做人做事要务求完美，绝不可得过且过。对别人，则要理解体谅宽容，必要的时候伸手帮忙。对于一个已经奋斗了几十年的人来说，对自己有尽善尽美的要求吗？自己的得意之作能够达到经典的高度吗？

孔子做人做事的态度，指引我们接近圣人、成为圣人：人间事事皆学问，只要用心皆修行。唯有追求尽善尽美，才可攀上人生的巅峰！

【格言】尽善不尽美是遗憾，尽美不尽善是祸害，尽善又尽美是圆满。

公冶长第五

5·9　子谓子贡曰："女与回也孰愈[①]？"对曰："赐也何敢望回？回也闻一以知十[②]，赐也闻一以知二[③]。"子曰："弗如也。吾与女弗如也。"

【注释】①愈：胜过、超过。　②十：指数的全体，旧注云："一，数之数；十，数之终。"　③二：旧注云："二者，一之对也。"

【释义】孔子问子贡："你和颜回两个相比，谁更好一些呢？"子贡谦卑地说："我怎么敢和颜回相比呢？颜回他听到一件事就可以推知十件事；我呢，知道一件事，只能推知两件事。"孔子也诚恳道："是不如他呀，我跟你都不如他啊！"

【要点】(1) 孔子比较子贡与颜回。(2) 颜回"推一及十"，子贡"闻一知二"。

【语境与心迹】孔子专门考子贡，问他与颜回两人谁更好一些，子贡很有自知之明，也很真诚和谦虚，认为自己与颜回差距很大，孔子对此也表示赞同。有趣的是，孔子竟然还把自己拉进去，认为自己和子贡都不如颜回。可见师者教育弟子时的良苦用心啊！子贡和颜回都是孔门知名的弟子，这子贡与颜回到底有什么不同呢？

子贡在孔门十哲中以言语闻名，利口巧辞，善于雄辩，且有干济之才，办事通达，曾任鲁国、卫国之相。他还善于经商之道，曾经在曹国、鲁国经商，为孔子弟子中首富。

颜回是孔子的得意门生。他为人谦逊好学，"不迁怒，不贰过"。鲁哀公问孔子："你的弟子中谁最好学？"孔子回答说："有个叫颜回的学生最喜欢学习，他从不对别人发脾气（转移自己的愤怒），不重复犯一个错误。不幸命短而死了，现在也就没了。从此就再也没有听说有人喜欢读书了。"

颜回早逝，孔子哀痛至极，说道："自从我有了颜回这个弟子，我和学生们就更加亲近了。"颜回异常尊重老师，对孔子无事不从、无言不悦。他以德行著称，孔子称赞他"贤哉回也"。

孔子将子贡与颜回进行比较。子贡对颜回的评价，孔子很是认同，并说自己和子贡在这方面都不如颜回。这给了我们五点启示：一是人的品德与能力关系方面，仁德第一，才能第二；二是能否很好地认清自己和把控自己，应该是人的核心能力之一；三是在学习当中，能够举一反三，就算是优等生了，若是能够推一及十，就是颜回的智慧水平，能够像孔子那样由一及万，则是悟道的状态，也是学习的极致状态；四是孔子将自己与子贡放在一起说不如颜回，表现了老师的品格和对弟子的用心关爱；五是在学习德行和才能的同时，更应该注重健康，否则，像颜回这样的一代贤人早逝，也是莫大的损失啊！

【接圣入心】

对于一个人来说，品德与能力，到底孰轻孰重？孔子的答案是非常明确的：品德第一，能力第二，品德决定能力，品德定方向，能力定速度。拥有这样的组合和排序，一个生命才会走在正确的道路上。

品德不仅仅是一个道德的概念，更是我们生活中最重要的信念坚守以及相应的行为习惯，如孔子所说的"不迁怒，不贰过"，尊重与爱护老师，学习中不仅能够举一反三，而且能够由一及万，也就是悟道。

通过孔子与子贡的对话我们也能够看出，子贡非常有自知之明，这对于一个已经很优秀的人来说是非常难得的品质。当然，这里有子贡自谦的成分：以子贡之聪明和能干，一旦知道了一个秘诀，又焉有不去践行的道理？

我们每个人都有生养自己的父母，如果我们此生足够幸运，还会遇到名师来指引我们并重塑我们的灵魂和道德的高度。因此，古人有这样一种说法：师徒如父子。名师就是我们每个人精神的父母、再生的父母。当然，如果遇不到名师，大部分人的灵魂和道德恐怕就难以提升到理想的高度。

生命无常，贤哲早逝，总是留给生者无限的遗憾。颜回的早逝，让孔子简直都疼疯了！老师爱才啊！社会中的精英更应该珍惜生命，因为一个优秀的生命不是个人的私产，而是全社会乃至全人类公共的财富。

【格言】举一反三是智者，举一反十是贤哲，举一反万是圣人。

5·13 子贡曰："夫子之文章①，可得而闻也；夫子之言性②与天道③，不可得而闻也。"

【注释】①文章：这里指孔子传授的《诗》《书》《礼》等方面的古代文献。 ②性：人性。《阳货篇》第十七中谈到性。 ③天道：天命。

【释义】子贡十分佩服孔子，也懂得老师学问和智慧所达到的境界。子贡说："老师讲授的《诗》《书》《礼》等文献知识，依靠耳闻是能够学到的；老师讲授的人性和天道的理论，依靠耳闻是不能够学到的。"

【要点】（1）贤者子贡。（2）知识可学。（3）道需勤修。

【语境与心迹】在子贡看来，孔子所讲的《诗》《书》《礼》等文献知识是有形的，只靠耳闻就可以学到了。但关于人性与天道的理论，深奥神秘，不是通过耳闻就可以学到的，必须要从内心去体悟，在生活中去反复体验，才有可能领悟到。子贡提到的"人性"和"天道"这两个概念，为什么孔子很少讲呢？难道正如后世所言，儒家学说不是真正的理性哲学吗？有人认为，儒家学说的最大败笔是消灭人的精神层面内容。然而，精神是永远不可以被消灭的（注意：消灭私欲和消灭精神可是完全不同的两回事），于是儒家这样做的结果就限制了精神的舒展空间。（注意：孔子的精神空间不够大吗？难道他舒展的空间还不如批判他的人大吗？）结果使人性受到了拘役，从而没有主体生成之可能，也就没有了信仰可言，于是人只是停留在"食色性也"这种低级生理层面。（这种低级层面难道不正是孔子所反对的吗？）中国古代许多名士，都对现实儒家"礼教"约束极度鄙弃，对自然天性的道极力追求，对思想放荡、性格不羁的人生方式十分着迷。（注意：这样就能够让社会健康发展了？拿几个江湖人士的风格来框定社会，这是咋想的呢？）所以他们在世俗的眼中总是显得那么奇异怪诞、格格不入。（注意：批评孔子的人毫无理性地将这一切的问题都归结到孔子的思想危害上。真可谓，欲加之罪何患无辞。孔子跟这些有关系吗？）

孔子说："志于道，据于德，依于仁，游于艺。"孔子一生坚定不移地追求真理，弘道崇德，倡导以道德规范人的思想和行为，鼓励人修身、知人、知天、成圣，为后人之楷模。在中华文化的传统理念中，"道"意味着天道，"德"指人们遵循"道"，在心为德，施之为行。孔子认为行"圣人之道"者，要"敬天知命"，达到与天地相通、天人合一的境界。一次，鲁哀公问孔子："敢问君子何贵乎天道也？"孔子回答说："贵其不已。如日月东西相从而不已也，是天道也。不闭其久，是天道也。无为而物成，是天道也。已成而明，是天道也。"孔子感悟到天道具有成德、生物、光明的性质和生生不息的力量。天道无所不在，天道形之于地，即为地道；形之于水，即为水道；形之于马，即为马道；形之于人，即为人道。做人要不断充实道德，才能知天事天、通达天命，才能够做到安身立命，如他在《大学》中所指出的：格物、致知、正心、诚意、修身、齐家、治国、平天下。孔子还说"天无私覆，地无私载，日月无私照"，即奉行"三无私"精神。他推崇先古圣王所行之王道，如三皇五帝、尧舜禹汤、文武周公所实行过的道，即为政者与天地同心，有天地日月对世间万物的无私气度和胸怀，并以无私之心关爱天下众民，这也是儒家所讲的"内圣外王"之道。孔子倡导敬天遵道，追随悟道的圣人，在人间要去爱人，对人要有忠恕之心，做事要有中庸之道，对自己要懂得克己修身。这样的一个完备的体系还不够吗？遗憾的是，孔子的思想被批评者们拆了个七零八落。退一万步讲，这些批评者们到底是有思想的创新和开宗立派呢，还是对社会的贡献超过了孔子呢？

【接圣入心】

子贡不愧是儒门当中非常优秀的弟子，虽然孔子对他的仁德尚不是十分满意，但也是可以理解的，因为老师对弟子总是严格要求，总是希望学生能够更好。

子贡在此处的感慨，告诉了我们一个非常重要的学习方面的道理：学习具体有形的知识，只要认真听老师讲课，也许就能知道了。但要是想具有领悟天道的智慧，就不能只靠学习具体知识这一方法。

领悟天地大道的智慧，需要一个人有虔诚的心和勇于践行的勇气，放空心灵，排除心中的成见，放下过去的经验，勇于面对心中的恶魔，改掉自以为是和傲慢自大的恶习，在实践中不断地总结和提高，不断地去自我超越，只有这样才能够不断地接近真理。

在现实生活中，很多人是依靠有限的知识和经验进行思考和决策的。不修行的人常常容易犯三类错误：一是经验主义，也就是用自己过去、有限的经验去思考现在和未来，很显然，这有时会有帮助，但很多时候会显得非常荒唐；二是教条主义，也就是把书本上学得的知识教条化，不管具体的情况如何，也不问具体的条件怎样，不能够实事求是、具体问题具体分析，把知识变成了僵死的东西，而僵死的知识害人于无形；三是自我中心，也就是自以为是、自高自大，听不进别人的意见，更无法接受不同的意见，当然，按照这种思维方式走下去，就是死路一条。

有一种看起来奇怪又十分有趣的历史现象：领悟天地大道的人，要么不一定是学历高的人，要么是敢于创新、敢于破除教条的人。你从这一现象当中，领悟到什么了吗？

学习知识，不能死读书，不能将自己变成“书虫”。在学习和使用知识时，也不能生搬硬套。至于经验，就更不用说了，谁能够突破自己的经验，谁就能够进入更高的境界。众所周知，一般的知识和经验通常都是具体的，是关于具体事物的或者是从具体的事物中总结出来的。但智慧是在具体之上的，是在许许多多感性积累的基础上抽象出来的高级的理性认识，也就是事物的根本性规律。按照这样一个规律去思考和行动，就是修行和悟道的过程。

【格言】文章眼读，天道心悟。

5·14 子路有闻，未之能行，唯恐有闻。

【释义】子路听到一个道理但没能亲自践行的时候，唯恐又听到新的道理。

【要点】(1) 贤者子路。(2) 闻道勤行。

【语境与心迹】在人们的印象中，孔子的弟子子路是个威猛之人。从上面这句话中，我们能够看到，子路之所以得到孔子的信任，是因其心性之厚实，他总是在听到老师的教导之后努力践行，唯恐听到的没有来得及践行，新的知识越积越多却践行很少、领悟很少。俗话说，贪多嚼不烂，即使追求智慧，也应该边学边实践，而不是只求知而不实践，或者在没有实践时还一味贪求更多的知识。明白了这一点，就犹如给现代教育当头一棒啊！

【接圣入心】

在孔子的众多弟子中，子路的年龄最大，基础可能比较弱，但他颇受孔子的信任，就是因为子路能够认真践行老师的思想，这就是上等根器的人啊！正所谓，“上士闻道，勤而行之”。

在现实当中，有的人不学习而一味地行动，有了一些小小的经验之后，就将其放大，这样的人当然是狭隘和愚蠢的。也有一些看起来聪明的人，他们到处学习，总以为学的知识越多，自己就能够变得越智慧。但在学习了很多知识之后，却很少去真正地践行。这样的人常常是思想上的巨人、行动上的矮子。他们通常是懂得多、想得多、说得多，却做得少、做成得少。

众所周知，即使你掌握的知识是正确的，你的思考方式也是正确的，但只要不付诸行动，就不会有正确的结果出现。况且，从思考到行动再到结果，中间需要处理很多相关的具体情况；在行动的过程当中，又会遇到很多想不到的情况。愿望正义和思考正确是行动的前提，但有了这样一个正确的前提，也并不代表着就一定有正确的结果。

我们也知道，学习知识就是借鉴别人总结出来的经验。但若是要将别人的知识变成自己的知识，就需要自己边实践、边思考、边总结。这样的一个过程是任何人都替代不了的，必须亲力亲为。

著名心学大师王阳明先生提出了知行合一的理论。他的名言是：只知不行不能谓之真知，只行不知不能谓之真行。

在学习和实践当中，很多人特别容易犯一个错误：只追求知识和智慧的多少，却忽视了践行和验证。尤其是一些看起来很聪明的人，更要特别小心，不要以为听懂了，就是明白了。忽视了这一点，我们可能就会自欺很多年，最后落得一个滑稽的结局：空有满腹经纶，但却一事无成。

将别人的知识变成自己的知识，最快捷的方法就是学一点就去实践一点，就去验证一点。千万不要一味地追求知识数量而忽视了行动。或者，在学习知识时非常用心，但在行动上却常常虎头蛇尾、避重就轻。

老师这个职业，有一个特别的风险：因为总是在给不如自己的学生讲课，很容易产生虚幻的权威感，这种虚幻感会让老师停步不前，因为很少有初学的学生敢挑战老师。若是长期沉浸在这种虚幻的权威感中，老师就会停留在某个水平难以提高，而不重视提高自己的老师又怎么可能教育出好学生呢？有几个老师敢于公开地鼓励学生向自己挑战并给予他们嘉奖的？

【格言】学习贵在消化吸收，贪多嚼不烂。

5·15　子贡问曰："孔文子①何以谓之'文'也？"子曰："敏②而好学，不耻下问，是以谓之'文'也。"

【注释】①孔文子：卫国大夫孔圉（音 yǔ），"文"是谥号，"子"是尊称。②敏：敏捷、勤勉。

【释义】子贡问孔子："为什么给孔文子一个'文'的谥号呢？"孔子说："因为孔文子聪敏勤勉而好学，不以向比他地位卑下的人请教为耻，所以才会获得'文'的谥号。"

【要点】(1) 子贡问"谥号"。(2) 孔文子，谥号"文"。(3) 勤勉好学，不耻下问。

【语境与心迹】谥号制度是从周朝开始的。在古代，君主、诸侯、大臣、后妃等具有一定地位的人死去之后，根据他们的生平事迹与品德修养评定褒贬，而给予一个寓含善意或带有评判性质的称号。谥号要按照谥法的规定进行，谥号中有一些固定涵义的字，大致分为以下三类：属于表扬的有：文、武、景、烈、昭、穆等。属于批评的有：炀、厉、灵等。属于同情的有：哀、怀、愍、悼等。1927 年 6 月，著名学者王国维自沉身亡，溥仪“诏”谥“忠悫”（音 què：诚实），墓碑上刻着“王忠悫公”。陈寅恪在其碑文中说：“思想不自由，毋宁死耳！”思想不自由，是王国维寻死的主要原因。至此，中国谥号制度告终。

孔子在回答子贡关于孔文子为何能获得“文”的谥号时，讲到了“敏而好学”和“不耻下问”。“敏而好学”，就是勤敏而兴趣浓厚地发奋学习、参悟和践行。“不耻下问”，就是不仅听老师、长辈的教导，不仅向老师、长辈求教，而且还求教于看来不如自己的人，并且不以为耻。向百姓学习，向群众学习，这是孔子的学习方法与学习态度。孔子自己就是“敏而好学”和“不耻下问”的典范，这在《论语》中有多处记载，对后世的文人学士产生了深远影响。

【接圣入心】

谥号，是给古人“盖棺定论”的一个重要的符号。

孔文子如何成就了“文”这样一个谥号呢？孔子给出的答案包含了两个方面：

- 一是孔文子敏而好学，以勤勉和敏锐的方式，孜孜以求，永不停歇。
- 二是孔文子不耻下问，不仅向自己的长辈和师长请教，还向那些看起来不如自己的人请教。

谥号制度在晚清时已经终结了，但孔子所说的这两种学习的精神，依然值得我们借鉴和学习：

- “敏而好学”，如果不把精力用在学习上，只是在一些小事上耍小聪明，就不可能有崇高的美德和高尚的智慧。“聪明反被聪明误”，说的就是那些不善于学习却总是耍小聪明的人最终贻误了自己。学习中如果浅尝辄止，不知深究，轻易自满，就不可能获得更高深的知识。追求真理是没有止境的，需要我们以一种勇往直前的精神不断地学习，不断地突破过去，不断地超越自我。

• “不耻下问”，首先要抱着“知之为知之，不知为不知”的实事求是的学习精神，对于自己搞不懂的知识，不要一知半解就此放过，否则囫囵吞枣式地学习，最后还是稀里糊涂。同时，要积极地向长辈和老师请教，不要羞涩，不要隐瞒，不要消极等待。孔子还特别提到“不耻下问”，就是告诉我们，对于那些看起来不如我们的人，不要心存偏见，要敢于去向他们请教，因为人人有长处，一些人甚至还有专长，尽管他们在某些方面不如我们，但可能有我们意想不到的视角或者信息，我们去向他们学习，依然会有收获。尊重所有的人，学习所有人的长处，不存偏见，永远相信别人的独到，求真永不停歇，求进永不满足，才是学习的真谛。

在孔子看来，学习就是一种人生的基本态度。因为懂得了学习，就懂得了谦卑，就能祛除傲慢；因为懂得了学习，就能够尊敬别人，就能够与别人和睦相处；因为懂得了学习，就知道了感恩，因为知道了感恩，所以远离了罪恶的源头——怨恨！

【格言】文之本质，敏而好学，不耻下问。

5·28 子曰：“十室之邑，必①有忠信如②丘③者焉，不如④丘之好学也。”

【注释】①必：倘若。 ②如：遵从。 ③丘：孔子自称。 ④不如：不若。

【释义】孔子说：“即使在只有十户人家的村庄里，也有像我这样讲究‘忠信’之礼的，但不会有像我这样好学的。”

【要点】(1) 君子好学。(2) 忠信者有。(3) 好学者寡。

【语境与心迹】孔子是一个十分坦率、直爽的人，他认为忠信并不是自己

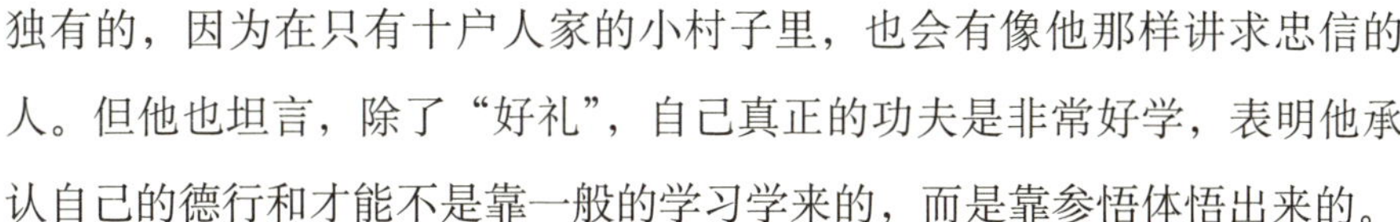

独有的，因为在只有十户人家的小村子里，也会有像他那样讲求忠信的人。但他也坦言，除了“好礼”，自己真正的功夫是非常好学，表明他承认自己的德行和才能不是靠一般的学习学来的，而是靠参悟体悟出来的。

孔子一贯谦虚，但此处却说了一句很自夸的话：“不如丘之好学也”。这是在夸自己的好学，这是很多人比不了的。可见，孔子对好学的重视程度之高。

【接圣入心】

在这段话中，孔子谈到了两个话题：一是忠信，二是好学。

孔子熟悉周礼，说话、做事都是有分寸的，谈到自己时又大多是很谦虚的。但孔子生性秉直，将自己和乡人做了一个比较：“即使是在十户人家的小村子里，也有像我这样讲忠信的人，但像我这样好学的人就不多见了。”

粗略看起来，孔子是将忠信和好学两个品质进行比较，但实际上背后另有深意：

- 首先是不要误解，不要以为忠信是不需要学习的，也不要以为好学就是天生的。固然，在先天条件方面，人跟人有很大差别，但人身上的许多品质，主要是后天学习得来的。
- 孔子所说的好学，说的是永不停歇的学习精神，说的是参悟知识背后大道的修行精神，而孔子自己就是这样的人。一些人在家庭教育和后天环境的熏陶下，养成了忠信的品德，但不能停留在这样一个状态，不能自满，而应该不断地学习和进取，让自己不断地得到“更新”，在连续不断的学习中创造一个一个的“新我”。连续不断的学习，可以让人一生重生无数次。民间有一种说法：人有一条命，猫有九条命。连续不断学习的人，时时新生，仿佛有无数条命，这多么像是永生啊！

如果一个人不忠信和好学呢？不忠信，即不可信，一个不相信任何人、也没人相信他的人，在社会上是无法立足的。如果不好学呢？说得好听点，就只能停留在自己个人经验的层面上，说得难听点，这样的人就无法进步，就会陷入狭隘小我的泥潭，就会处于没有开化的境地，就会被不断进步的社会所淘汰。

总结一下孔子的智慧思维模式：智慧＝品德＋好学。也就是立于美德，但还要加上一个智慧的“加速器”和连续不断的自我突破机制。

【格言】美德总有，好学难遇。

雍也第六

6·12　冉求曰：“非不说[①]子之道，力不足也。”子曰：“力不足者，中道而废。今女画[②]。”

【注释】①说：音 yuè，同“悦”。　②画：划定界限，停止前进。

【释义】冉求说：“我不是不喜欢老师您所讲的道，而是我的能力不够啊。”孔子说：“你能力不够啊？你是半途而废，现在你是自己给自己划了界限不想前进。”老师对学生的状态真是了如指掌。

【要点】（1）小人自辩。（2）力不足道。（3）画地为牢。

【语境与心迹】从孔子与冉求师生二人的对话来看，冉求对于领悟孔子所讲授的深奥的大道产生了畏难情绪，认为自己的能力不够，在学习过程中感到非常吃力。但孔子认为，冉求并非能力的问题，而是他的畏难情绪在作怪，所以才会陷入半途而废、画地为牢的境地。看来，孔子对弟子们的内心活动是非常清楚的，遇到学习中的问题，孔子还能从心理上进行疏导，多么好的老师啊！

【接圣入心】

在这一段对话中，我们能够看到孔子的教育智慧，也能够看到修道之人在半途中所遇到的最大障碍：自己的信心不足。

也许，孔子的弟子冉求在学道过程中所面临的问题是有普遍性的。但像孔子这样能够及时给予弟子针对性的指导的老师似乎并不多见。

孔子与弟子的这段对话，给了我们这样一些启示：

- 人在学习和修道的过程中，在不同的阶段总会遇到不同的问题，这是正常现象。学习和修道的人在遇到这些问题的时候，不能够借遇到的问题来给自己下消极的结论，因为这样是不利于持续学习和进步的。
- 人在学习和修道的过程中总会遇到问题，关键要看是否能够遇到名师。孔子的弟子是幸运的，他们在学习和修道过程中遇到问题的时候，总是能够得到孔子及时的和有针对性的指导。

学习和修行无处不在，有的人在这个过程中过关斩将，披荆斩棘，不断进取。而有的人在这个过程中常常半途而废，这是因为对过程中遇到的问题做出了错误的判断，给自己下了消极的结论，从而形成了“画地为牢”的自我桎梏。

在几十年的人生当中，大部分人的智力水平是没有本质差别的，关键在于遇到问题时做出了什么样的判断，又根据这样的判断做出了什么样的选择。

修行的人都知道，世间只有一个敌人，那就是自己。又有谁愿意做自己的敌人呢？关键是谁能认识到自己生命中的那个敌人。实际上，那个敌人就是我们自己的错误判断，就是我们为退却所找到的理由，就是那个已经动摇了的意志，就是那个借事儿所做出的消极判断。

【格言】学习如攀登高峰，必须鼓足勇气，失去的只有怯懦和愚昧。

6·20　子曰：“知之者不如好之者，好之者不如乐之者。”

【释义】孔子表达了“从知之、好之再到乐之”的升级阶梯：“知道它的人不如爱好它的人；爱好它的人又不如以它为乐的人。”

【要点】(1) 知之不如好之。(2) 好之不如乐之。

【语境与心迹】孔子在这里没有明确“知、好、乐”的具体内容，可能包括学问、道德、技艺等。有句话说“兴趣是最好的老师”，大概说的就是这个意思。但孔子的意思好像不止如此，这个“乐之”一定是有所悟、有所成之后的心灵喜悦。

孔子为什么会说出这样一番话呢？他看到世间很多人好像知道不少事，或者拥有不少的知识，但很少有人进行深入思考和认真践行的，弟子中肯定也有这样的。世上有很多爱好某些知识或者技能的人，但往往是出于看着有用才那样做的。至于能够让心沉浸其中、不断发现新的境界、感受自己灵魂的巨大收获因而自得其乐，完全超越了功利目的的人，却是很少见的。看看孔子是如何描述自己的吧！叶公问孔子于子路，子路不对。子曰：“女奚不曰，其为人也，发愤忘食，乐以忘忧，不知老之将至云尔。”（叶公向子路问孔子是个什么样的人，子路不答。孔子对子路说：“你为什么不这样说，他这个人，发奋用功，连吃饭都忘了，快乐得把一切忧虑都忘了，连自己快要老了都不知道，如此而已。”）不得不说，孔子教人的道理，常常都是自己体悟过的！这样的老师，古今难求啊！

【接圣入心】

孔子在这里讲了人对待事物的一个基本的态度，有三个层次：一是仅仅知道，二是对其有爱好，三是能够乐在其中。

儒家智慧特别重视一个人内在的状态以及与外部事物形成的关系，并且着重强调，一个人内在的状态决定着与外部事物的关系和关系的深度。

孔子在这里讲了三个层次，可以作为我们审视自己主观状态的一把标尺：

• 第一种状态，也是最为粗浅的状态，就是仅仅知道而不求甚解。不管是知识还是能力或者对人的感情，都是停留在很表面的层次上，没有深度。此时的人，就像一个旁观者，仅仅是看看而已，并没有深入其中。

• 第二种状态，已经有个人的情感投入在其中，表现出了明显的感情偏好，个人投入的程度也已经有了明显的加深，与外部事物的联系也变得比较稳定，甚至成为自己生命中必不可少的一个部分。如果一个人对于学习、做事或者付出的情感，能够达到热爱的程度，就有了较深的投入，对人对事也有了深厚的情感。若是热爱工作，就容易把工作做好，就会对工作表现出积极性和主动性。

• 第三种状态，就是乐在其中，没有了刻意和功利的成分，完全变成了一种人生的享受，因为那种收获是只有自己知道的，因为那是灵魂的升级和完善，所以会忘我，所以会自得其乐，如此才会形成一种和谐而自然的关系。在这种状态下，人的心灵是自由的。若是人们在日常生活和工作中能够进入“物我两忘”的状态，那将有机会创造神圣时刻呀！

反观自身会发现，很多人在学习和做事过程当中，往往是马马虎虎，得过且过，应付差事，不求甚解。在做这些事的过程中，同样花费了生命的时间，但无法把事情做精做好。有些人做一件事做了很多年，重复了无数遍，但依然没有成为这方面的专家，用现在的话说，就是缺乏精益求精的精神，缺乏工匠精神。如此这般，虽然做了很多事、做了很多年，但是事事不精，最终还是一事无成。

也有人在做事过程当中培养了爱好，但还带着功利的目的，或者因为一个爱好而失去了对其他方面的爱好，最终，不管是工作或者生活都形成了一种偏向。因为爱好，会忽视很多其他方面，自己的生命和生活受到了很大的牵制，也尚处在心灵不自由的状态。

对于做人做事乐在其中的人，心灵游走自在，如同天马行空，做任何事情都能变成一种享受，处在一种精神绝对自由和不为外界所奴役的自由状态。这是中国知识分子从古至今所崇尚的一种至高的情怀。

【格言】学习三个境界：知、好、乐！

6·21 子曰："中人以上，可以语上也；中人以下，不可以语上也。"

【释义】孔子的教育智慧之一就是教育的针对性："对于那些具有中等以上才智的人，可以给他们讲授高深的学问，而对于那些才智在中等水平以下的人，就不可以给他们讲高深的学问。如此，才是有针对性的、有效的教育。"

【要点】(1) 因材施教。(2) 中人以上，可以语上。(3) 中人以下，不可以语上。

【语境与心迹】孔子"有教无类"的教育思想为许多人所知。同时，孔子的教育又是"因材施教"的，在对着具体的人进行教育时，孔子首先知道不同人的状态，然后根据对象的特点，选择相应的内容与方式。这就是孔子在教学过程中"因材施教"思想的具体体现。孔子"有教无类"和"因材施教"的教育思想，对我国教育学的形成和发展作出了重大贡献。但很多人忽略了，这些思想也同样适用于与人交往、交谈和讨论过程中。那种只管自己想说什么，不管对方的感受，也不顾及对方特点的说话或者教育的方式，更多是在自言自语，根本就谈不上交流、沟通和教育，简直就是目中无人的自恋状态。

【接圣入心】

对孔子的这段话，最普遍的评价集中在孔子的"因材施教"上，但这一评价也是有局限性的。

这段话除了反映孔子的"因材施教"思想之外，还有两个方面的内涵值得注意：

• 一是人的状态并不是固定不变的，不能以先天的视角来定位人的状态。每一个人的成长过程中都有低级的状态，也会有高级的状态；既有聪慧的状态，也有愚钝的状态；既有消极的状态，也有积极的状态。因此，不可以根据某个时期或者阶段的人的状态来给人下定论。不可以僵化地认定一个人的状态，而要根据人的状态变化，来选择与人的状态相适应的谈话内容与方式。我们知道的两句话"知错改错，既往不咎""革命有先后，觉悟即是新生"，

说的就是要动态地看待人，不能僵死。

• 二是孔子的这一思想，同样也可以用在与人交往和交谈的过程中，而不仅仅用在教育过程中。儒家所强调的礼仪，就是根据生活中不同的情境、不同的人和不同的角色所规定的人的具体的行为标准。

孔子是个智者，是个哲学家，他的言与行是我们理解他具体思想的依据。懂得了孔子的为人，才会懂得孔子的思想。

【格言】对接对方状态，才是智者水平。

述而第七

7·1 子曰："述而不作①，信而好古，窃②比于我老彭③。"

【注释】①述而不作：述，传述；作，创造。 ②窃：私，私自、私下。③老彭：人名，但究竟指谁，学术界说法不一：有的说是殷商时代一位"好述古事"的"贤大夫"；有的说是老子和彭祖两个人；有的说是殷商时代的彭祖。

【释义】孔子好像在解释自己的做法："我只阐述而不创作，相信而且喜好古代的东西，我私下把自己比作老彭。"

【要点】(1) 述而不作。(2) 信而好古。(3) 自比老彭。

【语境与心迹】"述而不作"确实是很多古代先贤的典型做法。老子西出函谷关，若是没有关令尹喜的恳求，估计也就没有后世的《道德经》了。佛陀在世时没有佛经，只是在涅槃之后，由弟子们整理了他的思想。在孔子去世后，孔子的弟子若是不召集起来整理他的思想，我们今天估计也见不到《论语》了。很多现代人对此表示不解，圣人们到底是怎么想的呢？敝人窃以为，圣人们一方面知道天道是很难用语言表述清楚的，说出来就会有缺陷，也就是说言辞很难达到真意。况且，有些话语都是在特殊语境下说出来的，如果只记录了话语，而没有说明语境，就可能导致误解，就会误导人。还有就是大多数人读书，不是读作者的心思，而是按照自己的需要主观地去理解作者的思想，而不是通过文字向着作者的心接近。若是如此，一旦写成了文字，结果就极可能会被人曲解，甚至也可能误人。既然如此，不如不写，尽量少说。另一方面，中国的圣人们崇尚天道，对于自己所说的话也没有看得那么重，更没有让自己的思想传世的执念。即使很想有所作为的孔子，所推崇的也是“做了什么”而不是“说了什么”。佛学中更是反对执着于文字，担心人们过于看重文字而形成“文字障”，反而失去了穿透文字达到本意的能力。老子开篇更是直说“道可道，非常道”。也许，圣人们早就知道，自己的只言片语还会遭到后世的讥讽，或者遇到信徒的教条化，若是如此，岂不误人？！至于“信而好古”，这更像是孔子的特点，与老子的思想与做法有点相反。因此，“老彭”是指老子的说法似乎有些牵强。只是“古”也未必仅仅是人类思想的古老，也许就是那亘古不变的宇宙大道与真理。

【接圣入心】

孔子用“述而不作”和“信而好古”这两种做法，私下里将自己比作“老彭”。至于“老彭”到底是何许人也，孔子没有具体说，我们也只能猜测了。但不管怎么样，这是被孔子奉为老师级的人物。

在这里，重点是孔子所说的“述而不作”和“信而好古”两个观点：

- “述而不作”，虽然语义清晰，但也让后人有很多的争执与疑惑：只是忠诚地阐述先人的思想，自己不去做什么改变，还是只针对具体的人和对象阐明自己的观点，并不把自己的那个观点简单地记述下来呢？前者表达的是孔子对先人思想的忠诚和尊重，后者表明了孔子对那种抽象的、脱离了具体语境和对象的观点的小心与谨慎。因为任何观点，一旦离开具体的对象和语境，就可能变成僵化的教条，就可能误导人们。

- “信而好古”，很显然，这是孔子的一个重要思想。孔子生活在一个礼崩乐坏的年代，当时的社会秩序已经非常混乱，要获得治世的妙方，就要从古人和先贤那里去寻找，孔子很希望社会恢复周礼盛行时的那种秩序状态。一般人对孔子的这种希望是有很多微词的，认为孔子是一个开历史倒车的人。实际上，这个评价显得过于武断和霸道，脱离了孔子产生这种想法时所处的时代和历史背景。难道被历史证明了的人类文明不应该成为指导现实的准则吗？孔子当时的状态，可以借鉴的文明是在未来还是在现实？当然是在过去。把我们自己放进那样的一个历史情境中去，难道我们会有比孔子更高明的选择吗？孔子一生当中，一方面强调要尊重历史，另一方面面对现实中各种各样的问题时也有很多变通。将这两者结合起来，也许才可以对孔子做出一个公允的评价。

对于人类来说，得到实践印证的文明都在历史中（提示：看看伟大的人，没有一个不重视历史的。历史，并不仅仅指十分久远的过去，也包括我们的昨天、我们的现在），人类还需要继续求证的文明都在未来。在我们的现实生活中，我们能够使用什么样的文明呢？当然，只有历史中的文明！我们的探索指向哪里呢？当然就是未来。因此，作为一种辩证的理性，我们一方面尊重历史，以此来指导我们现实的生活；另一方面，我们还要对现实与未来保持着一种探索的精神，而不是死守历史经验。尊重历史，是人生的根基；敞开心扉去探索、去质疑、去求真，这是我们生命未来的空间。孔子自身就是这样的楷模，尽管他很谦虚，但他开创的私学已经在推动人类的进步。如果说孔子只是个喜欢“复古”的人，那孔子所做的一切就无法解释。

【格言】看淡自己，接通古圣。

7·2　子曰：“默而识[①]之，学而不厌，诲[②]人不倦，何有于我哉[③]？”

【注释】①识：音 zhì，记住的意思。　②诲：教诲。　③何有于我哉：对我有什么难呢？

【释义】孔子谈起自己学习与为师的体会：“默默地记住所学的知识，学习从不厌倦，教人也不知疲倦，这有何难呢？”

【要点】（1）默而识之。（2）学而不厌。（3）诲人不倦。

【语境与心迹】很多人读《论语》会遇到一个困难，就是《论语》中只是记述了孔子的观点，并没有详细记载孔子表述这些观点时所处的具体的语境。从这段话中，我们能够直接了解到的就是孔子关于自己的学习和教育别人的问题。在这两个问题上，孔子最为擅长，所以他觉得没有什么困难。也许，这是孔子在面对别人的质疑时所做的自我内心的表白吧。

【接圣入心】

在这段话中，孔子仅仅是在做简单的自我内心的表白吗？还是有人在向孔子请教？还是别人对孔子这样地好学和不厌其烦地教育别人感到困惑不解呢？我们不得而知。但从孔子的语气中，我们似乎能够感受到孔子当时的心境。

不管是出于什么样的目的和处在什么样的环境下，孔子对学习和教育都表达了非常积极和乐观的态度：

- 学习有什么难的吗？即使自己一时不能完全理解，但也要默默地先识记下来才行。
- 学习会很无聊吗？不断地增进自己的知识，让自己不断进步，智力资本连续积累，这有什么好厌烦的呢？
- 从事教育不好吗？助力其他生命的成长，自己与其他生命组合成“超人”，多么享受啊！

当一个人在学习中体会到了乐趣，甚至对学习很痴迷的时候，才能进入学进去的状态。这也是孔子一直倡导的好学的真意！

教人时能够不厌其烦，诲人不倦，既是作为师者的一种品格，也是师者自我进步的一种重要的方法。因为教学相长，老师自己明白和能够让学生明白，这是两个不同的过程，也是两种不同的能力。在让学生不断理解的过程中，老师也在不断加强和加深自身的理解。甚至有些时候，给学生讲了无数遍，学生只理解了个大概，而老师却因此有了特别深入的理

解。关键是，真正的师生如同父子，是彼此两个或者一个老师与无数个学生生命的连接和组合，最终会成为超越个体的超级力量——“超人”！世间还有什么奇迹不是这样诞生的呢？想想，真正的伟人不都是教员吗？不都是用新的、高维的思想再造了一批新的生命吗？！

【**格言**】只要找到了乐趣，一切都是享受！

7·5　子曰：“甚矣吾衰也！久矣吾不复梦见周公①。”

【**注释**】①周公：姓姬名旦，周文王的儿子，周武王的弟弟，成王的叔父，鲁国国君的始祖，传说是西周典章制度的制定者，他是孔子所崇拜的“圣人”之一。

【**释义**】孔子感慨地说：“我似乎衰老得很厉害了，我好久都没有梦见我心中的周公了。”

【**要点**】(1) 君子崇圣。(2) 盼梦周公。

【**语境与心迹**】这段话可能是孔子在晚年的时候说的，也可能是孔子在自己状态很不好的情况下说的。不管怎么样，这段话都表达了孔子非常想从自己所崇尚的圣人周公那里获得力量的渴望。更为关键的是，孔子给了我们一个重要的启示：原来生命走向伟大的过程，就是寻找自己的榜样和偶像！不要以为只有幼稚的孩子才需要偶像，难道需要开化智慧的普通人就不需要榜样和偶像了？也许，很多人之所以长期很普通，以至于最终变得平庸，很重要的一个原因就是缺乏引领自己生命的榜样和偶像吧？儒家崇尚圣人，那是他们人生和人格的理想，也是智慧和力量的来源之一。正所谓，日有所思，夜有所梦，况且孔子对周公又是那般推崇呢！也许，有些朋友会想起“庄周梦蝶”的典故：是庄周变成了蝴蝶呢，还是蝴蝶化成了庄周？道家的人格理想是与万物合一，最终把小我融化在天地大道之中，我即宇宙，宇宙即我，这是多么牛气的境界啊！当然，西方有些大科学家的发明也跟梦境的启示有关：一个伟大的追求，日久进入了自己的潜意识，开始自动运行，于是，就有希望自动呈现。

【接圣入心】

每一个人的生命都由两个部分组成，一个部分是肉体，一个部分是精神。

孔子在此所表达的就是他自己生命的两个部分的两种状态：一是身体的衰老，二是精神还充满向往。

生命的肉体就是个壳，而精神是指挥肉体的魂。

许多人的生命状态出现问题，常常是肉体和灵魂二者的关系出了问题：

- 我们许多人，只是在一味地滋养肉体，却忽视了自己的灵魂。
- 我们的肉体被欲望驱动着，永不满足，但身体越来越肥硕或者畸形。
- 我们的精神却越来越空虚，因为我们没有找到自己灵魂的向往，也没有安排好自己的精神生活，于是灵魂就变得越来越干瘪了。

这就是我们很多人生命出现问题的真相：因为精神空虚，缺乏信仰，没有对神圣的向往，没有对正道的坚守，以致精神出现摇摆和倒退。我们生命的指挥中心出现了这样的问题，我们的肉体也就跟着被拖累了。

作为圣人的孔子，他的生命被使命和圣人的智慧牵引着，一生充满了力量，这是他在乱世中能够克服重重困难、勇往直前的重要动力和原因。

再看看历史和现实中那些伟大的人物和成功者，他们的生命无一例外都是被一种强大的使命感和正义感所驱动的，因此他们精力旺盛、勇往直前、不畏困难，内心充满了无穷的力量，许多困难在他们这种高能量面前变得无足轻重。

我们可以按照这样一种程序和模式，去诊断一下自己的生命状态，就会发现我们状态不佳的症结所在。人就活一生，若是连自己的生命状态是什么样子或者问题出在什么地方都搞不清楚，这很难说是活着，准确点来说，更像是一种煎熬。

要想走出骄傲，心中就要有伟大而超越自我和摒弃自私的志向，就要有自己的榜样和偶像！

【格言】梦即理想，梦想成真！

7・6 子曰："志于道，据于德①，依于仁，游于艺②。"

【注释】①德：旧注云：德者，得也。能把道贯彻到自己心中而不失掉就叫德。 ②艺：指孔子教授学生的礼、乐、射、御、书、数等六艺，都是日常所用。

【释义】孔子说："以道为志向，以德为根据，以仁为凭借，实践于（礼、乐等）六艺之中。"

【要点】(1) 志于道。(2) 据于德。(3) 依于仁。(4) 游于艺。

【语境与心迹】孔子的弟子们对老师是如何拥有那么多智慧这件事很感兴趣，于是，孔子结合自己的学习体会给弟子们讲解了学习的核心体系："志于道，据于德，依于仁，游于艺"。这也是孔子的人生模式。再看孔子培养学生的内容，也就是以天道为理想、以仁德为纲领、以爱人为核心、以技艺为载体，来帮助学生们实现全面、均衡的发展。

孔子为什么会选择这样的学习与教育模式呢？先说"志于道"："志"是人开启生命方向的钥匙，故有"做人第一要务当先立志"之说，人无正确和宏大的志向，就无法打开生命的天窗。没有志向的人，会活得浑浑噩噩、疲疲沓沓，犹如没有苏醒一样梦游，忽而怀疑一切，忽而又相信道听途说。当然，立什么志，这也是核心问题！有的人自以为有志，实际上是错误地把世俗和低级的欲望当成了志向。真正的志向一定是超越自我的、高尚的、服务于他人的，这就是人生大道。

就拿周恩来总理的读书故事来说，1911 年年底，周恩来正在沈阳东关模范学校上学。这一天，魏校长亲自为学生上修身课，题目是"立命"。当时中国社会正处在剧烈变动的时期。孙中山领导的辛亥革命刚刚推翻了清朝政府，结束了中国 2000 多年的封建统治。很多人，特别是年轻人思想困惑，没有明确的理想追求，没有人生奋斗的目标。校长讲“立命”，就是给学生讲怎样立志。魏校长讲到精彩处突然停顿下来，向学生提出一个问题：“请问为什么读书？”教室里静静的，没有一个学生回答。“如果没有人回答，我就一个个问了！”魏校长走下讲台，指着前排一同学说：“你为什么而读书？”这个学生站起来挺着胸脯说：“为光耀门楣而读书！”“就是为了光宗耀祖。”魏校长又问第二个学生，回答是：“为了明礼而读书。”第三个被问的学生是一个靴铺掌柜的儿子，他很认真地回答说：“我是为我爸而读书的。”同学们听了哄堂大笑。校长对这些回答都不满意，摇了摇头来到周恩来面前，问道：“你是为什么而读书？”周恩来在学生中威信挺高，辛亥革命刚刚成功，他第一个剪掉了长长的辫子，这是很不简单的一件事，因为清政府规定，所有汉人男子都必须像满族人一样留长辫子，以表示忠于清朝朝廷，不留辫子就要杀头。周恩来是第一个剪掉辫子的学生，所以，大家都很佩服他。周恩来站起身来，教室里静悄悄的，大家都在等待他的回答。周恩来非常郑重地回答道：“为中华之崛起而读书！”

孔子立的是什么志呢？修己以安天下！传承文明以壮中华！教书育人以养中华！正是如此伟大的理想，才让孔子的生命充满了力量。那些还在为自己活着的人，怎么能够理解孔子？又如何去正确地评价孔子呢？人与人根本不在一个段位上时，是无法沟通的。

有了伟大的志向，能够遵循天道的规律，就需要学习修行让自己拥有“德”的力量，如此才能站在道德的高地上审视人生与社会，这也是孔子能够看清社会问题、找到人生方向的关键。这就是“志于道和据于德的联动”。然后在道德联动的基础上，在与人相处和交往中，必然生出仁爱之心，这也是践行理想的具体原则与方法。这就是“依于仁”。同时，还必须掌握人生中的一些重要的服务于社会的技能。这就是“游于艺”。这四者以道为方向，以德为根基，以仁爱为常规，以技能为手段。

理解了孔子的思想与逻辑的学生，就能够全面地理解孔子，就能够追

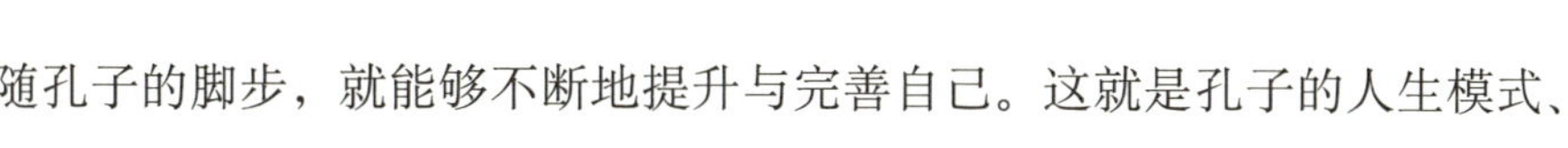

随孔子的脚步，就能够不断地提升与完善自己。这就是孔子的人生模式、学习模式和教育模式。

【接圣入心】

我们知道，天地间任何一个事物，都有它自己的一个系统。如果这个系统是健全的，这个系统的存在就是健康的。若是这个系统出现了某些缺失，整个系统的运行就会出现问题。

圣人孔子用自己的人生经历，给我们指出了生命和人生的模式与系统：

- “志于道”：我们以往听得比较多的，就是教育人要有理想，要有梦想，要走正道。没有理想和梦想，找不到正道的人生是没有力量的。生命来自天地的造化，而理想、梦想和正道，恰恰就是我们的生命与天地万物接通的渠道。否则，任何个体的力量都是渺小的，没有方向的生命活动多半就是原地打转，这就是人们所说的迷茫。“志于道”，这是生命最高的层次，也是生命获得力量的源头。

- “据于德”：能够“志于道”，就生出了人类行为的根本准则，这就是“德”。对于那些没有理想和梦想、不走正道的人，他们的所有行为都是被欲望和贪婪驱动的，这就是自私，而自私就是自我孤立。因此，圣人为我们人间的“德”确立了一个最简单的标准：你是为自己还是为他人？这也是区分人间正邪的一个重要的分水岭。若是被欲望和贪婪所驱动，人生就会走向深渊；若是被理想、梦想和正道所牵引，生命就会走向辉煌和成功。所以，缺德的人害人害己；有德的人，既帮助了别人，也成就了自己。所以，“据于德”就是一种人生健康与成功的模式。

- “依于仁”：能够做到“志于道”和“据于德”，就自然生出了人类生活的根本程序：仁。何谓仁，孔子说过，仁者爱人，爱人即仁，爱就是奉献，就是吃亏，就是感恩和体谅，就是温顺。当一个人爱自己的父母，用体谅、感恩、珍惜和温顺与父母交往时，就会有融洽的亲子关系，就有了坚强的后盾和温暖的港湾。当真爱朋友时，我们就会收获友谊和信任，就会有团队，就会有支持，这是我们组织活动和干事业的基础。当我们进一步懂得了去爱跟我们不同的人、反对我们的人以及跟我们有过节的人，我们就能够化敌为友，就能够体会仁者无敌的人生境界。当我们懂得了感恩、体谅、珍惜和顺从时，我们就能够化解内心的纠结和负能量，就能够让自己的内心和生活充满阳光和美好，这才是我们真正想要的生活。

• “游于艺”：人们赞叹孔子是个多才多艺的人，按照孔子谦卑的说法，他的才艺都是在自己年轻和身份卑微时学习到的。但是，我们也会发现，在任何时候都会有一些多才多艺的人，他们更多的是在用“艺”来谋生，很少有人因为自己的才艺而成为圣人。这些多才多艺的人与圣人孔子的最大区别在于：孔子是“志于道”“据于德”“依于仁”而“游于艺”的，也就是说，“道、德、仁”是统帅才艺的，是才艺的灵魂。而其他的多才多艺的人，要么是缺乏这样一个灵魂，要么就是不知道这样的灵魂而沉迷于自己的才艺之中。

从孔子自己人生的层次与模式来看，“志于道”“据于德”“依于仁”和“游于艺”构成了一个高低错落的生命体系，相互依赖而不能分离。

当我们懂得了孔子的这样一个人生模式之后，就可以将此作为一把标尺，来诊断现实中我们的人生。值得特别注意的是：“志于道，据于德，依于仁，游于艺”是连接在一起的联动过程：

• 先看“志于道”：只有这个层次而缺乏另外三个层次的人，通常只是空想家，他们的人生不缺梦想，但流于空泛，一生唱高调，却没有切实的行动，因此会逐渐变得牢骚满腹，游荡在正常的社会生活缝隙中，或者游离于正常的社会生活之外，最终落得个郁郁寡欢。若是缺乏“志于道”这个层次，但具有另外三个层次，也会成为社会中的精英，也会有不凡的成就，但不可能达到巅峰，甚至会在达到巅峰时出现重大的闪失。当然，离开了“志于道”，最终也无法成圣。

• 再看“据于德”，若仅仅是局限于“据于德”这样一个层次，而缺乏另外三个层次的配合，就可能成为空洞的“伪道士”，也就是通常我们所说的“满口仁义道德”，但在人生中却无所作为，甚至也有可能沦为“一肚子男盗女娼”。若是能够做到“志于道”而“据于德”，可能会成为一个很好的学问家。

• 再看“依于仁”，若是真能做到这一点，最起码在自己的生活和事业中能成为一个让人信任和喜欢的人，但自身很难有大的成就，也很难有很高的境界。若是能做到“依于仁”而“游于艺”，就可以成为某个方面的人才，也能有比较富足、平安的日子。这更像很多有一技之长的人的人生模式。

• 再看“游于艺”，能够做到这一点，就具备了最基本的谋生能力，但也只是能够满足较低水平的生活所需。有人会说，那为什么当代的很多艺人成了富翁呢？首先，一个人成为有钱的艺人和成为真正的人民艺术家是两回事。在市场运作之下，一些艺人成了商人，艺术也成了商品，这没什么奇怪的。但真正伟大的艺术家，他们一定是有伟大追求的，一定是有高尚人格的，一定是有良好修养的。离开了这些，即使有一些技艺，也最多成为“艺术商人”而不是艺术家，这两者是有本质区别的。

通过分析孔子的人生模式，并结合孔子的模式分析现实人生，你能够对自己做一个基本的诊断吗？你自己正处在什么状态？还缺什么样的层次或者要素？今后应该如何努力？也许，孔子的这样一种人生模式，才是对我们当代人最大的价值和贡献。

当然，我们也不得不说，如果一个人在这四个方面都很欠缺，那么这样的人生就会很迷茫、很纠结、很煎熬，没有阳光、没有希望、没有未来！

【格言】生命需要灵魂、头脑和五脏六腑，学习需要志道、据德、依仁、游艺。

7·7 子曰："自行束脩[1]以上，吾未尝无诲焉。"

【注释】①束脩：脩，音 xiū，干肉，又叫脯。束脩就是十条干肉。孔子要求他的学生，初次见面时要拿十条干肉作为学费。后来，就把学生给老师的学费叫作"束脩"。

【释义】孔子解释了收弟子的基本条件："只要自愿拿着十条干肉为礼来见我的人，我从来没有不给他教诲的。"

【要点】(1) 束脩。(2) 无诲。

【语境与心迹】孔子的这段话告诉了我们古代师徒间的礼仪和孔子的承诺。至于有人用"束脩"来反驳孔子的"有教无类"则显得勉强。孔子是私学的开创者，"束脩"是建立师徒关系的一个象征。这跟当今全世界私学高昂的学费相比，实在是薄礼啊！也许有人觉得免费最好，如果这样认为，就没有什么讨论的必要了，因为"世上没有免费的午餐""世间免费的都是有毒的""一直追求免费的人都是已经中毒的人"。实际上，作为圣师的孔子，自然知道人不可以勉强，学习也要自愿，更要有具体的行动。估计孔子肯定知道"免费"一说恰恰会害死人。想想看，如果社会发达到一切免费，人们的心理状态会是什么样的？那样的发达真的能够持续吗？即使物质发达可以持续，人的健康成长与发展能够持续吗？

【接圣入心】

我们都知道一句很流行的话，"世上没有免费的午餐"，实际上，早餐和晚餐也没有免费的。

老师也是人，也要生活，所以需要学生交点学费。师徒关系建立之后，师徒之间更多的就是精神活动了。

很多看过《西游记》的朋友可能还会记得这样一段有趣的内容：唐僧师徒好不容易到了西天，佛祖不肯给他们真经，派两个大弟子出面索要紫金钵盂做好处费，令人哑然失笑。实际上，这正是佛祖的一种世间教法，是想告诉那些取经的人，只要在世间传法，就要让人们明白，"世上没有免费的午餐"，只有自己付出了才会有收益。

有人总是喜欢世间免费的东西，或者买东西时也希望物美价廉。实际上这是一种奢望，也是一种贪婪，是一种莫名其妙的幻想：好像别人理所当然地要对自己好，别人对自己好是应该的，对自己不好是不对的。但是，在自己没有真正地付出和对别人有所贡献时，就期望得到别人的免费好处，这难道不是一种奢望吗？也许就是一种贪婪和愚昧！

实际上，在我们的人生当中有很多近乎免费的东西，但很多人不懂得识别和珍惜它们的价值：健康是生命的基础，也是生命中最宝贵的财富，但许多人在拥有健康时不懂得珍惜健康。于是，就出现了人间最滑稽的一幕：前半生用命挣钱，后半生用钱买命，可钱真的能买来命吗？"家中有老，人生大宝"，很多人忙碌起来根本顾不上自己的父母，等到父母离开了，又觉得自己很孤苦。"平安就是人生最大的幸福"，但很多人不懂得珍惜平安，总是瞎折腾。等到平安失去了，又觉得人生太无常和动荡。

很多人不幸的人生，正是因为不懂得珍惜，反而还去索要更多免费的东西。这就是不少人最荒唐、最滑稽之处。

再回到孔子所说的主题上：总是听到一些人在不断地念叨，"读万卷书，行万里路，不如名师点悟"。是啊！人一生中能遇到名师，是最大的幸运，可以让人少走弯路。可我们在忙碌之余，想过去寻找名师吗？遇到名师时，知道珍惜吗？知道将名师与自己的人生和生命紧紧地锁定在一起吗？若是不懂得，或者没做到，人生就会经常迷茫和彷徨，就会付出额外的代价。

老师，是一种神圣的职业，老师将自己的生命与其他许多生命的未来联系在一起。老师，为学生而生，为学生而活，与学生共荣辱。老师，将学生视为自己生命的放大与延续，将学生看作自己的儿女，尽心尽力，关心他们的全面成长。如此，方可成就师道，方可拥有作为老师的尊严。

【**格言**】学习贵在发大愿，期待免费易饿死。

7·8 子曰：“不愤[①]不启，不悱[②]不发。举一隅[③]不以三隅反，则不复也。”

【注释】①愤：苦思冥想而仍然领会不了的样子。 ②悱：音 fěi，想说又不能明确说出来的样子。 ③隅：角落。

【释义】孔子谈教育学生的经验：“教导学生，不到他想弄明白而不得的时候，不去开导他；不到他想出来却说不出来的时候，不去启发他。教给他一个方面的东西，他却不能由此而推知其他三个方面的东西，那就不再多教他了。”

【要点】(1) 教育之道。(2) 不愤不启。(3) 不悱不发。(4) 举一反三。

【语境与心迹】估计向孔子请教教育方法的人不会很多，此处应该是孔子自述关于教育的非常微妙的心得与体会，甚至可能也有教训。在这里，孔子讲授了教育学生的方法，估计是弟子中有人问：老师，为什么面对不同的学生，您所采取的教育方法不一样呢？老师会心一笑：我是针对每个人的状态来的，而不是千篇一律地说些大道理。当然，做老师的多半都会有个“职业病”：总想给学生多讲些知识，恨不得一下子把所有知识都教给学生。师者有此心，天地可鉴，但这样的做法违背教育的规律。由此可以看出，孔子不愧是教育大师，他是在用心与学生进行最紧密、精准的对接，是根据学习主体的状态而因材施教的，是要等到学生有了求知的渴望才不失时机地进行启发的。这样的教育方法，至今仍然有重要的价值。

【接圣入心】

每个人身体的成长都离不开父母的养育。每个人精神的成长都离不开教育。教育是人类社会中非常普遍的现象，家庭教育、学校教育、社会教育、生活教育、挫折教育、成功教育、品德教育，处处都是教育。

智慧的教育，是师者与学生之间的一种心灵对接。孔子能够根据学生的状态，以学生为主体，而不是以考试目标为主体，因材施教，因态施教，耐心有效地促进学生的成长。这样的教育思想，是非常值得后世之人品味的教育智慧。

我们每个人既是受教育者，也常常是教育者。

• 可为人师者，必先参天地万物之造化，学会做大道和真理的学生，方有资格在人间做先生。人生处处是教材。人生所遇，一切事件，又都是一个一个走进我们生命的老师。明白了这些，才会懂得如何在人生中做一个忠诚的学生。而只有优秀的学生，才能够处处吸纳到最伟大和最丰富、取之不竭和用之不尽的生命能量，才会让生命随时随地处在滋养当中，才会拥有最富足的人生。由此可见，会不会当好学生和做真正的学生，是对我们每一个人、每一个做教育的人最大的拷问！

• 很多人忽视了自己人生中一个十分重要的角色，那就是教育者。对自己的孩子而言，我们是第一任老师；对自己的部下而言，我们首先是老师，其次才是上级；对企业管理而言，首先是教育，其次才是其他的管理职能。只是很可惜，很多人没有意识到自己作为教育者的角色和责任，在没有做好教育的情况下就去管理，这怎么能管理好呢？很多人也没有认真去研究如何做教育，因此，看似时刻都在做教育性的工作，但收效甚微。

孔子是伟大的教育家，是至圣先师，他的教育智慧为那个时代培养了很多人才，他的教育思想也成了乱世中的一股清流。孔子又是如何做教育的呢？

• 首重仁德，能力随之，最终追求德才兼备。

• “志于道，据于德，依于仁，游于艺”，多层次、系统地全面发展。

• 有教无类，诲人不倦。

• 以学生为教育的主体，教师只是辅助学生进行自我教育，要因材施教；要激发学生的潜力，因人施教，因态施教。

孔子的教育思想和方法，闪烁着圣人的智慧，值得我们学习和借鉴。再看看现代教育，这样的一种批量生产式的教育，能够做到因材施教和因态施教吗？每个学生成长为什么样的人，教育者能做出肯定的回答吗?

反观一直被诟病的现代教育方式，其中最典型的就是“填鸭式教学”，有人将其形容为：先是“填鸭”——“填鸭式”一股脑地灌输知识，接着是“赶鸭”——硬赶鸭子上架，根本不管学生喜不喜欢，再接着就是“烤鸭”——千军万马上独木桥参加考试，最后“片皮鸭”——学生没有得到全面培养，支离破碎，在现实社会中被一次次“修理”，甚至羞辱。

【格言】学习对接真理，教育对接主体。

7·14　子在齐闻《韶》[①]，三月不知肉味，曰：“不图为乐之至于斯也。”

【注释】①《韶》：舜时古乐曲名，是孔子心目中形式上尽美、内容上尽善的古乐。

【释义】孔子是个活在精神世界中的人，在齐国听到了《韶》乐，至少三个月尝不出肉的滋味，他说：“想不到《韶》乐的美达到了这样迷人的地步。似乎，这种精神享受已经远远超过了吃肉的享受。”

【要点】（1）孔子崇《韶》。（2）《韶》乐尽善尽美。（3）三月不知肉味。

【语境与心迹】《韶》乐是当时流行于贵族当中的古乐。孔子对音乐很有研究，音乐鉴赏能力也很强，他听了《韶》乐以后，认为《韶》乐达到了形式上的尽美和内容上的尽善，以至于在很长时间内品尝不出肉的滋味，足见他欣赏古乐已经到了痴迷的程度，能够领悟其尽善尽美的形式与内涵，也说明了他在音乐方面的高深造诣。当然，“三月不知肉味”也告诉了我们一个重要的道理：真正的精神享受，是能够让人超越物质享乐的!

【接圣入心】

孔子欣赏《韶》乐的这个典故，成为千古美谈。

孔子崇尚《韶》乐，认为《韶》乐达到了尽善尽美。孔子既追求形式上的尽美，更追求内容上的尽善。

孔子欣赏《韶》乐时的状态，也告诉了我们一个重要的道理：人

不仅吃五谷杂粮，还吃精神食粮。

通常有这样一个规律：当人的精神空虚时，其生理的欲望和对物质的贪求，往往就会变得异常旺盛。此时的人，就会呈现出一种更像动物的状态。当人的精神富足时，其生理的欲望和对物质的贪求就会降低或者减少很多。

孔子欣赏《韶》乐、追求仁德和心怀天下的情怀与志向，为我们做出了榜样。古往今来的一些修行者们，也是在验证或者行走在“精神战胜物质”“理想战胜欲望”的道路上。

生命的存在离不开生理和物质的欲望与满足，但人是高级动物，只有用精神的追求来统帅生理和物质的需求，才能真正体现人与动物不同的本质。否则，就与动物无异。

【格言】精神战胜物质，理想战胜欲望！

7·17　子曰：“加①我数年，五十以学《易》②，可以无大过矣。”

【注释】①加：这里通“假”字，给予的意思。　②易：指《周易》，古代占卜用的一部书。

【释义】孔子十分感慨《周易》的智慧及其对生命的价值，他说：“再给我几年时间，到五十岁学习《易》，我便可以没有大的过错了。”

【要点】(1) 五十学易。(2) 可无大过。

【语境与心迹】孔子说“五十而知天命”，可见他把学《易》和“知天命”联系在一起了。他主张认真研究《易》，是为了使自己的言行符合“天道天命”。《史记·孔子世家》中说，孔子“读《易》，韦编三绝”。他非常喜欢读《周易》，曾把穿竹简的皮条翻断了很多次。这表明孔子活到老、学到老的刻苦钻研精神，值得后人学习。当然，研习《周易》也让孔子思考问题的方法产生了变化，从过去只是将其视为卜筮之术，到深入其中领悟天地大道与人间道的联系，由此，孔子的思维方法产生了一次飞跃。

【接圣入心】

在这段论述中，孔子给我们提出了一个重要的问题——如何知天命。

众所周知，孔子读《易》是非常用功的，“韦编三绝”成了孔子读《易》的一段佳话！

孔子学《易》和知天命的做法，给了我们一些什么样的启示呢？

- 易学，是讲天地人间大道的学问。每个人都是天地造化、父母生养的，若要知天命，当然就要搞清楚天地造化人的规律。
- 天地大道，就是阴阳变化的规律。每个人生命的出现和存续，皆离不开阴阳的变化和平衡。任何生命若是违背了天地阴阳的变化规律，都将导致阴阳失衡，就会伤及生命。

当今的社会，阴阳失衡的现象比比皆是：农业科技的发展让我们可以吃上反季节的食物，这满足了欲望的需求，但又跟生命的规律发生冲突。妇女解放了，男人和女人的关系似乎平等了，但女性的负担变得更加沉重了，很多家庭也出现了男女阴阳失衡的现象，也就是我们平常所说的阴盛阳衰或者两阳相克。对于每个人来说，自身阴阳二气的协调也是生理和心理健康的重要保障。可是，又有几个人真正关注自己生命中阴阳二气是否和谐呢？社会上出现了各种各样奇怪的疾病，其实都跟生命中阴阳二气失衡有关。

既然每个生命都是天地造化、父母生养的，那每一个生命也就都是天地之子，自然就携带着天地大道的基因。因此，每一个生命也都是大道的载体，一切生命的运动都要合乎大道的规律。正因为如此，每一个生命也都有自己的使命，只有找到了自己的使命，人生才算是找到了自己的归属。否则，为欲望所驱使，人就会迷失方向。

再看看现实中被欲望所驱使的人，他们就像一个个迷失了方向的肉体，机械地移动着，朝着自己所不清楚的方向行走，这就是灵魂迷失的

状态。

【格言】把握根本，灵通万物。

7·18 子所雅言[①]，《诗》、《书》、执礼，皆雅言也。

【注释】①雅言：中国最早的古代通用语，在意义上相当于现在的普通话。孔子平时谈话时用鲁国的方言，但在诵读《诗》《书》和赞礼时，则以雅言为准。

【释义】孔子在读《诗》、念《书》和赞礼时，用的都是雅言。

【要点】(1) 君子讲究。(2) 庄重雅言。

【语境与心迹】雅言来自夏朝时期的夏言，起源于夏朝时期的国都洛阳。中国古人十分重视各地方言的统一，于是出现了雅言，也就是中国最早的古代通用语，相当于现在的普通话。周朝之后，各朝国都迁移，雅言的基础方言也随之修正，历代正统汉族王朝，都不遗余力地推广雅言。雅言在唐宋时期发展到了最高峰，达到了一字一音，唐诗宋词作品大量涌现，各周边国家皆争相学习洛阳雅言。以洛阳话为标准音的普通话历时长达四千多年之久，朝鲜、韩国、越南、日本都受到影响。在这段话中，我们看到了孔子生活的两个画面：一是平时生活的自在，估计跟人聊天时使用的是地方话；二是诵读《诗》《书》和赞礼时的庄重，使用的是雅言。即使是当今社会，在特别隆重而正式的场合若无特殊原因或者有特殊历史背景，而讲话的人使用的是地方话，那么总会让人有点异样的感觉。

【接圣入心】

每个人的人生都有很多内容，也就决定了人有很多角色，当人在特定的时间和特定的情境中扮演一个特定的角色时，就必须要有符合这个角色要求的行为。

作为圣人的孔子，给我们做出了榜样：生活中要潇洒自在，正经事儿上要郑重其事。

我们在生活中经常会看到这样一种现象：那些只会说地方话的人，要么是没有受过很好的教育，要么长期生活在家乡那样一个狭小的区域中，没有机会出去见世面。正式的场合中那些发音标准、说话又得体的人，会让人感觉他们受过比较好的教育。这样的人回到家乡时，可以说家乡话，让老家的人感到无比亲切。当然，若是能够入乡随俗，走到哪里就学习哪里的地方话，也是一种了不起的能力。

对照孔子的标准，我们会发现一些人在人生中的几种错位现象：

- 生活中需要亲和时，他却显得刻板和僵化。
- 工作中需要严肃认真时，他却过于随意和马虎。
- 别人犯错需要鼓励和帮助时，他却选择了指责和惩罚。
- 当一些令人痛苦的人和事已经过去时，他却选择了记恨和纠缠。
- 对于别人给予他的帮助，他却选择了失忆和淡化。

实际上，生活中有一种最简单的智慧，那就是该做什么时就认真做什么，让自己的心态和行为都与要做的事相适应，这就是角色到位，这就是活好当下。

【格言】该土则土，当雅则雅。

7·19 叶公[①]问孔子于子路，子路不对。子曰："女奚不曰，其为人也，发愤忘食，乐以忘忧，不知老之将至云尔[②]。"

【注释】①叶公：叶，古音 shè。叶公姓沈名诸梁，楚国的大夫，封地在叶城（今河南叶县南），所以叫叶公。到了南宋之后，叶就读成了 yè。②云尔：云，代词，如此的意思。尔同"耳"，而已，罢了。

【释义】叶公向子路问孔子是个什么样的人，子路没有作答。孔子听说后对子路说："你为什么不这样说呢，他这个人，发奋用功，连吃饭都忘了，快乐得把一切忧虑都忘了，连自己快要老了都不知道，如此而已。"

【要点】(1) 评价老师。(2) 子路不语。(3) 孔子自述。(4) 发愤忘食，乐以忘忧，不知老之将至。

【语境与心迹】叶公问子路，你老师孔子到底是个什么样的人啊？因为这

涉及对老师的评价，忠诚的子路就没有贸然说话。孔子听说后，就教子路这样说：我老师孔子啊，是个发愤忘食、乐以忘忧，连自己老了都觉察不到的人。这一段孔子的自述，告诉人们孔子从读书学习和各种活动中体味到了无穷乐趣，是典型的理想主义、现实主义和乐观主义三者合一的人，他不为身旁的小事而烦恼，拥有许多人没有的那种乐观向上的强大精神力量，表现出自得其乐的风貌。

【接圣入心】

我们都知道，孔子的弟子子路是个忠诚仗义的人，所以当叶公问子路孔子是什么样的人时，子路没有回答。或许，以子路的品德，是不会随便评价自己的老师的。

孔子对子路的做法也心领神会，但他又教子路说："你的老师我啊，就是一个勤奋好学、发奋用功的人。用功到什么程度呢？连吃饭都忘了，快乐得把一切忧虑都忘了，甚至连自己快老了都不知道啊。"

在孔子的这段近乎自白的表述中，我们看到了一个勤奋好学、废寝忘食、学而忘忧、乐而忘老的孔子。

实际上，每一个人的时间都被某些事占用了，若是被不好的事占用了，就会犯错，乃至犯罪。若是被美好的事占用了，就能够感受到美好。当然，若是一个人无所事事，就会空虚和无聊，就容易无事生非。

大部分人平时很忙碌，很少有人冷静地问自己：正在忙碌的是我真正要追求的吗？做事时，是在重复自己过去的经验，还是不断地在学习和创新？自己的人生中最重要的是什么？把时间重点分配给自己最重要的事情了吗？

孔子的这段自白，告诉了我们生命中的一种美妙的"迷恋"状态。在"迷恋"这个主题上，有四种常见的状态：

- 第一种状态：有的人几十年也没有迷恋过什么，做什么事情都打不起精神，平时就处在那种萎靡不振的状态中，就像是一个还没有彻底苏醒的生命。
- 第二种状态：有的人迷恋于那些消耗自己生命却不能让自己成长的事

物，处在一种痴迷状态中。虽然痴迷也是生理的一种亢奋，但不会给我们的生命增益。

- 第三种状态：有的人迷恋于让自己获得更多的东西，包括财富与权力等。这种迷恋虽然也会让生命充满活力，但因为缺少了精神的追求，常常会陷入人间琐事和俗利的纠纷中。因此，这种迷恋会在增益生命的同时，又让生命蒙受损失。

- 第四种状态：孔子的勤奋和好学，时常让他处在一种对智慧和神圣的迷恋状态中。孔子很享受这种状态，这种状态是孔子生命中最令人羡慕之处。

问一下自己，我们现在被什么迷住了？如果痴迷于错误的东西，我们就会痛苦。如果迷恋于美好的事业与追求，我们的生命就能够处在一种健康和阳光的兴奋状态中。这就是生命奥秘！

【格言】神奇产生在忘我之后！

7·20　子曰："我非生而知之者，好古，敏以求之者也。"

【释义】孔子表露自己的内心："我不是生来就有知识的人，只是喜爱古老的智慧，在实践中勤奋敏捷地去求证大道的人。"

【要点】（1）孔子厚道。（2）非生而知之。（3）好古。（4）敏以求之。

【语境与心迹】在孔子的观念当中，"上智"也就是他心目中的圣人，是"生而知之者"，因为好像无法得知自己的知识是从哪位老师那里学来的。但孔子自己却否认是生而知之者。他之所以成为学识渊博的人，在于他爱好古代的典章制度、文献图书和古老的真理，而且勤奋刻苦、思维敏捷。这是他对自己学识与修养来源的集中表达。他这么说，也是为了鼓励他众多的各式各样的学生发奋努力，成为有用人才。实际上，孔子之所以成为孔子，既有家族的背景，也有父母特殊的基因组合，还有童年的遭遇，再有就是上古圣人们对他的感召，以及社会现实问题给予他的刺激。这些方面的因素综合作用，使得他发奋学习、博学笃行、立志弘道。

【接圣入心】

这段话又是孔子关于自己的一段自白。

在孔子看来，他所尊崇的那些圣人们，都是上智之人，具有先天极高的悟性。

在这段话中，孔子给自己做了一个定位：

- 孔子认为，自己不是上智之人，不具备圣人那样的先天禀赋。
- 但孔子在心中向往圣贤的境界，愿意追随圣人的思想。
- 通过自己勤奋敏捷的行动，去追求知识与真理。

这让人联想起了古希腊的圣人苏格拉底，神谕示苏格拉底是最聪明的人，但苏格拉底最终认为："我只是知道自己很无知。"

从孔子到苏格拉底，我们看到了圣人的品质：

- 圣人都很谦卑，是因为他们心中在用圣人和真理的标准衡量自己。俗人都很傲慢，是因为俗人在用自己的优势与那些不如自己的人进行比较。很显然，二者所使用的参照系是不一样的。
- 圣人都在求知求真方面，非常勤奋和敏捷，永不满足，从不懈怠，因为他们知道追求真理是无止境的。俗人则不同，他们在懂得了一点皮毛时就会自满，就会停步不前，他们更多的是满足于一种相对于弱者的比较优势或者虚荣。

通过与圣人和智者相比较，我们知道自己是俗人的原因了吗？

【格言】唯有学习，才能让灵魂不断强大！

7·22 子曰："三人行，必有我师焉。择其善者而从之，其不善者而改之。"

【释义】孔子讲述自己的学习方法："三个人一起走路，其中必定有人可以做我的老师。我选择他善的品德向他学习，看到他不善的地方就作为借鉴，改掉自己的缺点。”

【要点】（1）三人行必有我师焉。（2）择其善者而从之。（3）其不善者而改之。

【语境与心迹】孔子的“三人行，必有我师焉”这句话，受到后世许多人的极力赞赏。他虚心向别人学习的精神十分可贵，但更可贵的是，他不仅要以善者为师，而且还要以不善者为鉴，这其中包含有深刻的哲理：善者指引我们，不善者警诫我们。于是，就学到了正反两个方面的知识与教训：一是对于善的学习；二是对不善的自省。不仅如此，孔子还是个时时、处处、事事都能够用心得到收获的人，是一个使用全方位学习模式的人。他的这段话，对于指导我们为人处世、修身养性和增长知识，都是大有裨益的。

【接圣入心】

- 孔子本人不仅仅是做老师的楷模，也是做学生的榜样。
- 孔子的这段话成了后世的名言，包含着这样几个意思：

• “三人行，必有我师焉”：此处的“三人”可虚可实，并不一定是两个人或三个人，或者多个人，这里重点说的是一种善于向所遇的所有人学习的精神。也就是说，孔子的学习也即悟道行道，是须臾不离的，是随处都在进行的。这样一种随时随地都可以从别人那里学习知识的能力，是非常了不起的，因为他在处处、事事、时时、人人身上都可以吸收能量，所以他才成了很有能量的人。

• “择其善者而从之”：这是我们比较熟悉的正面学习、学习正面的原则。善于学习的孔子，在面对着别人的长处时，没有嫉妒，没有漠视，没有贬低，没有挑剔，唯有诚心学习。与此相比较，现实中的很多人是需要反省的：一些人在面对别人的长处时，常常心里是酸溜溜的；一些人即使是赞美别人的长处，也更多的是表面上的客气，在内心和行动上并不会真正地向别人学习；一些人看到别人的长处后，就开始去思考别人的短处，等找到别人短处时，自己的内心似乎就恢复了平衡，这是典型的自欺行为；一些人不学习别人的长处，等到别人因为短处而出现问题时，自己在内心里幸灾乐祸，其心灵之龌龊由此可见一斑。

•“其不善者而改之”：那些不善于学习的人，要么会刻意地去寻找别人的短处，要么会因为别人有短处而拒绝学习别人的长处。孔子是善于学习的，当他看到别人的短处时，就将其当作一面镜子来反观自己，如果自己没有这种问题，就将别人的问题作为对自己的警示；如果发现自己也有类似的问题，就坚决地去改正。

由此可见，孔子是永远处在学习状态中的，不管遇到什么样的情况，他都能够吸纳到能帮助自己提升的知识和智慧。这就是一个修道者的典型状态。人处在这种状态，怎么可能不进步呢？人若是没有这种学习的状态与精神，又怎么能够持续进步呢？人若是不进步，只是重复过去，或者靠贬低别人来平衡自己，又怎么会有更光明的未来呢？

【格言】永远学习，时时、处处、事事学习，学习就如同灵魂在呼吸！

7·25 子以四教：文①、行②、忠③、信④。

【注释】①文：文献、古籍等。 ②行：指德行，也指社会实践方面的内容。 ③忠：尽己之谓忠，对人尽心竭力的意思。 ④信：以实之谓信，诚实的意思。

【释义】孔子在教育学生时，以“文、行、忠、信”四项内容作为核心。

【要点】(1) 孔子四教。(2) 文、行、忠、信。

【语境与心迹】此处主要讲孔子教育教学的核心内容。当然，这仅仅是展现其教育教学内容的一种形式。孔子注重对历代古籍、文献资料的学习，但仅有书本知识还不够，还要重视社会实践活动。所以，从《论语》中我们可以看到，孔子经常带领他的学生周游列国，一方面向各国统治者进行游说促其实行仁政，另一方面让学生在实践中增长知识和才干。但书本知识和实践活动仍是不够的，还要养成忠、信的德行，即对待别人的忠心和与人交际的信实。粗略来说，就是书本知识、社会实践和道德修养三个方面的有机结合。

【接圣入心】

孔子以“文、行、忠、信”教育自己的弟子，谓之孔门儒学“四教”。

孔子给弟子们设计的这四个方面的教育内容，至今依然有非常重要的意义：

- “文”：学习文化知识，是人成为人的重要条件，也是人类历史文明代代传承的重要过程。以史为鉴，读史明智，以文化人，这都是在告诉我们学习文化知识对于我们的重要意义与价值。
- “行”：光是读书，容易读成“书虫”；知识再多，只要不进入真正的社会生活，不亲身参与实践，就可能会落入迂腐的境地。从学文到践行，是将理论与实践、自我与社会、内在与外在联系与打通所必需的过程。若是割断了这个过程，学习到的知识就不能变成行动的智慧，缺乏知识指导的行动又容易变成蛮干。
- “忠”：孔子所说的“忠”，更多是指一个人对国家、君王和民族的忠诚，也可以延伸到人与人之间的忠诚。如果一个人学习了知识后只是在自己的生活中使用，也会发挥积极作用，但只有将个人与国家、民族命运联系在一起，愿意为国家、民族、社会去奋斗，个人的知识和能力才能发挥更大的作用，一个人的思想与智慧才会步入一个更高的境界，自己的前途与命运才会有更加清晰的指引、更加有力的保障。
- “信”：孔子所说的“信”，基本上有两个方面的含义，一是个人的言行一致，言出必行，遇变则应。二是对别人的承诺，要忠诚地践行和落实。“信”是一个人最重要的品质和能力，失信于人，就将破坏我们与别人的关系，也会给自己的未来带来巨大的风险。

孔子对弟子们的“四教”，也是孔子的基本教育思想和教育内容。时至今日，不管是在家庭中，在学校中，还是在其他组织中，“孔子四教”

的内容依然具有非常重要的指导价值和借鉴意义。

【格言】儒门四教：文、行、忠、信！

7·28 子曰："盖有不知而作之者，我无是也。多闻，择其善者而从之，多见而识之，知之次也。"

【释义】孔子说："有这样一种人，可能他什么都不懂却在那里凭空造作，我却没有这样做过。多听，选择其中好的来学习；多看，然后记在心里。这种'知'仅次于'生而知之'。"

【要点】(1) 君子知道。(2) 小人捏造。(3) 多闻，择其善者而从之。(4) 多看，牢记于心。

【语境与心迹】孔子在现身说法，他看到了一些人不懂装懂的滑稽可笑样儿，但他自认为没有这种毛病。正如他教育子路时说的那样："知之为知之，不知为不知，是知也。"他给弟子们提出了几个要求：应该多闻，选择好的来进行学习，不要什么都学。多见多思考，反对那种本来什么都不懂，却在那里凭空捏造的做法。他自己在这样践行，同时也要求他的学生这样去做。

【接圣入心】

孔子之所以能够成为万世师表，就在于他超越了一般俗人，避免了世俗中最为普遍的错误与荒谬。

孔子之所以能够成为千古的圣人，就在于他自己有正确的选择和正确的做法。

孔子提出了旗帜鲜明的立场和观点：

• 孔子坚决地反对这种错误的做法：自己什么也不懂，却又在那里凭空捏造。

• 孔子认为正确的做法是：自己不懂的事物，要多听多看，其中好的部分，自己要去学习；其余的也不要轻易下结论。

这一段话，既反映了孔子实事求是的精神，也表现了孔子好学和善于学习的品质，同时也体现了孔子在判断事物时的谨慎。

参考孔子的品质和做法，来审视一下现实中的我们，就会发现，2000多年前孔子所反对和赞同的，在今天仍常见：

• 不懂装懂，装模作样，乱发议论，胡乱作为，这样的人今天有吗？记得几年前在一次很有影响力的会议上，一个在国外留过学的学者型官员，被别人问起关于国学的看法，他说了这样一番话："如今已经是21世纪了，还去学习2000多年前的东西，真的有必要吗？历史是不能开倒车的，我们只能往前走。当然了，我也不懂国学，刚才纯粹是瞎说。"是啊！既然不懂，为何要去做评价？既然知道是瞎说，为什么还要去说？

• 对于自己不懂或者不了解的情况，也不深入实际做调查，偏听偏信，决策时拍脑门，这样的人今天有吗？走到哪里就学到哪里，在实践中向人们学习和请教，而不是到处乱下指示和瞎指挥，那些好干部和好领导，不都是这样做的吗？

• 即使是在了解了情况之后，依然很难做出正确的决定，那就要保持谨言慎行，不要冒险拍板，再去找一些相关的人了解和请教，这样的人今天有吗？有的人，只是了解了一点情况，就贸然地做出决定，常常因此铸成大错；有的人在了解了一点情况后，发现很难做出决定，就以"研究研究"为由无限期地拖延下去，这样的人今天有吗？

我在对古今这些情况进行对比的时候，头脑中一次次出现这样一句话：人类的历史好像没有什么创新，似乎只是在不断轮回，2000年前人犯过的错误，今天的人们依然会一次、两次、无数次重犯。虽然科学技术日新月异，可人类的人文精神又进步了多少呢？

【格言】君子悟道，小人捏造。

7·34 子曰："若圣与仁，则吾岂敢？抑[①]为之[②]不厌，诲人不倦，则可谓云尔[③]已矣。"公西华曰："正唯弟子不能学也。"

【注释】①抑：折的语气词，"只不过是"的意思。 ②为之：指圣与仁。 ③云尔：这样说。

【释义】孔子谦虚地说："如果说到圣与仁，那我怎么敢当！不过（向圣与仁的方向）努力而不感厌烦地做，教诲别人也从不感觉疲倦，则可以这样说的。"公西华说："这正是我们学不到的。"

【要点】（1）孔子不敢担"圣与仁"之名。（2）为之不厌，诲人不倦。（3）不居名，躬行之。

【语境与心迹】因为孔子的言行传播甚广，对孔子的赞美也就接踵而至，但孔子对于"圣与仁"这样的名号是不敢当的。但他也很直接地表明，自己正不断地朝这个方向努力，"做它不厌烦，教人不疲倦"。从孔子的这段自我评价中又一次可以看出，孔子是个谦虚的人，时刻保持着清醒，并把重点放在"行"上，因为圣与仁，就是要在日常生活的点点滴滴中踏踏实实地去做。"大而化之叫作圣，心德浑全叫作仁。"孔子虽不以仁圣自居，但必以为之不厌、诲人不倦自处。这不正是教育学生的"活教材"吗：看看老师，收获盛誉，却依然不自居、不受捧，只是一心践行！

【接圣入心】

通过孔子与弟子公西华的对话，我们知道了孔子是如何认识自己的状态的。通过弟子公西华的感慨，我们也知道了孔子的这种境界是一般人很难达到的。

后世的人们尊孔子为圣人。但通过这段话我们能够知道，当时已经有人将孔子视为圣人和仁德之人了。不过很显然，孔子对别人给予他的这种评价并不在意。孔子不太在意别人的评价，那他在意什么呢？

用孔子自己的话来说，他在意这样两件事情：

- 孔子的心是向着圣与仁的方向前进的，他将此作为自己坚定不移的方向，并持之以恒地去实践。

• 孔子虽然不接受别人对他那样高的评价，自认为还没有达到圣人和仁德的最佳境界，但他已经像圣人和仁德之人那样，在不厌其烦地教化普通人了。

由此可以看出，孔子不重名而重实。名与实，孰轻孰重，这是中国文化中一个重要的问题。重实而不重名，最终必然实至名归。若是反过来，最终恐怕只能落得个名实两空。

再来看看现实中的人们，不少的人重名胜过重实。一些人虽然通过炒作或者一些技巧获得了名声，随着其活动范围的扩大和平台的提升，其内涵匮乏的本质就会暴露出来，就容易出丑，就会受到众人的挖苦。

再看看历史上那些真正能够名垂青史的人，他们通常都是重实胜过重名的人。即使把自己的实力提升到了很高的地步，他们仍然谦虚低调，仍然把自己的主要精力放在不断地突破自我和提升实力上。于是，实力的提升与个人声誉的提高，就实现了同步，这才是真正的人生智慧之道。

【格言】圣人不居，勤行自勉。

泰伯第八

8·8 子曰："兴①于诗，立于礼，成于乐。"

【注释】①兴：开始。

【释义】孔子就形成好的气质修养谈了三个重点："人的气质修养开始于学《诗经》，自立于学礼，完成于学乐。"

【要点】（1）修养之道。（2）兴于诗，立于礼，成于乐。

【语境与心迹】现代人说到诗，会想到这样一些说法：诗兴大发，唐诗宋词，很有诗意，诗词歌赋，等等。诗词，是人的感觉与灵性对人生和自然的一种情感的抒发，也是心灵与外界接通的一种特殊的方式。懂得了诗，人生就可能有诗情画意的那种浪漫和美好。缺乏诗意的人生，会显得生硬和刻板。诗性是抒发，礼仪则是对自然本性的一种节制，诗与礼的结合，也是抒发和节制的统一，让生命做到有放有收，不至于因为仅仅有“放”而肆意飘渺，也不至于因为仅仅有“收”而无法绽放。生命若是没有抒发而只有节制，就可能压抑，变得机械和呆板；若是只有抒发而没有节制，就可能发而难收，就可能纵情乱性。音乐也是抒发情怀的一种方式，讲究整体的高低起伏，讲究节奏等方面的和谐与流畅。由此可见，“诗”“礼”“乐”三者对于生命成长和生活具有重要价值与意义。

【接圣入心】

人是自然造化之物，也是天地间的灵物，同时也是具备自我管理能力的一种高级动物。

孔子所说的“诗”“礼”“乐”，也是对应着人性的特点，满足人的这几个方面需要的。

“诗”“礼”“乐”对于人生有着各自不同的功能，它们相互配合，勾画出有声有色的和谐人生画面：

- 通过诗兴，生命可以打开，去与天地间万物进行浪漫的对接。
- 通过礼仪，生命得以管控，与诗性构成生命阴阳两极的对偶。
- 通过音乐，生命变得鲜活，在各种对偶变化中达到和谐流畅。

打开生命之门，与天地万物对接，这是诗样的人生；把控生命，让生命与生命之间的对接变得完美；用音乐糅合诗性与礼仪，使人生变得和谐而流畅。

实际上，无论是诗兴与礼仪，还是音乐，之所以能够陶冶人的情操、提升人的气质，皆在于让生命回归自然，使生命收放自如，让人生和谐流畅，这就是中国文化中的“中道”智慧。

当然，这一切如果离开了内心的仁德，就会成为乱人心性的东西，这也是那些看来精通“诗”“礼”“乐”的人要特别小心的。

【格言】诗行，礼节，乐成。

8·12　子曰："三年学，不至于谷[①]，不易得也。"

【注释】①谷：古代以谷作为官吏的俸禄，这里用"谷"字代表做官。不至于谷，即做不了官。

【释义】孔子特别强调读书的目的和真正志向，他说："读书三年，不至于纯粹为了做官谋好职业，这是难能可贵的。"

【要点】（1）学而优则仕。（2）学三而仕。

【语境与心迹】很多人都知道孔子所倡导的"学而优则仕"的思想，只是不少人将其粗暴地理解成学习就是为了升官发财。看看孔子在此处所赞赏的学习状态，就能知道孔子真实的内心。那怎么样才能算学习好了呢？儒家所倡导的学习，跟许多人理解的学习的目的是有差别的。儒家强调，首先要立大志，走正道，行仁德，也就是要明确人生的方向。其次，要谨遵人间的道德准则，在家中与父母、兄弟姐妹要讲孝悌，对国家和朋友要讲忠信，做人做事要讲忠恕和中庸，要懂得谨言慎行。再次，与人相处要克己自省，不要怨天尤人，要懂得不断地向别人学习和借鉴。最后，要精通六艺，方能承担生活和工作中相应的责任。如此这般学习上三年，具备了仁德与能力，怎么会没有机会去做官呢？在历史和现实中，没有领悟这一道理的人还是不少的，他们读书就是为了升官发财，却忘记了为社会与国家担负的使命。历代的贪官污吏，那就不是一般地忘记使命的问题了，简直如同发疯一样，出现了"两面人"的人格分裂，犹如活在梦魇中，只是到了锒铛入狱时，才如梦方醒。

【接圣入心】

按照孔子所设计的学习计划，学习三年，不为功名利禄，领悟了做官的精髓就是为别人承担责任，自然就可以做官了。正所谓，不为自己，方能为众！

后世中的一些人，总是在批判儒家"学而优则仕"的思想，好像儒家培养的都是一个个官迷。但这样的观点失之偏颇，反映的只是一种情绪，试问：

• 不懂得“不为自己，方能为众”这一“为官之道”，只是学习成绩好，真的能做个好官吗？

• 懂得了做官的根本然后去为社会大众服务，不就是最大的荣耀吗？还要其他的来装裱自己吗？

• 学好了的人不去做官，难道让那些没有学好的人去做官吗？

• 古往今来，官场上总有很多黑暗，但民间也有，甚至可能更多。因此，不能因为看到一些问题，就认为官场是黑暗的。实际上，一个社会之所以能够运行和存续，甚至还能够发展和变得越来越好，一定是因为有一批默默无闻的贤者、大君子们在支撑着。

• 历代官场上的问题，有很多原因，但总的来说大多是人自身的原因。或者可以说，正是没有学好就急急忙忙地去做了官，失去了立身之本，忘记了初心使命，才导致害人害己。

• 当代反腐，提出了“不能贪，不敢贪，不想贪”的“三不”原则，前两者涉及的都是制度建设和法治问题，而“不想贪”才是根本所在。否则，只要有人想贪，就总会找到可钻的空子。

官场上出现的问题，往往是因为人没有立大志，所以才会变得自私自利；因为没有清晰而坚固的公心，所以才会拉帮结伙，才会公权私用；因为没有高尚的信仰，所以才会追求那种奢靡的物质生活；因为法治、道德和礼仪等方面观念淡薄，所以才会胡作非为；没有坚定的信仰意志，迟早会成为别有用心之人的“围猎之物”。

现行的选人用人体制，基本上是通过考试和考察，从各种专业人才队伍中选拔官员的，只有到了一定的级别才会进入党校接受高级教育。当然在教育当中，有效的、有针对性的、以具体情境为目标的心智、道德、信仰、意志方面的行为训练，是需要加强的。

当然，孔子所陈述的观点，也给了我们一个重要的提示：学好了，再去为官，才能做个好官。这个“学好”，既指“志于道，据于德，依于仁，游于艺”的系统性学习，也要知行合一或者持续不断地学习和修行。

可能有人会说，我已经学好了，可是我仍然没有得到位置啊！实际上，这是自身的逻辑出了问题：学好了吗？这是自己给自己的判定吧？别人、大众或者组织又会怎么看你呢？如果不走出自身的逻辑，就不能真正地专注于学好而无法获得机会；那些没有学好却一心谋官职的人，经常会使用各种手段去投机钻营，就会出现买官卖官、行贿受贿的丑恶现象。一些不称职的人一旦获得官位，满心想的不是去为大众服务，而是借官位为自己谋私利。

有人可能还会问：学好了，非要去做官吗？我去经营企业不可以吗？实际上，经营企业和做官的宗旨是一样的：都要服务于别人！企业若是不服务于客户，企业领导若是不服务于部下，企业经营又怎么能够做得好呢？！

【格言】真正“学好”，持续修行，才能做个好官。

8·15 子曰：“师挚之始①，《关雎》之乱②，洋洋乎盈耳哉！”

【注释】①师挚之始：师挚是鲁国的太师。“始”是乐曲的开端，即序曲。古代奏乐，开端叫“升歌”，一般由太师演奏，师挚是太师，所以这里说是“师挚之始”。 ②《关雎》之乱：“乱”是乐曲的终了。“乱”是合奏乐。此时奏《关雎》乐章，所以叫“《关雎》之乱”。

【释义】孔子说：“从师挚演奏序曲开始，到最后演奏《关雎》的结尾，丰富而优美的音乐在我耳边回荡。”

【要点】(1) 君子爱乐。(2) 美乐绕心。

【语境与心迹】孔子似乎对音乐有着天生的好奇。孩提时代，他经常跟着父母参加一些祭祀活动，而最吸引孔子的，是祭祀时乐师们所演奏的庄严而隆重的音乐，那悠扬的旋律深深震撼着孔子幼小的心灵，使他的灵魂变得纯净并一下子亮堂起来。回家后，他还带领一群孩子模仿祭祀的仪式，用豆子代替祭品玩祭祀的游戏。但由于家境贫寒，家里找不到一件乐器，所以，平时他只能用木棒敲击陶罐、碗碟之类来自学演奏技巧。了解了这些，我们就知道孔子在小的时候就喜欢音乐，渐渐地，他也成了一个很懂

得音乐、很会欣赏音乐的人。

【接圣入心】

孔子推崇“诗”“礼”“乐”，他自己的人生也是充满诗意和浪漫激情的，他胸怀天下的伟大志向、崇尚社会和谐秩序的理想与其对音乐的欣赏能力是一致的。“诗”“礼”“乐”在他的生命系统中形成了一种奇妙的和谐。

在庄子这里，“乐”的概念通过对天籁和地籁的描述阐发。所谓地籁，就是大地发出的气与自然的各种窍孔相融合的结果。而天籁则超越一切窍孔的差别，是一切风与万物相遇的天然之声、和谐之音。

看来，不管是孔子还是庄子，他们对道的领悟，都在对音乐的理解与欣赏中得到了体现。

对于现实中追求悟道的我们来说，学会欣赏与理解音乐，也是一条重要的通道。

当然，要想搞懂孔子鉴赏音乐的能力，就不能忘记孔子心中的无我、家国情怀和仁德的根基。离开了这些，对音乐的欣赏，就只能是表面的。

【格言】人生如乐曲，德者能赏乐。

8·17 子曰：“学如不及，犹恐失之。”

【释义】孔子谈学习的心态：“学习知识就像追赶什么似的，追赶上了又担心丢掉什么。”

【要点】(1) 学如不及。(2) 犹恐失之。

【语境与心迹】孔子对学习知识的渴望十分强烈，他同时也这样要求他的学生。这“学如不及，犹恐失之”也是“学而不厌”最好的注脚。这让人想起了高尔基的一句名言：我扑在书籍上，就像饥饿的人扑在面包上。看来，只有爱学习、爱读书，才能让自己的灵魂变得伟大。人之所以成为人，基础是靠五谷与酒肉来保障肉体的成长、强壮与满足，但若是只限于用五谷与酒肉饲养自己的躯体，又与低级动物何异呢？这种只养肉体的

“人形动物”，即使勉强算作人，也只是最低级和原始意义上的人吧！真正意义上的人，早已不是生物学层面那种两腿直立行走的动物。人与低级动物的本质区别，也已经不再是肢体外形上的不同，而是精神高度与境界的不同，这就是人追求精神并从精神上获得愉悦而成为高级动物的根本原因。由动物到人，在形体和内在结构上经历了漫长的进化过程，但精神的成长却显得尤其艰难，需要通过连续不断的修炼才能实现。而修炼的重要方式或者说是重要渠道，便是学习、读书、践行、修行。当人们将这样的读书模式看成一种信仰时，也就锁定了自己生命的主导方向，定格了生命的高度。

【接圣入心】

我们都知道，做人做事都需要一种状态，若只有愿望，而没有与之相配合的状态，生命之力就难以得到最好的发挥。军队如果只有武器，而没有士气，就很难打胜仗。人生也是如此。

孔子在这里讲的就是一种学习的状态：“学如不及，犹恐失之”。相反，学习如果没有紧迫感，没有那种紧追不舍的精神，就达不到最佳的状态。

愿望与状态的最佳结合，是我们做好一切事情的主观动力，愿望是状态的方向，状态是愿望的强度。

当只有愿望而没有足够的强度时，这些愿望就会变成忽隐忽现的、脆弱的念头，就无法形成强劲的内驱力。

一些人的成功，来自正确的愿望和良好的状态。一些人的失败，要么是愿望不甚正确，要么是虽有正确的愿望，但却没有良好的状态。

当一个人有了良好的愿望，又有那种极其渴望和坚定不移的意志配合着去行动时，就一定会超越很多人，就会增加成功的可能。

【格言】今天学习了吗？今天进步了吗？重复昨天，就没有未来！

子罕第九

9·2 达巷党人[①]曰："大哉孔子！博学而无所成名。"子闻之，谓门弟子曰："吾何执？执御乎？执射乎？吾执御矣。"

【注释】①达巷党人：古代五百家为一党，达巷是党名。这是说达巷党这地方的人。

【释义】孔子对于别人的赞誉，一直保持着高度的警惕，听到达巷党这个地方有人说"孔子真伟大啊！他学问渊博，却没有专长"，孔子回应他的学生说："我要专长于哪个方面呢？是驾车呢，还是射箭呢？我还是驾车吧！"

【要点】(1) 大哉孔子。(2) 博学而无所成名。

【语境与心迹】对于大部分人来说，能有一技之长已经非常难得。很多人也因为自己的一技之长而得到赞誉，或者得到一种相应的称号。但要赞誉孔子可就难了，因为孔子实在太博学了，以至于没有突出的专长。这个意思不难理解，关键是后边孔子所说的话，让人有些费解，对其解释也各不相同。"我要专注于哪一个方面的专长呢？是射箭呢，还是驾车呢？我还是驾车吧！"孔子为什么会说出这样一段话呢？怎么这话听起来像是打岔？有点文不对题啊？是孔子装糊涂吗？是孔子因为听到别人给他这样高的赞誉而刻意地谦虚吗？孔子自用了"御"，是要驾驭思想、时代、人心？皆有可能！这与孔子的一贯风格相符合：别人高抬他时，他反而要把自己往低处放。别人把他说得很高大神圣时，他就把自己很平凡的生活状态或者事实说出来，让普通人感觉离着自己很近。尼克松曾赞美毛主席改变了世界，而毛主席则认为他只是改变了北京附近的一些地方。

【接圣入心】

在现代社会中，上大学要选"专业"，在一些场合会经常遇到一些"专家"，很多人也是某个方面的"专业人才"。面对这些"专"，大部分人都不觉得有什么问题，当事人可能还很自豪。

孔子之所以成为圣人，其中一个重要的条件就是他的博学。仅就此点来说，现在的教育是很难再培养出像孔子那样博学的圣人了。

这个世界，是丰富多彩的。这个完整的世界，是由许许多多不同的方面组成的。仅仅从某一个方面认识世界的整体，就可能遭遇盲人摸象、管中窥豹和一叶障目的尴尬。

即使是生活，我们也需要具备多方面的知识与能力。如果只具备一部分的能力，我们的生活也会出现问题。比如在家中做饭和收拾家务，这跟一个人学习和从事什么专业没有什么关系，但却是他正常生活应该具备的能力。一对夫妻，曾经是化学专业的高材生，但结婚多年没有生育，医生检查后发现，两人根本不知道如何生育。这听起来像个笑话，与此类似的专业人才在生活中遇到的尴尬之事恐怕还有很多。

在这段别人给孔子的至高赞誉和孔子的自白中，我们至少明白了三个重要的道理：

- 不管是科学地认识这个世界，还是全面地习得生活能力，我们都需要博学。当然，博学可能是生命到了特定阶段的一种结果，而在之前的某个阶段，我们都需要专注于某个专长，当很多专长组合起来时，也许就称得上是博学了。当然，在专注于某个专长的学习和实践时，如果不仅仅限于钻研它的特殊规律，还懂得透过具体现象去获取背后的普遍规律，那对于以后再学习其他的专长就会大有帮助，以至于在某个时刻，能够达到那种一通百通的境界。
- 对于现代人来说，我们基本上都是在学习某个专业继而毕业后走向社会的。在初级阶段，人们会问我们的专业。到了中级阶段，人们会说我们是专业人才。到了高级阶段，人们会称我们为专家。也许我们已经习惯了这样的一种称谓，甚至有时还觉得很自豪。固然，有一技之长是值得称道或者令自己欣慰的，但我们必须保持一份清醒：仅仅满足于一技之长或者某个专业的特长，这样的人才或专家可能只是个偏才。如果你有能力博学，但没有认识到自己当前是个偏才，那就容易铸成人生中最大的遗憾。如果我们在工作和生活中遇到了一些问题，很有可能就是我们这种偏才的状态所导致的：我们自豪于自己的专业，却对自己不专业但需要知晓的方面很无知；我们可能有很高的智商，但可能情商很低，而自己又没有认识到。若是照此下去，我们的事业和生活，就会出现许许多多解不开的烦恼。

• 当别人尊称我们为专业人才或者专家时，如果此时此刻我们还能够想起孔子的博学，就应该马上想到自己作为专业人才或专家的局限，就应该内心惊恐进而生出谦卑，就会虚心向别人请教，就会祛除傲慢。孔子能够在那种至高的赞誉出现时，仍然把自己放得很低，这是何等的境界？高人姿态低，小人姿态高，说的就是那些水平很高的人总是能够把自己放得很低，而那些水平低的人却把自己抬得高高的。这似乎已经是生活中的一种普遍现象，值得我们警醒和警惕。

【格言】圣人天高，自恃凡夫。俗人凡夫，自恃清高。

9・6　太宰①问于子贡曰："夫子圣者与？何其多能也？"子贡曰："固天纵②之将圣，又多能也。"子闻之，曰："太宰知我乎？吾少也贱，故多能鄙事③。君子多乎哉？不多也。"

【注释】①太宰：官名，掌管国君宫廷事务。这里的太宰，有人说是吴国的太宰伯，但不能确认。　②纵：让，使，不加限量。　③鄙事：卑贱的事情。

【释义】太宰问子贡说："孔夫子是位圣人吧？为什么这样多才多艺呢？"子贡说："这本是上天让他成为圣人，而且使他多才多艺。"孔子听到后说："太宰怎么会了解我呢？我因为少年时地位低贱，所以会许多卑贱的技艺。君子会有这么多的技艺吗？不会这么多的。"

【要点】(1) 圣人多艺。(2) 上天所赐？ (3) 位卑勤奋。(4) 故而多艺。

【语境与心迹】作为孔子的学生，子贡认为自己的老师是天才，是上天赋予他多才多艺的。但孔子否认了子贡的说法，孔子说自己少年低贱，要谋生，就要多掌握一些技艺。听到孔子这样说，不少人心中会泛起诸多感慨，孔子好实在啊，流露的是真情实感！孔子否认了学生子贡对其"生而知之”的赞美，认为自己学习技艺纯粹是谋生的需要。真诚的孔子，永远在说实话，即使是别人赞美他，他也不会顺着杆子爬上去，这是至诚啊！《中庸》里讲“至诚通天”，孔子的这种至诚品质恰恰是他能够通天彻地的秘诀啊！由此可见，圣人不是天生如此，而是后天修出来的。当然，先天条件也是不容忽视的，至于发挥了多大作用，这就很难准确估计了。真正读懂了孔子的这份心迹，也就理解了孔子的品格和智慧的模式。

【接圣入心】

在这一段对话中，我们了解到了圣人成为圣人的一个重要的原因：他们出身卑贱，但能自强自立，修习大道，心怀天下。

这段对话似乎反映了三个人不同的思维逻辑：

- 太宰的逻辑是：因为孔子是圣人，所以才多才多艺。
- 子贡的逻辑是：因为上天要使孔子成为圣人，所以才使他多才多艺。
- 孔子的逻辑是：因为自己少年时地位卑贱，所以才会学习很多才艺。

这三种不同的思维逻辑又告诉我们什么呢？

- 太宰的思维逻辑是，因为孔子是圣人，所以才多才多艺。反过来说，如果不是圣人，就不会多才多艺。
- 子贡的思维逻辑是，孔子的多才多艺和圣人的身份，都是上天赋予他的。这是一种典型的“生而知之”的天命论。进一步说，如果一个人没有多才多艺，那就是上天不想让他成为圣人。很显然，这就变得消极了。
- 孔子的思维逻辑是，因为年轻时地位卑贱，所以才学习了这么多的才艺。很显然，孔子自己的想法，更符合人成长的实际情况，听起来更加合理，也比较接地气。

前两者的逻辑所构筑的关于圣人和多才多艺之间的关系，是一般人所无法企及的。而孔圣人所说的圣人与才艺之间的关系告诉我们，只要一个人在贫穷和卑贱时能够不自暴自弃，能够坚守仁德大道，专心学习才

艺，立足于自强不息、心怀天下，就能够成为圣人。

太宰和子贡的分析方法，把圣人和才艺神秘化了，也把圣人的概念抽象化了。实际上要想成为圣人，不仅是多才多艺的问题，首先是内心要有坚定的仁德，心怀天下，不为一己谋私，掌握才艺也就顺理成章了。

对于我们当代人来说，“圣人”往往是道德高尚、心怀天下、创建思想的人。但在古代，人们对“圣人”的理解，更多是对其才能方面的称道，他们竟然不可思议地拥有如此多的能力，这才是一般人心中的圣人。

由此可以看出，一般人所称奇的圣人的才艺，圣人自己并没有太在意。而圣人真正在意的是那种不甘于卑贱、自强不息、坚守仁德、心怀天下的情怀，这才是一般人很难领悟的。

【格言】圣人自强，博学多才。

9·7　牢[①]曰：“子云：‘吾不试[②]，故艺。’”

【注释】①牢：郑玄说此人系孔子的学生，但在《史记·仲尼弟子列传》中未见此人。　②试：用，被任用。

【释义】孔子的学生子牢说：“孔子说过：‘我年轻时没有去做官，所以会许多技艺。’”

【要点】(1)少时无位。(2)勤学技艺。

【语境与心迹】这一部分内容与前面相关联，用来说明孔子成长的心路历程：没有急急忙忙地去当官，而是先学习技艺，打好基础，具有了修己安人的能力才做官。孔子不认为自己是“圣人”(圣人怎么会自认为是圣人呢？)，也不承认自己是“天才”(真正的天才怎么会自认为是天才呢？)，他说自己的多才多艺是由于年轻时没有去做官，生活比较清贫，所以掌握了许多的谋生技艺。而这也就是圣人之所以成为圣人，以及做官之后能够造福大众的根本所在吧！

【接圣入心】

记得在很小的时候，曾经看到有人批判孔子的“生而知之”和

“天命论”。后来才明白，孔子是反对“生而知之”的；其所说的“天命论”，也不是我们一般人所理解的人的命由天注定。

孔子成为圣人，被许多人所推崇和膜拜，许多人也把他个人的多才多艺看成是一种天才的表现，似乎只有把圣人追捧成天才，才符合圣人的身份，这有点像是宗教思维：将教主的出身和人生经历进行神秘化的包装，似乎只有这样才能够解释圣人的超凡脱俗。

孔子并不赞成别人对他的那种吹捧和神秘化的崇拜，他明确告诉人们：我之所以多才多艺，是因为在年轻的时候没有去做官，有足够的时间去学习一些谋生的技艺。

普通人对圣人的推崇以及神秘化的包装，似乎也没有什么恶意，但让圣人们远离了普通大众，圣人们就渐渐变成了普通人心目中的神，似乎只要信奉、祈祷和向他求助，就可以得到护佑。这是民间对圣人的典型做法。

但是，当把圣人吹捧成为神的时候，事情的发展就已经走向了反面：人们开始忽视圣人们自我奋斗和觉悟的过程，对他们的教导也置若罔闻，只是简单地顶礼膜拜。到了这个地步，已经违反了圣人们的初衷，因为圣人们是反对人们将他们作为神灵顶礼膜拜的。圣人们希望的是人们能够从他们自身的自强不息和为天下人谋福利的情怀中受到启迪，进而能够和他们一样去为天下人造福，而不是将他们作为神灵来膜拜并为自己谋私利。

通过以上分析我们知道，圣人们若在天有灵，也会因被后世推上神坛而苦恼的，因为这不是他们所赞同的，也不是他们的本意。作为圣人的弟子，作为祖先的后代，作为信奉他们思想的信徒们，我们懂得圣贤和祖师们真正的愿望吗？

【格言】贫时勤奋而多艺，卑时报国而圣人。

9·8 子曰："吾有知乎哉？无知也。有鄙夫[①]问于我，空空如也[②]。我叩[③]其两端[④]而竭[⑤]焉。"

【注释】①鄙夫：孔子称乡下人、社会下层的人。 ②空空如也：指孔子自己心中空空无知。 ③叩：叩问、询问。 ④两端：两头，指正反、始终、上下方面。 ⑤竭：穷尽、尽力追究。

【释义】孔子简直是中国的苏格拉底，他说："我有知识吗？其实我没有知识。有一个乡下人问我，我对他谈的问题本来一点也不知道。我只是从问题的两端去问，该问题就可以全部搞清楚了。"

【要点】（1）君子自知无知。（2）叩其两端而竭焉。

【语境与心迹】伟哉孔子！"我有知识吗？其实我没有知识"，这与古希腊智者苏格拉底所说的话，简直像极了。同时，孔子告诉了我们一个聪明的办法：从两端去问，于是问题就搞清楚了。这两端到底是什么呢？孔子没有明说。叩，如叩门，使门内人闻声开门。又如叩钟使自鸣。孔子转叩问此鄙夫，使其心自知开悟。实际上，静心想一想就能知道，凡事必有两端，孔子就此鄙夫所疑之事之两端叩而问之，也是继承了舜帝的智慧方式："舜执其两端，用其中于民"。两端者，其意甚广，可以是一个人的初心和行为、行为与结果；可以是一个事物的始终、现象与本质、正面与反面、过去与现在、现在与未来；等等。若能贯通这两端，万事可解也！

【接圣入心】

由此看来，东西方的圣人有一个共同点：他们都敢于承认自己的无知。

古希腊特尔斐神庙上刻着一句流传很广的箴言：认识你自己！

为什么认识自己这么困难呢？心理学告诉我们，那是因为我们自卑，所以要故意彰显自己的优点和长处，同时会去刻意掩饰自己的缺点和短处。

在我们彰显自己的优点和长处、掩饰自己的缺点和短处时，我们真的成功了吗？

• 当你一味彰显自己的优点和长处时，人们必然会寻找你的缺点和短处。

• 当你刻意掩饰自己的缺点和短处时，许多人一定会看透你脆弱的本质。

• 当你用自己的长处和优点做事儿，却又坦然承认自己的不足时，人们的心态就平衡了。

• 当你将自己的长处变成了别人的长处，又用自己的短处来衬托别人的长处时，别人的心就会被你降服。

• 当你将自己的长处暂时放下，而能够让别人的长处得以展现，你又能够毫无保留地去赞美别人，甚至用过去的一些事实来告诉别人你自己不如他时，别人就会向你打开心门。

明白了这些道理，你就知道，做人的美德对人生的重大价值所在。你也就知道了，若是没有这些美德，我们随时都可能出丑和贱卖自己。你自己现在是什么状态？你知道如何调理自己精神内在的程序吗？

若是以为明白了上述道理就懂得了孔子，那可就大错特错了。“我叩其两端而竭焉”才是孔子智慧的关键，因为这是孔子领悟万物之道的哲学方法论。我们都知道孔子是思想家和教育家，实际上，孔子之所以成为圣人，是因为他所具有的哲学能力：对于任何事物，只需问清两端，就能知道其中的秘密。若不信，你可以试试：生死是人生的两端，用生死就可以搞清楚人生过程中一切的正误。始终也是任何事物的两极吧？为何而起？又是追求什么样的终极？过程中的事是不是就清楚了？愿望与结果，也是一件事的两极，如果事事都能实现愿望与结果的统一，从小到大皆是如此，那人生的一切就都清楚了。

【格言】圣人能自知，遇事叩两端，则可领悟万物之道。

9·11　颜渊喟[①]然叹曰：“仰之弥[②]高，钻[③]之弥坚，瞻[④]之在前，忽焉在后。夫子循循然善诱人[⑤]，博我以文，约我以礼，欲罢不能。既竭吾才，如有所立卓尔[⑥]。虽欲从之，末由[⑦]也已。”

【注释】①喟：音 kuì，叹息的样子。　②弥：更加、越发。　③钻：钻

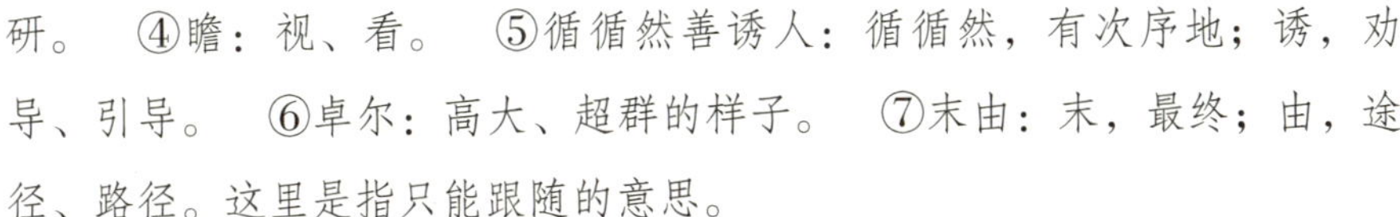

研。④瞻：视、看。⑤循循然善诱人：循循然，有次序地；诱，劝导、引导。⑥卓尔：高大、超群的样子。⑦末由：末，最终；由，途径、路径。这里是指只能跟随的意思。

【释义】颜渊对孔子智慧与境界的领悟最为深刻，他说："对于老师的学问与道德，我抬头仰望，越望越觉得高；我努力钻研，越钻研越觉得不可穷尽。看着它好像在前面，忽然又像在后面。老师善于一步一步地开导我，用各种典籍来丰富我的知识，又用各种礼节来约束我的言行，使我想停止学习都不可能，直到我用尽了我的全力。好像有一个十分高大的东西立在我前面，虽然我想要追上前去，但最终却只能跟随而已啊。"

【要点】(1) 仰之弥高，钻之弥坚，瞻之在前，忽焉在后。(2) 循循善诱，博之以文，约之以礼，欲罢不能。(3) 虽欲从之，末由也已。

【语境与心迹】从颜回对老师孔子的赞叹中，我们既看到了他对老师的尊敬和崇拜，又看到了孔子教育弟子的方法和内容，看到了一个生命的力量被圣人激发后的状态。这样的老师，这样的学生，这样的师徒关系，真是千古佳话呀！通过颜回的描述，我们仿佛看到了一个光辉的圣人形象：如日月高悬天际，如日月之光普照大地；其精神如同无尽的宝藏，永远也无法探到底处；其思想与思维灵活如龙行九天，自由驰骋在天地万物之间；跟随着你的心迹，随时指引、搀扶和推动，如同一条智慧的轨道，让你永远不会走偏；一种神奇的诱惑啊，让你欲罢不能，竭尽生命而无憾；追随着，又如同一座高山耸立，似乎无法越过；最终，以此生能够追随作为自己的荣幸。

【接圣入心】

颜回算是最接近孔子思想的学生了，这也是孔子对颜回感情深厚的重要原因吧！毕竟，每个人对于那个最懂得你的人，总是怀着一种很特别的感情。

一个老师能让学生如此崇拜，应该算是成功的老师了吧！一个学生能够追随自己崇拜的老师，应该算是十分幸运的吧！老师遇到这样的学生，学生遇到这样的老师，对于双方来说都可谓三生有幸了。

孔子能够成为万世师表，受到学生如此的敬仰和崇拜，可能有这样几个方面的原因：

- 孔子对民族和国家的伟大的情怀，那种厚重的责任感，无疑是激励学生的第一力量。
- 孔子处在那样一个乱世和逆境中，作为老师依然拥有坚定不移的信心，这份信心成为支撑学生追求理想的重要力量。
- 孔子为人仁厚、待人谦和，无疑是赢得学生信任的人格力量，从而可以让学生以命相许、终生追随。
- 孔子的好学和博学，无疑成了学生取之不尽和用之不竭的智慧宝库。对于这样的老师，学生真的没有不崇拜的理由。
- 孔子为人谦卑、自省、朴实和低调，同样令学生十分着迷，因此孔子成为学生修行的好榜样。
- 孔子博学，其所拥有的丰富的知识滋养着学生。孔子对学生的循循善诱也让学生感受到了老师的良苦用心。孔子用礼仪来约束学生的言行，让学生感受到了老师对他们的殷切关怀。

孔子作为师者所展现的风范和魅力，颜回作为学生所应有的感恩和忠诚，都值得今天的老师和学生进行自我反思。

【格言】圣师如日月，贤徒放光芒。

9·17　子在川上曰：“逝者如斯夫，不舍昼夜。”

【释义】孔子在河边望着滔滔不绝东去的河水无限感慨人生：“消逝的时光就像这河水一样啊，不分昼夜地向前流去。”

【要点】（1）时光如水。（2）只争朝夕。

【语境与心迹】古人领悟大道时往往有一种典型的表达方式，就是仰天观星云，俯视思万物众生。孔子站在河岸上仰观俯察，看到河水川流不息，因而兴起感叹。他所说的“逝者”，没有特指的对象，也就可包罗万象。就天地人事而言，孔子仰观天文，想到日月运行，昼夜更始，便是往一日即去一日，然却没有尽头。俯察地理，想到花开花落，四时变迁，便是往一年即去一年，年年如此。天地如此，生在天地间的人，亦不例外。人自出生以后，由少而壮，由壮而老，每过一日，即去一日，每过一岁，即去一岁。但去一岁就少一岁，因为个体生命是有限的。故而有劝人珍惜时光的蕴意在其中。但若是就人类历史而言，则会比个体生命长久很多，于是呈现天地日月运行的生生不息。旧的去了，新的又来了，中国历史也是朝代更替的历史、旧人换新人的历史。由此可知，自然界、人世间、宇宙中，无一不是逝者，无一不像河里的流水，昼夜不住地流，一经流去，便不会返回来。但有趣的是，这个过程似乎没有尽头，一直是循环往复的。也许，这才是大自然给予人的最重要的启示。

于是，劝人活着要珍惜，珍惜但不要执着，一切都在变，一切都会过去。毛主席在《水调歌头·游泳》中就引用孔子这句话，足见这句话分量之重。“才饮长沙水，又食武昌鱼。万里长江横渡，极目楚天舒。不管风吹浪打，胜似闲庭信步，今日得宽余。子在川上曰：逝者如斯夫！风樯动，龟蛇静，起宏图。一桥飞架南北，天堑变通途。更立西江石壁，截断巫山云雨，高峡出平湖。神女应无恙，当惊世界殊。”孔子站在上游告诉学生们：“你们看这水，川流不息，一直向前！向前！永不回头！而且是昼夜不断地向前去。想留都留不住啊！这不就如同生命、时光、历史？要珍惜人生、珍惜时光啊！”看到孔子这段话，想起《易经》中的那句名言：“天行健，君子以自强不息。”历史是不会停留的，时代是向前迈进的，现在的一切都将成为过去，未来正在一点点成为现在，又从现在悄悄地溜走成为过去。也许，时空没有什么过去、现在与未来，只是周而复始。宇宙如此，人生也是如此吧！

【接圣入心】

孔子站在河边，对着川流不息的河水，发出了感慨。

圣人对着川流不息的河水发出感慨，又在告诉我们什么呢？

孔子在此处发出的感慨，内涵是什么？他没有明说，我们这些后人也只能揣测：

• 是感慨人生短暂？也许是吧，或者是此生短暂。那此生之后呢？我们也是大自然的一部分，能跟上它的节律吗？不管在做什么或者是否处在犹豫彷徨中，我们的生命都像奔流不息的河水一样，在不断地流逝。生命的本质，实际上就是时间，在属于我们自己的生命时间之前，没有我们的存在；在这之后，也没有我们的存在。从出生开始，生命的时间就在一分一秒地减少，方向直指生命的终点。在这个问题上，所有的生命都是一样的，因此，生命的时间对每一个人都是公平的。生命的价值，就在于我们如何使用自己有限的时间。在犹豫彷徨间，时间流走了。在痛苦纠结时，时间流走了。在怨恨别人时，时间流走了。在简单机械地重复过去时，时间流走了。在没有意义的事情上纠缠时，机会溜走了。伟人说，一万年太久，只争朝夕！

• 江河川流不息，奔向大海，那是它们的归宿。在人生的长河中，生命如同一滴水，也在向前奔流，寻找自己的归宿。人生的归宿又在哪里呢？帝王们梦想长生不老，最后发现那真是一场梦。皇帝们梦想着死后不朽，最后也只是留下了一具僵尸。圣人不朽，精神永存，智慧光照千秋！也许，人生或者生命的本质，不是强调我们自己，而是我们能否融入那个永恒中去！

• 孔子感慨河水的川流不息，还是在昭示大道的永恒，无情无私，人愿不能挡其势，私欲不能断其流，唯有依道而思，顺道而行，方合大道之意。领悟大道，方知天命，能顺天意，自强不息，厚德载物，转私欲为理想，升小我为大我，才是生命的真谛！

人生百年，如白驹过隙。生命如同试验中的白鼠，生活如同实验，若是错了，也很难重来。珍惜生命，珍惜此生，每个人都只活此一回！思维，就是为了给我们纠错，调对了实验方案，此生方能无悔！

也许，很少有人像圣人一样思考生命的本质。很多人看人生，也许只是在几十年的时空区域做盘算。也许，有一种生命的形态，可以超越时空，可以超越肉体的限制。也许，这才是圣人出现与存在的重大启示！

【**格言**】时不我待，只争朝夕！

9·20　子曰："语之而不惰者，其回也与！"

【**释义**】孔子很欣赏颜回，总不忘赞美他几句："听我说话而能毫不懈怠的，只有颜回一个人吧！"

【**要点**】（1）孔子赞回。（2）语之不惰。

【**语境与心迹**】我们不知孔子说这话时是否有其他弟子在场，也许有其他弟子在场，否则，颜回早逝，整理孔子的思想成《论语》，又是谁回忆起来的呢？当然，也不知其他弟子听到老师的这句话之后会做何感想，应该会感到汗颜吧！颜回听老师讲话从不懈怠，可能包含两层意思：一是颜回在听老师讲话时专心致志，不会分心，精神不会溜号，不会受到其他事物的干扰，将聆听老师的教诲视为人生最重要的事情。这一点，作为学生始终如此，也是不容易的，由此可见颜回的定力和对老师的无限崇敬。二是颜回不仅认真听讲，而且还默默地、坚定地参悟和践行；不是停留在记录、记忆、背诵，而是付诸行动，在行动中验证老师的思想价值，将智慧融化于心，借老师的智慧再造一个新的自己。这样的学生，确实不多见啊！也许其他的弟子要么不专心，要么总忙些别的事情，要么有时显得心不在焉，要么只是记录和背诵，要么践行不坚决，要么将老师的智慧与自己的小聪明混合在一起，要么当着老师一面、背着老师是另一面，等等。颜回成为孔子最欣赏、最得意的学生，犹如世上另一个自己，着实也感动了老师。孔子反复赞美一个学生是不多见的，尤其是当着其他学生的面。也许，这也是孔子激励其他学生的一种方法吧！

【**接圣入心**】

看懂了《论语》的人，也许会特别羡慕孔子与颜回这对师徒。

老师喜欢好学的学生，学生也愿意追随自己所崇拜的老师。在这样一段千古佳话中，孔子有颜回这样的学生，是幸福的；颜回遇到孔子这样的老师，也绝对是幸运和幸福的。

现实中并不是每个人都做过教师，但不管在任何地方，如果你遇到一个能够听懂你的话、欣赏你的道理，并虔诚地向你请教，同时坚持不懈地去践行的晚辈，你一定会喜欢他，甚至能够感受到自己生命的延续。在一些思想门派的传承中，作为师傅的人有一个特别的苦恼：哪能找到自己中意的传承人呢？

大部分人都做过学生，也许作为学生都渴望自己的老师能够像孔子那样，但千古以来，孔子只有一个。如果我们能够遇到博学而谦卑、好学而忘我、安贫而乐道、高尚又仁爱的老师，真是三生有幸啊！

中国有句古话叫“师徒如父子”，说的是师生关系和亲子关系非常类似。实际上，师徒关系的核心是师徒彼此交换精神和灵魂的能量，优秀的老师对好学的学生，总是能够倾心相授，但却从不要求任何回报，只是希望自己的学生能够有良好的发展。

中国历来有尊师重教的传统，如果一个人在自己的生命中遇到几位名师，在不同的阶段引领着自己，他的生命边界就拓宽了，因为在他的生命中有恩师、有智慧、有精神的依靠。回想我们自己的人生经历，似乎在命运的每个转折点上，都站着一位恩师为我们指路！

一个人做学生也可以达到极致的境界：以真理为师，学天下人的长处，以所有人的短处作为借鉴和警示，学一点就精一点、透一点、通一点，最终能够从特殊规律中找到普遍性的规律，并能够去运用和践行，达到一通百通的境界，这就是智慧的圆满了。

【格言】师徒同命，人生大幸！

9·21　子谓颜渊曰：“惜乎！吾见其进也，未见其止也。”

【释义】孔子谈起颜渊时总是赞不绝口：“实在难得呀！我只见他不断前

进，从来没有看见他停止过。”

【要点】（1）孔子赞回。（2）见其进，未见其止。

【语境与心迹】孔子又在赞美颜回，看来，老师能够遇到一个与自己灵魂同频的学生，是绝对不会吝啬对其赞美的，因为这样的学生如同复制了自己的生命、放大了自己的生命价值。遇到这样的学生，老师真是无比高兴啊，也不会掩饰这份感情！在这里，孔子似乎是在回忆，又像是在跟别人说起颜回的学习精神，提示弟子们要像颜回那样精进不息。是啊，那样的颜回，历史上又有几人呢？作为老师的孔子遇到这样的学生，又怎能忘记呢？颜回在学习上不断地精进，从不停止，这样的画面也许已经深深地印在孔子的脑海中，变成了永恒的记忆。

【接圣入心】

- 从字里行间我们可以看到，孔子不仅仅欣赏颜回的学习精神，而且与颜回建立了深厚的感情，这份师生之情真是感天动地啊！以至于在颜回去世后，孔子哀伤到近乎失态。

- 人生就是学习的过程，作为学生，我们要学习颜回的尊敬师长、持续学习、勇往直前、永不停歇的“好学”精神。

- 颜回虽然早逝，但他跟随老师的经历和得到的诸多赞许，已经是别人无法比拟的了。颜回与老师形成的那种生命与灵魂的关系，也许是很多人一生可望而不可即的。换句话说，若是我们的生命没有得到圣人的引领，即使是活着，也往往会陷入迷茫！

【格言】勇猛精进，永不停歇！

9·22　子曰：“苗而不秀①者有矣夫；秀而不实者有矣夫！”

【注释】①秀：稻、麦等庄稼吐穗扬花叫秀。

【释义】孔子的教法多么美妙啊，借着众人都熟悉的自然现象来言说人间的事。他说：“庄稼出了苗而不能吐穗扬花的情况是有的；吐穗扬花而不结果实的情况也有！”

【要点】（1）孔子苗喻。（2）苗而不秀。（3）秀而不实。

【语境与心迹】关于庄稼出苗、吐穗、扬花、结果的情况，大家都是知道的，即使没有种过庄稼的人，对于这样的过程应该也不是很难理解。孔子借庄稼生长的情况来说明学习成长的一些现象，意在教育学生要学有所成，不要半途而废，不能只读书而没能力，也不要只有能力而没有成就。否则，这庄稼不就跟荒草一样吗？这是孔子的智慧教法，很值得人们借鉴：用大家熟悉的，来说明大家不熟悉的！用具体具象的，来说明模糊抽象的！这不就是我们所熟悉的哲学智慧吗？

【接圣入心】

一个人如果具有了哲学头脑，就能够用具体的现实说明与演绎抽象的道理，还能够在小事中发现深奥的哲理。而能够在“具象与抽象”之间自由穿梭的人，就是哲学家了。很显然，孔子就是具备了这样的哲学头脑的人。

很多人都知道一句流行的话：将简单问题复杂化叫学问，将复杂问题简单化叫智慧。

孔子在这里用庄稼生长举例，来给学生们说明学习、能力与结果之间的道理。

• 我们都知道，种庄稼是为了最终能够收获果实。若是种了一季庄稼，最终却没有收获任何果实，这次种植显然就是失败的了。

• 孔子在这里告诉学生，不能满足于读书获取的知识，而应该将知识变成一种能力，并用这种能力去促成特定的结果。

• 不管是老师还是学生，如果在教育和学习中，只是关注知识传授与学习，并没有形成相应的能力，这样的教育和学习就是不完整的，甚至是残缺的。

• 如果我们在教育和学习当中关注了能力，那么，能够证明能力实际存在的就是这种能力是否能够产生特定的结果。

反思一下我们的教育和学习，我们是不是仅仅在传授知识与学习，而没有形成特定的能力？虽然有了一定的能力，但这种能力如何形成结果？结果是不是我们关注的对象呢？这个结果又是什么呢？

历史上对孔子的评价，我们最熟悉的说法是“孔子是个思想家”，但很少见到“孔子是个哲学家”这样的评价，但我们从孔子的这个教法中可以看到，不是哲学家的人，怎么会有这般的教育智慧？怎能如此娴熟地运用“具象与抽象”之教法？

【格言】学习贵在恒进，切忌半途而废。

9·23　子曰：“后生可畏，焉知来者之不如今也？四十、五十而无闻焉，斯亦不足畏也已。”

【释义】孔子只是个强调复古的人吗？非也！看看孔子对年轻人的重视程度就可以理解孔子的心思了。他说：“年轻人是值得敬畏的，怎么就知道后一代不如前一代呢？如果到了四五十岁时还默默无闻，那他就没有什么可以敬畏的了。”

【要点】(1) 后生可畏。(2) 四五十而无闻，不足畏也。

【语境与心迹】也许孔子是在谈论一老一少，也许是在劝说长者不要总是指责年轻人，同时也在劝说长者不要总是充当真理的代表，自己也要不断学习、不断自我突破并有所成就，这样才可以指导年轻人。当然，孔子的弟子中有幼有长，也许孔子是在针对年长的学生说的这番话。孔子自己不仅谦卑好学，还很尊敬那些不如他的人，对于后辈和年轻人就更加寄予厚望。当然，如果一个人到了四五十岁还没有成就，这辈子恐怕就很难得到别人的尊敬了。以往人们总觉得孔子是重视复古的，却很少有人知道孔子也是非常看重年轻人的，也是坚信人类文化与心智的群体性进化的。当把这两者结合起来再看孔子时，就会对孔子更加敬重几分吧！

【接圣入心】

在现实中，我们总听到一些人感慨，担忧年轻人是垮掉或者颓废的一代。但按照孔子的感觉，对年轻人的这种判断是错误的。哪一个时代没有颓废的人？哪一个时代又不是那些上进的人在支撑着时代前进呢？

从历史上看，圣人和伟人对年轻人都是寄予厚望的。1957 年 11 月 17 日，在莫斯科大学，数千名中国留苏学生和实习生从四面八方来到这里期盼着毛主席的接见。下午 6 时许，当毛主席出现在莫斯科大学的大礼堂时，全场沸腾，掌声雷动。毛主席高兴地走上讲台，频频向大家招手致意。毛主席对留学生们说："世界是你们的，也是我们的，但是归根结底是你们的。你们青年人朝气蓬勃，正在兴旺时期，好像早晨八九点钟的太阳。希望寄托在你们身上。"（罗旭："被'早晨八九点钟的太阳'照亮的青春往事"，《光明日报》，2021 年 12 月 26 日 07 版）

在现实中，我们也总会遇到一些这样的成年人，他们对自己的儿女和下级，总是不放心，工作上总是不肯放手，对他们总是百般挑剔。这样的成年人就不是合格的长辈和上级，因为任何人的成长都需要独立的思考和行动，在这个过程中难免会犯错误，但是通过总结教训，就可以让人更进一步。这就是每一个人成长中所必不可少的"试错"的过程。成年人要指导年轻人，但不能代替他们干，最好的办法是在可控的情况下，放手让他们去干，跟他们一起分析总结，帮助他们提高。要想让年轻人会骑马，年长者就不要空对空地说，而是要"扶上马，送一程"。

如果一个人成长中没有经历这样的过程，就很难进步，以至于到了四五十岁也没有什么本事，甚至没有独立的思考和行动能力。这样的人，可能此生就没有太大的希望了。

有的人以为孔子是个复古派，对于年轻人是不屑的。看完孔子的这段思想，也许就知道自己的浅薄了。孔子不仅好古，而且还重视年轻人。

【格言】放弃自以为是，扶植年轻后生。

先进第十一

11·3　德行[①]：颜渊、闵子骞、冉伯牛、仲弓。言语[②]：宰我、子贡。政事[③]：冉有、季路。文学[④]：子游、子夏。

【注释】①德行：指能实行孝悌、忠恕等道德。　②言语：指善于辞令，善于外交。　③政事：指能从事政治事务。　④文学：指通晓古代文献。

【释义】德行好的有：颜渊、闵子骞、冉伯牛、仲弓。能说会道的有：宰我、子贡。擅长政事的有：冉有、季路。通晓古典文献的有：子游、子夏。

【要点】（1）师说弟子。（2）德行、言语、政事、文学。

【语境与心迹】孔子对自己的弟子真是了如指掌，清楚他们每个人的长处，这也正是孔子能够因材施教的基础。孔子知道弟子的长短，会对其长处进行赞美和鼓励，同时也始终不忘提醒其通过学习和修行弥补短处。《论语》中既有孔子提到自己弟子长处的记录，也有孔子提醒弟子短处的记录。可见，老师和学生是生命互补的关系啊！但有趣的是，颇让孔子头疼的宰我，却排在了子贡之前。

【接圣入心】

孔子了解自己学生的长处和短处，但孔子对学生的要求是全面成长：首先是要有大的志向和抱负，能够坚守仁德的标准，以仁者之心去爱别人，同时还要全面地发展。

作为圣人的孔子当然知道，每个人都有自己的长处，也都有自己的短处，而教育的目标，就是要让人们能够“扬长补短”。

一生当中，一个人的长处和优点会让一个人有所成就，会给一个人带来福气；同样，一个人的短处和缺点，会让一个人遭遇挫折与损失，会给一个人带来灾难。换句话说就是，每一个人都一定会“成”在自己的长处上，又会“败”在自己的短处上。

有趣的是，人生不是简单的加减法，生命最后的“利润”，不是用自己的成就减去自己的错误或者罪过。因为一项严重的罪过，就可能让人生的“利润”变成负数。

正是基于这样一个规律，我们在眼前要做的事儿上，要注意扬长避短；在一生的谋划上，要通过学习，不断总结提高自己，最后能够做到扬长补短。

看看吧，人生多么公平啊：一个人的优点决定着其生存与发展，一个人的缺点决定着其生存与发展中会面临的障碍与灾难；一个修行者的神奇就在于能够自己优化自己，避开缺点可能导致的灾难，得到一切灾难给予人的启示，最终让生命走向圆满！

【**格言**】全面成长，扬长补短。

11·4　子曰：“回也非助我者也，于吾言无所不说。”

【**释义**】孔子提到自己欣赏的弟子时总是不忘颜回，他说：“颜回不是对我有帮助的人，他对我说的话没有不心悦诚服的。”

【**要点**】(1) 回也圣徒。(2) 接纳悦纳。(3) 心通无疑。

【**语境与心迹**】孔子又谈起颜回，也许是不由自主的吧，因为颜回给予孔子生命的感触实在是太深刻了。颜回是孔子的得意门生之一，在孔子面前始终是毕恭毕敬的，对于孔子的学说深信不疑、全面接受。所以，孔子多次赞扬颜回。这里，孔子说颜回“非助我者”，并非是今天的人所理解的那种帮助，紧接着，孔子给出了答案：对老师的话，他能听得进心去，而且是真心地信服并沉心静气地参悟与践行。这才是老师对学生最大的期望吧！

颜回 14 岁拜师，尚年幼，故而生命中的成见最少，算是跟孔子练了童子功。加之家境贫寒，德行纯正，学习虔诚，故而与孔子结成了灵魂伴侣。至于其他弟子，要么因为愚鲁而疑学问，要么因为求利而轻仁德，要么因聪明机巧而难得静心，故而问出很多属于自己够不到的那种境界上的问题。

从《论语》的记载看，与其说颜回是孔子的学生，不如说他是孔子的信徒。他的言行与心性更像一个信仰者，他总是坚定地站在老师一边，毫不怀疑；坚定地追随孔子，绝无迟疑；坚定地仰视孔子，绝不质疑；虔诚地参悟孔子的思想并积极践行印证。深入到这样的层次，也许才能理解孔子对颜回的评价。

【接圣入心】

孔子对颜回有多次赞誉，可见孔子对颜回的喜欢程度。

很多人可能认为，孔子喜欢颜回是因为颜回对孔子的尊敬和崇拜。但是，又有几人能真正领会师者之心呢？

真正的师者，内心最大的渴望是找到能够传承和发扬自己思想的学生，而不是仅仅帮着自己做一点小事情或者服务于自己的学生。这才是真正的师者之心啊！

师者的心如同晴朗的天，他怎么会在意学生帮自己打杂或者仅仅做个随从呢？师者心怀天下，他最渴望的是自己的学生能够传承和发扬那些造福于社会和众人的思想与智慧。

社会中各种问题的激化与孔子心中先王圣主的智慧产生了碰撞，进而促成了孔子的思想学说。对于孔子在这样的心理历程中产生出来的思想，一般的弟子是难以全面理解的，因为那些弟子内在的心性功力无法与孔子相比，他们的疑问也多半是自己无法企及或者真正理解的那个境界上的问题。正因为如此，大部分学生与老师是有着巨大差距的。颜回则不同，追随孔子时年龄较小，质疑孔子思想的内在力量很弱，加之其他一些因素，使他成了走进老师心灵最快、最深的学生。

如果孔子就是个普通的老师，也许颜回的这份虔诚证明的是自己天资浅薄。但有意思的是，孔子恰恰是个千古圣师，故而颜回的绝对追随恰恰成为上等根器者的证明。普通人看颜回和孔子的关系，也许有人会瞧不起颜回的忠诚与虔诚。但历史证明了颜回与孔子的关系，今人若是达不到那样的领悟高度而动辄做消极评价，很可能是可笑的。想想看，今天的评价者本人，其领悟力到底如何？是否接近颜回？若是达不到，就很难像颜回那样走进孔子的心灵世界。

如果学生只是用一些甜蜜的语言讨好老师，或者做一些小事来满足老师，或者用自己一些很幼稚的想法去挑战老师，这只能是个根器平平的学生。走进圣者师者之心，才是学习的根本之道。孔子是做老师的楷模，颜回是做学生的楷模，值得我们用心去品味。

也许，将这样的师生关系说全了是这样的：颜回不是帮助我的，是延续我的，是印证我的，我心悦的思想，颜回的心也会同频共振。回懂我，回是我，回合我，还有什么好说的呢？你觉得呢？再看看颜回去世后孔子的情绪失控、情感爆发和由此所说的言论，不正是证明了这一切吗？

【格言】圣师孔子，圣徒颜回。

11·7　季康子问："弟子孰为好学？"孔子对曰："有颜回者好学，不幸短命死矣，今也则亡。"

【释义】季康子问孔子："你的学生中谁最好学呢？"孔子回答说："有一个叫颜回的学生很好学，不幸早逝了。现在再也没有像他那样的了。"

【要点】(1) 好学成就孔圣。(2) 颜回好学。(3) 孔子独赞。

【语境与心迹】孔子认为，在他的弟子中，颜回是最好学的，而且没有人能够跟颜回相比。颜回短命早死，这让孔子非常痛苦，简直如同要他的命。

孔子成圣，非生而知之，核心与关键是因为孔子自己的好学。在别人问到孔子谁好学时，他把好学之名独独给了颜回。对于经常毫不掩饰地批评弟子的孔子来说，如此青睐颜回，其爱徒之心可见一斑。有人会问，为何那时的有头有脸的人喜欢问"好学"这个话题呢？这好学就那么重要吗？现在的人，实际上也知道一些关于好学的内涵，比如"学习改变命运""主动学习就是率先觉醒""人生就是修行，学习是修行中的修行"等。而不好学的人呢？某种意义上就是自甘堕落了！

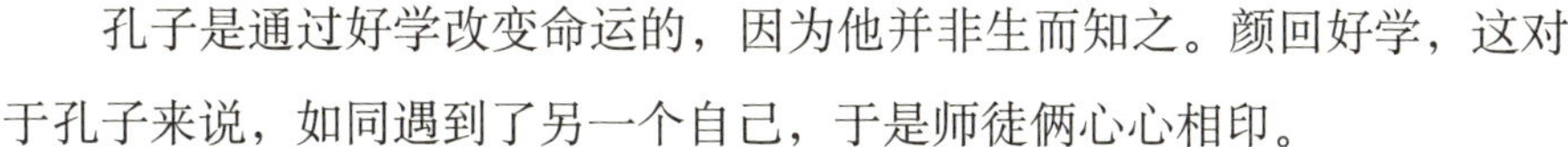

孔子是通过好学改变命运的，因为他并非生而知之。颜回好学，这对于孔子来说，如同遇到了另一个自己，于是师徒俩心心相印。

【接圣入心】

孔子自称是“非生而知之”之人，一切来自好学，不仅仅“好学”，还“乐学”，以至于进入“不知老之将至”的忘我境界。这正是孔子从少年不幸最终成为圣人的关键心灵程序。

对平常人来说，圣心难测。故而平常人总会向老师或领导提出很多问题。那能够走进圣心的人呢？他们没有自己的问题。而那质疑圣师的学生，心中还没有老师的位置。至于那些向老师发问的，也只是勉强张开了嘴而不是敞开了心。颜回就是走进圣人心的人。这是谁说的？是孔子自己说的。

再回来说说颜回的早逝：

- 古时候，医疗条件很差，遗传因素不清，对很多人来说，寿命是个谜。颜回的早逝也是这种情况。有一种说法是：颜回生于公元前 521 年，属相是大龙，病死于公元前 481 年，年仅 40 岁，英年早逝。至于说是什么病，没有找到记载。也许，与过于贫穷有关吧！
- 说起颜回早逝，不少的人可能会发出这样的感慨：“好人不长寿，坏人活千年。”实际上，坏人也没有活千年的，好人早逝的倒是有一些。当然，坏人也有早逝的。因此，那句话更像是人们在表达一种情绪，而不是一种理性判断。
- 一些好人早逝，常常是没有顾及自己的身体，也可能不懂得养生，更不知道五劳七伤对身体的长期危害，只是在一心做事，身心投入得过多，以至于让自己的生命出现了不平衡，乃至于最后倾覆。

颜回去世后，孔子无法自持，发出一声声撕心裂肺的哭嚎，年近七旬的老人的哭声中夹杂着絮叨：“老天爷呀，你这不是要我的老命嘛！老天爷呀，你这不是要我的老命嘛……”其他人劝慰他节哀时，他老人家哭着说："有恸乎？非夫人之为恸而谁为？"好像人们没有见过孔子如此悲伤动情，一些人对孔子为颜回之死哭得如此昏天黑地很是不解。实际上，只要理解了孔子与颜回的灵魂关系，这一切就不是问题了。

孔子当年讲学传授的核心是"仁德"，颜回第一。还有"礼、乐、射、御、书、数"六艺，在这些方面的"六好学生"非颜回莫属。孔子称赞他"其心三月不违仁"，说他是"仁人也"，"回之仁贤于丘也"，是孔门弟子中"德行"科之首。

颜回的早逝，让我们对个人的全面发展和保持生活的平衡有了更加深刻的理解。坏人的早逝是作死，"不作不死"。好人的早逝，更多的是因为生命和生活的不平衡，也可能是缺乏相应的知识和足够的重视。

在孔子所处的年代，生命科学没有诞生，人们对生命的理解还相当原始。孔子若是像现在这样掌握了很多生命的科学知识，估计他在教育中就会增加很多呵护生命健康的内容，也许就可能拯救颜回的生命。

在今天生命科学很发达的年代，我们的教育中有足够的内容能让学生具备理解生命规律并呵护自己生命的能力吗？看看那么多英年早逝的人，也许在教育的源头上应该做些反思与调整。

【格言】孔颜师徒，好学成圣。

11·9 颜渊死，子曰："噫！天丧予！天丧予！"

【释义】颜渊死了，孔子说："唉！老天爷真要我的命呀！老天爷真要我的命呀！"

【要点】（1）颜渊早逝。（2）孔子丧魂。

【语境与心迹】正如前面所提到的，真正的师徒关系是心心相印、生命相合的关系，是灵魂的伴侣，是精神上的合体，孔子与颜回就是这样的关系。也正因为如此，在颜回去世之后，孔子感叹老天爷像是要自己的命，足见孔子与颜回师徒之情之深厚。

【接圣入心】

颜回用自己的灵性、虔诚与行动走进了圣人的心；颜回用自己的好学，践行了自己对老师的尊敬。可他没有想到，自己的早逝给老师带来了如此沉重的精神打击。颜回若在天有灵，也会为自己早逝而懊悔的。

孔子在讲到儿女对父母的孝道时曾经提到，父母最忧虑儿女的健康与平安。对于亲如父子的师徒，得意门生的早逝，对老师的打击是痛彻骨髓的。

儿女早逝，就无法对父母尽孝道。学生早逝，也对老师尽孝道。颜回对着老师说过这样一句让人心颤的话："子在，回何敢死？"然而，命运多舛，"古者言之不出，耻躬之不逮也"，回也其庶乎，平生唯一一次言而无信，让人扼腕啊！这是我们不管做儿女还是做学生，都要引以为戒的。

【格言】好人更要活得长久！

11·13 闵子侍侧，訚訚[①]如也；子路，行行[②]如也；冉有、子贡，侃侃[③]如也。子乐。"若由也，不得其死然。"

【注释】①訚訚：音 yín，和颜悦色的样子。 ②行行：音 hàng，刚强的样子。 ③侃侃：音 kǎn，和乐的样子。

【释义】孔子的弟子各有特点。闵子骞侍立在孔子身旁，一派和悦而温顺的样子；子路是一副刚强威猛的样子；冉有、子贡则是温和快乐的样子。孔子高兴了，但他又说："像仲由这样，只怕得不到善终！"子路最终的结局，确如孔子所言，这真可谓是一语成谶！

【要点】(1) 知子莫如父，知徒莫如师，师父师父。(2) 师者无讳言。

【语境与心迹】孔子赞同弟子们什么样的状态呢？在这里，孔子对闵子骞的和悦温顺与冉有、子贡的温和快乐均给予肯定。但对子路这个有勇无谋的人，尽管他看样子非常刚强威猛，却让孔子担心不已，唯恐他不会有好的结果，故而说出了那样有点让人毛骨悚然的警示。遗憾的是，子路最终的命运不幸被言中。关键是孔子怎会做出这样的预测呢？好像没听说过孔子能掐会算啊。现代人常说“性格决定命运”，在人的命运中，顺境和成就是由优点决定的，逆境和灾祸是由缺点造成的，因为孔子对子路的性格优缺点十分清楚，所以就发出了那样的警示。知徒莫如师，师之爱徒，犹如父母爱子啊！只是学习知识还算容易的，改变性格却是很难的。子路的结局恰恰说明了这一点，也恰恰在警示人们光学知识是不够的，还要不断地优化自己的性格，这也正是孔子所倡导的“好学”之精髓所在啊！

【接圣入心】

任何一位老师都会为自己学生的长处而高兴，又会为学生的短处而忧虑。

孔子的弟子子路，刚猛有余而温顺不足，孔子担忧像子路这样的性情会伤了他自己的性命。子路最终的结局，也正好验证了孔子的这份担忧。真是一语成谶。

用今天的话来说，性格决定命运。孔子正是基于对子路性格的认识，表达了对他的担忧。

从教育的角度来说，知识传授只是基础，帮助学生完善自己的性格，进而改变和优化自己的命运，才是教育的根本目的。

对我们每一个人来说，要好好地学习和修行，努力完善自己的性格，使自己能够得到全面的成长与发展，这才是学习和修行的根本用意所在。

若只是学习知识而不去完善自己的性格，或者一方面学习知识，另一方面又去乞求神灵能够帮助自己或者护佑自己的命运，那就偏离了正常的方向，步入了邪门歪道。

曾有人问孔子是否有遗憾呢？现在看来，大的遗憾自然是当时的时代无法接纳他的理想。小的遗憾最起码有两个—— 一是颜回之死，二是子路之死。这也昭示了教育中的两个不可缺少的主题，一是如何让自己健康，而是如何优化性格以护佑自己。

【格言】扬长补短，完善人格，优化命运。

11·15 子曰："由之瑟①奚为于丘之门②？"门人不敬子路。子曰："由也升堂矣，未入于室也。"

【注释】①瑟：音 sè，一种古乐器，与古琴相似。 ②奚为于丘之门：奚，为什么；为，弹。为什么在我这里弹呢？

【释义】孔子说："仲由弹瑟，为什么在我家里弹呢？"门人们因此不尊敬子路。孔子便说："仲由嘛，他在学习上已经达到登堂的程度了，只是还没有入室罢了。"

【要点】(1) 仲由弹瑟。(2) 已达登堂。(3) 未及入室。

【语境与心迹】这一段文字也是记载孔子评价子路的。他先是用责备的口气批评子路，当其他门人都不尊敬子路时，他便改口说子路已经登堂尚未入室，这是就演奏乐器而言的。孔子对学生的态度应该讲是比较客观的，有成绩就表扬，有过错就批评，让学生认识到自己的不足，同时又树立起信心，争取更大的成绩。同时，当其他弟子责备子路时，老师又专门进行说明，不是为其开脱，而是为其正名，可见老师对学生的舐犊之情。

【接圣入心】

我们都知道一个成语叫"登堂入室"，表面的意思就是登上厅堂，进入内室。堂室，是古代建筑的一种格局，前面是堂，后面是室。若是说一个人登堂入室，就是比喻其学问或技能从浅到深，达到了很高的水平。

孔子在这里评价子路弹瑟的水平，用了"能登堂但还没入室"的比喻，说的就是子路弹瑟的水平还没有达到很精深的程度。古人用"入门、登堂和入室"来形容一个人学习所达到的阶段和水平：入门，只是从不知到知，是初级水平；登堂，说的是已经基本掌握；入室，说的是已经达到了比较精深的程度。

当孔子察觉到其他的弟子对子路的冷漠时，又翻转回来，对子路的表现做了更加明确的说明。孔子在教育弟子的时候是非常敏锐的，他不希望自己对子路弹瑟水平的评价让弟子们对子路有偏见。同时他也告诉弟子们，学习所达到的高度是有层次之分的，这是学习的一个基本的规律。

不要以为只有子路处在这样一个阶段，每个人还要借此反省自己。

通过这样一段话，孔子告诉了弟子们三个道理：一是学习是有层次的，是循序渐进的；二是不要看到别人处在初级阶段就瞧不起他们，也不要错误地以为自己达到了高级的阶段；三是暗示弟子们要互相尊重，互相学习，不要瞧不起别人，也不要抬高自己，要以平常心建立彼此之间友善和谐的关系。

借此说说古时传到今天的收徒制度，师父收徒有很多规矩，也有不同的等级，最常见的是“入门弟子”“入室弟子”“关门弟子”。还有分成“外门弟子”和“内门弟子”的。

- “入门弟子”就是进了院门，成为这个门派的成员（门徒），但不是可以随便进入“内室”的。对于入门弟子，一般由师兄或者师父指定的人传授技艺。
- “入室弟子”常常又叫“亲传弟子”，弟子住到师父家里，由师父贴钱教养。师父把徒弟当成自己家人，亲自向其传授、点拨高级的功夫和技艺。入室弟子往往要在个人品行、学习态度和领悟能力等方面都达到足以承载师传技艺、作为众师兄弟姐妹楷模的水平才行。入室弟子，必须得到师父的青睐和绝对信任方能进入“内室”，进而获得师父的不传其他弟子的绝招，也会成为师父的候选接班人。这样的弟子通常不会很多，只是个别弟子才会有此荣幸。禅宗中五祖弘忍大师传授衣钵给六祖惠能时，就是招入内室单独进行的。
- “关门弟子”是师父所收的最后一个弟子。师父年老力衰或是出于其他原因，自此不再收徒，亦称为关山门，此时收的这最后一个徒弟即“关门弟子”，故而深受师父信赖。他会受到师父的亲身传授，并具有继承师父与门派衣钵的最大可能。

孔子是教育家，一生门徒众多，孔门弟子三千，达者七十二人。好像也没有专门记载孔子对自己弟子的分级。

【格言】登堂还要入室，批评紧跟舐犊。

11 · 17　季氏富于周公①，而求也为之聚敛②而附益③之。子曰：“非吾徒也。小子鸣鼓而攻之可也。”

【注释】①季氏富于周公：季氏比周朝的公侯还要富有。　②聚敛：积聚和收集钱财，即搜刮。　③益：增加。

【释义】鲁国的季氏比周朝的公侯还要富有，而冉求还帮他搜刮来增加他的钱财。孔子愤愤地说：“他不是我的学生了，你们可以大张旗鼓地去攻击他！”

【要点】（1）季氏专权。（2）富可敌国。（3）冉求助之。（4）孔子不悦。

【语境与心迹】鲁国的孟孙氏、叔孙氏、季孙氏（鲁桓公的三个儿子庆父、叔牙、季友的后裔，“孙”为尊称）曾于公元前 562 年将鲁国国君直辖的土地和附属于土地上的奴隶瓜分，季氏分得三分之一，并用封建的剥削方式取代了奴隶制的剥削方式。公元前 537 年，三家第二次瓜分公室，季氏分得四分之二。季氏推行了新的政治和经济措施，所以很快富了起来。孔子的学生冉求帮助季氏积敛钱财，搜刮人民，所以孔子很生气，表示不承认冉求是自己的学生，而且让其他学生打着鼓去声讨冉求。冉求多才，尤擅长理财，曾担任季氏宰臣。他稳重但有谦退之性，在辅佐季氏时的作为立场不够鲜明和坚定，故而受到了孔子的严厉批评。公元前 484 年，冉求率左师抵抗入侵的齐军，并身先士卒，以步兵执长矛的突击战术取得胜利，又趁机说服季康子迎回了在外流亡 14 年的孔子。作为老师的孔子曾经那般斥责冉求，冉求非但没有忌恨老师，反而尽了一个学生的天良与本分，也是难能可贵啊！因此，古人有言，人之最终得益于谁，不可只看一时一事。由此足见冉求是一个十分有内涵和定力的弟子。

【接圣入心】

从这里我们可以看出，孔子意欲将冉求逐出师门，原因就是冉求帮助季氏积敛钱财，搜刮人民。

孔子的教育目的是为国家培养人才，要求弟子们为国家和人民服务，而冉求显然在一些事上违背了孔子的要求。

孔子教育弟子，要以仁德为方向，服务国家和百姓；要以忠恕为心智，能够理解和体谅别人；要以中庸为尺度，在做事的方式方法上拿捏好分寸。

很显然，冉求的做法违背了孔子的教育初衷，不管他有什么样的苦衷，客观上帮助季氏搜刮民财，是孔子所不能容忍的。当然，孔子只是在表达一种态度和情绪。若是果真断绝了师徒关系，也就没有后来的佳话了。

好学生，就要学习老师的德行，而不仅仅是知识。冉求的教训是值得我们后世借鉴的。

反观现实，一些人收徒敛财，或者借各种缘由组成小团伙，团伙利益高于一切。这种做法不是智慧的，团伙的原则是利己的，故而团伙成员会丧失大的原则，会与众人和社会形成对立，结果是害人害己，结局往往是悲惨的。

【格言】原则要坚持，方法要灵活。

11·19　子曰："回也其庶①乎，屡空②。赐不受命，而货殖③焉，亿④则屡中。"

【注释】①庶：庶几，相近。这里指颜渊的学问道德接近于圆满。　②空：贫困、匮乏。　③货殖：做买卖。　④亿：同"臆"，猜测、估计。

【释义】孔子对自己的两个比较有特点的学生进行了一番比较："颜回的学问道德接近于圆满了吧，可是他常常贫困。子贡不听命运的安排，去做买卖，猜测行情，往往猜中了。"

【要点】(1) 孔子感慨。(2) 比较颜回与子贡。(3) 颜回德高但贫穷。(4) 子贡才高而富有。(5) 子贡仁厚，为师守丧6年。

【语境与心迹】孔子比对了两个弟子的状况：颜回的学问道德接近于圆满，却生活贫困。很显然，颜回没有把精力放在物质方面，自然也不会有精力去经商，故而陷入贫困。子贡也承认自己在道德上赶不上颜回的修为，但

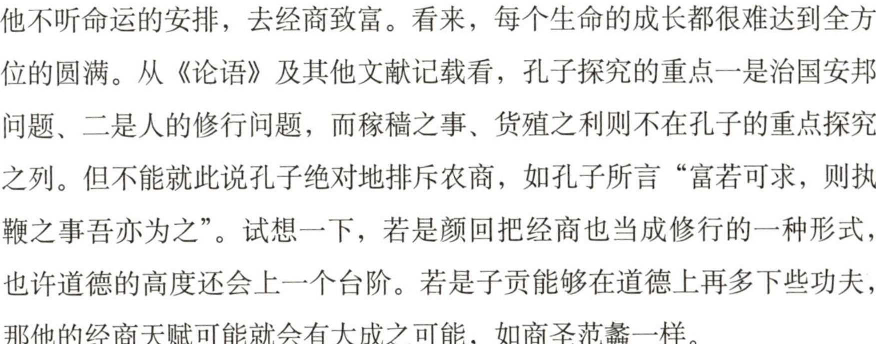

他不听命运的安排，去经商致富。看来，每个生命的成长都很难达到全方位的圆满。从《论语》及其他文献记载看，孔子探究的重点一是治国安邦问题、二是人的修行问题，而稼穑之事、货殖之利则不在孔子的重点探究之列。但不能就此说孔子绝对地排斥农商，如孔子所言“富若可求，则执鞭之事吾亦为之”。试想一下，若是颜回把经商也当成修行的一种形式，也许道德的高度还会上一个台阶。若是子贡能够在道德上再多下些功夫，那他的经商天赋可能就会有大成之可能，如商圣范蠡一样。

【接圣入心】

后人的一些评论认为，孔子对颜回充满同情，却对子贡能够致富有点不屑一顾。

实际上，后人对孔子的这个评价，似乎不是那么恰当。孔子对两个弟子的评价，更像是随意地出了一道思考题，想看看其他人如何看待这两个人的长短。

孔子是一个既重品德又重能力的人，对弟子的教育也是这样的：

- 孔子很清楚每个弟子的长处，他对每个弟子的长处都是十分欣赏的。
- 孔子既强调每个人都应该重视仁德，又强调每个人都应该发挥各自的长处。
- 孔子了解颜回的特点，也赞同颜回所选择的人生路线，并且夸奖他在那样困难的情况下，还能够自得其乐，不改自己的初心。孔子也很欣赏子贡的特长，作为一个能够因材施教的师长，怎么会按照一种模式去要求自己所有的弟子呢？

当我们真正理解了孔子和孔子的教育方式之后，才能够对孔子的这段话有较为正确的理解：

- 颜回的道德学问几近圆满，但他却很贫穷。虽然贫穷，他却能够自得其乐。

• 子贡的道德学问虽比不上颜回，却也能够在跟孔子学习时举一反三，这在那个时代也属于品学兼优的人了。并且，他经商很成功，也是对自己德行与才能的一种证明吧。况且，子贡在外交方面所表现出来的卓越才能，即使后来名噪一时的说客苏秦、张仪也为之逊色。

• 很显然，孔子教育出来的学生，在各个方面都有所成就，人生模式不同，但孔子并没有认为他们有高低贵贱之分。

也许孔子这番话——看似漫不经心的述说，实际上给人们出了一道思考题，其背后是另有深意的：

• 一个时代若是让学问德行圆满的人，依然受穷，这不能算是圆满吧？这到底是谁的责任与罪过呢？谁应该为此反省和改变呢？

• 每一个人都是不同的，不管一个人选择了什么样的人生模式，只要是对社会有益的，自己也自得其乐，就不应该受到责难。

• 当然，一个人最好能够全面发展，学问和德行深厚的人，若是能够创造社会和经济价值，就一定会增强人们修行的信心。做官也好，经商也罢，若是才能突出而德行不够深厚，反而是有害的。

作为大教育家的孔子，看起来很随意地说出这番话，也许是想借此引起其他弟子们的深思。

【格言】德才兼备，全面发展。

11·20　子张问善人①之道，子曰："不践迹②，亦不入于室③。"

【注释】①善人：指本质善良但没有修行过的人。　②践迹：迹，脚印。踩着前人的脚印走。　③入于室：比喻学问和修养达到了精深地步。

【释义】孔子的弟子子张询问做善人的方法。孔子说："如果不沿着前人的脚印走，其学问和修养就不到家。"孔子说的前人，是指所有的古人吗？自然不是，在孔子的心目中，尧、舜、禹、汤、周公才是他心中的理想之人，中华文化积淀下来的可传承的精华才是前人脚印的代表啊！

【要点】(1) 善人之道。(2) 践迹入室。

【语境与心迹】子张问成为善人的途径，孔子给了他一些教导。子张所说的善人，是指生活中心地善良但又没有专门修行的人。孔子给指出了一条道路：按照圣贤们已证实可行的修养心性的要领和方法，下大力气去学去修，其学问和修养才可以达到精深的境界。若是只守着自己善良的愿望，在自己有限的知识、经历和经验中思考，就无法从人类文明的成果中借力，为人处世就只能靠个人蛮力。人在有限的生命中不可能亲历所有的事情，也不可能亲身去验证所有的事情，实际上也没有必要。人生，是一个历史概念，不是一个人独活的历程。因此，若能有效地借鉴人类文明积淀下来的、经过无数人证明过的经验和成果，人的成长就会进入高效率模式。否则，只用自己有限的光景来思考和践行，也许生命刚刚开始，就已经接近结束了。

【接圣入心】

在此处，孔子是在指导弟子修行的方法，这个方法也适用于我们所有的人。

现实当中一些心地善良的人，常常遭遇很多尴尬：

- 本来是好心，却常常做成坏事，这就是所谓的好心办坏事。
- 觉得自己是个好人，但又会抱怨为何常常遇到坏人而上当受骗。于是常常感慨“好人难做”。
- 总认为自己是个好人，也认为自己是在做好事，但又常常不明白为什么“好心不得好报”。
- 甚至有一些人很焦虑地认为，为什么好人总是吃亏？为什么好人不长寿？与此相对照，又不解坏人为何总是能够占到便宜，坏人为何总是能够活得逍遥自在。

实际上，上述这些问题大多是因为人们没有学习圣贤的智慧、没有用心修行才产生的。如果我们谨遵孔子的教导，跟随圣贤的脚步，学习圣贤的智慧，就能够从人类文明中借力：

- 好心要办成好事，需要有好的方法，需要具体情况具体分析，需要把准对方的脉搏，需要掌握好分寸，需要考虑对方的感受，需要随着变化而改善策略。这一切，都是将好心办成好事必须做到的。如果自己做不到，那不是好心有错，而是实现好心的方法不当。
- 当自认为是好心人却在遇到坏人时常常受骗上当，应该躬身自问：我错在什么地方？为什么我会遇到坏人？很多人在自省的过程中发现，实际上是自己的贪心和轻信，让自己成为上当受骗的人。若是不改变自己内心的弱点，就一定会持续地上当受骗。当然，感慨“好人难做”，难道坏人好做吗？
- 很多好心人常常纠结于为什么“好心不得好报”，实际上，当心怀善意却又求好报时，此时的善意与好心已经成为交易的幌子。也就是说，此时自以为的好心，已经变成了交易心和功利心，这是好心的人们给自己编织的一个圈套。当然，这样虚伪的好心，就会被别人看穿，就不会得到好报。
- 一些好心人对自己吃亏的事很焦虑，好像吃亏就是错的，难道占便宜才是正确的？若是想着处处占便宜，还能算是好人吗？所以说，甘于吃亏，才是好人的一种美德。当然，人们会质问，让坏人占便宜就是对的吗？实际上，这是个伪命题：在人间，占便宜实质上就是吃亏，而吃亏实质上就是占便宜——这是对“吃亏”和“占便宜”这样的问题所做的时空维度的思考。

想想看，若是不明白人类文明中这样一些智慧的成果，只是按照自己的主观经验和想法去思考和行动，那么会浪费多少生命的时光啊！

【格言】善人平凡，慧者卓越，觉者超凡。

11·22　子路问："闻斯行诸[①]？"子曰："有父兄在，如之何其闻斯行之？"冉有问："闻斯行诸？"子曰："闻斯行之。"公西华曰："由也问闻斯行诸，子曰，'有父兄在'；求也问闻斯行诸，子曰，'闻斯行之'。赤也惑，敢问。"子曰："求也退，故进之；由也兼人[②]，故退之。"

【注释】①诸："之乎"二字的合音。　②兼人：好勇过人。

【释义】子路问孔子："听到了就行动起来吗？"孔子说："有父兄在，怎么能听到就行动起来呢？"冉求（即冉有）问："听到了就行动起来吗？"孔子说："听到了就行动起来。"公西华有点糊涂了，说："仲由问'听到了就行动起来吗？'，你回答说'有父兄健在'，冉求问'听到了就行动起来吗？'，你回答'听到了就行动起来'。我被弄糊涂了，大胆地再问个明白。"孔子答道："冉求总是退缩，所以我鼓励他；仲由好勇过人，所以我约束他。"这就是因材施教啊！

【要点】(1) 一事一议。(2) 一人一方。(3) 因材施教。(4) 中庸至德。

【语境与心迹】子路和冉求问了同样的一个问题：听到了就行动起来吗？孔子对同样一个问题的回答却是不同的，公西华听到老师的回答后一下子就蒙了，于是问老师这是怎么回事。孔子当时估计是处于胸有成竹、怡然自得的状态：冉求稳重有余、进取不足，故而鼓励他去行动；子路莽撞有余、沉稳不足，故而要求他沉一沉气，听听父兄如何说再定。通过这个鲜活的案例，孔子想让弟子们明白：中庸智慧是生活中离不开的智慧，过了或欠了都是不合适的，只有恰到好处才是至高智慧。关于"恰到好处"，孔子在此强调的是要根据自己的性情来掌握好分寸，刚猛的性情就要沉一沉，谦让的性情就要往前进一进。当然，中庸智慧还不仅仅是个人根据性情进行调节的问题，在具体办事时还涉及对方的个性特点、与自己的关系性质与程度、周围人的存在与影响、交往中已经出现的各种苗头和气氛等，要想达到最佳效果，必须综合考虑，应人而变、应时而变、应势而变、应态而变。这是孔子把中庸思想贯穿于教育实践中的一个具体事例。

在这里，他希望学生既不要退缩，也不要过头冒进，最终达到进退适中的境界。这就是孔子针对不同的人问同一个问题时作不同回答的原因。由此可见孔子教学方法的生动和因材施教的智慧。

【接圣入心】

◎ 我们在理解别人的观点时最容易犯的一个错误，就是常常忽视了具体对象或具体情况。这就是通常所说的“语境”，当我们脱离了具体的语境，而将一个观点绝对化时，要么自己陷入迷茫，要么就会把这个观点僵化和教条化。

◎ 孔子的教育智慧，如同中医给人看病，要根据每个人疾病的特点来开药方。在现实中，每个人的特点和成长所处的阶段，以及当下所面对的问题都是不同的。孔子的教育，是针对不同特点的弟子所进行的教育，同样一个问题对着不同的人作不同的回答，或者对着不同的人说不同的话，都是孔子教育智慧的表现。

◎ 在现实生活中，我们常常会见到两类错误：一是将圣贤的话当成僵死的教条，或者把书本上的知识当成绝对的真理，或者将专家的观点奉为真理。二是面对具体问题时，不做深入细致的分析，只是照搬一般的原理，让人感觉不接地气，听着有道理，但依然不知道该怎么做。

◎ 实事求是、理论联系实际、具体问题具体分析，是对待问题和分析问题的最智慧的方法。

◎ 借着孔子指导弟子的这个典型案例，我们来体味一下《论语 · 八佾第三》中的这句话 ：“天下之无道也久矣，天将以夫子为木铎”。“木铎”是何物？有何寓意呢？据文献记载，“铎”大约起源于夏商，是一种以金属为框的响器。以木为舌者称为木铎，以金为舌者则称金铎；木铎为文，用以宣政布政 ；金铎为武，用以指挥军队。因为孔子长年从事教育，用自己的言行不断地匡正弟子们的品行，正合木铎的木舌比作教师的“教化之舌”，故而“木铎”就用在了孔子身上，也成了后来教师的别名。

【格言】一人一方，教育智慧。

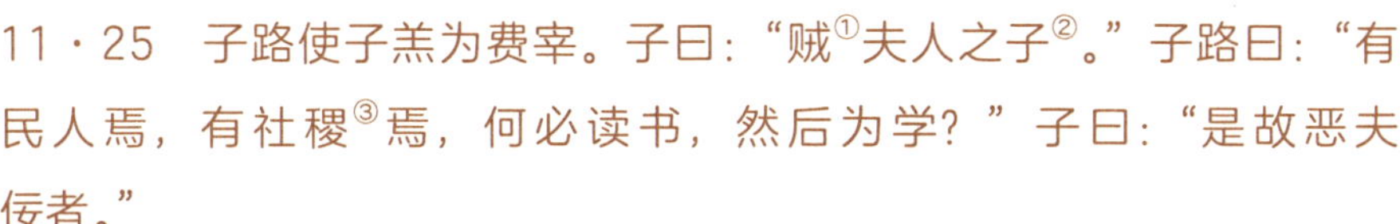

11 · 25　子路使子羔为费宰。子曰："贼[①]夫人之子[②]。"子路曰："有民人焉，有社稷[③]焉，何必读书，然后为学？"子曰："是故恶夫佞者。"

【**注释**】①贼：害。　②夫人之子：指子羔。孔子认为他没有好好学习就去从政，这会害了他自己的。　③社稷：社，土地神；稷，谷神。这里指祭祀土地神和谷神的地方，即社稷坛。古代国都及各地都设立社稷坛，分别由国君和地方长官主祭，故社稷成为国家政权的象征。

【**释义**】子路很仗义但又不明就里地让子羔去做费地的长官。孔子说："这简直是害人。"子路说："那个地方有老百姓、有社稷，管理百姓和祭祀神灵都是学习，难道一定要读书才算学习吗？"孔子斥责道："正因为你这样，所以我讨厌那种花言巧语爱狡辩的人。"

【**要点**】(1) 不学而行必生害。(2) 不教而用谓之虐。(3) 师启不觉谓之愚。

【**语境与心迹**】看来，子路对于跟随老师学习和读书学习的重视程度是不够的，甚至可以说根本没有真正地理解。用今天的话说，子路似乎更加重视在实践中学习，对于跟随老师学习和读书学习的重要性理解得不够深入，所以孔子批评了他。但子路又为自己做了辩解，孔子对此直接表达了自己的反感。孔子为什么将学习放在第一位、把实践放在第二位呢？实际上，学习与实践是两个类似但又有所不同的学习过程：读书学习，是将前人的学习与实践成果作为入门的基础，给自己的实践做好知识储备，学习到的知识中必然带有对实践的总结和启示；随师学习，相当于老师带队的实践演练，有老师的示范与指导就不会有偏差；个人的实践也不是纯粹的实践，也必然带着自己头脑中储备的知识与经验，问题是自己的知识和经验可能不足或有偏差，遇到问题时没人指导就可能出现失误。故而孔子强调将读书学习放在第一位，也要高度重视与珍惜随师学习，进入个人实践时已经有了相对充分的知识储备，但还要继续学习，不断地将实践体会与知识理论反复结合，务求熟练，最终达到能够创新与超越的境界。

【接圣入心】

儒家的一个重要观点就是“学而优则仕”，也就是说，学习和成长的基本规律和顺序，首先要学会学懂做人做事的一些基本的原则和原理，然后再到实践中去践行和验证。

能否用社会实践代替理论学习，这是个伪命题：

• 实践中的学习也是需要头脑的，如果自己的头脑中事先没有储备好正确的知识和观念，又怎么去学习实践中的知识？又怎么区分实践中的正误呢？

• 实践是复杂的，也是多种多样的，既有正也有邪。面对这种局面，到底学什么呢？还是什么都学？如果事先储备好了正确的知识和观念，就能够区分现实中的正与邪，就不会学错方向。

很显然，子路没有真正领会儒家的这一思想，所以才提出了将实践中的学习等同于理论学习这样一种不正确的学习观念。

当然，孔子指出了子路的这一问题，可是子路又为自己做了辩护，所以才惹得老师有些不高兴，批评子路是在狡辩。

子路是个仗义敢为的人，他的优点也颇受孔子的赏识。但子路不重视理论学习，并且在老师指教之后还进行狡辩，这一做法受到了孔子的批评。这也是孔子对学生负责和因材施教的一个具体表现。

【格言】不教而用谓之害！不学而行谓之愚！

子路第十三

13·5 子曰：“诵诗三百，授之以政，不达[①]；使于四方，不能专对[②]。虽多，亦奚以[③]为？”

【注释】①达：通达。这里是会运用的意思。 ②专对：独立对答。③以：用。

【释义】孔子说："把《诗经》三百篇背得很熟，让他处理政务，却不会办事；让他当外交使节，不能独立交涉。背得很多，又有什么用呢？"

【要点】（1）学以致用。（2）不用无学。

【语境与心迹】诗，是孔子教授学生的主要内容之一。孔子教学生诵诗，不单纯是为了诵诗，而为了把诗的思想运用到指导社会与政治活动之中。孔子可不是主张死记硬背的人，也唯恐学生们变成书呆子，强调要学以致用，要将所学知识变成自己的能力，用所学知识去为社会服务。前面在与子路的谈话中，孔子批评了一味重视实践而轻视学习的错误倾向，在此，孔子又批判了另外一极的错误倾向：那种死读书、读死书，最终做事反而稀里糊涂的书呆子的做法。很显然，孔子倡导的是先学习后实践，实践中再学习，学以致用，用以致学，学用联动。

【接圣入心】

孔子先前批判了子路不重视读书的做法。在此处，他又批判了读死书的做法。

孔子批判了不读书和读死书这两种错误做法，其实背后暗含着孔子关于读书与实践能力的这样一个思路：

- 首先要好好读书，储备好相应的知识和正确的观念，再到实践中去践行，提升自己在现实生活中的能力。
- 同时，读书时一定要明确，读书的目的是为了提升自己的能力，而不是为读书而读书，否则读书就变得无用；读书若是无用，人们便不再相信读书有用了。

孔子的这一思想很容易让我们联想起现代人的一种认知模式：用正确的思想武装自己的头脑，再回到实践中去检验；从实践中再回到理论，进一步丰富和修正理论。

联系前文孔子评价子贡和颜回的那段话，我们就知道，孔子对颜回的欣赏，来自颜回在学习的过程当中相信老师、尊重知识、勤奋学习，并且在生活中践行。而孔子对子贡的欣赏，则来自子贡在学习之后，能够在外交和经商方面表现卓越，并没有贬低子贡和抬高颜回的用意。

这样前后结合起来理解和领会孔子的话，才不至于误解孔子的思想和观点。

【格言】学以致用谓之真学问！

宪问第十四

14·24 子曰："古之学者为己，今之学者为人。"

【释义】孔子感慨地说："古代的人学习是为了提高自己，而现在的人学习是为了给别人看。"

【要点】（1）真学强己。（2）假学取宠。

【语境与心迹】历史真的是惊人地相似，2500年前那种怀有不正确学习动机的人，在今天也不少。太多的人为了个人私利而学习，也有不少的人为了文凭而学习。这一次次的历史和现实的验证，让人有一种穿越的感觉，2500年前的孔子似乎就在我们眼前，他所说的事和事上的道理，似乎就在我们眼前的现实中。

【接圣入心】

毫无疑问，学习能够丰富自己的知识，提升自己的能力。这样一个基本的道理难道还会有人怀疑吗？学习能够提高自己，难道还有人对此不解吗？

也许我们这个发问是多余的，很遗憾的是，古今都有这一类的人。就现实来说，有的人学习只是为了拿个文凭，为了自己在工作中能有个好看的招牌；有的单位组织员工学习，还要点名签到，似乎总有人认为学习培训是件多余的事。

看来学习对人的作用，似乎永远应该去强调、去说明，因为总有人不明白。

◎ 不学习就意味着无知，实干也是蛮干，如果连这样一个粗浅的道理都还不懂，人生就可能真的会遇到严重的问题了。

◎ 学习是人生中最大的福利，学习是一个人立足于社会的基本条件，知识和智慧是人生中首要的财富。热爱学习也是一个人自爱和自知的典型表现。督促人们学习也是对人们最大的爱护。学习也是我们人作为高级动物的一种精神活动，学习活动本身就是人生活中必不可少的事。

◎ 学习就是自我成长，因为一切外在的成就与结果都是由自己的内在功力决定的。即使很想取得不凡的外部成就，也要知道“内决定外”这样的一个原理。

◎ 既然学习是练自己的内功，是掌握决定外在的那个决定性的力量，那我们又干吗等着别人督促呢？干吗又把学习当成一场无奈的表演呢？人若自欺，焉有不欺人的？而他人、众人可欺吗？

【**格言**】学习是人生中收益最大的活动。

卫灵公第十五

15·31　子曰：“吾尝终日不食，终夜不寝，以思，无益，不如学也。”

【**释义**】孔子为教育弟子而现身说法：“我曾经整天不吃饭，彻夜不睡觉，左思右想，结果没有什么好处，还不如去学习。”

【**要点**】(1) 孔子的教训。(2) 纯思不学无益。

【**语境与心迹**】孔子在这里讲的是学与思的关系问题。前文中孔子已经提到“学而不思则罔，思而不学则殆”的观点，这里又进一步加以发挥和深入阐述。思是理性活动，其作用有两方面：一方面是发觉自己的言行不符合或者违背了道德，就要改正过来；另一方面是若自己的言行符合道德标准，就要坚持下去。但学和思不可以偏废，只学不思不行或者只思不学而盲动也是十分危险的。学是思的基础，思是学习基础上的深加工。先学后思，否则，思也无用。总之，思与学，学在先，思相伴，如此结合才能使自己成为德行、学问和能力全面成长的人。同时，还存在另外一种可能：当一个人遇到烦心事时，可能就会茶饭不思，冥思苦想，越想越难受，也不见得能够找到答案，反而苦恼加苦恼。之所以如此，有两个方面的原因：一是因为知识与智慧不足导致了烦心，烦心出现后，智力下降，再进行正确思考的能力更加弱化。此时，再进行思考也就是徒劳无益的了。要想摆脱这种状态，还不如找事做转移一下注意力，改善一下情绪状态，或者去学习，或者向人请教，既有收获也可摆脱烦恼。估计，孔子之所以那样苦思无果，应该是早年遇到烦心事了，他在这里所说的那种状态也是被烦心事困扰所造成的。

【接圣入心】

孔子以切身经历在说明学与思的关系，他倡导人们去学习，而不是一味空想。

联系前文孔子所谈到的关于学习的思想，可以概括出孔子关于学习的一个基本的逻辑，就是“学——思——行”的关系。孔子倡导的是：学而先行，思而随之，行而验之。

若是在学习中违背了这样一个逻辑，就会出现诸多的错误：

- 如果只是学习而不进行独立的思考，也不去践行验证，这就是读死书，读书就变得无用。
- 如果只是学习了，却没有独立的思考，但又急急忙忙地付诸行动，就可能会照搬书本，犯教条主义的错误。
- 如果学习了，也有独立的思考，却没有付诸行动，就会变成读死书结合空想形成的怪胎。
- 如果不学习而进行独立思考，就是盲目的空想，就是让生命空转，徒增烦恼。
- 如果不学习，也不进行独立思考，而只是行动，就会变成没有方向和方

法的蛮干。

• 如果既不学习，也不思考，更不行动，就是一个自甘堕落、颓废和等死的生命。

说到这里，想起了毛主席的手不释卷，这是他的基础储备，然后就是进行独立思考，然后再到实践中去检验和完善，于是就有了引领中国革命走向胜利的“毛泽东思想”。

每一个人都很关心自己的命运，但很多人往往求助于看相和算命，就是不知道学习。对着孔子所说的学习模式，看看自己处于一种什么状态，也就知道了自己的命运。

【格言】学习，思考，践行！

15 · 39　子曰：“有教无类。”

【释义】孔子阐释了自己的一个教育原则：“人人都可以接受教育，不分族类。”

【要点】(1) 教育化人。(2) 有教无类。

【语境与心迹】在孔子办学之前，社会中的教育基本上是由官府把控的，只有出身贵族的子弟才有机会接受教育。孔子办学，开创了私学的先河，使得其他阶层的人都有了受教育的机会。孔子广招门徒，不分种族、氏族，人们都可以到他的门下受教育。尤其值得注意的是，这样一种教育体制的创新，将思想知识的垄断权从王权那里解放出来一部分，本身就是重要的变革举措，也为其他变革提供了思想和人才的资源。

【接圣入心】

毫无疑问，教育是人类文明传承和个体成长的重要推动力。孔子开办私学，为中华文明的传承与发展，为华夏子孙的成长与进步，作出了历史性的贡献。

有教无类，实际上打破了以往那种只有少数人受教育的封建传承模式，拓宽了文明传承的通道，促进了人类文明的不断发展，开创了历史的新纪元。

◎ 在封建社会，“天命论”非常流行。权力世袭，人被分成三六九等，这是很普遍的社会认知。孔子的有教无类的教育思想，颠覆了封建社会的传统认知，为社会的进步和文明的演进提供了新的思想基础。

◎ 动物依靠本能，人类依靠教育。即使在当今社会，没有受过教育或者不好好学习的人，依然会表现为以个人的生理本能、狭隘经验以及自私动机作为行为驱动力的生命状态。

◎ 一个生命就如同一部机器的硬件，而教育就是为这部机器安装软件的过程。良好的教育可以用最高级的软件来驱动生命，而没有教育或者有偏差的教育，就会使得生命的软件系统出现严重欠缺。从这样一种意义上来说，现实社会中的社会问题和个人问题，都可以归结为教育问题。

◎ 对于个体来说，性格可以决定命运，而教育对改变性格和良好性格的养成是至关重要的。对于社会来说，唯有教育才可以让社会得到改良和优化。

◎ 对于每个人来说，若想改变自己的命运，就要审视自己所受的教育，就要追求自己所应该受的教育。只有这样，我们才可以使自己的生命得到优化和提升。

【格言】有教无类，因材施教。

季氏第十六

16·9　孔子曰：“生而知之者，上也；学而知之者，次也；困而学之，又其次也；困而不学，民斯为下矣。”

【释义】孔子说：“生来就知道的人，是上等人；经过学习以后才知道的，是次一等的人；遇到困难再去学习的，是又次一等的人；遇到困难还不学习的人，这种人就是下等的人了。”

【要点】（1）依学习分等。（2）生而知之者，上也；学而知之者，次也；

困而学之，又其次也；困而不学，民斯为下矣。

【语境与心迹】孔子虽说有“生而知之者”，但他不承认自己是这种人，他说自己是经过学习之后才知道的。孔子在这里将学习分成几个等级：第一，生而知之的当然是最好的了，孔子说自己不是生而知之，也没见过这样的人。第二就是学而知之的，孔子认定自己是因为好学而获得知识与智慧的。第三，就是遇到困难才想到要去学习的，此时，人们通常已经为没有知识与智慧付出了代价，但能够想到要去学习，也是好的。孔子希望人们要把学习放在第一位，不要等遇到困难再去学习。俗话说“书到用时方恨少”，就是讲的这个道理。第四，就是在遇到困难时仍然不学习的，这样的人还能怎么样呢？又怎样才能找到摆脱困境的出路呢？这样的人生多半就是一种煎熬了！

【接圣入心】

我们都知道一句很流行的话：人生而平等！可正是这句话，给很多人的人生带来了无尽的苦恼。

既然人生而平等，为何在现实中人和人之间有这么多的差别？为什么我不能像很多富人那样生活？这恐怕是不少人共有的一个疑问。

人生而平等，这句话是针对现实社会中的很多人为的不平等现象而言的，是为了纠正人类自身的错误而提出的一种理念。后来，这一理念就进一步演变成了这样的意思：我们要尊重每个人，不管人和人之间有什么样的差别，我们的人格是平等的。

实际上，个体的真相是：我们生来就是不同的，个体就是有差异的，这来自家族和父母的遗传。人来到世上，其所在的家庭和周围的环境也是不一样的，这又会进一步放大人和人之间的差别。但在现代社会中，先天条件和后天环境并不是决定人的命运的唯一力量。人还可以通过自己的努力奋斗和追求，改变先天和后天不利的局面。

孔子在这里讲了四种类型的人：生而知之，学而知之，困而学之，困而不学。

• 生而知之：孔子认为自己不是这样的人。那谁会是这样的人呢？似乎从孔子的言谈中我们能够得知，生而知之，更像是孔子对先贤和先圣的一种赞美。

• 学而知之：孔子认为自己就是这样的人。孔子欣赏和赞美好学的人，也以此来鼓励他的弟子们。

• 困而学之：不管是历史上还是现今社会，许多人并不是十分好学的人，但他们当中能够做出成就的，却常常是因为遇到问题和困难而去努力学习的人。也就是说，即使算不上好学（先学习后实践），但只要不忘了学习，遇到问题知道去学习，就一定能够进步和提升。

• 困而不学：在孔子那个年代，很多普通人很难找到学习的机会，这是那个时代的局限性。如今不同了，现今社会给我们提供了各种各样的学习机会，但仍然有相当多的人，在遇到各种困难和问题时，要么自己一个人烦恼和忧愁，要么就到处找关系，唯独没有想过要学习。这样的人即使能够一时过关，恐怕在未来也会遇到很多的问题和障碍，根本原因是自己没有学习，是自身的素质和能力出现了问题。

孔子所说的四种人，你是哪一种呢？如果你的回答不能让自己满意，那就用行动创造一个“新我”吧。要知道懒惰者是时间的牺牲品，是世俗种下的恶果，我们必须时刻警惕懒惰附体，做到日日精进。

【格言】上生而知之，中学而知之，下困而学之，劣困而不学。

16·13　陈亢①问于伯鱼②曰：“子亦有异闻③乎？”对曰：“未也。尝独立，鲤趋而过庭。曰：‘学诗乎？’对曰：‘未也’。‘不学诗，无以言。’鲤退而学诗。他日又独立，鲤趋而过庭。曰：‘学礼乎？’对曰：‘未也。’‘不学礼，无以立。’鲤退而学礼。闻斯二者。”陈亢退而喜曰：“问一得三。闻诗，闻礼，又闻君子之远④其子也。”

【注释】①亢：音 gāng，即陈子禽。　②伯鱼：孔子的儿子鲤的字。③异闻：这里指不同于对其他学生所讲的内容。　④远：音 yuàn，不亲

近、不偏爱。

【释义】陈亢带着小心思问孔子的儿子伯鱼："你在老师那里听到过什么特别的教诲吗？"伯鱼回答说："没有啊。有一次他独自站在堂上，我快步从庭里走过，他说：'学诗了吗？'我回答说：'没有。'他说：'不学诗，就不懂得怎么说话。'我回去就学诗。又有一天，他又独自站在堂上，我快步从庭里走过，他说：'学礼了吗？'我回答说：'没有。'他说：'不学礼就不懂得怎样立身。'我回去就学礼。我就听到过这两件事。"陈亢回去高兴地说："我提一个问题，得到三方面的收获，听了关于诗的道理，听了关于礼的道理，又听了君子不偏爱自己儿子的道理。"

【要点】（1）教育平等。（2）子弟皆同。

【语境与心迹】这是一个十分有趣的故事，是陈子禽和孔子的儿子伯鱼的问答，谈论的是孔子对儿子伯鱼的教育。很显然，子禽有小心思，他以为孔子可能会给自己的儿子加餐开小灶，故而问孔子的儿子伯鱼是否从老爹那里得到了什么特别的教育或者指点。伯鱼说了父子对话中的两大内容，一是学诗，二是学礼。学诗与学礼，属于阴阳两个方面，一放一收，相得益彰。这是孔子针对伯鱼所处阶段的特点，所安排的两方面的学习内容。陈亢得到伯鱼的这些回答后知道了一个事实：孔子对弟子的教育和对儿子的教育是一样的，没有给自己的儿子什么偏爱。这就是"问一得三"的典故。

【接圣入心】

在孔子的教育中，诗与礼是非常核心的内容，他对自己的儿子和弟子的教导，也是一样的。

学诗，能够让生命多姿多彩，用人类的语言和思维与天地万物接通。学礼，可以让生命懂得节制，不至于让生命失去控制。

从历史上一些著名的人物那里，我们似乎也可以看到孔子这一教育精妙的端倪：某些诗人十分纵情，但往往不顾及礼数。这样的人，虽然才情卓著，也经常诗兴大发，但往往在现实社会当中闷闷不乐。官员必须注重礼数，但一些官员因为过于或者一味注重礼数，最终活得刻板机械，执行原则死板僵硬、畏畏缩缩，也非常不快乐。当然，既没原则，也不注重礼数的官员，常常会肆意妄为，也难有成就，甚至难得善终。

孔子的教育，是因材施教和有教无类的，对自己的儿子和弟子的教育也是遵循着这样的原则。比较而言，那些只将知识和技能在家族中或者门内传承的，与孔子的境界相比，就不可同日而语了。

【**格言**】问一得三，圣无偏私。

阳货第十七

17·2 子曰："性相近也，习相远也。"

【**释义**】孔子概括了人的本性与习性的不同："人的本性是相近的，由于习染不同才相互有了差别。"

【**要点**】(1) 性相近。(2) 习相远。

【**语境与心迹**】"性相近，习相远"在民间流传甚广，也是孔子解释人的先天本性和后天习性的一个基本论断。我们在世间见到了很多好人和坏人，优秀的人和落后的人，不知你是否想过或者问过，有谁想做坏人而不想做好人吗？有谁想做落后的人而不想做优秀的人吗？孔子告诉我们，每个人的渴望和需求都是类似的，但由于后天的境遇不同，每个人的习性也都有了很大的差别。孔子的这一教导，为我们理解不同的人生状态提供了一个重要的思路。这一方面告诉人们要好好学习，慎重选择自己生活的小环境（如孟母三迁的典故），给自己的后代营造一个良好的环境。另一方面也告诉人们，即使受到了不良环境的影响，也可以通过修行重新诠释或者转化环境的负面影响，或者通过改变环境来改变自己的境遇。广义的环境分为外部自然环境、人文环境、自我心境，我们如何根据自己的情况善用这三种环境，也是人生的大学问。历史和现实的经验表明，成熟的人可以适应自然环境，积极转换负面人文环境，并时常观照自我的内在心境，通过修行让内在的自己日益强大。对于一个人来说，内外环境会产生相互作用，

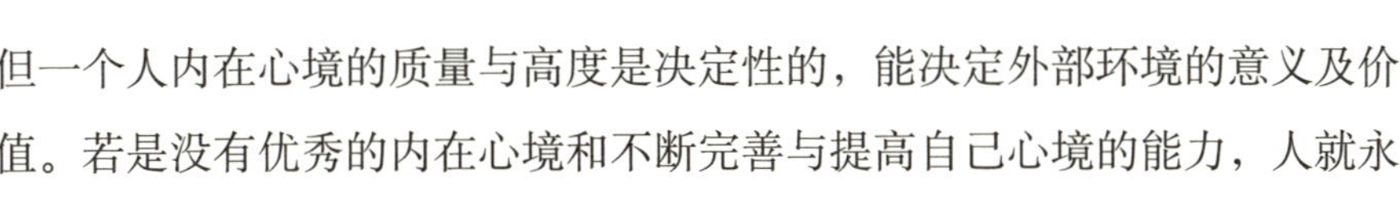

但一个人内在心境的质量与高度是决定性的，能决定外部环境的意义及价值。若是没有优秀的内在心境和不断完善与提高自己心境的能力，人就永远无法在外部环境中找到灵魂的居所，只会如浮萍一般到处飘摇。

【接圣入心】

每个人来到世上都渴望着一切美好，这一点是毋庸置疑的。然而，每个人在后天的境遇都不同，于是才有了今天我们所看到的形形色色的人生。

在现实生活当中，很多人会对着别人发问：你怎么会这样？你怎么可以这样？实际上，问出这样的问题，就是因为不懂得别人。发出这样疑问的人至少需要思考并回答三个问题：

- 你对别人的样子不满意，那你所期望的样子就一定是最好的吗？你对自己现在的样子已经十分满意了吗？
- 别说那些你管不了的人，即使你的父母、儿女和爱人，他们能够完全像你所期望的那样吗？
- 如果他们的样子确实令你和很多人不满意，但你知道吗？这样的人，他们自己也不想这个样子啊！他们对自己也不满意，可是他们找不到摆脱这种状态的方法。

由此可见，即使你是出于善良的愿望，以己度人，也是一种错误思维。

如果你懂得了每个人内在的苦衷，如果你读懂了每个人内心的挣扎，如果你懂得了每个人内心的那种无助和无奈，你就算是懂得了人心。

如果你懂得了每个人的内心，你就明白了什么叫理解和谅解，你也就懂得了“己所不欲，勿施于人”的智慧，你也就拥有了“无缘大慈，同体大悲”的情怀，你也就懂得了什么叫责任和爱，你也就找到了自己的使命和人生努力的方向。

当然，也别忘了很重要的几个关键点：一是在可以选择时，要尽量选择良好的自然环境，如许多修行者选择美丽的自然环境；二是尽量选择和营造良好的人文环境，如孟母三迁，如对朋友的选择，如对自己所做行业的选择，如很多修行者将家庭、组织打造成修行道场；三是在无法改变上述一切时，就要改变自己的内心环境，这就是真修行的问题了。

【格言】性近习远，自强为要。

17·3　子曰："唯上知与下愚不移。"

【释义】孔子感慨地说："只有上等的智者与下等的愚者是难以改变的。"

【要点】（1）上智自强。（2）下愚难移。

【语境与心迹】"上智"是指高贵而有智慧的人，"下愚"指卑贱而又愚蠢的人，这两类人是很难改变的。对于"上智"者自然就不用多说什么了，但对于"下愚"这样的根基欠缺太多的人，教育起来也让孔子很感慨，难啊！后人批评说这是歧视甚至侮辱劳动人民的封建观点。但是，对孔子的这种评价似乎有点硬扣"帽子"的嫌疑。"上智"是懂得自强的人，一直在主动学习和完善自己的人，他们自己就在主动地向着美好的方向改变，并且不会回头。对于这样的人，还需要改变他什么呢？"下愚"是懒惰的人，是不思上进的人，是功底和基础过于薄弱的人，对于这样的人，别人拿他又有什么办法？教育也难以一下子改变他。从孔子的年代到现在，这样的人改变了吗？减少了吗？这真的要感谢教育的普及，但现代教育除了传授知识，在德育方面一定比过去做得好吗？值得深思啊！当然，教育也不是万能的，佛学中有句名言：佛法无边，然佛也只度有缘人。

【接圣入心】

- "上智"者，既高贵又智慧，还需要改变什么呢？
- "下愚"者，既卑贱又愚蠢，是不是很难改变呢？
- 我们从以下几个方面来分析一下孔子"下愚不移"这个观点是否有道理：

• 既卑贱又愚蠢的人，既没有高贵的品质，也没有不俗的智慧，这样的人是否容易改变呢？谁要是说容易改变，真是有点吹牛了。君不见，古往今来，任何一个时代都有一大批这样的人，一生都无法改变吗？

• 孔子只是陈述了这样一个事实，但却被扣了一项“帽子”。不管怎么说，对孔子这样的评价是有违事实依据的；这样评价孔子的人，也是罔顾社会和历史事实的。

也许，那样评价孔子的人是这样认为的：

• 任何一个人都可以通过自己的努力改变自己的状态和命运，怎么能说不能改变呢？

• 通过教育，任何一个人都是可以改变的。若是说下愚者无法改变，岂不是否定了教育的作用？

• 孔子那样说，很可能是为了让下愚者认命，以便维护封建统治。

对于上述几条理由，我们有必要加以澄清：

• 如今的社会，给予普通人的各种机会越来越多（包括受教育的机会），下愚者的数量应该是在减少。

• 个人的努力确实很重要，但下愚者并不是不努力，只是在很多时候努力的方向错了，因此也无法改变自己的状态和命运。

• 教育，对于改变人和提升人的状态是有重要作用的。但教育的作用也不能夸大到无所不能的地步，否则又怎么解释如今那么多高智商犯罪和高学历的人犯下的那么多的错误呢？

• 至于说孔子那样评价是为了维护封建统治，这就有点冤枉孔子了。因为，孔子开办私学和从事教育，恰恰是动摇了封建社会的思想基础。至于封建统治者，运用孔子的思想来维护自己的统治和孔子从事教育的原本目的与动机，这是两回事，是不能混为一谈的。就像董仲舒所做的“罢黜百家，独尊儒术”，这只是孔子之后的儒生们所做的事情，不知孔子会不会赞同他们这样做。

学佛的朋友很熟悉这样一句话“佛法无边”；同时也经常会听说“佛度有缘人”。看来，即使是无边的佛法，即便是法力无边的佛祖，也是要讲究一个“缘”字的。

我们做这样的分析，并不仅仅是简单地为孔子的思想辩护，而是想告诉人们，下愚者的改变，真的是不容易的。与其想着去改变下愚者，不如改变自己。作为下愚者，若是知道自己品德和智慧都有问题，不再去蛮干，而是好学，不是等待和抱怨，而是去与正能量积极结缘，才真的有改变的希望。

只是我们不能过于乐观，因为下愚者，既无德行，也无智慧，也无自律，更无自知，甚至鄙视德行和学问，懒于学习，这才是最致命的。

【格言】上智自强，下愚懒惰，勤奋上进，改变命运。

17·8　子曰：“由也，女闻六言六蔽矣乎？”对曰：“未也。”子曰：“居[①]，吾语女。好仁不好学，其蔽也愚[②]；好知不好学，其蔽也荡[③]；好信不好学，其蔽也贼[④]；好直不好学，其蔽也绞[⑤]；好勇不好学，其蔽也乱；好刚不好学，其蔽也狂。”

【注释】①居：坐。　②愚：受人愚弄。　③荡：放荡。好高骛远而没有根基。　④贼：害。　⑤绞：说话尖刻。

【释义】孔子说：“由啊，你听说过六种品德和六种弊病了吗？”子路直接回答说：“没有。”孔子耐心地说：“坐下，我告诉你。爱好仁德而不爱好学习，它的弊病是受人愚弄；爱好智慧而不爱好学习，它的弊病是行为放荡；爱好诚信而不爱好学习，它的弊病是危害亲人；爱好直率却不爱好学习，它的弊病是说话尖刻；爱好勇敢却不爱好学习，它的弊病是犯上作乱；爱好刚强却不爱好学习，它的弊病是狂妄自大。”孔子就像个老中医在给子弟诊病开药方呢。

【要点】(1)孔子教子路。(2)六德六弊。

【语境与心迹】好让人羡慕的情景啊，孔子几乎是手把手地在教子路。因为子路偏狭，孔子给他讲解的这“六德六弊”也非常有针对性，对于很多人来说也有相当高的可借鉴性。“好仁”已经不错了，但如果不好学，就是个好心但会被人愚弄的傻瓜；“爱好智慧”也不错了，但如果只是爱好智慧而不好学，就会自作聪明，放荡浮夸；“好信”也不错了，但如果只是好信而不好学，就会危及亲人；“好直”也不错了，但如果只是好直而不好学，说话就会尖酸刻薄；“好勇”也不错了，但如果只是好勇而不好学，就容易偏激而犯上作乱；“好刚”也不错了，但如果好刚而不好学，就会狂妄自大。你看看，六种美德若是离开好学，马上就会出毛病，会走向反面。可见，好学实在是太重要了！孔子对子路讲的六种品德和六种弊病，既是针对子路的因材施教，也是说给天下人听的，因为有这六种弊病的人，还是不少的。这好学可真是大学问啊！好学就是尊重天道，就是尊重所有的人，就是连续不断地学习和突破，只有这样，美德才能成为真正的美德！

【接圣入心】

孔子在这里告诉子路，也是告诉我们，人不要因为自己的某种美德而满足。一个人，只要因为自己的某种美德而满足和自豪，不再继续学习和超越，就可能同时生出相应的一种弊病，这是我们每一个人都要特别小心的。

孔子在这里讲到了一个基本的模式，就是“美德——好学”。任何一种美德，如果离开了好学，就都可能变成一种弊病：

- 爱好仁德而不好学，生出的弊病就是受人愚弄。这就是傻好人！
- 爱好智慧而不好学，生出的弊病就是行为放荡。这就是浪荡子！
- 爱好诚信而不好学，生出的弊病就是危害亲人。这就是蠢后生！
- 爱好直率而不好学，生出的弊病就是说话尖刻。这就是假善人！
- 爱好勇敢而不好学，生出的弊病就是犯上作乱。这就是坏苗子！

• 爱好刚强而不好学，生出的弊病就是狂妄自大。这就是鲁莽人！

孔子的讲解，核心就是不管你爱好什么样的品德，都不能自满，必须与好学紧密结合在一起，如此才能实现自我突破和自我完善：

• 首先，爱好一种美德，我们还要进一步省思：是不是满足于一种美德而忽视或者拒绝了其他的美德？因为美德是联系在一起的，任何一种单一的美德，都不是真正的美德。各种美德是一个有机的“群落”，也就是“美德群落”，其中任何一个部分都很难单独存活。在这个问题上，我们需要特别小心。君不见，社会中犯错和犯罪的人，不也是有一些美德吗？他们不恰恰是因为不具备其他的美德，而使自己已经拥有的美德生出了致命的弊端吗？

• 其次，当我们拥有一种美德并受到别人赞誉时，千万不要因此而自满，要不断地反思和学习，要不断地实现自我超越。否则，一旦满足于自己已有的美德，就会生出相应的弊端。现实社会中的很多人，都拥有某个方面或者某几个方面的美德，但因为不具备完美的“美德群落”，反而被自己不具备的美德决定了自己的命运，这就是“缺陷决定”现象。如果对此不能保持清醒，已经拥有的美德决定不了命运，不具备的美德反而会致命。

如果你对此仍然不相信，那就让我们来看看现实中的人们，是如何因为某个方面的美德而生出弊病的吧：

• 爱好仁德而不好学，让人觉得有些迂腐和愚蠢，于是就容易受人愚弄。

• 爱好智慧而不好学，让人觉得有些自以为是，这样的人就容易自作聪明。

• 爱好诚信而不好学，让亲人觉得他是在一味地表现自己的美好品质，就容易激发起亲人心中的怨恨。

• 爱好直率而不好学，这样的人只顾自己的感觉，而忽视了别人的感觉，虽然常常是出于好意，但因为说话尖酸刻薄，而让别人心中反感。

• 爱好勇敢而不好学，总以为自己坚持的原则是正确的，也不深入了解情况的复杂性，所以就容易对别人做错误的判断，自己的行动就容易鲁莽和蛮干，甚至犯上作乱。

• 爱好刚强而不好学，遇到任何事和任何人，就容易表现得粗俗而鲁莽，就容易狂妄自大。若是自己再有些优势或者权势，就容易飞扬跋扈。

如今的我们，有几个人敢说自己已经进入“美德群落”这样的境界了呢？若是我们依然因为爱好某种或者某几种美德而忽视或者拒绝了其他的美德，那我们现在所拥有的美德正在生出什么样的弊病呢？由此我们就知道该如何加强自身的建设，才能够改变现状和保障未来。

【格言】好学，美德会趋于完善。不好学，美德会转变成弊病。

17·9 子曰：“小子何莫学夫诗。诗，可以兴①，可以观②，可以群③，可以怨④。迩⑤之事父，远之事君；多识于鸟兽草木之名。”

【注释】①兴：激发感情的意思。 ②观：观察了解天地万物与人间万象。 ③群：合群。 ④怨：讽谏，怨而不怒。 ⑤迩：音 ěr，近。

【释义】孔子进一步说明学诗的益处：“学生们为什么不学诗呢？学诗可以激发志气，可以观察天地万物及人间的盛衰与得失，可以使人懂得合群的必要，可以使人懂得怎样去讽谏。近可以用来侍奉父母，远可以侍奉君主；还可以多知道一些鸟兽草木的名字。”

【要点】(1) 学诗接通天地。(2) 学诗七用。(3) 可以兴，可以观，可以群，可以怨。迩之事父，远之事君；多识于鸟兽草木之名。

【语境与心迹】孔子爱诗，是因为诗能够让心放飞，与天地相通。诗，又是人类理性与感性两个不同系统的交融，在具象中抽象，又将抽象化成具象，这是心智的周圆历程。我们所熟悉的诗，常常是借景抒情，是由具象到抽象的哲学过程。同时，我们又会将自己的情感赋予世间万物，仿佛我们能跟天地万物对话与沟通。拥有了这般的心性空间，我们就可能在人间游刃有余。当然，诗性打开了心门，仁德必须成为方向，使命必须成为目标，圆融必须成为心智，知礼必须成为风度，中庸必须变成处世的智慧。如此这般，诗性才不会乱性。

【接圣入心】

在当今的社会，一些父母在辅导孩子背诵唐诗。在学校的课堂上，老师也会给学生讲解一些诗词。但是，又有几个人懂得学诗对学生的重要作用呢？

孔子在这里给我们做了很好的梳理，让我们懂得了学诗的价值：

- 学诗可以激发志气，能够让一个生命个体与万物对接，让一个单独的生命回到天地万物的系统中去。具有这样情怀的人，思考和行动才会有大的格局和志向。
- 学诗可以观察天地万物的盛衰以及人间的得失，让人们在这种观察当中明白天地万物的运行规律，从而使自己不再为个人得失而纠结。
- 学诗可以使人懂得合群的必要，任何个体都不能独活，每个个体都有自己的特点，和而不同才是君子的风范，同而不和就会制造出许多无谓的事端。
- 学诗可以使人懂得怎样去讽谏上级，对自己的上级直言相谏固然是难能可贵的，但通过诗使用借喻和比喻，似乎更能够收到美好的效果。历史上就有很多这种智慧的谏言方式，也取得了非常好的效果。

如此这般学诗，就可以真正地陶冶情操、增长智慧。当我们与父母或上级相处时，就能够用诗一样的方法，既传递信息，也保住情面，最后就能够取得良好的效果。

由此可见，学诗学好了，就可以有诗一样美妙的人生。否则，不管是个人的生活，还是与人相处，都会因为方式生硬和缺乏智慧，而生出很多不必要的麻烦。

【格言】学诗，可以接通天地！

17·10 子谓伯鱼曰："女为《周南》《召南》[①]矣乎？人而不为《周南》《召南》，其犹正墙面而立[②]也与？"

【注释】①《周南》《召南》：《诗经·国风》中第一、第二部分的篇名，周南和召南都是地名，这是当地的民歌。 ②正墙面而立：面向墙壁站立着。

【释义】孔子对伯鱼说："你学习《周南》《召南》了吗？一个人如果不学习《周南》《召南》，那不就像面对墙壁傻站着一样吗？"

【要点】（1）孔子问儿伯鱼。（2）训导曰，不学诗如同面壁傻站。

【语境与心迹】前文曾经提到，孔子指导自己的儿子去学诗，在这里，孔子又进一步跟儿子说，若是不学诗，就像一个人傻傻地对着墙壁站立一样。看来，孔子学诗真的学出了感觉，让自己具有了"穿越"的能力。穿越的是什么呢？孔子跟儿子说的是一堵墙，那是什么墙呢？想想看，我们普通人看花是花，懂诗的人，见花寄情，或哭或笑，于是似乎能够跟万物进行一种无言的对话与交流。我们普通人看到一处风景会怎样呢？忙碌的时候，会视而不见；伤心的时候，会触景生悲情；高兴的时候，风吹枝叶摇动，似乎是在向我们祝贺。这种跟天地自然万物的沟通能力，恐怕只有人才具备吧？若是心中没有诗情，生活中也就没有画意。所以学诗会打开生命的另外一个频道，于是人生变得丰富多彩。

【接圣入心】

孔子十分重视"诗""礼""乐"的学习，他的名言是"兴于诗，立于礼，成于乐"。

孔子认为，学诗可以让人的生命多姿多彩，去与天地万物沟通和对接。

若是不学诗呢？那就像一个人傻傻地面对着墙壁站立一样，除了一堵墙，什么也看不见。

孔子认为，学诗可以开阔一个人的心胸，可以训练人掌握一种理解天地万物之间联系和运行规律的心智模式。人对所有事物的理解，实际上都依赖于自己的心智模式。因此，拥有正常而良好的心智模式，对于我们理解世界和生活是非常重要的。

孔子反对那种书呆子式的学习和生活方式：他们可能学识非常渊博，但不能从知识当中发现世界和生活的运行规律，越学习越僵化，虽然学问高深，但连自己的生活都搞不好。这样的学习，很显然就违背了学习的目的。而这一问题产生的内在原因就是心智模式出了问题，外在原因就是没有很好地与实践相结合，或者在自己的社会生活实践中僵硬地套用理论知识，也没有在实践中及时总结、提高和突破。这些都是孔子所反对的。

联想到我们当代人，也许在自己懵懂的时候被父母逼着背诵了一些诗词，在之后的专业教育中，离诗却越来越远了，生活中的趣味也就变得越来越少了。

【**格言**】不学诗，如面墙而立。

17·22　子曰："饱食终日，无所用心，难矣哉！不有博弈①者乎？为之，犹贤乎已②。"

【**注释**】①博弈：掷骰子、下围棋。　②犹贤乎已：贤，作"胜"字讲；已，作"止"字讲。比无所事事好一些。

【**释义**】孔子对着某些纯粹的吃货感慨地说："整天吃饱了饭，什么心思也不用，真不行啊！不是还可以掷骰子和下围棋吗？干这个，也比无所事事好啊。"

【**要点**】(1) 自废之道。(2) 饱食终日，无所用心。

【**语境与心迹**】孔子觉得那些饱食终日、无所事事、什么也不干的人，是在浪费生命，甚至建议他们去玩玩游戏也好啊。总之，不能总闲着什么事也不做啊！我们熟悉一个成语"无事生非"，是非多发生在那些无所事事的人身上，有正经事做的人，哪有工夫去想别人的是非啊！历史上，富裕家庭中的孩子，不需要勤奋和艰苦奋斗就拥有了生活中的一切，因

此很容易到处招惹是非。为什么？闲得难受啊！而那些家庭贫穷又找不到机会做事的人，也容易游手好闲，到处招惹是非。所以，听老人讲，人来到世上就是来做事的，做成什么实际上也不是最重要的，但就是要做事，否则，生命就没着没落的！

【接圣入心】

人来到世上，就是来做事的。一个年轻人若是什么事也不做，只是吃喝，跟死了有何区别呢？

即使是退了休的老年人，如果找不到力所能及的事做，也会加速衰老。从这个意义上说，做事也是防止衰老的一种方法。

有时，我们会听到一些着急的长辈对着很颓废的晚辈说这样的话：你怎么像头猪？吃了睡，睡了吃，就等着最后挨那一刀啊？！话粗理不粗，一个人如果没有精神追求，只剩下本能和生理的活动，可能真的就与低级动物没有任何本质区别。

有这样一个基本规律：精神追求高的人，生理欲望就比较低；精神比较空虚的人，生理欲望就比较强。精神追求和生理欲望呈现出反向关系。

后世有人批评孔子，说你怎么能够建议人们去赌博或者玩游戏呢？这种批评就有点咬文嚼字和吹毛求疵了。实际上，孔子建议人们学什么已经很清楚了。此处只是借这样一件事作为说辞，来告诉人们不能总是吃喝而无所事事，总要找点事做；既然做事，那当然就要找点有意义的事做。

联系当今的现实，以下几种行为偏差值得我们警惕：

- 有的人整日忙忙碌碌，绝大部分是简单重复，没有精进和超越。
- 有的人无精打采地天天工作，没有乐趣，没有目标和方向，也没有心情。
- 有的人一心扑在工作上，却忘记了自己的生活和身体健康。
- 有的人沉迷于网络游戏，或者吃喝嫖赌一类的低级活动，自甘堕落和颓废。

• 当然，也有的人一旦停止了忙碌，就变得空虚和无聊，生活单调而无趣。

孔子的教导告诉我们，人生不能只是沉迷于吃喝等生理活动，还要有精神追求；不能无所事事，一定要有人生的目标；不能简单地忙碌一个方面，而要全面安排自己的生活；不能简单机械地重复，要在正在做的事上不断精进和创新。

【格言】吃得多，进化慢。不做事，老得快！

17·26　子曰："年四十而见恶焉，其终也已。"

【释义】孔子感慨地说："到了40岁的时候还被人所厌恶，他这一生也就终结了。"

【要点】（1）四十不惑。（2）过40岁依然让人厌恶就没希望了。

【语境与心迹】孔子认为，如果一个人活了40年，还会被人厌恶，说明这个人已经真正长残了。对于很多人来说，概念上的人生百年，过了40岁，人生也基本上过半了，经历了40年的光景，如果一个人心智还没有健全，那他的未来还能有什么希望呢？怎么叫心智健全呢？最起码别讨人厌，别到处搬弄是非，别到处指责别人。经历了40年，这点品质和能力总应该有了，否则，40年都能虚度，后续希望就更渺茫了。

【接圣入心】

别人问起孔子的成长经历，孔子说自己是"三十而立，四十而不惑"。

孔子是圣人，他能够达到的高度，也许我们很多人达不到。但退一步说，我们即使做不到四十而不惑，也应该能够自立。只有自立，才能在社会中具有价值。

社会中每个人的能力有高低之分，但到了40岁，人最起码应该能够做到愿意服务与帮助别人，能够体谅别人，能够与大家和睦相处而不让人讨厌。这是最起码的标准，也是一个人立于社会的基础。

◎ 如果一个人到了 40 岁，还不愿意服务与帮助别人，对人苛刻也不体谅别人，出言伤人，与人不能和睦共处，走到哪里都让人讨厌，这样的人，谁还能改变他呢？他的这些毛病，是经历了 40 年长成的，未来的人生还不知道能有多少年，加上他自己又很自以为是，听不进别人的劝告或者听了也不会去真正改变，这样的人此生有可能已经终结了。

◎ 如果你已经 40 岁，不管走到哪里，能让老少都喜欢吗？或者你已经过了 40 岁，不管走到哪里，会依然让人讨厌吗？或者你还没有到 40 岁，你是否有把握在自己 40 岁的时候，能够不再让人讨厌？

◎ 每个人周围都有很多到了 40 岁或者已经 40 多岁、说话办事依然让人心里不舒服的人。有些人曾经是到处都不受人待见的人，自从学习国学和实际修行以来，不再被人讨厌，相反，越来越被人喜欢，也许这就是国学的魅力！

【格言】你成熟了吗？看看是否让人喜欢。

微子第十八

18·5　楚狂接舆[①]歌而过孔子曰："凤兮凤兮！何德之衰？往者不可谏，来者犹可追。已而已而！今之从政者殆而！"孔子下，欲与之言。趋而辟之，不得与之言。

【注释】①楚狂接舆：一个叫接舆的狂人，是个楚国隐士，佯装狂人。

【释义】中国古代有一种人叫隐士，他们对世事的洞明，远远超过一般人。楚国的狂人接舆唱着歌从孔子的车旁走过，他唱道："凤凰啊，凤凰啊，你的德运怎么这么衰弱呢？过去的已经无可挽回，未来的还来得及改正。算了吧，算了吧。今天的执政者危乎其危！"孔子下车，想同他谈谈，他却赶快避开，孔子没能和他交谈。

【要点】(1) 隐士避世。(2) 道不同难以共谋。

【语境与心迹】孔子一生当中曾多次被人讽刺挖苦。在此处，有一个楚国的狂人隐士接舆在劝谏他。孔子想跟他交谈，他却避开了。我们知道，孔子是个十分好学的人，即使是遇到讽刺挖苦他的人，他也会主动去与人家交谈。联想起跟孔子有关的一些情景，感觉孔子好像根本不会受到伤害，他的心似乎已经没有了感受伤害的程序：面对危难无所惧，面对挖苦无所怨，面对唱歌好的会赞美人家，面对未开化的地域也有“君子居之，何陋之有”的豪言壮语，好强大的心灵啊！想想现实生活中，很多人遇到一点困难，心中就会生出负面情绪。这一点，我们不得不由衷地佩服孔子。若是我们能够修得如此心性，人生就太美妙了！

【接圣入心】

这段话中，狂人隐士接舆所说的乱世状况，孔子也是同意的。

但隐士这个群体，是一群遁世的人，他们自认为已经不能救世或者大势的变迁非人力可为，故而选择了做乱世的旁观者。

隐士群体是避世的，而孔子和其弟子们则是入世的，这是两种不同的人生追求，或者两种不同的活法。隐士群体常常认为，入世的孔子和其弟子们有些不识时务，热心奔忙于天下，最终徒劳无功。甚至有些普通百姓也认为，孔子的奔走呼号于事无补。

孔子和其弟子们，就是在这样一个乱世，在来自四面八方的压力面前，始终不渝地坚守着自己的理想和信念，给后世留下了光辉思想。

孔子不愧是一个为理想和信念活着的圣人，他虽然在自己生存的年代没有能够力挽狂澜，但却在乱世中通过自己的不懈努力，为人类文明留下了宝贵的财富。所以有人说，孔子的思想不养当世而养后世。孔子所生活的年代，并没有因为他的思想而得到巨大的改变，然而后世却从孔子那里得到了宝贵的精神营养。

作为圣人的孔子，自己过着颠沛流离的生活，面临着来自四面八方的压力，甚至连自己的弟子都质疑其作为，但孔子始终没有改变对理想的追求，这就是圣人救世的情怀啊！

◎ 那些貌似看穿了乱世的隐士们，并没有为当世和后世留下什么有益的思想和精神财富。算对了一步，走错了人生。他们劝谏孔子，他们讽刺挖苦孔子，但孔子并没有丝毫记恨他们，相反还会主动地去与他们攀谈。这是多么伟大的情怀啊！

◎ 今天的很多人为什么会听不进不同的意见？为什么一听到反对意见就心生不快？原来是自己的心胸不够宽广，格局不够远大，志向不够坚定，所以才生出了那种狭隘卑劣的情绪。

◎ 不管是在古代还是当代，那些自认为有理想和追求的人，又有多少人能像孔子那样顶着各种压力，在遭受多次挫折之后，仍然能够始终不渝地追求自己的理想呢？那些从古至今批评孔子的人，又有几人能像孔子那样坚持自己的理想而不动摇呢？仅此一点，就值得很多人去反思自己。

【格言】大度的品格，只属于心怀天下的人！

子张第十九

19·5 子夏曰："日知其所亡，月无忘其所能，可谓好学也已矣。"

【释义】子夏对孔子所强调的"好学"有感而发："每天学到一些过去所不知道的东西，每月都不能忘记已经学会的东西，这就可以叫作好学了。"子夏对"好学"的理解似乎与孔子所说的还有差距啊！

【要点】(1) 好学之道。(2) 每日学新。(3) 每月复习强化。

【语境与心迹】子夏在此谈了对好学的感想。每个人每天都会有新的感受，这种感受处在什么状态才是关键所在。众所周知，毛主席十分博学，甚至很多专家都没法跟他相比。说起学习的体会，毛主席特别强调两个字：总结！总结就是对那些似是而非或者模糊的感觉进行理性整理，使之清晰化，这样，模糊甚至混乱的信息就变得清晰而可用。试问我们每天接收到那么多信息，有谁会认真地加工整理一下呢？真正的好学，就是生活的"炼金术"，就是形成一种思维的习惯——不断整理信息使之清晰可用。如果天天如此，日积月累可就不得了啊！好学是孔子成圣和对弟子进行教育的关键。孔子并不反对博学强记，因为人类知识中的很多内容都需要认真记忆，不断巩固。但若是能够再对其进行有效的整理，使自己能够在原有的基础上提升认知水平，这才是好学的关键。从这样的角度来说，似乎子夏所理解的好学与孔子的真意还有差距。

【接圣入心】

这段话是借用孔子弟子子夏的话，来说明孔子所说的好学的一个方面的内涵。

子夏的这段话，让我们联想起了儒家经典《大学》中的名句："苟日新，日日新，又日新"。

一个真正好学的人，随时随地都在学习，总能有新的收获，总能够发现自己过去的无知，总能够不断地自我超越。这样的人，随时随地都处在进步当中。这样的人生状态，是多么充满活力啊！这样一种不断超越"旧我"，不断有"新我"诞生的活法，是多么让人兴奋啊！

如果今天在重复昨天，也就没有当下。如果一直在重复昨天，也就没有未来。可见孔子所提倡的好学，对于每个人的生命来说，就是其中鲜活的灵魂啊！

一个真正的修行者，每天都会问自己：今天又学到新的知识了吗？又有新的进步吗？还有什么过失吗？明天我要发奋去改变什么？孔子和他的好友蘧伯玉就是这样的人，你呢？会问自己这些问题吗？如果你认为自己是个修行者，天天打坐诵经，但若是没有问过这些问题，也没有对照这些问题去行动，那就是在自欺啊！

子夏是孔子的学生，上面他所说的那句话也许就是他当时的理解，很显然与孔子的真意是有差距的。若是时过境迁，子夏对好学的理解应该会更加接近孔子的真意吧？

【格言】今天进步了吗？若无，就是虚度！

19·6 子夏曰："博学而笃志①，切问②而近思，仁在其中矣。"

【注释】①志：意为"识"，此为强记之意。 ②切问：问与切身有关的问题。

【释义】子夏在此谈了关于仁的存在方式问题，他说："博览群书，广泛学习而又记得牢固，就与切身有关的问题提出疑问并且去思考，仁就在其中了。"

【要点】(1) 近仁之道。(2) 博学强记。(3) 切问近思。

【语境与心迹】孔子的弟子子夏在谈自己的学习体会："博学而笃志"即"博学而强记"，并结合自己的实际去思考和发问，这就是孔子所理解的近仁之道啊！学习，首先是要博学，还要会记忆，紧接着能够联系自己的实际，并且提出自己的疑问再思考。啊，这是走进仁的学习方法。但不得不说，子夏的理解似乎还没有揭示出仁的本质，似乎是在仁的周围打转，不知孔子听到这些话后会不会替子夏着急。我们知道了不少关于仁的内容，仁者爱人，克己复礼为仁。在《论语》中，孔子在不同的场景、主题中都谈到了仁，估计弟子们肯定有些迷惑：这也是仁，那也是仁，到底哪一个是仁？怎么都是仁呢？若是不理解孔子的仁在多情景下的共同本质，估计读一百年也是懵懂的。也许你会突然觉悟到：原来我们困在了仁的一般道德范畴了，更多理解成了"仁义"之类的。实际上，孔子运用"忠恕"和"中庸"的思维方式走出自我，与各种人、各种事、各种物都能联通，这不就是"仁之道"吗？至此，我们才能理解仁的真意。《说文》："仁，亲也。从人，从二。"本义是对人友善、相亲。延伸之意，也是孔子更加广泛的"广义之仁"，就是首先在自我中完成两极对偶式的联通，然后再走出自我，与万物众生联通！老子言"道"，孔子说"仁"，两大圣人的思想交汇点就在于"联通"而已。

【接圣入心】

子夏在这里讲到了一种学习的方法：博览群书，记住要点，联系自我。

子夏又说，能够这样学习，仁就在其中了。这又是什么道理呢？仁不是属于德的范畴吗？关键是“仁”怎么就是“德”呢？原来，孔子之仁，实则是“见人入人心”“见事入事理”“见万物能与万物联通”的“道”啊！若是不能把孔子关于各种对仁的内涵联合起来，就无法真正理解孔子的“仁之道”。实际上，孔子讲过“力行近乎仁”，就是“仁之道”，而子夏正是这么做的。

《中庸》里这样说过，“博学之，审问之，慎思之，明辨之，笃行之”，说的也是学习、思考和行动的思路。

想想自己，我们又是如何学习的呢？

• 若是仅仅局限于自己的专业，或者当前的工作，而没有做到博学，我们的视野就不可能宽广，我们对问题的思考就很难有新的思路。博学中所涉猎的其他方面的知识，看似与我们当前的专业或工作没有直接关系，但恰恰因为这样，才会给我们提供新的视角和思路。由此可见，学习中的“专与博”两个方面，不可偏废。

• 如果看了很多书却记不住要点，或者记住了很多细节却提炼不出精髓，这样的读书是没有效率的，花费了很多时间，真正的收获是很少的。你若是看完一本书能说出十几个要点，并且点点都是精髓，你就一定是有收获的。

• 读了书，收获了一些道理，能联系自己的实际进行分析，并提出新的认识和新的思路，这才是真正的收获。否则，读了书也能讲出要点，但就是跟自己联系不上，又有什么收获呢？如果在这种状态下又到处去夸夸其谈，还自以为是，就大错特错了。

• 读书有了新的收获，也有了新的思路，下面就看能否付诸行动了。读书和思考是在自己的大脑中进行的活动，还没有经过实践的检验，不能算是真知。正如心学大师王阳明先生所说：只知不行不能谓之真知，只行不知不能谓之真行。关键是知行中要体现仁的内涵，也就是走出小我，走进对象的内里或者内心，也就是接通和联通。

借此学习模式，我们来审视一下自己，看看自己做到了多少。若是一个人的学习模式得不到真正的优化，就如同一个人灵魂的“消化系统”出了问题，就很难吸收到真正的营养，也很难让自己真正变得强大。

【**格言**】有效的学习，定要盘点自己的收获！

19·12 子游曰：“子夏之门人小子，当洒扫应对进退，则可矣，抑[①]末也。本之则无，如之何？”子夏闻之，曰：“噫，言游过矣！君子之道，孰先传焉？孰后倦[②]焉？譬诸草木，区以别矣。君子之道，焉可诬[③]也？有始有卒者，其惟圣人乎？”

【**注释**】①抑：但是，不过。 ②倦：诲人不倦。 ③诬：欺骗。

【**释义**】孔子的两个学生子游和子夏在教育学生方面产生了一点小分歧。子游批评子夏说：“子夏的学生，做些打扫和迎送客人的事情是可以的，但这些不过是末节小事，根本的东西却没有学到，这怎么行呢？”子夏听了，为自己辩解并反驳了子游的说法：“唉，子游你错了。君子之道先传授哪一条，后传授哪一条，这就像草和木一样，都是分类有区别的。君子之道怎么可以随意歪曲、欺骗学生呢？能按次序有始有终地教授学生们，恐怕只有圣人吧！”

【**要点**】(1) 两弟子论道。(2) 子游重本轻末。(3) 子夏重道。

【**语境与心迹**】孔子的两个学生子游和子夏，在如何教授学生的问题上发生了争执，而且争得比较激烈。子游教育学生，更注重“诗”“礼”“乐”的学习。子夏教育学生，比较注重从生活的细节做起。这两种不同的教育方法，根本的宗旨是一样的，彼此也可以互相借鉴和融合。只是很可惜，孔子的这两个学生此时此刻似乎都没有领悟到老师在教育中的个人修行，所以才会互相指责，起了争执。看来，学习知识容易，真正修出仁德的心性难啊，尤其是时时、处处、事事都能够运行“仁”的程序，就更难了。若能做到，就是孔子所达到的圣的境界了吧！但从孔子之学、孔子之道的角度来看，似乎子游强调学习的根本与基础，而子夏则更加贴近生活实际。那到底谁的思想正确呢？按照孔子所倡导的教育思想，先学习打好基础再去实践，类似于精英教育模式。若是对于普通百姓而言，似乎在生活中学习更加实际一些。看起来，如何教育、如何学习，也要看对象和目标。

【接圣入心】

我们都熟悉一句很流行的话：条条大路通罗马。这说的是达成一个目标的方式和路径并非唯一的。

许多人在做事时，往往认为自己的方法才是最好的，若别人的方法跟自己的不一样，往往对其持反对和排斥的态度，子游和子夏在此处的争论，正是这样一种做法。

如果真正按照孔子好学的精神去做，针对那些不一样的做法和观点，我们更要格外关注，搞清其中的缘由，便于反思、吸纳继而优化自己的模式。

如果认为自己的做法才是最好的，对别人的不同做法进行抨击和指责，就显得有点自以为是，就违背了好学的精神，一方面让自己失去了吸纳别人长处的机会，另一方面也会制造对立，违背了“君子和而不同”的原则。

这两位弟子的争论，反映了他们在修行方面的差距。如果自己所学的知识和原则，在做事时却不去运用和遵守，那么怎么能够算是真的修行者呢？又怎么以老师的身份去教授学生呢？看来，虽然都是孔子的学生，但能够领悟到老师思想的真谛实属不易！但是，对子游和子夏的争论，采取轻描淡写的态度，也是不负责任的。

子游与子夏的争论，也许就是持续至今的一种旷世之争吧，书本上的学问很重要，书本上的知识如何帮助自己完成心智的提升，这既需要修炼自我内在的功夫，更需要与现实生活的方方面面进行无分别的结合与联通，当然，不容忽视的是你的教育对象的特点和你所针对的目标，往往决定了教育的方式。明白了这些，再去看别人和自己，似乎才能走上孔子一再强调的“君子之道”！

【格言】理解差异的合理性，才是开悟！

19·13 子夏曰：“仕而优[①]则学，学而优则仕。”

【注释】①优：有余力。

【释义】子夏就做官和学习的关系提出了一个有趣的逻辑：“做官还有余力的人，就可以去学习；学习有余力的人，就可以去做官。”

【要点】(1) 仕而优则学。(2) 学而优则仕。

【语境与心迹】子夏的这段话，从表面上看似乎集中概括了孔子的教育方针和办学目的。做官之余，还有精力和时间，那他就可以去学习礼乐等治国安邦的知识，但是若没有时间就不用学习了吗？学好了还有余力的就可以去做官从政，但是不去实践又何时能够学好呢？如此说来，子夏的这套逻辑就有点不顺畅了。实际上，可以说得更简单一些：做官别忘了学习，否则做好官就缺乏能量；学习好了，别忘了去应用，否则就只能是书面学问。学习是应用的准备，应用是对学习的检验。学习也是间接的应用，应用也是一种特殊的学习。学习经典，可以借力，可以站在巨人的肩膀上看得更远。通过实践，可以内化学习的内容，在实践中的思考和总结提炼，也是形成知识乃至于经典的过程。由此可见，不仅仅要将知识与现实联通，还要形成一个来回互动的连续过程。做官也是学习进入实践的一种典型方式，关键是做官与学习应该是一个永远不能割裂开来的连续不断的过程，若是只做官不学习，怎么能做好官？若是只学习不做官，又怎么能够不断提升境界、不断充实内涵、辨别清晰真伪、彻底打通宏观与微观，将思想与行动合成一个有机统一体呢？看来，子夏对老师孔子的哲学方法论似乎有所领悟，只是中间加了一个“有余力”的条件，使得整个逻辑有点别扭了。

【接圣入心】

很多人都熟悉“学而优则仕”这句话，但对于“仕而优则学”好像听到的不多。或者有时会引用“学而优则仕”，却不知道还有“仕而优则学”。

子夏的这两句话，从本质上来说，就是在阐明学习和实践的关系。关键是这两者是一个连续、反复、相互赋能与印证的不可分割的链环，尤其是不能加其他条件。没有余力就可以切断学习与实践的连续过程，这可就麻烦了！按照一般性规律来说，大部分人应该是“学而优则仕，仕而优则学”，毕竟从人生的过程来说，一般顺序应该是“学——仕——学”这样一个连续不断的过程。

孔子倡导，先要学习理论，然后再去实践。志于道，据于德，依于仁，方可游于艺。若是没有坚定正确的道德方向与标准，若是找借口拒绝持续学习就去做官了，怎么可能把官做好呢？当然，在特殊的情况下，一些人因为某个方面的才艺或者专长而当了官，就要注意加强学习以便立德立威。否则，在“权力强劲 + 才艺卓著 + 道德弱化 + 学习中断 + 贪欲日盛”这种“坏官”模式下，很多社会精英很容易付出生命的代价。

当今社会出了很多贪官，从外部原因上来说，他们大多学习过某个方面的专业知识，甚至有的已经成为专家，但他们在理想信念和道德操守方面未必是强项，又有谁来帮他们补上这一课呢？看到专业优秀的人成了贪官，真是让人心酸。

我们都处在现代教育体系之中，专业教育方面已经在深度和广度上远远超过了孔子那个时代，但在道德的养成和训练方面，在全方位学习方面，我们就不敢说现代教育模式一定优于孔子的教育模式。这一点是发人深省的，也是我们的教育改革要思考和改变的。否则，在上述的那种“坏官”模式下，就会不断有人付出沉重的代价，这不管对个人还是对社会来说，都是令人悲伤和唏嘘的。

“学而优则仕，仕而优则学”，这里不变的就是学习，持续不断的学习！学好了仁义道德和技能而不去服务社会，是个人和社会的损失。做了官，如果不能够连续学习，也会让个人的道德变得弱化，让自己的知识变得老化，这也是不可取的。如果再进一步，只要做了官掌了权力，以为说的做的就都是对的，再也不会继续进步，不管是对个人还是对社会来

说，都将是一场灾难。

人生就是一场修行，需要持续学习，需要终身学习，需要将理论学习和实践结合起来，需要将道德操守与工作能力紧密结合起来，这是千古不变的真理。

【格言】学习是一种信仰！持续学习，连续突破，是生命的真谛！

19·22　卫公孙朝[①]问于子贡曰："仲尼[②]焉学？"子贡曰："文武之道，未坠于地，在人。贤者识其大者，不贤者识其小者，莫不有文武之道焉。夫子焉不学？而亦何常师之有？"

【注释】①卫公孙朝：卫国的大夫公孙朝。　②仲尼：孔子的字。

【释义】卫国的公孙朝问子贡说："仲尼的学问是从哪里学来的？"子贡说："周文王、武王的道，并没有失传，还留在人间。贤能的人可以了解它的根本，不贤的人只了解它的末节，没有什么地方无文王、武王之道。我们老师无处不学，又何必要由固定的老师来传播呢？"

【要点】(1) 学圣成圣。(2) 学无常师。

【语境与心迹】在这里，子贡讲到了孔子之学的来源问题。子贡说，孔子承袭了周文王、周武王之道，同时，孔子的学习面很广，有一种超强的自学能力，并没有固定的老师给他传授。这实际是说，孔子肩负着上承尧舜禹汤文武周公之道并把它发扬光大的责任，加上孔子的学习无处不在，不需要什么人给孔子讲授。这也表明了孔子学习的神奇过程：因为自己伟大的情怀，而具备了领悟先王和先贤之道的能力，再加上"不耻下问""学无常师"的学习历程，就使自己的学问能够顶天立地了。当然，这是子贡的回答，里面充满着对老师的敬仰之情。若是让孔子自己来回答呢？估计孔子会说："三人行必有我师焉"，怎么到别人问起时却不提那些老师了呢？可见，子贡的这个回答是有瑕疵的，估计孔子不会这样做！看来，在学习中，承接历史文明、肩负时代的使命感和责任感、广泛学习和吸纳智慧，这才是学习力的关键。如果只是为了考试或者谋生而学习，或者只认课堂老师而不认现实中的老师，就无法获得巨大和超强的学习力。这也许是孔子成圣的一个重要的心路历程。

【接圣入心】

从技术过程上看，孔子的学习基本上以自学为主，并没有一个现代意义上的明确的、固定的老师。正因为如此，崇拜孔子的人认为，孔子的学问是“生而知之”的，但孔子本人并不同意别人的这种说法。

从史籍记载来看，一方面是先王圣主的优秀思想一直感召着孔子，另一方面，春秋时期鲁国神童项橐、郯国国君郯子、精于乐理的卿大夫苌弘、著名乐官师襄、道家学派创始人老子等，是被孔子视为老师的人。除此之外，孔子还能够“不耻下问”，既向不如自己的人学习，也在与弟子的交往中随时反观自己、调整自己，随时随地都在学习和提高。当然，孔子也继承了古人的观察万物、觉察大道规律的传统。故而，归纳起来，我们能看到孔子的五个方面的老师：一是先王圣主，二是长于自己的人，三是随机所遇之人，四是天地自然，五是他自己——自我教育。

尤要提到的是，孔子以其伟大的情怀，具备了学习领悟先王、先哲和先圣智慧的能力，是孔子自己找到了学习的“圣师”。同时，孔子又是一个在生活中善于思考的人，在普通人眼里很平常或者无足轻重的事，孔子都能够找到其中的规律，由此可见一个真正的修行者的特殊的学习方式：随时随地悟道。因为天地万物本身的规律，就是我们所有人最好的老师，也称“道师”。

当然，一个真正的修行者，自己就是自己的老师。他通过修行，帮助自己发现自身存在的问题，从内在思维到外在行动，从内在情感到外部言行表现，都在自己的洞察之中，并且能够坚决地、坚定不移地监督并督促自己去改正、去优化、去提升、去完善，永不自满，绝不停止。

说到这里，也许我们就明白了孔子的成圣之路，命中有“五师”：圣师、长师、众师、道师、自师。也许，这就是孔子在别人眼里具有先知先觉和生而知之背后的秘密。

【格言】成圣之学，在于五师。

19·23　叔孙武叔[①]语大夫于朝曰："子贡贤于仲尼。"子服景伯[②]以告子贡。子贡曰："譬之宫墙[③]，赐之墙也及肩，窥见室家之好。夫子之墙数仞[④]，不得其门而入，不见宗庙之美，百官[⑤]之富。得其门者或寡矣。夫子之云，不亦宜乎！"

【注释】①叔孙武叔：鲁国大夫，名州仇，三桓之一。　②子服景伯：鲁国大夫。　③宫墙：宫也是墙。围墙，不是房屋的墙。　④仞：音 rèn，古时七尺为仞，一说八尺为仞，一说五尺六寸为仞。　⑤官：这里指房舍。

【释义】叔孙武叔不知是何居心，在朝廷上竟然对着大夫们说："子贡比仲尼更贤。"子服景伯把这一番话告诉了子贡。子贡说："拿围墙来做比喻，我家的围墙只有齐肩高，老师家的围墙却有几仞高。如果找不到门进去，你就看不见里面宗庙的富丽堂皇和房屋的绚丽多彩。能够找到门进去的人并不多。叔孙武叔那么讲，不也是很自然吗？"很显然，子贡并不接受叔孙武叔的说法，这既反映了子贡与孔子功力的事实，也让别有用心的人看到了孔子弟子的风范——有自知之明和敢于捍卫老师的尊严。

【要点】(1) 叔孙武叔赞子贡。(2) 子贡赞圣师。(3) 理解叔孙武叔。

【语境与心迹】追随孔子的弟子对孔子所做出的评价和其他人的很显然不一样。这也很好理解，因为孔子的弟子对孔子思想的理解程度肯定高于那些没有跟随孔子学习的人。像子贡这样聪明的弟子，当然就更了解老师思想的高度。其他人评价孔子就只能是雾里看花。故而子贡的一番话，既说明了自己与老师的差距，也对叔孙武叔的那番评价表示理解。看来，子贡没有直接反驳叔孙武叔的观点，这是很有艺术和涵养的表现，体现其修行比很多人都要好很多。面对别人对老师的质疑，面对别人对自己的吹捧，能够做到如此周全地应对，真的很接近仁了——有道。

【接圣入心】

在这段话中，涉及两件事：一是叔孙武叔将子贡和孔子进行比较与评价，二是子贡对这个评价的回应。

若是站在叔孙武叔自己的立场来看，这样的比较和评价似乎是有道理的，因为那是根据他自己拥有的信息做出的判断，是一种完全个人的和主观的行为。但若是从事实和真相的角度来看，叔孙武叔的评价就显得片面而浅薄了。

通过对叔孙武叔所做评价的分析，我们能够得出一个教训：在自己掌握的信息不全面时，不要轻易地对一个人进行判断和评价。如果要得出较为正确和全面的评价，就要尽可能多地获取全面的信息，或者首先听取那些比我们掌握信息多的人所做的评价，以免出丑或者暴露自己的浅薄。

通过子贡对叔孙武叔评价的回应，我们也能够学习到子贡在处理这种问题时的智慧：

- 子贡没有直接批驳叔孙武叔的评价，而是采取比喻的方式，让他了解了自己和老师孔子之间的差别与差距。
- 尤其难能可贵的是，在老师孔子没在场的情况下，子贡没有因为别人对自己的赞誉而沾沾自喜，更没有愚蠢到借别人的话或者顺着别人的话来贬低自己的老师，这才是真君子啊！
- 同时，子贡用比喻的方式说明了一个道理：没有真正走近孔子的人，对孔子就会有一些片面的评价，这也是可以理解的。

我们从这里学到什么呢？一是要吸取叔孙武叔的教训，不要轻易对自己并不了解的人物进行评价。看看现实中那些动不动就对别人做一番评价的人，除了暴露自己的无知和浅薄之外，并没有给自己加分。二是子贡用比喻的方式艺术地表达自己的观点，而不是直接反驳别人。三是用恰当的比喻说明了自己与老师的差距，放低了自己，坚定地维护了老师。四是用比喻的方式，说明了别人在评价方式上存在的方法和路径上的缺陷，并表示理解。

伟哉孔子，贤哉子贡，多么伟大的一对师徒啊！

【格言】师生同命，共辱共荣。维护老师，理解别人，放低自己，则近道矣。

19·24 叔孙武叔毁仲尼。子贡曰："无以为也！仲尼不可毁也。他人之贤者，丘陵也，犹可逾也；仲尼，日月也，无得而逾焉。人虽欲自绝，其何伤于日月乎？多[①]见其不知量也。"

【注释】①多：用作副词，只是的意思。

【释义】叔孙武叔诽谤仲尼。子贡说："这样做是没有用的！仲尼是诽谤不了的。别人的贤德好比丘陵，还可超越过去，仲尼的贤德好比太阳和月亮，是无法超越的。虽然有人要自绝于日月，对日月又有什么损害呢？只是表明他不自量力而已。"如此看来，那个叔孙武叔确实是对孔子抱有成见的，赞美子贡、贬低孔子，制造师生矛盾，用心可谓险恶。好在子贡的学识和仁道已经足以识破他的用心，没有因此而影响到师生关系。孔子若是知道子贡如此回应诋毁他的人，内心也会满意的。

【要点】(1) 叔孙武叔诋毁孔子。(2) 子贡卫师。(3) 师如日月。

【语境与心迹】真是应了那句古话，自古英才多磨难，从来纨绔少伟男。也许，这就是中华文化中所说的"造化"吧！面对着乱世，孔子怀揣着为天下兴亡奔走的情怀，颠沛流离，生活也没有保障，还要面对来自四面八方、各种各样的人的讽刺挖苦和诋毁。也许这一切，就是一个人成为圣人的营养和土壤，能够懂得这一点，必定会给自己赢来一场造化。面对叔孙武叔对老师孔子的诋毁，弟子子贡的一番认识也是高屋建瓴，不愧是孔子的高徒。子贡似乎很善于用比喻的方式来表达观点和情感，这也是子贡智慧的周圆吧！是啊！孔子的智慧和贤德，如同天上的太阳与月亮，是人类文明的一盏明灯，这怎么是那些普通人可以诋毁的呢？一个人若是没有强大的信念和理想做支撑，别说成圣，恐怕连普通生活都会陷入是是非非当中。子贡在此用了隐晦的表达：自绝于日月却无损于日月。好巧妙，好有力道啊！给子贡点赞！

【接圣入心】

在一片森林里，长成参天大树的，向上一直追随着太阳，向下则扎根土地，对周围则无暇顾及或与其纠缠。而那成为低矮丛林的，只是忙着与周围纠缠，却忘记了太阳和土地，既缺乏了向上的力量，也缺少了根植沃土的功夫，最终变得平庸。

社会中的个体也犹如丛林中的树。当一个人没有对理想和真理的追求时，就必然陷入生活琐事和人间是是非非的纠缠之中，就会变成人群中的那些低矮的丛林。当人拥有伟大的理想和抱负，心怀天下，面对各种困难和挫折坚定不移时，就具备了成长为精英乃至伟人和圣贤的一个重要的条件。

很多人也曾有理想和抱负，但在挫折和困难面前，理想和抱负一点点地被消磨掉了。而孔子恰恰是在这个方面超越了许许多多的人，用现在的话来说，孔子具有非常强大的道商、智商、逆商和情商。

木秀于林，风必摧之。经历了人生历练有所觉悟的人也知道，不经风雨，哪里见彩虹？实际上，世间的风雨，也是来锤炼人的意志和智慧的。没有经历过风雨的人，只能算是温室里的花朵。那么试图诋毁和伤害孔子的人，也是孔子成圣路上的“考官”。而孔子则经受住了当时和历史的残酷检验，能够光耀千秋，最终成为人们心目中不朽的圣人。

对于一个追求真理的人来说，任何挫折和打击都只是其修行路上的一道道考题，相伴随的人只是其陪练，他所面对的困难只是帮助他提升的一个个台阶。

只要拥有了这种情怀和心智模式，理想信念就丝毫不会动摇，对于遇到的人和事，也没有了怨恨，心中只有感恩。这样的心智状态，才是圣者的真正情怀。

纵观人类历史，圣人们成了高悬天际的一盏明灯，而那些嘲讽和诋毁圣人的人，却腐烂成了圣人脚下的泥土，成了圣人成长的一份营养，这也算是他们对圣人成长所做出的一份特殊的贡献吧！

◎ 圣人的成长历程中，不仅有人愿意做他脚下的土壤，也有人愿意做他智慧光芒下的陪衬。说到底，这都是个人在人生中给自己选定的角色。

◎ 你选择的是什么呢？选择以圣人为师，至少可以远离愚昧，修好了也可以成为贤哲。若是选择诋毁圣人，会为圣人成长增加营养，或者让自己成为背景来衬托圣人的光辉。

◎ 你若能够无视纠缠，就能够止损，就能够持续成长！你若是陷入了纠缠，就变成了别人的样子，就被带偏了节奏，就可能长成自己所讨厌的样子！小心啊，一不留神，人生的道就走偏了！

【**格言**】圣人圆满，毁誉无碍！守住正道，走出自己的道！

19·25　陈子禽①谓子贡曰："子为恭也，仲尼岂贤于子乎？"子贡曰："君子一言以为知，一言以为不知，言不可不慎也。夫子之不可及也，犹天之不可阶而升也。夫子之得邦家者，所谓立之斯立，道之斯行，绥之斯来，动之斯和。其生也荣，其死也哀，如之何其可及也？"

【**注释**】①子禽（公元前511年—公元前430年），字子亢，春秋末期陈国人，比孔子小40岁。《孔子家语》中记载的孔子76位弟子中名列第28位。陈亢为单父宰时，施德政于民，颇受后人好评。其兄死，反对家人殉葬。

【**释义**】陈子禽这个比孔子小40岁的家伙真是不知天高地厚，竟然对着师兄子贡非议老师："你是谦恭了，仲尼怎么能比你更贤良呢？"子贡说："君子的一句话既可以表现他的智识，也可以表现他的不智，所以说话不可以不慎重。夫子高不可及，正像天是不能够顺着梯子爬上去一样。夫子如果得国而为诸侯或得到采邑而为卿大夫，那就会像人们说的那样：教百姓立于礼，百姓就会立于礼；要引导百姓，百姓就会跟着走；安抚百姓，百姓就会归顺；动员百姓，百姓就会齐心协力。夫子活着是十分荣耀的，夫子死了是极其可惜的。我怎么能赶得上他呢？"

【**要点**】（1）子禽疑圣。（2）子贡赞师。（3）赞师自谦。

【语境与心迹】作为孔子的弟子，而且年龄比老师小那么多，这陈子禽怎么会这样说话呢？怎么会认为孔子的贤良比不上子贡呢？是无知幼稚，还是故意试探子贡？这不得而知。但从陈子禽的作为来说，他好像不是那种缺乏德行的人，但为何贬低老师而抬高师兄，确实令人费解。不管怎样，子贡的回答绝对要打高分。子贡对孔子十分敬重，认为老师是高不可及的。子贡以他特有的智慧，巧妙地进行了反驳，但并没有直接去驳斥对孔子不敬的人。

不管怎么说，子禽背着老师孔子如此评价老师与同门，是修养不足的表现。子禽若是以此来试探师兄，那也是心思有点多了。不管怎么说，好像结果都是问出了老师的贤良和子贡对老师的崇尚与敬爱，出场的其他人好像都是请来的配角！

【接圣入心】

从前面可以看到，从叔孙武叔到陈子禽，都在通过比较子贡与孔子来赞美子贡。看来，在不少的人眼里，子贡确实是非常优秀的。

再从子贡的表现来看，一方面表达了他对老师孔子的绝对忠诚；另一方面他也没有在别人表扬自己时洋洋得意或者飘飘然，同时还会使用很智慧的方式，运用事实作为依据或用比喻的方法，来说明自己与老师的差距，来证明老师的卓越。

陈子禽作为孔子的弟子，在治国安邦方面的能力是很优秀的，但与子贡相比，无论是对老师的忠诚度，还是对孔子思想高度的理解，以及从其言谈话语中所反映出的个人品性与修为，他都与子贡有着不小的差距。由此可见，在孔子的弟子中，每个人修行的水平与程度，也是有着明显差距的。当然，每个人都在修行的路上，至于子禽是否在后来的成长中超越了过去的自我，这就不得而知了。

民间有句俗话，“一母生九子，九子各不同”，更何况是没有血缘关系的师徒呢？况且，孔子有弟子三千，每一个弟子在品性和修为的境界上，肯定是有差异的。若是希望每个弟子对老师都能有颜回和子贡那样彻

底和完全的尊敬和忠诚，也是不现实的。

孔子对弟子们是很包容的，只要弟子们不违逆大道，他就不那么介意弟子们对自己的态度。这体现了一个为师者的胸怀呀！值得其他为师者学习和借鉴。只是作为弟子，既然跟着老师学习和修行，就要专心致志，时刻小心别让自己的小心思误了自己的进步。

第二篇

仁德之道

仁是藏在心底的精灵，让穿梭在茫茫黑夜中的生命不迷路！

仁到宏大，你即宇宙！仁到精微，你就是一切中的精灵！

一　篇序

孔子看透了人生：发现“仁”！

孔子发现的“仁”，是接通大道的“道心”！

人一旦能够找到“仁”，就犹如唤醒了生命的根！

孔子的“仁”，不是普通人所说的“仁义”，而是接通天道的道心，也是高级生命的自性！

因此，在孔子心中，“仁”就是每个人与自己、人与人、人与天地万物接通的核心！

没有“仁之道”，就无法立世！

没有“仁之德”，就难以立人！

仁道，是天地大道。

仁德，是人间大道。

在人世间，仁德是衡量一个人道德修为的重要标尺！孝悌，就是人的基石与根本！

真正有仁德的人，都是脚踏实地的。没有仁德的人，往往是善辩的。巧言令色的人，很少有厚道仁义的！

看看一个人周围的人是否有仁德，也就能够判断出这个人是否有仁德了。

面对名利与诱惑，有仁德的人是不会动摇的，若是动摇，仁德就是不厚实的。

人往往长不全，能力突出的人，要小心自己的仁德是否单薄！

仁德不能是某一个方面的，应该是全面的——待父母、兄弟能够做到“孝悌”；自己一人做事能够“务本”“慎独”“自省”；与人相处时能够爱人无怨，能够自守节操而不同流合污；在个人的道德修养中能够追求至善境界；顺境时，不会骄奢淫逸或者飞扬跋扈，逆境时，也不会自甘堕落或者成为鸡鸣狗盗之徒；事君，能够忠君善谏；遇到诱惑，能够以仁德作为取舍的标准；与天地万物、与人间万事能够连通。

仁道是人与天地万物的核心；仁德是人间一切品质的核心。

仁道之人，能够与天地万物、人间万事、世间万人相和谐。因为能够接通！

仁德之人，如忠、信、智、勇等一切品质，皆要看其是否在仁德基础上，是否符合仁德，否则，就不算是美好品质！

在人世间，仁者以“恭、宽、信、敏、惠”行天下。

仁德之人，不会嫌贫爱富，不会见死不救，不会见利忘义，不会巴结权贵，不会自怨自艾，不会自吹招摇，不会相信道听途说，不会传播谣言，不会幸灾乐祸，不会背后议人是非，不会怨天尤人，不会嫉贤妒能，不会忘恩负义，不会施恩求报，不会以己度人，不会欺软怕硬，不会迁怒无辜，不会居功自傲，不会恃才傲物，不会飞扬跋扈，不会僭越礼制，不会搞阴谋诡计，不会阳奉阴违，不会阴阳怪气，不会有智无德，不会冲动鲁莽，不会口是心非，不会言行不一。

孔子看透了人生——没有仁道，无法立世！没有仁德，就无法立人！

二　仁德之道的思想纲领

孔子的“仁道仁德”思想，是孔子所有思想的核心与基础。

仁者淡物质重精神，破小我立大志。

仁者克己，仁者爱人，先人后己。

仁者行仁，仁须臾不离。

仁者厚德不厚财，博施于人而能济众。

仁者心胸坦荡，对人至诚无隐。

仁者雪中送炭，假仁锦上添花。

仁者重人不重物。

仁者对万物慈悲。

仁，是人与人之间关系的文明纲领!

仁，是人与动物相区分的关键标准!

三　正文心解

学而第一

1·2　有子[①]曰："其为人也孝弟[②]，而好犯上[③]者，鲜[④]矣；不好犯上，而好作乱者，未之有也[⑤]。君子务本[⑥]，本立而道[⑦]生。孝弟也者，其为仁之本[⑧]与？"

【注释】①有子：孔子的学生，姓有，名若，比孔子小 33 岁。《论语》记载孔子的学生一般都称字，只有曾参和有若称"子"。因此，许多人认为《论语》即由曾参和有若所著述。　②孝弟：孝，奴隶社会时期所认为的子女对待父母的正确态度；弟，读音和意义与"悌"（音 tì）相同，即弟弟对待兄长的正确态度。孝、弟是孔子和儒家特别提倡的两个基本道德规范。旧注说：善事父母曰孝，善事兄长曰弟。　③犯上：犯，冒犯；上，指长辈或上级。　④鲜：音 xiǎn，少的意思。　⑤未之有也：此为"未有之也"的倒装句型。古代汉语的句法有一条规律，否定句的宾语若为代词，一般置于动词之前。　⑥务本：务，专心、致力于；本，根本。　⑦道：在中国古代思想里，道有多种含义。此处的道，指孔子提倡的仁道，即以仁为核心的整个道德思想体系及其在实际生活中的体现。简单讲，就是治国做人的基本原则。以孔子的修行和对中华文化的理解来说，借鉴道家之道的含义也在其中。　⑧为仁之本：仁是孔子哲学思想的最高范畴，又是伦理道德准则。为仁之本，即以孝悌作为仁的根本和基础。还有一种解释，认为古代的"仁"就是"人"字，为仁之本即做人的根本。

【释义】有子谈到仁之根本的范畴："孝顺父母、顺从兄长而喜好触犯上层统治者，这样的人是很少见的。不喜好犯上而喜好造反的人是没有的。君子专心致力于自己的根本，根本立住了，治国做人的原则也就有了。孝顺父母、顺从兄长，这就是仁的根本与基础啊！"

【要点】(1) 孝悌与犯上。(2) 君子务本。(3) 本立而道生。(4) 孝悌仁之本。

【语境与心迹】孔子的"仁"，也就是孔子的"道"。这是孔子思想与学说展开的根本所在。孔子是个修行者，而修行者都有一个不贰的追求，那就是悟道、得道、成道！然而，大道玄妙，总要有个起始，自然，这个起始就是离着我们最近的生活。而在生活中离着我们最近的人，自然是父母、兄弟。孔子所选择的修行起始点，多么实在和玄妙啊！

既然父母、兄弟是我们修行的起始点，那什么是那把开启的钥匙呢？孔子找到了"孝悌"。之所以如此，是因为这背后蕴藏着一个基本的假设：如果对自己最亲近的人都做不到真正的友善和友爱，那么对没有血缘关系的人还会有真正的善心吗？若是如此，不就一直活在小我的"硬壳"里吗？这就入不了"仁之道"了！若是入不了"仁之道"，又哪里会有真正的"仁之德"呢？于是，这就成了考察一个人的人品的基本标准，也是每个人做人的道德底线。过去嫁女，要看男方是否孝顺父母。如今有的地方政府考察干部，也以干部在家是否孝顺父母、夫妻是否和睦、家庭是否和谐作为重要的考核标准。可见，识别一个人的人品如何，很重要的一点就是看他（她）在家庭中是否孝顺父母长辈，是否爱护兄弟姐妹。若是一个人对亲人不好却对他人很好，其动机就很值得怀疑。既然父母、兄弟最亲，那为何还要如此强调这件事的重要性呢？原来，不修行、不开化的人有太多的非人性的东西：越是亲近的，越不懂互敬，越是无礼；越是得来容易的，越是不知道珍惜；越是自然得到的，越是认为那是别人该做的，也是自己该得的。越是接触多，越是没有美感；越是亲密，越容易产生冲突。看来，亲人之间做到孝悌也是很不容易的。据说，亲密之人，实际上是最难相处的。唯有修行，让自己的心性开化，才能够找到亲人相处之道。

【接圣入心】

老子主要的贡献是发现了“道”，孔子主要的贡献是发现了“仁”，佛陀主要的贡献是发现了“心”，惠能大师主要的贡献是发现了“自性”，阳明先生主要的贡献是发现了“良知”。实际上，这些圣人级的大成者，都发现了天地和人生的根本！

孔子的“仁”，也就是孔子的“道”。而作为大修行者的孔子，又找到了修习“仁之道”的起始点，就是人间最亲的关系。主要原因是：亲人是最方便的修行对象，亲人是最难的修行对象，亲人是无法绕过去的修行对象，亲人又是最真实的修行对象。

正因为亲人之间有如此雄厚的情感和信任基础，正因为父母对我们的成长如此重要，正因为父母为兄弟姐妹安排的这份缘分如此难得，儿女对父母的孝就成了天道，兄弟姐妹之间的友善就成了天然。正是因为如此，儒家将孝悌作为仁的根本，也是仁向外辐射的中心。

正因为如此，如果一个人不孝顺父母，对自己的兄弟姐妹也不友好，那他的人性就将遭到质疑。做不到孝悌的人，若是对别人好，其动机也将被质疑，可能就是一时一事有求于别人，就只是利用。

然而，亲密关系涉及每个人的个体权利、隐私空间、个性特点、生活的密接点、情绪的暴露点、利益的分配和掌控、责任的不可规避性和长期性以及复杂性、亲情关系的不可选择性等诸多因素，因此，亲密关系是最难处理的关系。

若能够将孝悌关系处理好，就有了证明自己仁的品性和能力的最坚实的证据。且以此为中心，向外部延伸和覆盖。也就是说，不仅要对自己的父母好，还要对天下父母都好，这种人才算是有真正的大孝。待非血缘关系的人如兄弟，也才是真正的大悌。若只对自己的父母和兄弟姐妹好，对其他人又是另外一套，这样的人就说不上是真正的孝悌了，只是一

种狭隘自私的感情。因为这样做并不符合父母的期待和全家人的期望。

【格言】守住本分，敬天爱人，仁满天下。

1·3 子曰：“巧言令色①，鲜②仁矣。”

【注释】①巧言令色：巧和令都是美好的意思，但此处应释为装出和颜悦色的样子。②鲜：少的意思。

【释义】孔子说：“花言巧语，装出和颜悦色的样子，这种人的仁心就很少了。”

【要点】(1) 巧言令色。(2) 鲜仁矣。

【语境与心迹】孔子肯定阅人无数，肯定看到了花言巧语的人往往仁德不厚，故而提醒人们，一方面要提防被花言巧语的人欺骗，另一方面也要找到自己的正确发展方向，多修仁德，免得向“嘴巴能人”这样的错误方向发展。在生活中，我们也有类似的经验，一个人花言巧语，表面上装得和颜悦色，却往往不够真诚朴实。用得着你的时候，好话说尽；等用不着你的时候，就对你弃之不理。之所以会出现这种现象，是因为真诚的人通常是靠行动来证明自己具备优秀的品德的；而花言巧语的人，内心恰恰缺乏真诚，既不会做好自己，也不会真诚地对待别人，嘴巴上的花言巧语是为了掩饰自己内心的空虚，也是谋私利的一种手段，当别人没有利用价值时，其就不会花言巧语，甚至会声色俱厉。孔子要求学生以仁德为基础全面发展，故而特别指出“巧言令色”的危害。懂得了这个道理，就要少说多做，用行动和结果证明自己的内在品质。

【接圣入心】

人性有两个特点：一是“自卑求证”，二是“品性失衡”。

•“自卑求证”，说的是很多人内心都有深深的自卑情结，需要别人给予正面的确认和证明，而花言巧语的人恰好能够满足人们这种“自卑求证”的心理需要。一旦这种需要得到满足，人们就会开启信任的大门。世间的骗子们都是精通此道的人。

•“品性失衡”，说的是大部分人的品性自然成长中，都会发生失衡的现象，某些真诚厚道的人常常笨嘴拙舌，某些虚伪狡诈的人常常花言巧语。

上述两个心理现象，各个年龄段的人都可能出现。对有些人来说，这两种倾向可能会持续一生。

从一般的生活经验来看，花言巧语的人有几个实在的？如果有人对你极尽美言献媚之能事，多半是有求于你或者想利用你。

世上大部分人嘴巴没有那么甜，除非是专门的修行者，可能出于真诚的鼓励，但也绝不回避善意的提醒。这些都是由心而发，也是修行的结果。

对于这种情况，孔子也积累了教训，所以才提出了那句名言——“听其言，观其行”。

尤其要注意的是，如果有人想利用你，在你可利用的区间，他的言行是一致的，因为钓鱼需要诱饵。一旦你没有利用价值了，此时看他的言行是否发生变化，才可以看出他是否真心。

人们在生活中也积累了非常宝贵的经验，“患难之时见真情”“日久见人心”，就是甄别和判断虚伪与真诚的重要方法。

【**格言**】能做的就不用说，说了不做的就是出卖自己。

1·11　子曰：“父在，观其①志；父没，观其行②；三年③无改于父之道④，可谓孝矣。”

【**注释**】①其：他的，指儿子。　②行：音 xìng，指行为举止等。　③三年：古人有子为父守丧3年的礼制。此处所指3年，一方面和守丧礼制有关，另一方面也可以指一段较长的时间，不一定仅指3年。　④道：此处更多是指父亲生前所确定的方向和那些合理的做法。

【**释义**】孔子谈如何判断一个人孝不孝。他说：“当他父亲在世的时候（因为他无权独立行动），要观察他的志向；在他父亲去世后（儿子有了行动的自主权），要考察他的行为；若是他对他父亲的合理部分长期不加改变，

这样的人可以说是尽到孝了。”

【要点】(1)父在，观其志。(2)父没，观其行。(3)三年无改于父道。

【语境与心迹】孔子强调父子之间的稳定传承，将其作为孝的一个表现，是孝的品质在生活之外的延伸。生活中儿女对父母的孝，是人们所熟悉的，也是在父母的监督下进行的。但在生活视野之外的孝，尤其是在父亲去世后是否还孝，就是一种考验了。可以这样说，如果父子之间没有可以传承的内容，这个家族可能就是十分普通的。若是有传承内容但后辈放弃了，也会大伤家族的元气。父在，观其志；父没，观其行。这样的“观”，是父子之间一种生命能量的传递。若是失去了能量传递，家族的传承以及个体的进化方向与能量，都会出现重大损失。这是古人总结出的非常重要的经验与教训。

【接圣入心】

- 社会生活的稳定与效率，需要人与人之间保持良好的关系。

- 在任何时代，家庭生活的稳定，都与父子之间的稳定传承有着紧密的关系。

- 在那样一个礼崩乐坏的时代，帝王、诸侯家族的父子之间常常发生矛盾，甚至反目成仇，造成社会动荡。上层统治者都出现了问题，普通百姓可能就会更加糟糕。

- 在那样特殊的历史背景下，出于社会安定的考虑，孔子所强调的父子传承，对当时的社会具有一定的积极意义。

- 在现代社会中，个体的独立性得到了更多的主张，但传承与独立若是割裂开来，也会给家族传承与发展造成损失。

- 在现代社会的家庭生活中，父子各自工作和生活的独立性越来越强，家族传承变得越来越淡化，一般的家庭除了财产的继承，也没有更多可以传承的内容了。只有极少数特别的家族，可能还有家族家规、家训的传承，或者有家传手艺、产业的传承。

- 父子传承具有一定的合理性，父辈的经验积累往往都是被历史证明了的，后辈若是动辄就改变，可能会伤了元气。但如果是没有很明显地被证明过的经验或者模式，后辈也就不存在改与不改的问题。

父子的关系很特别，因为父子存在着代际差别，只有等到儿子拥有了做父亲的经历和足够的社会阅历，才能真正理解自己的父亲。古代的守孝制度看似保守，实则是儿子成长中非常重要且必要的历程。

【**格言**】父子传承，家族稳定。

为政第二

2·5　孟懿子①问孝，子曰："无违②。"樊迟③御④，子告之曰："孟孙⑤问孝于我，我对曰无违。"樊迟曰："何谓也？"子曰："生，事之以礼；死，葬之以礼，祭之以礼。"

【**注释**】①孟懿子：鲁国的大夫，姓仲孙，名何忌，"懿"是谥号。其父临终时要他向孔子学礼；是孟僖子的儿子、南宫敬叔的哥哥、孟子的六世祖。　②无违：不要违背。　③樊迟：姓樊名须，字子迟。孔子的弟子，比孔子小46岁。他曾和冉求一起帮助季康子进行革新。　④御：驾驭马车。　⑤孟孙：指孟懿子。

【**释义**】孟懿子向孔子请教什么是孝，孔子回答说："孝就是不要违背礼。"后来樊迟给孔子驾车时，孔子跟他说起孟懿子请教什么是孝的问题。孔子说："孟孙问我什么是孝，我回答他说不要违背礼。"樊迟说："不要违背礼是什么意思呢？"孔子说："父母活着的时候，要按礼侍奉他们；父母去世后，要按礼埋葬他们、祭祀他们。"

【**要点**】(1) 孟懿子问孝。(2) 孝即无违。(3) 以礼事生、以礼葬祭。

【**语境与心迹**】孔子为何这般重视孝呢？因为他发现社会混乱就是社会失序，而失序的起点就是从漠视亲情开始的。在上层那里，父子争权往往会发生父杀子或者子弑父的事件，亲情不在了就变成仇人。百姓层面也是类似，父慈子孝的礼数不存在了，关系也就变坏了，家庭也就失去了温情。

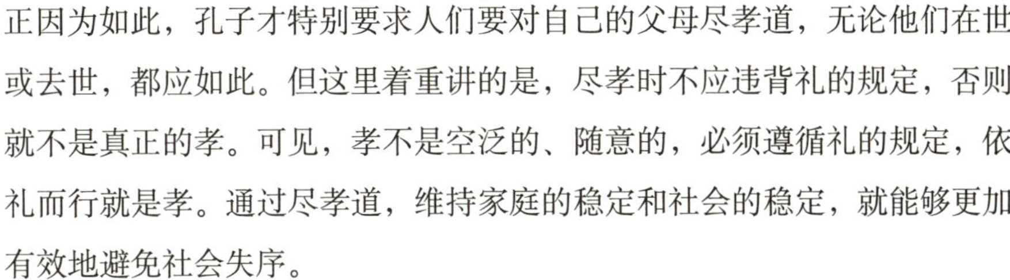

正因为如此，孔子才特别要求人们要对自己的父母尽孝道，无论他们在世或去世，都应如此。但这里着重讲的是，尽孝时不应违背礼的规定，否则就不是真正的孝。可见，孝不是空泛的、随意的，必须遵循礼的规定，依礼而行就是孝。通过尽孝道，维持家庭的稳定和社会的稳定，就能够更加有效地避免社会失序。

【接圣入心】

- 中国人十分强调“孝”，有“百善孝为先”之信条。
- 中国人所说的“孝”，往往又跟“顺”连在一起，即所谓的“孝顺”。
- “孝顺”中的“顺”，似乎就和孔子此处所说的“无违”很接近了。
- 如果一个人不孝顺自己的父母，那他在社会中是很难立足的，因为没有人相信他。
- 说到“顺”，很多人可能会质疑：就是一味地顺从吗？孔子在此给出的标准就是要按照“礼”的要求来做，并不是一味地、没有规则地去顺从。
- 也许，这里的“无违”还有一个暗含的前提，就是父辈无违于礼。因为孝道实际上是一对关系：父慈子孝。孔子对于那些敢于力谏父辈或者君王的人，是很钦佩的。
- 实际上，孝顺父母向外延伸成为敬长尊老美德的基础。
- 父母去世后的祭祀活动，是与父母保持心灵关系的一个特殊方式。这也是教会人们与进入另外一种存在状态的亲人保持关系的特殊方式。要小心的是，现代人似乎对这样的跨越阴阳两界的关系之重要性越来越淡泊了，这可不是什么好事，也不是什么进步。
- 中华文化之所以重视孝道，就是为了体现与建设每个生命的本质特征——关系的质量！每个人的人生都是由关系决定的，没有人是独自活着的。孝道，可谓是训练人们学习关系和体验关系的代表。

【格言】父母在，善养。父母不在，心系不断。

2·6　孟武伯[①]问孝，子曰："父母唯其疾之忧[②]。"

【注释】①孟武伯：孟懿子的儿子，名彘，"武"是他的谥号。　②父母唯其疾之忧：其，代词，指父母；疾，病。

【释义】孟武伯向孔子请教孝道问题。孔子就跟他说："对父母，要特别为他们的疾病担忧。也就是说，照料好自己年迈的父母，让他们少受疾病的折磨，这样做就可以算是尽孝了。"

【要点】(1) 孟武伯问孝。(2) 担忧父母的疾病。

【语境与心迹】孟懿子之子问孝，孔子给出了答案。前文孟懿子问孝，孔子回答"无违"。也许"无违"就是对着"有违"或者"有违倾向"而言的。孟懿子的儿子又问孝，孔子的回答则是为父母的健康而担忧。这里没有明说，孟武伯问孝时其父孟懿子的健康是否出现了问题呢？孔子回答学生们的问题时，往往都是根据他们所面对的具体情况而说的，因为孝道本身就是要根据具体的事情来言说的。

【接圣入心】

不管是在古代还是现代，疾病与健康都是人类永恒的话题。

疾病与健康问题是每个人都无法回避的重大问题，因为人一旦生病，整个生活就会受到影响。若是疾病很严重，人们就不得不停止工作。当然，患病对于自己来说是很痛苦的，家人也是会深受影响的。

身体健康很重要，但有几人是专家呢？也不能把健康问题全部交给医生和医院啊！于是，问题就来了：对于每个人来说，疾病、健康问题很重要，但人们又不专业。关键是，随着年龄增长，疾病几乎是无法避免的。正是因为如此，孔子把关心父母健康视为"孝"的关键。

可以看出，孔子所谈的孝，从生活中的照顾，到精神层面的传承，再到健康方面的重视，已经有了几个方面的覆盖。

对于现代人来说，不少人忙于自己的事务，无暇顾及父母，往往只是给他们一些钱财。实际上，父母希望的就是儿女能够时常挂念和看望他们、见面说说话、做点让他们开心的事。可就是这样一点亲人之间的基

本精神交流，对于现代人来说也已经很难做到了。

当然，若是平时对父母关照不够，也会积累自己的感情债务。一旦父母生病，儿女的生活也会受到影响，不仅仅要停下自己的工作去照顾父母，还要付出金钱。关键是生病的父母所遭受的痛苦是儿女无法替代的。

也许，人们应该换一换算账的方法：人所忙碌的一切，最终不都是指向人的身体健康吗？不生病，不也是人生的一种财富吗？生了病，拼命挣来的钱不又要失去吗？亲人之间感情良好，有亲密的交流，不也是人生中用钱买不来的幸福吗？

【格言】儿女孝父母，健康是根本。

2·7　子游[①]问孝，子曰："今之孝者，是谓能养。至于犬马，皆能有养[②]。不敬，何以别乎？"

【注释】①子游：姓言名偃，字子游，吴人，比孔子小45岁。　②养：音yàng。

【释义】子游问老师什么是孝，孔子回答说："如今所谓的孝，只是说能够赡养父母便足够了。即便是犬马，都能够得到饲养。如果不真心孝敬父母，那么赡养父母与饲养犬马又有什么区别呢？"

【要点】（1）子游问孝。（2）赡养父母与饲养犬马的区别。

【语境与心迹】此处还是谈论孝的问题。但在此处，孔子在"尊父志、顺父行、承父道、忧父疾"的基础上，又进一步深化到赡养父母与饲养犬马的区别。这背后暗含的是赡养父母与饲养动物的本质区别。也许，孔子看到或者听说了那些不敢违背孝道的儿女，在侍奉父母时只是照管其饮食，如同饲养犬马一样，故而提出这一严厉的质问！

【接圣入心】

在社会道德压力下，很多儿女可能不敢不赡养父母。

人不是低级动物，人的需求也不仅仅是食物，还有精神与情感的需求。

若是在照顾父母时，仅仅是给予吃喝的保证，而没有温暖的感情沟通，那与饲养犬马有什么本质区别呢？别以为这是说着玩，现在真有不少儿女像饲养牛马一样对待父母的。

很多父母年老后，最不能接受的就是不缺吃喝，却总是受儿女的气。因此才有那句老话：没有几个人是饿死的，大部分是被气死的！想一想，这样的儿女还是人吗？真是畜生啊！

若是父母久病在床，情况就更加凄惨了。民间有句老话“久病床前无孝子”。人类强调孝道的同时，也千万不要忘记：这辈子让自己不生大病、不生重病，既是自己的福气，也是亲子关系的一份福利啊！

毫无疑问，孔子所倡导的孝，不仅仅是给予父母物质上的供养，还有精神上的慰藉。并且，他特别强调了赡养父母不能像饲养犬马那样。

在中国文化中，亲人之间就是互帮互助的关系，尤其是当亲人遇到困难时，就要将帮助对方视为自己的第一要务。人这辈子，谁没有需要亲人帮助的时候呢？若是失去了孝道，我们的儿女又会如何对待我们呢？如此下去，每个人都会成为受害者。

【格言】孝顺父母，衣食无忧、健康快乐。代代传承，人人受益！

2·8 子夏问孝。子曰：“色难①。有事，弟子服其劳②；有酒食，先生③馔④，曾是以为孝乎？”

【注释】①色难：色，脸色；难，不容易的意思。 ②服劳：服，从事、担负。服劳即服侍。 ③先生：先生指长者或父母；前面说的弟子，指晚辈、儿女等。 ④馔：音 zhuàn，意为饮食、吃喝。

【释义】子夏问老师什么是孝。孔子这样解说：“最不容易做到的就是对父母和颜悦色。儿女若仅仅是替父母做些事情，给父母一点吃喝，难道这样就可以算是孝吗？”

【要点】（1）子夏问孝。（2）色难。

【语境与心迹】借子夏问孝的问题，孔子又提出了一个践行孝道时普遍存

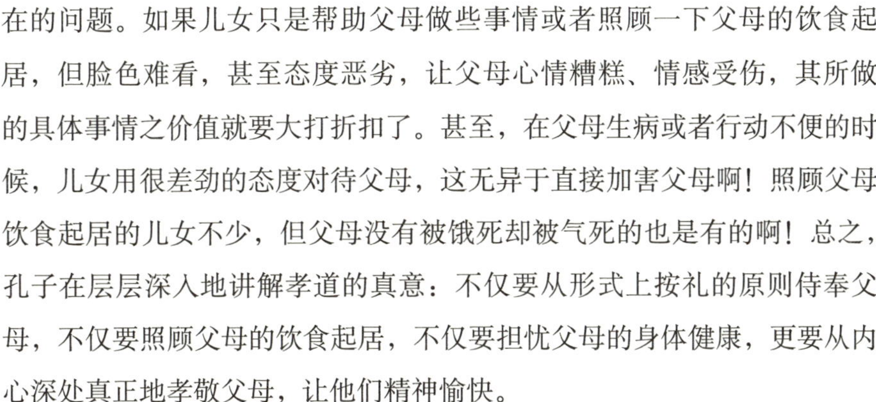

在的问题。如果儿女只是帮助父母做些事情或者照顾一下父母的饮食起居，但脸色难看，甚至态度恶劣，让父母心情糟糕、情感受伤，其所做的具体事情之价值就要大打折扣了。甚至，在父母生病或者行动不便的时候，儿女用很差劲的态度对待父母，这无异于直接加害父母啊！照顾父母饮食起居的儿女不少，但父母没有被饿死却被气死的也是有的啊！总之，孔子在层层深入地讲解孝道的真意：不仅要从形式上按礼的原则侍奉父母，不仅要照顾父母的饮食起居，不仅要担忧父母的身体健康，更要从内心深处真正地孝敬父母，让他们精神愉快。

【接圣入心】

民间有句古话：“久病床前无孝子”。

在动物世界，年老体衰的动物是很可怜的，没有同伴照顾，生病了基本上就是等死。

在人类社会中，文明得以发展，世代之间相互帮助，从而使得每个人在年老之后都能够得到照顾和帮助。

道理归道理，照顾老人是件很辛苦的事。一方面，儿女有自己的事做，不做事又何以维持生活？另一方面，父母与儿女是两代人，在各个方面都会有些不同的想法和习惯，儿女照顾老人时，一要帮着做事，二要照顾父母的感受，三要在父母不高兴时能够让他们开心，四要在自己很辛苦时保持不发脾气。这四个方面同时、长期维持，真不是件容易的事。

也许，很多人在短时间内照顾人时保持和颜悦色是没有太大问题的，但时间久了就不容易做到。但正因为不容易做到，所以做到的人才是大孝大仁啊！

正是因为考虑到这件事情很难做好，现在社会渐渐地就发展出了专业养老的社会职能体系，也就是把赡养老人社会化、产业化。于是，赡养老人的事务就交给了专业人员与机构，只是要付一定的费用。只是，老人所需要的亲情、感情需要，能够得到多大程度的满足呢？

若是儿女既不抚养，也不出钱，这就触犯了社会的法律底线，就是一种犯罪了。

当然，人老了，也要体谅儿女，不要完全按照自己的想法要求儿女，更不要手执道德与法律的大棒与儿女对峙。当然，上上之策就是自己懂得照顾自己，不要因为自己的问题把全家拖入灾难的境地。若是有修行，那就可能少生病，有些得道之人甚至自己决定死亡的时间与形式。

【**格言**】孝的核心就是物质上给予其保障、精神上令其快乐。

八佾第三

3·3 子曰："人而不仁，如礼何？人而不仁，如乐何？"

【**释义**】孔子进一步解说仁德与礼乐的关系："一个人没有仁德，他怎么能实行礼呢？一个人没有仁德，他怎么能运用乐呢？"

【**要点**】（1）失仁无礼。（2）失仁无乐。

【**语境与心迹**】跟随孔子学习的人中，有几个是为了修养仁德而来的呢？估计都是想跟孔子学一些知识和技能去谋个好差事吧？对此，孔子肯定是看得很清楚的。可仁心是心灵的方向与定位啊，若是这个定位模糊或者错误，学习了礼乐又能怎么样呢？若是没有仁德之心作为基础，又怎么能够领悟到礼乐的本质呢？如果仁心不厚，其礼必虚伪，其乐必乱性。如此，内容与形式完全脱离，皮之不存，毛将焉附？人若真想完善和提高自己，首先从内在的宅心仁厚修起，再用外在的礼乐来表现。如果做不到宅心仁厚，那即使注重礼也是虚伪，沉迷于乐也是堕落。这就是孔子所言明的"仁""礼""乐"三者之间的关系。在现实中，一般人知道音乐能够陶冶情操，但陶冶的到底是什么情操呢？没有仁心的人痴迷音乐又会怎么样呢？一种潜在的危险就是乱了自己的心性，美妙的音乐也会因此被糟蹋。因此，礼乐对于人的作用，要以内在的仁德为前提和基础。

【**接圣入心**】

如今音乐产业繁荣，最起码比古代要繁荣很多。如今的礼仪可谓细致，甚至有专门的商务礼仪课程。至于外交礼仪，各个国家都相当重视。

现在的音乐能够陶冶人的情操吗？专门的商务礼仪能够让人们真诚相待吗？隆重的外交礼仪可以让不同国家之间的人们相互信任和真诚交往吗？

• 那些德艺双馨的歌唱家，受到人们的尊重。那些只管捞钱却缺乏仁德之心的艺人，终究会被人们看穿，最终变得灰头土脸。

• 专业的商务礼仪，确实可以帮助交易的双方融洽气氛和增进信任。即便这样，有人会主动吃亏或者主动让利于别人吗？看看那些成功的大企业家，他们也许并不十分精通专业的商务礼仪，但他们总能替对方考虑，甚至要让利于对方，这是他们成功的力量。

• 外交礼仪，比如国和国之间也签订各种协议和条约。可是，世界上一直战乱不断，背信弃义的行为也时有发生，谁有信心跟一个国家长期友好下去呢？

看看历史和现实，看看国际和国内，到处充满了相互利用，表面上的祥和与友好，无法取代内心深处的尔虞我诈和唯利是图。

这一切的根本，就是孔子所说的仁德的基础不牢固，那些外在的形式也无法解决根本问题。

敢问世间谁有能力让全人类变得宅心仁厚？人类的文明真的进化了吗？国际上的话语权不还是要仰仗经济实力和军事力量？这就是我们今天的人类！也许未来很长一段时间内仍然会如此。也许正如一些科学家所预言的那样，人类的相互不信任和自私，将会毁灭人类自己！

我们是祈祷呢，还是行动？话说到这里，人们应该理解孔子所强调的“仁礼乐”思想的巨大价值了吧！

【格言】仁德为礼乐之本。

里仁第四

4·1　子曰："里仁为美[①]，择不处[②]仁，焉得知[③]？"

【注释】①里仁为美：里，住处，借作动词用。住在有仁者的地方才好。②处：居住。　③知：音 zhì，同"智"。

【释义】孔子说："跟有仁德的人住在一起，才是好的。如果你选择的住处不是一个有仁德的地方，怎么能说你是明智的呢？"

【要点】(1) 里仁为美。(2) 不处仁焉得知。

【语境与心迹】孔子是教育家，自然明白环境对人的影响，也知道"物以类聚，人以群分"的道理。每个人成长的过程中必然会受到周围环境的影响。尤其是后天道德素养的形成，更是与自己周围的环境有着密不可分的关系。在成长的过程中，当自己的道德修养力道还不足以在各种环境中保持稳定不变时，选择什么样的环境就显得尤为重要。重视居住的环境，重视对朋友的选择，这是儒家一贯注重的问题。"近朱者赤，近墨者黑"，与有仁德的人住在一起，耳濡目染，会受到仁德者的影响；反之，就不大可能养成仁德情操。这给我们一个重要的启示：在家庭中若想让孩子养成良好的道德素养，父母和长辈就要以自己的言行为表率，营造良好的家庭氛围，要践行人间美德，并将此视为教育后代的重要责任。在组织中，领导要从自身做起，成为道德的楷模，否则，下级就会在潜移默化中养成一些坏习惯，进而增加管理的难度。同时，领导者还有责任在组织中建立共同的"心灵契约"，使道德建设成为每个人自我的承诺，并建立组织的辅助、激励和升级机制。对于个人来说，环境可能对你有潜移默化的作用，假如你所处的环境是你不喜欢的，那种让你讨厌的力量也会潜移默化地影响你的生命，这时要格外小心。所以说，看一个人密切交往的圈子就可以判断一个人的品位和境界，乃至于由此判断一个人的未来命运。要改变命运，就要改变自己所处的环境，改变自己的交际圈子。只要进入的是正能量的圈子，你就有可能摆脱内心深处负能量的纠缠。

【接圣入心】

在每个人心智成长的历程中，周围环境的影响是巨大的，尤其是在人年幼或者没有足够功力的时候，更是如此。甚至可以这样说，人就是环境的产物。

年幼时，我们自己无法决定生长的环境，此时父母的作用就显得尤为重要，“孟母三迁”的故事说明了孟母对孩子成长环境的深刻认识。

长大之后，即使我们的能力还不够，也必须保持对优越环境的追求，因为我们所选择的环境，影响着我们的命运。

一个组织的领导，其重要责任是为大家营造良好的环境，而不是诱导或强迫大家完成所谓的任务。看看那些贪官污吏，常常是“一窝窝”的，领导不好就会带坏一个组织的风气。如果我们所处的环境很负面，即使挣钱不少，明智的人也要选择尽早离开。现实中有句流行的话：“要想改变命运，首先要改变圈子。”

如果想了解自己未来一段时间时运如何，那就看看你周围都是些什么样的人，是哪些人在跟你有着密切的交往，这些人一定会与你有生命能量的交流。这也算是一种比较简单的“算命”方法。

【格言】近仁则仁，远仁不仁。

4·2　子曰：“不仁者不可以久处约①，不可以长处乐。仁者安仁②，知者利仁③。”

【注释】①约：穷困、困窘。　②安仁：安于仁道。　③利仁：认为仁有利自己才去行仁。

【释义】孔子又继续说亲近仁德之人的意义：“没有仁德的人不能长久地处在贫困中，也不能长久地处在安乐中。仁人是心系仁道的，有智慧的人则是知道仁对自己有利才去行仁的。”

【要点】(1) 不仁者难以忍受贫困、难以承受快乐。(2) 仁者安仁。(3) 知者利仁。

【语境与心迹】孔子认为，没有仁德的人，往往是不追求仁德而追求现实功利的，故而心神不稳，无法长久地处在贫困或安乐之中。并且，他们在贫困中容易为非作歹，在安乐中容易走向骄奢淫逸。这都是因为他们没有足够的仁德力量来支撑生命，才会在面对外部极端环境时走向邪恶和堕落。懂得了仁德对生命的重要性，也就明白了为什么仁者会安于仁。也就是说，不管外部环境如何，仁者都会守住自己的仁心不变，从而避免成为外部力量的奴隶，并在此基础上转变环境或者掌控外部力量使之与仁德的方向保持一致。明白了这个道理的智者，自然就会用自己的行动去践行仁德。实际上，现实就是一个考场，每个人的道德操守在现实的考验面前都会露出真相：仁德之人，在任何环境下都能做到矢志不移，保持气节。而没有仁德的人，则会随着环境的变化而失去做人的气节与操守。这是区分一个人生命定力的重要标准。如果你是墙头草，必是无节随风倒；如果你是仁德士，红尘变幻守节操。

【接圣入心】

一般人认为，贫穷的日子最难熬。因为贫穷，内心焦灼，没有尊严，没有希望。有一些人在贫困中堕落了，甚至仇富和反社会。正因为如此，大部分人千方百计地努力去摆脱贫穷，以为只要富有了，就能够过上幸福的日子。

可是，生活没有想象的那么简单，一些人在摆脱了贫穷之后，精神迷失了，道德堕落了，人生变得无聊；一些人抑郁了，有的人甚至想自杀。

渐渐地，越来越多的人开始明白，人生幸福与否不仅仅是取决于贫穷还是富有，似乎背后还有一种决定性的力量。圣人孔子给我们找到了答案，就是内心的仁德。仁德，这样一个说出来不会有人公开反对，但也没有多少人会拼命去追求的东西，它到底是什么呢？

很多人忘记了其实人生的幸福、尊严和安舒，都是人的一种主观的感觉，是由人的精神所决定的，并不能等同于外在的各种物质条件。对

于精神教化严重不足的人来说，其内心根本没有足够的力量来定位自己对人生的感觉。相反，他们会求助于各种外在的条件，但依然无法治愈自己的精神空虚或者扭曲的内伤。对于每一个人内在的感觉来说，外在的东西治标不治本，这也是许多人在获得外部条件之后反而迷失的重要原因。

由此可见，当一个人内在力量薄弱时，无论身处贫困还是安乐，其意志总会摇摆，这是人命运多舛的根本原因。唯有修行自己内在的仁德，也就是“内求”，方能找到生命的根本。这一点，是每个人都无法绕过去的：生命与人生如同一棵大树，仁德是根，其他都是枝梢末节。若是根烂了，大树就死了，哪里还会有枝繁叶茂？

孔子在这里很巧妙地区分了仁德的两个境界：

- 真正的仁德之人，心中信并践行仁德，即可心安自足，不会羡慕那些抛弃了仁德而去追逐名利的人，因为他知道，离开了仁德的一切财物都是会伤及生命的，这些财物非但不是人生的利润，反而是人生的债务与罪证。人做人事，恪守良知，务求心安，绝不外求。
- 知道仁德有益于自己才去践行仁德的人，心中有了功利心，仁德也就变成了用来谋利的手段或者伪装了。此时，仁德就等于被绑架了，这就是虚伪的仁德。这样的人看起来很聪明，实则是让生命中最重要的“财富”——仁德变性贬值了。反之，不动心机、恪守仁德的人，反而自动躲过了很多灾难，这不就是“聪明反被聪明误，傻人自有傻人福”吗？当然，这里的傻人是指仁德厚实之人。

很多人可能会发现这样一种现象：人小的时候，胆子小的孩子往往都比较聪明，反之亦然。人长大后，成年人的每一次冲动般的勇敢或者自以为得计的侥幸，都是灾难性能量的积累。很多能够做事又不出事的人，心中都有一个“怕”字，也就是对天道人心规律的敬畏。失去了敬畏心的人，出事是肯定的，只是大小或者早晚的问题。这就是仁德在人生中的重要价值！

当然，即便仁德在现实中常常被扭曲或者变得虚伪，也没有几个人有勇气公开承认自己仁德欠缺或者薄弱，人们都认为自己是不缺德的，甚至还认为是别人缺德。孔子提出了一个甄别仁德真伪的标准，就是在贫困或者安乐面前，一个人是否依然能够保持内心的仁德不变。只有不被环境影响的仁德，才是真正的仁德，这对每一个内心有仁德种子但又受环境影响的人来说，都是一种拷问。

【格言】不仁者，为富不仁，为贫也不仁。失仁失魂。

4·3　子曰："唯仁者能好①人，能恶②人。"

【注释】①好：音 hào，喜爱的意思。　②恶：音 wù，憎恶、讨厌。

【释义】孔子做出了一个论断："只有那些有仁德的人，才能爱人和恨人。"

【要点】（1）唯有仁者。（2）能好人、能恶人。

【语境与心迹】每个人都会有爱恨情仇。为何孔子说只有仁德之人才能爱人和恨人呢？现实中的每一个人，不管有无仁德或者仁德如何，平时不都在爱人或者恨人吗？孔子为何会那样说呢？原来，孔子发现了人间爱恨的一个秘密：若是一个人没有以内在的仁德为方向，爱也可能是自私的、利己的，遇到所谓的爱与利己的需要不相一致时，爱就会变成恨。可见，我们所熟悉的世俗爱恨皆源于自私和利己。那怎么办呢？孔圣人在此处以爱人与恨人这种生活中常见的情感为载体，给了我们一个答案："没有仁德之人的爱恨都可能是错误的。"当然，我们需要明白的是，孔子倡导仁德的思想，并非只是简单地让人明白非仁德状态的爱恨之误，更主要的是要让人明白"仁者爱人"这一重要的人生信条：尊老爱幼，别人误解你，你也不能恨人，别人恨你、背叛你，你也要反躬自省。当然，孔子在此处将仁与爱、恨联系在一起，也是在告诉人们：若是出于内心的仁德，爱别人是仁德的表现，恨别人也不是一般意义的憎恨，而是恨其不争气，正所谓爱之深，恨之切。于是，世俗生活中的爱、恨这两种对立的情感，就在"仁爱"智慧的指引下获得了统一和超越。这就是孔子所说的正确的爱和恨——仁者的爱、恨。

【接圣入心】

现实中的人，都有自己的喜好和厌恶，都有自己的爱和恨。但孔子认为，只有仁者才能够具备爱人和恨人的资格与能力。这是怎么回事呢？

让我们来剖析一下现实中的爱和恨，也许就能够找到真相：

- 在现实中，很多时候我们所说的爱，通常都是有条件的，甚至是打着爱的旗号去获取自己的利益。很显然，这样的爱就是虚伪的。
- 现实中的恨，看起来都是有理由的，但恨又常常是回避自身责任、将责任归于别人或者外部社会的一种思维逻辑。这样的恨，是源自无知与懦弱。

几乎在所有的文明形态中，唯有无私心的爱才是真正的爱，才会被歌颂。而恨这种情感，通常都是负面的，一般是不受鼓励的。但在仁德的基础上，也就是真爱的基础上，“恨”也只是爱的另外一种形式，正所谓“爱之深，恨之切”“恨铁不成钢”，这是一种非常深厚的、特殊形式的爱。

至此，我们就能够理解孔子这句话的真意：只有真正的仁者，才有爱与恨的权利、资格与能力。

真正的仁德之人，以爱对人，没有条件，不求回报，不做交易。与人相处遇到问题时，能够省察自身，从自我改变开始，体谅别人，化解恨的逻辑，善待别人，感恩一切。只有这样的做法，才有利于化解矛盾和冲突，最终走向和谐。

【格言】仁者，好人恶人皆是出自善心。

4·4　子曰：“苟志于仁矣，无恶也。”

【释义】孔子特别强调了立仁的重要性：“如果一个人立志于仁，就不会作恶了。”

【要点】(1) 志于仁。(2) 无恶。

【**语境与心迹**】社会上那么多的邪恶之事天天都在发生，孔子肯定看到了。怎么办呢？孔子找到了邪恶的病根，就是缺乏足够的仁德能量。众所周知，仁者爱人，爱人人爱。不仁者恨人害人，又会激发他人的恨和报复。作为一个修行者，一个真爱自己的人，什么样的人生价值循环模式才是最佳的呢？仁者爱人，若是效果不好，反躬自省，优化方法后再去爱人。于是，爱在人心中滋生的正能量就会不断增加。唯有真正的爱，唯有真诚无私而又有善法的爱才会感化人心，这是人心的规律。不仁者自私，必然害人、必然恨人，而害人恨人只会激发没有仁德功力的大部分普通人"冤冤相报"，可"何时了"啊？很显然，前者是一个正面、积极、良性的价值循环，即使遇到问题，也不会偏离方向，于是人生无虞。后者，很显然是个负面、消极、恶性的价值循环，如果不能斩断，必然导致仇恨加深而走向万劫不复。明白了这两种模式的利害，也就懂得了仁德之人的智慧，自然就不会再去做坏事，不会犯上作乱、为非作歹，也不会骄奢淫逸、放纵欲望。可见，具有了仁德智慧，既利于自身，也利于家庭、朋友和国家。当大家都在仁德智慧引领下为别人做善事，遇到问题反躬自省时，就可能营造一个真正的和平盛世。

【**接圣入心**】

对于普通人来说，内心深处一直有一场无休止的战争：既想做好人，又感叹好人会吃亏；不想做坏人，又羡慕坏人能得利；小好事做了不少，小坏事也做了不少。你说，这样的人生状态，如何给自己做个判断呢？这样的人，到底是好人还是坏人呢？

实际上，人的精神和品德的核心永远离不开两个基本点：一是内心的仁德是否纯粹而坚定，二是一旦出错能否及时进行修正。

• 都说自己是好人，好得很彻底吗？如果品德仁厚，能力也突出吗？如果品德不错，但能力欠缺，这份品德就不能给别人创造价值，自己就没有价值。还有的人好心办坏事，办了很多坏事之后，还说自己是好人。这样的人，往

好处说，是糊涂；往坏处说，是虚伪或者愚昧。说起好人吃亏，一方面，吃亏多半损失的是小利，小利对于我们来说可谓无关痛痒，但心里又无法接受。有时上当受骗，我们只是指责骗子，没有几个人真正地省思自己内心的贪欲和轻信等诸多弱点，似乎只要是自己受了害，自己就是有理的，但这样的逻辑是十分荒唐的。

• 做好人吃亏，难道去做坏人吗？做坏人能得利吗？做小坏人，只要坏念头一起，整个身心都会发生异动，无数次这样的过程就会让人生病，这个损失可是很大啊！占一点小便宜，自鸣得意，但可能会被别人看穿，并到处传播，于是人人设防，没有人再去信任他，这样的人生还有机会走向成功吗？做大坏事，也许暂时能够得到大利，但受损失或者受伤的一方以及心中有正义感的人，也不会心甘情愿或者听之任之，相反，会不依不饶或者去伸张正义，这就让做大坏事的人时刻都可能被揭穿。做大坏事一旦被揭穿，就要面临牢狱之灾，获得的利益也会被充公，还会被罚款，全家人也会因此变得灰头土脸，这真是"偷鸡不成反蚀把米""赔了夫人又折兵"，这样的亏本生意，你会羡慕吗？

内心真正具备了仁德和智慧的人，就是想明白了上述道理，主观动机上不再想着做坏事，也不羡慕坏人；一心做好事，如果效果不好，就会回身反省自己，而不是责怪别人或者动摇自己内心仁德的信仰。

尤其要小心的是，很多人常常会原谅自己做了小坏事，很多人做坏事时常常会抱有侥幸心理。于是，在这种心态下，小坏事就会越做越多，从量变开始渐渐发生质变，最终无法回头；若是再有"一不做二不休"和"破罐破摔"的思想，就会走向万劫不复的绝境。

还有人有一种非常危险的心理活动：做坏事的人很多，反正也不是我一个人，法不责众嘛！我又怕什么？天塌下来有个子高的人顶着。于是心安理得地继续作恶。之所以说这是一种危险的心理活动，就是因为这种想法把做坏事合理化了。警惕这一点非常重要，因为不少人都是从做小坏事开始，渐渐开始做大坏事，这一步步的滑落不就是自我欺骗的结果吗?

中国文化中有个重要的信条就是“知止”。很多人在现实中也有直接或间接的体会：得了好处，若是及时知止和抽身，就不会遇到反转；受了损失，若是及时知止和抽身，也就不会一直陷落。

对于坚信仁德信念的人来说，还要在现实中持续不断地接受一次次变着花样的考验，时时处处别忘了修行，随时随地做自我反省，及时坚决地调整和回头，如此才能保自己一生平安。

【格言】立志于仁，心不走邪。

4·5　子曰：“富与贵，是人之所欲也，不以其道得之，不处也；贫与贱，是人之所恶也，不以其道得之，不去也。君子去仁，恶乎成名？君子无终食之间违仁，造次必于是，颠沛必于是。”

【释义】孔子在此说明人的本能与仁德的关系：“富裕和显贵是人人都想要得到的，但不用正当的方法得到它，就不再具有享受的价值；贫穷与低贱是人人都厌恶的，但不用正当的方法去摆脱它，就无法真正远离。君子如果离开了仁德，又怎么能叫君子呢？即便是一顿饭的时间，君子也不会背离仁德的，即便在最紧迫的时刻，君子也必须按照仁德办事，即便在颠沛流离的时候，君子也一定会按仁德去办事的。”

【要点】（1）富贵、人欲、不以道、不处。（2）贫贱、人恶、不以道、不去。（3）去仁非君子。（4）君子不违仁，时时刻刻。

【语境与心迹】很多人认为，孔子是圣人，他能够做到安贫乐道，但孔子的思想对于其他大部分的普通人来说，恐怕难以适用，人们毕竟还要活着，还要追求美好生活！实际上，这是个误解，孔子可并非只是简单地倡导纯粹的仁义。这一段内容集中阐释了孔子的利欲观：合于仁德之道的利欲，是君子所践行的；不合于仁德之道的利欲，是君子所不齿的。孔子从生命的基本欲望说起：任何人都不会甘愿过贫穷困顿、流离失所的生活，都希望得到富贵安逸。同时，孔子又指明了满足生活利欲的核心前提：必

须通过合于仁德大道的正当手段和途径去获取，否则宁守清贫而不去享受富贵。这一思想，实际上是孔子人生哲学的核心模式：仁德方向，决定着对其他方法、手段的取舍。合于仁德大道的方法、手段和结果，是人间正道；违背仁德大道的手段、方法和结果，都是错误的，都会让生命误入歧途。孔子2000多年前所阐述的这种观念，在今天仍有不可低估的价值。看看现实中的很多问题，不正是很多人不明白仁德大道与方法和手段之间关系所导致的吗？孔子是这般通情达理，他没有否定人有利欲之心，但明确给出了满足利欲的仁德前提，也向我们展示了一种人生的智慧模式：按仁德的标准追求和满足利欲；否则，违反仁德而追求一时的利欲满足，就会毁掉未来的人生。

【接圣入心】

有人不喜欢富贵吗？现实中，有多少人真正懂得富贵呢？有人喜欢贫穷吗？如何摆脱贫穷而真正走向富贵呢？

人们讲富贵，主要说的是有钱、有位、有权、有享乐，这也是红尘中最吸引人们的一些目标和资源，很多人就是为了得到这些东西而每天忙碌着。

很多人在这样的追求中迷失了自己。这些人主要是没有搞明白，若是只为了追求这些东西，人就成了欲望的奴隶。而一味地被欲望牵引着奋斗的人，就会步入深渊。

人啊，一念之差，就会谬之千里：不要以为只要得到权力就能够洗白一切；不要以为为了摆脱贫穷就可以不择手段。

人离不开欲望，也不想误入深渊，那应该怎么做呢？孔子为我们找到了答案：

- 人们都喜欢钱，但利由义生，离开了仁义（良知、道德、法律），钱就是诱惑人犯罪的“饵”，缺德违法得来的钱，就是罪证，就是负债。罪钱多了，就会成为罪犯，就会有牢狱之灾，甚至可能丧命。因此，仁德是富有的前提，也是真正富有的本质。离开了仁德，金钱就是灾祸。但现实中，会有人好德如好钱吗？会有人好德胜过好钱吗？

• 人们都喜欢官位，但需要德与官位相配，德不配位，官职越高，危害越大，所引发灾难的危险性也就越大。现实中的官职都是有等级的，扪心自问，我们的德行与自己的职位等级相配吗？

• 人们都喜欢权力，但权力与责任是连在一起的，世上哪有只享用权力而不需要负责任的事情呢？所谓的权力，就是服务于别人的责任。如果用权力来谋取私利，权力就会变成毒药。可见，拥有权力，就必须承担相应的责任，也必须拥有相应的能力。

• 人们都喜欢享乐，而不喜欢受苦，这是动物的一种本能——趋利避害。低级动物的快乐，更多来自生理和个体欲望的满足。但人是高级动物，生理和个体欲望的满足只是基础，社会性和精神性需要的满足，才是人生享乐的境界和本质。在现实中，我们可以看到，凡是过分追求生理和个体欲望享乐的人，最终都会精神空虚，迷失人生方向。

孔子认为，真正的君子是片刻都不会离开仁德的，仁德如同人的魂魄，怎么可以丢掉呢？道不可须臾离也，吃饭不能忘记仁德，喝酒也不能离开仁德，即使是颠沛流离时也不能违背仁德去做事。

我们可以问问自己，在人生“利与义、位与德、权与责、生理与精神”这样一些重要的问题上，我们真的想清楚了仁德对人生的重要性了吗？我们现在的状态正在将我们引向何方？

站在利己的角度来说，以义取利才是真利，以德配位才是真位，以责配权才是真权，以精神主导生理才是真正的享乐。作为圣者，以安贫乐道为境界：不以贫为贫，心富，是为安贫！不以德为德，德足，是为乐道！

【格言】仁是人魂，须臾不离！

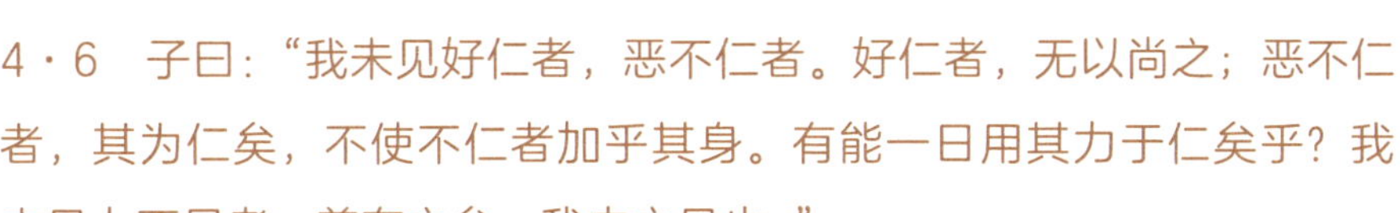

4·6 子曰："我未见好仁者，恶不仁者。好仁者，无以尚之；恶不仁者，其为仁矣，不使不仁者加乎其身。有能一日用其力于仁矣乎？我未见力不足者。盖有之矣，我未之见也。"

【**释义**】孔子道出了一个残酷的现实："我没有见过爱好仁德的人，也没有见过厌恶不仁的人。爱好仁德的人，是不能再好的了；厌恶不仁的人在实行仁德的时候，不让不仁德的人影响自己。有人能一整天把自己的力量全用在实行仁德上吗？我还没有看见力量不够的。这种人可能还是有的，但我没见过。"

【**要点**】(1) 爱好仁德和厌恶不仁的人很少见。(2) 终日用力于仁。

【**语境与心迹**】孔子处在一个礼崩乐坏的乱世，这段话就是孔子对当时现实的一种感叹。他特别强调个人道德修养，尤其是养成仁德的情操。但在当时动荡的社会中，爱好仁德的人已经不多了，所以孔子说他没有见到。实际上，很多人的内心深处有仁德的种子，只是很多人没有孔子那样的勇气在乱世中依然坚守仁德的方向与信仰。也许正因为如此，仁德才会显得尤其可贵。这份坚守仁德的伟大情怀和无畏勇气，是孔子成为千古圣人的一个重要条件。当你处在一个仁德不兴的环境中，能够不畏环境，依然践行仁德，即可彰显品格的尊贵。否则，同流合污，自甘堕落，又有何出路呢？实际上，任何时代都会有仁德不兴的问题，关键看自己的选择，这才是生命的力道和智慧。这样一种理性，直接决定了很多人最终的命运。

【**接圣入心**】

说到仁德，估计是没有人公开反对的。但仁德这样一种心灵活动的原则，有多少人像一日三餐那样天天都在建设和践行呢？

很多时候，我们之所以会做错，是因为我们首先就想错了：很多人想成为优秀的人，其内涵就是能干、有地位、有高收入、受人尊敬、有富裕的生活。有几个人会把优秀的品德放在第一位呢？那些一般人所追求的优秀的指标，基本上都是肉眼能够看得到的。似乎优秀的品德无法用眼直视，似乎只是隐藏在内心深处，但我们每个人实际上都能感受到"内在品德对外在表现与成就的决定性作用”：每个人都能感受到自己内心中价值与思维的标准吧？能感受到这种内在品质对言谈话语的影响和表达吧？能感受到一个人举手投足中所表现的境界吧？即使自己感受不到或者感受模糊，但你身边的人却是随时可以感受得清清楚楚的。

我们可以给自己算一算每日品德的表现：就拿任何一天作为例子，记录下自己所有的念头和行为，再一个个进行剖析和对照，看看自己的每一个念头和行为表现的品德是什么样子的？关于道德的大道理，我们很多人都知道。关于道德的说教，我们几乎每天都能听得到。但关键是，我们能够把自己在每时每刻的品德罗列展示出来吗？如果我们连自己的品德都看得模糊，那就很难对自己的品德进行诊断，也很难做进一步的改善。

那个决定和支配思维与行为方式的品德若是模糊的，那我们的思维与行为方式又怎么可能是清晰的？我们每天的言谈举止，若所表现的品德是低级的（狭隘、自私、卖弄、献媚、嫉妒、虚伪、傲慢、诋毁、怨恨等），岂不是时时都在被别人看穿？岂不是起心动念间就在出卖自己内心的本质？如此这般，靠努力就能把工作做好吗？朋友相处能够长久而情谊深厚吗？家人相处能够和谐而彼此心心相印吗？那种低级的、负面的品行，在时时刻刻的表现中种下了罪恶的种子，就会给自己挖坑，一旦掉进坑里还会去骂别人。普通人内心的仁德强弱直接影响其个人生活与事业前途。若做了领导却依然没有让仁德达到高级状态（心胸宽广，无私利他，低调谦卑，真诚友善，学人长省己短、赞人长谅人短，感恩报恩），那每一次出场时就像是伪装者的表演，稍不留神，就会原形毕露。这样的人一旦离开了位置，就会“人走茶凉”，甚至让人们感到欢欣鼓舞。

高尚的品德，本身就是一种伟大的智慧和能力。离开了高尚的品德，一个人很难称得上真正优秀。若是有人在失去了高尚的品德之后，竟然还能达到很高的位置，那就是人间的险境。此时，那愚蠢的人一定会自鸣得意，做起事情来一定会得意洋洋，就是因为不知道自己已经身处险境。

【**格言**】全力为仁，片刻不断。

4·7 子曰："人之过也，各于其党。观过，斯知仁矣。"

【释义】孔子断言，犯错必是没有仁德："人们的错误，总是与他那个集团的人所犯错误性质是一样的。所以，考察一个人所犯的错误，就可以知道他没有仁德了。"

【要点】（1）人过于党。（2）观过知仁。

【语境与心迹】很多时候，人们是知道是非标准的，但为什么还会有人犯错呢？原来，当一个人的仁德没有成为人生的信仰时，仁德之根就很浅，就很容易动摇。当一个人自己单独犯错时，会面临很大的心理压力，但如果有一群类似的人在一起犯错，个人的心理压力就会急剧减小，故而很多大错都是团伙犯的。孔子看透了这一点，所以才会强调要选择仁者作为邻居，与仁者交往，否则，就很容易在自己的仁德还不够坚定时与坏人同流合污。从这一点上看，没有仁德的人所犯错误的性质是相似的。可见，仁德之重要性在于不让生命淹没在世俗恶行中，仁德之价值在于成为一个人不犯错、少犯错、知错改过的重要心灵力量。

【接圣入心】

一人犯错，胆子较小；一群人犯错，胆子变大。

人都有良知，大部分人犯错的时候，自己的心是知道的，因此犯错会让我们良心不安。

人是群居性动物，当我们跟着一群人一起犯错时，良心上的不安就会减少。这是集团或者团伙犯罪的一个重要的特征，其原理就是"罪责分散"和"法不责众"的扭曲心理作祟。

当我们身处一群都在犯错的人中时，如果我们能够不犯错、不同流合污，那么常常就会受到孤立。因为在那帮人看来，你跟他们不是一伙儿的。又因为你了解他们的错，你若不同流合污，就可能成为告发者，这对他们来说是非常危险的。所以犯罪团伙需要"投名状"，就是首先要让你变成跟他们一样的人，以此来降低你成为告发者的概率，因为你也有错。所以在真正的犯罪团伙中，你想保持自己的干净几乎是不可能的，除非你能够平安地离开或者成为告发者并得到政府有效的保护。

在日常生活中，普通人一般不涉及像犯罪那样性质严重的过错。如果你能够和气、温和和悄无声息地表现自己的仁德，你就会赢得许多人的尊重和赞许，通常也会得到正义领导的赏识。尽管也会有人对你讽刺挖苦，但大部分人还是会支持你的，此时你就能够体会到正义的力量。

我们许多人需要反思的是，我们一方面希望自己卓越和优秀，另一方面又害怕坚持仁德时受到孤立或者打击。很多人在这种压力面前，要么就屈从了平庸和恶俗，要么就变得牢骚满腹（内心有一种正义的呐喊，行动上却没有正义的力量和勇气）。中国有句古话，也许说的就是这种情况："木秀于林，风必摧之；堆出于岸，流必湍之；行高于人，众必非之。前鉴不远，覆车继轨。"可是，有多少人知道这些话的反面意义呢？看来，人生没有那么简单！

实际上，每个生命都向往能力的卓越和品德的高尚，这是生命的基本方向，这是不应该受到质疑的。在这样一个正确的方向上，我们也不应该再去犹豫。否则，离开了这样一个正确的方向，我们的生命力就会无处绽放。反观现实，许多人的郁闷、不得志或者牢骚满腹，实质上就是在这个方面迷失了方向。因为一个人在选择卑劣和平庸时，也许不再受人嫉妒，是因为他已经丧失了被人嫉妒的资格和资本，这样做也就同时丧失了自己生命的方向和人生的价值。当一个人向世间的平庸和卑劣靠近时，也许会少收到别人对他的嫉妒，但也同时失去了令人尊敬的资本，如此违心而为，自己的心就会躁动不安，此时此刻，又用什么来安抚自己的心灵呢？

如果一个人追求能力的卓越，但却盛气凌人，这是因为品德的追求没有与之匹配。如果一个人追求品德的高尚，但却没有卓越的能力，只是默不作声或者到处做老好人，就会在德行和能力两个方面遭受双重的损失。圣人的智慧，给我们指出了一条明路：

- 追求能力的卓越，首先要好学，学众人的长处，被学的人有谁会不高兴呢?

• 追求能力的卓越,就是自己要肯下苦功夫,不偷懒,不取巧,你自己下功夫怎会影响到别人什么呢?

• 你拥有了卓越的能力,既懂得尊重别人的长处,又懂得配合别人,不去刻意地彰显自己的能力,也不去挖苦别人的短处,相反还会体谅人、会帮助人,有了成绩也不自居,有了荣誉也不自傲,依然坚守着自己的朴实本色,又有谁会不喜欢你呢?你这样做又会对谁有威胁呢?

由此看来,在世俗中追求能力的卓越,需要同时具备高尚的品德,这两者结合起来,就是人生的智慧。仁德,给人们处世确定了一个方向,只有方向正确了,后续的行动才有可能正确。但话说回来,仁德的形成也不是一蹴而就的,在仁德的水平还不是很高的时候,人可能还是会犯错,但只要坚持仁德的方向,懂得反观自己的责任,就能够修正自己的错误,就不会一而再再而三地重复犯错,也不会为自己的错误进行辩护,这也是仁德的智慧与力量。

【格言】虽本心无恶,但要小心被拖下水。

4·12 子曰:"放①于利而行,多怨②。"

【注释】①放:音 fǎng,同"仿",效法,引申为追求。 ②怨:别人的怨恨。

【释义】孔子断言:"为追求利益而行动,就会招致更多的怨恨。"

【要点】(1)孔子教导。(2)逐利生怨。

【语境与心迹】孔子看到了人间那么多的是是非非,核心原因就是人们都在追求私利。他人若是有利于自己的私利时,大家就是朋友;一旦彼此的利益发生冲突,就会反目成仇。看看那些父子反目的吧!看看那些夫妻成仇的吧!看看那些昔日朋友分道扬镳的吧!不都是因为各自都在追求自己的私利?不都是因为以自己的私利为核心?孔子看透了这些人间悲剧,所以才倡导仁德的修行,告诉人们,仁德才能满足双方的利益,并且能够健康长久。只站在利己的角度考虑问题，就很容易出现关系的反转。只是很多人没有认真算账，若是一个个合作者都反目了，自己未来的路还怎么走？反目成仇不就是最大的损失吗？即使因此得到暂时的利益，那未来的利益还能得到吗？谁会跟一个缺乏仁德的人合作呢？

【接圣入心】

孔子告诉世人：只要一个人为了自己的私利而行动，就会招致怨恨，人生前进途中就会多出很多障碍。

在人世间，只为自己私利考虑的人不少。如果你也是为自己的私利行动，就会跟这些人的谋私行为相冲突，就会彼此对立、猜疑和算计，就会引发彼此的怨恨。

君子和小人既有两种不同的品格，也有两种不同的人生。小人都是为自己谋私利的，因此就会跟很多与他类似的人发生冲突，就会生出许许多多的人间恩怨。君子是为众人谋利益的，有谁会拒绝呢？利别人的人就会被拥戴，就不会陷入对立和冲突中，就可以成为人们信赖的领导。

在现实社会中，当官员利用官位谋私利时，人们就会感到强烈的不公，就希望他下台。经商看似将为自己牟利的行为变成了公开的合理行为，但如果只是为自己谋利，不顾部下的死活和尊严，伤害客户利益，无视社会公德，或者触犯公众或者国家民族利益，也会顷刻间被民众抛弃。

实际上，费尽心机为自己谋利的人，根本不了解商道背后的意义：谋利，谋的是什么利？正道还是邪道？仅仅是自己的还是众人的？仅仅是物质经济利益，还是包括了精神利益？物质与精神利益的有机互动能够连续实现吗？这就是商道的秘密。

【格言】唯利是图生怨，极端自私生恨。

4·18　子曰："事父母几[①]谏，见志不从，又敬不违，劳[②]而不怨。"

【注释】①几：音 jī，轻微、婉转的意思。　②劳：忧愁、烦劳的意思。

【释义】孔子解说了侍奉父母时的处理艺术："侍奉父母时，如果父母有不

对的地方，要委婉地劝说他们。自己的意见表达了，见父母心里不愿听从，还是要对他们恭恭敬敬而不违抗，替他们操劳而不会怨恨。”

【要点】（1）事父母几谏。（2）不从也敬，劳而无怨。

【语境与心迹】儒家所讲的仁德是很具体的，都是紧贴生活实际的。在孝敬父母的问题上，孔子倡导的做法既理性，也不失温情。孝敬父母，并非一味要求子女对父母绝对服从，百依百顺，也可以对父母进行劝谏。关键是，当父母不听子女的劝说时，子女仍要对他们毕恭毕敬，毫无怨言。在孔子所处的时代，他一定看到了很多人不孝敬父母，也看到了有些人对父母“愚孝”，也看到了儿女因为劝谏父母不得而闹得不愉快的局面，故而提出了这样的处理原则。这样的原则有道理吗？仅仅是为了维护封建宗法制度吗？今天的人们不需要这样去想、去做吗？

【接圣入心】

批评儒家思想的人，往往抓住儒家孝的思想来批判其封建性。

从孔子的思想来看，他绝不倡导“愚孝”，相反，还倡导对父母的必要劝导。

由于亲子双方在人生经历、个人角色、生活经验等方面的差异，各自都会有自身的局限性，这就构成了子女劝谏父母时的几种可能性：一是儿女劝谏父母成功了，当然就皆大欢喜；二是父母不从时，儿女依然坚持自己的意见，导致亲子之间不悦，甚至关系恶化；三是儿女检讨自己，或者放弃浅见或者变通方法，最终取得部分的效果；四是即使父母不接受，儿女也依然能够恪守孝道、恭敬父母、任劳任怨。

不得不说的是，不管是在封建社会还是当代社会中，父母能够放低姿态与儿女进行平等的讨论，儿女运用孝道的方法很艺术地向父母提出一些建议，这依然是很多人做不到的。尤其是当父母和儿女都有点倔强时，一旦沟通不畅，就可能让关系降温甚至变质。

不管怎么说，父母绝对不接受儿女的任何劝谏，总是摆出老子至上的家长作风，这就不是长者的风范了。如果儿女劝谏后没有达到效果，父母还要一味坚持，不会去寻找变通之道，那也是有点一根筋。如此看来，孔子的上述告诫还是非常智慧的，既有原则性，也有灵活性。

【格言】孝而谏，敬不违，劳无怨。

4·19 子曰："父母在，不远游①，游必有方②。"

【注释】①游：指游学、游官、经商等外出活动。 ②方：确切的地方。

【释义】孔子针对当时的社会现实谈到了孝道的一种表现方式："父母在世，不远离家乡；如果不得已要出远门，也必须要有明确的去处。"

【要点】(1) 父母在，不远游。(2) 游必有方。

【语境与心迹】在古代社会的家庭生活中，父母与儿女的关系是家庭的基础。尤其是父母年迈时，对儿女的依赖性就会更强。加上古代交通不便，每次远行都会花费很长的时间，不能照顾父母和家庭，也因为信息不畅通而让父母担忧；甚至不知道一旦远行何时能归，还不知道路途是否安全，等等。即使到了今天，很多父母也是一方面希望自己的孩子能够闯荡天下，另一方面，内心十分渴望儿女能够留在身边。这恐怕是父母对儿女的基本期望。

【接圣入心】

"父母在，不远游"常常被后人引用，但"游必有方"往往被人们忘记了。于是，批评人士就总说儒家思想阻碍人的发展，都是围绕小家过日子的小农思想。

如果静下心来想想，哪家父母不是这样的心情呢？即使是过去了2500多年，恐怕今天的父母还是期望孩子能够离自己近一些。毕竟，在人的生活中，亲情是人们感情的核心和基础。

孔子是个很开明的人，一方面，他提出了"父母在，不远游"的基本原则，彰显的是儿女对父母的亲情与关怀；另一方面，他又提出了"游必有方"的原则扩展，体现了孔子思考问题时的灵活性。

今天的社会，很多年轻人会外出打工，将父母和年幼的儿女留在老家，这已经成为一个很普遍的社会现象。对一个家庭来说，儿女长大后外出上学、打工或者工作，年迈的父母渐渐深陷孤独与寂寞。有一些儿女出国最后定居在国外的，有的父母跟随去了国外但很难适应，故土难离啊！也有的父母根本就不想去国外生活，于是父母与儿女相隔千山万水，虽然可以打电话，但无法见面，这和晚辈们济济一堂的感觉是没法相比的。我们可以为了所谓的个人发展就不顾与亲人的感情生活吗？我们能找到两全的方法吗？

【格言】亲子连命，时刻不忘。

4·21　子曰："父母之年，不可不知也。一则以喜，一则以惧。"

【释义】孔子教诲儿女们要记住父母的年龄："父母的年纪，不可不知道并且应常常记在心里。一方面为他们的长寿而高兴，一方面又为他们的衰老而恐惧。"

【要点】(1) 记住父母的年纪。(2) 一喜一惧。

【语境与心迹】在春秋末年，社会动荡不安，臣弑君、子弑父的犯上作乱之事时有发生。可想而知，还会有多少普通人去顾及父母的生命和感受呢？这段话，是孔子在跟当时的人们说话呢，还是在跟今天的我们说话？至于一些评论说孔子是在维护宗法家族制度，就显得很没意思了。难道今天的人们不需要对自己的父母上点心吗？至于说这就是孔子要求子女绝对服从父母，就更显得有些荒唐可笑了。今天的人们在那样批评孔子的时候，心里到底是怎么想的？自己又是如何对待父母的？这个问题倒是值得深思。

【接圣入心】

这些事，虽然是孔子在特定背景下说的，却是人类永恒的关切。

不管时代如何发展，儿女都永远不能丧失关注父母的情怀，在这一点上若是还有什么疑问或者犹豫，我们该如何判定自己的人性呢？

父母与儿女之间存在的血缘关系，使他们成为一个特殊的生命共同体，父母用生命养育儿女，儿女去爱护自己的父母，这种关切恰恰是人类文明的基础。若是连这一点都在质疑，我们人类的文明还能剩下什么呢？

孔子关于父母与儿女之间的相互关切，是超越历史时空的，对于当代社会依然具有重要的意义，因为在这些方面，我们并不见得比古人做得更好。

人类需要科技、需要利益，但更需要人文关怀，否则，人类就会变成冷冰冰的动物。

【格言】记住父母生辰，珍惜相处时光。

4·25　子曰："德不孤，必有邻。"

【释义】孔子看好有道德的人："有道德的人是不会被孤立的，一定会有思想一致的人与他相处。"

【要点】（1）德不孤。（2）必有邻。

【语境与心迹】现实中，什么人最容易被孤立呢？当然就是那些一心为自己谋私利的人！因为，没有仁德的人，一定会因为自私、狭隘而伤害别人。这样的人，亲人会反目，朋友会远离，自己会被孤立，自身也会感到孤独。而有仁德的人，因为是爱人的，彼此的心就会亲近，就会相聚，就会建立信任感，就会惺惺相惜。人群中，肯定有人在寻找跟你类似的人，如果你有仁德，就一定会有相似的朋友。现实中，经商的人也知道"人脉"就是"财源"。生活中，人缘好的人，生活就会幸福充实。而这一切，都在检验一个人是否有仁德。如果你的生意举步维艰，反思一下自己的仁德，可能恰恰是自己的仁德不够而让自己被孤立了。如果你生活得不幸福，反思一下，也许正是自己的仁德不够，把自己和私利看得太重，才使得关系不睦。如果你在组织中发展不顺，反思一下自己的仁德，也许正是自己的仁德不够，自己的小我和自私早已经被众人看穿，才使得自己被边缘化了。如果不知道反省自己，而只是抱怨别人，就无法找到摆脱困境的方法。

【接圣入心】

世间有个神奇的法则，就是"吸引力法则"，不管你是什么样的，你总能将跟你类似的人和相应的事吸引到你的世界中。这就是人间的那个

铁律：物以类聚，人以群分。

几千年人类文明所积累的经验告诉我们，好坏都有自己的伙伴，你若好，一定有人跟你类似并支持你，你不是孤单的，也不是孤军奋战，所以做好人要有信心，要坚定信念。当然，一个人若想坏，也一定会有人跟他相似，也会遇到臭味相投的人。但坏人相聚，不是幸运，而是危险系数的增加，因为一个人的坏一旦有了支持者、有了同类，就有可能变得更加有恃无恐，这岂不是更加危险？

“德不孤，必有邻”阐明了人间一个重要的道理：仁德作为人格中的核心，也是构成人格魅力和吸引力的核心。以此为信念，一个人的精神生命就会不断地被加固和放大，自身也会变得越来越有力量。

如果错误地把利益和权力作为自己吸引力和影响力的基础与核心，迟早都会生变。因为，不以仁德为基础的吸引力，所形成的关系基本上都是功利关系和相互利用关系。一旦形成了利益交换的关系，有一句话就很适用了：“只有永远的利益，没有永远的朋友”。当利益关系发生变化时，朋友关系就会发生变化。

对此，古人获得了一个重要的经验，以仁德作为基础，有共同的志向和共同的价值观，就是“志同道合”，方能建立长久稳定的关系。需要注意的是，有的人错误地以个人的私欲作为志向，以不择手段作为实现目标的方法，这就与“志同道合”完全是两回事了。

【格言】孤立，是无德的结果。人缘，是德行的证明。

公冶长第五

5·5　或曰：“雍[①]也仁而不佞[②]。”子曰：“焉用佞？御人以口给[③]，屡憎于人。不知其仁[④]，焉用佞？”

【注释】①雍：姓冉名雍，字仲弓，生于公元前522年，孔子的学生。

②佞：音 nìng，能言善辩，有口才。 ③口给：言语便捷、嘴快话多。 ④不知其仁：指有口才但有仁与否不可知。

【释义】孔子听到有人这样说自己的弟子："冉雍这个人有仁德但不善辩。"于是孔子辩护说："何必要能言善辩呢？靠伶牙俐齿和人辩论，常常招致别人的讨厌，这样的人我不知道他是否称得上仁，但何必要能言善辩呢？"

【要点】（1）冉雍仁而不佞。（2）仁者不辩。

【语境与心迹】孔子针对有人对冉雍的评论，提出自己的看法。他认为，人只要有仁德，一切都会顺理成章，根本不需要能言善辩、伶牙俐齿。巧言令色的人肯定没有仁德，而有仁德者则不必强词夺理。做人，要以德服人，而不是以嘴胜人。看看现实中那些总是嘴巴上不服软、不吃亏的人，有几个真朋友？受人拥护和信赖吗？如果真有仁德，用行动去践行和表现就是了，不必用嘴巴说那么多。"君子敏于行而讷于言""行胜于言"。老子在《道德经》中说："是以圣人处无为之事，行不言之教"，"善者不辩，辩者不善"。看来，圣人们对行动与语言关系的认识是一致的。你到底是什么人，不是用嘴巴表白的，而是用你行动的一贯性所呈现和证明的。明白了这个道理，就可以少一点嘴巴上的功夫，多一些做事上的力道。

【接圣入心】

在这一段话中，孔子似乎是在为自己的弟子冉雍做辩护，但本质上是在倡导一个有关仁德的道理：只要你没有私心，只要能够扎扎实实地为人做事，只要你所做的事能证明自己的人品，又何必再去逞口舌之能？

孔子早就明白了，世间总有些人，其品性的提高与能力的成长出现了不平衡。当你遇上那些花言巧语、巧言令色的人，只要稍微用心观察一下就不难发现，这样的人很少有仁德深厚的。如果你相信了这些人所说的，就多半会上当受骗。

不少的人在自己的人生中也会参悟到一个重要的规律：对于看似能力突出又能言善辩的人，往往更要考察一下其仁德深厚的程度。当然，

若是平时仁德表现很不错的人，可能对其的考察重点就要放在其仁德与能力的一致性上。

这里也在告诉我们一个做人的道理：做人，就要凭良心做事，用心好好做事，没做时少说，做了也不说；当别人说你做的好事时，要懂得谦虚和感恩，并且反过来用事实去赞美别人，而不能仅仅用简单的几句客套话应付了事。

人世间有个铁律：内在的品性决定着外在的功力。每个人的心力都是有限的，当在嘴巴上花的力量多时，手上的功夫就会少一些。当追求一些外在目标，尤其是自我的、物质的、金钱的、近期的目标时，往往就会忽视自身内在精神品德的建设。人这辈子，平凡时却不甘平庸，屡遭挫折时能不服输，遇到邪恶时能不同流合污，这是志气、勇气与骨气。但用理性面对平凡、挫折和邪恶时，要懂得人间的规律，要臣服于规律！能够将气节和臣服统一起来的人，才是真正的智者！

【格言】仁者不辩，善辩不仁。仁者也需强能，能者更需厚德。

5 · 8　孟武伯问子路仁乎？子曰："不知也。"又问。子曰："由也，千乘之国，可使治其赋①也，不知其仁也。""求也何如？"子曰："求也，千室之邑②，百乘之家③，可使为之宰④也，不知其仁也。""赤⑤也何如？"子曰："赤也，束带立于朝⑥，可使与宾客⑦言也，不知其仁也。"

【注释】①赋：兵赋，向居民征收的军事费用。　②千室之邑：邑是古代居民的聚居点，大致相当于后来的城镇。有一千户人家的大邑。　③百乘之家：指卿大夫的采地，当时大夫有车百乘，是采地中的较大者。　④宰：家臣、总管。　⑤赤：姓公西名赤，字子华，生于公元前 509 年，孔子的学生。　⑥束带立于朝：指穿着礼服立于朝廷。　⑦宾客：指一般客人和来宾。

【释义】孟武伯问孔子的几个弟子是否做到了仁，孔子没有做出肯定性回答。孟武伯问："子路做到了仁吧？"孔子说："我不知道。"孟武伯又问，孔子说："仲由嘛，在拥有一千辆兵车的国家里，可以让他管理军事，但我不知道他是不是做到了仁。”孟武伯又问：“冉求这个人怎么样？”孔子说：“冉求这个人，可以让他在一个有千户人家的公邑或有一百辆兵车的采邑里当总管，但我也不知道他是不是做到了仁。”孟武伯又问：“公西赤又怎么样呢？”孔子说：“公西赤嘛，可以让他穿着礼服，站在朝廷上，接待贵宾，我也不知道他是不是做到了仁。”

【要点】(1) 孟武伯问孔子。(2) 子路，冉求，公西赤。(3) 才能不等于仁德。

【语境与心迹】此段对话是通过孟武伯问孔子三个弟子（子路、冉求、公西赤）是否做到仁的状况来阐释“德能兼备”的重要性。很显然，孔子的这几个弟子各自都有突出的能力，但对于他们是否做到了仁德，孔子却没有给予肯定的答复。试想，在那个年代，能做孔子的弟子，又成为孔子比较欣赏的弟子，何其难也？！但即使如此，孔子也没有明确这几个弟子是否做到了仁德。可见，这一方面说明做到仁德不易，另一方面，即使很有能力也不能说就一定在仁德方面做好了。这与我们现在所熟悉的考察人要“德才兼备”是多么一致啊！反观现实，有仁德而无能力的人是很少的，有突出能力但仁德不厚的人却是很常见的。仁德与能力，是本和末的关系，是内在与外在的关系，只有二者统一了，人的心身才处在和谐的状态，才算得上是一个君子。

【接圣入心】

试问，你是想成为能力突出的人呢，还是要成为品德优秀的人？如果将这一话题当成纯粹的问题来回答，相信很多人会选择兼具二者。可是，当我们再看看每个人将多少精力花在哪个方面时，你就会发现，很多人用行动选择了前者：想成为能力突出的人！他们花费了很多的精力去提高能力，却很少花费精力去提高品德。这就是人们用行动告诉我们的真相！

能力与品德，就如同人的两条腿，如果不是一样长，就很难走得快。如果其中一条非常短，要想正常地行走就需要借助其他的工具。我们

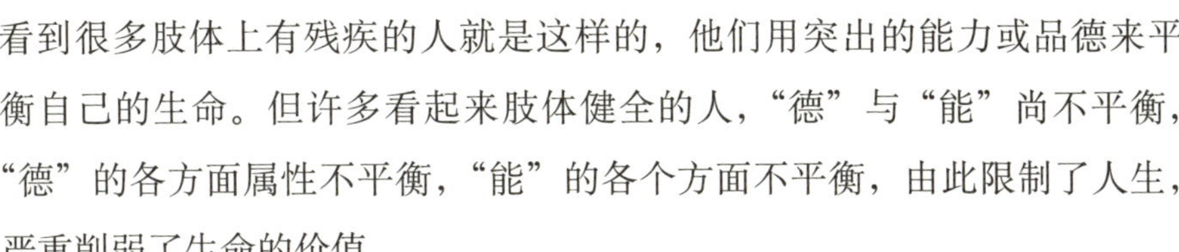

看到很多肢体上有残疾的人就是这样的，他们用突出的能力或品德来平衡自己的生命。但许多看起来肢体健全的人，“德”与“能”尚不平衡，“德”的各方面属性不平衡，“能”的各个方面不平衡，由此限制了人生，严重削弱了生命的价值。

孔子教育弟子，在大的方面是要求能力与品德的同步成长。在细微的层次上，老师也在努力帮助弟子们在能力的不同方面和品德的不同方面都能有所扩展和丰富。

明白了这一规律，老师或者领导也就知道了对学生或者部下的教育方法：要因材施教，对于能力突出的人，着重培养他们的德行，而不要简单地控制他们的短处；对于仁德厚实的人，要重点培养他们的实际能力。

明白了这一规律，我们做人也就变得更加清醒：如果内心德行厚重，就要着重去发展相应的能力；如果能力突出，则要着重加强道德修养。若是偏废，没有能力的德行不能产生力量，没有足够德行的能力也会将人引入深渊。

【格言】德才兼备是人才，有德无能是庸才，有才无德是邪才。

5·19　子张问曰：“令尹子文①三仕为令尹，无喜色；三已②之，无愠色。旧令尹之政，必以告新令尹。何如？”子曰：“忠矣。”曰：“仁矣乎？”子曰：“未知。焉得仁？”“崔子③弑④齐君⑤，陈文子⑥有马十乘，弃而违之，至于他邦，则曰：‘犹吾大夫崔子也。’违之。之一邦，则又曰：‘犹吾大夫崔子也。’违之，何如？子曰：“清矣。”曰：“仁矣乎？”子曰：“未知，焉得仁？”

【注释】①令尹子文：令尹，楚国的官名，相当于宰相。子文是楚国的著名宰相。　②三已：三，指多次；已，罢免。　③崔子：齐国大夫崔杼（音 zhù），曾杀死齐庄公，在当时引起极大反应。　④弑：地位在下的人杀了地位在上的人。　⑤齐君：指被崔杼所杀的齐庄公。　⑥陈文子：陈国的大夫，名须无。

【释义】子张问孔子关于仁的问题："令尹子文几次做楚国宰相，没有显出高兴的样子，几次被免职，也没有显出怨恨的样了。他每一次被免职，都一定把自己的一切政事全部告诉来接任的新宰相。你看这个人怎么样？"孔子说："可算得是忠了。"子张问："算得上仁了吗？"孔子说："不知道。这怎么能算得仁呢？"子张又问："崔杼杀了他的君主齐庄公，陈文子家有40匹马都舍弃不要了，离开了齐国。到了另一个国家，他说，这里的执政者也和我们齐国的大夫崔子差不多，就离开了。到了另一个国家，又说，这里的执政者也和我们的大夫崔子差不多，又离开了。这个人你看怎么样？"孔子说："可算得上清高了。"子张说："可说是仁了吗？"孔子还是说："不知道。这怎么能算得仁呢？"

【要点】(1）子张问孔子。(2）令尹子文。(3）忠诚与清高不能等同于仁。

【语境与心迹】这是一段师徒的对话，子张问楚国的令尹子文那样忠诚清白的人算不算仁，孔子认为，令尹子文和陈文子，一个忠于君主，算是尽忠了，一个不与逆臣共事，算是清高了，但他们两人都还算不上仁。因为在孔子看来，"忠"只是仁的一个方面，"清高"则是为维护礼而献身的殉道精神。所以，仅有忠诚和清高是远远不够的。但仁德是人在人生所有方面的品德表现，不能因某个方面的仁就给人下一个全面仁的结论。依孔子的理想，在生活中，仁德之人能够遵守孝悌的仁德，尊老爱幼；自己一人做事能够务本、慎独、自省；与人相处时能够爱人无怨，能够自守节操而不同流合污；在个人的道德修养中能够追求至善境界；人在顺境时，不会骄奢淫逸或者飞扬跋扈；人在逆境时，也不会自甘堕落或者成为鸡鸣狗盗之徒；事君能够忠君善谏；遇到利欲，能够以仁德作为取舍的标准；等等。可见，孔子所说的仁德，是一个人连续不断自我提升以达到很高的道德水准。反观现实，我们很多人常常会出现一长一短，要么能力突出、德行偏弱；要么在家乖巧，而在外与人不和；要么顺境时能够把握，但遭遇逆境时又失去自我；或者身处逆境能够安然处之，却在成功之后忽视道德修养进而走向堕落。换句话说就是，现实中人们的仁德都是有欠缺的，但人要知道去追求全面的仁德，这是一个人毕生的努力方向。

【接圣入心】

由孔子和弟子子张的这段对话，我们可以看出，孔子所说的仁，既不是简单的“忠”，也不是简单的“清高”，而是全部的优秀品德的集合。在这部《论语》中，孔子就通过对各种事件和人物的评价，向我们展示各方面的优秀品德。

这给了现实中的人们一个重要的警示：不要因为自己在某个方面品德优秀，就以为自己具有优秀的品德，不要犯“一俊遮百丑”的错误。否则，就会误了自己，就会成为品德的“跛子”。

在历史和现实中，总有不少的在某个方面具有优秀品德的人，但他们常常郁郁不得志，自己也很苦闷，却无法观察到自己在品德方面的缺失，落得了缺憾的人生。

现实中的每一个人，总会有一些优秀的方面，但这构不成一个人自我满足的资本。因为还有其他一些不优秀的或者有缺陷的方面，只是很多人没有勇气去认识和直面自己的缺陷，总是陶醉在自己的优势当中，却任凭自己的那些弱势存在和不断放大。最终，优点所形成的成绩，又被缺点产生的危害给冲抵了，甚至还会落入人间的“悲剧效应”中：“选择性记忆”——人们忘记了你的优点，却记住了你的缺点；“老鼠屎效应”——“一粒老鼠屎就会坏一锅汤”，你虽然有优点和成绩，但都被你的缺点给败坏掉了。

明白了这些，我们就明白了自己的人生：人生就是不断学习提高自己，不断发现自己的问题进而完善自己，使自己日益完美的过程，也就是“成人”的历程。

明白了这些，我们就懂得了人生的真谛：不管有多少优点和多大功绩，也不要自满和骄傲，要“活到老学到老”，“没有最好，只有更好”才是生命充满活力的关键。

【格言】自恃一德，丧失全德，境迁无德。

5·26　颜渊、季路侍[①]。子曰："盍[②]各言尔志？"子路曰："愿车马，衣轻裘，与朋友共，敝之而无憾。"颜渊曰："愿无伐[③]善，无施劳[④]。"子路曰："愿闻子之志。"子曰："老者安之，朋友信之，少者怀之[⑤]。"

【注释】①侍：服侍，站在旁边陪着尊贵者叫侍。　②盍：音 hé，何不。　③伐：夸耀。　④施劳：施，表白；劳，功劳。　⑤少者怀之：让少者得到关怀。

【释义】颜渊、子路两人侍立在孔子身边。孔子问道："你们何不各自说说自己的志向？"子路说："愿意拿出自己的车马、衣服、皮袍，同我的朋友共同使用，用坏了也不抱怨。"颜渊说："我愿意不夸耀自己的长处，不表白自己的功劳。"子路向孔子说："愿意听听您的志向。"孔子说："我的志向是让年老的安心，让朋友们信任我，让年轻的子弟们得到关怀。"

【要点】（1）孔子让颜回、子路谈自己的志向。（2）孔子也谈了自己的志向。

【语境与心迹】在这里，孔子和弟子们各自表述自己的志向，弟子们讲到了某一个方面的仁德，而孔子则讲到了自己在人间的几个核心关系上的准则：让老人安心，让朋友信任，让弟子成长。可以看出，孔子是在用自己的志向来向弟子们说明"仁德"是综合性范畴的思想。我们与亲人在一起时会谈论这样的仁德吗？我们与同事在一起时会以这样的仁德标准来规范我们自身吗？作为老师，我们会跟自己的学生强调或者示范这样的仁德吗？若是没有仁德作为人与人之间关系的核心和基础，人和人之间的关系又将会是什么样的呢？如果我们对某一方面的关系不满意，会想到是我们之间缺乏仁德的共识和基础吗？团伙是因为利益而聚散，团队和家庭则是因为共同的仁德基础而凝聚，继而幸福。

【接圣入心】

在孔子的一左一右，分别站着颜渊和子路，孔子的这两个弟子，一个尚文，一个尚武。如此情景，似乎也在昭示着孔子思想的内涵与结构——文质彬彬，即孔子所强调的"文"与"质"两种品性的有机组合。

◎ 子路的志向，偏重于外在的“义”；颜渊的志向，侧重于内在的“德”。而孔子所表达的志向，则更加综合，也更加具体。

◎ 孔子所崇尚的仁德，内在非常综合，外在非常具体，最终指向对别人的奉献，表现为自我与他人的和谐。

◎ 子路和颜渊的志向，与我们普通人中的优秀者很相似，也就是注重某一个方面的仁德，而不是所有的方面的仁德。我们大部分人对仁德内涵的理解，也基本如此。

◎ 理解这个问题，对我们每一个人的人生是非常重要的，因为我们大部分人在人生中所遇到的问题，基本上都源自一个共同的原因：我们通常会拥有某个方面的美德，但也因此忽视了其他方面美德的培育与发展。一个方面的美德支撑不起整个人生，那些欠缺的美德，反而常常决定了最终的结局和命运。

◎ 参照孔子的志向，我们来问一下自己：我们能够让自己的老人安心吗？认识了那么多人，我们能够让朋友们信任吗？作为父母、老师或领导，我们能够让自己的儿女、学生或部下，得到成长和关怀吗？

【格言】师徒言志，点面之别。

雍也第六

6·5 原思①为之宰②，与之粟九百③，辞。子曰：“毋，以与尔邻里乡党④乎！”

【注释】①原思：姓原名宪，字子思，鲁国人。孔子的学生，生于公元前515年。孔子在鲁国任司法官的时候，原思曾做他家的总管。 ②宰：家宰，管家。 ③九百：没有说明单位是什么。 ④邻里乡党：相传古代以5家为邻，25家为里，12500家为乡，500家为党。此处指原思的同乡，或家乡周围的百姓。

【释义】原思给孔子家当总管，孔子给他俸米九百，原思推辞不要。孔子说："不要推辞。如果有多的，就给你的乡亲们吧。"

【要点】（1）原思辞俸。（2）周济乡亲。

【语境与心迹】原思作为孔子家的总管，竟然能够推辞孔子给他的俸米，这是多么难能可贵啊！孔子肯定很感动，告诉原思可以用俸米去周济其他的乡亲们。以仁爱之心待人，这是儒家的传统。孔子提倡周济贫困者，是极富仁爱之心的做法。

【接圣入心】

作为孔子家总管的原思，能够推辞俸米，表达了对孔子的绝对忠诚，是将自己的生命与孔子联系在一起的人。用通俗点的话来说，就是"我能跟着你就足够了，别的什么我也不要"，这是何等感人啊！

孔子还是坚持要给原思俸米，并告诉他可以把富余的拿去周济贫穷的乡亲们。

孔子在这段话里，表达了仁德的一种传递。记得有一个故事是这样说的：被帮助了的人非要感谢帮助他的人，那个帮助他的人说："如果非要感谢我，你就再去帮助其他人吧，这就是对我最好的感谢。"

父母不仅仅要让儿女感受到自己对他们的爱，还要小心不能让儿女养成一味接受爱的习惯，一定要引导孩子去爱别人。

组织中也是如此，领导不仅仅是让部下感受自己的关怀，还要引导部下去爱同事、爱客户、爱家人、爱遇到的所有人。如此，在爱的传递中，爱就会放大，爱人的和被爱的都能够体会爱与被爱的美好。这样的文化一旦成为习惯，人间定会更加美好。

【格言】原思厚道，孔子慈悲。

6·7　子曰："回也，其心三月①不违仁，其余则日月②至焉而已矣。"

【注释】①三月：指较长的时间。　②日月：指较短的时间。

【释义】孔子高度赞赏颜回的仁德，并将其与其他弟子进行了比较："颜回这个人，他的心可以在长时间内不离开仁德，其余的学生则只能在短时间内做到仁而已。"

【**要点**】(1) 颜回。(2) 三月不违仁。(3) 一般人只能短暂做到仁。

【**语境与心迹**】颜回是孔子的得意门生，他对孔子以仁为核心的思想有深入的理解，而且将仁贯穿于自己的行动与言论当中。所以，孔子赞扬他"三月不违仁"，而别的学生"则日月至焉而已"，"道不可须臾离也，可离非道也"。就仁德的状态来说，颜回是在道上的人啊！看来，施行真正的仁德，必须持之以恒。

【**接圣入心**】

修道，贵在持续和恒久，否则功力难以积淀和累积。贵在坚持，能持久者，贵！

连续不断的积累，是人间任何奇迹发生的一个基本条件，好的坏的都是如此。"善不积不足以成名，恶不积不足以灭身。"(《周易 · 系辞下》) 这话说得多么明白啊！

心理学研究人的"知、情、意"三要素，其中的"意"，说的就是意志。在正确的方向上能够持续不变，就叫意志；在错误的方向上坚持不变，就叫顽固。对于聪明程度差不多的人来说，决定最后胜负的关键要素，就是意志！

若是聪明与意志分离，一会儿明白，一会儿又糊涂，做事情往往就是浅尝辄止、半途而废，人生最后就落个折腾，终将一事无成。

在现实中，我们见到太多的聪明人，明白一件事情的速度很快，但很少有把一件事情做得彻底明白的。这样的情况，表明就是"不明白"，不是真正的明白。想想孔子的弟子颜回，"三月不违仁"，也许这就是"须臾不离道"了吧？

从个人的修行来说，要明白这样一个规律：要改命，就要改习惯。新的习惯往往会遭遇旧习惯的拖累。在新习惯还没有养成、旧习惯还处在很顽固的状态时，能否在新的行为上持之以恒，直接决定着新的行为是否能够成为习惯。所谓的习惯，实际上就是思维与动作经历无数次重复耦合之后，进入一种无意识的自动运行状态。记住，是无数次重复！最终，习惯成自然！

作为家长、老师或者领导，要知道人们养成一种良好的新习惯需要外部助力。于是，家庭的氛围、学校的文化、组织的风气和长者的示范与激励机制等，对新习惯的养成就变得至关重要。不能只是一味地用嘴巴强调，但缺乏实际的支持，否则，必将事倍功半。

【格言】一时为兴，恒久修道。

6·10　伯牛[①]有疾，子问之，自牖[②]执其手，曰："亡之[③]，命矣夫[④]！斯人也而有斯疾也！斯人也而有斯疾也！"

【注释】①伯牛：姓冉名耕，字伯牛，鲁国人，孔子的学生。孔子认为他的"德行"较好。　②牖：音 yǒu，窗户。　③亡之：一作"丧夫"解，一作"死亡"解。　④夫：音 fú，语气词，相当于"吧"。

【释义】孔子的弟子伯牛病了，孔子前去探望他，从窗户外面握着他的手说："丧失了这个人，这是命里注定的吧！这样的人竟会得这样的病啊，这样的人竟会得这样的病啊！"

【要点】（1）孔子探病伯牛。（2）感叹生命无常。

【语境与心迹】人间最让人感慨甚至扼腕痛心的，莫过于自己亲近的人生病或者去世。伯牛是孔子的学生，也是被孔子认为德行较好的人，可是生病了，而且好像是疾病的晚期了。一方面，孔子探病尽了师生之礼；另一方面，孔子也在感叹。到底感叹什么呢？感叹人间世事无常，感叹人在天地间的渺小，还是感叹品德好也会生病？我们不得而知。也许，孔子的感叹有很深的韵味。古时候，探望有恶疾的人时，主人为了保证探望者的安全，不让探望的人到屋里，而是只让人从窗口探望，这是对探望者的尊重。探望者不因为对方有恶疾而远远避开，却要拉住病人的手，这是真情的体现。

【接圣入心】

我们经常能够听到这样的感慨：好人不长寿，坏人活千年。这当

然只是一种感慨，是对好人不长寿的一种惋惜，至于说坏人能活千年，恐怕也只是一种感慨罢了！

好人会生病吗？从健康规律来看，回答是肯定的。好人不一定长寿吗？从长寿规律来看，回答也是肯定的。因为，希望好人长寿，只是一种道德的期许。人能不能长寿，由很多因素决定：个人的品行与心性是健康与长寿的核心力量；同时，还受家族遗传、个人生活习惯、所处的外在环境以及医疗辅助条件等因素影响。

生命健康与长寿，跟这样几对关系有着密不可分的联系：一是人和天地自然的关系；二是人与人之间的关系；三是人心的状态与身体健康的关系；四是人和物质的关系；五是人与利益得失的动态关系。在所有的这些关系中，一个人的仁德是生命的核心。如果内心有全面真正的仁德，并将仁德落实到人生的所有方面，那么上述的五个关系可能就处在和谐状态。如果有一个关系出现问题，身体就会出现反应，日久就可能生病。

当然，我们还必须弄明白这样几个重要问题：一是关于好人的标准，如果自己是好人，完全是自己说的，那就不一定可信，因为几乎没有人说自己是坏人。二是关于好人好的程度与高度问题，有的人只是某个方面好，其他很多方面都不太好，对于这样的人来说，健康和长寿就可能很成问题了。三是品德好的人不一定懂得健康与长寿的规律，仅仅品德好，不足以使自己健康和长寿，尽管品德好是很重要的，但也不是唯一决定性的因素。四是关于“好人不长寿”的感慨，往往是基于“死者为大”的理念，是生者对死者的一种礼貌性和情感性的赞誉，并非是对死者全面、理性的评价。

【**格言**】师徒同命，师生情深！

6 · 15 子曰：“孟之反①不伐②，奔③而殿④，将入门，策其马，曰：‘非敢后也，马不进也。’”

【**注释**】①孟之反：名侧，鲁国大夫。 ②伐：夸耀。 ③奔：败走。 ④殿：殿后，在全军最后做掩护。

【释义】孔子十分欣赏孟之反的仁德："孟之反不喜欢夸耀自己。战败时，他留在最后掩护全军撤退。快进城门的时候，他鞭打着自己的马说：'不是我敢于殿后，是我的马跑不快。'"

【要点】（1）孔子赞孟之反。（2）孟之反不伐。（3）奔而殿。

【语境与心迹】孔子给弟子们讲了一个孟之反的故事。从孔子对孟之反的赞美中我们可以看到，儒家所倡导的美德之一——有功不居，有过不诿。孔子为何倡导这样的美德呢？在现实中，往往越是能干的人越容易遭人嫉妒，而嫉妒心一动，就会生出万般罪恶之心。如果用心做事的人不知道自己的做法会引起周围人什么反应，可能就自身难保。古往今来，很多英雄没有牺牲在战场上，却牺牲在胜利之后。人是社会性动物，几乎无时无刻不活在众人的感觉之中，如果不去照顾别人，甚至是小人的感觉，君子就可能在成功之日走向失败。这就是残酷的人生现实，你可以用功劳证明自己，但必须用美德平衡别人。当然，历史上也不乏这方面的优秀案例，反观现实，又有几个能干的人是这样的呢？再看看历史，违反了这个美德的人，那些居功自傲、有过诿人的人又有几个有好结果呢？

道圣老子在《道德经》中也阐释了同样的思想："生而不有，为而不恃，功成而弗居。夫唯弗居，是以不去。"有功劳而又谦逊，一定会有好的结果，因为有付出而不居功，有功劳而不自以为有德行，恰是德行敦厚的表现，而"厚德"才能"载物"。

【接圣入心】

很多人只是一门心思想着如何提高自己的能力，却不知，在能力很强、品德很弱的情况下，很强的能力恰恰是给自己招惹灾祸的导火索，那很弱的品德，则是问题的根源。

关于能力和品德，可以打这样一个比方：能力如同野马，桀骜不驯。品德如同控制野马的缰绳，可以让马的力量为人所用。世间有谁能够控制和驾驭一匹没有缰绳的野马呢？

人生的平安来自人生的平衡，来自能力与品德的匹配，这是一个人的福气。否则，能力强于品德，就会为自己招灾引祸；品德强于能力，

又常常郁郁寡欢。

◈ 组织和领导用人，都懂得德才兼备的道理。但这样的人可遇而不可求，于是在现实中就出现了两种状况：强势的领导，喜欢用那些才能突出而德行偏弱的人。但因为重用了德行偏弱的人，引起了其他人的不满和抱怨。平和一些的领导，则喜欢用那些德行靠得住的人。但通常情况下，德行靠得住的人，能力上往往比较平庸，这又引起那些能力突出的人发出很多怨言，也影响了其积极性。

◈ 对个人修行来说，要评估一下自己的德与才的状况。才华胜于德行时，要注重修德；德行胜于才华时，要注重提高自己的能力。

◈ 组织和领导用人，不能仅仅是使用和控制人。对于才华突出的人，要注意培育他们的德行；对于品德优秀的人，要注意给他们机会，让他们多历练。

◈ 结合孔子所说的孟之反的美德，我们应该明白，一个心中德厚的人，方能驾驭自己的才华和因此取得的功绩，能够做到有才不傲、有功不居。君不见，历史和现实中那些不注重修德的人，有才有功就是灾难的开始，有过是出卖自己的开始。看到这里，我们都要自问：我是什么样的人？功过面前，我能稳住自己不失态吗？我能放下自己的长处和功劳而连续不断地去省思自己的过失和追求完美吗？

【**格言**】仁者有功不居，外功而德玄。

6·22 樊迟问知[①]，子曰："务[②]民之义，敬鬼神而远之，可谓知矣。"问仁，曰："仁者先难而后获，可谓仁矣。"

【**注释**】①知：音 zhì，同"智"。 ②务：从事、致力于。

【**释义**】樊迟问孔子怎样才算是智，孔子说："专心致力于（提倡）老百姓应该遵从的道德，尊敬鬼神但要远离它，就可以说是智了。"樊迟又问怎样才是仁，孔子说："仁人对难做的事，做在人前面，有收获时，他得在人后，这可以说是仁了。"

【**要点**】(1) 樊迟问知。(2) 务民之义，敬鬼神而远之。(3) 仁者先难而后获。

【语境与心迹】孔子在此处回答了学生樊迟的两个问题，提出了对“智”和“仁”两个概念的认识。孔子在《论语》中的思想，都是体现现实社会问题和人生问题解法的。关于“智”，孔子认为包含两个关键点，也是一个问题的两个方面，简而言之就是“走正道，远邪道”。遵守道德、敬鬼神但不迷鬼神，就是正道。否则，不践行道德，又迷恋或者求助鬼神，就是痴迷、愚昧了。孔子的这个观点，在当时那个崇尚神权、动辄以卜筮向鬼神问吉凶的社会而言，可谓是难得地明智。即使是在今天，我们不也仍然能够看到一些人不修自己的德行而迷恋鬼神的做法吗？关于“仁”的概念，孔子在此处强调了“吃苦在前，享受在后”“迎难而上，敢于担当，不求有功，但求无过”的思想。这一点，在时隔2000多年之后的今天，又有几个人能够时时做到呢？

【接圣入心】

孔子的弟子樊迟在这里问了两个很好的问题，一是“智”，二是“仁”。这两个问题对于人生来说确实太重要了。

孔子告诉自己的弟子：笃行正道，即智慧；先苦后乐，即仁义。

现实中的人们又是怎么做的呢？我们愿意笃行正道和先苦后乐吗？

• 若是问起来，现实中的人们，没有人反对正道，但很多人搞不清楚“道与术”的关系，所以常常是嘴巴上说道，行动上求术，最终道术分离，术最终演变成手法、艺术、计谋和诡计。实际上，对于一个人来说，道好比是根干，术好比是枝梢。一道敌万术，无道不成术，有道方有术，大道自生术。

• 不少的人，没有发大愿修道，却去求助于鬼神，搞封建迷信，让自己的心智迷失在虚幻之中。这就是孔子为什么劝说人们要“敬鬼神而远之”的道理。在远古时期，人们认识不清楚人间与自然界的规律，所以才会将那些自己搞不明白的现象归于鬼神。这是蒙昧时期人类的一种认识方式，是没有办法的办法。

• 但孔子为什么对鬼神又用了一个“敬”字呢？孔子所说的敬鬼神，和

普通人所说在内涵上是不一样的。孔子知道，人类对规律和真理的认识是非常有限的，所以要对那些搞不清楚又影响着人们的未知规律和真理抱有敬仰、敬畏之心，不可以滋生自满、自大之心。

• 为什么孔子也倡导“吃苦在前，享受在后”呢？心理学上有个重要规律，就是趋乐避苦、趋利避害。但人们也常说，不吃苦中苦，难成人上人，任何人的成就，都首先来自甘愿吃苦，而不想受苦又能够自我享乐的人，世间是没有的。有些出生在富裕家庭的孩子，看起来不需要受什么苦就可以享受非常富裕的生活，实际上，这样的孩子常常难有大的出息，那种生下来就享有的富裕，实际上废掉了孩子的未来，因为不是自己奋斗来的幸福，人们是不知道珍惜的。

由此我们知道，只有行正道，才能获得无上智慧。只有愿吃苦，才会有享福的资格。

如果真的明白了，我们就要发大愿去修正道，而不是耍心眼或求鬼神。我们就要敢于吃苦、争着吃苦、早点吃苦，把吃苦作为获得成就和幸福的本钱。

虽然道理很简单，但我们仍然要小心现实中许多人的错误做法：

• 很多人没有坚定地践行正道，迷信鬼神，在愚昧状态下思考和努力，这样会有什么前途吗？

• 不走正道，功夫没有练成，机遇全失。走邪道，让人看穿，即使一时有所获得，但得到的也全是债务。如此下去，岂不是“偷鸡不成蚀把米”“赔了夫人又折兵”？！

• 现实中，遇到难事、没好处的又必须做的事，甚至有危险的事，有几个人敢于上前挺身而出？实际上，危急时刻，方显英雄本色。可是，很多人可能只想着谋点小利，没有想过要去做英雄，故而面对可以表现英雄气概的机遇时，很多人腿软了。这就是红尘中许多人的自我悖论：不想俗，可也不敢伟大！

• 可能很多人会想、会问："我们人不应该躲避困难和危险吗？"实际上，正因为大部分人是这么想的，少数人才有了成为英雄的机会：遇到危难挺身而出，后有利益自动出现和积累。这才是大英雄啊！好像武侠小说里的江湖侠客常常就是这样的。现实中还有多少人懂得？

真正的共产党人，是觉悟者，所以他们能够心甘情愿地为天下民众的疾苦而奋斗，救万民于水火，于是赢得了人心，赢得了天下。当初的国民党正是因为失去了民心，所以才败给了共产党，自己也丢了天下。至于说现实中贪污腐化的党员干部，实际上已经背叛了自己的信仰，已经失去了作为共产党员的资格，也就不能算是真正的共产党员了。

普通人中也有了不起的英雄，他们愿意为救助别人舍生忘死，因此得到了很多人的尊敬。你呢？你是什么样的人？你面对他人疾苦采取了什么样的行动？你现在的做法会有什么样的未来？对照一下英雄们，也许看自己时就会清晰很多！

【格言】务本远鬼，苦前乐后。

6·23　子曰："知者乐水，仁者乐山。知者动，仁者静。知者乐，仁者寿。"

【释义】孔子在此形象地描绘了智者和仁者："聪明人喜爱水，有仁德者喜爱山；聪明人活动，仁德者沉静。聪明人活得快乐，有仁德者长寿。"

【要点】（1）智者乐水，仁者乐山。（2）知者动，仁者静。（3）智者乐，仁者寿。

【语境与心迹】孔子继续阐释智者和仁者的内涵，他希望人们都能做到智和仁，只要具备了这两个方面的品德，而且是仁在先、智跟随，就能接近大智慧的仁德了。聪明的人不会自寻烦恼，故而快乐。仁德的人没有个人贪欲，故而长寿。同时也要注意不要把孔子在某个话题中阐释的观点变成绝对的教条，而要结合具体情境对孔子的思想进行综合性的理解。"智者乐水"，说的是内心智占优势的人喜欢水，因为水善于因时因势而变化，

能够应对不同情况。“仁者乐山”，说的是仁者品性敦厚，故而喜欢稳重挺拔的大山。但是，从一个人的全面修行来说，需要看到自己劣势的一面：如智者是否欠缺了仁者的敦厚？仁者是否欠缺了智者的灵活？智者动，是否也需要静？仁者静，是否也需要动起来？或者将两者综合起来，是否需要动中有静、静中有动？或者身动心不动？乐与寿的问题也同样如此。光是追求快乐是否会损害生命？光是一味追求长寿，是否需要加一点随性的喜乐？如此看来，孔子在此处只是应景、因人、对事而言，后人将这些话变成教条也许偏离了孔子的真意。若这样的分析是正确的，那么就应该在这个层面上再继续上升：智者乐水亦乐山，仁者乐山亦乐水。智者动，动中有静。仁者静，静中有动。智者乐，乐中养寿。仁者寿，寿中有乐。

【接圣入心】

平时会听到一些朋友引用孔子的这两句话，甚至自鸣得意，实际上是给偏解了。

孔子要说的是，智和仁二者兼备才是真君子的风范，将智与仁二者组合起来，才是大智大仁的君子，这两者是不能分开的。试想，只有智慧没有仁德是什么人？

对于个人修行来说，当你偏于智时，多修仁德；当你偏于仁时，多修智慧。最终达到智仁双全。接着孔子的话说，如果你偏智而乐水，那你就需要修仁而乐山；如果你偏仁而乐山，那就要修智而乐水。

也许我们这样说只是为了方便说明白，也许真正的智慧和真正的仁德是一回事，它们就包含在“动与静”“山与水”两个方面的融合中。智慧了，就快乐了；仁德了，就长寿了。快乐能够超越一时一事，必是智慧仁德，故可以快乐一生，此为“乐寿”！这应该是我们每个人追求的目标吧！

【格言】智者乐水亦乐山，仁者乐山亦乐水。智者动，动中有静。仁者静，静中有动。智者乐，乐中养寿。仁者寿，寿中有乐。

6·30 子贡曰："如有博施[①]于民而能济众[②]，何如？可谓仁乎？"子曰："何事于仁？必也圣乎！尧舜其犹病诸[③]。夫[④]仁者，己欲立而立人，己欲达而达人。能近取譬[⑤]，可谓仁之方也已。"

【注释】①施：旧读 shì，动词。 ②众：指众人。 ③病诸：病，担忧；诸，"之于"的合音。 ④夫：句首发语词。 ⑤能近取譬：能够就自身打比方，即推己及人的意思。

【释义】子贡提了一个有趣的问题："假若有一个人，他能给老百姓很多好处又能周济大众，怎么样？可以算是仁人了吗？"孔子说："岂止是仁人，简直是圣人了！就连尧舜尚且难以做到呢。至于仁人，就是要想自己站得住，也要帮助人家一同站得住；要想自己过得好，也要帮助人家一同过得好。凡事能推己及人，可以说就是实行仁的方法了。"

【要点】(1) 子贡问仁。(2) 博施于民而能济众近于圣。(3) 仁者己欲立而立人，己欲达而达人。

【语境与心迹】此处孔子与子贡的对话告诉了我们仁德的两个层次：仁人和圣人。仁人能够将心比心，圣人无自心，以百姓心为心；仁人还有自我的诉求，只是要与人相处得当。而圣人则是献身为天下的。能做好人还兼顾他人，即仁人，也就是仁命；能在天地间利于众生和万物，即圣人，也就是天命。仁人利人而后利己故成仁命，圣人利众而无自己故成天命。

【接圣入心】

在这里，孔子借与子贡的对话阐释了关于仁的真谛：爱人，帮人，让你周围的人因为你的存在而成长，摆脱愚昧和贫穷，远离恶而亲近善，变得更加快乐幸福。

依照孔子关于仁人的逻辑，人生可以有四个层次：

- 不能利人也无法利己的，就是废人；
- 利己而不利人的，就是蠢人；
- 先利人后利己的，就是仁人；

• 只利人不利己的，就是圣人。

对照以上几个层次，自己是处在哪个层次上呢？也许我们觉得圣人们谈及的人生境界有点高，但不管我们最终能做到什么程度、能达到什么高度，至少首先要知道有这样的境界，否则，往高处走时可能就找不到方向了。

同时，孔子也告诉我们行仁的方法："己欲立而立人，己欲达而达人。"说的是一个人最清楚自己的向往与追求，但不能一人独好或一人独成。否则就是自私，就会遭人嫉恨。因此，要推己及人，大家好，才是真的好！

【格言】仁者圣道，博施于民而能济众；仁者恕道，己欲立而立人，己欲达而达人。

述而第七

7·21 子不语怪、力、乱、神。

【释义】孔子从不谈论怪异、暴力、叛乱、鬼神等虚无和负面的东西。

【要点】(1) 孔子讳言。(2) 怪力乱神。

【语境与心迹】言为心声，心中想什么就会说什么。一个人总说什么样的话题和内容，一定是自己的心中装着这样的内容或者对这样的内容很感兴趣。如果一个人总是谈论些现实中的怪异现象、丑陋问题，即使自己持反对态度，但说得久了也会入心，故言怪必病。孔子之所以是圣人，首先就是因为他心中装着的是圣人的思想和情怀，满满的正能量，故而提倡的也是仁德和礼制等主流的道德观念，很少见到他谈论怪异、暴力、叛乱、鬼神，如他"敬鬼神而远之"等。即使偶尔谈及这些问题，也都是有条件的、对着特定环境而言的。在修行中，诵经是个很普遍的行为。"经"即圣人之言，也是经过漫长历史的检验沉淀下来的人类文明的体现。诵经，

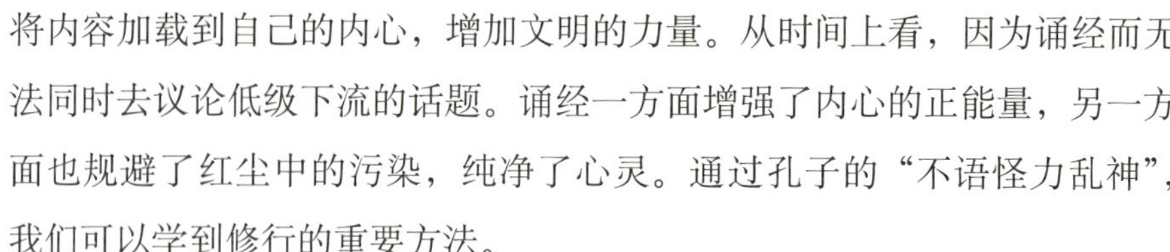

将内容加载到自己的内心，增加文明的力量。从时间上看，因为诵经而无法同时去议论低级下流的话题。诵经一方面增强了内心的正能量，另一方面也规避了红尘中的污染，纯净了心灵。通过孔子的“不语怪力乱神”，我们可以学到修行的重要方法。

【接圣入心】

嘴巴说什么，心里就有什么；心里有，嘴巴上又不断地说，就会说成自己的病；自己病了，看世界就更加混乱。

为什么孔子不说怪异、暴力、叛乱和鬼神的话题呢？言为心声，心里有，才会说出来。而且，只要说，似乎就会有。而圣人是引领众生走正道的先知，他们自然知道这一点，所以“净心净口”。

再看现今的社会，怪异的、暴力的、叛乱的、鬼神的话题充斥社会，要么很多人对此抱有莫名其妙的兴趣，要么成为一些人的追求。倒是真的自由多了，说什么话的人都有，说什么话题的人都有，当然，怪力乱神之类的话题特别容易引起人们的兴趣，要是说点正道的话题，不少人还挖苦你假正经或者只会说教呢！

由此可见，现实社会中，人们的内心真是出了问题，许多人可能也并不知道，关注那些怪力乱神的话题会伤到自己，真可谓“无知者无畏”啊！

社会中不少的人，因为不知道“怪力乱神”的厉害，张嘴随便说话，大部分传递的是负能量，将“怪力乱神”之类的话像咒语一样反复地说，把自己的心情、身体和生活说得越来越糟，自己也没有察觉，一直蒙在鼓里，真是愚昧至极啊！

明白了这个问题的严重性和对生命的伤害，也就知道了自己应该怎么做：远离“怪力乱神”，彻底断绝负能量的咒语，恪守“诚心正意”“正心、正信、正念、正言、正行”，如此才能不被世俗的负面话题引向深渊。

【格言】圣人语正，俗人言邪。

7 · 24　子曰："二三子[①]以我为隐乎？吾无隐乎尔。吾无行而不与二三子者，是丘也。"

【注释】①二三子：这里指孔子的学生们。

【释义】孔子坦言道："学生们，你们以为我对你们有什么隐瞒的吗？我是丝毫没有隐瞒的。我没有什么事不是和你们一起干的。我孔丘就是这样的人。"

【要点】(1) 孔子对弟子坦诚。(2) 吾无隐乎尔。

【语境与心迹】孔子为什么要专门向学生们坦诚自己的状态呢？估计是在言谈交流中，孔子感受到了有人内心在猜疑孔子是否有所隐瞒，因此孔子专门作了强调和说明，这是多么光明磊落啊！心中无所隐藏，故而坦坦荡荡，方能于生活处处悟得大智慧。可以想象，孔子的弟子们背景各种各样，也有着各种各样的经历，故而会用自己过去的心智来看待老师。这也没什么奇怪的，因为大多数人如此，只有修行者才会意识到这个问题，也才能超越这种状态。也许，这就是孔子说这些话的缘由吧。但不管怎样，孔子借此说出了一个君子内心的景象，也借此教育弟子们要心怀仁德之心，时时观照自己的内心，方知自己的想法与观点产生的内在原因。正所谓：圣心坦荡，俗心自鬼。

【接圣入心】

在平常的生活中，你见过这样的人吗？说起话来唯恐惹谁不高兴，还没真正地表明自己的观点，就说了一大堆安慰人的话，就是害怕别人误解自己，也害怕得罪别人。本来做的是正经事儿，是不怕人的事儿，但他的言行就像是做贼一样，要么轻声细语，要么趴在别人耳边私语，让旁边的人怀疑他们在做见不得人或者伤害大家的事情。等到别人追问时，他再反复地进行解释。

孔子说过这样一句名言："君子坦荡荡，小人长戚戚。"从愿望上来说，世间没有人愿意做小人，可在言行上又做不到坦荡荡；没做什么见不得人的事情，却又让人怀疑做了怕人知道的事情。

每个人都是根据自己的内心状态与标准来理解别人的，因此很多时候，我们说某个人，是在说我们主观上对他的认识，而不是真正的客观上的他。尤其是一些所谓的聪明人，头脑总是转个不停，总是主观想象别人和外界，还自鸣得意，最终越来越远离客观的真实，心灵也变得越来越不堪重负。因为这样的人，通常都是想些不好的事情，呈现出的是一种自虐情结，是一种心理疾病。

也许，孔子在教学中也遭遇到了这样一种尴尬：孔子自己是坦荡荡的，是无所隐瞒的，可像孔子这样的人太少了。于是，某些弟子就开始猜忌孔子。某些弟子的这一内心活动被孔子感受到了，所以才有了孔子这样一番自我的表白。

由此看来，跟老师学习知识的人很多，但真正懂得老师的内心和为人并跟着老师学做人的人却很少。

我们这个时代越来越注重个人的隐私。但是，圣人们似乎是没有隐私的，他们的灵魂是赤裸裸的，是将他们的整个身心完全敞开奉献给众人的，是不做任何隐瞒的。仅此一点，很多人恐怕就很难做到。

实际上，很多人在呼吁保护个人隐私的同时，并没有看到这种保护所带来的恶果：因为隐私是合法的，所以不用为隐私而有任何心理负担，于是隐私就会越来越多，最终在心里积攒了各种各样的、足以毁掉生命的心灵垃圾。

当越来越多的心灵垃圾开始破坏心情时，很多人依然没有察觉，仍然会认为，这不是自己的过错，而是别人或者环境的问题。于是，这种心灵垃圾继续在心中不断堆积，最终埋没自己。

到了一定的年龄，人们实在不堪心灵的重负，于是开始想活得简单一点。实际上，简单的人生，就是坦荡一点，就是私欲少一点，就是心情放松一点，就是容忍别人的冒犯，就是接受许多人和事跟自己想象的不一样的事实，就是不再用主观去期待别人和外界，就是不再算计和挑挑拣拣，就是接纳一切，就是珍惜一切相遇，就是感恩人间所有的人和事，就

是恪守本分做好自己，就是不断自省和完善自己。如此，我们就能够将自己的心安放，生活就会变得简单而快乐。

这些年来，讨论探索人生幸福的人越来越多了，实际上孔子早就给我们找到了解决这一问题的方向：人生要想活得简单而快乐，就要心中恪守正道，不留私心，不做瞒人之事，让自己的心干干净净，如此才会让自己活得快乐而长久。不管你是否相信和能否做到，最起码，圣人给我们指出了一条光明大道，能否跟随圣人修道，就看此生的机缘了。

说到这里，想起了前几年发生的一个故事：美国前总统特朗普公开了他与某国总统的私密会谈内容，舆论大哗：怎么能够把私密会谈内容公开呢？紧接着，另一个画面出现了：美国某著名媒体的主持人正在采访俄罗斯总统普京，其提出的问题一下子吸引了全世界的眼球：普京总统，我们都知道你跟特朗普总统也举行过私密会谈，你应该也注意到了特朗普总统刚刚公开了他与某国总统私密会谈的内容，引起了世界的极大关注。我的问题是：你会担心特朗普把你们私密会谈的内容向世界公开吗？普京露出一丝不易察觉的微笑：从我做这项工作开始，我对我在任何时候所说的话，都做好了公开的准备！主持人的表情突然僵住了。

【格言】圣者坦荡无隐，小人戚戚藏私。

7·27 子钓而不纲①，弋②不射宿③。

【注释】①纲：大绳，这里作动词用。在水面上拉一根大绳，在大绳上系上许多鱼钩来钓鱼，这个大绳就叫纲。 ②弋：音 yì，用带绳子的箭来射鸟。 ③宿：指归巢歇宿的鸟儿。

【释义】孔子在一些常人不注意的环节和细节上践行仁德：孔子只用有一个鱼钩的钓竿钓鱼，而不用有许多鱼钩的大绳钓鱼；只射飞鸟，不射巢中歇宿的鸟。

【要点】(1) 子钓而不纲。(2) 弋不射宿。

【语境与心迹】这里描述的是孔子钓鱼和射鸟的故事。孔子的这种钓鱼方法和射鸟的规矩，估计也不会钓到很多鱼、猎到很多鸟。但关键是钓很多鱼、猎杀很多鸟后拿去干什么？经商的人，自然追求效率和数量，为的是多卖钱。可见，商人的行为是欲望驱动的。虽然初看起来，用有一个鱼钩的钓竿钓鱼和用大绳捕鱼只是数量差别，只用箭射飞行中的鸟但不射巢中之鸟也没什么大的本质区别。但是，不同的做法，却在心性修炼上有着本质上的不同：对自己的私欲是否有所节制？对其他生命是否有所怜惜？孔子的做法和思想，告诉了现实中活着的人，即使是为了必要的生存，也要有所节制，不能无所顾忌。正所谓：节制私欲，慈悲万物，滋养自心，万物和谐。

【接圣入心】

曾经看过一个关于狮子捕猎的故事：一头母狮咬死了一只梅花鹿，就在母狮正要享受美餐时，惊人的一幕出现了：一只小梅花鹿从死亡的母鹿腹中诞生了，母狮似乎被触动了，以至于完全失去了享受这顿美餐的心情。紧接着，刚刚诞生的小梅花鹿战战兢兢地站起来行走，当然，这只小梅花鹿既走不稳，也走不快，其他的狮子要上前捕食，但那头母狮愤怒了，怒吼着驱散了其他狮子，小梅花鹿暂时逃脱了。

记得小的时候在乡下，晚上会去掏鸟窝，颇有乐趣。长大了，心就不忍了，都是生命，为何以残害别的生命为乐呢？有人说，我不杀它们，它们也会死的。没错，万物都有生有死，人类处在食物链最高端，似乎一切其他的动物都可以任人宰杀，但稍微有点理性的人就知道，其他的生命除了供我们食用外，与我们也是共生的，当人类疯狂地将其他生命杀绝时，就意味着人类自身也到了末日。

在孔子那个时代，人口数量很少，人与自然界的矛盾没有今天这么突出。因此，我们也不必用保护自然环境、保护动物的理念去解释孔子的行为。实际上，孔子之所以要爱护其他生命，之所以在为了生存迫不得已时也要节制并带着慈悲心去做，本质上是借着这些事来修自己的仁德之心。孔子是个修行者，他能够借助一切外在来修自己的内心，这才是问题的本质与关键。

不修行的人中，有一些人对其他的生命是心狠手辣的。如果你不在意自己有没有慈悲之心，也不想节制自己的私欲，那好吧！当你交往和相处的人，也同样没有慈悲情怀，也同样不节制自己的私欲，你们在一起会发生什么呢？多半会上演一出动物世界的好戏了，这是你所期待的吗？

【格言】慈悲万物，自调心性。

7·29 互乡[①]难与言，童子见，门人惑。子曰："与[②]其进也，不与其退也，唯何甚？人洁己[③]以进，与其洁也，不保其往[④]也。"

【注释】①互乡：地名，具体所在已不可考。 ②与：赞许。 ③洁己：洁身自好，努力修养，成为有德之人。 ④不保其往：保，一说担保，一说保守；往，一说过去，一说将来。

【释义】孔子没有按照常人的做法对待那些被排斥的人：有人认为很难与互乡那个地方的人谈话，但互乡的一个童子却受到了孔子的接见，学生们都感到迷惑不解。孔子说："我是肯定他的进步，不是肯定他的倒退。何必做得太过分呢？人家修饰仪容以求进步，我们就要赞成他的这种做法，不要死抓住他的过去不放。"

【要点】（1）孔子见互乡童子。（2）与其进也，不与其退也。

【语境与心迹】心怀仁德的人心里是坦荡的，也是清明慈悲的。孔子就用一个很具体的、有一定普遍性的、会被很多人无视的小事例，跟弟子们阐明一个重要的道理：既要有是非判断和立场，也不要僵化固守而忽视其中的任何积极力量或者苗头。最为关键的是，一定始终不忘为生命中的美好力量助力！现实中的人们，要么是非模糊，要么因一时一事而形成偏见和成见，进而对任何积极的力量和苗头都失去洞察力。这是许多人常犯的错误。正所谓：仁德慈悲，心性清明，明辨是非，抛弃成见，区别对待，扬善抑恶。

【接圣入心】

人和人是不同的，从个体层面上说，个体既有遗传的差别，又有后天环境的差异。从个体放大到地域，有句话说得好，“一方水土养一方人”，既说明了聚集在某个特定地域的人会有一些共同的特质，也暗示着不同地域的人会有不同的特征。

互乡那个地方的人很难说话，但孔子却接见了来自互乡的一个童子，这让弟子们大惑不解。于是，孔子向弟子们讲解了这么做的缘由：

• 互乡那个地方的人是不好说话，但并不是所有人都如此。这说的是普遍性和个别性的问题，不能因为普遍性而忽视了个别性。

• 那个地方的某些人也不总是如此。这说的是变化性问题，不能因为一时一事而把人看死，要根据变化而变化。世俗生活中充满了各种各样的问题，但很多问题是由很多固执的偏见所造成的。

• 互乡那个地方的人不好说话，也只是某些个人与当地人在某些事上的交往中产生的感觉，这种感觉可能是有误差的，不要把这种感觉变成定论。这说的是主观与客观的关系问题，明白自己主观上可能存在的偏差，是有自知之明。

• 那个地方的某些个人，哪怕只是在某些方面开始变好或者进步时，都应该受到鼓励和赞许。不能够因为自己的负面感觉或情绪作祟，而忽视了任何正面的变化。凡是人都可能犯错，但关键是知错就改也是好同志啊！这一切，都在告诉我们动态的是非观。这个问题，涉及的是明智和善良的问题。

• 尤其重要的是，要积极地接纳好的变化，不要一直抓住人家的过去不放。只要能够明白人间邪恶的根源和因果，知道所有的恶都不符合人的根本利益，只是有人没有知识、没有受到很好的教育、没有自我修行，所以才会去干害人害己的事情，并非本质坏了。故而，见到恶人要生慈悲心、同情心、怜悯心，并尽自己所能去感化或者帮助他们。对于他们那里一丁点儿的善意和进步都要给予鼓励和赞赏，而不要打着正义的旗号让那些很脆弱的生命再受伤害。

智慧而慈悲的孔子啊！总能通过生活中这些细小的事情，来向弟子们阐释一个个重要的人生道理。这种生活中处处的教育，就是过去师傅带徒弟的教育模式，与今天以课堂式教育为主导的教育模式有着本质的不同。

所谓的现代教育，已经很难做到一事一议、一人一议了。课堂式教育的优点，在于能够集中讲解相关的知识和原理，但跟每个人生活所需要的各种知识有着一定的距离，跟提高生活能力的联系也显得不够紧密。

若是将我们所熟悉的现代教育与师徒制的教育模式做一个对比，就会发现，二者有着明显的不同：

- 现代教育侧重于传授科学知识，而师徒制教育则偏重于教人做人，并将知识与做人的基本原理与生活的具体实际紧密结合。
- 现代教育基本上采用的是整齐划一式的教育，而师徒制教育则注重因材施教，针对每个人的现状和个性特点，进行个性化的教育。
- 在现代教育模式中，老师与学生之间是一种比较笼统的、比较松散的责任关系，而在师徒制教育模式中，二者则是基于个体生命的紧密关系。
- 在现代教育模式中，老师与学生的关系，更多是暂时性的，能够长久维系的也只是个例，不是普遍性的。但在师徒制教育模式中，师徒关系是终生的关系，甚至有时是超越血缘、胜于血缘的关系，正所谓“师徒如父子”。关系搞到这个地步，“师傅”就变成了“师父”。孔子去世后，众弟子云集其墓前为其守丧3年，然后相继离去，但子贡却为老师守墓6年。很明显，弟子们执的是父子之礼。

现代教育似乎很发达了，但我们遗失了什么呢？这很值得我们反思！

【格言】不怀成见，见善则喜。

7·30　子曰：“仁远乎哉？我欲仁，斯仁至矣。”

【释义】孔子讲解了达到仁的心法——正念起，仁境达：“仁难道离我们很远吗？只要我想达到仁，仁就来了。”

【要点】（1）仁远乎。（2）欲仁仁至。

【语境与心迹】孔子阐释达到仁的心法时，多半是遇到弟子们对仁德有了一些畏难情绪，感觉自己离着仁德太远，有点遥不可及，故而有些摸不着头脑。孔子通过这个心法的讲解告诉大家，仁就在我们心里，只要心灵觉悟，发大愿、立大志、不动摇，点点实践、滴滴积累，仁就会在心中成长和壮大。这正是：仁种在心，点滴积累，勿再外求。

【接圣入心】

不知孔子因何而说出这番话来，也许是别人跟他说：你所说的仁，现在离我们已经很远了，你不要在那里白忙活了；或者是弟子们面对着礼崩乐坏的现实，对实行仁的信心不足，才引发了孔子这样的一个论断。

我们这么想象孔子说这番话的背景，并非凭空臆测。一是在孔子的经历当中，确实有人对孔子倡导仁的行为冷嘲热讽；二是孔子的弟子们也来自民间，面对着当时那样残酷的现实，有人信心不足也是可以理解的；三是在孔子的弟子们当中，也确实有人对“仁”这个主题不是那么感兴趣，为此还受到了孔子的批评。

古代圣人们所进行的教育，总是针对社会和现实生活的，总是要为社会和现实生活寻找出路的，这正是圣人思想的价值所在。

即使过了2500多年，今天的很多人对当下的道德状况也并不是很满意，甚至有时会很气愤。当然，这些人对改善这种道德状况也持悲观的态度。那该怎么办呢？

实际上，对此问题，孔子在2500多年前就已经给出了答案：一是“仁”就在每个人的心里，这是人类文明进化的结果，不需要怀疑。二是“仁”不是对别人的要求，而是每个人思维与行动的方向与准则。就是说要从我做起，只要真心想做，不需要什么外部条件，也不可能等到别人做到仁了，自己再去做。三是对“不仁”的指责，最多能够令被指责者收敛，但不能令被指责者消失。可是在现实生活中，又该如何去做呢？

孔子至少给我们指明了三种施行仁道的做法：一是利用“上行下效”的原理，国家的领导和社会的精英，上级和父母，都应该率先践行仁道；二是通过教育，让人们了解什么是真正的仁德，以及仁德给自己和他人带来的利益和好处，并帮助人们找到在生活中处处践行仁德的方法，最终养成习惯；三是大力倡导仁德，对拥有仁德的人给予褒奖和重用，对缺乏仁德的人给予批评和指导。

最后回到我们自己身上，当我们内心并不排斥甚至崇尚仁德时，就不要再给自己找一些外在的借口，要身体力行，从我做起，从生活的点滴之处做起。培养仁德，是一种重要的修行，谁下功夫谁受益。人生短暂，不要等待，不要犹豫彷徨，才能不负此生。人一旦通过修行而觉悟，就会发现，仁德本身就是一种智慧选择。仁德不是什么外在之物，而是一种精神选择和诉求，是提升境界的智慧之举。也就是孔子说的那样，只要你真想了，马上就会有。这不是什么奇迹，而是人心的一种基本规律，也是修行中正信正念的力量。

一个人如果厌恶庸俗，那就要去追求脱俗。纵观历史和现实，庸俗者往往自身就是个矛盾体：鄙视别人的庸俗，自己却又鬼使神差般地追求庸俗。而超凡脱俗者，往往都是世俗浊流中的逆行者。由此可见，当庸俗成为流行的时候，不正是超凡脱俗者千载难逢的机会吗？

【格言】仁在自心，真心见仁。

7 · 32　子与人歌而善，必使反之，而后和之。

【释义】孔子的心真是干净啊！与人不生分、不排斥。你看他会与别人一起唱歌，如果对方唱得好，一定要请对方再唱一遍，然后和对方一起唱。

【要点】（1）子与人歌。（2）善必使反之。（3）而后和之。

【语境与心迹】这里讲的是孔子与别人一起唱歌的故事。这个故事所揭示的是圣人与普通人在与人相处时的心性区别。普通人遇到比自己表现好、能力强的人，心中总是有些不舒服，甚至会嫉妒或者嫉恨，好像正是别人的优秀让自己感到被贬低了。孔子不愧是圣人，他超越了普通人的认知和情绪模式，开启的是君子的乐人之长、赞人之长和学人之长的美德、仁德程序。这正是：悦人之长，合人之乐。

【接圣入心】

同样作为红尘中的人，孔子不会嫉妒比自己表现好的人，相反还会欣赏、亲近和配合他，向他学习。仅此一点来说，孔子真是超凡脱俗啊！

想想我们自己，当遇到比自己表现好的人时，有这样几种常见的反应方式：

- 心中有些不悦，但出于起码的礼貌，又不好表现出来，于是就会假惺惺地赞许几句。
- 心中有些不舒服，又不好发作，于是态度冷漠。
- 为了避免心中的不舒服继续存在，就开始转移话题或者主题，让对方的长处无法发挥。
- 或者选择一个能够让自己发挥长处的项目，让自己的表现压过对方。
- 再卑劣一点的做法，就是对对方吹毛求疵，甚至把对方其他方面的一些弱点与自己的长处联系在一起，以此抵消对方的优势。
- 也有的人使用了转移式的打击方法，对那些欣赏对方长处的人进行攻击。
- 当然，也有的人当时没有发作，但过后再用一些道听途说的难以核实的信息，去诋毁对方的人品，从而让对方的长处失去价值。

上述这些反应方式，与孔子的作为真是有天壤之别啊！可就是这样，有的人还会无端地攻击孔子，真是不自量力啊！

当然，在现实当中也有一些修行者，他们能够很接近圣人孔子的状态：欣赏、学习别人的长处，并给予赞许和配合；甚至在交谈中，拿自己的短处去给别人的长处作陪衬。谁也别吹牛，这样的状态真的不是每一

个人都能做到的。即使你是一个很优秀的人，做到这些也并不容易啊！

实际上，我们静下心来想一想就会明白：遇到别人比我们强时，嫉妒有用吗？如果嫉妒了或者嫉恨了，自己并没有长进，这就是损失。关键是，通过嫉妒或者嫉恨这样的低劣品行暴露了自己、出卖了自己，进而伤害了自己，这不就是多重的损失吗？

孔子启迪我们，遇到比我们优秀的人，要去亲近，要去赞美，要去请教。如此，我们心里就没有了负面情绪和负能量，既能使自己长进，又能与他人和谐相处，何乐而不为呢？你能做到吗？我们一起努力吧！

【**格言**】会欣赏时处处都是风景，融入风景时，你也是风景。

泰伯第八

8·1　子曰："泰伯①，其可谓至德也已矣。三②以天下让，民无得而称焉③。"

【**注释**】①泰伯：周代始祖古公亶父的长子。　②三：多次的意思。③民无得而称焉：百姓找不到合适的词句来赞扬他。

【**释义**】看看孔子所欣赏的人吧，就可以看到他的心之所向。孔子欣赏泰伯："泰伯可以说是品德最高尚的人了，几次把王位让给季历，老百姓都找不到合适的词句来称赞他。"

【**要点**】(1) 孔子赞泰伯至德。(2) 三以天下让。(3) 民无得而称焉。

【**语境与心迹**】孔子赞美泰伯，因为天下争小利者十分普遍，遇到大利能让的人就算是罕见了。但让利者赢得了天下的赞誉，而争利者却处处树敌。在天下利益之中，大利莫过于王位，而泰伯能够把它让给季历，而且还是几次，可见其真诚程度。故而孔子称赞泰伯是至德之人，也就是看穿俗利而悟道之人啊！可见，儒家的至德有个核心标准，就是能将大利让与别人。此时的至德也就是悟道得道。当然，此处我们不知季历如何，但从孔子和天下人对泰伯的赞美可知，泰伯一定是慧眼识人，找到了比自己更适合承王位和治理天下的人。这正是：让大利者至德，让小利者自在，争利者失去人心。

【接圣入心】

看到孔子所说的泰伯的故事，真是让人感慨，世上能有几个这样的人啊！

这让人不由得想起司马迁的一段名言："天下熙熙，皆为利来；天下攘攘，皆为利往。夫千乘之王，万家之侯，百室之君，尚犹患贫，而况匹夫编户之民乎！"有一句民间的俗语"人为财死，鸟为食亡"说的也是这样一个道理，意思是提醒人们，莫为了追求金钱，连生命都不要。

当下，为一丁点小利争得你死我活的大有人在，为了没什么意义的一句话或者面子而大吵大闹甚至发展到动手行凶的也屡见不鲜。可见没有仁德之心时社会将会多么混乱啊！

教育也好、制度法律也好，无非就是帮人养成仁德之心，并以仁德之心处理人间事务。若是失去了仁德，不论利益大小，一群人各怀心腹事，互相算计争抢，又与动物何异？争来争去，得到的多还是失去的多呢？自己到底收获了什么又失去了什么呢？

再看看现实中的很多成功者，他们有几个是计较小利而出卖自己的？他们不都是明白大义而敢于让利并且主动吃亏的吗？连百姓都说，"吃小亏，占大便宜"，说的就是不计较小利的人才能够做成大事业。

人生百年，如果心中算账的方式错了，就会去争没有意义的事情，争不到时，自己恼恨，争到了又让别人嫉恨，争到之后又会觉得无足轻重，发现自己所争的并没有那么重要。自己的内心整日处在计较和算计中，片刻不得安宁。如此这般地恶争，真是出卖人品、浪费生命啊！

见利就争，见好处就上，这样的人不总是遭人厌弃吗？这样的人，就像猫闻腥味儿一样，不想放过一切好处，最终连好好生活的心情都没有了，还有什么意义呢？关键是，我们看别人好像是明白的，轮到自己呢？可能就如掉进迷局中的当局者了！

泰伯，因为三让王位而名垂青史。而那些拼命争王位的人，古时候有很多，但我们也记不起几个了，真正说起来都变成了历史的笑话。

平时看一个人的人品，就看他在关键和重大利益上的态度。智慧的人，放弃的永远是一时的小利，得到的却是良性价值的增值，乃至于历史的永恒。

人们在生活中积累了一条重要的经验：只管做好自己该做的，做任何事情都以彰显美德为首要目的，至于自己会得到什么，人算不如天算！只要心诚，总有惊喜！

【格言】谦让，是心富者的专利；索取，是心穷者的魔咒。

子罕第九

9·1　子罕①言利与②命与仁。

【注释】①罕：稀少、很少。　②与：赞同、肯定。

【释义】孔子所言就是他自己心灵的主程序。孔子很少谈到利益，却相信天命、赞许仁德。

【要点】(1) 子罕言利。(2) 与命与仁。

【语境与心迹】很多人也许很难理解，孔子并非是十分富裕的人，为什么很少谈利益呢？好像他也不是反对一切利益，对于合乎道的利益也是接受的。实际上，孔子的志向才是解开这一切的密码：有伟大志向的人首先确立并在后续的实践中不断践行着一个伟大而神奇的信念：将自己交给天下，与天下和众生合一，哪里还有你我之别？天下即我，我即天下。对这样的人来说，没有小欲、私欲，因为小欲、私欲被大志所替换了。到了这个境界，还需要去多吃多占吗？本来都是自己的，自己也是大家的，何须再倒腾来倒腾去的？这不正是人生中极致的利益模式吗？正是因为懂得了遵道而行，方可得到真正的、综合的、圆满的利益，所以才能超越小私之困，方能悟天命而得大智慧，这就是行仁德而得真圆满。老子在《道德经》第七章中说：“天长地久。天地所以能长且久者，以其不自生，故能长生。是以圣人后其身而身先；外其身而身存。非以其无私邪，故能成其私。”圣人们所说的最后达到的“私”实际上就是大公啊！这是人间多么神奇而美妙的境界啊！再看现实中那些穿普通衣服、吃普通饭食、骑自行车上班的大贪官们，实在是可怜啊！心智水平之低实在是让人感到悲哀啊！

【接圣入心】

孔子真不愧是悟道的圣人，他跨越了许多人一生都无法跨越的个人私利，成就了千古圣人的美名。

我们很多人钟情于利益，却对天命和仁德不屑一顾。却不知，知天命和养仁德才是人生最重大的利益。这就是圣人关于人生利益的大揭秘。

关于儒家所说的仁德，已经有了很多的讨论。天命是什么呢？记得小时候不明事理时，还批判过儒家的天命论，几十年之后才知道自己的幼稚可笑。实际上，《中庸》里就把天命讲清楚了：“天命之谓性”。也就是说，所谓的天命不是俗人说的“听天由命”般的“宿命论”，而是天地造化我们每个人时所设定的生命之根本性质，也就是合乎天地规律，也就是生命之天道。只要明白并按照这样的根本性质去践行，就是懂得了天命的人。依天道而行的人，也就是按照天命行事的人，自然就合于大道，自然就明白天意，至此，还需要忧愁什么呢？

静心思考一下我们的现实，处处、人人和事事，不都是在呈现着大道的规律吗？知天命，顺天意，这才是人间极致的智慧啊！

仁德者，当然不会再与他人对立，也不会计较小利而失了人生与生命的根本利益，更不会为了眼前利益而出卖未来，绝不会为了世俗利益而出卖人格。这些都做好了，才是人生中全面的利益啊！这正是孔圣人要启迪后代的智慧啊！

【格言】命理呓语，缺什么就总说什么。

9·18 子曰："吾未见好德如好色者也。"

【释义】孔子真是擅用比喻啊，一个生理性的好色，一个心灵的好德。只不过，这两个看似完全不同的特性却是人这类高级生灵天生就有的。孔子说："我没有见过像好色那样好德的人。"

【要点】(1) 孔子未见。(2) 好德如好色。

【语境与心迹】孔子在这里谈了一个十分现实的话题。是啊，现实中的人，尤其是男人，有几个不好色的呢？又有几个好德如好色的呢？色，乃生物之本能。德，乃心灵之根本。人之所以为人，正是因为基于动物本能但又超越了动物本能。如果好色而缺德，无异于畜生。只是好色即畜生，以德御色方能为人，好德胜过好色方为君子。那现实中为什么好色之人会那么多呢？孔子在《论语》中给出了答案：随波逐流，胸无大志，仁德不立，本能疯狂。在普通人中，这般本能驱动之人，还会表现得直率而坦诚。而社会精英，隐隐约约感到不能那样，又无法用另外的高级程序去引领，故而形成了双重人格或分裂型人格：明知不对，却不由自主地去做；做了还要伪装成正确的，但内心自知。看来，学习的内容如果不能唤醒仁德，进步若是达不到通透的境界，若是没有正道强大而清晰的力量指引与制约，人的心灵就会经历长期的折磨。

【接圣入心】

- 在此，孔子指出了人间一个带有普遍性的重要问题，也就是"色"和"德"的问题。

- 人作为动物，自然有好色的本能。但人是高级动物，高级就高级在能够以德御色，能够好德胜过好色。

- 作为体谅众生的圣人，孔子绝不是否定"色"的人，只是提醒人们不能只是好色，不能因为好色而忽视好德，必须好德胜过好色。

- 当下，一味好色的"人形畜生"是有的，好色胜过好德的人也是有的，而好德胜过好色的人就少了些。

- 你若想成为不俗的人，必须处理好"色"与"德"的关系。否则，就可能成为“人面兽心”的奇怪动物。

好色胜过好德会有什么问题发生呢？好色胜过好德，就是生理欲望主宰了自己，就会兽性发作；好色胜过好德，就会丧失人的社会性特质，就会变成“人形动物”；好色胜过好德，就会沉迷于声色犬马和骄奢淫逸的生活，就会荒废人生的责任；好色胜过好德，就会被坏人利用；好色胜过好德，就容易枯竭自己的生命，导致生命早衰早亡。

如何才能让自己好德胜过好色呢？著名心理学家弗洛伊德给出了一个方法：转移与升华。当人被更崇高的精神目标和价值所吸引时，生命力的指向就会由好色向着好德的方向转移，生命的状态也会被升华到更高的境界。

生命不仅仅有长度，还有厚度、深度和高度。生活内容的丰富和全面，代表了生命的厚度；生活与生命的精专程度，代表了生命的深度；人生境界的提升，个人与众生的关系，自我奉献的程度，代表了生命的高度。而没有生命高度的人，就只能在现实生活中原地打转。如果连生命的深度也失去了，就会事事凑合了事，马马虎虎过一生。如果连生命的厚度也失去了，就会呈现出动物般的本能状态，此时就是好色胜过好德的状态。只有具有了生命厚度、深度和高度的人，才会有足够的生命长度，这就是生命之道。

试问我们的生命处在什么状态？生命的厚度如何？生命的深度如何？生命的高度又指向哪里？这种状态所决定的生命长度又是多少呢？

【格言】好色胜过好德近乎兽，好德胜过好色近乎神。

乡党第十

10·17 厩焚。子退朝，曰：“伤人乎？”不问马。

【释义】孔子的仁德状态是恒定的，似乎成了他进行价值判断的唯一主程序。你看马棚失火烧掉了，孔子退朝回来问：“伤人了吗？”并不问马的

情况怎么样。

【**要点**】(1)厩焚。(2)孔子问伤人乎? (3)不问马。

【**语境与心迹**】这里又是一个十分鲜活的生活情景，马厩失火，火会烧人也会烧马，这是常识。对于财迷心窍的人来说，失去了马，也许会比失去人更加悲伤。但对于有圣贤仁德之心的人来说，一切都是为人的，人才是第一重要的，其他的东西是次要的。这就是儒家伟大的仁德思想：重人胜过重物，一切以人为本。即使重视其他，也是为了更好地服务于人。反观现实，企业主拼命赚钱、对员工残酷冷漠从而引发消极情绪与内耗、看重钱财而背叛友情、注重利益而失去原则等行为，不正是那种“失我”“失人”“失心”的着魔与蒙昧之蠢行吗?

【**接圣入心**】

看起来，这里说的就是马棚失火的事，从处理这件事的态度可看出，孔子在教给弟子们一个重要的人生道理：以人为本。在任何时候，与物相比，人都是最重要的。因为，一切物都是为了人，人与物是本与末的关系，任何时候都不能颠倒。如《大学》里所说的那样：“物有本末，事有终始，知所先后，则近道矣。”

说到这里，不由得想起生活中见到的一些做法：孩子把家里的东西搞坏了，没有仁德的家长会斥责孩子：“看你干的好事，你知道这东西多么贵重吗? ”难道家里的东西再贵重还会贵重过自己的孩子吗? 真是好糊涂啊! 有仁德的父母此时会关心孩子是否伤着或者惊着，会过去安慰孩子、照顾孩子，这才是为人父母该做的事啊!

在公司里，出了一些问题或者事故后，有的管理者只关心公司财产的损失，而不是首先关心是否有员工受伤。若是员工真受了伤，有的管理者就认为公司很倒霉，要出钱给员工治疗甚至赔偿了。这样的管理者显然就把本末倒置了。如此看待公司财物与员工生命之间的关系，怎么能够让员工忠诚于公司? 员工怎么会将公司看成自己的家呢?

人永远是最重要的，人的生命高于一切，人间的一切都是服务于人的。这就是最起码的人道原则，不信奉和不践行人道原则的人，就丧失了人性。

【格言】人为重，马为轻。马为人，非人为马。

10·22 朋友[①]死，无所归，子曰："于我殡[②]。"

【注释】①朋友：指与孔子志同道合的人。 ②殡：停放灵柩和埋葬都可以叫殡，这里是泛指丧葬事务。

【释义】孔子仁义啊，知道朋友死了，却没有亲属负责殓埋，孔子主动承担："丧事由我来办吧。"

【要点】(1) 朋友死。(2) 无亲属殓埋。(3) 孔子曰：于我殡。

【语境与心迹】这里讲述的是生活中很典型的一个事例，没有明说孔子的这位朋友是谁，但可以肯定的是，孔子这位去世的朋友很穷困，甚至可能都没有亲人或者亲人没有条件为之殓埋。按照世俗的标准，这样的朋友能够帮助孔子什么呢？或者说得再直白一点，这样的朋友对孔子有什么用呢？君不见，现实中"攀高枝""傍大款"的大有人在，"宁坐宝马上哭，不坐自行车上笑"的卑贱之人竟然能堂而皇之、毫无羞耻之心地招摇过市吗？孔子大义，大义孔子！作为圣人的孔子，已经超越俗人的心性很多了，故而才有了这个感人的故事。一个人的一生中，能遇上像孔子这样的朋友也算是三生有幸了，他能够在人死后依然无私相助而无所求，乐意无私奉献，可敬可敬！这正是：大义赢人心，负义丢人品。

【接圣入心】

看到孔子的这段话，突然想起了毛主席在《中国社会各阶级的分析》一文开篇中的一段话："谁是我们的敌人？谁是我们的朋友？这个问题是革命的首要问题。"（出自《毛泽东选集》第一卷）我们很多人也交往了不少的朋友，但都是什么样的朋友呢？

大家都知道"患难见真情"这句名言。人们之所以很珍视这句话，是因为人间的真情实在太难能可贵了，也显得有些稀少，正因为如此，方

才弥足珍贵。

是什么让人们这般地珍视真情呢？主要有两个方面的原因：一是在我们遇到困难的时候真情最为宝贵，二是在我们需要的时候能够挺身而出的人比较稀少。人与人之间那种表面上你好我好的关系，或者只是玩伴，或者只是酒肉朋友，或者只是你有利用价值，或者是双方相互利用，这样的情况可能太多了吧！这样的世俗关系，一旦需要一方对另一方有巨大的付出时，那个平时叫“朋友”的人就会退缩或者从你的生活中消失。

一般而言，在你得意之时对你格外友好的人，你是无法洞察其情感真伪的。但在你失势或者出事时，周围的人谁是真正的朋友就可见真相了，正所谓“患难之时见真情”，有过“患难之交”经历的交情才会深厚。

不过，话也不能说太绝对了。现实中确实有不少“能够共富贵，难以共患难”的“朋友”，但是，也有“能够共患难，难以共富贵”的“朋友”。患难之时需要同心协力，富贵之时又各自为自己争利，甚至会撕破脸皮，以至于断交或者反目成仇。

由此可见，内心没有深厚仁德的人，无论是患难还是富贵，哪一道坎儿都过不去，既不能共富贵，也不能共患难；或者能够共富贵，不能共患难；或者能够共患难，不能共富贵。

此句中并没有交代孔子的这位朋友是什么人，只是说那位去世的朋友没有亲属可以帮其殓埋，但孔子却承诺了为这位朋友办理后事。以世俗的观点来看，死后连殓埋自己的人都没有，这样的人对孔子来说有什么利用价值呢？也许正是因为没有什么利用价值，而孔子又去帮他办理后事，才彰显出孔子那圣人般心性的干净和品德的高洁。

回到我们的现实中，我们也能见到一些大仁大义的人，他们付出了自己的精力、财富甚至生命，也因此赢得了人心，他们既有真心的朋友，也有成功的事业。而那些忘恩负义的人，算来算去却失去了人心，最终自己也会落得个众叛亲离。

由此可见，孔子的大仁大义、毫无功利心的仁德与慈悲，才是天地间的大道！若学做人，当如孔子！若交朋友，能有一个孔子般的朋友，也是三生有幸！人若如孔子一般，就是圣人！

【格言】孔圣大仁，朋难相助。

先进第十一

11·10　颜渊死，子哭之恸[①]。从者曰："子恸矣。"子曰："有恸乎？非夫[②]人之为恸而谁为？"

【注释】①恸：音 tòng，哀伤过度，过于悲痛。　②夫：音 fú，指示代词，此处指颜渊。

【释义】孔子最欣赏的弟子颜渊死了，孔子哭得极其悲痛。这让跟随孔子的人感到有些错愕，于是劝说道："您悲痛过度了！"孔子却说："是太悲伤过度了吗？我不为这个人悲伤过度，又为谁呢？"

【要点】(1) 颜渊死。(2) 子恸人疑。(3) 恸哭独为回。

【语境与心迹】孔子为何对颜回的死如此悲伤呢？平时不是教育人们悲喜不要过分吗？跟随孔子的人感到不解。要想理解孔子的这一行为，就要了解一下颜回及其与孔子的关系。颜回（公元前 521 年—公元前 481 年，字子渊）为何能让孔子如此悲痛呢？颜回"年十三，入孔子之门"时，孔子聚徒讲学已达 13 年之久，其声望远播于各诸侯国，其弟子子路、孟懿子、南宫敬叔等在鲁国已小有名气。颜回自拜孔子为师，终生以老师礼待孔子。他异常尊重老师，对孔子无事不从、无言不悦，成为孔子最得意的门生。在孔门诸弟子中，孔子对他称赞最多，不仅赞其"好学"，而且还以"仁人"相许。《孟子·滕文公上》记其语，曰："舜何人也，予何人也；有为者亦若是！"显然，孟子以颜回与舜、稷"同道"。在颜回跟随孔子周游列国过匡地遇乱及在陈、蔡间遇险时，子路等人对孔子的学说产生了怀疑，而颜回始终不渝，并解释道："老师的理想很远大、学问很深，所以才不被一般世人所理解、采用，这正是他们的耻辱。"颜回之所以对孔子亦步亦趋，是因为他对孔子的为人和学问都非常敬仰，他这样形容孔子："仰之弥高，钻之弥坚。瞻之在前，忽焉在后（老师之道，越抬头看，越觉得高，越用功钻研，越觉得深）"。他说孔子"循循然善诱人，博我以文，约我以礼"，使自己"欲罢不能"，不得不尽全力去学习。所以他在听孔子讲学时，不管时间有多久，始终不会懈怠。颜渊位列孔子七十二门徒之首，孔门十哲中德行最受孔子赏识，是孔门弟子中德行修为最高者。

可见，孔子与颜回心心相印，由此而生的感情多深厚啊！二者不仅在生活中相处了很多年，而且在精神上颜回还是孔子的希望和寄托，可谓生活中如手足，感情上如父子，心灵上如伙伴。公元前 481 年，颜回先孔子而去，这是典型的"白发人送黑发人"的悲剧。将以上这些综合起来看，也许就能理解孔子的悲痛程度了。儒家强调悲喜不要过度，要合乎礼的要求，这也许就是孔子身边的人提示孔子悲痛过度的缘由了吧。可孔子的"过度悲伤"也告诉我们，圣人也是人，孰能无情？这原则性与灵活性的关系，在孔子这里表现得这般真实感人，不仅无损于孔子的圣人形象，更把一个充满人间真情的圣人形象呈现在我们面前。否则，完全失去了人间真情的圣人岂不就成了一具道德的骨架？这样的孔子，更让我们觉得可敬又可亲、真实又神圣。

【接圣入心】

通常，道德高尚的人都有点"高大上"，好像离着我们很远，有点高不可攀，好像他们不食人间烟火。

孔子的这一段表现，给了我们一个大修行者在人间俗事上的真情示范。正所谓"男儿有泪不轻弹，只因未到伤心处"。不管是什么人，只要是人，就无法脱离人间真情。离开人间真情的所谓修行，那种两眼发直、表情木讷、麻木不仁的状态怎么能说是修行好了呢？必是修偏而误入魔道了。

纵观历史上的伟人领袖，他们都是有着极其丰富的感情世界的，无情未必真豪杰！

也许，在普通人眼里，那些所谓的圣人或者伟人已经变成了一个符号，一个不食人间烟火的“神灵”，这是普通人对圣人和伟人的“自然神化”的心理过程。可真正的圣人与伟人，恰恰是那些贴近民众、食人间烟火，又在一般生活事务上超越了普通人的人啊！

【格言】中庸体说“过犹不及”，中庸魂说“过而不过，不及而及”。

11·14　鲁人①为长府②。闵子骞曰：“仍旧贯③，如之何？何必改作？”子曰：“夫人④不言，言必有中。”

【注释】①鲁人：这里指鲁国的当权者。这就是人和民的区别。　②为长府：为，这里是改建的意思。藏财货、兵器等的仓库叫“府”，长府是鲁国的国库名。　③仍旧贯：沿袭老样子。　④夫人：夫，音 fú，这个人。

【释义】鲁国翻修长府的国库。孔子的弟子闵子骞说道：“照老样子下去，怎么样？何必改建呢？”孔子听后赞道：“这个人平日不大开口，一开口就说到要害上。”

【要点】(1) 子骞语迟。(2) 每言必中。

【语境与心迹】孔子的弟子闵子骞，极重孝道，宅心仁厚，看问题能够抓住要害，处事想得周全。面对鲁国改建国库一事，闵子骞表示反对。若是国君将翻修长府国库的财力和精力去帮助人民，岂不是更好，民富国安嘛！孔子的这个弟子，平时少言寡语，但对鲁国翻修长府国库一事，却一下子看到了问题的要害，得到了孔子的表扬。在孔子的很多思想中，很多都是教育国家的统治者或者国君去爱民的，孔子的思想中有对民众和民生满满的深切的关心。

【接圣入心】

国家、政府和国君的存在，就是为人民谋福祉的。如果背离了这样一个宗旨，他们存在的基础就消失了。

孔子的学生各有各的长处，但孔子本人并不太喜欢那些夸夸其谈的人，孔子喜欢的是那种敏而好学、勇于践行、看问题能抓到本质和关键的人。

很显然，孔子的弟子闵子骞就是一个敏而好学、谨言慎行、能够

领会孔子忠君爱民思想，并能将这一思想运用到实际事务中的人。

夸夸其谈的人，往往注重表面与浮华，做人可靠度低，看事浮于表面，做事追求眼前效果，比较容易急功近利。冷静寡言的人，往往就没有这种毛病。

从孔子对闵子骞的赞扬中，我们又看到了一个受到孔子欣赏的好学生形象。

【**格言**】言不在多少，贵在一语中的。

11·23　子畏于匡，颜渊后。子曰："吾以女为死矣。"曰："子在，回何敢死？"

【**释义**】这里说的是孔子在匡地遇险时与颜回的对话，感人至深。孔子在匡地受到当地人围困，颜渊最后才逃出来。孔子说："我以为你已经死了呢。"颜渊说："夫子还活着，弟子怎么敢死呢？"

【**要点**】(1) 匡地被困。(2) 颜回后。(3) 回曰："子在，回何敢死？"

【**语境与心迹**】孔子与弟子颜渊，真可谓千古第一师生情。这对师徒，不仅仅是仁德学问上的知己，更在患难中培养出了深厚情感。更为重要的是，颜回能够把这种情感表达得那般真挚感人，谁看了都会感动。在这段师徒患难经历中，不管是孔子对弟子的关心，还是弟子对老师的回应，都让我们感慨这对师徒的深情厚谊，几乎是举世无双啊！"子在，回何敢死？"让人听了振聋发聩，灵魂都会颤抖，真可谓是师徒同命、血肉相连、荣辱与共。

【**接圣入心**】

看到孔子与弟子颜回的这段对话，不由得想起了"师徒如父子"这样一种形容。孔子与颜回的交往，甚至使我想把这一形容再改一个字变成"师徒胜父子"。人这辈子，血缘亲情或者心灵沟通很深入、契合度很好的关系似乎并不是很普遍，但在以心灵相悦的师徒关系中，却时常发出灵魂的声音。那些有师父的人，在生活中不惧老爹，但见到师父却乖巧得很，似乎"鼠见猫"一般，这也不是恐惧，而是一种从灵魂中生出的敬畏。

如何理解血缘和天缘。血缘关系很好理解，这天缘就像是老天为人定制的，是身、心、灵的交汇与重叠。人生得一天缘足矣！有一天缘，灵魂将不再孤单，生命也不是独自一个，人生就有了灵魂的伴侣！

看到孔子与颜渊的师徒情义，联想到现代的师生之情，真可谓是今非昔比了。社会进步了吗？科技飞速发展，可人间真情呢？如今的师生关系又有几个可以媲美孔子与颜回的呢？

物质富有了，人情淡薄了，这是每个人都需要对现代化进行的反思。人毕竟不仅仅是靠物质活着的，感情于人，如同灵魂的营养液，怎么可以缺少呢？

除了师生情分的淡薄，现代社会忙碌的生活中又有多少人在精心地维护着亲人之间的亲情、老友之间的友谊、多年合作伙伴之间的真情呢？反思吧，过分的物质追求绝不能成为我们的生活目标。

【格言】师徒连命，“子在，回何敢死”？

颜渊第十二

12·1　颜渊问仁。子曰：“克己复礼[①]为仁。一日克己复礼，天下归仁[②]焉。为仁由己，而由人乎哉？”颜渊曰：“请问其目[③]。”子曰：“非礼勿视，非礼勿听，非礼勿言，非礼勿动。”颜渊曰：“回虽不敏，请事[④]斯语矣。”

【注释】①克己复礼：克己，克制自己；复礼，使自己的言行符合礼的要求。　②归仁：归，归顺；仁，即仁道。　③目：具体的条目。目和纲相对。　④事：从事，照着去做。

【释义】孔子的弟子颜渊是很少提问的，却问老师怎样做才是仁。孔子说：“克制自己，一切都照着礼的要求去做，这就是仁。一旦这样做了，天下的一切就都归于仁了。实行仁德，完全在于自己，难道还在于别人吗？”

颜渊接着问："请问实行仁的纲领。"孔子借此说出了后世流传甚广的"四不"原则："不合乎礼的不要看，不合乎礼的不要听，不合乎礼的不要说，不合乎礼的不要做。"颜渊表态说："我虽然愚笨，也要照您的这些话去做。"

【要点】（1）颜渊问仁。（2）克己复礼。（3）回问其目。（4）非礼勿视、勿听、勿言、勿动。（5）请事斯语。

【语境与心迹】颜回向老师提问的时候不多，但在仁这个重要问题上，颜回却张口向老师请教了，孔子给他这样解答："克己复礼为仁"。这是孔子关于什么是仁的最经典的解释。一是克己，也就是克制自己的私欲，不要任性；二是复礼，让在礼崩乐坏中迷失的人们回到内有仁德和外有礼仪的美好状态，并顺应外部环境的变化而随时随地做好自己的本分。"克己复礼"就是告诉人们，通过克制私欲的道德修养来自觉遵守礼的规定。如果不能克己，就容易放纵自己，就会违背社会的规范，就容易制造混乱。在这里，孔子明确了礼与仁的表里关系：礼外而仁内，礼形而仁实。礼以仁为基础，以仁来维护。仁是内在的，礼是外在的，二者紧密相连，无法分开。颜回继续深入请教：如何践行礼呢？孔子又给出了很接地气、很生活化的方法、途径和准则，也就是著名的"四不"原则：对于不合于礼的事或者人，不要看、不要听、不要说、不要做。坚持这"四不"原则，一方面可以远离负能量，免得让自己的心受到污染；另一方面，也可以不断地纯洁自心，不断地提高个人的境界。不克己必放纵而失控，不复礼必失范而迷失，失礼必然乱性。

【接圣入心】

颜回真像是孔子肚子里的"蛔虫"，他向老师问的问题，恰恰就是孔子思想学说的核心。

对于颜回所问什么是仁的问题，孔子给了最经典的回答："克己复礼为仁"。用白话来说就是，克制自己的欲望，把控自己的主观，将自己的一切都回归到礼的轨道上。

紧接着颜回又问实行仁的条目，孔子给出了“四不”的原则：“非礼勿视，非礼勿听，非礼勿言，非礼勿动”。也就是说，要让自己所见、所听、所言和所行都符合礼的规则，不符合礼的就坚决不要去做。

一些不了解中国传统文化的人，总觉得几千年前的文化是落后的。了解一点皮毛的人，又总是认为中国传统文化是为了维护封建统治。其实，圣人提出的思想和这些思想被统治者曲解使用，这应该是两回事，不能混为一谈，否则，就有硬扣“帽子”的嫌疑。

孔子在这里所阐述的关于仁的一个总纲和四个条目，是关于人的心智与行为的总纲领，其思维逻辑是跨越时代的。到了现代社会，尽管社会环境发生了很大的变化，我们也不再以周礼作为整个社会的文明纲领，但孔子的思路是值得我们借鉴的。

今天的人们，难道不需要克制自己的私欲而去遵循社会的法律和道德吗？对于那些不符合法律和道德的事情，难道就应该去看、去听、去说、去做吗？对于那些负面的东西，若是看了，心中就多一份垃圾。若是听了，心中就多一份困惑。若是说了，命中就制造了一场灾难。若是做了，就为未来埋下了一个隐患。看来，孔子在2500多年前所提出的关于仁的纲领和准则，其价值是可以超越时代的。

虽然人类社会进化了几千年，可孔子的谆谆教导似乎是说给今天的人们听的。你看今天的人们，还有几个知道克制自己私欲的？私利越来越合法化，助推了私欲的恶性膨胀。即使是商务礼仪，也更多是为了做生意，礼不再是个人修为的需要，已经变成了满足私欲的手段与工具。至于那不合乎礼的“四不”之告诫，今天就更是失控了，越是不合乎礼的事，人们越是有兴趣。一些缺少仁德的人，更是利用了人的这个毛病，制造商品、开展促销、设计游戏等，无不是在满足一些人的这种病态的需求，并将人们引向无底的深渊。这种无良的商人和其缺德的作为，怎么能说是社会的进步？这样的作为所赢得的金钱怎么能叫利润？这是人生的孽债啊！如此下去，人生还能过得好吗？

【格言】克己，复礼，为仁。远离非礼，则近仁矣。

12·2　仲弓问仁。子曰："出门如见大宾，使民如承大祭；己所不欲，勿施于人；在邦①无怨，在家②无怨。"仲弓曰："雍虽不敏，请事③斯语矣。"

【注释】①邦：诸侯统治的国家。　②家：卿大夫统治的封地。　③事：从事，照着去做。

【释义】学生仲弓问孔子怎样做才是仁。孔子给他举例说："出门办事如同去接待贵宾，使唤百姓如同去进行重大的祭祀，都要认真严肃对待。自己不愿意要的，不要强加于别人；做到在诸侯的朝廷上没人怨恨自己，在卿大夫的封地里也没人怨恨自己。"仲弓说："我虽然笨，也要照您的话去做。"

【要点】(1) 仲弓问仁。(2) 出门使民。(3) 己所不欲，勿施于人。(4) 在邦在家无怨。

【语境与心迹】这里讲述的是孔子的学生仲弓向孔子请教仁的问题，孔子对仲弓解说了此时此刻对仁的一段理解。孔子谈到了仁在现实生活中的五个方面的表现：一是出门办事要郑重其事，像是接待贵宾一样；二是对待百姓也要严肃认真，不可儿戏；三是交朋友要懂得体谅人，不要强迫人，"己所不欲，勿施于人"；四是在朝廷上的作为要符合礼的要求，不事张扬，不招同事怨恨；五是在卿大夫的封地里，言行谨慎，对人没有威胁，与众人相处和睦，不遭人嫉恨。孔子的弟子冉雍在当时是肯定做不到的，但态度很正面积极：弟子虽愚钝，愿跟随老师践行。这正是：仁德普在，随行随施。

【接圣入心】

仁德是人间正道，要在生活中处处践行，正所谓"道不可须臾离也"。

在现实中，某些时候、某些事上有仁德之心，很多人还是能做到的。但是，若是不管做什么、不管到哪里、不管见到谁都能有仁德之心，就没那么容易了。

一般而言，出门办小事，肯定很轻松；出门办大事，可能比较庄重。可孔子告诫我们，只要出门办事，就要恭敬认真，所有人的眼睛都是一把尺子，你不管做什么，都会有人给你评价。因此，要像对待祭祀活动那样严肃认真，不可马虎。

若是当官，就会役使百姓；若做领导，免不了要役使下级。孔子告诫我们，在做这些事的时候，同样要郑重其事、严肃认真。否则，人们就会怀疑你说的话，进而在心里也不把你当回事。这是讲了办事待人的基本态度或者姿态。

与朋友交往，要多为对方着想，要体谅别人，不要强迫别人，并提出了那句流传千古的名言："己所不欲，勿施于人"。也就是将心比心，你不想做的，别人也就不想做；你想做的，别人可能也想做。所谓"人同此心，事同此理"。

朝堂之上，是国家议事的庄严场所，是讲究礼仪的地方，要行为得体、谦卑庄重，避免遭人怨恨。

在别人的地盘上做事，要光明磊落，不要偷偷摸摸，也不要多管闲事，更不要随便乱发议论。这样，就没人怀疑你或者认为你别有用心。

孔子的弟子冉雍也给我们一个重要的启迪：虽然眼前做不到，但不找理由退缩；生性虽然愚钝，但愿意跟随老师践行。

【格言】出行庄重，谨言慎行；己所不欲，勿施于人。

12·3　司马牛①问仁。子曰："仁者，其言也讱②。"曰："其言也讱，斯③谓之仁已乎？"子曰："为之难，言之得无讱乎？"

【注释】①司马牛：姓司马名耕，字子牛，孔子的学生。　②讱：音 rèn，话难说出口。这里引申为说话谨慎。　③斯：就。

【释义】弟子司马牛向老师孔子请教怎样做才是仁。孔子根据司马牛的特点说出了有针对性的警言："仁人说话是慎重的。"司马牛说："说话慎重，这就可以称作仁了吗？"孔子说："做起来很困难，说起来能不慎重吗？"

【要点】(1) 司马牛问仁。(2) 仁者言讱。

【语境与心迹】司马牛问孔子怎样做才是仁，孔子给出的回答与给颜回、子贡等人的回答又不相同，这到底是为什么呢？对于这样的情形，孔子的弟子中有人也表示不解。要想明白不同回答背后的原因，就要了解一下司马牛是个什么样的人。司马牛，复姓司马，名耕，一名犁，字子牛，宋国人。《史记 · 仲尼弟子列传》提到过他，说他“多言而躁”。他哥哥桓魋犯上作乱，给全家带来灾难，使得司马牛内心总是很纠缠、很烦躁。孔子之所以能够成为教育界的至圣先师，对自己的学生可谓明察秋毫，孔子很清楚每个学生心中的苦闷，故而总能对弟子们进行有针对性的教育——因材施教、因态施教。正是因为如此，当司马牛向孔子问仁时，孔子就针对着司马牛的状态与特点阐释了仁德的一个重要特征：“其言也讱”。同时，这也是孔子对那些希望成为仁人的人所提的要求之一。这里的“讱”是为“仁”服务的，为了“仁”，就必须“讱”。此处，孔子从言行关系上给弟子们讲仁德的内涵：行动要认真，说话要谨慎。不要遇事不过脑子地乱说话，不要说得多做得少，不要言过其实，不要轻易夸下海口，否则就容易失信。“管住嘴巴，用心做事”永远是修行的核心和基础。这正是：仁德者谨言慎行。

【接圣入心】

孔子的弟子司马牛问孔子怎么做才是仁。这是个很大的问题，即使不长篇大论，起码也要说出几条来，可孔子的回答让人有些意外，因为孔子只说了“慎言”这样一条。这又是为什么呢？

孔子众多弟子中，有好几位弟子都向孔子请教过什么是仁，可孔子却给了不同的回答，这让人有些摸不着头脑。实际上，这正是孔子因材施教的高明之处。

《论语》所记载的，是孔子结合当时现实中具体的人和事，对弟子们进行的情境式教育。情境式教育主要考虑两个方面的因素，一是谈话的主题，二是发问者个人的特点。佛教典籍记载，佛祖教育弟子也是采取这样的方式，即“应机说法”。

俗话说，“知子莫如父，知徒莫如师”。孔子对弟子们的个人情况和脾气秉性是很了解的，正因为如此，当不同的弟子问孔子关于仁的话题时，孔子都是针对着其各自的状况来回答的，而不是千篇一律地说一样的套话。

那司马牛是什么情况以至让孔子跟他说“慎言”呢？大家在明白了孔子的教育方法后，可能就能猜出来了。司马牛“多言而躁”，正是因为司马牛的这一突出弱点，孔子才跟他说要“慎言”。

当然，现实中也有不少的人不懂得谨言慎行的道理，常常会因为说话做事不谨慎而惹出不必要的麻烦。故而，孔子借回答司马牛的问题，向人们阐明了“谨言慎行”这样一个践行仁德的普遍原则。

“谨言慎行”成为君子说话做事的一个普遍原则，只有说得少、做得多，说得得体、做得到位，才是仁德之人典型的做派。

【**格言**】以行证品，仁者言讱。

12·5　司马牛忧曰：“人皆有兄弟，我独亡。”子夏曰：“商闻之矣：死生有命，富贵在天。君子敬而无失，与人恭而有礼，四海①之内，皆兄弟也。君子何患乎无兄弟也？”

【**注释**】①四海：泛指天下即全国。

【**释义**】司马牛忧愁地说：“别人都有兄弟，唯独我没有。”子夏说：“我听说过：‘死生有命，富贵在天。’君子只要对待所做的事情严肃认真，不出差错，对人恭敬而合乎于礼仪，那么，天下人就都是自己的兄弟了。君子何愁没有兄弟呢？”

【**要点**】(1) 司马牛与子夏。(2) 司马牛无兄弟。(3) 死生有命，富贵在天。(4) 君子敬而无失，与人恭而有礼。(5) 四海之内皆兄弟也。

【**语境与心迹**】前文孔子刚刚给司马牛解释了仁的内涵，紧接着，司马牛道出了自己心中的苦闷——别人都有兄弟，唯独我没有。这回，孔子没说啥，弟子子夏给司马牛做了一番说明和安慰，他的话也成了经典。

【接圣入心】

◎ 现实生活中充满了各种矛盾和冲突，让人们时常面临着两难的选择，司马牛正是在面对这一状况需要做出选择时，内心陷入了纠结。

◎ 人们都很敬佩大义灭亲的人，因为对当事人来说，大义灭亲正是在两难中做出了选择。司马牛的哥哥桓魋犯上作乱，这是大逆不道的，是不忠的行为。司马牛做出了正确的选择，但依然没有办法平复自己的情感。因为这是一道“忠”和“悌”二选一的选择题。

◎ 子夏借司马牛“忠”和“悌”冲突这样一个问题，对他进行了宽慰和赞许：“舍兄弟之小悌，守爱国之忠义”，乃是仁德之举。

◎ 同时，针对司马牛失去兄弟情义后的落寞和寡欢，子夏又给出了仁德概念的延伸——超出家族的兄弟之悌，走向天下的兄弟之悌。很显然，家族中的兄弟之悌算是“小悌”了，而以仁德之心结交天下人的情怀被视为“大悌”。于是就有了这句千古名言：四海之内皆兄弟也。

◎ 呜呼，智慧的子夏，伟大的思想！真正的家国情怀啊！小路不通走大道！

【格言】大忠小悌何所取？舍小保大是忠义，四海之内皆兄弟。

12·12 子曰：“片言①可以折狱②者，其由也与③？”子路无宿诺④。

【注释】①片言：诉讼双方中一方的言辞，即片面之词，古时也叫“单辞”。②折狱：狱，案件，即断案。③其由也与：大概只有仲由吧。④宿诺：宿，久。拖了很久而没有兑现的诺言。

【释义】孔子对子路的判案能力做出了评价：“只听了单方面的供词就可以判决案件的，大概只有仲由吧。”子路说话没有不算数的时候。

【要点】(1) 片言折狱。(2) 绝无宿诺。

【语境与心迹】在《论语》中，孔子既对子路进行了几次有名的赞美，也对子路进行了几次很严厉的批评。这师徒俩的交往也是真性情。“片言折狱”就是孔子对子路的赞美之一。子路怎么可以“片言”而“折狱”呢？这在今天看来，显得很不可思议。这到底是怎么回事呢？虽然历来有几种不同解释，但总的来说基本上趋于一个方向：子路诚信，人们都信服他。子路刚正威猛，遇到纠纷，没人敢在他面前说假话。于是，子路单凭一面之辞就可以明辨是非。子路的这种政绩，也是其仁义、忠信、智慧和勇敢相结合的一个明证。

【接圣入心】

这一段所表明的观点，似乎与我们通常的理解有些不协调：别说判案这么重大的事情，即使平时听人说话，也不能根据只言片语来下结论啊！

我们知道，子路是孔子最信任的弟子之一，也是对孔子最为忠诚的弟子之一，他通过单方面的陈述就能断案，确实有些神奇。

子路何以有如此能力呢？大家想象一下：面对一个诚实、忠信又仗义、威猛的人，尤其是领教了他的正义和智勇之后，人们还有什么选择呢？还需要去编造假话或者动心机欺蒙他吗？

联想现实中很多现象，子路的智勇很值得大家思考并对照自己：

- 总遇到一些人跟我说被人骗了，一看，果然是一副善良的脸庞，连我这等普通人都能看得出来他的善良，骗子就肯定首选他了。
- 有人也许会说，装得凶巴巴的是不是可以吓退骗子啊？哈哈，最多吓唬胆小的骗子吧，别忘了，行骗者也是“智力劳动者”。

实际上，子路的能力已经告诉我们，既要仁德深厚，也要有勇有谋，并且能够进行决断和采取果敢的行动。如此，才不会让人们心生歹心。

当然，子路断案的做法显得原始，也只能适用于过去的某些情况。在今天，断案已经由专业人员使用各种科技手段来进行了，就会更加科学。但有一点是永恒不变的：断案的人，其心不能偏，否则，依然会制造冤假错案。

【格言】诚信无欺，片言折狱。

12·13 子曰："听讼[①]，吾犹人也。必也使无讼[②]乎！"

【注释】①听讼：讼，音 sòng，诉讼。审理诉讼案件。 ②使无讼：使人们之间没有诉讼之事。

【释义】孔子说："审理诉讼案件，我同别人也是一样的。重要的是必须使诉讼案件根本不发生！"

【要点】(1) 听讼。(2) 必也使无讼乎。

【语境与心迹】孔子似乎是在跟弟子们讨论诉讼方面的事情。也许，在这样的话题上，很多人会将精力集中在如何正确地辨别是非和如何做到公正上。但孔子总是高屋建瓴，他告诉人们：处理人间的诉讼问题，不要满足于就事论事，要从源头上解决问题。如何使诉讼不再发生？这才是治理诉讼之本。孔子认为，关键是要通过教化，"道之以德，齐之以礼"，提高人们的道德素质，使之"有耻且格"。对于争讼，一个好法官就可以做到分清曲直、明判是非，但孔子的理想是，让民众真正有敬畏心、有耻辱心，能够自觉遵守礼的规范，如此就能够最大限度地减少诉讼案件的发生率，并最终消灭争讼。诉讼的存在说明纷争的存在，"无讼"才是儒家所追求的"讲信修睦"、和谐稳定的社会理想。要有一个治理诉讼的战略布局：上治本，中治事，下治人。

【接圣入心】

经历过诉讼案件的人当然知道，打官司是一件非常痛苦的事情。事情已经发生，不诉讼，心中难平，进入诉讼就要投入很多精力、心力和情感，也可能会面对赤裸裸的"兽性"，先不用说直接或间接的经济损失，因为诉讼而产生的精神痛苦往往是刻骨铭心的，是一生难忘的伤痛。

孔子当然知道诉讼过程的痛苦，以他的仁德之心，当然不希望诉讼案件的发生。但如何解决呢？中医有一个重要的思想，就是"上医治未病"，也就是我们所熟悉的"预防第一"。

一般而言，处理问题有上、中、下三策：下策就是惩罚犯错的当事人，而上级领导一般无责。中策是就事论事，以了事为目的，常常是

“大事化小，小事化了”，没有借事反思背后的原因，也没有借机优化背后的系统。上策是治本，也就是找到问题的源头，从根源上把问题解决掉；同时，能够“举一反三”，借呈现出来的问题，彻查隐藏的或者尚未发作的问题，使得问题背后的系统得到优化与升级。

佛经中讲，“菩萨畏因，凡夫畏果”，说的就是上策与中、下策的区别，智慧的人当然会借一切事情来挖掘背后的原因，并从根本上解决问题。

再回头看现实中的我们，贪欲或者做事不慎引发了诉讼，往日的朋友如今撕破了脸皮，给自己和对方均造成了巨大的精神打击与伤害。又有多少人认真地反思过？不正是自己的贪欲、做事不讲规矩、有规矩不讲执行、执行中不讲监督、监督时不讲实效这样的一系列错误，才导致人生的悲剧？

除了诉讼这种极端的事件之外，许多人在平常的生活和工作中，也需要反思和改进处事的方法：有的人，一旦出事，想的就是赶紧了事；也没有多少人会视之为改进背后系统的机会；处理当事人时，领导像以往一样以永远正确的姿态出场，很少有领导承担主要责任的。

“事必有因”，只是善后，这是治标。借事查找背后的原因，从系统优化和完善上减少甚至杜绝此类事情的再发生，并举一反三，来一次彻底的系统“体检”。除了当事人要承担责任之外，当事人的领导、监督部门都应该承担相应的责任。这是治事、治人、治世的科学与人道的路径。只有这样，才能够把事做得越来越轻松、让人心越来越服气。

如果不这样做，问题就会重复发生。当问题重复发生时，主要责任就必定变成领导的责任。此时，领导若是意识不到自己的责任，也不承担自己的责任，就会造成恶性循环。这样的领导就是愚蠢和无耻的。

【格言】破幻见真，见果溯因。

12 · 20　子张问："士何如斯可谓之达[①]矣？"子曰："何哉，尔所谓达者？"子张对曰："在邦必闻[②]，在家必闻。"子曰："是闻也，非达也。夫达也者，质直而好义，察言而观色，虑以下人[③]。在邦必达，在家必达。夫闻也者，色取仁而行违，居之不疑。在邦必闻，在家必闻。"

【注释】①达：通达，显达。　②闻：有名望。　③下人：下，动词。对人谦恭有礼。

【释义】子张向孔子问了一个似乎有些抽象的问题："士怎样才可以称得上通达？"孔子反问道："你说的通达是什么意思？"子张回答道："在国君的朝廷里必定有名望，在大夫的封地里也必定有名声。"孔子纠正了子张，并借此说明了礼义与仁德的问题："这是名声，不是通达。所谓达，那是要于己则品质内外一致，遵从礼义；于人则善于通过别人的话语行为而理解人，经常想着谦恭待人。这样的人，就可以在国君的朝廷和大夫的封地里通达。至于有虚假名声的人，只是外表上装出来仁的样子，而行动上却违背了仁，自己还以仁人自居而自欺欺人。那么，他无论在国君的朝廷里还是在大夫的封地里都必定会有名声，但必遭人非议。"

【要点】（1）子张问达。（2）是闻非达。（3）达者，质直而好义，察言而观色，虑以下人。（4）闻者，色取仁而行违，居之不疑。

【语境与心迹】仁德为内，声望为外，以内主外，内外统一。孔子这样的解读，肯定超出了子张的期望，可以想见，子张对孔子的敬重之情，以及对老师层层深入解读的佩服和感激，已经溢于言表了。子张非常善于思考，向老师提出的问题也往往比较深刻。孔子针对子张的特点，每每回答他的问题时，也很注意深入与延展，这就是师生的默契啊！

【接圣入心】

子张与老师孔子讨论了一个关于何谓"通达"的问题。

子张发问后，孔子没有马上回答他的问题，而是让子张先说出自己的看法，然后针对子张的说法进行评述。

这是孔子一个很智慧的教育方法。用现代语言来概括，就是“激发主体—对接—比较”模式。说得通俗一点就是，首先激发发问者的主体思考，避免学生陷入那种一味等待老师给答案的懒汉状态。紧接着，接过对方的观点进行剖析，言明正误，继而提出自己的看法。最终将自己的观点与发问者的观点进行比较，通过比较就能够让对方形成对照，这样就容易让学生发现自己的问题了。

孔子在分析和阐述观点时，是遵循着“内容与形式、虚名与实在、苛求与自得、内在与外在”范畴的统一性的，这是哲学分析方法。

孔子通过分析，向弟子和后人阐明了以下三个方面的道理：

• 首先是为虚名所误的问题。浮躁的世人，总是在欲望的引领下追求外在，并在追求中迷失本性，在得到虚名之后又为虚名所困、所累、所惑，最终因为追求外在虚名出卖自己，进而落得个声名狼藉。即使得到一些虚名，也会因此迷失，最终因为没有内在仁德支撑，虚名丧尽，生命贱卖。

• 其次是知行合一的问题。我们都知道知行合一的阳明古训，也常常说起现实中内外分裂、心口不一、知行脱节的普遍状况。实际上，知行不统一的判断，只是人的错觉。因为，人总是知行合一的，外在表现就是内在的反映，内在就是外在的本质，内在与外在是统一的。现在唯一的问题是，在什么样的层次上完成知行的统一：虚假的仁德，必然有追求虚名的外在行为；真实的仁德，必然有不慕虚名的圣洁行动。

• 最后从人的修为方法上来说，可以从两个法门入手：第一是“外就是内”。哪有外在不表现内在的？当我们观察自己的外在时，“借万物为镜”，能够从外在行为和事实观察到自己的内心，再对内在进行修理完善，如同照相中的“底版和照片”一样，若想照片好，就要底版好，修好底版，照片就能呈现得更加完美。第二是“内就是外”。心动即行动，只是没有呈现给别人，但心动必然自知，心动也必会有相，故而心机一动，就会呈现自我，只是看会被什么样的人看到：一般人看到的只是表象，明眼人从你自己都没有察觉的言语神态中就可以窥见你的内心。所以，人间真正的秘密就是没有秘

密，人间真正的隐私就是没有隐私。正所谓君子坦荡荡，如此这般，才能破除“闻”的状态，才能达到“达”的境界。

由此可看，追求虚名得到的只是虚名。识破虚名，恪守内心的仁德，对人谦恭有礼，对人心体谅有加，人心之秤就会给出评价，真正的名是从人的内心生出来的。这才是真正的通达啊！

【格言】闻名虚名多，通达仁德至。

12·22 樊迟问仁。子曰：“爱人。”问知。子曰：“知人。”樊迟未达。子曰：“举直错诸枉①，能使枉者直。”樊迟退，见子夏曰：“乡②也吾见于夫子而问知，子曰‘举直错诸枉，能使枉者直’，何谓也？”子夏曰：“富哉言乎！舜有天下，选于众，举皋陶③，不仁者远④矣。汤⑤有天下，选于众，举伊尹⑥，不仁者远矣。”

【注释】①举直错诸枉：错，同“措”，放置；诸，这是“之于”二字的合音；枉，不正直，邪恶。意为选拔直者，罢黜枉者。 ②乡：音 xiàng，同“向”，过去。 ③皋陶：音 gāoyáo，传说中舜时掌握刑法的大臣。 ④远：动词，远离、远去。 ⑤汤：商朝的第一个君主，名履。 ⑥伊尹：汤的宰相，曾辅助汤灭夏兴商。

【释义】樊迟问什么是仁。孔子说：“爱人。”樊迟问什么是智，孔子说：“了解人。”樊迟还不明白。孔子说：“选拔正直的人，罢黜邪恶的人，这样就能使邪者归正。”樊迟退出来，见到子夏说：“刚才我见到老师，问他什么是智，他说‘选拔正直的人，罢黜邪恶的人，这样就能使邪者归正’。这是什么意思？”子夏说：“这话说得多么深刻呀！舜有天下，在众人中挑选人才，把皋陶选拔出来，不仁的人就被疏远了。汤有了天下，在众人中挑选人才，把伊尹选拔出来，不仁的人就被疏远了。”

【要义】仁者爱人。

【要点】(1) 樊迟问仁。(2) 子曰，爱人。(3) 又问知，子曰知人。(4) 举直错诸枉，能使枉者直。

【语境与心迹】弟子樊迟曾经向孔子请教耕种庄稼之事，孔子说自己不如老农；他又向孔子学习种植树木之事，孔子说自己不如老圃。樊迟离开后，孔子对旁人说："小人哉，樊须也。"由樊迟的发问似乎可以看出其志向并非高远，心性似乎也显得有些迟钝。实际上，樊迟兴趣很广泛，加上求知心切，三次向孔子请教仁的学说，还问知、崇德、修慝、辨惑等。他有谋略，十分勇武，鲁哀公十一年（公元前484年），齐师伐鲁，冉求率"左师"御敌，冉求认为他能服从命令，以其为车右。鲁军不敢过沟迎战，他建议冉求带头，冉求纳之，鲁军大获全胜。正是因为樊迟的这样一些特点，当樊迟向孔子请教时，孔子的回答言简意赅，也非常贴近生活实际，这就让樊迟比较好掌握。

【接圣入心】

樊迟求知心切，曾三次向孔子请教仁的学说。樊迟在此问了孔子两个问题，一是什么是仁，二是什么是智。

孔子对樊迟关于仁的发问，回答了两个字——爱人，孟子的"仁者爱人"思想可能就是从这里继承过去的吧。

当樊迟再问什么是智时，孔子回答了两个字——知人，也就是要了解人、懂得人的意思。

樊迟也许觉得有些抽象，看起来并不理解，于是孔子就进一步解释："举直错诸枉，能使枉者直"。也就是说，要选拔正直的人，罢黜邪恶的人，这样就能使邪者归正。后世"知人善任"的思想，也是这一思想的反映。

孔子的这番话，说的是如何选人用人以及由此所带来的局面，很像是说给领导们听的。是啊，任何一个时代的繁荣，很重要的原因就是领导懂得知人善任。用对了人，正气上扬，邪气下降，整个气场就朝着正面的方向发展。否则，奸佞当道，贤良郁闷，整个组织的风气就会变坏。

为何历史上经常出现奸佞当道的现象呢？公正点来说，是三个方面的因素共同作用的结果：

- 首先是领导昏庸，方使得奸佞之人有机可乘。

• 其次是奸佞之徒通常很懂昏君的喜好，说话办事能够让昏君感到舒服。

• 最后是贤能之人常常缺乏变通的能力，在小人面前常常显得刻板僵硬，说话办事也让君主感到不适。

不管怎样，奸佞之人常常只是逞一时之能，最终多落得身败名裂、财富充公、株连九族的下场。这也算是还世人一个公道。

作为领导，如果忘记了“初心”，失去了方向与目标，就会被小人钻空子，就会被利用成为傀儡。那些失去了立场而被围猎的人，自然就成了小人的猎物。

贤能之人，不能自恃清高，也不能以为只要是正确的就一定有好结果，还需要明白必须根据实际情况懂得变通。否则，恐怕连自己都保不住，更不用奢谈成就事业了。

观察历史也会发现这样一种现象：贤能之才常常不得志，对奸佞之人的飞黄腾达，贤能之士也常常只会表现得愤愤不平，但在交手时又不是奸佞的对手，这样的贤能之士是不是也缺点功夫呢？

历史上的种种现象告诉我们，无论是领导还是部下（贤能之士和奸佞之徒）都应该反思，仁智不一，就绝难成事。只有仁智一体，才能依于仁而发其智，依智而养仁。简单点说，没有仁就没有真正的智，没有智也就没有真正的仁。

【**格言**】仁者爱人。智者用正而匡邪。

子路第十三

13·18　叶公语孔子曰：“吾党①有直躬者②，其父攘羊③，而子证④之。”孔子曰：“吾党之直者异于是：父为子隐，子为父隐，直在其中矣。”

【**注释**】①党：乡党，古代以五百户为一党。　②直躬者：正直的人。

③攘羊：偷羊。　④证：告发。

【释义】叶公告诉孔子一个具体的事件，孔子做了回答，这也变成了历史上的一个“公案”，很多人为此争论不休。叶公说：“我的家乡有个正直的人，他的父亲偷了别人的羊，他就将他的父亲告发了。”孔子说：“我家乡的正直的人和你讲的正直的人不一样：父亲为儿子隐瞒，儿子为父亲隐瞒。正直就在其中了。”

【要点】(1) 叶公语孔子。(2) 父攘羊，子证之。(3) 父为子隐，子为父隐。

【语境与心迹】这里是叶公跟孔子就一个小案件所展开的一段对话，也牵扯到了日常生活中的一个核心道德问题。这个话题中所涉及的观点，引发了不少的争议。在当代，赞赏孔子观点的人往往会提到“大义灭亲”的残忍和“互相揭发”的残酷，认为孔子所说的“父为子隐，子为父隐”是人性的根本与底线，不管遇到什么情况都不能突破。这种坚决护卫亲情的立场，很是令人感动。但是反对的声音也不小。一种观点认为，如此作为，只是守了孝悌的基本原则，但仁德、忠义的原则也就失守了。若是鼓励这种做法，岂不是父子可以合理地成为同谋吗？第二种观点认为，儒家提倡仁德是至高无上的，孝悌又是仁德之根本，但又说可以杀身以成仁。这些观点放在一起，又怎么统一呢？让人心里真是纠结而混乱啊！关键是儒家还将这种做法视为“直”的品格，而“直”又被视为儒家道德中很核心的品质。这可怎么办呢？很显然，这构成了一个非常典型的道德困境：“二选一皆错”。实际上，这里呈现的是两个不同但有关联的主题：法律与道德，法治与德治。孔子在思想上是倾向于德治的，但他的治理行为又是遵守礼法的。纵观《论语》，孔子可不是喜欢走极端的人，此时此刻，也许孔子用一种很另类的表情看着对方：你说父子可以互相揭发，我们这里是父子互相隐瞒，这就是“直”的品质，你看又如何呢？注意，孔子在这里不是简单表述了自己的观点，而是呈现了不同的作为，并用“直”这一品质来概括。很显然，是抛给了对方一个“道德悖论”，至于叶公听到孔子所提出的这个做法后是否还有回应，就没有进一步的记载了，但这好像只是讨论的第一个回合。估计叶公会感到有些困惑，也许那个时刻他正在皱着眉头思考或者摇晃着脑袋表示不解。看来，仅仅孤立地讨论一句话的是非是很难有结论的，必须将儒家所一贯倡导的“孝悌”“仁义”“智慧”“勇敢”“礼制”等诸多要素融合在一起，达成各要素之间的完美和谐统一，才是孔子真正的用意，也是“直”这一品质的相关属性。“父慈子孝”是“德”的范畴，要符合“德”的要求才叫“直”。“子曰：‘直而无礼则绞。’”这就是说，要做到“德”与“礼”的要求，亦即要同时做到道德、礼义的要求才叫“直”。而道德、礼义讲究的是通权达变，礼有所隐，礼有所讳，并非“直来直去”，并非“直率而为”，很多时候甚至是“拐弯抹角”“不直率”，这就是“直”的真正涵义。《礼记》：“子游曰：‘有直情而径行者，戎狄之道也。’”直情而径行是夷狄之道，绝非儒家之道，这与我们今天说的“直”是有很大区别的。

毫无疑问，孝慈、忠义冲突之时，只守孝慈即不忠不义，只守忠义即不孝不慈，孝慈、忠义皆能满足方是智慧，方能圆满地解决问题。总而言之，仁德是核心，孝慈是基础，忠义是高度，智勇是妙法。

【接圣入心】

“父为子隐，子为父隐”是孔子所说的他们家乡人的“正直”。对这一观点，后世一直存有争议。反对者说，这是包庇，是缺乏正直的表现。赞扬者说，一个社会不能鼓励大义灭亲，否则就会引起人心和人伦秩序的混乱。你怎么认为呢?

叶公确实给孔子出了个难题，因为这是道德的两难选择：父子互相包庇有损正义，对他人、集体、社会和国家不公不忠；互相揭发又有违孝道与仁慈。面对着正义的“忠”和亲情的“孝”要做出二选一的选择，选哪一个都将违背另一个，这到底该怎么做呢?似乎很难给出令人满意的答案。

实际上，智慧的妙处就在于能够两全：

- 父子任何一方偷盗，均为不义，这是毫无疑问的。

• 虽为父子，就应该为对方隐瞒吗？当然不是。若是隐瞒，岂不是有违忠义之仁德？故而隐瞒是错误的。

• 是去告发吗？当然也不是。若是告发，岂不是父子反目，有违孝慈的仁德？故而告发也是错误的。

• 那到底应该如何去做呢？就拿偷羊这件事来说，不管是父或者子做的，另一方都要诚心劝谏，让对方送回去，并真诚地认错，求得对方的谅解，以此成全“孝慈、忠义”。如此，既彰显了父子亲情，也纠正了错误，同时保全了他人的利益。退一万步说，在无人注意到的时候将所偷之羊悄悄送回去，也不失为知错能改。

若是杀了人，事关人命，事关人间正义，更要劝谏对方自首，要毫不犹豫地跟对方站在一起承受屈辱和惩罚。如此，才可成就“大孝大慈和大忠大义”。

颇为有趣的是，曾经有一则消息引起了不小的争论：2012 年 3 月 15 日，第十一届全国人民代表大会第五次会议表决通过修改后的刑事诉讼法，将“尊重和保障人权”写入总则，其中第一百八十八条规定 ：“经人民法院通知，证人没有正当理由不出庭作证的，人民法院可以强制其到庭，但是被告人的配偶、父母、子女除外。”一些人以为，这一规定标志着在我国已提倡 60 年的“大义灭亲”被司法政策颠覆了，实际上，这有点过分解读的味道，这段话说的是人民法院不可强制亲人作证，是对法院权力的限定，也是司法精神的一大进步，但这和从道德上放弃原则一味相互隐瞒不是一回事。在家庭内部，如果连道德原则都要失去，对亲人和家庭就真的是好事吗？

中国文化的智慧，既不是生硬机械地执行原则，也不是找个煽情的理由放弃原则。不管是家事还是政事，面对大是大非问题（尤其是对别人利益构成侵犯的，已经不局限于亲情和个人之间，已经涉及第三方），积极劝谏一直被倡导，甚至连死谏、尸谏都用上了。《弟子规》是一部代表儒家思想并被儒家推崇的经典，其中也讲到了这样的原则：“亲有过，谏使更。怡吾色，柔吾声。谏不入，悦复谏。号泣随，挞无怨。”

“道德困境”是考验人的智慧练习题。运用儒家的中庸智慧，完全可以使这样的问题得到两全的解决。不知诸君以为如何？或许人生的漫长历程，会用后续的事实证明什么是公道。

【格言】父谏子弃恶从善，子谏父祛恶而达善。

宪问第十四

14·1 宪①问耻。子曰：“邦有道，谷②；邦无道，谷，耻也。”“克、伐③、怨、欲不行焉，可以为仁矣？”子曰：“可以为难矣，仁则吾不知也。”

【注释】①宪：姓原名宪，孔子的学生。 ②谷：这里指做官者的俸禄。 ③伐：自夸。

【释义】《论语》之珍贵，就在于将人们思考重要问题时使用的“元概念”进行了定义。对于绝大部分人来说，这些概念似懂非懂，使用这些概念时就很容易出错。但在《论语》中，孔子与弟子们很认真地讨论了这些概念，这是十分难得的。孔子的弟子原宪问孔子什么是可耻。孔子说：“国家有道，做官拿俸禄；国家无道，还做官拿俸禄，这就是可耻。”原宪又问：“好胜、自夸、怨恨、贪欲都没有的人，可以算做到仁了吧？”孔子说：“这可以说是很难得的，但至于是不是做到了仁，那我就不知道了。”

【要点】(1) 宪问耻。(2) 邦有道无道皆谷为耻。(3) 克伐怨欲不行，亦不为仁。

【语境与心迹】像“耻”这样的字和所表达的意，可能很多人以为是懂得的，但能够说清楚吗？可能就不见得了。人类思考问题时会使用很多概念——“元概念”，但又常常缺乏统一的定义，导致人们在讨论同一问题、使用同一概念时却在说着不同的意思，这就使得人们的沟通变得很困难。在《论语》中，孔子与弟子们就这样一些“元概念”进行了十分有益的讨论，对于人们使用概念思考和讨论问题具有非常重要的意义。弟子宪问孔子关于“耻”的问题，它与前面反复讨论的“仁”“智”等都是儒家十分重视的道德思考中非常重要的“元概念”。如果连“耻”的内涵都搞不懂，甚至到了无耻的地步，就很难再说是人了，因为低级动物是不知耻的，因为它们的头脑还无法进化到知耻这样的思想高度。孔子认为，做官的人应当竭尽全力为国效忠，无论国家有道还是无道，都照样拿俸禄的人，就是无耻。“今朝廷大臣，上不能匡主，下亡以益民，皆尸位素餐。”（《汉书·朱云传》）同时，借原宪又问到的“仁”的问题，孔子又谈到“仁”的境界，戒除了“好胜、自夸、怨恨、贪欲”的人已属难能可贵，但究竟达没达到“仁”，孔子说这就不得而知了。实际上，孔子是给了一个否定的暗示。显然，“仁”是全面的、最高的道德标准，并不是生活中几个美德可以概括的。这正是：有为属于本分，不作为则是尸位素餐。洁身自好实属难得，但也不是全仁。

【接圣入心】

孔子与弟子们就人类道德的一系列重要的“元概念”展开了讨论，这一方面是开智，另一方面为一个团队建立重要共识奠定了基础，也为后世提供了一种重要的方法：对于重要问题的讨论，需要先明确核心概念的“定义”，否则，讨论就会风马牛不相及。孔子在这里所谈到的“耻”与“仁”，是道德中两个很核心的方面，又是两个联系十分密切的道德变量。

关于“耻”这样一个道德话题，其背后是一个最基本的道理：干活，挣钱！没干活就挣钱，这就是无耻。按照孔子的理解，国家有道，去朝廷做官，帮助君王安定天下，如此享用俸禄就是理所当然的。如果国家无道，你去做官要么只能是跟着混日子，不能救黎民于水火，此时还享用俸禄，就是尸位素餐了，这是无耻的。国家无道时，有人还助纣为虐，坑害贤良，此时享用俸禄，简直就是无耻至极了。历史上吃空饷的人算是无耻的，占着位置不作为还拿工资是无耻的。总之，不劳而获就是无耻的。

关于“仁”的话题，孔子已经多次谈过，仅仅去除了“好胜、自夸、怨恨、贪欲”怎么够得上仁呢？克己复礼为仁，仁者爱人，仁者忠恕，仁者慎言，等等。说起来，仁，一方面是自己能够管好自己，但这只是最起码的条件，关键是要能够利益众生，上可以辅助国君治世，中可以与同僚共事谋事，下可以安定百姓，让人民过上好日子，这才能算是仁吧！

【格言】尸位素餐为耻，去恶则近乎善。

14·4 子曰："有德者必有言，有言者不必有德。仁者必有勇，勇者不必有仁。"

【释义】孔子说："有道德的人一定有善言，有善言的人却不一定有道德。有仁德的人必然勇敢，但勇敢的人不一定有仁德。"

【要点】(1) 有德者必有言，有言者不必有德。(2) 仁者必有勇，勇者不必有仁。

【语境与心迹】孔子教育弟子的一大特色就是厘清道德中重要的、核心的"元概念"之内涵和概念之间的关系，如此才可以确立道德的基本逻辑。孔子在跟弟子们谈论"言——德，仁——勇"的问题。也许从弟子们的状态和表现中，孔子看到有些弟子心中坚信仁德，却没有言语，其心里是否真的坚信，谁能知道呢？孔子也看到了有些弟子很善言谈，但在言谈话语中又暴露了缺乏仁德的弊病。孔子肯定知道真正的仁者一定是勇敢的，但有些看起来勇敢的人，有不少是缺乏仁德的。孔子在此处解释了"言论与道德、仁德与勇敢"之间的关系。这是孔子的道德哲学观，他认为言论只是一种表现形式，不能等同于仁德；勇敢也只是品德的一个方面，不能等同于仁德。所以，人除了有言有勇以外，还要修养内在的道德，使言论与内在道德、外在勇敢与内在仁德相统一，方能成为真正的仁德之人。以德驭言，以言彰德，以德养勇。

【接圣入心】

◎ 很多人都认为孔子是道德家，其实孔子首先是哲学家，他的哲学智慧是无处不在的，读懂了孔子思想背后的哲学逻辑，才能理解孔子思想的本质，才能真正懂得孔子。

孔子在此阐释了道德与言论的关系，仁德与勇敢的关系。其用意和宗旨，是在强调道德和仁德对言论和勇敢的指导性、决定性的作用：

- 一是道德与言论的关系。言论，对于生理功能正常的人来说，不是什么难事。但是，我们要明白的是，光是能说话不算什么本事。如果一个人缺少道德，那么他所说的话就会暴露出他的无德，由此伤害别人、出卖自己。言语是表象，是表现形式，若是心中没有道德，言语也就没有道德质量。简而言之，有德的人说有德的话，无德的人说无德的话。所以，当一个人说话时，就要时刻小心：说话也是在标示一个人的道德有无和境界高低。
- 二是仁德与勇敢的关系。一般人都会认为，勇敢是美好的品质。但是，如果离开了仁德，勇敢就是鲁莽、就是轻率、就是冒犯、就是愚蠢，就会伤人害己。拥有真正仁德的人，一定是勇敢的，这个勇敢背后的力量和指向的方向就是仁德，正所谓“仁者无畏”，因为仁者是爱人的，有谁能够拒绝别人的真爱呢？若是没有仁德的支撑和指引，勇敢就是非仁爱的勇敢，就可能是对别人的伤害，这时的勇敢只能是一种坏品质。

我们可以将道德和仁德与言论和勇敢的关系做一个形象的比喻，就好比一棵大树，道德和仁德是根、是主干，言论和勇敢只是主干上的枝叶，若是离开了根和主干，枝叶就会枯萎。当然，如果只有根和主干却没有枝叶，这棵树可能就是死树。

由此可见，孔子智慧的核心就在于以内心仁德为核心，实现内在仁德与外在言论和勇敢行为（也即言行）的统一：不能只有言论而没有道德，也不能只有道德却没有相合的言论；不能只是勇敢而没有仁德，也不能只有仁德却没有勇敢。根、主干与枝叶之间实际上是一个有机的不可分离的生命体，也在互相支撑和验证。

有的人厚道，却不善言论，此为木讷。有的人内心有德，但缺乏担当和付出的勇气，此为懦弱。这些都不能算是达到了仁德的境界。只有以德驭言，以言彰德，才能让德产生影响。只有内在道德所驱动的勇敢行

动，才是人性仁德力量的彰显。

现实中，有的人只是坚持着自己不做坏事，却不能用正面的道德言论影响他人，也许他们追求的是明哲保身。自以为有道德而不能担当的人也是有的，也许他们的胆量也只是自保而不能保人。这样的人也许已经算是红尘中的好人了，但对社会的贡献有限，所以不能算是仁德之人。

中国人衡量成功有一个标准，就是“三立说”，也称“三不朽”，是我国伦理思想史上的一个重要命题，也是比较能够说明孔子上述思想的一个经典说法。春秋时，鲁国大夫叔孙豹称“立德”“立功”“立言”为“三不朽”。“立德”，即树立高尚的道德；“立功”，即为国为民建立功绩；“立言”，即提出具有真知灼见的言论。此三者虽久不废，流芳百世。

【格言】德根言表，仁本勇证。

14·6　子曰：“君子而不仁者有矣夫，未有小人而仁者也。”

【释义】孔子对现实中君子与小人的仁德状态有这样一个判断：“君子中没有仁德的人是有的，而小人中有仁德的人是没有的。”

【要点】(1) 君子而不仁者有矣夫。(2) 未有小人而仁者也。

【语境与心迹】孔子的这个观点，让读者也颇感困惑：君子难道还不是仁者吗？君子还会不仁吗？至于小人不仁，这倒是好理解。对此，让我们看看历史上比较权威的注解是如何解读的。王弼曰：“假君子以甚小人之辞，君子无不仁也。”谢氏曰：“君子志于仁矣，然毫忽之间，心不在焉，则未免为不仁也。”（朱子集注）通过这两个注解我们知道，“君子不仁”有两种可能：一是伪君子，故而不仁；二是君子志于仁，但会有疏忽之时。若是从孔子心目中的修行次第来看，最高是圣人，其次是仁人，再次是君子，底层是小人。圣人是领悟天地人间大道的人，他们已经超凡脱俗。仁人则是人间的圣者，他们可以以生命成就仁义。君子则是志于仁、修于道、反躬自省、克己修身的人，但还没有达到圆满。小人就简单了，基本上就是为生存而生存的人，一切为自己，一切为私利。由此可见，孔子在告诉人们，君子与仁人是不能等同的，君子虽然志于仁，但在行动上也有做不到的时候，只是事后能够察觉和改正。而小人呢，是肯定没有仁德的人。真君子必修仁德，以成为仁者为追求；小人谋私，事事必然贱卖自己。再深入一层，孔子所说的仁，可不是普通人理解的仁义之意，是那种发心纯粹、方向坚定、智慧圆融、能合万象的信仰级的道心之至高境界。

【接圣入心】

孔子是在阐明仁德与君子和小人的关系。

有人看到此观点会有些困惑：怎么君子中还有没有仁德的人呢？是啊！没有仁德还能算是君子吗？这一问题可以通过两个方面来进行一般性解读：

• 一是此处所说君子，是借用了我们普通人所说的君子，也就是在形式上具有君子的彬彬有礼、谦谦风度，但在内涵上却缺乏有足够深度与厚度的仁德，还没有达到孔子所说的仁者境界。

• 二是孔子在此处所说的君子，专门是指那些能够洁身自好的人，而要做到仁德，就必须在此基础上还能够兼济天下。或许可以这样定义：能够洁身自好的是君子，能够在此基础上兼济天下的是圣人。

孔子的思想也是在警示我们，只是洁身自好还算不上是真君子、大君子。小人没有仁德，内心都是自私的欲望，所想所言所做都是为了自己的物质利益，必然会遭人鄙视，也会在一次次行动中不断贱卖自己。

【格言】君子在德不在位，小人无仁也无位。

14·7　子曰："爱之，能勿劳乎？忠焉，能勿诲乎？"

【释义】孔子在阐释"爱"与"忠"的真谛："爱他，能不为他操劳吗？忠于他，能不对他劝告吗？"

【要点】(1) 爱之，能勿劳乎？(2) 忠焉，能勿诲乎？

【语境与心迹】仁者爱人，这是孔子仁德学说中的核心命题。如何爱呢？孔子认为，爱他就为他心甘情愿地操劳而无怨言。主忠信，这也是孔子思

想中的核心命题。忠于一个人，就要真正地为他的利害着想，劝其从善。这才是真爱和真忠的表现啊！正可谓：真爱劳而无怨，真忠劝其从善。

【接圣入心】

孔子在这里谈到了道德中两个重要的主题：爱与忠。

什么是爱呢？就是真心为他操劳、为他奉献而无怨言，即所谓的心甘情愿、一生一世。什么是忠呢？就是真心地为他的根本利益着想，一旦发现有影响他根本利益的行为，就会去劝告。

在我们生活中，你爱一个人会无怨无悔地为他操劳和奉献吗？如果有怨言，又怎么能算是真爱呢？如果你为他操劳却又抱怨回报太少，这怎么能是真爱呢？这更像是一种交易活动。真爱是自己个人的选择，跟对方如何反应无关，是完全内在的一种信仰。

对一个人忠心，就一定要设身处地地为他着想，怎么能够见其从恶自害而无动于衷呢？若不去力劝，岂不是看着他步入深渊？这就太不够朋友了吧？！

【格言】爱而劳，忠而诲。

14·16 子路曰："桓公杀公子纠①，召忽②死之，管仲不死。"曰："未仁乎？"子曰："桓公九合诸侯③，不以兵车④，管仲之力也。如其仁⑤，如其仁。"

【注释】①公子纠：齐桓公的哥哥。齐桓公与他争位，杀掉了他。 ②召忽：管仲和召忽都是公子纠的家臣。公子纠被杀后，召忽自杀，管仲归服于齐桓公，并当上了齐国的宰相。 ③九合诸侯：指齐桓公多次召集诸侯会盟。 ④不以兵车：不用武力。 ⑤如其仁：这就是他的仁德。

【释义】子路给老师提出了一个有点挑战性的问题，这也是子路爱动脑思考的表现，子路问："齐桓公杀了公子纠，召忽自杀以殉，但管仲却没有死。管仲不能算是仁人吧？"孔子回道："桓公多次召集各诸侯国会盟，不用武力，都是管仲出的力。这就是他的仁德！这就是他的仁德！"

【要点】(1) 子路问管仲仁乎？ (2) 孔子赞管仲大仁。

【语境与心迹】子路性直，对于管仲是否算仁持怀疑态度。事情是这样的：管仲辅佐公子纠，鲍叔牙辅佐公子小白，但管仲辅佐的公子纠在王位竞争中失败了，公子小白成为日后的齐桓公。子路问这个问题，是对管仲的仁德进行质疑：既然管仲是辅佐公子纠的，公子纠竞争王位失败被杀，似乎管仲也应该跟着自杀才算是仁至义尽。可是，管仲没有自杀，却又转身去辅佐公子小白，这真是让人侧目啊！在一般人看来，公子纠和公子小白已经成为仇人，而公子纠被杀，也就是杀了管仲的主人，管仲怎么可以转而去辅佐主人的仇人呢？这和认贼作父有何区别？也许，子路正是基于这样的认识来向老师提问和发出质疑的。当然，作为圣人的孔子在理解这个问题的层次和高度上肯定与子路不同。孔子所理解和所说的仁，绝对超越了子路的认识水平：子路所说的仁，局限在管仲和公子纠个人关系上，而孔子所说的仁，则是上升到了国家利益层面，超越了个人恩怨。孔子非但没有责怪管仲不仁，反而称赞了管仲，甚至给予管仲很高的赞誉，这也彰显了孔子所阐释的仁德的真谛。借子路质疑管仲之仁的问题，孔子给学生们讲解了仁在两种情景、两个境界的不同。正所谓：小人为己，君子为公。小人顾及自已脸面，君子顾及国家大局。

【接圣入心】

召忽与管仲同事公子纠，后护送公子纠回国争位。管仲曾参与射杀公子小白，小白诈死，得以先入齐，即位为齐桓公。齐桓公（小白）即位后，命鲁人杀死了公子纠，召忽自杀以殉主。但管仲没有自杀殉主，反而归服于齐桓公，并当上了齐国的宰相。

子路是个性格刚毅的人，对于管仲的行为很不齿，认为管仲不仁。

针对子路对管仲的指责，孔子为管仲做了辩护，以管仲为国家所作出的贡献为证据，赞扬管仲是大仁者。孔子也是借此对子路的思考进行纠偏，帮助其提升认识问题的水平。

很显然，子路是站在个人的角度来评价管仲的，而孔子则是站在国家的高度来评价管仲的。人站的高度不同，对同样一个人物或者事件的评价结论也会不同。子路认为召忽是仁至义尽的，是针对召忽与公子纠两个人的关系而言的。孔子认为管仲是大仁大义的，他的评价标准超越了管仲与公子纠两个人的关系，而是将管仲与国家利益联系在一起。

用现在的话来说，召忽与公子纠的关系更像是私人关系，像一个小团伙。但管仲一方面忠诚于公子纠，另一方面更忠诚于国家。甚至管仲宁肯自己背负骂名，也要尽心尽力地辅佐君王治理国家。可见，召忽与管仲的境界是有着根本不同的。

试想，管仲在公子纠竞争王位失败被杀后，竟然没有顾忌别人鄙视的目光，在政治上辅佐小白（齐桓公）有所作为，这也算是大智大勇大仁了。孔子给予管仲那么高的赞誉，可见孔子的胸怀和境界，绝不是简单地局限于个人利益或者小团伙利益的。

当下，不管是一般社会人士，还是政府官员，有一些人心中皆存有小团伙意识。这样的人都是围绕着小团伙的利益打转的，当然就会伤害公众的利益。在这一点上，管仲的大仁和孔子的评价，都值得当今社会中一些专注小团伙利益的人深思、反省和借鉴。

【格言】管仲大仁，何计小义。

14·17　子贡曰："管仲非仁者与？桓公杀公子纠，不能死，又相之。"子曰："管仲相桓公，霸诸侯，一匡天下，民到于今受其赐。微①管仲，吾其被发左衽②矣。岂若匹夫匹妇之为谅③也，自经④于沟渎⑤而莫之知也。"

【注释】①微：无，没有。　②被发左衽：被，同"披"；衽，衣襟。"被发左衽"是当时的夷狄之俗。　③谅：遵守信用。这里指小节小信。　④自经：上吊自杀。　⑤渎：小沟渠。

【释义】子贡很聪明，在管仲是否达到"仁"的问题上有点接近子路的水平了。子贡问老师："管仲不能算是仁人吧？齐桓公杀了公子纠，他不能为公子纠殉死，反而做了齐桓公的宰相。"孔子说："管仲辅佐桓公，称霸诸侯，匡正了天下，老百姓到了今天还享受着他的好处。如果没有管仲，恐怕我们要披散着头发，衣襟向左开了。哪能让他像普通百姓那样恪守小节，自杀在小山沟里，而谁也不知道啊。”

【要点】（1）子贡同样质疑管仲的仁。（2）孔子赞管仲仁之大功。

【语境与心迹】看来，关于管仲是否仁德的问题，孔子的弟子们基本上都没想明白，子路比较刚勇，对管仲超越个人恩怨的行为选择难以理解，这似乎还在意料之中。但聪明的子贡也对管仲是否仁德深感困惑，这就不能将“管仲之仁”的问题视为个例了，很有可能持这种质疑观点的弟子不止他们两个。在子贡表达了其对管仲的质疑后，孔子则再一次表达了其对仁德的深刻理解：管仲弃小节而持大义，辅佐齐恒公称霸诸侯、匡正天下，也让百姓得到了好处，促进了文明的发展和社会的进步。这岂是一般仁义之人啊！正所谓：无冲突时，节义皆守；有冲突时，小节服从大义。

【接圣入心】

孔子的两位弟子都对管仲是否仁义有所质疑，也许，这种看法在那个时代有相当强的代表性。

孔子却给出了与众不同的理解。孔子所言说的仁德，是在小节与大义不发生冲突时，当然就要既守小节，也行大义。关键是二者冲突时怎么选择。

看来能够站在孔子的高度理解仁还是不容易的，大部分人可能还是站在个体的角度看问题，与孔子站的高度有差距，所以判断也不同。也许，经老师这么一说，弟子们明白了仁德的真意：评价一个人，不能只是依据小节，更要看大义。若是能够弃小节而随大义，能够为国家和民众造福，这也是了不起的仁的境界。

在现实中，是否有像孔子的两位弟子那样崇尚对小节的愚忠而背弃大义的人呢？这就是衡量一个人仁德的真伪和境界高低的核心标准。

【格言】天下为重，仁者利天下！

14·18 公叔文子之臣大夫僎[①]与文子同升诸公[②]。子闻之，曰："可以为'文'矣。"

【**注释**】①僎：音 xún，人名，公叔文子的家臣。 ②升诸公：公，公室。这是说僎由家臣升为大夫，与公叔文子同位。

【**释义**】这里是一个小案例：公叔文子的家臣僎和文子一同做了卫国的大夫。孔子听说了这件事，说："他死后可以给他'文'的谥号了。"

【**要点**】(1) 公叔文子与家臣同朝为官。(2) 孔子赞"可以为'文'矣"。

【**语境与心迹**】孔子听说公叔文子与家臣一同做了卫国的大夫，由此引发感慨。此处，涉及古代的谥号制度。谥号是对死去的帝王、大臣、贵族（包括其他地位很高的人）按其生平事迹进行评定后，给予或褒或贬或同情的称号，始于西周。谥号来自谥法，谥法制度有两个要点：一是谥号要符合死者的为人，二是谥号在死后由别人评定并授予。君主的谥号由礼官确定，由即位的新皇帝宣布，而大臣的谥号则是由朝廷赐予的。谥号带有评判性，相当于盖棺定论。谥法有固定用字，如经纬天地曰文、道德博闻曰文、勤学好问曰文、慈惠爱民曰文、愍民惠礼曰文、赐民爵位曰文。此处孔子对公叔文子的评价很高，认为他死后可以给他"文"的谥号，这是孔子对公叔文子的一种肯定和赞誉。这种肯定估计源于以下两点：一是治家有方，家臣都能成为大夫；二是主人与家臣同朝为官，体现的是主人家的美好风尚和主人博大的胸怀。也许，还有为国荐忠良而不避亲的坦荡吧。正所谓：治家出良才，同事不自贱，举贤不避亲。

【**接圣入心**】

主人与家臣同朝为官，这在那个时代还是很考验主人的胸怀的，毕竟在那个时代，主人与家臣可是有着身份的巨大差别的。也许，这一切都跟公叔文子治家的修养有关吧。

古人是很讲究治家的，当然，也只有大户人家才会有这样的能力和传统，普通百姓那里就不多见了。历史上有名望的家族很多都有自己的家训，这对于家人的成长具有非常重要的作用。在这一点上，恐怕受过良好教育的现代家庭也未必能做到。故而经常会听说“富不过三代”的家族惨剧。

公叔文子的家臣都能够到朝廷去做官，说明公叔文子对家臣的教育很成功，也说明了公叔文子很有气度。因此，孔子给予了他很高的赞誉。

公叔文子与家臣的故事，在那个非常讲究出身或者身份的时代是十分难得的，这本身也是让孔子对公叔文子大加赞赏的原因吧！由此可见，公叔文子与孔子，都是那个时代的革命者啊！

【格言】举贤荐才是为文德，嫉贤妒能是为蛮祸。

14·32 微生亩①谓孔子曰：“丘，何为是②栖栖③者与？无乃为佞乎？”孔子曰：“非敢为佞也，疾固④也。”

【注释】①微生亩：鲁国人。 ②是：如此。 ③栖栖：忙碌不安、不安定的样子。 ④疾固：疾，恨；固，固执。

【释义】一个叫微生亩的人直接用很挑衅的语言指责孔子：“孔丘，你为什么这样四处奔波游说呢？你不就是要显示自己的口才和花言巧语吗？”孔子回应说：“我不是敢于花言巧语，只是痛恨那些顽固不化的人。”

【要点】（1）微生亩嘲弄孔子。（2）孔子说明真意。

【语境与心迹】有时想想，既敬佩孔子，又为他抱不平。孔子一生为众生奔波，可时常会遇到各种责难和不解。这不，孔子又被微生亩责问了。看来在那个时代，仁德思想的传播，难度太大了。可是，“天不生仲尼，万古如长夜”，若是没有一直坚持的孔子，中国人的文明传承中一定会失去一块文化的“宝玉”。微生亩挖苦孔子是在炫耀自己的口才，而孔子则说出了自己的心声：是为了让那些顽冥不化的人开化所为。由此可见，任何时代都需要像孔子一样的布道者啊！

【接圣入心】

孔子，是一个时代的布道者，尽管没能挽救一个颓废的时代，但为后世留下了宝贵的财富，这也是孔子在后世备受推崇的原因。

孔子，是那个时代逆势而行的人——逆行者。遗憾的是，不仅仅普通百姓不理解孔子为什么要那样坚持，就连一些士大夫也怀疑孔子的用心，不了解孔子的人更是以为孔子只想为自己谋个官职，隐士微生亩所言，就是这方面的一个典型。

可就是在来自四面八方的压力之下，孔子一直坚持着，向人们传播着文明的思想。在那样一个礼崩乐坏、杀戮处处的时代，孔子的文明倡导显得那么不合时宜。但也正是孔子的努力，让后世的人们知道了做人和治理天下的诸多道理。

孔子是布道者，是为了使那个时代的人不再蒙昧。现代科学教育也是在帮助人们摆脱愚昧，但由于道德教育的苍白无力，社会的道德底线也在不断地被突破。我们这个时代多么需要像孔子一样的布道者啊！老师、领导、家长，谁能承担时代布道的责任呢？

若是我们的家庭有家训、家规，能够教育好自己的儿女；若是学校的道德教育能够具体落地，使得孩子们能养成良好的道德素养；若是企业家能够成为道德的示范者，让企业成为育人的道场；若是我们每个人不再羡慕名利、不再唯利是图、不再无情无义，我们的国家和社会就一定会更加美好。

【格言】圣人非自显，皆是使命然。

14·33 子曰："骥[①]不称其力，称其德也。"

【注释】①骥：千里马。古代称善跑的马为骥。

【释义】孔子看事物的视角总是很独到："千里马值得称赞的不是它的气力，而是它的品德。"

【要点】（1）千里马贵不在力气。（2）贵在其德。

【语境与心迹】孔子在此处借千里马这样一个话题，再次强调了"品德决定能力"的观点。一般人理解的好马，更多是指相貌俊美、身材健壮，能跑得快、跑得远的马。圣人们说的好马，除了上述那些外在特征之外，还要拥有灵性，能够对主人的意图心领神会，迟速缓急、前进后退把握得准确及时，就如同能够跟主人沟通一样，关键时候还能救主。以德为先，德才兼备。纵观历史，能臣惜人之才，圣君重人之德。这是看人的深度与高度问题。

【接圣入心】

品德问题，在人类历史上被说了几千年，可为什么见效甚微？很多人很少认真反思这个问题。

若是问起来道德是否重要，恐怕没有人做出否定的回答。若是问有谁喜欢道德，做出肯定回答的就不一定很多了。也许，人们更看重能力吧！

但在人类历史上，做出丰功伟绩或者名垂青史的人，大都以道德作为自己精神和灵魂的营养的。而那些忙碌一生最终也无所成的人，通常都是视道德为儿戏的。再看那些在某个方面建功立业的人，若是最终出现命运逆转，多半是在德行方面出了差错。

关于道德问题，很多人存在着不少的误解、曲解：道德被某些人讲成了空洞的教条，于是很多人就认为道德是没用的；一些人嘴巴上讲道德，行动上却缺德，于是很多人又认为道德是糊弄人的；一些人要求别人讲道德，而自己却不讲道德，于是又让很多人认为道德是虚伪的东西。

道德是建立人与人之间正常与健康关系的重要前提，可以避免人与人之间交往时付出不必要的成本与代价。坚守道德是每一个人的灵魂与世俗所进行的一场伟大的博弈，那些能够将道德与智慧结合在一起的人，总是能够在自己的人生当中赢得尊严与成就。

从古至今，多少英雄豪杰威武一时，但在道德出现瑕疵时，往往又闯下大祸，最终毁了一生的英名啊！那些过分看重能力与功绩因而忽视道德修为的强者们，当引以为戒啊！

道德如此重要，但在现实的教育和管理当中，有多少老师和领导者能够将道德变成令众人着迷般的向往呢？在一个人的自我修行当中，又有多少人将个人品德的修行看成人生中最重要的事情呢？又有多少人为自己列出详细的计划和具体的考核指标呢？

◎ 道德是人的价值观、思维方式、行动和结果的连续与统一，是人起心动念和在生活中的细小行动的具体表现。道德水平高，就会赢得人们的信任，就会增加自己的机会，人生就有尊严，就会减少风险。否则，一旦失德，就会出卖自己，就会贱卖自己，就会让自己贬值，就会让自己未来的人生充满艰难和风险。由此可见，道德是人生发展的推动力，是人生健康发展的保障。

◎ 一个人的能力如果超过了品德，就会遭遇各种困难和风险。许多成功的领导人在用人时坚持这样的一条规则：永远坚持德才兼备的原则，当面临德与才的选择时，永远将道德放在首位。一些失败的领导人在用人时，常常犯同一个错误，就是重用了才能突出而德行很差的人。这一点，值得我们所有人警惕。

◎ 实际上，就中华文化的本质来说，“德才兼备”也许并不是个十分严谨的命题，因为真正的德来自悟道，故而必然能够生才，否则，这个“德”就不能成立了。同时，如果一个人没有道德却有才华，那这个才华是否为真正的才华？也可能是偏才或者无根之智巧吧？

【格言】马力在德，况乎于人？

14 · 34　或曰：“以德报怨，何如？”子曰：“何以报德？以直报怨，以德报德。”

【释义】有人提出了一个看似高尚的命题——以德报怨，并借此问孔子：“用恩德来报答怨恨怎么样？”孔子说：“用什么来报答恩德呢？应该是用正直来报答怨恨，用恩德来报答恩德。”

【要点】（1）人问“以德报怨”何如？（2）子曰：以直报怨，以德报德。

【语境与心迹】此处出现了一个有趣的情景，有人问孔子关于“以德报怨”的问题，孔子借此阐释了“恩德”“怨恨”“正直”三种品德之间的关系。很多善良的人会选择以恩德来报答怨恨，可孔子却说不能那样，要用正直来报答怨恨，用恩德来报答恩德。这是什么道理呢？孔子可谓是人心大师，因为心里能生怨恨的人，一定是仁德层次不高的人，对于这样的人，若是用恩德来报答，往往会被对方视为心虚，不仅不会化解怨恨，还会反证这样的人内心的判断：我怨恨你是正确的，瞧瞧，你自己都心虚了吧？！正是基于对对方如此心态与思维模式的洞察与判断，孔子找到了对症下药的方法：以正直来报答怨恨，不给对方反证其怨恨的机会，只有这样才能纠正其扭曲的心理。与此相比，对于恩德的报答就显得简单多了，以恩德报答恩德就是了。以直报怨，以德报德。

那“以德报怨”就绝对是错误的吗？实际上，这是个既考智力也考定力的问题，从智力方面来说，如果你相信德行可以感化一切，加上有信仰级的定力，不管对方有何抱怨，你只是以德行对待，终究会感化很多人，甚至让抱怨的人感到惭愧，正所谓“日久见人心”嘛！这似乎也是一种特殊的“直”了——不管你怎么样，我以我的信仰始终如一地对你——爱你没商量，与你如何待我无关。

【接圣入心】

在中国文化中，以德报怨的思想流传甚广，但孔子似乎并不同意这样的观点，这也让很多坚信“以德报怨”的人感到很困惑。

我们到底应该怎么做呢？是以德报怨，还是以直报怨，还是以德报德？

实际上，这三个选择并不是冲突的，从根本上来说，它们是一致的：

- 以德报怨和以德报德这两者的根本都在于以德作为自己思考和行动的出发点，只是报的对象或者现象有所不同。
- 以德报怨说的是不要因为别人的抱怨而改变了自己的仁德方向，但要调整自己的方式和方法。因为，没有人会拒绝你对他（她）好，但你对他（她）好的方式和方法，可能会让他（她）感到不舒服或者不公平。如果因为别人的抱怨而改变了自己友善待人的立场与方向，那就肯定是大错而特

错了。

• 以德报德说的是感恩和报恩的人生原则。对于别人的恩德，如果我们忘记了，甚至对人家不好，那我们就是忘恩负义之人，就要遭天下人唾骂。因此说以德报德是做人的最起码的本分。同时，中国人还特别强调“滴水之恩，涌泉相报”的宏大情怀，为一次恩情，结成一生的朋友，用一生去报答别人的恩情，而不是用自己计算出来的代价与成本报答一次就算了结。想想看，别人对我们有恩情，我们干吗要去了结呢？

• 再来说说以直报怨，一些人以为，这里所说的“直”就是直接或者直率。很显然，这样的解读方法误解了孔子的思想，儒家强调在做人做事的方法上要合乎礼仪，要遵循中庸和忠恕之道，遇事要反省自己，怎么会是直接或者直率这么简单呢？这里的“直”定是以内心的正心、正念和正直，也就是以深厚的仁德作为内在的基础，并在遇到别人抱怨时，不改变这样的方向，继续坚持仁德的方向。否则，遇到抱怨你就犹豫，就去改变自己的方向，这样做反而验证了别人对你内心动机不纯的猜测。矢志不移，这才是真正的儒家风格：君子坦荡荡，小人长戚戚。即使他人因为一时一事而不理解或者抱怨，但日久见人心，周围的人也会给予公道的评价。但儒家的反思精神也告诉我们，在别人抱怨时，我们要反省自己和调整自己的方法，但坚持仁德的方向不变。这样来解读孔子所说的“直”——内心正直，遇到抱怨能够坚持，还能反过来反省自己，调整方法。如此将几个方面结合起来，似乎才更加符合孔子的本意。

由此可见，上述三个选项，包含了这样三层意思：

• 从一个人内在思想和行动方向上来说，对他人永远要以仁德作为自己的内在动机和主观的出发点。

• 以仁德作为出发点，若是遇到别人的抱怨，不要改变仁德的方向，但需要调整自己的方式和方法。毕竟，作为人来说，有谁敢确定自己的心思无杂质、自己的做法能如高明的中医那样总能开对药方呢？只要有反应或者反馈，反省自己、优化自己总是需要的。

• 对于别人的恩德，感恩、报恩是本分，“滴水之恩，涌泉相报”才是人生大智慧。而当自己有恩于别人时，内心不能存有要求对方报答的期望，否则，就变成了道德绑架和强制性交易了。

【格言】以直报怨，以德报德，道融一切。

14·38 子路宿于石门[①]。晨门[②]曰：“奚自？”子路曰：“自孔氏。”曰：“是知其不可而为之者与？”

【注释】①石门：地名。鲁国都城的外门。 ②晨门：早上看守城门的人。

【释义】子路遇到了一个嘲讽孔子的人。当时，子路夜里住在石门，看门的人问：“从哪里来？”子路说：“从孔子那里来。”看门的人说：“是那个明知做不到却还要去做的人吗？”

【要点】（1）子路与看门人。（2）知其不可为而为之。

【语境与心迹】又一个嘲讽孔子的人出现了。不过这次是个看门人，那个时代的看门人哪里懂得孔子的济世情怀啊。对于看门人来说，也许重要的就是有份差事可以糊口。圣人孔子想的却是天下人的命运。这也许就是看门人为看门人、孔子成为孔子的原因吧！当然，连一个看门人都知道孔子在做什么，看来孔子的知名度很高啊！心怀救世济民之情怀，明知不可为而为之。

【接圣入心】

今天的很多人太现实了，只是做点自己能做的，如同那个看门人。

但作为圣人的孔子，心中装的却是救世济民的情怀，这才是孔子伟大的心灵动力和根本原因。实际上，孔圣人的这份情怀，也是任何时代的明智的帝王将相和英雄伟人们共同拥有的情怀。

即使在当代的商业社会中，一些成就卓著的商人不也是因为拥有坚定的爱国情怀、坚持为客户提供增值服务、呵护家人、拥有不虚度生命的意志，才做成了很多普通人认为不可能做成的伟业吗？

◎ 历史的铁律一次次昭示着这样一个真理：一心为自己谋生的，就是俗人！专心为天下苍生奔走的，就是圣人、伟人！

【**格言**】知其不可为而为之，圣也；知其可为而为之，本也；知众不为而为之，智也。

卫灵公第十五

15·4　子曰："由！知德者鲜矣。"

【**释义**】孔子对子路说："仲由啊！懂得德的人太少了。"

【**要点**】(1) 孔子感叹。(2) 知德者鲜矣。

【**语境与心迹**】孔子对着弟子感慨，悲天悯人的情怀溢于言表。实际上，对于人的生命来说，若是没有了德的约束与指引，人就只剩下本能了，与低级动物又有何不同呢?

【**接圣入心**】

◎ 人类是动物，欲望和本能是最强劲的力量！

◎ 人类是高级动物，自我的欲望能够转化成群体的力量，生理的本能接受了伟大精神的引领！

◎ 遗憾的是，现实中人类的本能力量并没有衰减，使用的工具越来越高级，欲望的花样越来越丰富，制造的个人苦恼和社会问题也越来越多。这也反证了人类的"利他道德"尚需加强建设。因为，若是没有德的滋养、约束与指引，人类就是一种"超级怪兽"。

◎ 既然人与动物的本质区别在于自我约束力，那我们来看看自己的生活：在家庭中，有多少人有明确的道德信条？在商场上，有多少公司除了物质利益刺激，还安排了制度化的道德生活？在社会上，负面新闻充斥于耳，道德常常受到嘲弄。

◎ 人类社会已经过去了几千年，现代人的道德素养变好了多少呢？毫无疑问，没有道德制约的欲望力量，必将把人类引向万丈深渊。每个人可以问问自己：我愿意把德作为人生的第一铁律去恪守吗？

简单点说，道德的核心就是从自私走向利他。因为利他，个体能够变成强大的群体，因此会减少自身的内耗，在生存与发展中能够得到更强大的力量！

【格言】以德御命成为人，失德纵欲沦为兽。

15·9 子曰："志士仁人，无求生以害仁，有杀身以成仁。"

【释义】孔子那般地重视"仁"，可谓到达了"信仰级"。看他这样说："志士仁人，没有贪生怕死而损害仁的，只有牺牲自己的性命来成全仁的。"

【要点】（1）志士仁人。（2）无求生以害仁。（3）有杀身以成仁。

【语境与心迹】其实，当我们认真、深入地去理解孔子所说的这段话之后就会明白，孔子描述了生死与仁的关系：生，人之所欲也，不敢以害仁而求生；死，人之所惧也，为了仁甘愿奉献生命。在中国文化中，给"汉奸""叛徒""卖国者"留了一个很特殊的位置——历史的耻辱柱！可见，对于中国人来说，"仁"是人生的信仰级准则。生命对每个人来讲都是十分宝贵的，但没有了仁的生命岂不就是一具皮囊？当面对危局，牺牲一个人可以成全更多生命时，无数英烈敢于杀身成仁、舍身为人，这是多么崇高和伟大的情怀啊！自古以来，这样的伟大精神激励着无数仁人志士为国家和民族的生死存亡而抛头颅洒热血，谱写了一首首可歌可泣的壮丽诗篇。这正是：求生害仁而害己，杀身成仁成英雄。

【接圣入心】

为何不能伤害仁？志士仁人与普通人有何不同？他们的原则适用于普通人吗？

所谓的志士仁人，就是懂得了仁德的重要，就是知道了假若没有仁德，人活着就与动物无异，甚至不如畜生。

对于志士仁人来说，仁德与生命是不可分离的，所以不会在二者中只选一个，因为那是不完整的人生。

普通人的生存原则是什么呢？好死不如赖活着，一切都仅仅是为

了活着，即使受尽屈辱毫无尊严，但只要活着就行！即使像动物一般只是吃吃喝喝，也只要活着就可以了。也许，在自己暂时没有机会时，这是一种韬光养晦的人生谋略（如越王勾践）。但若是认命了，只是一味承受，就是一种装睡的自我麻痹的人生，就是懦夫！

为什么人类会步入如此境地？因为失去了仁德的指引，因为把自己看得太重，因为自私而自毁。如此自私而滑稽的生活模式，与孔圣人所倡导的“无求生以害仁，有杀身以成仁”的境界差距好大啊！

【格言】仁大于命！

15 · 10　子贡问为仁。子曰：“工欲善其事，必先利其器。居是邦也，事其大夫之贤者，友其士之仁者。”

【释义】子贡问怎样实行仁德。孔子说：“做工的人想把活儿做好，必须首先使他的工具锋利。住在这个国家，就要侍奉大夫中的那些贤者，与士人中的仁者交朋友。”

【要点】（1）子贡问仁。（2）工欲善其事，必先利其器。（3）事贤者，友仁者。

【语境与心迹】孔子知道，子贡是个实操能力很强的人，聪明伶俐，善于和各种人交往。孔子重视思想，也重视方法，而且是将两者结合起来思考问题的。所以，他先跟子贡说了实行仁德的方法和工具。“工欲善其事，必先利其器”这句话为人们所熟知，也就是“磨刀不误砍柴工”。同时，孔子又强调了注重方法与工具的同时，别忘了仁德是根本，是方法与工具的“灵魂”。即使为了办成事，也要注意选择侍奉贤者、结交仁者。这既是原则，也是方法。一个人结交什么人、亲近什么人，他就可能成为什么样的人，就会办成什么样的事。更为重要的是，你在人生中经历的各种人和事，不管你是否喜欢，它们都会沉淀到生命中，变成你生命的内涵。所以，讲究方法和重视工具时，别忘了不能偏离仁德，否则，负面的经历就会“组装”到你的生命中。至此，我们就知道结交什么人的重要性了——这哪是简单地结交或者办事啊，而是在用什么样的组件“组装”自己的生命啊！

【接圣入心】

◎ 子贡问老师：如何实行仁德？孔子告诉他，做任何事情都有方法和门道，只有找对了方法和门道，才能有效率和实效。

◎ 孔子面对子贡的发问，并没有上来就直接说答案，而是首先讲思考这类问题的原则。这就是师父带徒弟的妙法，用一句中国古训来说就是：“授人以鱼，不如授人以渔。”

◎ 具体来说，到底如何实行仁德呢？孔子告诉子贡的实行仁德的方法可能让子贡有点意外：“侍奉贤者，结交仁者。”

◎ 孔子为什么这样教导弟子呢？正所谓“近朱者赤，近墨者黑”。实行仁德，首先自己要有足够的仁德，但在自己的仁德功底还没有深厚得足以引领自己时，又该怎么办呢？当然，就是要接近仁德深厚的人，去吸收仁德的能量。这样，就能够同时实现两个目标：一是因为亲近仁德之人让自己受益，二是找到最容易把事办成的方法。

◎ 孔子为何要跟子贡这样说呢？因为孔子认为，子贡交际能力突出，与各种人打交道得心应手，但老师又担忧他沉迷于能力胜于仁德的状态。因此，孔子给子贡指出了一条适合子贡的实行仁德的路。这就是孔子“因材施教”教育思想的表现。

◎ 我们大部分人对提高能力的重视往往胜于对增长仁德的重视。这样下去，就很容易导致能力与仁德不相配，就容易在人生和做事的方向上出现偏差。

◎ 当能力胜于仁德的时候，如何防止人生方向出现偏差呢？我们可以借鉴孔子教给子贡的方法：亲近贤者，结交仁者。

◎ 要想知道我们当下能力与仁德的匹配情况，最简单的一个办法，就是看看我们当下正在跟随什么样的人和结交什么样的人。若跟随的是唯利是图、自私自利和阴险狡诈之人，我们脆弱的仁德又何以增长？跟那样的人在一起又能够有什么成就？可见，在人的成长过程中，我们正在跟随和结交的人就是决定我们前途和命运的力量。看看你正在跟随的是什么

人？看看你结交的又是些什么人？基本上就可以给自己“算命”了。

【格言】跟随贤者则贤增，结交仁者则仁长。

15 · 13 子曰：“已矣乎！吾未见好德如好色者也。”

【释义】孔子说：“完了，我从来没有见像好色那样好德的人。”

【要点】(1) 人间难见。(2) 好德如好色。

【语境与心迹】孔子在哀叹：人间如同一个动物世界！好色是动物本能，好德是成人的基础。可是，孔子没有见到好德如好色的人啊！是啊，在那样一个特殊的年代，礼崩乐坏，诸侯互相争霸，大夫专权，国与国互相征伐，生灵涂炭。在这样的一种状态下，有谁还能想着做个好人呢？若是撇开当时的形势来说，人能够以好德管控好色，才不至于乱了心性。好色胜过好德者呈现一副低级动物的嘴脸，好德而不好色者呈现一副假正经的样子；好色损命，好德养命。实际上，对于人类这种高级生灵来说，好德必须驾驭好色，否则，定会堕入深渊啊！

【接圣入心】

- 好色是生理本能，好德是精神境界。
- 人的一生，没有了生理本能，就不是正常人。
- 但人若是没有了精神境界而放纵自己的生理本能就会变成人形动物。
- 关键是以德管控生理本能，让本能不越出道德和法律的边界。
- 当然，“好”什么决定着一个人生命能量的分配：

• 好色胜于好德者，损耗生命，减损自己的品德，在社会中遭人唾骂，失去生存与发展资源，落入孤苦境地。

• 好德胜于好色者，滋养生命，强健人格，提升品德，可有足够的时间去提升能力水平和人生境界，实则是名利双收的最佳人生模式。

- 孔子的那个时代礼崩乐坏，今天的时代繁荣兴旺。可是，好德成为我们人生的选择了吗？好色又伤了多少人啊！

【格言】德能驭色，为人。色若胜德，色鬼。

15·14 子曰："臧文仲其窃位①者与！知柳下惠②之贤而不与立也。"

【注释】①窃位：身居官位而不称职。 ②柳下惠：春秋中期鲁国大夫，姓展名获，字禽，他受封的地名是柳下，"惠"是他的谥号，所以，后人称其为柳下惠。

【释义】孔子对臧文仲提出了批评，他说："臧文仲是一个窃取官位的人吧！他明知道柳下惠是个贤人，却不举荐他一起做官。"

【要点】(1) 孔子评臧文仲与柳下惠。(2) 臧文仲窃位，不荐贤者。

【语境与心迹】在这里，孔子讲了一个真实的故事：臧文仲身在官位，却不去举荐贤德之人柳下惠，这就是小人的嫉贤妒能了。孔子周游列国时，多次遭人嫉妒。每当国君要重用孔子时，就会有国君的近臣诽谤孔子，使得孔子不得不离开。孔子又给我们找到了一个识别人和评判人的角度：就是一个人如何对待比自己优秀的人！时间过去了2000多年，能够举荐贤德之人的人还是少啊！有能力和有心胸是两回事，不少能力出众的人，却常常不敢举荐能力强的人，这不也是德能不匹配的一种表现吗？难怪人们总是感叹："世有伯乐，然后有千里马。千里马常有，而伯乐不常有。"那人们都在举荐什么人呢？可以分成两类：一是举荐"自己人"，这是在按照江湖团伙的原则做事；另一类就是举荐德才优秀的人，尽管与自己并无私人交情。剩下的只是这两者比例多少的问题了。

【接圣入心】

看一个人的心肠如何，可以看他如何对待那些比自己弱的人；看一个人的心胸如何，可以看他如何对待那些比自己优秀的人！

没有教养的小人，通常欺软怕硬、嫉贤妒能。

一个出于公心或者有公正立场的人，一定会赞许、欣赏或者推举能力优秀的人。若是出于私心，就一定会拉拢那些比自己能力弱而容易控制的人。

如果一个人心胸坦荡，完全没有利己之心，一切从大局出发，就会到处寻找并重用能力与品德优秀的人，甚至会将自己的位置让予他们。

◎ 领袖之所以能够成就伟业，是因为他们能够找到各方面的人才。平庸的人之所以平庸，就是因为他们一直将不如自己的人拢在身边。

【格言】知贤不举，即贼心。

15 · 26　子曰："吾犹及史之阙文①也。有马者借人乘之，今亡矣夫。"

【注释】①阙文：史官记史，遇到有疑问的地方便缺而不记，这叫阙文。

【释义】孔子看得越多，似乎越悲观啊："我还能够看到史书存疑的地方，有马的人借给别人乘骑，今天没有了啊！"

【要点】(1) 孔子感叹。(2) 能见史之阙文，不见借马人乘。

【语境与心迹】孔子对弘扬仁德之大愿矢志不移，但也因看到现实中太多的问题而感到悲哀。在此，孔子谈到了生活中的两件事：一个是史官实事求是之仁德，一个是借马给人乘骑之仁德。孔子感叹，史官们能够做到阙文，但像借马给人乘骑的这种仁德之人，已经很少见了。

【接圣入心】

◎ 孔子借两件事来说明仁德的状态，史官的仁德还可以看见，借马给人乘骑的仁德就不多见了。史官的仁德，存在于记载历史的阙文中。借马给人乘骑，说的是现实。孔子这是在借此事感叹当时的礼崩乐坏。

◎ 在现实中，不管你是做什么的，都涉及仁德的坚守和践行问题。作为史官，能够实事求是，不胡编乱造，这是仁德。自己有马能够借给别人乘骑，也是仁德的表现。前者的仁德表现为诚实尽责，后者的仁德说的是乐善好施。

◎ 我们借此可以自问：当我们在指责别人甚至抱怨社会时，我们是否尽了本分？是否也会像我们所抱怨的人那样不尽本分？当我们指责很多人自私自利时，自己是否做到了乐善好施？若是我们自己也没有做到，我们还有什么资格去评价别人或者抱怨社会呢？社会的状况就是每个人的心性与作为所构成的，我们怎么能够在自己做得不好的情况下，只是一味期望别人做好？难道自己只想享受别人仁德的结果吗？

【格言】损己利人即大仁！

15·33　子曰："知及之[①]，仁不能守之；虽得之，必失之；知及之，仁能守之，不庄以涖[②]之，则民不敬。知及之，仁能守之，庄以涖之，动之不以礼，未善也。"

【注释】①知及之：知，同"智"；之，一说是指百姓，一说是指国家。此处我们认为指禄位和国家天下。　②涖：音lì，临或到的意思。

【释义】孔子说："凭借聪明才智得到它，但若仁德不能保持它，即使得到，也一定会丧失。凭借聪明才智得到它，仁德可以保持它，但若不用严肃态度来对待百姓，那么百姓就会不敬；凭借聪明才智得到它，仁德可以保持它，且能用严肃态度来对待百姓，但若动员百姓时不照礼的要求，那也是不完善的。"

【要点】(1)孔子演绎的逻辑。(2)聪明、仁德、庄重、礼制依次递进。

【语境与心迹】孔子在这里讲到了仁德在现实中实施的几个相关联的关键词及其逻辑递进关系：聪明才智、仁德深厚、庄重谦卑和礼制。用聪明才智得到的，若是没有仁德作保障，就会成为人生的债务；如果聪明加仁德，得到了若是不谨慎谦卑，就会受人指责；若是聪明加仁德加谦卑都有了，如果不合于礼的要求，也是有缺憾的。在此，孔子给我们展示了一个以仁为核心的品质与人生景象："聪明才智＋仁德深厚＋庄重谦卑＋礼制"这四者必须联动，才能成为一个真正的仁者，才能构筑美好的人生景象。

【接圣入心】

孔子在这一段话中，用逻辑递进的方式，连接了"智、仁、庄、礼"四个要素，构成了孔子以仁为核心的逻辑路线。

反观现实生活，能处理好这四个方面关系的人实在不多：

- 拥有聪明才智的人不少，可因为仁德的薄弱甚至缺失，得到的也不能守住，正所谓"无福享受"。
- 即使聪明才智有了仁德的保护，只要不懂珍惜和保持初心，只要因为得

到而变得轻狂，同样也会失去，正所谓“无德承载”。

• 即使以上都做到了，只要不能符合礼的要求，也会让人生厌，人生也不算圆满。

从这段话中可以看出，必须将孔子与弟子通过问答方式呈现出的零零散散的思想片段联系起来，只看其中的片段必然导致偏见。

【格言】智仁庄礼，不可单取。

15 · 35　子曰：“民之于仁也，甚于水火。水火，吾见蹈而死者矣，未见蹈仁而死者也。”

【释义】孔子在此强调了人们对于仁德的需求胜于水火，他说：“百姓们对仁的需要，比对水火的需要更迫切。我只见过人跳到水火中而死的，却没有见过为实行仁而死的。”

【要点】(1) 民之于仁也，甚于水火。(2) 未见蹈仁而死者。

【语境与心迹】孔子形容人对仁的需要甚于水火。对生命来说，仁德是灵魂，比水火对人的作用还要大、还要迫切啊！如果衣食无忧，但没有仁德，这能算是人的生活吗？为生存奔忙算计生气而死的人不少，但又有谁会是因为践行仁德而丧生的呢？人为财死，鸟为食亡。人行仁德，自佑安康。

【接圣入心】

人的身体中有 70% 的成分是水，可以说没有水就没有生命，缺了水，生命就没有健康。

人这种高级生命，不仅仅有肉体，还有精神和灵魂。肉体不能缺了水，精神和灵魂不能少了仁德。人若只是求衣食足，还不足以为人，最多叫动物。只有精神饱满、心理健康、处处实行仁德，才是真正的高级生命。

孔子认为，若是缺了仁德的滋养，人生就没有方向，甚至可能沦为行尸走肉。正因为如此，孔子认为人对仁德的需求，甚于对水火的需求。

人若是掉进水火中，可能会死去。若是掉进仁德里，怎么会有生命之忧呢？仁德是养人而不会伤人的。

孔子的这一观点，对当代忙碌的人们来说，依然具有非常重要的意义。看看一味地为了金钱而忙碌奔波的现代人吧，仁德在哪里呢？实际上，很多人生命的坐标已经偏移了。若是不警醒，生命恐怕只能是歪斜着前行，怎么会有健康圆满的人生呢？

问问自己：我会如何践行仁德？我会把仁德放在生活中什么样的位置上？若是可有可无，就是选择了一条歪曲和艰辛的人生道路。

【格言】仁能养人。

15·36 子曰："当仁，不让于师。"

【释义】孔子说："面对仁德，即便对方是老师，也不能同他谦让。"

【要点】(1) 孔子教导。(2) 当仁，不让于师。

【语境与心迹】以孔子为代表的儒家特别重视师生关系的和谐，强调师道尊严，学生不可违背师命，尊师也是衡量一个人道德的重要标准。但是，此处却提出了一个例外：在仁道面前，即使是尊师这样重要的原则，也不能谦让，也可以超越。也就是说，要把实现仁道摆在人生第一位，仁道是衡量一切和进行取舍的最高准则，尊师服从于崇仁。有人可能会问：这样做不是与尊师原则冲突了吗？实际上，尊师有两个境界：一是尊师个人，二是尊师所崇。知道老师崇尚仁道，跟随老师一起崇尚仁道，这才是好学生啊！若是形式上尊师，但却不跟随师者的心路一同前行，这又怎么能算是好学生呢？正所谓：实行仁德高于形式上的尊师，力行仁德即实质上的尊师。若是师者不重仁，你又尊他什么？

【接圣入心】

在这一段中，孔子采用对比和取舍的方式讲了两层意思——一明一暗：明的是仁德高于尊师；暗的是施行仁德即尊师。若是师者不重仁，又如何成为合格的让人尊敬的师者呢？你又尊他什么呢？

真正的"师"一定是培养学生仁德的，学生争先恐后地去施行仁

德，这不正是老师所希望的吗？

孔子为什么会说这样一番话呢？大概有三层用意：一是仁德高于一切，自然也高于老师，应该是学生和老师共同追求的人生境界；二是孔子大概看到或者感受到了，很多学生侧重于学习老师教授的知识，很少有学生特别重视学习老师的仁德，更难有学生和老师一同孜孜不倦地追求仁德；三是若师者不能践行仁的准则，又如何成为合格的师者？学生又尊他什么呢？

过去的师父总跟弟子们讲这样一句话“学师者死”，说的是作为学生，若是不想超过老师就不是好学生。超过老师什么呢？当然是超过老师的现状，因为老师也在努力超越自己的现状，向着自己的理想奋进。所以，好的学生是与老师一同追求理想的。

回到现实中来：一般情况下，你能做到尊师如父吗？不孝敬父母、不尊敬师者，这可是人间大逆不道之举啊！你能够按照老师的教导积极行动起来去践行仁德吗？若是只尊师而不行仁德，不去欣赏老师的理想并与老师一起追求理想，又怎么算是真正的好学生呢？又怎么能算是真正的尊师呢？

作为老师来说，师有道而得人尊，师无道遭人恨。若是师者无道时还要求学生尊重或者斥责学生不尊师，可能就接近于无耻了吧？上级、家长也是广义上的师者，当同此理。若是家长不行仁德而要求儿女孝顺，若是上级不行仁德而要求下级服从与尊敬，也是无耻的表现吧！

【格言】当仁不让于师。

季氏第十六

16·12　齐景公有马千驷，死之日，民无德而称焉。伯夷叔齐饿于首阳之下，民到于今称之。其斯之谓与？

【释义】齐景公有4000匹马，他死的时候，百姓们觉得他没有什么德行可以称颂。伯夷、叔齐饿死在首阳山下，百姓们到现在还在称颂他们。说的就是这个意思吧。

【要点】（1）孔子评齐景公。（2）虽有马千驷，死时民不赞。（3）伯夷、叔齐饿死，民至今称赞。

【语境与心迹】孔子将齐景公与伯夷、叔齐相比照，进一步揭示了人生的意义与价值不在于自己拥有多少，而在于此生是否在弘扬和践行仁德大道，是否因此能被后世传颂。这是古人的一种人生观：天命不可违，今生不可虚度，要为后世留下美名。这正是：一生为己身后空，毕生仁道万世名。

【接圣入心】

通过将齐景公与伯夷、叔齐的人生相比照，孔子告诉了我们一个重要的人生道理：只图自己多占有，最终会失去一切。而那些一心弘扬仁德大道的人，看似穷困，却能名垂千古。

许多人将人的欲望与理想混淆了，那些将欲望当作理想来追求的人，一心为的都是自己的名利。最终却发现，一个人的生活所需是非常有限的，如果因为致富而拼命消耗，反而会伤及生命。一个人拥有的再多，也只是一种象征，最终都将化为过眼烟云。而看穿了这一点的人，就会奉献自己的生命去为众人服务，这就是走在理想之道上。拥有理想的人，因为是用生命为别人服务的，所以一生无敌，甚至所说的每一句话和所做的每一件事，都在印证自己的人格境界，都在提升自己的人生高度。像伯夷、叔齐那样，只因为一件事，就登上了人生的巅峰，从而得以名垂青史。

再看看现实中的人们，很多人不正在步景公的后尘吗？最终又会是什么结果呢？因为一心图谋私利，处处与人算计，心灵不得安宁，死后也无人称颂，最后落得个得不偿失的下场：天上一股烟，地上一把灰。过不了多长时间，人们就会把他遗忘，就如同他从来没有在世界上出现过一样。原来，人生的真谛是：人生百年，人一直在印证自己灵魂的高度！其他的都是道具而已！

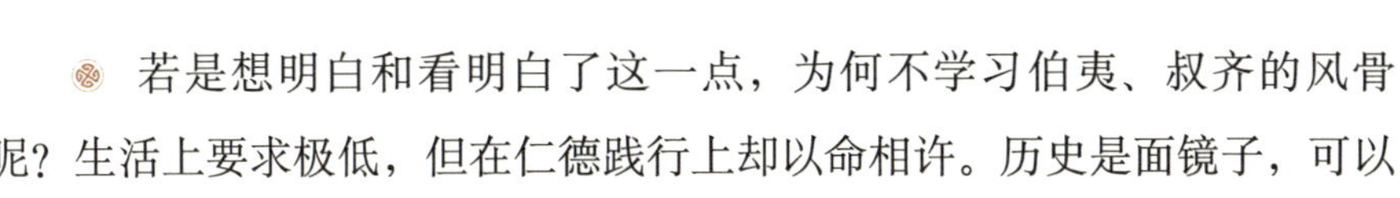

若是想明白和看明白了这一点，为何不学习伯夷、叔齐的风骨呢？生活上要求极低，但在仁德践行上却以命相许。历史是面镜子，可以照见今天许多糊涂人的歧途和末路。

【格言】钱财随死而走，美名可传千秋。

阳货第十七

17·1　阳货①欲见孔子，孔子不见，归孔子豚②。孔子时其亡③也，而往拜之，遇诸涂④。谓孔子曰："来！予与尔言。"曰："怀其宝而迷其邦⑤，可谓仁乎？"子曰："不可。""好从事而亟⑥失时，可谓知乎？"子曰："不可。""日月逝矣，岁不我与⑦。"孔子曰："诺，吾将仕矣。"

【注释】①阳货：又叫阳虎，季氏的家臣。　②归孔子豚：赠给孔子一只熟小猪。归，音 kuì，赠送；豚，音 tún，小猪。　③时其亡：等他外出的时候。　④遇诸涂：涂，同"途"，道路。在路上遇到了他。　⑤迷其邦：听任国家迷乱。　⑥亟：屡次。　⑦与：在一起，等待的意思。

【释义】阳货想见孔子，孔子不见，他便送给孔子一只熟小猪，想要孔子去见他。孔子打听到阳货不在家时，往阳货家拜谢，却在半路上遇见了阳货。阳货对孔子说："我有话要跟你说。"阳货说："把自己的本领藏起来而听任国家迷乱，这可以称得上仁吗？"孔子说："不可以。"阳货说："喜欢参与政事而又屡次错过机会，这可以说是智吗？"孔子说："不可以。"阳货说："时间一天天过去了，年岁是不等人的。"孔子说："好吧，我准备去做官了。"

【要点】(1）阳货欲见孔子。(2）阳货质问仁。(3）孔子领悟。

【语境与心迹】很显然，孔子对季氏的家臣没有什么好感，故而不愿意见面，又偏巧在途中相遇了。可美妙之处就在于，孔子从与这样一个没有好感的人的对话中领悟到了一个道理，最后听从了阳货的建议去做官，为国家和民众服务。看起来一波三折：没好感，故不想见；偏偏途中相遇；一番有益交谈，背后却是孔子一次次在类似的奇遇中悟道。正可谓：俗人只对朋友说一些无关痛痒的话，圣者能听出对手言中的真理。

【接圣入心】

很显然，孔子对阳货没有什么好感，但因为他首先对孔子以礼相待，所以孔子也不得不去拜谢，来而不往非礼也。

可是，孔子又不想见到阳货，所以选择了一个阳货不在家的时候去拜谢。可人算不如天算啊！孔子竟然在半途中碰到了阳货，于是有了那番精彩的对话。

孔子与阳货的对话可谓精彩至极啊：对两个并非志同道合的人来说，相遇也许是有些尴尬的。可是，当孔子与阳货进行了一番对话后，孔子戏剧般地超越了初始的情感状态，进入了悟道的奇妙状态。

阳货运用奇妙的发问，引领孔子走出了感情的偏见而回归正道。看来，对于修行者来说，只要放弃感情，就处处可以悟道啊！当然，仅就阳货的发问来看，他此时此刻也是高人啊！

实际上，阳货是用孔子所重视的“仁”和“智”这两个主题，对孔子的现状进行了批评。有趣的是，孔子竟然接受了批评，并承诺要去改正。但凡大修行者、修道者，都随时准备放弃个人偏见，随时都能够回归正道啊！

看看孔子内心的坚持和形式上的改变，真是了不起的人啊！想想我们一般人，会听从自己不喜欢的人的谏言吗？很多时候，人们都是在抱有成见和情绪的情况下对待别人和思考别人的话语的。若是认可某人，似乎他说什么都可以接受；若是不认可某人，会反感跟他有关的一切。这哪里有一丁点儿的理性？若是如此，又如何悟道呢？

孔子跟阳货的交谈，让人看到了一个伟大的圣者是如此理性而有情怀，也让人看到一个修行者恪守正道的智慧啊！这个小小的案例，当是我们这些后人学习的榜样和用以看清自己的状态并警醒自己的明镜啊！

【格言】人都有长，亲近可得。

17·5 公山弗扰[①]以费畔，召，子欲往。子路不说，曰："末之也已[②]，何必公山氏之之也[③]。"子曰："夫召我者，而岂徒[④]哉？如有用我者，吾其为东周乎[⑤]？"

【注释】①公山弗扰：人名，又称公山不狃，字子洩，季氏的家臣。②末之也已：末，无；之，到、往。末之，无处去。已，止，算了。③之之也：第一个"之"字是助词，后一个"之"字是动词，去到的意思。④徒：徒然，空无所据。⑤吾其为东周乎：为东周，建造一个东方的周王朝，在东方复兴周礼。

【释义】面对着现实中的很多事件和场景，孔子的选择总是与众不同。这是标新立异吗？自然不是，是孔子心中始终装着弘扬仁德的大愿。公山弗扰据费邑反叛，来召孔子，孔子准备前去。子路不高兴地说："没有地方去就算了，为什么一定要去公山氏那里呢？"孔子说："他来召我，难道只是一句空话吗？如果有人用我，我就要在东方复兴周礼，建设一个东方的西周。"

【要点】（1）公山弗扰召孔子。（2）子路不说。（3）子欲往复周礼。

【语境与心迹】公山不狃是春秋时期鲁国人，复姓公山，名不狃（也作弗扰、不扰），字子洩。公山不狃作为季氏的家臣，曾经与阳虎等一起操办过季平子的丧事，深得季桓子的信任，所以季桓子才会派他担任费宰。然而仅仅过了3年，即鲁定公八年（公元前502年），公山不狃与季桓子产生矛盾，到了不可调和的地步。公山不狃联合阳虎一同反对季氏，抓住了季桓子，季桓子用计逃脱，阳虎兵败逃亡齐国。阳虎出逃齐国之后，公山不狃仍以费宰的身份盘踞费邑。公山不狃大概也想有所作为，便派人请孔子前往辅助。孔子之所以想去，关键就是公山不狃"叛"的是季氏，而非鲁国。

孔子与子路的这一段对话中所说的情况，是公山不狃反季氏的时候，孔子是支持的，因为公山不狃反的是独霸朝纲的季氏，而不是鲁国。后来，当公山不狃开始反鲁国时，孔子就灭了他。至此，我们就能很清楚地看到孔子鲜明的是非观：当公山不狃反的是独霸朝纲的季氏时，孔子是支持的。当公山不狃反的是鲁国时，孔子就是反对的。而子路对此问题的认识，还仅仅限于一般的信条，尚不明大义和应时应势而变。作为老师的孔子则不同，看人看事着眼的是大局，只要是有利于弘扬和践行仁德的事情，孔子都是乐意去做的。

【接圣入心】

"生存还是毁灭？这是一个问题。"(To be, or not to be, that is the question.)这是莎士比亚名著《哈姆雷特》中的经典台词。

人生处处有很多迷惑，但又要做出相应的选择。孔子就是根据形势变化不断地在做出选择，关键是选择的标准是什么。

子路也在进行选择，他因为对公山弗扰的反感而忘记了弘扬并践行仁德的使命，也就不会抓住一切可能的机会。看起来自身清白了，却牺牲了弘扬仁德大义的机会，这怎么能算是智者呢？

也许，子路会很困惑，怎么老师变来变去的？一会儿支持，一会儿又反对，这到底是怎么了？实际上，普通人和圣人的一个重要区别就在于是否搞清楚了为什么反对，又为什么支持。这也表现出了孔圣的智慧多么精妙：变化的是现象与方法，不变的是心中的立场与理想的大道！

孔子是仁者，更是智者，心中弘扬仁德的决心是那样清晰而坚定，一切都可以服从于这样一个核心目标，即使是自己受委屈，甚至是被别人误解，也要奔着自己的核心目标而去。这是需要智慧和勇气的，而孔子做到了，我们呢？

很多人在现实中常常会犯这样的错误，因为对一个人不认可，因而放弃了可以借机实现美好理想的机会。可谓是聪明一世糊涂一时。在现实中，如何将自己个人的喜好和善恶的标准，上升为更高的理想目标，这是明智与否的关键所在。

【格言】心有正义，处处为机。

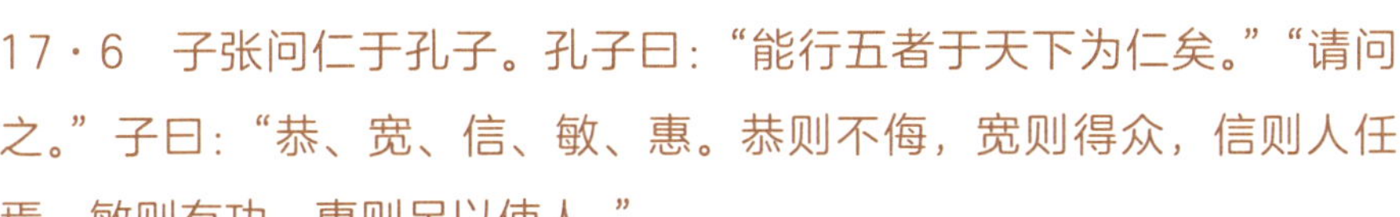

17·6　子张问仁于孔子。孔子曰："能行五者于天下为仁矣。""请问之。"子曰："恭、宽、信、敏、惠。恭则不侮，宽则得众，信则人任焉，敏则有功，惠则足以使人。"

【释义】子张向孔子请教仁。孔子说："能够处处实行五种品德。就是仁人了。"子张接着问："请问哪五种？"孔子给出了具体答案："恭敬、宽厚、诚信、勤敏、慈惠。恭敬就不致遭受侮辱，宽厚就会得到众人的拥护，诚信就能得到别人的任用，勤敏就会提高工作效率，慈惠就能够使唤人。"

【要点】(1) 子张问仁。(2) 行五者于天下为仁。(3) 恭、宽、信、敏、惠。

【语境与心迹】子张真是勤学好问啊，这次问仁，老师孔子答出了一句千古警句：能行五者于天下为仁——恭、宽、信、敏、惠！孔子在回答子张的问题时，讲述了这五种品德各自的功能与作用。子张应该会很满意，因为这些方面可能正是他所欠缺的，故而应该会很有收获啊！如此重要的人生问题，身边总有个老师可以去请教，该是多么幸福的事啊！仁者行"恭、宽、信、敏、惠"五德于天下。

【接圣入心】

孔子借弟子子张问仁，从另一个角度指出了仁者的五个品德：恭、宽、信、敏、惠。

仁者五德：

- 恭：一个对人没有恭敬之心的人，可能会损伤别人，也等于是自取其辱；敬人者人恒敬之。
- 宽：一个人若是不宽厚，可能就会处处算计和苛待别人，没有人会拥护这样的人。
- 信：一个不讲诚信的人，又怎么可能被人信赖和重用呢？
- 敏：一个做起事来磨磨蹭蹭，甚至是误事的人，又怎么能够把事做得让人放心呢？
- 惠：一个没有慈悲之心，不为众人谋福利的人，又有谁愿意听他的号令呢？

若是我们只梦想着自己的成功，却缺乏受人尊敬、得人信任、让人放心和慈悲大众的品德，怎么可能成功呢？

孔子面对不同弟子的发问、在不同的情境下就仁给出了不同的答案，这让后世之人颇为疑惑：孔子所说之仁到底是什么？实际上，孔子的做法本身就是关于“孔子之仁”的答案：在任何时候，在任何情境下，都要用仁心去接通一切，这就是仁道啊！

【**格言**】仁者行五者于天下，恭、宽、信、敏、惠。

17·7　佛肸①召，子欲往。子路曰：“昔者由也闻诸夫子曰：‘亲于其身为不善者，君子不入也。’佛肸以中牟②畔，子之往也，如之何？”子曰：“然，有是言也。不曰坚乎，磨而不磷③；不曰白乎，涅④而不缁⑤。吾岂匏瓜⑥也哉？焉能系⑦而不食？”

【**注释**】①佛肸：音 bì xī，春秋末年晋大夫范氏、中行氏的家臣，为中牟的县宰。　②中牟：地名，在晋国，约在今河北邢台与邯郸之间。　③磷：损伤。　④涅：一种矿物质，可用作颜料染衣服。　⑤缁：音 zī，黑色。　⑥匏瓜：葫芦中的一种，味苦不能吃。　⑦系：音 jì，结，扣。

【**释义**】瞧瞧，孔子遇到一些事情时是如何选择的，弟子们又是如何思考的。佛肸召孔子去，孔子打算前往。子路说：“从前我听先生说过：‘亲自做坏事的人那里，君子是不去的。’现在佛肸据中牟反叛，你却要去，这如何解释呢？”孔子说：“是的，我说过这样的话。不是说坚硬的东西磨也磨不坏吗？不是说洁白的东西染也染不黑吗？我难道是个苦味的葫芦吗？怎么能只挂在那里而不给人吃呢？”

【**要点**】(1) 佛肸召孔子，子欲往。(2) 子路质疑，不解。(3) 坚，磨而不磷；白，涅而不缁。(4) 焉能系而不食。

【**语境与心迹**】奇哉孔子，总是出人意料。大哉孔子，遇事的气度与选择总是不同于一般人。“不入虎穴，焉得虎子”，敢于深入到那些自己所反对的人中去，敢于跟对手面对面交锋，真金不怕火炼，百炼成钢，这才是大智、大勇、大仁啊！孔子之所以能够成圣，那是一个大修行者在各种红

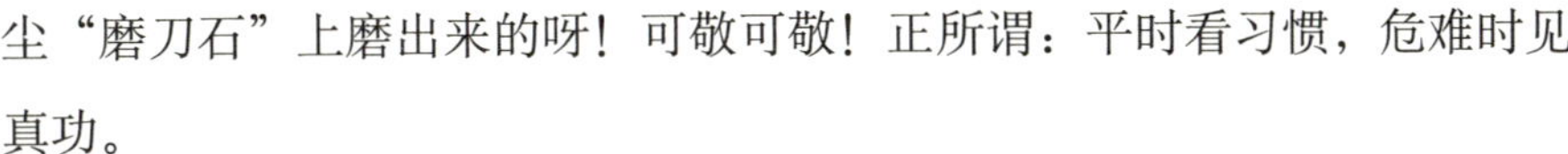

尘“磨刀石”上磨出来的呀！可敬可敬！正所谓：平时看习惯，危难时见真功。

【接圣入心】

子路是个耿直的人，遇到一些复杂的事情，思想上常常拐不过弯来。当听说孔子要去一个反叛之人那里，联想起孔子平时教育弟子的话，子路心中很是不解。

孔子也很有趣，首先承认自己说过反对“犯上作乱”的话，然后，又做了三个比喻：

- “不是说坚硬的东西磨也磨不坏吗？”现在真要去磨一磨了，怎么反而不敢去了呢？
- “不是说洁白的东西染也染不黑吗？”怎么刚要接近黑的东西，反而心虚了呢？
- “难道我就是那样一个苦味的葫芦？只能挂在那里让人看而不能吃吗？”

在我们普通人看来，子路也是个勇敢的人，但因为缺乏孔子那样的仁德和智慧，当真正遇到仁德与智慧的双重考验时，反而不知所措了。看来，子路之勇猛与老师的智勇差别很大呀！

反观现实，我们也会发现：倡导道德的人，在平常的环境中还能慷慨陈词，但真正到了面对恶人的时候，很多人就语塞了。若是没有面对恶人的勇气和胆量，弘扬仁德正道就会缺乏力道。不敢与恶势力交手的仁德之士，又怎么弘扬仁德呢？

伟大的孔子，多处表现出仁德大道护卫者的勇气和无畏，这很值得那些口头上的道德说教者去反省和学习。

对于弘法布道者而言，没有大智大勇，没有与恶人交锋的经历，就难以提升和证明自己的功力！

【格言】坚者，磨而不磷；白，涅而不缁。匏瓜，焉能系而不食？

17·21　宰我问："三年之丧，期已[①]久矣。君子三年不为礼，礼必坏[②]；三年不为乐，乐必崩。旧谷既没，新谷既升，钻燧改火[③]，期[④]可已矣。"子曰："食夫稻，衣夫锦，于女[⑤]安乎？"曰："安！""女安则为之。夫君子之居丧[⑥]，食旨不甘[⑦]，闻乐不乐，居处不安，故不为也。今女安，则为之。"宰我出。子曰："予[⑧]之不仁也！子生三年，然后免于父母之怀[⑨]。夫三年之丧，天下之通丧[⑩]也。予也有三年之爱于其父母乎！"

【注释】①期已：期，期限；已，太。　②坏：废弃，废置。　③钻燧改火：钻燧取火的木料一年轮换了一遍。一遍之后举行一定的仪式，叫"改火"，可见先民取火的艰难。燧：取火所用的木材。　④期：音 jī，一周年。　⑤女：同"汝"，你。　⑥居丧：守孝。　⑦食旨不甘：吃美味不知香甜。旨，美味；甘，甜。　⑧予：宰予，即宰我。　⑨免于父母之怀：离开父母的怀抱。　⑩通丧：共同遵守的丧礼。

【释义】孔子教育弟子，都是围绕一个个普通人难以理解的问题展开的，核心就是澄清事实和纠偏纠错。宰我问："服丧三年，时间太长了。君子三年不讲究礼仪，礼仪必然败坏；三年不演奏音乐，音乐就会荒废。旧谷吃完，新谷登场，钻燧取火的木头轮过了一遍，有一年的时间就可以了。"孔子说："才一年的时间，你就吃开了大米饭，穿起了锦缎衣，你心安吗？"宰我说："我心安。"孔子说："你心安，你就那样去做吧！君子守丧，吃美味不觉得香甜，听音乐不觉得快乐，住在家里不觉得舒服，所以不那样做。如今你既觉得心安，你就那样去做吧！"宰我出去后，孔子说："宰予真是不仁啊！小孩生下来，到三岁时才能离开父母的怀抱。服丧三年，这是天下通行的丧礼。难道宰予对他的父母没有三年的爱吗？"

【要点】(1) 宰我挑战三年之丧。(2) 孔子斥责。

【语境与心迹】这一段说的是孔子和他的弟子宰我之间，围绕丧礼应服几年的问题展开的争论。孔子与这个另类的弟子之间的交往与对话，实属有趣。在这里，宰我用了一种"以子之矛，攻子之盾"的逻辑辩术：老师你不总是讲礼乐很重要的吗？但如果服丧三年，三年里不演礼奏乐，岂不是坚持了“孝”却又破坏了“礼乐”吗？很显然，孔子没有跟随他的逻辑诡辩路线，而是从生活的角度进行反问。孔子认为，孩子生下来以后，要经过三年才能离开父母的怀抱，所以父母去世了，也应该为父母守三年丧。这是必不可少的。所以，他批评宰我“不仁”。其实在孔子之前，华夏民族就已经有为父母守丧三年的习惯，这一习惯经儒家道德制度化后一直沿袭下来。这是“孝”的道德思想在守丧礼制上的具体表现。也许今天的人们觉得这是毫无必要的，如同宰我的看法。实际上，这个守丧的煎熬，熬的是心，犹如闭关，如此方能降伏其心。

宰我，思想活跃，好学深思，擅长论辩，敢于质疑，并敢于对孔子的一些思想提出异议。也因为其行为的异类——“宰予昼寝”，曾被孔子痛斥为朽木和粪土。宰我不仅仅行为上不符合儒家的倡导，其思想也很异类，他曾向孔子提出过两次挑战，一是“守丧三年”的制度，认为可改为“守丧一年”，被孔子批评为“不仁”。二是向孔子提出了一个两难的问题：如果告诉一个仁者，另一个仁者掉进井里了，他应该跳下去救还是不应该跳下去救？因为如跳下去则也是死，如不跳下去就是见死不救。孔子直接指出宰我这是在愚弄人，提的问题不好，反问道：“何为其然也？君子可逝也，不可陷；可欺也，不可罔也。”正是因为宰我的另类和言行不一，孔子总结了自己看人的两个失误：“以言取人，失之宰予；以貌取人，失之子羽。”并且，从宰我那里改变了自己以往看人的不足：“始吾于人也，听其言而信其行；今吾于人也，听其言而观其行。于予与改是。”后人也多有为宰我辩解的人（如王充），宰我更有后世的封号，唐玄宗时被追封为“齐侯”，宋代被追封为“临菑公”，后改称为“齐公”，明嘉靖九年改称“先贤宰子”。宰我还是孔门十哲之一，被孔子许为言语科的高才生，排名在子贡前面。

【接圣入心】

宰我的逻辑思辨能力确实不简单，在孔子的弟子中恐怕也是一流的。难怪在言语能力方面，孔子将其排在子贡之前。

宰我在这里利用了一个辩论技巧："以子之矛，攻子之盾"。只是孔子没有搭理他这个茬。

那么，如何看待宰我在守丧三年这个问题上的观点和逻辑辩术呢？

• 宰我将"守丧三年"改为"守丧一年"的观点，估计绝非心血来潮。在那样一个礼崩乐坏的时代，可能很多人已经不再坚守"守丧三年"的旧制了。

• 也许，从今天的人们在守丧方面的做法来看，宰我的观点具有一定的改革价值，并非是不孝不仁。

• 宰我能够使用一种逻辑的辩术来向孔子提问，足见其逻辑思维能力相当突出。

• 宰我的辩术也可以破解：孝是仁之本，仁是礼乐之根。当在一个时刻面临根梢取舍时，当然是留根去梢。况且，只是服丧的人不再演礼奏乐，其他人并没有受到影响啊！况且，服丧结束就又可以恢复礼乐，并非从此断绝了礼乐。只是孔子对于太会辩论的人没有什么好感，所以也没有直接跟他进行辩论，而是从生活和个人感受的角度跟宰我进行了对话。

儒家主张以孝治天下，视孝道为齐家、立国之本，为使孝悌之情有始有终，因此对生、死二事同等重视，但儒家并不主张过度守丧的做法。

时至今日，全国上下，守丧制度已经发生了巨大的变化，比较典型的是"七七四十九天守丧"规制依然在很多地方留存着，在守丧期间要做到吃素守孝，即不吃油肉、不吃辣椒、不吃大蒜、不喝凉水；若吃了辣椒，是嘲笑死者心肠毒辣，吃了大蒜、喝了凉水，是嘲笑死者该死。所以，在"三七"内只能吃素菜、喝素汤，即"饭蔬饮水二十一日"。忌穿红装、彩服，不走亲戚、不访友、不参加娱乐活动。

时代变了，但对亲人的情怀不能丢失，若是那么快就把亲人忘记了，真的就能开启自己美好的生活吗？失去了根的大树能够枝繁叶茂吗？

现代人应该有个什么样的守丧制度呢？值得深思啊！

【格言】守丧炼心，忘亲不仁。

微子第十八

18·1　微子①去之，箕子②为之奴，比干③谏而死。孔子曰："殷有三仁焉。"

【注释】①微子：商纣王的同母兄长，见纣王无道，劝他不听，遂离开纣王。　②箕子：箕，音 jī。商纣王的叔父。他去劝纣王，见王不听，便披发装疯，被降为奴隶。　③比干：商纣王的叔父，屡次强谏，激怒纣王而被杀。

【释义】微子离开了纣王，箕子被贬为奴隶，比干被杀死了。孔子评价说："这是殷朝的三位仁人啊！"

【要点】(1) 殷有三仁。(2) 微子，箕子，比干。

【语境与心迹】孔子在这里提到了商纣王的三位亲人，皆是因为不愿与昏庸的商纣王同流合污，舍身舍命为民请命而惨遭厄运的。孔子对这三个人的义举给予了极高的评价，认为他们才是真正的仁者。正所谓"舍生取义"，实乃大仁大义之英才啊！正所谓：以公谋私者万年遗臭，以命殉道者万古流芳。

【接圣入心】

商纣王的三位亲人不屑与之为伍而惨遭厄运，三位仁者被后世赞许崇拜，而商纣王却落得个千古骂名。

商纣王肯定还有很多其他的亲人，他们当中肯定也有正义之士，但选择了忍气吞声。肯定也有奸佞之人或者寄生图利者，他们与商纣王同流合污。他们当中也会有很多普通人，只关心自己的生存，看不清人间大是大非，选择苟安。

很多人都清楚，现实中有太多的人在自己的亲人当了大官之后靠上前去，或者一旦当官就为自己的亲人牟利，将公权私用，伤害众人利益，甚至还会飞扬跋扈、恬不知耻。

只是，“人在做，天在看”，公道自在人间，那些以权谋私或者同流合污的人，最终会落得倾家荡产，被万人唾骂的下场。由此可见，每一个人的人生，尤其是很有名气的人的人生，最终都会在历史的维度上接受终极的评判。

不管是历史还是现在，大部分人与上述三位古代的仁者相比，真是差之千里啊！

你呢？会想方设法利用关系为自己谋取私利吗？你如果在官位，会把自己的私利和公权断然分开而不染污垢吗？若是一心为己，那就会再次沦为悲剧啊！

人怎么活，是自己选择的。一旦有权力加身，不管是在政府还是在公司，都要小心，否则，公权私用、谋私害众，哪有好下场的？！

若是你爱护自己那做官的亲人，就离他远一点，不要为私事向他提出任何请求。如果你做官想保全家平安，就紧紧地守住自己心中公私的界限，守住公心不动摇，免得落个身败名裂的下场。

【格言】仁者为公！

18·2　柳下惠为士师①，三黜②。人曰：“子未可以去乎？”曰：“直道而事人，焉往而不三黜？枉道而事人，何必去父母之邦？”

【注释】①士师：典狱官，掌管刑狱。　②黜：罢免不用。

【释义】柳下惠当典狱官，三次被罢免。有人说：“你不可以离开鲁国吗？”柳下惠说：“按正道侍奉君主，到哪里不会被多次罢官呢？如果不按正道侍奉君主，为什么一定要离开本国呢？”

【要点】（1）士师柳下惠三次被罢黜。（2）直道事君。

【语境与心迹】柳下惠（公元前720年—公元前621年），展氏，名获，字子禽，一字季，春秋时期鲁国柳下邑人（今山东平阴展洼人），鲁孝公的儿子公子展的后裔。“惠”是他的谥号，所以后人称他为“柳下惠”。有时

也称“柳下季”。他担任过鲁国大夫，后来隐遁，成为“逸民”。柳下惠被认为是遵守中国传统道德的典范，他“坐怀不乱”的故事广为传颂。《孟子》中说“柳下惠，圣之和者也”，所以他有“和圣”之称。

柳下惠是《论语》中被赞赏的仁者，他能够按照自己心中的原则做事，不在乎个人的荣辱得失，不责怪君王的无常，也不会在被罢官后怨天尤人，更不会赌气拒绝再次被启用，心中正能量满满，只有原则、只有国家，没有个人的计较，真是了不起的仁者啊！仁者心中只守正义，不计个人荣辱，也不向外责人。英明君主不让小人操控，更不会让仁者吃亏受辱。

【接圣入心】

柳下惠成了后世君子的楷模，他不计较个人得失，更不在意个人荣辱，也没有抱怨和指责。在现实中，做到其中任何一项，都是多么不容易啊！可柳下惠做到了，孔子对他非常赞赏。

当下的人们，人人可以自问：

- 当我忠心做事为公时，若是遭到上级恶意刁难甚至撤职时，可无怨恨？
- 当再次被启用时，可有赌气不接受新的任用？
- 又再次被罢免时，可有心灰意冷？
- 又再次被启用时，可有对上级无常的鄙视？

当然，如果你是领导，让君子或者仁者受气遭贬，又怎能算是明主？被小人操控，又怎能算是真正的领导？

【格言】正心不动摇，无我才能无怨，正道行进才能无悔。

18·9 大师挚①适齐，亚饭干适楚，三饭缭适蔡，四饭缺②适秦，鼓方叔③入于河，播鼗④武入于汉，少师⑤阳、击磬襄⑥入于海。

【注释】①大师挚：大同“太”。太师是鲁国乐官之长，挚是人名。 ②亚饭、三饭、四饭：都是乐官名。干、缭、缺是人名。 ③鼓方叔：击鼓的乐师名方叔。 ④鼗：音 táo，小鼓。 ⑤少师：乐官名，副乐师。 ⑥击磬襄：击磬的乐师，名襄。

【释义】看看一个衰微的局面出现时会发生什么？能人都远离了。太师挚到齐国去了，亚饭干到楚国去了，三饭缭到蔡国去了，四饭缺到秦国去了，打鼓的方叔到了黄河边，敲小鼓的武到了汉水边，少师阳和击磬的襄到了海滨。这些人究竟是何人，已经无法肯定。乐师散落四方，是礼崩乐坏吗？是对鲁国衰微，“岐王宅里寻常见，崔九堂前几度闻”的悲慨吧？

【要点】（1）礼崩乐坏。（2）乐师四散。

【语境与心迹】这里一一历数了出走的能人们。仁德不存，贤能流散。国君仁德，就是贤德之人最好的庇护，也是对贤德之人最大的吸引。若是仁德不存，贤能之士就将失去用武之地，只能四处流散了。孔子此番言论，也是提醒当政者，当面临人才流失时，应该反省自己。正所谓：皮之不存，毛将焉附，魂之不存，命何以存，国君不仁，贤士流散。

【接圣入心】

“栽下梧桐树，引来金凤凰。”《庄子》里这样说：“南方有鸟，其名为鹓雏，子知之乎？夫鹓雏发于南海而飞于北海，非梧桐不止，非练实不食，非醴泉不饮。”俗话说：物以类聚，人以群分。

在孔子所处的那样一个礼崩乐坏的时代，一些贤能之士心灰意冷地离开了自己的国家，实属无可奈何之举。人心的这样一种分化，也在昭示着一个国家的弊端已经积重难返。

现代组织的领导，常常会在人才或者骨干离职后异常苦闷。若是离开的人们做了跟自己一样的职业，就会视为人家挖墙脚。若是他们到了竞争对手那里去，就会认为人家是背叛。

可是，国家也好、企业也好、生命也好，仁德之魂消失了，人家跟你在一起还混什么呢？只是很少有领导反思自己，而是一味地要求别人对自己和组织忠诚，却不为人才骨干们着想，也不去精心营造健康向上的正气氛围。

如果领导明智，就会在人才流失之时举一反三，深刻检讨人才流失的原因，搞清楚此事带给组织的启示，借此来一次组织的体检和系统的升级。

【格言】仁者聚人，不仁去人。

子张第十九

19·15 子游曰："吾友张也为难能也，然而未仁。"

【释义】子游评价自己的朋友子张时这样说："我的朋友子张可以说是难得的了，然而还没有做到仁。"

【要点】(1) 子游说子张。(2) 子张难得，然而未仁。

【语境与心迹】这里说的是子游对自己的好友子张的评价：子游对子张比较认同，只是按照老师的标准，虽然子张已经十分难得，但还是没有达到仁者的境界。看来，子游对老师所说的仁者内涵已经很有感觉了：红尘之仁义与孔圣之仁，那是有着本质区别的。红尘之仁多指人间之世俗仁爱，而孔圣之仁，实则是悟道者道心的觉醒。这正是：能者非仁者，明理非悟道。

【接圣入心】

子游认为子张已经很不简单了，但还没有做到仁。

由此可见，孔子的仁德思想在弟子们那里影响很大，弟子们时时反省。

有了难得的能力，并不代表着就达到了仁德的境界。孔子的弟子子游能够看明白这一点，已经很难得了。也许，他已经能够洞察仁之道了！

现实中的能人们呢？在和那些能力不如自己的人比较之后，在因此获得了优越感之后，还能正视自己在仁德方面的差距吗？还有更高的目标吗？还能反思自己的缺失和不足吗？还会有足够的动力和勇气去直面缺陷而不断自我超越吗？孔圣所说真正的仁者，实乃悟道、成道之人啊！

与红尘中的非仁者相比，子张是优秀的楷模。孔门修行，目标是指向悟道的究竟境界的。若是修行者只与红尘俗人相比，并自恃清高，就已经偏离修道、悟道的正道了。

真正的修行者，是在向着大道的究竟接近，而不能仅仅以超凡作为标准。孔子所说之仁，实则是真理之巅的大道。若是误以为是人间的仁义，那就谬之千里了。

【**格言**】仁者全知全能全善。

19·16 曾子曰："堂堂乎张也，难与并为仁矣。"

【**释义**】曾子也参与到对子张之仁的评价中来了，他说："子张仪表堂堂，难和他一起做到仁的。"

【**要点**】(1) 曾子说子张。(2) 仪表堂堂，难以并为仁。

【**语境与心迹**】要知道曾子此话的真意，需要了解一下子张是什么人以及与曾子等人的交集。子张，即颛孙师，字子张，孔门弟子之一。春秋末陈国阳城（今河南登封）人。出身微贱，且犯过罪行，经孔子教育成为"显士"。虽学干禄，未尝从政，以教授终。孔子死后，子张与曾子和颜路难以共处，也有说是子张受到曾子和颜路的排挤，反正最终是被迫离开鲁国，独立招收弟子，宣扬儒家学说，是"子张之儒"的创始人。"子张之儒"列儒家八派之首。他好学深思，喜欢与孔子讨论问题。在忠信的思想上受孔子教育影响极深，把孔子关于忠信的教导写在大带上，以示永志不忘，并在实践中收到明显效果。他鄙视品德修养低下者，认为缺乏道德、行为和信仰不坚定的人有了不为多，没有不为少。他随孔子周游列国，在被困于陈、蔡时提出，士应该看见危险便肯豁出生命，看见所得便考虑是否该得，祭祀时考虑是否严肃认真，居丧时则应悲痛哀伤。他与人交往宽宏豁达，他喜欢同比自己贤能的人交朋友，主张"尊贤容众"。他在与朋友相处过程中能做到不计较过去的恩怨，就是受到别人的攻击、欺侮也不计较，故被称为"古之善交者"。他生活上不拘小节，不讲究外观礼仪，不追求衣冠整洁美观，随和从俗。他办事勇武，在孔门弟子中是忠信的楷模，后人称之"亚圣之德"。曾子对子张的评价又是什么意思呢？古今有不同的理解，若是依二人的性情交集，恐怕很难成为好友，孔子逝世后子张的出走也与此有关。故曾子所说的话更多是强调与之难以相处。若是依曾子不言人过的美德来说，似乎又偏向于子张仁德非一般人可及，属于赞

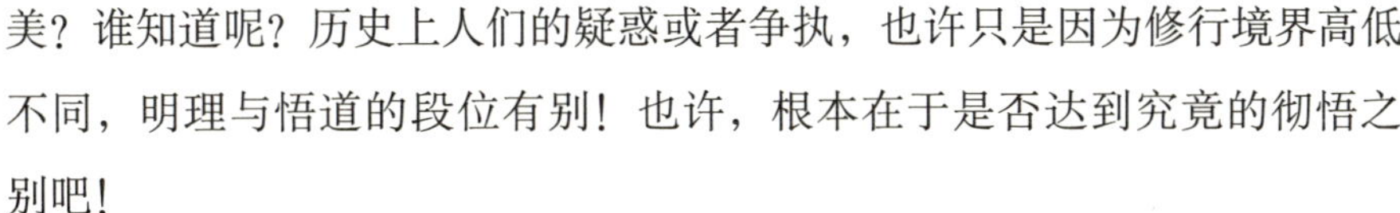
美？谁知道呢？历史上人们的疑惑或者争执，也许只是因为修行境界高低不同，明理与悟道的段位有别！也许，根本在于是否达到究竟的彻悟之别吧！

【接圣入心】

曾子在此是批评子张呢，还是赞美子张？古今有不同的看法。

对子张的评价，算是曾子的一家之言，据传两人相处不睦，也许是个性使然。从记载看，子张做事勇武忠信，曾子为人沉默多虑，故而曾子之言权当参考吧。在此，我们也只好借题发挥，说说外在相貌与内在仁德的关系问题，但并非指子张。

看看现实也不难发现类似的情况，那些相貌姣好的人，常常在内涵上显得有些苍白。相貌上没有优势的人，往往在能力或者品德上会有一些突出表现。看来，生命的有趣就在于相貌和品德与能力之间有着如此微妙的关系。

当然，若是相貌丑陋、品德低下、能力平平又不思进取，甚至还嫉贤妒能，这几乎就等同于废人了。

反观一下自己：如果你相貌英俊，要警惕子张似的缺陷；如果你相貌平平，要小心自卑自贱；如果你有一技之长，要小心一俊难遮百丑；如果你相貌、品行、能力均无优势，那就必须花费常人所不能及的努力去奋斗，才能在人间获得生存发展的机会。

也许，用红尘的是非标准去理解曾子与子张的不同是难以找到正解的。也许真正的答案，是明理与悟道的区别：明理者，可为红尘与人间的楷模；而唯有悟道者才能真正地冲破一切表象而融通万象。

【格言】圣徒相赞，劣徒相轻。

齐善鸿中华三圣经典心读丛书

论语心读

齐善鸿 著

立君子风范（下）

華夏出版社
HUAXIA PUBLISHING HOUSE

图书在版编目（CIP）数据

论语心读 : 立君子风范. 下 / 齐善鸿著. -- 北京 : 华夏出版社有限公司，2024.9

ISBN 978-7-5222-0702-5

Ⅰ. ①论… Ⅱ. ①齐… Ⅲ. ①《论语》—研究 Ⅳ. ①B222.25

中国国家版本馆CIP数据核字(2024)第085817号

目录

第五篇

礼仪之道

追求没有礼制的自由，必然沦落成一种放纵！

若是很厌恶礼制约束，生命中恐怕会有隐患！

你不喜欢某一种约束，也难免会被别的约束！

当人学会了主动自理，就是心智成熟的标志！

一　篇序

在狼的世界里，头狼享受着特权：其他狼从它眼前走过时，必须卑躬屈膝；若是想分得一点食物，必须百般讨好它。可是，一旦头狼不再是头狼，就会备受屈辱，必须忍气吞声。

在猴子的世界里，猴王的地位是至高无上的，其他的猴子必须服从。可是，一旦猴王不再是猴王，下场就很悲惨。

在动物世界，没有真正的礼仪，只有对强权的屈服。

人类从动物进化而来，却发展出自己独有的礼仪。

人类的礼仪，超越了对强权的屈从，演变成人与人之间的相互尊重，成了人的一种生活习惯；超越了权力与财富，强调对老者的尊重、对弱者的体恤。

人类的礼仪，战胜了人与人之间的冷漠，超越了利益交换的关系，反对强者对弱者的欺凌，蔑视弱者对强者的屈从。

作为人类，心以仁立，行以礼立。无礼，常常就意味着野蛮。

礼制，是人类文明的一种典型表现，不管古代还是现代，我们都需要用礼仪来规范自己的行为，调整与他人之间的关系，否则，就很难建立基本的社会秩序。

也许，有的人追求自由，但自由的本质就是对规律的遵从，就是对自身野性的约束。若是追求不受约束的所谓自由，恐怕就是对自己的放纵和对别人的伤害了。这是对文明的浅薄认识，往重了说，就是心智不成熟的表现。

礼之道，就是根据关系与情境，定位自己的角色，按照相应的角色，规范自己的行为。

礼之道，就是敬天爱人，时时与人方便。

二　礼仪之道的思想纲领

礼制概论

礼制是社会和人的“筋骨”，只有礼制健全，社会秩序才能健康，生活才会秩序井然。

僭越与礼崩

僭越，礼崩乐坏，是社会和人心秩序混乱的表现，也是国家衰败的象征。

圣人践行

圣人孔子知礼，不仅讲礼，也在生活中处处用行动践行礼，可谓楷模。

三　正文心解

学而第一

1·2　有子曰："……不好犯上，而好作乱者，未之有也。君子务本，本立而道生。"

【释义】孔子的弟子有子这样说："……不喜欢僭越犯上却喜欢造反的人是没有的。君子致力于自己该做的事，守住了这个根本，也就合于道了。"

【要点】(1）犯上作乱。(2）君子务本。(3）本立道生。

【语境与心迹】对于这段话所表述的观点，历史上总有人批判，认为这就是一味为封建统治者服务，反对社会变革。实际上，这是一种偏见。一个社会，既需要秩序来维系基本的状态，也需要变革。从孔子本人的实际行动看，他一直在劝说那些昏君进行变革。有子的这段话实际上是就社会秩序而言的，是在劝说人们做自己该做的事情，不去做好自己该做的事，却总是喜欢指责上级，这样的人对于社会是没有什么积极贡献的。

【接圣入心】

有子这句话是针对社会秩序的。既然大家都需要有秩序才能正常生活，那就要反对动不动就犯上作乱，提倡君子务本。把社会秩序与反对犯上作乱、君子务本联系起来，就能理解有子的真实意图了。

想想看，在平时的生活和工作中，一个人若是没有把心思和精力用在自己该做的事儿上，却总是指责领导，这样的行为难道应该得到认可和鼓励吗？

现实中总是有一些人，喜欢对自己不了解也不在行的事情指手画脚，似乎只要指出别人的错误，就能证明自己的正确。但这样的人，对于自己该做的事情，往往却做得并不好。在一个组织或者国家中，难道应该鼓励这样的风气吗？

我们往往会在现实中发现一个非常有趣的现象：那些不安于做好分内事的人，总是喜欢对别人指手画脚、说三道四。相反，那些能够把自己该做的事情做得很好的人，却无暇去指责别人。对比一下就可以知道，这两种人，哪一种对组织或者国家的贡献更大。

这种现象的背后，实际上隐藏了一个重要的规律：自己的事情做不好的人总喜欢归罪于别人，自己能够把事情做好的人总是恪守本分。

话说到这儿，有的人可能会问：我若是把自己的事情做好了，可不可以指责上级？实际上，这个问题的本质是：你做好了自己该做的，只代表你对自己该做的事情很熟悉、很内行。但对于上级该做的事情，你只是个旁观者，并不是当事人，也不是专家，最起码你不了解你的上级已经掌握的信息，在这种情况下，又如何去分析判断呢？此时你的指责或者建议，真的具有价值吗？

有人接着又会问：难道我们就不可以给上级提建议吗？实际上，从古至今，绝大部分上级都不会剥夺下级提建议的权利。但是，下级也必须明白，你的观点只是建议而不是指令。若是下级认为只要自己提建议，上级就必须采纳，那么建议的性质就由协商变成了强制，你还认为是正确的吗？

话说到这个地步还不算完，有些人可能会问：难道上级就不需要下级给他们提建议吗？问出这句话的人，要么是忽略了，要么是不了解，历史上任何阶段，帝王将相都会重用一批掌握有用信息、具备专业能力的谋臣，怎么能说上级不需要建议呢？现代社会的民主机制，使人们表达愿望或者提出建议更有保障。但是不要忘了，做好自己的本职工作才是基础。

于是我们就明白了，有子是在告诉我们，在自己不具备给别人提建议的能力的时候，就专心做好自己能做的事，不要再分心去评价或者指

责上级，可能有些事你根本不了解。这个观点至今依然有重要的价值。

【格言】君子务本，本立而道生。

为政第二

2·23 子张问："十世可知也？"子曰："殷因于夏礼，所损益，可知也；周因于殷礼，所损益，可知也。其或继周者，虽百世，可知也。"

【释义】弟子子张询问孔子："今后十世的礼仪制度可以预知吗？"孔子回答说："商朝继承了夏朝的礼仪制度，所废除和增加的内容是可以知道的；周朝又继承了商朝的礼仪制度，所废除和增加的内容也是可以知道的。将来有继承周朝的，就算一百世以后的情况，也是可以预知的。"

【要点】(1) 礼制衰微。(2) 孔子心明。

【语境与心迹】在这段话中，孔子向弟子子张说明礼仪制度在不同朝代之间的继承与演变。有人批评孔子，说他是顽冥不化的复古派，这是不公道的。我们今天所倡导的也是既要继承，又要发展，还要创新，但基本内核应当是相对稳定的。否则，发展来发展去，最终难免迷失了方向。

【接圣入心】

◎ 很显然，孔子十分了解礼仪制度在不同的朝代之间的继承与变更，对此也没有明确提出反对意见。

◎ 毫无疑问，朝代在更替，历史在前进，每一个时代都有自己的特点，但又不能完全割断与前一个时代的联系，对前代的制度总是在继承中发展、演变和创新的。

◎ 与其说是复古，毋宁说是一种怀旧的情怀，尤其是身处乱世的时候，人们从情感上就更加容易怀念前代，借此鞭挞当代。即使是当今时代，也会有一些人有这样的情怀，将现实问题与历史上的理想状态进行错位对比。

【格言】历史滚滚向前，礼制与时俱进。

八佾第三

3·1 孔子谓季氏①："八佾②舞于庭，是可忍③，孰不可忍也！"

【注释】①季氏：鲁国正卿季孙氏，即季平子。 ②佾：音 yì，行列的意思。 ③可忍：忍心。

【释义】从古至今，不懂礼数的人都会私欲膨胀。孔子时代的季氏就是一个典型。古人发现了一个规律，那些僭越的人都是有野心的，但这样的人往往又难成大事，因为缺乏成就大事的心智。在此，孔子批评了愚蠢又张狂的季氏，说："他用六十四人在自己的庭院中奏乐舞蹈，这样的事都忍心去做，还有什么事情做不出来呢？"

【要点】(1）季氏。(2）八佾。(3）孰不可忍。

【语境与心迹】"佾"是奏乐舞蹈的行列，其人数多少表示当时社会地位。一佾指一列八人，八佾八列六十四人。按周礼规定，只有天子才能用八佾，诸侯用六佾，卿大夫用四佾，士用二佾。季氏是正卿，只能用四佾，他却用八佾。孔子对于这种破坏周礼规定的僭越行为极为不满，因为这样的人，离犯上作乱只有咫尺之遥。从古至今，那些明目张胆僭越的人，往往不是最终能够成大事的人，因为他们的作为已经证明了自己的愚蠢、缺乏智慧。

【接圣入心】

现代人往往认为古代礼仪是封建思想的体现，是在禁锢人的自由。实际上，这种论调是非常缺乏历史认知的。想想看，两千五百年前，若没有礼制约束，人类文明怎么能够真正地成长？正是礼仪制度的出现，社会建立起基本秩序，才将人从原始世界那种野兽的争斗中解救出来。因此，今天人们在追溯历史时，往往将礼制的出现作为人类文明进步的一个重要标志。若是看不到礼制的正面的意义与价值，还有什么资格去评论历史呢？

今天我们所处的民主时代，难道就没有礼仪制度了吗？难道就不

需要礼仪制度去规范社会秩序了吗？在家庭生活、工作和社交中，处处都有相应的礼仪规范，可以说，离开这些礼仪规范，我们的生活就会变得无序和混乱。

试想，如果谁家在盖房子时，在门口立了一根巨大的华表，即使没有政府的干预，有点见识的人也一定会认为这家人疯了吧。

有些富人投入巨资建了一座大别墅或者大庄园，装修的豪华程度堪比过去的皇宫，尽管这让很多人很羡慕，但这样做的人就会有美好的生活吗？如今，僭越很少再被提起，一味追求奢华的风气却越来越盛行，但这种做法从来不会得到历史的肯定。相反，其背后所隐藏的心灵空虚，往往会给当事人带来意想不到的灾祸。

【格言】行为僭礼，贼心无度。

3 · 2　三家者以《雍》彻。子曰："'相维辟公，天子穆穆'，奚取于三家之堂？"

【释义】孟孙氏、叔孙氏、季孙氏三家专权已经到了无所顾忌的地步，他们在祭祖完毕撤去祭品时，命乐工唱《诗经 · 周颂》中的《雍》。孔子见了这种明显的僭越行为，就评价道："'助祭的是诸侯，天子严肃静穆地在那里主祭'，这些话怎么能用在你们三家的庙堂上？"

【要点】（1）孟孙氏、叔孙氏、季孙氏。（2）以《雍》彻。（3）天子穆穆。

【语境与心迹】孔子知礼懂礼，就孟孙氏、叔孙氏、季孙氏这三家在祭祖时僭越的行为提出了自己的质疑。孔子深知，僭越的行为一旦出现，国家就有混乱的危险。在倡导平等自由的今天，封建礼制已经不复存在，但社会是否需要现代礼制呢？仅有表面的文明礼貌和一般的社交礼仪就够了吗？这值得我们深思。

【接圣入心】

毫无疑问，任何一个时代都要讲究社会秩序。当社会秩序混乱时，大部分人是无法受益的。

实际上，礼制的本质，是帮助社会中不同的人确定自己的角色，这是建立社会秩序的重要基础。

今天的人们一说起礼制，往往就会将其与封建社会联系在一起，甚至批评孔子是封建社会的卫道士，却由此诞生了更多问题：

- 很多人热衷于批评各种规矩，将自己打扮成自由平等的倡导者，甚至是文明的旗手，似乎只要是确定社会角色的规矩，就是反民主、反自由和反平等的。
- 与此同时，不少人又不能容忍别人冒犯自己，他们心中似乎另有一套规矩。一旦别人不符合这套规矩，他们心里就会不舒服，甚至非常气恼。
- 这样的人，试图摆脱社会的规矩，定义自己的角色，却又要求别人必须符合自己的规矩，这不就是双标吗？

我们需要警惕这种人：自己想逃离规矩，却要求别人必须遵守自己的规矩，其虚伪是十分明显的。一旦相信了这种虚伪的逻辑，整个社会也是非常危险的。

毫无疑问，社会是需要进步的，礼制也需要与时俱进，但这并不代表社会不需要规矩。

我们可以思考一下，如何在借鉴中国古代礼制的基础上，结合现代的精神和实际情况，不断推进现代社会礼制的进化与完善。

【格言】不应抬高自我，贬低他人。

3·4 林放[①]问礼之本。子曰："大哉问！礼，与其奢也，宁俭；丧，与其易也，宁戚。"

【注释】①林放，鲁国人，字子邱，以知礼著称。此处，林放是在向孔子请教礼之本。

【释义】林放向孔子询问什么是礼的根本。孔子回答说："你的问题意义重大！就礼的一般情况而言，与其奢侈，不如节俭；就丧事而言，与其仪式治办周到，不如内心真正哀伤。”

【要点】（1）林放问礼。（2）礼之奢俭。（3）丧之易戚。

【语境与心迹】不少人一听到讲究礼仪，马上想到的是烦琐和浪费。看到这一段，不知这些人有何感想。在礼仪的形式和本质问题上，孔子的立场是非常鲜明的：不要追求奢侈的形式，要简化、节俭，不能过分注重形式而忘记或淡化了礼制的内容。

【接圣入心】

孔子在此探讨的礼的内容与形式的问题，是哲学的一个基本问题，孔子的态度来看，他很好地把握住了这一问题的关键。

在现代社会中，我们所熟悉的婚丧嫁娶的场合，形式重于内容或者形式偏离内容的现象屡见不鲜。

毫无疑问，任何形式都在表达内容，任何内容也有其表达的形式。在现实的层面上，形式与内容总是统一的，唯一的问题是形式与内容是否匹配，是否找到了能够有效表达内容的最恰当的形式。

我们所批判的形式主义，是形式偏离了所要表达的内容主旨。

同时，我们也要警惕另外一种倾向：只注重内容，不注重形式，表达苍白而无力。这种倾向实际上忽视了形式本身的力量，将形式与内容割裂。这种错误的危害有其隐蔽性：看起来是非常务实的，但从结果来看，同样弱化了内容的表达。

形式主义的危害显而易见，重内容轻形式的危害却容易被人忽视。

对于个人来说，如果比较擅长形式，就要更注重内容的修行；如果特别擅长内容，就要注意在形式上多下功夫。

【格言】用最恰当的形式，精确地表达内容。

3·5 子曰：“夷狄之有君，不如诸夏之亡也。”

【释义】礼制对于治理国家的作用，孔子十分清楚，对于没有礼制的未开化之地，他有点鄙视。因此孔子说：“夷狄（文化落后地区）虽然有君主，还不如中原诸国没有君主呢。”

【要点】（1）夷狄之有君。（2）不如诸夏之亡。

【语境与心迹】孔子在此通过比较，进一步说明了礼制对于国家治理的重要性。孔子的立场非常鲜明，文化落后、没有礼制、只依靠君主治理的国家，还不如有文化礼制却没有君主的国家。孔子对依靠文化礼制治理国家非常有信心，感到自豪。他甚至认为，礼制对于治理国家的重要性超过了君主。

【接圣入心】

- 孔子在这里讲到了礼制与治理国家的关系，基于文化礼制治理的国家，优于没有礼制的君主治理的国家。

- 孔子的话题涉及这个议题：文治、人治和法治。

- 古代中国人对国家治理的期待，最典型的模式是“明君圣主治理”，对文化治理和法治似乎期待少一些。

- 孔子虽然身处封建社会，但他的倾向性也是比较明显的：强调文治与法治。从孔子个人颠沛流离的经历来看，他对人治是没有什么信心的。

- 以投资者为核心的企业制度设计，与国家制度设计有所不同。首先，企业领导者是由资本决定的，在这一前提下，若是不加强企业文化和制度规范，就很容易因为领导者自身的局限与错误，把企业引向错误的方向。

【格言】文化治理，重视礼制。

3·6 季氏旅①于泰山。子谓冉有②曰：“女③弗能救④与？”对曰：“不能。”子曰：“呜呼⑤！曾谓泰山不如林放⑥乎？”

【注释】①旅：本义为军队编制单位，古时五百人为旅。在周礼中，以“旅”为祭祀名称，凡国有凶事，则以旅祭祭祀上天或四方山川，求助于天地神灵。当时，只有天子和诸侯才有祭祀的资格。 ②冉有：姓冉名

求，字子有，生于公元前522年，孔子的弟子，比孔子小29岁。当时是季氏的家臣，所以孔子责备他不能劝阻。 ③女：同“汝”，你。 ④救：挽救、劝阻的意思。 ⑤呜呼：这是孔子无奈的感叹。孔子的无奈是多方面的，既是对季氏的无奈，又是对冉有的无奈，更是对“道之不行”的无奈。 ⑥林放：曾向孔子询问礼之本，此人对于礼制的认识虽算不上通达，但毕竟有一定理解，绝不会去做明显违礼之事。对于季氏的这种违礼行为，林放肯定不会认同。现在换作泰山神，又怎么可能认同季氏的所作所为？

【释义】鲁国专权的季氏去祭祀泰山。孔子对正在辅佐季氏的冉有说：“你难道不能劝阻他吗？”冉有回答：“不能。”孔子感叹说：“唉！难道泰山神还不如林放知礼，会接受季孙氏的祭祀吗？”

【要点】（1）季氏。（2）泰山。（3）神明。

【语境与心迹】古时候祭祀的礼节规定，天子祭祀天地，诸侯祭祀山川。泰山在鲁国境内，又是五岳之首，只有天子和鲁国国君才能祭祀。季氏只是鲁国的大夫，却要祭祀泰山的神灵，是严重的僭越行为，完全忽视了鲁国国君的存在。冉有是季氏的家臣，有匡正季氏言行的责任，因此孔子问他：“季氏如此行事，实在不符合礼制的规定，你是季氏的家臣，应该尽量纠正他的过失。如今只能看着他犯错却不能匡正他吗？”冉有对孔子说：“季氏的心意已决，凭我的力量也不能挽回了。”孔子于是叹息道：“季氏这样做，无非是要谄媚鬼神，求保佑赐福而已。殊不知，礼制是不能违背的，神灵是不可欺骗的。鲁国人林放都知道关心礼的本质，而不肯随波逐流，何况是五岳之尊的泰山呢？泰山之神聪明正直，一定懂得礼数，怎么可能不如林放，怎么肯接受季氏不符合礼数的祭祀呢？”所以说，孔子认为，季氏祭祀泰山，不但不符合礼数，而且不会得到神灵的保佑，对他自己也没有好处。孔子这样说，是要季氏懂得，僭越会让祭祀毫无意义，试图让他迷途知返，也是要让冉有知道自己不如林放，见贤思齐。

这里说到了拜神的问题。拜神自古有之，但是大家都知道，自助者天助之，祭祀只是在表达内心的情感，巩固内心对未知世界的敬畏感。如果怀着一颗私心去求名利，神灵应该也不会保佑。其实古人拜神主要是明志，向天地鬼神表明心愿，请天地鬼神作见证并且督促自己的行动。古人祭祀的神灵，通常都是睿智神武之体，礼拜这样的神灵也有见贤思齐的意思。冉有是孔子的弟子，又是季氏的家臣，他一方面帮助季氏敛财，另一方面又不能阻止季氏僭越的行为，孔子对此极为不满，声称冉有不再是他的学生，要弟子们“鸣鼓而攻之”。

【接圣入心】

当时的鲁国，君主大权旁落，季氏等人掌握着国家的实权。

正因为季氏掌握着国家的实权，所以才很张狂地代天子祭祀泰山。毫无疑问，这是僭越的行为，也昭示着野心。

当孔子问弟子冉有能否阻止季氏的行为时，冉有表示无能为力。作为季氏家臣的冉有，不能阻止其主君僭越，还帮着主君大肆搜刮民财，孔子十分反感，因此呵斥他。

孔子的弟子林放懂得礼制，得到了孔子的肯定。尽管无法阻止季氏僭越的行为，但孔子坚信，境界远远高于林放的泰山神不会接受季氏的祭祀，坚信季氏这种祭祀是无济于事的。

由此我们可以看出，季氏即使掌握着鲁国的实权，但其僭越的行为，彰显的只是个人的野心，此时去求助于神明又有什么用呢？若真有神明存在，这种祭祀也只是自取其辱。

孔子这段论述给了我们一个重要的启示：一个人如果大方向错了，失道寡助，即使是求助于神明也不会灵验。

【格言】心正神在！

3·7 子曰：“君子无所争，必也射①乎！揖②让而升，下而饮③，其争也君子。”

【注释】①射：古代的射礼，也是孔子倡导的“六艺”之一。射箭是古代贵族子弟以及武士、文人必学的技能。据《仪礼》《礼记》等书记载，正式且成规模的射箭比赛分四种：一是大射，全国性的比赛；二是宾射，贵族之间朝见聘会时举行；三是燕射，贵族间的娱乐；四是乡射，民间的比赛。所有这些比赛都有严格的礼仪规定。 ②揖：行礼。 ③下而饮：竞赛结束了去饮酒。

【释义】孔子描述了一个有趣的场景，射箭比赛。这样的比赛也需要礼制吗？看看孔子对美妙礼制的描绘吧："君子没有什么可与别人相争的，如果有，那就是射箭比赛了。比赛时，先相互作揖谦让，然后上场。射完，又相互作揖，再退下来，最后登堂饮酒。这就是君子之争。"以互相尊敬开始，又以相互谦让结束，竞赛双方超越了输赢，都是修为上的胜利者，这就是君子之争啊！

【要点】(1) 君子无争。(2) 必也射乎。(3) 其争也君子。

【语境与心迹】好一幅君子之争的画面！君子之争可以做到这样的美而雅，真是让人叹服！真正的君子是不与别人争俗利的，即使是射箭比赛这样看起来必然要争的事，君子也将其视为人与人友好交往的一个载体，并没有将比赛胜负看得多么重要，这就是超然的境界。由此可见，君子之争是一种多么儒雅大气的行为啊！不回避比赛，友好相待，赛中绝不弄虚作假，赛后也不计较胜负，登堂喝酒，再叙友情。

【接圣入心】

孔子是十分推崇君子之交的，用射箭比赛来展示君子之争的儒雅风范。

我们将孔子所描绘的这种场景，进行现代性的复原，进一步来看一看、品一品君子之争的魅力：

- 君子相约进行射箭比赛，见面时热情友好寒暄，没有紧张敌对的气氛，俨然一场老友聚会。
- 开始比赛，双方站起身，相互作揖："仁兄，您请！"对方回礼，而后二人走到指定位置。

• 拉弓放箭，双方都拿出自己的真本事，君子贵自知，对别人的尊敬是不能通过虚假谦让来表现的。

• 射箭完毕，通常会有高低胜负之分。胜者会率先施礼：“您谦让了！”对方也慌忙回礼：“受教了！”

• 寒暄完毕，双方说笑着登堂喝酒，再叙友情，刚才的胜负，并没有影响任何一方的心情。多么潇洒的君子风范啊！

现代人的比赛活动，也部分地继承了古代君子的风范：对手见面要互相打招呼，比赛时都使出真功夫；胜负已定，失败的一方会向胜利的一方表示祝贺，胜利的一方也会向失败的一方表示感谢。

当然，现代体育赛事中也有一些不良行为，算不上君子之争：赛前互相诋毁，见面时横眉冷对；胜负结果确定时，胜者狂喜，败者悲伤失态。有的选手为了取胜，甚至不惜采取一些见不得人的手段去伤害对手，或者服用兴奋剂来让自己获得好成绩，等等。在这样肮脏的比赛中，胜者又有何荣誉可言？比赛的价值又是什么呢？

在一些国家的竞选中，双方为了取胜，不把精力放在自己身上，而是千方百计地挖掘对方的隐私，诋毁对方，一副恶毒嘴脸。尽管选举结束后，双方也会表现得很礼貌，但更像是刻意表演，假装自己有风度，若是将竞选过程中对彼此恶毒的攻击拿来对照，选举后的风度就显得有些虚伪。

现实生活中，朋友因利益而反目、亲人因财产而成仇，此类事件屡见不鲜，一些人因为鸡毛蒜皮的小事而互相争吵，甚至动手伤人，真的值得吗？

两千五百多年前孔子所描绘的君子之争，值得现代人好好省思和学习。

【格言】君子之争，友谊第一，比赛第二。

3·8 子夏问曰："'巧笑倩兮，美目盼兮，素以为绚兮'[①]，何谓也？"子曰："绘事后素。[②]"曰："礼后乎？"子曰："起予者商也[③]，始可与言《诗》已矣。"

【注释】①巧笑倩兮，美目盼兮，素以为绚兮：《诗经·卫风·硕人》。倩，笑得好看；兮，文言助词，相当于"啊"；盼，眼睛黑白分明；绚，有文采。 ②绘事后素：绘，画；素，白底。 ③起予者商也：起，启发；予，我，孔子自称；商，子夏名商。

【释义】子夏向孔子请教一个有趣的问题："'笑得真好看啊，美丽的眼睛真明亮啊，用素粉来打扮啊'，这几句话是什么意思呢？"孔子告诉子夏："这是说先有白底，然后画画。"子夏又问："那么，是不是说礼也是后来才有的事呢？"孔子说："商，你真是能启发我的人，现在可以同你讨论《诗经》了。"

【要点】(1) 绘事后素。(2) 礼后乎。(3) 起予者。

【语境与心迹】子夏少时家贫，苦学而入仕，曾做到鲁国太宰。子夏求学时常有独到见解，得到孔子的赞许。孔子去世后，他来到魏国的西河（今山西河津）讲学，收徒三百，当时的名流李克、吴起、田子方、李悝、段干木、公羊高等都是他的学生，连魏文侯都"问乐于子夏"，尊他为师，这就是有名的"西河设教"。子夏才气过人，孔子认为子夏在遵循仁和礼的方面有所不及，曾告诫子夏曰："女为君子儒，无为小人儒。"（《论语·雍也》）子夏从"绘事后素"想到"礼后于仁"，所以孔子认为可以跟他谈论《诗经》了。为什么呢？因为《诗经》的巧妙在于曲折有致，只有能触发孔子思考的人才值得一起谈论《诗经》，而子夏显然已具备了这种能力。

【接圣入心】

人生处处是道场，孔子与弟子子夏的对话，阐述了一个重要的人生道理。

孔子解答了"素以为绚兮"的含意：白色是绘画的前提，先有素白的底子然后才能绘画，才能显示出画的美丽。这就是“绘事后素”。

礼乐是针对人的，属于文明教化，与素朴正好相对；而绘事属于文化，与素是相对的。文化一定要在素朴之后进行，在素色的基础上才能画出美丽的画来。

“礼后乎”就是说：礼乐教育、礼乐仪式如同化妆一样，都是后来才有的程序吗？礼肯定不是使人素朴的，而是在素朴的基础上使人更有文化。

虽然一开始是在谈绘画，但师生后续的对话，内涵已经改变，由外在的美丽转到礼乐教化上。

子夏的再度提问则是人的德行与外在礼仪的范畴，所以孔子才会感叹自己受到启发，子夏对于《诗》的理解非常深刻而准确。

今日说起礼乐来，也是很高雅的。但如果一个人的本质有问题，礼乐又能如何呢？仁德是做人的核心，如果仁德不足，礼乐也会乱性或者偏离轨道。

一个人的仁德如果不够厚实，其他后天学习的能力反而会让他面临更严重的问题。要“德才兼备”，而不只是“才德兼备”。

一味追求诗情画意的人，要注意好好修自己的仁德。否则，诗情画意就会沦为本性泛滥。

【格言】人生如画，素而后绘。

3·9　子曰：“夏礼，吾能言之，杞[①]不足征[②]也；殷礼，吾能言之，宋[③]不足征也。文献[④]不足故也。足，则吾能征之矣。”

【注释】①杞：春秋时国名，是夏朝后裔的封地，在今河南杞县。　②征：证明。　③宋：春秋时国名，是商朝后裔的封地，在今河南商丘。　④文献：文，指历史典籍；献，指通晓历史的贤人。

【释义】孔子真是在礼制上下足了功夫啊，历史上的礼制他都能说出来。孔子说：“夏朝的礼，我能说出来，但是杞国不足以作为证明；殷朝的礼，

我能说出来，但是宋国不足以作为证明。这都是由于文字资料和熟悉夏礼、殷礼的人不足。如果这两者足够，我就可以用作证明了。”

【要点】(1) 夏礼，杞国。(2) 殷礼，宋国。

【语境与心迹】孔子实际上是在感叹，感叹代表人类文明的礼传承得很不乐观。一方面，历史上的记载不是很充分；另一方面，熟悉夏礼和殷礼的人似乎越来越少。想一想，孔子对文明传承的感叹，似乎变成了历史上一段悠久的乐章，一代代的人都这样感叹着。在我们小时候，跟着长辈熟悉人世间的礼仪，也常常听到他们念叨着“熟悉这些礼仪的人越来越少了”。等到我们进入中老年，又会重复长辈当初念叨的那些话。也许对于古人来说，无论是保存文字资料还是代际传承都有很多困难。到了现代，我们在文字资料的整理和传承上应该没有太多障碍了，但传承依然需要高度重视，若是本民族礼制缺乏专门系统的教育，那么熟悉礼制的人就会不断地减少啊！

【接圣入心】

礼制，无疑是人类文明的重要表现，在传承中发展，文明才会经久不衰。

残酷的历史告诉我们：人类文明也是人类在与野性搏斗的过程中不断延续的。

文明被创造，又因人类的野性而被破坏，这是人类社会中旷日持久的较量。

这样的较量，实际上存在于人们的心里：每个人心中几乎都有正义与邪恶两种力量，对自我状态的识别，对正义的维护与强化，对邪恶的管控，就是常规的修行，正如禅宗神秀那首著名的偈子：“身是菩提树，心如明镜台。时时勤拂拭，莫使染尘埃。”

西方哲学家说：人的一半是天使，一半是野兽。修行好的人，野性转化成人性（此时他们的人性在一般人眼里犹如神性）。在这场搏斗中，正义战胜了邪恶，邪恶的力量转化成了人性的力量，人生圆满。

我们从《论语》中可以一次次感受到孔子坚守礼制、文明教化的不易，孔子真的如同黑夜中那个为众生掌灯的人！

【格言】礼制伴随文明而生，僭越生出兽性。

3·10 子曰："禘[①]自既灌[②]而往者，吾不欲观之矣[③]。"

【注释】①禘：音 dì，古代只有天子才可以举行，是天子祭祀祖先的典礼，非常隆重。 ②灌：禘礼中第一次献酒。 ③吾不欲观之矣：我不愿意看了。

【释义】孔子说："对于禘礼的仪式，从第一次献酒以后，我就不愿意看了。"

【要点】(1) 禘。(2) 灌。(3) 不欲观。

【语境与心迹】在这里，孔子对行禘礼的评价，反映出当时礼崩乐坏的社会状况，也表示了他对现状的不满和伤心。若是我们能置身于这段历史中，会不会有孔子般的感叹？在现代社会，那些违背基本道德和法律的行为，难道不让人愤怒吗？

【接圣入心】

在那样一个礼崩乐坏的时代，即使是禘礼这样天子祭祀祖先的典礼，也已经不那么规范了，以至于孔子不愿意再看下去。

由天子举行的禘礼，这样顶级的祭祀典礼，是当时最有权力和学问的人才能参加的，这样的活动孔子都看不下去，民间会是个什么样子，可想而知啊！可见当时礼制已经从上到下被败坏得体无完肤。

至今，人们还总是会念叨这样的话：你该干什么就干什么，干什么都要干得像个样子。"该干什么"说的是自己的角色与责任，"干得像个样子"说的是做事要符合规范。

新文化运动推动了移风易俗，今天我们已经很少能见到大型的祭祀活动了。在那样一个急需推陈出新的年代，移风易俗有其特殊的意义。但从人类历史的文明角度来看，得失如何权衡？依然值得我们深思。

◎ 人类来源于天地造化，个人来自家族传承和父母的生养，在浩瀚的宇宙中，生与死，也只是生命存在的不同形态。祭天与祭祖的活动，虽然来自封建社会，但并非迷信，而是人类重建与天地、祖宗之间关系的一种重要的礼仪，更是人类精神与情感的重要寄托。

◎ 由此来看，祭天与祭祖的仪式一旦废弃，也许就从主观与形式上割断了个体生命与天地、祖宗的重要联系。隔绝了与天地、祖宗联系的人，在自己有限的理性范畴里游荡，犹如孤儿。

【**格言**】礼制定规，仪式表心。

3 · 11　或问禘之说①。子曰："不知也。知其说者之于天下也，其如示诸斯②乎！"指其掌。

【**注释**】①禘之说：说，理论、道理、规定。禘之说，意为关于禘祭的规定。　②斯：指后面的"掌"字。

【**释义**】有人向孔子询问关于举行禘祭的规定。孔子回答："我不知道。知道这种规定的人，对治理天下的事，就像把这东西摆在这里一样容易吧！"孔子边说边指着他的手掌。

【**要点**】(1) 禘之说。(2) 之于天下。(3) 指其掌。

【**语境与心迹**】孔子从鲁国的禘礼中看到了礼崩乐坏的征兆，内心是失望的，也有些消沉。有人问禘祭的规定，他也没什么兴致回答，就故意说不知道。这种重要典礼都会出错，可见国家治理的混乱。因为礼制与国家和民众是紧密联系在一起的，由局部可推测全貌。忧国忧民的孔子看到禘礼中出现错误，简直气不打一处来，禘礼这么重要的事情都搞成那个样子，其他的事就更没法看了。

【**接圣入心**】

◎ 在孔子所处的时代，鲁国的禘礼，形式上已经不值得一看，这表明，人们对于自己与天地、自己与他人等关系的认知，已经混乱不堪。

◎ 禘礼所反映出的人间关系的混乱，也正是导致当时社会混乱的一个重要因素。

◎ 禘礼，反映了三重关系：一是人与天地的关系，二是人与人的关系，三是人与自我的关系。礼只是反映这几种关系的外在形式，人类在借助这种形式来表达内心的情感。

◎ 作为帝王，若是明白了这些关系，又能把自己的位置摆正，治理天下就会变得容易。若是割断了这种联系、扭曲了这些关系，自己的位置就无法摆正，治理天下就会变得十分困难。

【格言】以礼表心，以仪定心。

3·12　祭如在，祭神如神在。子曰："吾不与祭，如不祭。"

【释义】对于祭祀祖先时的心态，孔子说得很明白：祭祀祖先时，就要像祖先真在面前一样；祭神时，就要像神真在面前一样。孔子说："我如果不亲自参加祭祀，那就和没有举行祭祀一样。"

【要点】（1）祭如在。（2）祭神如神在。

【语境与心迹】孔子很少提及鬼神之事，正如他说过的，"敬鬼神而远之"。所以，在这里他说祭祖先、祭鬼神，就要像祖先、鬼神真的在面前一样，并非认为鬼神真的存在，而是在强调，参加祭祀时内心应当虔诚。很显然，孔子主张祭祀，更看重其道德的内涵，绝不是推崇迷信。在当时，如果孔子不去指导祭祀活动，礼仪就会乱套，就和没有举行祭祀一样。当时很多人要么不懂祭祀的礼制，要么故意僭越。孔子是不反对祭祀活动的，活着的人不能忘记去世的人，而祭祀活动正是为这二者建立特殊联系的一种方式。今天的人们，与祖先之间的这种联系似乎越来越少了，大家都只在意自己的生活。切断了与祖先的联系，真能让人活得更好吗？

【接圣入心】

◎ 鬼神之说在古代，对于唤醒良知、维护社会秩序有积极作用，是对人进行道德教化的一种特殊方式。

◎ 关于鬼神，有三种观点比较流行：

• 第一种观点认为，鬼神是一种人世之外的真实存在，鬼诱惑人，使灵魂

的堕落，神负责救赎人的灵魂。鬼神对人的诱惑与救赎，超出现实法律和道德的约束，它们无处不在，无时不在，人无法逃脱它们的监控。这种观点在宗教中相对比较流行，在民间也有很多人相信。在古代，鬼神之说对维持社会秩序和唤醒人的良知，具有一定的积极作用。

• 第二种观点认为，鬼神只是生命的一种特殊存在形态，与我们活着的人一起，组成一个完整的世界。“灵魂不死”之说，便是这种观点的概括；宗教的“三世轮回”之说，便是这一逻辑的演绎。这种观点也是为了劝说人们，活着就要多做善事。这种劝善的思想，也是道德教化的一种特殊的思路。

• 第三种观点认为，鬼神只是人的心灵世界中正义与邪恶两种力量的代表，即所谓“心里有鬼”“心中有神”。鬼在哪里？神又在哪里？全都在心里。这种观点告诉我们，在人生修行中，无须外求，只要观照自己的内心，让自己心中神圣和正义的力量变得强大和坚定，让神圣与正义主导自己的思维与行动，就能使心中邪恶和消极的负面力量得到控制或者转化。

在孔子的心灵世界中，关于鬼神的话题似乎也有几种不同的声音，

• 孔子劝导人们“敬鬼神而远之”，于是有了“子不语怪力乱神”。很显然，孔子希望人们不要过于痴迷于鬼神，否则就会迷失心性，鬼神这样的话题一般人是很难把控的。

• 同时，孔子又主张，在祭祀鬼神的时候，人要怀着虔诚之心，不可只重形式而不重真情。

• 到了晚年，孔子又坦言，像祈祷这样的事情，他很早就在做了。

那么，鬼神是否真的存在？看完以上这些，鬼神是否真的存在，已经不那么重要了。现今虽然科学发达，但也没有发现鬼神真实存在的证据。对于鬼神的话题，只要把握好分寸，使之对人的道德和良知起到积极作用，也许就够了。剩下的，就留给未来吧！

【格言】鬼神在心，虔诚则灵。

3·13　王孙贾[①]问曰："与其媚[②]于奥[③]，宁媚于灶[④]，何谓也？"子曰："不然。获罪于天[⑤]，无所祷也。"

【注释】①王孙贾：卫灵公的大臣，时任卫国大夫。　②媚：谄媚、巴结、奉承。　③奥：这里指屋内位居西南角的神。　④灶：这里指灶旁管烹饪做饭的神。　⑤天：以天喻君，一说天即理。

【释义】卫国的大臣王孙贾问道："人家都说与其奉承奥神，不如奉承灶神。这话是什么意思？"孔子直截了当地回答："不是这样的。如果得罪了天，那么再怎么祷告也没有用了。"

【要点】（1）媚奥。（2）媚灶。（3）获罪于天，无所祷也。

【语境与心迹】孔子借回答王孙贾拜神的问题，讲出了隐藏在背后的深奥道理，指出世俗人只顾眼前的弊端：如果有违天道，那么拜什么神也没有用。延伸到现实的生活中，地方上的官员好比灶神，直接管理百姓的生产与生活，所以要尊敬他们；内廷的官员好比奥神，与君主往来密切，也是轻易得罪不得的。

【接圣入心】

孔子在此借回答王孙贾关于拜神的问题，指出了一般人的思维弊端：人们不相信遥不可及的神，只愿意相信眼前看得见的、当前可用的力量。

孔子的思维方式，已经从肉眼可见的世界，进入了肉眼不可见的世界。也许，在孔子眼里，这本来就是一个世界，只是人们的局限性将完整的世界割裂了。

现实中，许多人之所以只顾眼前，没有长远思考，正是因为他们在以有局限的思维方式看待世界，割裂了部分与整体、有限与无限的有机联系。

在现实生活中，许多人只会尊敬或者奉承那些自己能用得着的人，显示出短视、势利和自私。卑劣的品性，往往来自愚蠢，就如佛家所说的"贪嗔痴慢"中的"痴"，是诸多卑劣品性的根源。

孔子到底是一个什么样的人呢？在人们的印象中，孔子好像只是个教育家。但实际上，孔子是个哲学家，他对于人生中的各种问题，总能透过现象看本质，总能看到事物的不同方面。

当我们明白了孔子思想背后的秘密，也就不难理解：古往今来，不少人重视礼制和伦理道德，或者有重要的思想贡献，但其中又有几人能够成为圣人呢？伟大的情怀固然重要，思维模式也许才是根本。

【格言】正道在心，善待众生。

3·14 子曰："周监[①]于二代[②]，郁郁[③]乎文哉，吾从周。"

【注释】①监：同"鉴"，借鉴的意思。 ②二代：这里指夏代和周代。③郁郁：文采盛貌，丰富多彩之意。

【释义】孔子说明自己为何钟情于周朝的礼制："周朝的礼仪制度借鉴了夏、商二代，多么丰富多彩啊，我遵从周朝的制度。"

【要点】(1) 周监于二代。(2) 郁郁乎文哉。(3) 吾从周。

【语境与心迹】孔子对夏、商、周的礼制有深入研究，他认为，历史是不能割裂的，后一个王朝对前一个王朝必然有承继、有沿袭，但也有发展和创新。遵从周礼，这是孔子的基本态度，但不是绝对的。在其他篇章里，孔子也提出，对夏、商、周的礼制都应有所损益。

【接圣入心】

孔子认为，礼仪制度在历史上是有传承的，是在继承的基础上发展的。

后世的很多人认为，孔子是一个顽固的复古派，这样评价孔子是有欠公允的。站在现在这个时代还是站在孔子的时代，看到的孔子是不一样的。脱离历史情境来评价一个历史人物，这种评价方法本身就是错误的，就更不用说结论了。

孔子站在那样一个特殊的历史节点上，继承发展人类的文明，并以非常豁达和明智的态度看待文明的变化，表现出贤者的智慧与情怀。若是不明白这一点就简单粗暴地批判孔子，显然是不客观的。

当代的人也可以回想一下：一味发展经济而忽略文化，会让我们遭遇什么？我们得到财富时，又会失去什么？今后的路该怎么走？不要继承吗？不要发展吗？不要创新吗？不要转变吗？

既然历史文明因循着继承发展的基本脉络，让我们将思考的焦点转向当今社会，让我们来问一下自己：我们继承了历史上多少文明成果？我们又丢掉了多少？除了科技成果之外，我们在人文成果方面，又有多少发展呢？弘扬中华传统文化的优秀成果，尤为重要。决定这一点的，不是个人的主观意志，而是人类文明历史的逻辑。

【格言】尊重历史，与时俱进。

3·15　子入太庙①，每事问。或曰："孰谓鄹②人之子知礼乎？入太庙，每事问。"子闻之，曰："是礼也。"

【注释】①太庙：君主的祖庙。这里指鲁国太庙，即周公旦的庙。　②鄹：音 zōu，春秋时鲁国地名，又写作"陬"，在今山东曲阜附近。"鄹人之子"指孔子，他的父亲曾在此为官。

【释义】孔子是个重视礼的人。他到了太庙之后，每件事都要问别人。有人对此感到疑惑，这个当代的礼制大师怎么好像什么都不懂呢？于是议论说："谁说此人懂得礼呀？他到了太庙里，什么事都要问别人。"孔子听到此话后说："这就是礼呀。"

【要点】(1) 子入太庙。(2) 每事问。(3) 是礼也。

【语境与心迹】人和人的层次真是不一样，孔子"每事问"的表现很多人看不懂，反而质疑他，真是笑话。孔子虚心向人请教，表明他对周礼的恭敬态度，是在用具体行动践行周礼。

【接圣入心】

孔子不只是周礼的倡导者，同时也是周礼的践行者，关键是他时刻不忘，处处践行，将倡导与践行合一，这是很不容易做到的。

从古至今，明白一个道理和能够践行它是两码事。不少人心中明

白道理，嘴巴上也在讲，行动上却很难彻底践行。于是，就有了历史上那个著名的命题：知易行难。

◎ 对于知易行难这个命题，心学大师王阳明先生的破解方式最为地道：只知不行，不能谓之真知；只行不知，不能谓之真行。看来，应该改变一下表述的方式：所知不是真知，才会表现为行难；实际上，行难的背后是没有真知。知与行是一体的，不能分割。否则，知也非知，行也非行。

◎ 孔子是人间大道的修行者，他之所以能够成为圣人，就在于他是少数能够践行“道不可须臾离也”这一信条的人。

【格言】以行践礼，以礼表礼。

3·16 子曰：“射不主皮①，为力不同科②，古之道也。”

【注释】①皮：用皮做的箭靶子。箭靶子叫侯，上面蒙皮或布。箭靶的中心，画在布上叫作正（zhēng），画在皮上叫作鹄（gǔ）。 ②科：等级。

【释义】孔子对于礼的细节有自己独到的见解，他说：“比赛射箭，不在于穿透靶子，因为各人的力气大小不同。自古以来就是这样。”

【要点】（1）射不主皮。（2）力不同科。（3）古之道。

【语境与心迹】“射”是周代贵族经常举行的一种仪式，是周礼的内容之一。孔子在这里所讲的射箭，只不过是一种比喻，意思是说，重点是中与不中，也就是是射得准不准的问题；不在于箭有没有穿破皮靶子，这是力气大小的问题。孔子在这里强调的是：礼仪的过程最重要，每个人力气有差别，要考虑到这一点，而不能以力气大小作为标准。

【接圣入心】

◎ 孔子真是伟大的哲人，他看问题总能切中要害。

◎ 射箭是一种礼仪，掌握这种礼仪才是最重要的，各人力气大小有别，能否穿透靶子就不那么重要了。

◎ 人类获取生活资源的最原始的方式就是狩猎与采集，事关生存。

伴随着生产方式的进化，人类渐渐掌握了自然界的规律，最原始的狩猎与采集就被养殖与种植所代替。

尽管人类不再通过狩猎与采集来获取生活资源，却依然保留了射箭等一些仪式，这更多是为了继承、保持文明传统。

这些仪式对于感受生命具有重要的意义，即使是儿童，学习这些仪式也是在对接文明的血脉。就像诵经唱诗，尽管儿童不一定懂得经文和诗歌的含义，但通过参与，在他们幼小的心灵中埋下了文明的种子，这对于生命的成长是非常必要的。

【格言】礼仪礼仪，心到形到。

3·17 子贡欲去告朔[①]之饩羊[②]。子曰："赐也！尔爱[③]其羊，我爱其礼。"

【注释】①告朔：朔，农历每月初一为朔日。告朔，古代制度，天子每年秋冬季，把第二年的历书颁发给诸侯，告知每个月的初一日。每逢初一，就要杀一只羊祭祀祖庙。 ②饩羊：饩，音 xì。饩羊，祭祀用的活羊。 ③爱：爱惜的意思。

【释义】子贡又要了一回小聪明，提出去掉每月初一杀活羊告祭祖庙的仪式。孔子直接对他进行教育："赐，你爱惜那只羊，我却爱惜那种礼。"

【要点】(1) 子贡欲去饩羊。(2) 尔爱其羊。(3) 我爱其礼。

【语境与心迹】依照周礼，每月初一，国君就会来到祖庙，杀一只活羊祭祀，即"饩羊"。这个仪式叫告朔，代表每月听政开始了。可是，当时的鲁国君主已不亲自举行告朔这样的仪式了，告朔实质上已经变成了走形式。当时，孔子对鲁国的礼制等各方面已经多有不满。所以当子贡提出进一步简化礼制、去掉"饩羊"时，孔子大为光火，毫不掩饰地对子贡进行了批评。由此可见，孔子维护礼制的立场是十分坚定的。

【接圣入心】

古人的祭祀仪式都有特定的内容和功能，但到了孔子的年代，礼

崩乐坏，仪式已经渐渐减少、消失或者徒有其表。

子贡想进一步简化礼仪形式，去掉告朔之礼祭祖用的活羊，这会进一步削弱礼仪的功能。

对于子贡的做法，孔子坚决反对，在爱惜一只羊和维护礼制之间，孔子选择了礼制。毫无疑问，在他看来，礼制的价值远远超过了一头羊。

在当时的人们看来，礼仪已经越来越流于形式，既然已经徒有其表，又何必再多去宰杀一头羊呢？这恐怕不只是子贡一个人的看法。不考虑时代背景孤立地看，这一做法也是有道理的。

可孔子却不这么认为，礼制已经被扭曲，功能越来越弱，若是进一步加以简化，就可能名存实亡。这种简化，可能会成为压倒骆驼的最后一根稻草。

由此可见，子贡的道理是小道理，孔子的道理是大道理。这也许就是他们师徒在人格境界和社会使命上的不同吧！

在现实中，很多人都能就某件事说出一些道理，但那是在孤立地看问题，所以只能算是小道理。像孔子这样，将一件小事和全局、历史联系起来，才能说出真正的大道理。

【格言】礼是心声，仪是身证。

3 · 21　哀公问社[①]于宰我[②]，宰我对曰："夏后氏以松，殷人以柏，周人以栗，曰：使民战栗。"子闻之，曰："成事不说，遂事不谏，既往不咎。"

【注释】①社：土地神，祭祀土神的庙也称社。　②宰我：名予，字子我，孔子的学生。　③战栗：恐惧，发抖。

【释义】鲁哀公询问宰我：土地神的神主应该用什么树？宰我回答说："夏朝用松树，商朝用柏树，周朝用栗树。用栗树的意思是使老百姓战栗。"孔子听了，说："已经做过的事就不用提了，已经完成的事就不用再去劝阻了，已经过去的事也不必再追究了。"

【要点】（1）哀公问社。（2）宰我。（3）成事不说，遂事不谏，既往不咎。

【语境与心迹】古时立国都要建祭祀土地神的庙，选用当地生长的树木做土地神的牌位，也就是神主。宰我对鲁哀公说，周朝用栗木做神主是为了“使民战栗”，孔子听到这样的解释就有点不高兴了，因为宰我的话是在讥讽周天子。

要搞懂这段话的意思，就要先了解孔子的弟子宰我是何许人也。宰我就是宰予，字子我。他好学深思，思想活跃，善于提问，他指出孔子的“三年之丧”的制度不可取，说：“三年之丧，期已久矣。君子三年不为礼，礼必坏；三年不为乐，乐必崩。”认为可以改为“一年之丧”，被孔子批评为“不仁”（《论语·阳货》）。他还向孔子提了一个假设的两难问题：如果告诉一个仁者，另一个仁者掉进井里，他应该跳下去救还是不跳下去救？跳下去是死，不跳下去是见死不救。孔子指出，这个问题提得不好，这是在愚弄人，说：“何为其然也？君子可逝也，不可陷也；可欺也，不可罔也。”（《论语·雍也》）宰予昼寝，在课堂上打瞌睡，被孔子骂作朽木粪土。孔子认为宰予言行不一，说“吾以言取人，失之宰予”（《史记·仲尼弟子列传》），并且因此改正，说：“始吾于人也，听其言而信其行；今吾于人也，听其言而观其行。于予与改是。”（《论语·公冶长》）

【接圣入心】

◎ 做老师真是不容易呀！会遇到各种各样的学生，孔子遇到宰我这样的学生，也真是头疼。

◎ 站在中立的角度看，宰我是个有独立思想的人，在思考问题和行事方面，也是孔子弟子中非常有个性的一个。

◎ 宰我的思维显得有些偏激。思考问题角度独到，但又显得有些卖弄和刁蛮。孔子对他也有些不耐烦，一方面斥之为不仁，说他喜欢捉弄人；另一方面，“宰予昼寝”，孔子斥之为朽木不可雕、粪土难上墙。孔子还认为宰我言行不一，于是说出了那句很著名的话：“听其言而观其行。”

◎ 宰我的思维和言语是很犀利的，忠厚仁义的孔子懒得与他争辩。

宰我认为周朝用栗木做社主是为了“使民战栗”，惹得孔子不高兴，但也没有跟宰我争论。也许，孔子觉得没有什么争论的必要。

据说，宰我最后的结局并不好。一个人若是没有仁德作为根基，却又能言善辩，可能最后就是一场悲剧。

即使在今天，一个人若是没有深厚的仁德，却又能言善辩，也要小心。当我们遇到这样的人时，不要轻易相信他的言辞。同时也要引以为戒，勤修仁德，让自己不要脱离正道。

【格言】尊师重教，教学相长。

3·22 子曰：“管仲[①]之器小哉！”或曰：“管仲俭乎？”曰：“管氏有三归[②]，官事不摄[③]，焉得俭？”“然则管仲知礼乎？”曰：“邦君树塞门[④]，管氏亦树塞门；邦君为两君之好，有反坫；管氏亦有反坫[⑤]。管氏而知礼，孰不知礼？”

【注释】①管仲：姓管名夷吾，春秋时期的齐国人，法家先驱。齐桓公的宰相，辅佐齐桓公成为诸侯的霸主。 ②三归：相传是三处藏钱币的府库。 ③摄：兼任。 ④树塞门：树，树立。塞门，在大门口筑的一道短墙，以别内外，也就是照壁。 ⑤反坫：坫，音 diàn。古代君主招待别国国君时，放置献过酒的空杯子的土台。

【释义】孔子对管仲的大义是很认同的，但对管仲在礼制方面的不当做法表示反对。孔子说：“管仲这个人的器量真是小呀！”有人问：“管仲节俭吗？”孔子说：“他有三处豪华的藏金府库，他家里的管事也是一人一职而不兼任，怎么谈得上节俭呢？”那人又问：“那么管仲知礼吗？”孔子回答：“国君大门口设立照壁，管仲也在大门口设立照壁。国君同别国国君会见时，在堂上有放空酒杯的土台，管仲家里也有这样的土台。如果说管仲知礼，那么还有谁不知礼呢？”

【要点】（1）管仲器小。（2）管仲俭乎？（3）管仲知礼乎？

【语境与心迹】在《论语》中，孔子曾多次评价管仲。当弟子问管仲是否仁时，孔子给予了肯定的答案，为管仲做了辩护。但在这里，孔子指出管仲一不节俭，二不知礼，对他的所作所为进行了批评，出发点就是儒家一贯倡导的节俭和礼制。可见，孔子看人，是非分明，正确之处就给予肯定，错误之处就进行批评，是比较客观公正的。

【接圣入心】

◎ 在中国历史上，管仲可谓千古一相。对于管仲的历史贡献，孔子做出了客观的评价。

◎ 同时，孔子对管仲不节俭和僭越的行为，也进行了毫不留情的批评。

◎ 利用有限的资料评价古人，风险是极高的，因为信息量实在太少。孔子批评管仲不节俭和僭越的缺点，可见，大义很重要，礼制也很重要，只有大义，没有自我约束，也是个大问题啊！

◎ 管仲做出这些失礼之举，也许大权在握让他有些飘飘然了。从这一点上说，管仲应该时时反省自己的过失，纠正自己的错误，若是能够做到这些，孔子恐怕也会将其视为圣人。

◎ 后世也有很多人，一旦掌握重权，就把握不住行为的尺度；一旦拥有巨额的财富，就会追求骄奢淫逸的生活。看来，一个人如果不坚持学习，不做修行者，有了权力和财富就很容易误入歧途。

【格言】修行者时时修正自己，得意者处处污毁自己。

里仁第四

4·23　子曰："以约[①]失之者鲜[②]矣。"

【注释】①约：约束。这里指"约之以礼"。　②鲜：少。

【释义】孔子重礼，是因为他懂得礼的重要作用，因此他说："用礼来约束自己还会犯错误的人就很少了。"

【要点】以约失鲜。

【语境与心迹】人类一直在追求自由，但自由不是随心所欲，更不是肆意妄为。作为人，能够自觉约束自己，才是高级的、理性的。孔子提出，人们要用礼来约束自己，通过礼建立人与人之间的关系，维护社会的基本生活秩序，这样就可以少犯错误了。

【接圣入心】

◎ 礼制是人类区别于动物的一种文明形态，是约束人身上的兽性的一种制度，是促进人的心智进化、保持心智状态的一种重要的手段。

◎ 用孔子的话来说，一个人若是知道用礼来约束自己，就很少会犯错误。

◎ 当代，即使是受过教育的人，一旦失去了礼的约束，也可能得意忘形，背信弃义，兽性大发。

◎ 在礼制问题上，人们常常有一种矛盾的心态：自己不喜欢被约束，但又无法容忍别人不懂礼数的行为。即使一个人能力很突出，只要他不懂礼数，别人往往就会对他有负面的印象。

◎ 可见，即使是在当代，礼仪也是生活中必不可少的，也是修行者自觉约束自己、修正自己的一种行为准则。

◎ 人类的智慧与理性，就在于能明白天地自然、生命、社会的规律，并自觉受其约束，在尊重规律的基础上获得心智的成长，与万事万物和谐相处，从而实现身心的自由。除此之外，自由是不存在的。试图摆脱一切制约，追求所谓绝对的自由，实际上是复归兽性，是对自己的放纵和对群体的伤害。

【格言】以礼做事为人，无礼妄为近兽。

4・26　子游曰："事君数①，斯②辱矣；朋友数，斯疏矣。"

【注释】①数：音 shuò，屡次、多次，引申为烦琐的意思。　②斯：就。

【释义】子游在谈论礼制的一些细节，也就是分寸和火候，他说："侍奉君主太过烦琐，就会受到侮辱；对待朋友太过烦琐，就会被疏远了。"

【要点】(1) 事君数，斯辱矣。(2) 朋友数，斯疏矣。

【语境与心迹】子游在此处所强调的，正是很多学习礼仪的人容易犯的错误。对人对事过于烦琐，就是没有找到关键和要害，眉毛胡子一把抓，就是糊涂。简单的事能发现内在规律，这是聪明；复杂的事能找到简单方法解决，这是智慧。把所有的事都搞复杂，弄得自己和别人都一头雾水，这就是头脑混乱。我们在生活中也有体会，别人的礼节如果过于粗糙，我们就会感觉受到轻视；若是别人的礼节过于烦琐，我们又会很不自在。可见，社交中掌握好分寸是十分重要的，否则，形式大于内容，甚至直接让对方产生不舒服的感觉，礼节也就失去了真正的意义。

【接圣入心】

一般来说，礼仪会让人的交往变得有些复杂。但若没有礼仪，人际交往就会没有规矩可循，也会生出很多是非。

孔子的弟子子游认为，在侍奉君主和对待朋友的礼仪方面，不可搞得过于烦琐，否则会让人生厌。

在现代生活中，我们也会遇到一些把宴请搞得过于复杂的情况，主陪副陪，三陪四陪，酒令很多，让人无法舒心地吃饭，也无法安心地交谈。主人也许是想通过这种方式来表达对客人的欢迎，但若是考虑到客人的感受，也许应该简化一下这复杂的规矩。

礼仪过于烦琐，就会显得虚伪，就会让人觉得刻意，甚至有一种被愚弄的感觉。到了这个份上，礼仪也就失去了原本的意义。

简单的事研究得仔细，就是学问；复杂的事处理得简单，就是智慧。大道至简！

【格言】尊礼而简练是智慧，行礼而烦琐是迂腐。

公冶长第五

5·18　子曰："臧文仲[①]居蔡[②]，山节藻棁[③]，何如其知也！"

【注释】①臧文仲：姓臧孙名辰，春秋时鲁大夫，世袭司寇，"文"是他的

谥号。因不遵守周礼，被孔子指责为不仁不智。 ②蔡：国君用以占卜的大龟。蔡这个地方产龟，所以把大龟叫作蔡。 ③山节藻棁：节，柱上的斗拱；棁，音 zhuō，房梁上的短柱。把斗拱雕成山形，在棁上绘以水草花纹。这是古时装饰天子宗庙的做法。

【释义】鲁国大夫臧文仲盖了一间很夸张的屋子养龟，孔子对此有些异议："臧文仲藏了一只大龟，藏龟的屋子，斗拱雕成山的形状，短柱上画了水草花纹，他这个人怎么能算是有智慧呢？"

【要点】（1）文仲居蔡。（2）山节藻棁。

【语境与心迹】臧文仲被当时的人们称为智者，但他对礼制并不在意，竟然不顾周礼，修建了藏龟的大屋子，并照天子宗庙来装饰，这在孔子看来就是越礼了。所以，孔子指责他不仁不智。这再一次表明，孔子所说的仁、礼、智、勇等美德，是不能离开其他美德孤立存在的，美德就如同有机的生物群落，互相依托，不能分离。

【接圣入心】

难怪孔子对他所处的时代那样忧心忡忡，像臧文仲这种手握重权的高官都如此放纵自己，可以想象当时的国家秩序有多混乱。

后世反对孔子的人，总认为孔子是个老顽固，但如果知晓了某些当权者们放纵的行为，就能理解孔子的忧虑。

当今社会，虽然没有了周礼的约束，但某些富豪、名人的骄奢淫逸，大众难道会赞同吗？

实际上，外在行为的放纵无忌，是内心狂妄的表现，这样的人一旦掌权，往往会利用权力谋取私利，最终走向覆灭。

中华文明倡导自我约束，位置越高，权力越大，就越应该具有超出一般人的强大的自我约束能力，否则就会德不配位，就会给自己招来灭顶之灾。

中国共产党确立了"人民公仆"的定位，倡导勤俭节约，反对奢侈浪费，全心全意为人民服务，无疑是中华文明在当代最为典型的表现。违背了这一宗旨，就不是真正的共产党人，也必然会受到党纪国法的严厉惩处。

【**格言**】智而有礼，是真正的智者；智而违礼，是肤浅的聪明。

雍也第六

6·25 子曰："觚不觚，觚哉！觚哉！"

【**注释**】觚：音 gū，古代盛酒的器具，上圆下方，有棱，容量约有二升。后来觚被改变了，所以孔子认为觚不像觚。

【**释义**】孔子对涉及礼制的一些器物的变化有些不爽："觚不像个觚了，这也算是觚吗？这也算是觚吗？"

【**要点**】(1) 觚不觚。(2) 觚哉！

【**语境与心迹**】作为人类文明积淀的周礼，被孔子视为文明的最完美状态。周礼的所有内容都经过千锤百炼，任何一项礼仪形式都被赋予了特定的内涵，任何一件器物也都有特定的象征意义。在这段话里，孔子慨叹当时的事物名不符实，主张"正名显实"，所以对着觚发出了那样的感慨。

【**接圣入心**】

人类的文明分成四种类型：第一类是对自然界客观规律的认识，为科技文明。第二类是对社会规律的认识，为社会文明。第三类是对自我心智和生命规律的认识，为生命文明。第四类是人类精神对物质和外部世界的胜利，为精神文明。

在孔子的年代，科技文明水平相对比较低，社会文明已经达到了相当的高度，生命文明中对自我心智的认识，也已经到达了一个高峰，而像孔子这样的圣人，则在精神文明方面达到了人类的巅峰。

在社会文明和心智文明方面，一个典型的特征就是：通过为外部事物赋予主观上的意义，使其成为全社会的标准和共识，从而为社会秩序的建立和个人认知的形成提供一种思维模式。

◎ 孔子之所以对着觚发出感叹，是因为在那样一个礼崩乐坏的时代，觚被赋予的主观意义已经改变了。

◎ 我们知道，一切事物都会发生变化，这是基本规律。但当一种变化反映的是心智的混乱时，也许意味着文明在倒退，这也正是孔子发出感慨的原因。

◎ 我们需要规矩，我们也需要变化，关键在于规矩和变化给人类带来的价值。当规矩和变化给人类带来的是正面价值时，就会推动文明的进步；反之，就会带来文明的倒退。

【格言】精神赋意，外物载道。

述而第七

7·9　子食于有丧者之侧，未尝饱也。

7·10　子于是日哭，则不歌。

【释义】重礼的人，对很多细节是很讲究的，比如孔子，在有丧事的人旁边吃饭，不曾吃饱过。孔子在这一天为吊丧而哭泣，就不再唱歌。

【要点】（1）丧侧不饱。（2）丧日不歌。

【语境与心迹】把孔子的行为代入现代社会，就很好理解了。办丧事时，主人家肯定是很悲痛的，亲朋好友来吊唁或者邻里来帮忙，就要表现出与丧事的气氛相符合的态度。若是来帮忙办丧事却大吃大喝、推杯换盏，像是搞什么庆祝似的，就非常违和了。为了表达哀悼，即使是参加完丧礼，当天也不要去唱歌，否则就显得太无情了。孔子真是大仁大义之人，想的和做的每一件具体的事都与礼制相符合，与人乐，与人悲，将自己的情感与人生、与周围的世界同频，这真是圣人的情怀！

【接圣入心】

◎ 与丧事有关的基本礼仪，今人也部分地继承下来。

之所以是部分继承，是因为也有缺失。在一些地方，去参加别人丧事的人，很少有忌口的，很多人都是放开了吃喝，甚至比在自己家里吃得还多，好像不吃白不吃一样，显得很没出息。有的人参加别人的丧事，就像完成一项任务，之后就无所忌讳，该吃吃，该喝喝，该玩玩，该乐乐，与他人同悲的时间那么短暂，情感的链接竟如此脆弱！

孔子能够做到与民同乐，与民同悲，符合儒家所倡导的忠恕之道，也与佛家所说的“同体大悲”不谋而合，正因为有这样一种伟大的情怀，孔子才成了千古圣人，他把别人的悲伤与快乐放在了自己的心里。

历史和现实中那些伟大的人，往往都有孔子这样的情怀，他们的生命与喜怒哀乐，与他人融为一体。也因此，才值得敬仰和信任。

许多人也有类似的经历，尤其当我们悲伤时，若是有人愿意花足够多的时间与我们一同悲伤，我们的心里就会充满温暖。所以，这样的做法是一种人类美德的体现。

一旦情感淡漠，就没有人能够受益。若是既想成就不平凡的事业，又对别人的悲伤与疾苦表现得冷淡，就构成了一个悖论，愿望与作为自相矛盾且不易察觉。这是许多眼高手低、好高骛远的人命运多舛的根源。

【格言】圣人情怀，与民同悲，与民同乐。

7·15　冉有曰：“夫子为[①]卫君[②]乎？”子贡曰：“诺[③]，吾将问之。”入，曰：“伯夷、叔齐何人也？”子曰：“古之贤人也。”曰：“怨乎？”子曰：“求仁而得仁，又何怨？”出，曰：“夫子不为也。”

【注释】①为：帮助。　②卫君：卫出公辄，是卫灵公的孙子，公元前492年至公元前481年、公元前476年至公元前470年在位。他的父亲因谋杀南子而被卫灵公驱逐出国。灵公死后，辄被立为国君，其父回国与他争位。　③诺：答应。

【释义】子贡真是个有智慧的人，从他提问的方式可见一斑。冉有问子贡：“老师会帮助卫国国君吗？”子贡说：“我去问问老师。”于是就进去问孔子：“伯夷、叔齐是什么样的人呢？”孔子说：“古代的贤人。”子贡又问：

“他们有怨恨吗？”孔子说：“他们求仁而得到了仁，又为什么怨恨呢？”子贡出来对冉有说：“老师不会帮助卫国国君。”

【要点】（1）伯夷叔齐。（2）求仁得仁。

【语境与心迹】孔子和弟子们讨论的话题，很多都是当时的热点问题。你看，卫国就出了个大新闻：卫国的国君辄即位后，父子争夺王位。今天的我们，听到这样的事可能会觉得好笑，可在孔子那个时代真就发生了。当然，有争位的，也有让位的。卫国父子争位，恰好与伯夷、叔齐两兄弟互相让位形成鲜明对照。这里，孔子赞扬伯夷、叔齐，而对卫出公父子违背礼制的做法极为不满。子贡也真是聪明，他没有直接问孔子是否会去帮助卫君，通过老师对伯夷、叔齐的评价就能得出结论。看来，子贡不但学到了孔子的思维方式，还明白老师的价值标准。

【接圣入心】

古人曾有一句著名的感慨：来世莫生帝王家！

古往今来，为了王位、为了功名利禄，父子反目，兄弟成仇，朋友决裂，数不胜数。

这样的人生悲剧，让人联想到动物世界。野兽可以不顾亲情，可以没有礼让，因为它们是野兽。

自诩为高等动物的人类，与低等动物的区别就在于，发生利益冲突时，人类懂得礼让和谦逊，懂得维护亲情的崇高、友谊的纯洁和高于个人利益的精神境界的神圣。

孔子所倡导的礼仪，也以这样的准则作为核心，是维护人类亲情、友谊和精神境界的一种文明制度。

文明总是带有历史的痕迹，周礼是孔子那个时代文明的标志，今天的我们，文明的血脉也是从周礼延续下来的，我们需要继承和发展什么样的文明呢？如果忽视了这个问题，历史的悲剧就会换着花样重演。

子贡不愧是孔子的高足，能用间接的方式询问老师的态度，他已经了解了老师的精神世界。

【格言】学师者死，懂师者成。

7·36　子曰：“奢则不孙[①]，俭则固[②]。与其不孙也，宁固。”

【注释】①孙：同“逊”，恭顺。不孙，即为不顺，越礼的意思。　②固：简陋、鄙陋，寒酸的意思。

【释义】孔子基于礼制，谈到奢侈和寒酸的二选一。他说：“奢侈了就会越礼，节俭了就会寒酸。与其越礼，宁可寒酸。”

【要点】（1）奢则不孙。（2）不孙宁固。

【语境与心迹】春秋时代的诸侯、大夫等，大多追求奢侈豪华的生活，享乐的程度和礼仪的规模甚至与周天子没有本质区别，在孔子看来，这都是越礼、违礼的行为。尽管节俭会显得寒酸，但与其越礼，宁可寒酸，以维护礼的尊严。

【接圣入心】

◎ 古往今来，人类在心智层面上似乎一直重复着相似的错误。

◎ 当人的目标转向心外，追求物质生活的奢华时，就会步入迷途。如六祖惠能所说：“心外求法，皆是外道。”

◎ 两千五百多年前的诸侯和大夫，一味追求生活的奢侈豪华，这种心智层面的混乱也带来了社会的混乱。当今时代，不也有一些人也在想方设法这样做吗？这些人的追求，不也是心智迷失的表现吗？这样的风气，不也是滋生社会问题的土壤吗？

◎ 当代的中国人是幸运的，与世界上许多国家相比，中国共产党一直在倡导勤俭节约，历届领导人也做出了表率。因为共产党人有着崇高的精神追求，心甘情愿服务于全体人民。“莫忘初心，方得始终”，历史是一面镜子，现实中的光明也在照耀着我们，只看我们是否能够感受到。

◎ 中国文化博大精深，源远流长，一直遵循着这样的准则：轻物质，重精神，轻自己，重众人，追求崇高，杜绝庸俗，这是最典型的精神对物质的胜利！

【格言】奢侈迷心，简约好礼。

泰伯第八

8·2 子曰："恭而无礼则劳①，慎而无礼则葸②，勇而无礼则乱，直而无礼则绞③。君子笃④于亲，则民兴于仁，故旧⑤不遗；则民不偷⑥。"

【注释】②劳：辛劳。 ③葸：音 xǐ，拘谨、畏惧的样子。 ③绞：说话尖刻，出口伤人。 ④笃：真诚。 ⑤故旧：故交，老朋友。 ⑥偷：淡薄。

【释义】孔子重礼，是因为无礼会让一切美德变味，他说："只是恭敬而不知礼，就会徒劳无功；只是谨慎而不知礼，就会畏缩拘谨；只是勇猛而不知礼，就会说话尖刻。如果上位者对待自己的亲人很真诚，那么老百姓当中就会兴起仁德的风气；如果上位者不背弃老朋友，老百姓也不会对人冷漠无情。"

【要点】(1) 恭无礼劳。(2) 慎无礼葸。(3) 勇无礼乱。(4) 直无礼绞。(5) 笃亲民仁。(6) 遗旧民偷。

【语境与心迹】孔子所强调的是，所有的美德都需要通过"知礼"才能正确地表现出来，否则就会徒劳无功。孔子在《论语》中所强调的诸多美德，实际上是一个整体，不能单独成立，必须相互连接，否则就很可能跑偏。美德，首先是一种内在的精神和价值观，其次还要通过行为表现出来。在通过行为来表现时，礼是不能跨越的门槛，也就是说，一切表现美德的行为都必须合乎礼。

【接圣入心】

孔子在这里表明了两层意思：一是人的行为要用礼来指导，二是上位者要发挥表率作用。

先说礼对人的行为的指导，孔子举了三个例子：

• 有恭敬之心，却不懂礼，就无法把恭敬表现出来，让别人感受到。徒有恭敬之心却无法让别人感受，这就是徒劳无功。

• 有谨慎之心，却不懂得如何通过礼来表现，就会显得畏首畏尾，谨慎的美德就变成了一种缺点。如果能够用礼的方式来表现谨慎，就能在谦虚中有坚毅，在坚持中有协商，在差异中有吸纳，在交流中有感恩。这才是谨慎所应达到的美妙效果啊！

• 勇猛果敢，在很多时候是一种美德，但如果缺乏礼数，就会表现为思虑草率，言语刻薄，行动鲁莽，结果就是显得很愚蠢。

以上这几个方面要做到恰如其分，确非易事。因此，孔子倡导上位者发挥表率作用：

• 上位者，不应该嫌弃自己的旧亲，要真诚地对待他们，但也不能用自己的权力为他们谋取私利，还要教育他们踏踏实实做人，友善地对待周围的人。这样做，就会对民风产生积极的影响。

• 作为上位者，不嫌弃自己的故友，保持良好关系，不因身份高、财富多而蔑视他人。如此这般，就会对民众起到示范作用，让人间充满温情。

由此可见，孔子倡导礼，绝不是在简单地维护封建统治。封建统治者确实可以利用礼来维护统治，但此时的主体不是孔子，而是封建统治者，把这笔账算在孔子身上，是有失公允的。礼在指导个人行为、维护社会关系方面都是非常重要的。即使有人不愿意遵行孔子所说的礼，也应当找到另外的礼来遵行。否则，就会变成无礼之人了！

【**格言**】失礼即是失德。

子罕第九

9·3　子曰："麻冕①，礼也；今也纯②，俭③，吾从众。拜下④，礼也；今拜乎上，泰⑤也。虽违众，吾从下。"

【**注释**】①麻冕：麻布制成的礼帽。　②纯：丝。　③俭：用麻做礼帽，

依照规定要用两千四百缕经线。麻质较粗，必须织得非常细密，很费工夫。若改用丝，丝质细，容易织成，因而节俭些。 ④拜下、拜乎上：大臣面见君主前，先在堂下跪拜，再到堂上跪拜。 ⑤泰：骄纵、傲慢。

【释义】礼制包括对服饰、程序的详细规定，孔子十分熟悉。他说："用麻布制成的礼帽，符合礼。现在大家都用黑丝制作礼帽，比过去节省，我赞成这种做法。臣见国君时首先要在堂下跪拜，这也是符合礼的。现在大家都到堂上跪拜，这是骄纵的表现。虽然与大家的做法不一样，我还是主张先在堂下跪拜。"

【要点】(1) 俭吾从众。(2) 违众从下。

【语境与心迹】孔子非常推崇礼制，但对其具体内容并不是简单机械地照搬。对于那些虽然形式上有改变，但不会影响功能的做法，孔子是赞同的。但对于那些形式上改变后会影响功能的做法，孔子是坚决反对的。由此可见，孔子在维护礼制方面非常有智慧。

【接圣入心】

◎ 孔子重礼，也通情达理。孔子懂礼，知道如何用礼恰当地表达对别人的尊重。

◎ 关于礼这个问题的认识，一般人有两种比较典型的极端倾向：一是执着于礼的某种原始形态，不接受任何形式的改变，显得古板僵化，重视形式多于重视内容；二是随便简化礼仪的形式，以至于损害了礼仪应有的功能。

◎ 作为圣人的孔子，很清楚上面两种极端倾向的危害，他很好地把握住了形式与内容的关系：不影响礼仪内容及功能的简化，他赞同；影响的，他反对。

◎ 孔子之所以是圣人，非常重要的一个原因，就是他具备哲学的思维模式，能够很好地在现实中把握行为的尺度。

◎ 我们处在一个改革和创新的时代，应该坚持什么，改革什么？坚持与改革的分寸如何确定？边界如何划分？这是考验哲学智慧的时刻。如果改革影响了要坚持的内容，就可能引起混乱；如果固守形式，却影响了要坚持的内容，也无法持续。

打个比方，在家庭中，我们需要改变家庭生活的模式吗？如果改变能促进家庭和谐，这种改变就是有益的；否则，就是有害的。在社会生活中，我们需要改变交友和看待社会的观念与行为吗？如果这种改变有助于改善人际关系，可以促进社会和谐与发展，就是有益的；否则，就是有害的。在企业管理中，我们需要改变管理理念与方式吗？如果这种改变能促进企业的和谐、提高效率，这种改变就是有益的；否则，就是有害的。虽然这么说显得有些过于简单，但改变的关键在于，把握好形式与内容的关系、坚持与改变的关系，这才是根本问题。

【格言】变化是永恒的，万变不离其宗。

9·10　子见齐衰①者，冕衣裳者②与瞽③者，见之，虽少，必作④；过之，必趋⑤。

【注释】①齐衰：音 zī cuī，丧服，古时用麻布制成。　②冕衣裳者：冕，官帽；衣，上衣；裳，下服。这里统指官服，冕衣裳者指贵族。　③瞽：音 gǔ，盲。　④作：站起来，表示敬意。　⑤趋：快步走，表示敬意。

【释义】孔子懂礼，而且很细致，在很多人都会忽视的具体细节上，孔子做得太到位了：遇见穿丧服的人、当官的人和盲人时，即使他们更年轻，也一定要站起来。从他们身边经过时，一定要谦恭地快步走过，不要影响人家。

【要点】(1) 见齐衰作。(2) 过之必趋。

【语境与心迹】孔子不仅给别人讲礼，而且自己时时处处都在践行礼。你看，他展示礼仪的方式多么具体啊！这样的礼仪，会让人家很舒服，也展现出自己的教养：尊重每一个人，不论他们是什么身份。遇到人家办丧事，一定要不添乱，要尽量提供方便。

【接圣入心】

孔子遇到各种人都表现得彬彬有礼，不会因为身份不同而区别对待，绝不傲慢，总想着与人方便。

反观现实，一些人遇到穿丧服的人却无动于衷；一些人遇到盲人时，也不会主动地为他们提供方便。在公共场合，一些人常常站在门口或者路中间，丝毫没有谦让意识。即使看到别人要从此通过，也不会主动让路；等电梯时，有的人直接堵在电梯门口，电梯开门后有人走出，他也不懂得避让，似乎心中根本就没有"先下后上"的规矩。生活中，诸如此类的现象非常之多，我们遇到会感到不快。说到这些，不由得想起了一句骂人的话：好狗不挡道。虽然这话有点侮辱人，但也说明挡路这事儿有多气人了。

由此可见，礼仪在我们的生活中处处都用得上，当我们懂得并且去礼待他人时，也会被他人友善以待。否则，要么会给别人带来不便，要么被别人视为不善。于是想起了老人们平时总说的一句话：与人方便，与己方便。乍一看，这是句很平常的话，但说明了礼仪在生活中的重要。

【格言】礼仪表现出的是教养，实现的是与人方便。

9·12　子疾病，子路使门人为臣①。病间②，曰："久矣哉，由之行诈也！无臣而为有臣。吾谁欺？欺天乎？且予与其死于臣之手也，无宁③死于二三子之手乎！且予纵不得大葬④，予死于道路乎？"

【注释】①为臣：臣，指家臣，总管。孔子当时不是大夫，没有家臣，但子路叫门人充当孔子的家臣，准备由此人负责安葬孔子之事。　②病间：病情减轻。　③无宁：宁可。"无"是发语词，没有意义。　④大葬：指大夫的葬礼。

【释义】孔子患重病，子路让门人去做孔子的家臣，负责料理后事。后来，孔子的病好了一些，就批评子路说："仲由总干这种弄虚作假的事情。我明明没有家臣，却偏偏要装作有家臣，我骗谁呢？我骗上天吧！与其在家臣的侍候下死去，还不如在你们这些学生的侍候下死去，这样不是更好吗？而且即使我不能以大夫之礼来安葬，难道就会被丢在路边没人埋吗？”

【要点】(1) 子路苦心。(2) 门人为臣。(3) 不可欺天。

【语境与心迹】儒家对于葬礼十分重视，葬礼的等级要与逝者的身份对应，要严格按照有关规定安葬。不同身份的人有不同的安葬仪式，违反了这种规定就是大逆不道。孔子反对学生们按大夫之礼为他办理丧事，也是在自觉恪守周礼。现在有些人，如果别人按照高规格接待他，就会很高兴，觉得自己很有面子，但若是因此肆意妄为，纵容私欲的膨胀，最后就会带来社会问题。

【接圣入心】

一个病重或者将死的人，会在意自己的弟子用超规格的方式来对待自己吗？一般人也许不在意，但孔子在意。

子路对孔子还是十分忠诚的，也颇得孔子的信任。但子路不太好学，为此也被孔子批评过。正因为子路是这样的人，才会选择用不恰当的方式来表达对老师的尊重。

尊重老师，是一种最质朴的情感。不恰当的方式不仅不是尊重，反而会损害老师的声誉。这是对弟子的考验。如何尊重老师？使用什么样的方式才是恰当的？

跟随老师学习和尊重老师，一方面，要学习老师的精神，另一方面，也要学习老师做事的方法。如果在精神上与老师一致，但做事的原则却与老师不一致，很难说是学到家，更谈不上得到老师的真传了。

孔子在自己生命垂危的时候，也没有忘记做人做事的礼仪，也没有默许学生僭越、搞特殊，并以此来教育自己的学生。这是多么伟大的情怀啊！

【格言】尊礼是觉悟，僭礼是祸害。

乡党第十

10·1 孔子于乡党[①]，恂恂[②]如也，似不能言者。其在宗庙、朝廷，便便[③]言，唯谨尔。

【注释】①乡党：孔子生于陬邑之昌平乡，后迁至曲阜之阙里，亦称阙党。此称乡党，应兼两地而言。 ②恂恂：音 xún，温和恭顺。 ③便便：音 pián，善于辞令。

【释义】孔子懂礼，能在不同的地方精准地扮演好自己的角色：在本乡表现得很温和恭顺，像是不会说话的样子，以表示对乡人的尊重，不会因为懂得多就张牙舞爪。但孔子在宗庙里、朝廷上，却很善于言辞，只是说话比较谨慎。

【要点】（1）到哪说哪。（2）自我定位。（3）演好角色。

【语境与心迹】这段话描述的是孔子在不同场合的不同表现，有人为此批评孔子虚伪，认为他并不像他自己所说的那样“直”，很会装样子。但真是这样吗？想想看，我们每个人在不同情境下都扮演着不同的角色，自然会有不同的行为方式：在长者面前不应该表现得谦卑和恭敬吗？在弱者面前不应该表现得朴素和亲近吗？在孩子面前不应该表现得温柔和喜悦吗？难道在不同的地方、面对不同的人都是同样的面孔做派才算是诚实和直率吗？真是欲加之罪，何患无辞啊！

孔子是个智者，知道自己在各种特定场合怎么做才是最恰当的。仅此一点，就值得我们学习。想想看，在那个时代，孔子的乡邻中有多少人能像孔子那般有见识、有学问和受到那么多人的尊重？孔子回乡，需要大张旗鼓吗？需要在亲友面前表现得很张扬吗？需要用自己的排场来刺激别人、彰显自己吗？孔子回乡时的谦恭态度，不正是照顾到乡亲的感受并保持本色的明智之举吗？真不知道在这件事上批评孔子的人到底是什么居心，这些人自己又是怎么做。

【接圣入心】

先从原文所描述的孔子的两种表现来说：在家乡与乡邻共处，孔子始终保持本色，没有摆派头、讲排场。这一点，很多人就做不到。很多人都有衣锦还乡的情结，为的是炫耀自己的成功。如果自己混得不好，又会觉得无颜见家乡父老。孔子却不同，他并没有刻意炫耀，而是时时刻刻保持谦逊和气。同时，孔子也知道，在宗庙里、朝廷上，他有自己的角色和必须要做的工作，所以与在家乡表现完全不同。他能够根据所处环境，很恰当地按照当时的身份去做该做的事、去说该说的话，但又不会过分炫耀自己。人生啊！最难的莫过于在不同场合找准自己的定位，让自己的言行恰如其分。

学习了孔子的思想，我们再结合生活实际进行思考：

• 很多人有成就的时候，特别喜欢到熟人面前去显摆，很有优越感。当然，这是一种错误。之所以这样说，是因为这样做的人往往并不清楚这种行为带给别人的感受，别人心里会怎么想呢：你有了成就，对我有什么好处呢？大家各过各的日子，你是来刺激我的吗？你得到的好处，一定都是从正道来的吗？你难道就没有问题吗？你看，当我们一味表现自己的优越时，实际上已经刺激到了别人，有的人甚至会生出很多对我们不利的想法。这是你想要的吗？

• 进一步说，当我们自己有了成就时，我们是不是也被成就改变了？成就是人生对我们的一种考验，当我们因为这些洋洋得意、自觉高人一等时，就说明我们是有问题的，因为我们会轻易地被外部力量所改变。

• 再联系到我们的工作，当你受人重用和信任，得到一些发展机会时，你会不会飞扬跋扈？会不会瞧不起别人？会不会由此放任自己？会不会辜负别人的信任？如果你这样做了，那就是在毁灭自己，就是在给自己制造对手和敌人。在工作中受重用和信任的你，有这些毛病吗？你打算在未来如何改进？

【格言】应景扮演角色，心中不忘本色。

10 · 2 朝，与下大夫言，侃侃[①]如也；与上大夫言，訚訚[②]如也。君在，踧踖[③]如也，与与[④]如也。

【注释】①侃侃：说话理直气壮、不卑不亢的样子。 ②訚訚：音 yín，和悦正直，和颜悦色又能直言争辩。 ③踧踖：音 cù jí，恭敬而不安的样子。 ④与与：小心谨慎、威仪适中的样子。

【释义】孔子会根据情境和自己角色的变化，做精准的调整。上朝（国君还没有来）同下大夫说话时，他表现得理直气壮，不卑不亢；同上大夫说话时，他表现得和颜悦色而又正直、公正。等到国君来了，他表现得恭敬而不安，但又仪态适中。

【要点】(1) 与下大夫言，与上大夫言，君在。(2) 侃侃如也，訚訚如也，踧踖如也，与与如也。

【语境与心迹】了不起的孔子啊！他心中有大义，才能做得如此细致到位，真是践行礼制的楷模！如今的我们，在不同的场合扮演不同的角色时，还能如他一样细致、周到、礼仪精准吗？如果一个人没有仁德之心做根基，却能表现得八面玲珑，那肯定是个伪君子；如果心中有仁德，却没法通过周到的礼数表现出来，那就是木讷！

【接圣入心】

- 作为圣人的孔子，自己就是践行礼制的典范。
- 孔子上朝时在三种不同的情境下，展现了恰如其分的礼仪：

• 当国君还没有到来、同下大夫说话时，孔子表现得亲切自然，不卑不亢，怡然自得。

• 当国君还没有到来、同上大夫说话时，孔子表现得正直而公正，不卑也不亢。

• 当国君到来时，孔子表现得恭敬谦卑，大方得体。

换成今天的人，能够在类似的情境下，面对不同的谈话对象，在心情、语言、神态和姿势等方面，表现得像孔子那样得体而恰当吗？

很多批评孔子的人，却都是不如孔子的人。既然不如孔子，为什么不学习孔子呢？是愚昧、偏见还是虚荣心作祟？

现实中有各式各样的人，也许出于某种理由，你不喜欢孔子，但如果因为个人偏见，对孔子的优点和长处也一概排斥，就算不上明智了。再拼命地批评孔子，恐怕也比不上他。想想看，这又何必呢？为何不吸纳孔子的长处，让自己进步？

【格言】关系变，身份变，角色变，行为变。

10·3　君召使摈[①]，色勃如也[②]；足躩[③]如也。揖所与立，左右手，衣前后，襜[④]如也。趋进，翼如也[⑤]。宾退，必复命曰："宾不顾矣。"

【注释】①摈：音 bìn，动词，负责招待宾客。　②色勃如也：脸色立即庄重起来。　③足躩：躩，音 jué，脚步快的样子。　④襜：音 chān，整齐的样子。　⑤翼如也：如鸟儿展翅一样。

【释义】国君召孔子去接待贵宾，孔子的脸色立即庄重起来，脚步也快起来，他向和他站在一起的人作揖，手向左或向右作揖时，衣服前后摆动却整齐不乱。他向前快步走的时候，像鸟儿展开双翅一样。贵宾走后，他必定向君主报告说："客人已经不回头了。"你可以不喜欢这些礼数，但有需要时，你能够做到礼数完备吗？

【要点】(1) 君召使摈。(2) 色勃如也，足躩如也，襜如也，翼如也。(3) 宾不顾矣。

【语境与心迹】在国君待客这样一个具体的情境中，孔子是那样的自然，礼节环环相扣，没有缺失，真应了这样一句话：人生就是舞台，每个人都是演员。孔子，绝对是那个时代最优秀的"演员"——用自己的仁德之心和对礼制的精准把握，扮演好自己的角色。

【接圣入心】

天啊！孔子招待贵宾的礼仪好细致、好得体！即使是今天受过良

好教育的人，又有几个能够做到呢？

◎ 我们接待客人时，神态会热情而庄重吗？脚步能轻盈快捷而又不乱吗？会同时向周围的人施礼并表现得很周到吗？送客时，会等到客人不再回望时再回去吗？送别了客人，会向负责人回报已经送完了吗？

◎ 孔子距今已有两千五百多年，他招待贵宾时能够做到细致周到而得体，今天又有几个人能够像他那样呢？有人能做到其中的一部分，但很难面面俱到。在今天，也许只有专业的礼宾负责人才能够做到像孔子这样。由此可见，过去的未必都落后，现在的未必都先进！

◎ 每个人的人生当中都会遇到一些平常而不平凡的事，如果你是有心人，就会从这些事中学到东西，内化为自己的素养。多年前，我受过一次教育。一位普通的司机来接送我，他的穿着整洁干净，脸上洋溢着真挚而亲切的笑容，双手戴着白手套。整个接送过程中，他温文尔雅，彬彬有礼。最后送别时，一直站在车前目送我并向我挥手，直至我加快脚步拐弯之后，他才走进驾驶室，驱车离开。我从中找到了自己的差距，也学会了如何在细节上周到友善地对待别人。

◎ 文明在哪里？就在平时的生活中！教养在哪里？就在待人接物的细节中！

【格言】周到细致，天衣无缝。

10·4 入公门，鞠躬①如也，如不容。立不中门，行不履阈②。过位，色勃如也，足躩如也，其言似不足者。摄齐③升堂，鞠躬如也，屏气似不息者。出，降一等④，逞⑤颜色，怡怡如也。没阶⑥，趋进，翼如也。复其位，踧踖如也。

【注释】①鞠躬：谨慎而恭敬的样子。 ②履阈：阈，音 yù，门槛，脚踩门槛。 ③摄齐：齐，音 zī，衣服的下摆。摄，提起。提起衣服的下摆。 ④降一等：从台阶上走下一级。 ⑤逞：舒展开，松口气。 ⑥没阶：走完了台阶。

【释义】这里又在讲述孔子践行周礼的具体做法，孔子真可谓遵守礼制的大师！孔子走进朝堂的大门时，那种谨慎而恭敬的样子，好像没有容身之地。站，他不站在门的中间；走，他也不踩门槛。经过国君的座位时，他的脸色立刻庄重起来，脚步也加快了，说话也好像中气不足一样。提起衣服的下摆向堂上走的时候，表现出恭敬谨慎的样子，憋住气，好像停止呼吸一样。退出来，走下台阶，紧张的表情便舒展开了，表现出怡然自得的样子。走完了台阶，快快地向前走几步，姿态像鸟儿展翅一样。回到自己的位置时，表现出恭敬而不安的样子。

【要点】（1）入公门，鞠躬如也。（2）立不中门，行不履阈。（3）过位，色勃如也，足躩如也。（4）摄齐升堂，鞠躬如也。（5）出，降一等，逞颜色，怡怡如也。（6）没阶，趋进，翼如也。（7）复其位，踧踖如也。

【语境与心迹】孔子知道，到什么样的地方就要有什么样的做派，你看，从进门、站立、过门槛、经过国君座位，到退出、走完台阶、回到自己的位置，这一系列动作，孔子都能够做得端庄有礼，恰到好处，真是了不起啊！我们很多现代人，别说做到了，恐怕连礼仪的细节都不知晓，仔细点的人最多也只能在某些环节上做到合礼。

【接圣入心】

◎ 这段话中，孔子似乎是在亲身示范，在各种情境下如何展现周礼的风范。

◎ 当然，孔子示范的是在朝堂这样一个非常庄重的场合中所使用的最经典的礼仪。但在平常的生活中，孔子也能根据环境的特点来践行礼仪。否则，不根据情境的特点，一味地施行同一种礼仪，是有问题的。因为礼仪的一个要点，就是要根据对象、场合、谈话内容、氛围、个人的角色和活动的进程来施行。

◎ 在这段话中，孔子展示了进入朝堂各个不同阶段所要施行的礼仪：

• 走进朝堂的大门时，表现出谨慎而恭敬的样子，好像没有容身之地，表现自己的敬仰和谦卑之情。

• 站，不站在门的中间；走，也不踩门槛。孔子这样做，是摆正自己的身份，确定自己的角色，不会鲁莽，也不会冒犯。

• 经过国君的座位时，他的脸色立刻庄重起来，脚步也加快了，说话也好像中气不足，这表明孔子知道自己与国君的关系。若是脸色轻浮，脚步散漫，说话傲慢，就是没有认清环境，没有理清自己与对方的关系，摆不正自己的位置。这样的人，就很难在这样的氛围中继续待下去。

• 提起衣服下摆向堂上走的时候，保持恭敬谨慎的样子，憋住气，好像停止了呼吸。之所以这样做，是环境氛围和自己角色的需要。

• 退出来，走下台阶，脸色便舒展开，一副怡然自得的样子。走完了台阶，快快地向前走几步，姿态像鸟儿展翅一样。环境发生细微的变化，自己的行为也做出相应的调整，以适合新的环境，扮演新的角色。

• 回到自己的位置时，显得恭敬而不安。完成了前面的步骤，等待进入下一个阶段。

孔子是一位礼仪大师，这跟他自幼学习并践行周礼有着密不可分的关系。孔子的礼仪如此周到，并非生而知之，而是后天学习和练习的成果。

今天的人们，不管是智力还是行动力，都不会比古人差，那为什么我们做不到像孔子那样有礼呢？基本原因是，很少有人如此系统地学习和练习礼仪。

礼仪好比社会中人们行走的轨道，礼仪是人际关系的润滑剂，礼仪是每个人定位自己角色、把控自己行为的标尺。若是没有礼仪，我们往哪里走？人和人如何相处？我们又该如何把控自己的行为？这些都将成为问题，社会生活就会变得格外困难。

【格言】处处是礼，礼处见心。

10·5　执圭①，鞠躬如也，如不胜。上如揖，下如授。勃如战色②，足蹜蹜③，如有循④。享礼⑤，有容色。私觌⑥，愉愉如也。

【注释】①圭：一种上圆下方的玉器，举行典礼时，不同身份的人拿着不同的圭。出使邻国时，大夫拿着圭作为代表君主的凭信。　②战色：战战兢兢的样子。　③蹜蹜：音 sù，小步快走的样子。　④如有循：循，沿着。好像沿着一条直线往前走。　⑤享礼：享，献上。享礼指使者受到接见后举行献上礼物的仪式。　⑥觌：音 dí，会见。

【释义】孔子的外交礼节也有大师风范，估计能直接把一些小国给震慑住。孔子出使别的诸侯国时，手里拿着圭，恭敬谨慎，像是举不起来的样子。向上举时好像在作揖，放在下面时好像在给人递东西。脸色庄重且战战兢兢，步子很小，好像沿着一条直线往前走。在举行献礼物的仪式时，显得和颜悦色。和国君私下会见的时候，则显得轻松愉快。

【要点】（1）执圭，鞠躬如也。（2）私觌，愉愉如也。

【语境与心迹】《论语·乡党》这些内容，描述的都是孔子在朝、在乡的言谈举止。孔子在礼仪方面似乎已经到了化境，他能够在不同的场合、对待不同的人时，通过容貌、神态、言行等表现出恰如其分的礼。他在家乡时，不吹嘘自己的学识或者表现得高人一等，而是以谦逊和善的老实人的形象出现在乡亲们面前。上朝时，则能找准自己的定位，态度恭敬而不失威仪，不卑不亢。他在国君面前，温和恭顺，局促不安，庄重严肃而又诚惶诚恐。所有这些表现，都是孔子在亲自示范礼仪。今天的我们依然会感到很震撼：孔子把礼制践行到如此艺术的境界，真是礼仪大师啊！

【接圣入心】

- 从这里我们进一步看到，孔子的言行举止，是有道可循的。
- 孔子敬物敬人如神，在正式场合，神态和步伐都表现出恭敬。
- 孔子的言行不是僵化的，随着环境变化也会表现得轻松自在。
- 在孔子身上所体现出的中国人的素养，概括成一句话就是：敬天敬地，敬人敬物，放低自己。神态、行为、言语得体，这不正是文明国度的人应该有的风范吗？

【格言】动作表现心情，仪态表达尊敬。

10 · 6 君子不以绀緅饰[①]，红紫不以为亵服[②]。当暑，袗絺绤[③]，必表而出之[④]。缁衣[⑤]，羔裘[⑥]；素衣，麑[⑦]裘；黄衣，狐裘。亵裘长，短右袂[⑧]。必有寝衣[⑨]，长一身有半。狐貉之厚以居[⑩]。去丧，无所不佩。非帷裳[⑪]，必杀之[⑫]。羔裘玄冠[⑬]不以吊[⑭]。吉月[⑮]，必朝服而朝。

【注释】①不以绀緅饰：绀，音gàn，深青透红，斋戒时服装的颜色；緅，音zōu，黑中透红，丧服的颜色。这里是说，不以深青透红或黑中透红的布给平常穿的衣服镶边作装饰。 ②红紫不以为亵服：亵服，平时在家里穿的衣服。古人认为，红紫不是正色，便服不宜用红紫色。 ③袗絺绤：袗，音zhěn，单衣；絺，音chī，细葛布；绤，音xì，粗葛布。这里是说，穿粗葛布或细葛布做的单衣。 ④必表而出之：把麻布单衣穿在外面，里面还要衬有内衣。 ⑤缁衣：黑色的衣服。 ⑥羔裘：黑色的羔皮衣。古代的羔裘都用羊皮，毛皮向外。 ⑦麑：音ní，小鹿，白色。 ⑧短右袂：袂，音mèi，袖子。右袖短一点，是为了便于做事。 ⑨寝衣：睡衣。⑩狐貉之厚以居：狐貉之厚，厚毛的狐貉皮；居，坐。 ⑪帷裳：上朝和祭祀时穿的礼服，用整块布制作，不加以裁剪，折叠缝上。 ⑫必杀之：杀，裁。一定要裁去多余的布。 ⑬玄冠：黑色礼帽。 ⑭不以吊：不用于丧事。 ⑮吉月：每月初一,一说正月初一。

【释义】礼制对于衣着打扮都有很细致的规定。君子不用深青透红或黑中透红的布镶边，不用红色或紫色的布做平常在家穿的衣服。夏天穿粗的或细的葛布单衣，但一定要套在内衣外面。黑色的羔羊皮袍，要配黑色的罩衣；白色的鹿皮袍，要配白色的罩衣；黄色的狐皮袍，要配黄色的罩衣。平常在家穿的皮袍做得长一些，右边的袖子短一些。睡觉一定要穿睡衣，要有一身半长。用狐貉的厚毛皮做坐垫。丧期满了，脱下丧服后，便可佩戴各种各样的装饰品。如果不是礼服，一定要加以剪裁。不穿羔羊皮袍、不戴黑色的帽子去吊丧。每月初一，一定要穿着礼服去朝拜君主。

【要点】(1) 适时适景。(2) 衣佩适配。

【语境与心迹】不得不感叹，我们的古人实在太厉害了！穿衣服竟然也如此讲究，既有衣服配色的学问，也有生活便利的要求，更有重要场合着装的规定。相比之下，今天的我们实在是太粗糙了！

【接圣入心】

在古人的礼仪规定中，衣服的材质和颜色的搭配，都具有文化内涵或特殊寓意，要根据场合、主题和自己的身份，来确定服装的相关搭配。

当然，在孔子那个年代，还不存在动物保护的问题，所以使用皮毛制品并不犯忌。

在当代，出席正式场合时，衣服款式和颜色要跟活动主题相符合。如果搭配错了，就会出丑。

在日常生活中，要以穿着舒适、便于行动、不张扬为原则。

对于现代人来说，穿着打扮也是一个人品位的重要表现。邋里邋遢，或者追求过分夸张的效果，也许在休闲时段还可以接受，但正式场合就不合适了。装扮方式也是体现一个人内心状态和追求的重要标志。

展现心情，穿出风采，得体大方，是每个人衣着打扮所要遵循的基本准则。

【格言】衣着虽是礼仪，也是智慧。

10·7 齐①，必有明衣②，布。齐必变食③，居必迁坐④。

【注释】①齐：同“斋”。 ②明衣：斋戒前沐浴后穿的浴衣。 ③变食：改变平常的饮食习惯。指不饮酒，不吃葱、蒜等有刺激味道的东西。 ④居必迁坐：指从内室迁到外室居住，不和妻妾同房。

【释义】这里讲的是斋戒沐浴时的礼节：一定要穿用布做的浴衣。斋戒的

时候，一定要改变平常的饮食习惯，也一定要换地方住，不与妻妾同房。

【要点】（1）齐有明衣。（2）齐必变食。（3）居必迁坐。

【语境与心迹】这里集中说的是跟斋戒有关的服装与衣食规定。今天的人们还有什么斋戒吗？我们已经远离了这些活动，恐怕只有宗教信徒才会斋戒了。古人的斋戒，既是一种礼仪，也是借此调整自己内心的方法。即使是现代人，必要的斋戒也是有利于身心健康的！

【接圣入心】

◎ 对于大部分人来说，斋戒沐浴已经是很陌生的词汇了，因为大部分人的生活中没有斋戒，只有某些宗教信徒遵循教义教规，还保留了斋戒的习惯。

◎ 现代人较陌生的斋戒，对于人的健康和身心的修行，是十分有益和必要的。斋戒活动能够让人们暂时停下忙碌的脚步，从世俗生活的惯性中暂时脱离，观察自己与天地的关系，修养自己的身心，也让疲惫的身心得到休整。

◎ 宗教中的斋月和过午不食，就是斋戒的典型代表。道家修行更有以断食和练功为主体的辟谷。现代科学研究证明，这类活动对于身心是非常有益的。

◎ 对于大部分人来说，即使不是宗教信徒，从保护身心、调整生活节奏和充实精神生活的角度，也应该将斋戒排进日程。

◎ 现代生活方式的流行，也让许多人反思：似乎我们的生活方式越来越缺乏基本的仪式感，而这恰恰是精神生活的重要内容。缺乏仪式感的精神生活，还能够支撑我们的心灵吗？

【格言】斋戒恭敬，心行合一。

10·8　食不厌精，脍[①]不厌细。食饐[②]而餲[③]，鱼馁[④]而肉败[⑤]，不食。色恶，不食。臭恶，不食。失饪[⑥]，不食。不时[⑦]，不食。割不正[⑧]，不食。不得其酱，不食。肉虽多，不使胜食气[⑨]。唯酒无量，不及乱[⑩]。沽酒市脯[⑪]，不食。不撤姜食，不多食。

【注释】①脍：音 kuài，切细的鱼、肉。　②饐：音 yì，陈旧，这里指食物放置时间长，变质了。　③餲：音 ài，变味了。　④馁：音 něi，鱼腐烂了，不新鲜。　⑤败：肉腐烂了，不新鲜。　⑥饪：烹调制作饭菜。　⑦时：应时，时鲜。　⑧割不正：肉切得不方正。　⑨气：同“饩”，音 xì，即粮食。　⑩不及乱：乱，指酒醉。不到酒醉时。　⑪脯：音 fǔ，熟肉干。

【释义】礼制无处不在，讲究精致生活。粮食不嫌舂得精，鱼和肉不嫌切得细。粮食变味了，鱼和肉腐烂了，都不吃。食物的颜色变了，不吃。气味变了，不吃。烹调不当，不吃。不应时的东西，不吃。肉切得不方正，不吃。佐料放得不恰当，不吃。席上的肉虽多，但吃的分量不超过粮食。只有喝酒没有限制，但不能喝醉。从市集上买来的肉干和酒，不吃。每餐必须有姜，但也不多吃。

【要点】（1）食不厌精，脍不厌细。（2）八类不食。（3）酒不及乱。（4）肉不胜食。（5）姜不多食。

【语境与心迹】这里主要是在讲跟食物有关的一些注意事项，既有礼仪，也有饮食的科学。我们的古人在两千多年前就对饮食有如此精到的认识，真是让人称奇。我们的祖先真是伟大啊！

【接圣入心】

这一段主要是讲在饮食方面如何既符合礼，又吃得健康。

受限于当时的科学发展水平以及社会的具体状况，古人在饮食方面的规矩，有的在今天依然可取，有的就值得商榷。

粮食是否舂得越精细越好？现在看来，舂得太精就会失去很多营养。其他方面，古人那些饮食上的讲究还是相当科学的。

【格言】饮食卫生，健康保证。

10·9　祭于公，不宿肉①，祭肉②不出三日。出三日，不食之矣。

10·10　食不语，寝不言。

【注释】①不宿肉：不使肉过夜。古代大夫参加国君的祭祀以后，可以得到国君赐的祭肉。但祭祀活动一般要持续两三天。所以这些肉在活动结束后就已经不新鲜，不能再吃了。　②祭肉：祭祀用的肉。

【释义】在孔子的时代，在饮食上如果能够像孔子这般讲究，算是思想比较先进的了。参加国君祭祀时分到的肉，不能留到第二天。祭祀用过的肉不要放超过三天，超过三天就不能吃了。吃饭的时候不要说话，睡觉的时候也不要说话。

【要点】(1) 出三日不食。(2) 食不语。(3) 寝不言。

【语境与心迹】上面这两段首先讲的是如何食用祭祀用的肉，在当时的保鲜条件下，不吃放置过久的肉，这是非常明智的。而后又讲了食、寝的规矩：不言不语。在孔子那个年代，有多少人想过这些问题？即使在当今社会，“食不语，寝不言”又有几人能够做到呢？

【接圣入心】

- 对于修行者来说，吃饭睡觉都是修行，生活中处处都是修行。
- 修行的关键在于专注，只要分心，心力就不够。
- 专注，只要分心，只要心烦意乱，就什么事都做不好。
- “食不语，寝不言”，这是圣人的作为，家教严格的家庭也会这样要求。
- 如今，这样的规矩已经看不到了，不管是在家里吃饭还是在外边聚餐，有些人总是笑声朗朗，喧闹异常。吃到最后，有时都忘记自己吃了什么。在高档的宴会上，就不会这样喧闹。
- 对于修行者来说，吃饭睡觉都是练功，吃饭时当然也是不能说话的。

【格言】遵守规矩，即是教养。

10·11　虽疏食菜羹[①]，瓜祭[②]，必齐如也。

【注释】①菜羹：用菜做成的汤。　②瓜祭：古人在吃饭前，把席上各种食品分出少许，放在食具之间祭祖。

【释义】礼制，祭祖，这是当时的人生活的常态，即使是粗米饭、蔬菜汤，吃饭前也要取出一些来祭祖，而且表情要像斋戒时那样严肃恭敬。很可惜，现代人已经不再这样做了。

【要点】(1) 疏食菜羹。(2) 瓜祭必齐。

【语境与心迹】看到古人对祖先这般敬重，如今的我们有何感想？在一年的时间里，我们有几次想到祖先？我们吃饭的时候只管自己，还有谁会忆起祖先，想到祭祀他们？我们是不是正走在数典忘祖的路上？说到这里，突然有一种罪恶感，我们的孝道比起古人实在差得太多了！我们何时能够重建与祖先的关系呢？难道我们就这样疏远了亲人和祖先吗？

【接圣入心】

人类文明有一个重要特征，就是自己做事时总能想到别人，孔子提倡忠恕之道，也是这个意思。

懂得礼仪的古人，吃饭前总要先取出一些来祭祖，并且要像正式的祭祀一样恭敬。

今天的人们，很多人做事时只想自己，吃饭时不会祭祀自己的祖宗。基本上是各吃各的饭，互不相干。除非是有客人在场，主人才会想到照顾一下客人，礼貌地给客人夹菜，给客人盛汤，给客人递餐巾纸，等等。

记得小时候在家乡，每逢重要的节日，家里的老人总是在吃饭前先取出一些饭食来祭祖。到了城里，就很少见到这样的情景了。

现代人有一个共同的特征，生活在水泥的丛林里，远离了自然，也很少去思考人与天地的关系；一些人只在过年时才会想到去祭祀一下去世的父母，也很少见到有孙辈去祭祀祖辈的；平时工作也是各忙各的，人和人之间的关系充满了功利。

也不知道何时，人类才会从这种生活困境中走出去，重新接通跟天地的联系，重新恢复跟祖先的感情，在日常交往中首先为别人考虑。也许在我们的有生之年，是很难看到了。

【格言】祖宗在心，祭祀时时。

10·12 席[①]不正，不坐。

【注释】①席：孔子所在的时代还没有椅子和桌子，人们都坐在铺在地面的席子上。

【释义】生活需要一点讲究，否则就会乱七八糟。席子放得不端正，孔子就不坐。

【要点】席不正，不坐。

【语境与心迹】我们在生活中可能遇到过这样的现象：有些人什么也不讲究，到任何地方都可以席地而坐。有些不懂事的人，在不合适的地方也不管不顾地一屁股坐下。在比较简陋的场所，普通人这样做也无可厚非。但有教养的人就要讲究一些，搬椅子不能拖拉着椅子弄出声响，坐下时动作也要轻。若是坐在席子上，就要把席子放正，不要歪歪扭扭不管不顾地一屁股坐上去。

【接圣入心】

古人十分重视一个人是否端正：心要公正，身要端正。席子不端正，不坐，是古人恪守中正的重要行为习惯，也是修行者正心正身的生活细节。

人类进化了两千多年，似乎一直在正与邪两条轨道上并行：正义的声音从来没有停止，在任何一个时代都会有正义的人；但同时，邪恶的思想和声音也从来没有消失。人类文明进化，步履艰难！

看看今天的人们，能够站得直、坐得正的还有几个？看看路上的行人，再看看公共场合坐在椅子或者沙发上的人们，很多人身形七扭八歪。

古人为什么要提倡“心正”，这个道理很多人应该都懂。心不正则行不正，不正则邪，不管对自己还是对他人，都是不利的。至于“身正”，很多人可能并不清楚这对人的重要意义。身正主要是与人的生理结构有关，身姿七扭八歪，长久下去会损伤人的脊柱，影响脊髓和脊髓神经，进而影响脏器的功能，导致很多疾病。所以古人说，心正身正，远离疾病。

实际上，受过训练的人或者练功者，都懂得“心正身正”的重要性，只是有些人缺乏这方面的知识，又不改正，才会心歪害人，身邪害己，最后害人害己。

人生于天地间，心身都应该以“顶天立地”作为宗旨：头像顶着天，脚像能插入大地。“站如松，坐如钟，卧如弓”，心正可昭日月，夜晚没有鬼神惊，死后不怕见祖宗。当代有那么多的聪明人，很多人受过高等教育，还知道这些话吗？

【格言】坐正是教养，身正保健康。

10·13　乡人饮酒[①]，杖者[②]出，斯出矣。

【注释】①乡人饮酒：指当时的乡饮酒礼。　②杖者：拿拐杖的人，指老年人。

【释义】参加活动时，敬老爱幼也是基本的礼数。乡饮酒礼结束之后，孔子一定要等老年人先离开，然后自己才离开。

【要点】（1）乡人饮酒。（2）杖者出，斯出矣。

【语境与心迹】这里讲的是乡饮酒的礼仪，说的是尊重长者。进一步扩展：做客时，座位要听从主家的安排，不能自己贸然落座；要等长者落座然后再坐下；吃饭也是，不要擅自动筷子，要等主家的示意或者安排，拿起筷子也要照顾一下左右，不要只顾自己。宴席结束时，要让长者先行。如同现代人坐电梯，遵守“先下后上”的原则，让开通道，依次进入，不要拥挤，进入后靠里靠边，方便他人。

【接圣入心】

孔子在这里讲到了乡人饮酒时对待老人的礼仪。

◎ 不知孔子的时代，人们是否都能这样对待老人。对于“老人优先”这样的礼仪，相信很多人不会反对，但现实中究竟有多少人能够做到呢？

◎ 在现实生活中，我们看到很多不必要的拥挤，很少见到礼貌谦让，尽管礼貌谦让也不会耽误多少时间，但浮躁的现代人，往往在开门时蜂拥而至，散场时夺门而出，这样的情景实在是太常见了。悲哉哀哉！现代人的文明在哪里呢？

◎ 年轻人应该礼让老人，这是尊重和礼貌。但是，老人也要对别人的尊敬与礼貌表示由衷的感谢，不能认为别人的谦让理所应当，自己心安理得地接受就行。当然，作为老人更要自尊，为老不尊也是错误的。

◎ 需要特别申明的是，礼貌是每个人的行为准则，不能以别人的表现作为自己礼貌的前提。也就是说，别人不文明，不能作为我们不文明的理由和借口。这一点，是衡量一个人是否真的文明礼貌的关键标准。

【格言】尊老是本分，礼让是风度。

10·14 乡人傩①，朝服而立于阼阶②。

【注释】①傩：音 nuó，古代迎神驱鬼的宗教仪式。 ②阼阶：阼，音 zuò，东面的台阶。主人立在大堂东面的台阶上欢迎客人。

【释义】这里讲的是祭祀活动的礼数。乡里人举行迎神驱鬼的仪式时，孔子总是穿着朝服站在东面的台阶上迎候客人。

【要点】(1) 乡人傩。(2) 朝服。(3) 立于阼阶。

【语境与心迹】古代乡人举行迎神驱鬼的礼仪时，孔子总是很庄重地站在东面台阶上迎候客人。由此可见，孔子高度重视祭祀活动。

【接圣入心】

◎ 从孔子的态度看，他对于鬼神一向是敬而远之的。可他又对祭祀类的活动高度重视。这似乎有点矛盾，也让人费解。

◎ 实际上，这类事情可以再做一下细分：

- 祭祀类的活动，涉及后人对天地、祖先和鬼神的态度，孔子十分重视。

• 孔子对天地、祖先的态度肯定是庄重而虔诚的，但对于鬼神之类，态度则有些模糊，敬而远之。

• 孔子既然参加乡里的祭祀仪式，那肯定是认可的，自然就会在礼仪方面做表率。

孔子不仅在态度上、言语上高度重视礼仪，在行动上也会做表率。想想那时的情景：只要孔子出场，就能看到周全的礼数，能看到古代的遗风！

反观现今，生活中的仪式感好像越来越少了。想想看，当人类所有的礼仪都消失了，那人类又与低级动物何异？

【格言】仪式感是精神生活的一部分！精神生活是否充实，是区分文明与野蛮的重要标志！

10·15　问①人于他邦，再拜而送之②。

【注释】①问：问候。古代人在问候时往往要送礼物。　②再拜而送之：在送别客人时，拜别两次。

【释义】委托别人做事，要拜两次以示感激。孔子托人向别国的朋友问候送礼，便向受托者拜两次，为他送行。

【要点】（1）问人于他邦。（2）再拜而送之。

【语境与心迹】本段记载了孔子言谈举止的某些规矩或者习惯。他时时处处以正人君子的标准要求自己，使自己的言行尽量符合礼的规定。他认为，礼是至高无上的，是神圣不可侵犯的，举手投足都必须遵循礼的规定。这是孔子个人修养的具体表现，也是在身体力行指导学生。

【接圣入心】

礼尚往来，是人与人交往中的重要原则。礼物不尚贵重，贵在心意，见物思人，见物思情，这是人的感情生活中非常重要的内容。

本段描述了孔子托他人给一个别国的朋友问候送礼的情景。一般来说，送别客人拜一次就可以了。孔子在这里拜别了两次，一拜是送别客

人，二拜是感谢客人代表自己给朋友问候送礼。

有人说过这样一句话：人生本来没有什么意义，人生的意义就在于为自己的人生赋予意义。孔子的举手投足都被赋予了特定的意义，真不愧是千古圣人。

在人生当中，任何意义都是主观的，是人的精神的体现。给外物或行为赋予意义，是人类区别于动物的重要标志。对一个物件或者一种行为赋予积极、正面、友善的意义，反映了精神的健康。

【格言】一事一礼，一人一礼，人礼到位。

10·16 康子馈药，拜而受之。曰："丘未达，不敢尝。"

【释义】这里讲的也是一种待人接物的礼数：先接受对方的善意，再根据具体情况处理。季康子给孔子赠送药品，孔子拜谢之后接受了，说："我对药性不了解，不敢尝。"

【要点】(1) 康子赠药。(2) 拜而受之。(3) 未达，不敢尝。

【语境与心迹】孔子先是接受，然后拜谢，最后再说明自己的态度。不知季康子会怎么想？实在是有趣！接受但不用，这也是孔子与季康子关系的一个写照。

【接圣入心】

季康子给孔子赠送药品，是出于对孔子的尊重和关怀，孔子拜谢接受了，因为这是人家的一份心意。

但孔子是个实事求是的人，对于事关性命的药品，不了解其药性是不会贸然使用的。

在治理国家方面，孔子与季康子的意见是有分歧的，但季康子对孔子依然非常尊重，也会就一些国事向孔子请教。可以说，孔子与季康子的关系，是和而不同的君子之交。

哀公十一年，季康子使公华、公宾、公林以币迎孔子。至此，被三桓逐出鲁国的孔子终于得以回国，并完成他晚年修书的事业，给我们留下了诸多儒家经典如《春秋》等。可以说，季康子间接地成全了孔子的事业，这也算是孔子所坚持的“君子和而不同”原则的一个意外收获吧！

人们常说，人算不如天算，圣人所确立的为人处世的准则，我们照着去做，哪怕一时会有挫折或者损失，也终究会有所得，甚至可能会有意外收获。

【格言】收礼要谢，不明不用。

10·18 君赐食，必正席先尝之。君赐腥[①]，必熟而荐[②]之。君赐生，必畜之。侍食于君，君祭，先饭。

【注释】①腥：牛肉。 ②荐：供奉。

【释义】孔子又一个懂礼数的实例：国君赐予熟食，孔子一定会摆正坐席，先尝一尝。国君赐予生肉，孔子一定会煮熟了，先给祖宗上供。国君赐予活物，孔子一定会饲养起来。孔子同国君一道吃饭，在国君举行饭前祭礼时，孔子就先尝一尝。

【要点】(1) 君赐。(2) 熟食、生肉、活物。(3) 侍食于君。

【语境与心迹】古时候君主吃饭前，要有人先尝一尝，君主才吃。孔子对国君十分尊重。他在与国君一道吃饭时，都主动尝一下，是在践行礼的规定，也表达了对国君的尊重。孔子无处不在践行礼，真不愧是大师啊！

【接圣入心】

这里是讲孔子对待国君赐食和与国君吃饭时所行的礼节。

这种礼节也许还有安全考虑，自己先尝一下以确保安全，表示可以牺牲自己以保全国君。

到了现代社会，安全方面有了科技手段做保障，这样的礼节也渐渐消失了。

也许有人觉得如此对待国君有点献媚的味道，但静心想一想，下级尊重上级，晚辈尊重长辈，这是天地人伦。古代的人不这样做，倒让人觉得有点问题了。也许，有人想表达尊重，但又不知道怎么做，看着别人

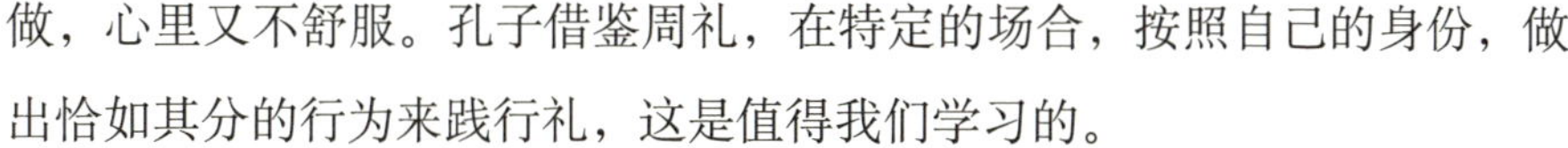

做，心里又不舒服。孔子借鉴周礼，在特定的场合，按照自己的身份，做出恰如其分的行为来践行礼，这是值得我们学习的。

那些一味反对儒家思想的人，自己在出席正式场合时，难道就不用讲礼仪吗？表达对别人的尊重，就是献媚吗？这样认为也太自以为是了。

【格言】与君进餐，摆正位置。

10·19　疾，君视之，东首①，加朝服，拖绅②。

【注释】①东首：头朝东。　②绅：束在腰间的大带子。

【释义】即使是卧病在床，孔子也礼数俱全，真是了不起。孔子病了，国君来探视，他便头朝东躺着，身上盖着朝服，拖着腰带。

【要点】（1）疾，君视之。（2）东首。（3）加朝服。（4）拖绅。

【语境与心迹】这里描述的是孔子生病后国君来探病时的礼仪，因为孔子做过大夫，所以即使是在生病期间，他也要尽量践行臣子对待国君的礼仪。可见，对于孔子来说，处处是礼，时时是礼，即使生病也不能忘记礼数。

【接圣入心】

这里是讲孔子在病中见国君的礼节。

孔子病得太厉害，以至于国君来探视他，他也无法起身穿上朝服，这似乎对国君太不尊重，于是他就变通了一下，把朝服盖在身上，还放上绅带（很宽大的腰带，上朝时所用，所以有“绅士”之说）。这一举动充分反映出孔子对礼的遵循一丝不苟，任何时候都不失风度。

在现代社会，一个人病重时，难以顾及衣着和风度，周围照顾他的亲人也常常没有这种意识。因此，当我们去探访病重的人时，常常会看到他非常落魄难堪的样子。

记得小的时候，奶奶病重，亲人来探望时，老人家坚持让我们把她扶起坐好，还拿来镜子梳梳头，把衣服穿得整整齐齐。实际上，不从礼仪的角度看，也应该这样做，人活着就要有个样子，就要活出个好样子。

这样才对得起别人，也对得起自己。

【格言】病中见君，绝不失礼。

10·20 君命召，不俟[①]驾行矣。

【注释】①俟，音 sì，等待的意思。

【释义】又一个具体事例：国君召见孔子，孔子不等车马驾好，就先步行去了。

【要点】(1) 奉君命召。(2) 不俟驾行。

【语境与心迹】这里说的是孔子知道国君召见，抓紧时间赶去觐见的情形。国君召见必有要事，多半跟万民相关，故而孔子等不到车马备好，就先步行去了。可见，孔子遇到大事时，以大事为根本，礼仪可以从简。子路若明白这个道理，也许就不会惨死了。

【接圣入心】

从这件事我们可以看到，孔子对待国君的召见，态度是非常积极而诚恳的。

国君召见孔子，孔子没有表现得像以往那么有条不紊，没有等车马备好，就急急忙忙地步行去见国君了。孔子之所以这么做，是出于对国君的尊重，也是明理尊礼的表现。相反，如果不慌不忙，等待别人把一切都准备好，自己把谱摆足，就显得有些傲慢了。

讥讽孔子的人一直认为孔子是个官迷，这种评价有些尖酸刻薄。古人做官有什么不好吗？关键是看他做什么！孔子做官时，励精图治，殚精竭虑，勤勤恳恳，丝毫没有谋私利。经他治理的地方，一片祥和繁荣。这些事情足以让爱挖苦孔子的人脸红。

我们对这样一句话非常熟悉：态度决定一切。态度，又分成积极和消极两种，消极的态度表现为无可奈何，行动也不积极，很不情愿的样子，该做的事情也做了，但自己并不高兴，让别人也不痛快。而积极的态度则表现为内心接受，行动上积极主动，做事过程中自己也很愉悦，也让别人快乐和满意。

◎ 孔子一直是以积极的态度入世的，“明知不可为而为之”就是这一态度最经典的概括。如今面对诸多的社会问题，难道不需要多一些像孔子这样积极入世的人吗？退一万步讲，即使我们不喜欢孔子的做派，读一读他的做法，也有很多启发。

【格言】君召为大，速度为先。

10·23 朋友之馈，虽车马，非祭肉，不拜。

【释义】孔子对于拜的礼数要求很严格：朋友馈赠物品，即使是车马，只要不是祭肉，孔子在接受时也是不拜的。

【语境与心迹】孔子把祭肉看得比车马还重要，这是为什么呢？因为祭肉关系到孝的问题。用肉祭祀祖先之后，这块肉就不只是一块可以食用的肉了，而是对祖先尽孝的一个载体。

【要点】(1) 朋友之馈。(2) 非祭肉，不拜。

【接圣入心】

◎ 车马和祭肉都是物品，不同的物品所代表的意义是不同的，因此礼仪也是不一样的。

◎ 车马，是朋友赠送的礼物，可以感谢朋友。

◎ 祭肉与普通的肉是不同的，祭肉用于祭祀祖先，从而被赋予了一种特别的意义，也就不再是一块普通的肉了。

◎ 实际上，祭祀祖先时，祖先不在面前，祭拜的只是祖先的象征物，而祭肉就属于这类特殊的象征物，所以在接受祭肉和食用之前，都要先进行祭拜。

◎ 生活不必搞得过于复杂，但也不能缺了必要的仪式感，否则，人类就与其他动物没有本质的区别。

◎ 人的生活，除了追求物质生活，确保肉体生存外，还必须安排精神生活，使灵魂丰盈。一味追求物质生活，没有精神追求，心灵就会扭曲，人就会变成行尸走肉，就会迷失方向，找不到人生真正的意义。

【格言】凡是祭祀，皆应礼待。

10·24 寝不尸，居不客。

【释义】即使是睡觉时，孔子也在践行礼制。孔子睡觉不会像死尸一样挺着，平日居家也不会像去做客或接待客人时那样庄重严肃。

【要点】(1) 寝不尸。(2) 居不客。

【语境与心迹】孔子真是各方面的专家，也不知他到底跟多少人学习过，他的领悟力实在是超强啊！你看，就连睡觉的姿势都考虑到礼仪和养生。同时，孔子很善于根据情境的变化调整自己的行为，居家时也能安闲自在。

【接圣入心】

孔子不认可睡觉时像僵尸一样挺着的姿势。现代科学也证明，最理想的睡姿不是仰躺而是右侧卧。

平时自己一个人在家里，不必像会客或者做客时那样拘谨严肃，可以放松一些，悠然自得。虽然在家里可以放松自己，但也不要没规矩。

古人把坐叫“居”。恭敬的“居”有两种姿势：跪居与坐居。在隆重的正式场合，膝盖着地后不打弯、挺直腰板，叫“跪居”。一般的场合，膝盖着地后，屁股可坐在脚后跟上，叫“坐居”，古人做客和见客时必须如此。不过，这样的姿态难以持久，居家时不必如此。在非正式场合或家里，有一种省力的姿势叫“蹲”，即脚板着地，两膝耸起，臀部向下而不贴地。最不恭敬的坐法叫“箕(jī)踞”，即臀部贴地，两腿张开，平放伸直，像簸箕一样。

现代人大部分时候都坐在椅子或者沙发上，这也有相应的礼仪：晚辈见长辈时，要等长辈招呼落座并请长辈先落座后，自己方可落座。落座后，不要跷二郎腿或者抖腿，两腿并拢，不要分开，手也不要插在两腿之间，坐椅子或者沙发时只能坐前半部分，不能靠着椅子或沙发的后背，不能东张西望，要保持礼貌、尊敬，面带微笑。

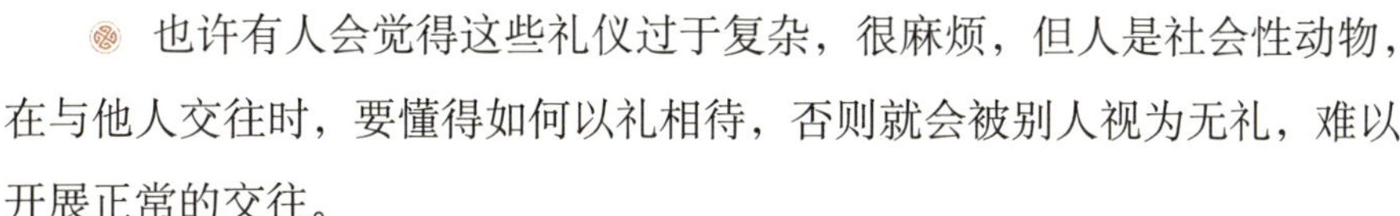
也许有人会觉得这些礼仪过于复杂，很麻烦，但人是社会性动物，在与他人交往时，要懂得如何以礼相待，否则就会被别人视为无礼，难以开展正常的交往。

【格言】起居坐卧，处处有礼。

10·25　见齐衰[①]者，虽狎[②]，必变。见冕者与瞽者[③]，虽亵[④]，必以貌。凶服[⑤]者式[⑥]之。式负版者[⑦]。有盛馔[⑧]，必变色而作[⑨]。迅雷风烈必变。

【注释】①齐衰：音 zī cuī，指丧服。　②狎：音 xiá，亲近的意思。　③瞽者：盲人，指乐师。　④亵：音 xiè，常见、熟悉。　⑤凶服：丧服。　⑥式：同“轼”，古代车辆前部的横木，这里作动词用。遇见地位高的人或其他人时，驭手身子向前微俯，伏在横木上，以示尊敬或者同情。这在当时是一种礼节。　⑦负版者：背负着国家图籍的人。当时无纸，用木版来书写，故称“版”。　⑧馔：音 zhuàn，饮食。盛馔，盛大的宴席。　⑨作：站起来。

【释义】孔子格外重视祭祀活动。看见穿丧服的人，即使关系很亲密，态度也一定变得严肃起来。看见官员和盲人，即使常在一起、很熟，也一定要有礼貌。在乘车时遇见穿丧服的人，便伏在车前横木上以示同情。遇见背负国家图籍的人，也会这样做，以示敬意。作客时，如果有丰盛的筵席，就神色一变，站起来致谢。遇见迅雷大风，也一定要改变神色以示对上天的敬畏。

【要点】(1) 见丧即肃。(2) 见使即敬。(3) 亲熟不怠。(4) 见天则畏。

【语境与心迹】孔子对于礼的尊崇，真是“内化于心，外化于行”。对于人情世故，他总是能够表达出一份尊敬，把自己的状态调整得让人家舒服，而且行动那么恰当。见到天象变化，就像跟人沟通一样心领神会。可以说，孔子通过礼，达到与天地万物乃至他人合一的状态，这就是修行者的境界。

【接圣入心】

一位觉者遇到了一个有些傲慢的修行者，就问他："你修行了这么多年，见到佛了吗？"修行者回答："佛在我心中。"觉者又说："那你把佛拿出来给我看看。"修行者表情木然，不知所措。

学佛的人应该都知道，心中有佛，人人都是佛，见到别人就如同见到佛一样恭敬。觉者是在用上述问话来提醒修行者，警惕心中的傲慢。

没有人会认为自己无礼，但如果自己的言谈举止达不到礼的要求，"有礼"又体现在哪里呢？难道像那位修行者那样"礼在心中"吗？

孔子不仅有伟大的情怀，在日常生活中也会处处通过礼仪来表现：

- 看见穿丧服的人，即使是关系很亲密，也一定要态度严肃。
- 看见官员和盲人，即使常在一起、很熟悉，也一定要有礼貌。
- 在乘车时遇见穿丧服的人，便伏在车前横木上，以示同情。
- 遇见背负国家图籍的人，也要这样做，以示敬意。
- 做客时如果筵席丰盛，就神色一变，站起来致谢。
- 遇见迅雷大风，也一定要改变神色，以示对上天的敬畏。

当然，这也只是孔子生活中的一部分场景。实际上，孔子是想借此说明，礼仪无处不在，生活中处处是修行。试想，上述场景中，若是不能符合礼仪甚至反其道而行之，又会是什么样子呢？比如第一条，见到穿丧服的人难道要熟视无睹，自顾自吃喝享乐？这样冷漠，对我们大家又有什么好处呢？

【格言】敬畏心是一种教养！

10·26　升车，必正立，执绥[①]。车中，不内顾[②]，不疾言[③]，不亲指[④]。

【注释】①绥：上车时扶手用的索带。　②内顾：回头看。　③疾言：急促地说话。　④不亲指：不用自己的手指指点点。

【释义】上车时，一定先端正站好，然后拉着扶手带上车。在车上，不回

头看，不急促地说话，不用手指指点点。

【要点】（1）升车，必正立，执绥。（2）车中，不内顾，不疾言，不亲指。

【语境与心迹】可以想象，按照孔子的这套礼仪行事，做什么都会得体而有风度。相反，慌里慌张、高声喧哗、指指点点等行为显然有失教养。

【接圣入心】

孔子在这里又讲了上车和坐车的礼仪。

上车时不要匆匆忙忙，姿势要端正，步伐也要稳当。

上车后，不要回头张望，不要高声喧哗，也不要到处指指点点，以免显得轻狂傲慢。

现代人坐车不同于古人，但在公共汽车、火车或者飞机等公共交通工具上，同样面临着行为举止如何符合礼仪的问题：

- 有的情侣在公共汽车上秀恩爱，做出很多亲昵的动作，让周围的人侧目。
- 一些人出国时，在餐厅或者火车站大声说笑，或者几个人聚在一起打牌，搅得周围的人不得安宁，他们竟然没觉得有任何不妥。
- 有时在路上会遇到开敞篷汽车兜风的人，车上大声播放着躁动的音乐，车上的人肆无忌惮大声说笑，好像公开游街一样。周围的人像看怪物一样看着他们，他们却不觉得羞耻，这就应了孟子说的那句话："人不可以无耻。无耻之耻，无耻矣。"

由此可见，那些只顾自己、打扰别人的行为，就是无礼的行为。那些放纵自己、刻意显摆、充满优越感的行为，就是无礼的行为。人类文明的一个重要标志，就是不能放任自己剥夺或者侵害别人的自由。自由，不是放纵自我，只有尊重自然规律和社会规律，行为符合礼仪，一个人才可以获得真正的自由。

【格言】礼仪就是得体，礼仪就是风度，礼仪就是高贵！

先进第十一

11·8　颜渊死，颜路[①]请子之车以为之椁[②]。子曰："才不才，亦各言其子也。鲤[③]也死，有棺而无椁。吾不徒行以为之椁。以吾从大夫之后[④]，不可徒行也。"

【注释】①颜路：颜无繇（yóu），字路，颜渊的父亲，也是孔子的学生，生于公元前545年。　②椁：音guǒ，古人所用的棺材，内为棺，外为椁。　③鲤：孔子的儿子，字伯鱼，死时50岁，当时孔子70岁。　④从大夫之后：跟随在大夫们的后面，意即当过大夫。孔子在鲁国曾任司寇，是大夫一级的官员。

【释义】孔子将情感与礼制分得很清楚，礼制是大于私人感情的。颜渊死了，他的父亲颜路请求孔子卖掉车子，给颜渊买副外椁。孔子说："不管颜渊和孔鲤有才无才，都是我们各自的儿子。孔鲤死的时候也是有棺无椁，我没有卖掉自己的车子给他买椁。因为我曾做过大夫，是不可以步行的。"

【要点】(1) 颜渊死。(2) 颜路。求子车为椁。(3) 各言其子。(4) 鲤死无椁。(5) 大夫不徒行。

【语境与心迹】孔子到底是个什么样的人呢？孔子的一言一行就在不断地告诉人们他是什么样的人。在孔子与弟子的交往中，孔子的言与行，都在对弟子进行教化。孔子对颜渊的喜爱是众所周知的，非常欣赏颜渊的仁德和好学，甚至可以说是一贯将颜渊排在众弟子之首的。颜渊去世后，他的父亲颜路请求孔子卖掉车子给颜渊买椁，可孔子却拒绝了颜路的请求。这是什么道理呢？颜渊去世确实令孔子十分悲痛，按一般人的理解，感情到了那种程度，孔子一定会给颜渊办个十分体面的葬礼。可是，孔子也不富裕，在自己的儿子去世时也没有大肆操办啊！尤其是颜路请求孔子卖掉车子给颜渊办后事，孔子是万万不会同意的，因为孔子曾在朝廷做过官，按照礼制，大夫必须有自己的车子，不能步行。很显然，颜路提出请求只是

从父子之情的角度考虑，没有考虑到“车子”“孔子”“礼制”这三者之间的关系。孔子拒绝颜路，并非是对颜渊无情，而是对礼制的坚守。在孔子心中，毫无疑问，礼制高于私情！

【接圣入心】

孔子的儿子孔鲤死了，颜路的儿子颜渊死了，但孔子和颜路这两位父亲，在为儿子办葬礼的方式上有不同的意见。

孔子没有为孔鲤置办外椁。颜渊葬礼的规格，孔子认为应该与自己儿子的规格相同。同时，因为周礼规定，像孔子这样做过大夫一级官员的人，必须有自己的车子，不能步行。所以孔子没有同意颜路卖掉车子买椁的请求。

从感情上说，颜渊是孔子非常喜欢的弟子，可谓得意门生，但在葬礼的规格这个问题上，孔子选择的是遵循周礼，而颜路选择的是做个好父亲。这也许就是圣人与凡人境界的不同吧！

实际上，倡导周礼的孔子，并不赞同葬礼大操大办，铺张浪费。这一思想，首先体现在孔子自己儿子的葬礼上。

【格言】亲儿爱徒，皆须循礼。

11·11 颜渊死，门人欲厚葬①之。子曰：“不可。”门人厚葬之。子曰：“回也视予犹父也，予不得视犹子也②。非我也，夫③二三子也。”

【注释】①厚葬：隆重地安葬。 ②予不得视犹子也：我不能把他当亲生儿子一样看待。 ③夫：文言助词。

【释义】孔子最得意的弟子颜渊（也就是颜回）去世，孔子依然坚持礼制优先。颜渊死了，孔子的学生们想要隆重地安葬他。孔子说：“不能这样做。”学生们仍然隆重地安葬了他。孔子说：“颜渊把我当父亲一样看待，我却不能把他当亲生儿子一样对待。这不是我的过错，是那几个学生干的呀。”这表明了孔子坚持礼制优先的态度。

【要点】(1) 颜渊死。(2) 门人欲厚葬。(3) 子曰不可。

【语境与心迹】孔子说："予不得视犹子也。"这句话的意思是，不能像对待自己的亲生儿子那样，按照礼的规定对他予以安葬。因为他的学生隆重地埋葬了颜渊，孔子说，这不是自己的想法，而是学生们自作主张。这表明孔子坚持礼制优先的原则，即使是在安葬颜渊的问题上也没有妥协。

【接圣入心】

颜渊死后，孔子的弟子违背老师的意愿，为颜渊举办了隆重的葬礼。

很显然，孔子的弟子更多是站在同门师兄弟的立场上，以为隆重地安葬颜渊就能够表达自己的哀伤之情，但这违背了老师孔子的主张。

看来，孔子是站在公正和礼制的立场上看问题的，而其他人更多是站在感情的角度来考虑问题的。

在中国历史上，为什么孔子是独一无二的，跟随他的弟子们也无法企及？这其中最重要的原因，就是弟子们与老师的人生境界是不同的。

这里涉及学生到底跟老师学什么的问题。很多学生在跟老师学知识，却没有达到老师的思想境界。对于孔子来说，知识只是皮毛，他的思想境界和人文情怀，悲悯天下的崇高立场，以天下为己任的使命感，才是本质。即使是他的学生又有几人能够领悟呢？

"学师不如师"，这是许多学生的宿命，这是因为没有抓住学习的本质，他们学的只是老师的知识，没能达到老师那样高的思想境界，因此也没有找到知识的源头。

打拳的师父告诉弟子，发力应该朝向目标的后方，只有这样，发出的力才具有穿透性。"不想超越老师的学生，不是好学生"，要想达到或者超过老师的水平，就要在思想境界上与老师比肩，这样，师徒才能心心相印，这才是正确的学习方式。毕竟，"学师不如师"，对于老师来说也是一种悲哀。

【格言】情不能越礼。

宪问第十四

14·8 子曰："为命[1]，裨谌[2]草创之，世叔[3]讨论之，行人[4]子羽[5]修饰之，东里[6]子产润色之。"

【注释】 ①命：指国家的政令。 ②裨谌：音 bì chén，人名，郑国的大夫。 ③世叔：即子太叔，名游吉，郑国的大夫。子产死后，继子产为郑国宰相。 ④行人：官名，掌管朝觐聘问，即外交事务。 ⑤子羽：郑国大夫公孙挥的字。 ⑥东里：地名，郑国大夫子产居住的地方。

【释义】 国家发布公文也是有严格的规定和程序的。孔子说："郑国发布的公文，都是由裨谌起草的，世叔提出修改意见，外交官子羽加以修改，最后由子产来润色。"

【要点】（1）为命。（2）裨谌，世叔，子羽，子产。（3）草创，讨论，修饰，润色。

【语境与心迹】 礼实际上就是对人们生活工作中的各种流程和标准进行设计与规范。正是因为有了这套科学的规则，人们的行动才会和谐而有效率。

【接圣入心】

孔子借郑国发表的公文讲述了公文拟定流程中的礼制。

郑国公文的拟定，包含四个环节：起草、提出修改意见、落实修改、润色，并且每个环节都由不同的人来完成，给人感觉非常合理和科学。

我们也可以看出，这个流程设计是非常科学的，既发挥了众人的长处，也规避了各自的局限。

联想我们自己，写就一篇文章时，是否真心愿意恳请别人观看指点，提出不同的意见？自鸣得意时，是否还愿意去学习别人的长处？是否能够看到自己的局限和不足？

【格言】 有礼有序。

14·13　子问公叔文子[①]于公明贾[②]曰："信乎，夫子[③]不言，不笑，不取乎？"公明贾对曰："以[④]告者过也。夫子时然后言，人不厌其言；乐然后笑，人不厌其笑；义然后取，人不厌其取。"子曰："其然？岂其然乎？"

【注释】①公叔文子：卫国大夫公孙拔，卫献公之子，谥号"文"。　②公明贾：姓公明，名贾，卫国人。　③夫子：文中指公叔文子。　④以：这个。

【释义】孔子向公孙贾询问之后，才真正了解公叔文子的智慧。孔子向公明贾打听公叔文子，说："先生他不说话、不笑、不求钱财，是真的吗？"公明贾回答道："同你说这话的人弄错了。先生跟人说话时，都会等到该自己说时才说，因此别人不讨厌他说话；别人快乐时他才笑，因此别人不讨厌他笑；他总是先行仁义，懂得先付出，然后才合理地获取钱财，因此别人不讨厌他获取钱财。"孔子说："原来是这样！这真是不一般的智慧啊！"

【要点】(1) 子问公叔文子于公明贾。(2) 不言不笑。(3) 时然后言，人不厌其言；乐然后笑，人不厌其笑；义然后取，人不厌其取。

【语境与心迹】孔子在这里向公明贾询问听到的公叔文子的传言，公明贾给孔子说明。公叔文子的做法，总是能够巧妙地与别人的状态相契合，故而接话、笑、取财都是那么的自然而然，真是合道之人啊！孔子对公叔文子的高尚人格和智慧非常佩服，发出感叹。

【接圣入心】

看到这里，也许我们会想起一句很有名的话：君子爱财，取之有道。

一般人很难达到公叔文子的境界。也许，他的做法被夸大和神化了。世间最不可靠的就是人的嘴巴，一传十，十传百，本来是一只公鸡，最后传成了飞机。

孔子向公明贾询问公叔文子的传言，经公明贾解释，孔子恍然

大悟：

• 先生与人交谈，总能恰到好处地接上别人的话，不会抢话，不会插话，总是推动着别人表达得更精彩。因此，别人不厌恶他说话——说话时机的艺术。

• 先生总是在别人快乐时才会陪着一起笑，就像是别人情绪的伴奏。因此，别人不厌恶他笑——真情欢笑的艺术。

• 先生懂得先义后利，总是先行仁义而后取财。因此，别人不厌恶他取财——取财有道的艺术。

◎ 公明贾所说的公叔文子的三项美德，恰恰都是符合礼制的：说话时要确定自己的角色，把握好说话的时机；欢笑也要因情而发，恰如其分，与民同乐；君子爱财，取之有道，以义生利，以利证义，以利养义。

【格言】说笑取财，先后有序。

14·14 子曰："臧武仲以防求为后于鲁，虽曰不要君，吾不信也。"

【释义】孔子对臧武仲的做法很是不屑，说："臧武仲凭借防邑，请求鲁君立他的子孙为卿大夫，虽然有人说这不是要挟君主，但我不相信。"

【要点】(1) 臧武仲。(2) 以防求为后。(3) 曰不要君，吾不信。

【语境与心迹】臧武仲因得罪孟孙氏而逃离鲁国，后来回到防邑，向鲁君提出要求：立其子孙为卿大夫，他就可以离开防邑。孔子认为他以自己的封地为据点，想要挟君主，属于犯上作乱，犯下了不忠的大罪，所以说了上面这段话。

【接圣入心】

◎ 孔子不能接受或坚决反对的行为中，"犯上作乱"应该排在首位。

◎ 孔子之所以这样认为，可能是因为在那样一个礼崩乐坏的时代，大夫或者诸侯的犯上作乱，极大地扰乱了国家的秩序，给广大民众带来了巨大的灾难。

那时的作乱者都有一个共同的特征，就是为了自己的私利，破坏国家秩序。当今社会也有这样的人。

作为圣人的孔子，是以命许国的人，自然就很容易看穿臧武仲的私心。

一些现代人批评孔子，认为孔子阻碍历史进步、开历史倒车。这些批评孔子的人，若是自己置身于那样一个礼崩乐坏的时代，不知有何感想？

由此想起了中国古人的一句话："人心惟危，道心惟微，惟精惟一，允执厥中。"

【格言】莫为私利僭越。

14·21　陈成子[①]弑简公[②]。孔子沐浴而朝，告于哀公曰："陈恒弑其君，请讨之。"公曰："告夫三子[③]。"孔子曰："以吾从大夫之后[④]，不敢不告也。君曰'告夫三子'者。"之[⑤]三子告，不可。孔子曰："以吾从大夫之后，不敢不告也。"

【注释】①陈成子：即陈恒，齐国大夫，又叫田成子。他以大斗借粮、小斗收回的方法得到百姓的拥护。公元前481年，他杀死齐简公，夺取了政权。　②简公：齐简公，姓姜名壬。公元前484年至公元前481年在位。　③三子：指季孙、孟孙、叔孙三家。　④从大夫之后：孔子曾任过大夫职，但此时已经不做官了，所以说从大夫之后。　⑤之：动词，往。

【释义】在践行礼制方面，孔子是严守本分的。陈成子杀了齐简公。孔子斋戒沐浴后，上朝去见鲁哀公，说："陈恒把他的君主杀了，请出兵讨伐他。"哀公说："你去告诉季孙、孟孙、叔孙那三位大夫吧。"孔子退朝后说："因为我曾经做过大夫，所以不敢不来报告，君主却说'你去告诉那三位大夫吧'。"孔子去向那三位大夫报告，但他们不愿派兵讨伐。孔子又说："因为我曾经做过大夫，所以不能不来报告呀！"

【要点】（1）陈成子弑简公。（2）告于哀公和三子。（3）不敢不告。

【语境与心迹】孔子的做法，一是在表达对陈恒犯上作乱的愤慨，二是要尽自己作为大夫的本分，这也是臣子之礼。

【接圣入心】

◎ 人尽本分，敢于直言。

◎ 每个人在社会中都有自己的责任，恪尽职守，是每一个人的基本操守。

◎ 孔子的举动告诫今天的人们：历史上总有些人，要么只求苟安，不思报效国家，不彰显正义，只会发牢骚，抱怨社会或者别人对自己的不公。孔子则不同，他是在为正义、为国家尽自己的责任，而不是为谋私利，这就是圣人的情怀：忧国忧民不忧己。

◎ 反观现实中那些一心只为自己谋利却不去为国为民献身的人，正因为如此，才无法从私欲中解脱，也无法因为已经得到的东西而感到满足。

◎ 也许，圣人给我们指出了人性的另一个层次：只为自己，就注定无法有大成就；只谋私利，就注定无法得到满足；只考虑自己，也就没有资格获得真正长久的幸福。看看那些富裕后而放纵堕落的人，看看那些好的吃尽、漂亮的穿尽的人，也许就证明了这个规律。

【格言】做人尽责，人到礼到。

14 · 40　子张曰："《书》云：'高宗①谅阴②，三年不言。'何谓也？"子曰："何必高宗，古之人皆然。君薨③，百官总己以听于冢宰④三年。"

【注释】①高宗：商王武宗。　②谅阴：古时天子守丧之称。　③薨：音hōng，诸侯之死叫"薨"。　④冢宰：周朝官名，相当于后世的宰相。

【释义】子张问孔子："《尚书》说：'高宗守丧，三年不谈政事。'这是什么意思？"孔子说："不仅是高宗，古人都是这样做的。国君去世后，朝廷百官都各管自己的事，三年听命于冢宰。"

【要点】(1) 子张。(2)《尚书》云：高宗谅阴，三年不言。(3) 君薨，百官总己以听于冢宰三年。

【语境与心迹】子张向孔子询问古代守丧三年的礼制。孔子告诉子张，古人都是这样做的。子张为什么问这个问题呢？因为守丧三年是古礼，到了孔子的时代已经不那么普遍了，所以子张也不是很明白。后来，孔子去世后，弟子们遵循古制为老师守丧三年，成了千古佳话。

【接圣入心】

子女为父母守丧三年的习惯在孔子之前的时代就有，《尚书》中有这样的记载。对此，孔子持肯定态度。即使是刚继位的国君，其父母去世了，也要三年内不理政事，以示哀悼，平民百姓更应如此。

后人批评孔子，其中一条就是守丧三年，但守丧三年并不是孔子所创建的礼制，而是在孔子之前就已经有了。

在中国文化中，父母最亲，死者为大。设计守丧三年的礼制来表达哀思，在古代确有其意义。但这样的礼制对守丧者自身生活的影响实在太大了。至于后世批判者所说的“孔子这样提倡守丧，完全是为了维护封建统治”，则显得有些生硬和武断。

对于现代人来说，子女为父母守丧三年，不工作不挣钱，这怎么能行？别说守丧三年了，即使是三个月或者一个月，恐怕也没有人能做到。

我们现代人，一方面感叹人情越来越冷漠，另一方面，自己的情感也没有多么深厚。对于父母和祖宗，现代人应该以什么样的礼仪来表示尊敬呢？人类进化了两千多年，难道连儿女为父母哀悼，都要通过法律的方式来强制吗？

古人设计的很多礼制，往往被现代人认为是烦琐和腐朽的。实际上，在这些形式的背后，往往隐藏着更深的文化内涵：守丧是很典型的一种修行，是让人理解生死的过程；守丧也是与父母加深感情的一个过程，是让自己成长的重要经历；守丧还可以让人远离世俗事务，静心思考自己的人生。如果这一切都省略，用这个时间干别的事情，那么何时反观自己呢？没有反观的人生怎么可能更明白？稀里糊涂的忙碌会有尽头吗？

人生，不仅仅是与活人的对话，还有与死者的无言沟通，这是人

所独有的精神生活。如果缺乏这种情感，人就容易变得薄情寡义。安排一个专门的时间，定期反观自己，有助于我们认识过去与现在，经过调适后，拥有一个更好的未来。如今我们已经不会像古人那样因为亲人去世而守丧三年了，但提升心智能力、梳理内在情感和对自己的反观仍然有必要，我们又该如何去安排呢？

【格言】守丧礼制，调心固情。

14 · 41　子曰："上好礼，则民易使也。"

【释义】孔子说："在上位的人喜好礼，那么百姓就好治理了。"

【要点】（1）上好礼。（2）民易使。

【语境与心迹】孔子一贯认为，国家体系的核心是上位者，他们如果能够遵守礼制，就能影响百姓，如此自上而下地统一，国家也就好治理了。

【接圣入心】

- 孔子在这里说明了"上行下效"的道理。
- "上行下效"，在封建社会如此，在现代社会也是如此。
- 也许，孔子的话在警示今天的人们，如何解决社会秩序问题。
- 现代社会，法治是维护社会秩序的关键，道德教化也是铺天盖地，但有时效果并不理想。为了更好地维护社会秩序，除了加强法治，现代人是否也应该发展自己的礼制呢？

【格言】上好礼，民好易使。

卫灵公第十五

15 · 42　师冕①见，及阶，子曰："阶也。"及席，子曰："席也。"皆坐，子告之曰："某在斯，某在斯。"师冕出。子张问曰："与师言之道与？"子曰："然，固相②师之道也。"

【注释】①师冕：名叫冕的乐师，这位乐师是盲人。　②相：帮助。

【释义】看看孔子接待客人时多么细致周到。盲人乐师冕来见孔子，走近台阶时，孔子说："这是台阶。"走近座席时，孔子说："这是座席。"等大家都坐下来，孔子告诉他："某某在这里，某某在这里。"师冕走了以后，子张就问孔子："这就是与盲人乐师谈话的道吗？"孔子说："这就是帮助盲人乐师的道。"

【要点】(1) 师冕见孔子。(2) 及阶及席皆坐。(3) 礼仪之道。

【语境与心迹】孔子身体力行，通过对盲人乐师态度友善、提供帮助，让学生们学会以礼待人。孔子在此处的做法，既显示了仁者爱人的情怀，也展示了具体的礼法。师冕是位盲人，行动不方便；他又是乐师，礼乐是儒家非常重视的。所以孔子的行为既体现对人的尊重，又体现对礼乐的推崇。

【接圣入心】

孔子不愧为伟大的教育家，时时处处都在用具体的作为给弟子们示范如何践行仁德。

"仁者爱人"，盲人乐师冕来见孔子，孔子用自己的言行演示了待人的礼仪。

孔子作为教育家，就是要培养学生具备君子的美德，成为"谦谦君子"。

孔子对于如何成为君子，应具备哪些道德修养，都做了很具体的阐述，提出了孝、悌、忠、信、勤、义、勇、敬、诚、恕、温、良、恭、俭、让、谦、和、宽、严、敏、惠等一系列标准。

孔子是不是过于理想主义了？一些人认为，孔子的要求和做法很不现实。但静心想想，如果行为没有标准，又失去了对仁德理想的追求，或者没有理想，或者干脆对理想嗤之以鼻，那么人除了生理本能和算计外，还能剩下什么呢？

也许，正是因为孔子有超越现实的理想，人生才有了方向。正是理想的力量唤醒了他的热情与对生活的热爱！正因为有理想，我们才会反

思自身，不断超越和进步！这不正是生命的真谛吗？

【格言】师者垂范，尊乐礼人。

季氏第十六

16·14　邦君之妻，君称之曰夫人，夫人自称曰小童；邦人称之曰君夫人，称诸异邦曰寡小君；异邦人称之亦曰君夫人。

【释义】称呼也是很有学问的。国君的妻子，国君称她为夫人，夫人自称为小童，国人称她为君夫人；他国人则称她为寡小君，也称她为君夫人。

【要点】(1) 邦君之妻。(2) 自称人称。(3) 各有称谓。

【语境与心迹】称号是周礼的内容之一，在古代等级制度中也是非常重要的，自称、人称、称人各不相同，名正才能言顺。中国文化中的称呼非常丰富，从古时帝王自称孤、寡、不穀，再到秦始皇之后的“朕”，含义发生了巨大的变化。称人必用尊称，称自己的妻儿为“贱内”“犬子”。这些称呼都蕴含着传统文化的精髓：自谦和尊重他人。

【接圣入心】

提到各种称呼，一些激进的人总认为，如此讲究名分和称谓，带有封建色彩。

规范使用各种称呼就是带有封建色彩吗？现在，隔得比较远的亲戚应该如何称呼，很多人就已经搞不懂了，有时还会闹出天大的笑话。

我们的祖先在称呼方面是很聪明的，因为称呼乱了，可能就意味着关系的混乱，称呼这种所谓的“名”，实际上连着背后的“实”。在党组织内部，就有“称呼同志而不称呼职务”这样的规范。那些将上级一概称为“老板”的做法，扭曲了上下级关系，从长远看，具有很大的危害。

在中国的家庭中，父母即使再民主开放，恐怕也无法接受子女直呼自己姓名。说起来，称谓不就是名吗？我们干吗还这样在乎呢？可见，名也非名，名后有实。

【格言】称呼是礼制的组成部分，用以表明秩序。

阳货第十七

17·11　子曰："礼云礼云，玉帛云乎哉？乐云乐云，钟鼓云乎哉？"

【释义】孔子感慨："礼呀礼呀，只是说玉帛之类的礼器吗？乐呀乐呀，只是说钟鼓之类的乐器吗？"

【要点】(1) 礼云乐云。(2) 玉帛钟鼓。

【语境与心迹】很显然孔子是在感慨，在他所处的那样一个礼崩乐坏的时代，还有谁能够理解礼乐的本质呢？礼崩乐坏，礼已经只剩下一些祭祀用的物件，世人心中已经没有了礼的意识。而乐呢？也只剩下一些演奏音乐的乐器，但音乐蕴含的善之道却很少有人懂得了。

【接圣入心】

我们都知道，礼器是礼制的工具，本身并不能等同于礼制。同理，乐器也只是演奏音乐的工具，本身并不能等同于音乐。

可是在孔子那样一个礼崩乐坏的年代，人们对礼乐的认知一再简化。很多人对礼制的认识，已经快要等同于礼器了；对音乐的理解，也已经快要等同于乐器了。这让孔子好生感慨！

类似的状况，现今也比比皆是：将房屋当成家庭，将吃饭当成生活，收藏艺术品为了升值，多买几套房子等着涨价，以为有钱就叫富有，以为穿名牌就能成为名人，以为能写书就叫学者，等等。这样的逻辑错误，在人类历史上延续了几千年，至今也没有多大改善。

想起了老子在《道德经》中的一句话："有之以为利，无之以为用。"我们何时才能学会区分工具与价值呢？这是事关生活质量和人生境界的大问题！

【格言】礼器展现的是礼制，乐器传达的是乐美。

17 · 18　子曰："恶紫之夺朱也，恶郑声之乱雅乐也，恶利口之覆邦家者。"

【**释义**】孔子有三恶："我讨厌用紫色取代红色，讨厌用郑国的靡靡之音扰乱雅乐，讨厌用伶牙俐齿颠覆国家这样的事情。"

【**要点**】(1) 孔子三恶。(2) 恶紫代红，恶郑声代雅乐，恶利口覆邦。

【**语境与心迹**】孔子认为，紫色不是正色，以紫色取代红色，就是以邪胜正。孔子讨厌郑国的音乐，认为郑国的音乐可以乱性，他赞赏的是雅乐。孔子讨厌那些伶牙俐齿的人，因为他们常常会颠覆国家。

【**接圣入心**】

◎ 一个人的内在心性如何，往往可以依据他的喜好作出判断。

◎ 一个人喜欢不正的颜色，可能表明他的心术不正；喜欢躁狂的音乐，也常常代表内心躁动；好逞口舌之能，也可能表明个性狡诈。这些判断不一定准确，可以作为参考。

◎ 孔子崇尚正色红色，喜欢雅乐，讨厌伶牙俐齿，不也说明了孔子是个什么样的人吗？

◎ 修行者反观自己时，也常常会通过自己的喜恶来观察自己的心迹，觉察自己的心性，借此修正自己。

【**格言**】孔子重礼，三恶违礼。

17 · 20　孺悲①欲见孔子，孔子辞以疾。将命者②出户，取瑟而歌，使之闻之。

【**注释**】①孺悲：鲁国人，鲁哀公曾派他向孔子学礼。②将命者：传话人。

【**释义**】孔子很擅长对付那些有心机的人。孺悲想见孔子，孔子以有病为由推辞不见。传话的人刚出门，孔子便取来瑟边弹边唱，故意让孺悲听到。

【**要点**】(1) 孺悲欲见孔子，孔子辞以疾。(2) 取瑟而歌，使之闻之。

【**语境与心迹**】一个名叫孺悲的人奉了鲁哀公的旨意来找孔子。这人以前跟随孔子学习过，但他心术不正，经常妄自揣测，胡编故事到处散播，唯恐他人不知道自己无知。孔子是个性情中人，不愿意将就着接待，同时，又要让他知错。于是让学生去告知孺悲，就说老师病了，需要休息，不能见他。传话的学生刚走出门去准备传话。孔子就在屋里把瑟拿出来，一边弹奏，一边吟唱起来！他分明是故意要让屋外的孺悲听到的：你听，我孔子不但在家，而且什么事都没有，但就是不想见你。为什么？你不是很善于揣摩人心吗？你好好地反省吧。孔子这一举动曾让许多人大惑不解，实则是孔子“因材施教”和“不言之教”的典型表现。

【接圣入心】

孺悲也算是孔子的学生，但孔子对其作为并不赞同。于是，在孺悲来见孔子时，孔子给他上了一堂特殊的课。

孔子先是以有病为由推辞不见，后又取瑟弹唱，有意让门外的孺悲听到。

这样两个矛盾的信息传到孺悲那里，他会怎么想呢？本以为老师生病了，可又听到弹唱的声音，生病了还要弹唱吗？啊！老师不愿见我，那一定是对我有意见了，我错在哪里呢？

后世对孔子的这一做法多有称颂，认为孔子是在对学生行不言之教，这也是孔子启发式教育的一个例子。

【格言】以乐为教，以教为礼。

子张第十九

19·17　曾子曰：“吾闻诸夫子，人未有自致者也，必也亲丧乎。”

19·14　子游曰：“丧致①乎哀而止。”②

【注释】①致：极致、竭尽。　②因为意思相连，故将此句移至此处。

【释义】曾子说：“我听老师说过，人不可能自动地充分表露感情，如果

有，一定是在父母死亡的时候。”子游说：“丧事做到尽哀也就可以了。”

【要点】(1) 丧致哀止。(2) 闻诸夫子。(3) 未有自致者。(4) 必也亲丧。

【语境与心迹】是啊！人怎能平白无故地产生感情呢？人通常都是触景生情，例如父母死亡的时候，感情的闸门就会被打开。但是要记住，丧致哀止。

【接圣入心】

人的感情，通常会被重要事件触发，我们认知事物时，既有理性的活动，也有感情的活动，只是一般的事情，不会触发激烈的情感反应。

儒家经典《中庸》说：“喜怒哀乐之未发，谓之中；发而皆中节，谓之和。中也者，天下之大本也；和也者，天下之达道也。致中和，天地位焉，万物育焉。”这就是儒家理想的情感模式。

通观《论语》，孔子唯一一次较大的情感波动就是颜渊之死。在其他时候，孔子的情感都处在中和的状态。

孔子并不是一个冷漠的人，他有着悲天悯人的博大情怀，但他又将感情把控得非常得体，不愧是一位有境界的修行者。

【格言】触景生情，丧致哀止。

第六篇

治理之道

治国，需要研究国策；

国策，实质上就是民心；

民心，就看当政者何为！

君子治世，也是自身的修行；

圣人治世，自是世人的幸运！

一　篇序

治国，就是做人；

做人，就是修己；

修己，就是治心。

命是自己的命，家是自己的家，国是大家的国！

国就是每个人的命，家就是每个人的国，国就是每个家的家！

现实中，我们不管在什么类型的组织中工作，不管做什么样的工作，都是在做我们自己！

不管我们在哪里、干什么，都是在展示我们自己，家庭、组织和国家都是展示的平台！

懂得了修己，就懂得了齐家；懂得了齐家，就懂得了治国。至于治企，就是一场特殊的修己成果的展示！

修行，就是以天地大道武装自己的灵魂，就是在人间践行高尚的道德，就是时时处处利他和爱人！

以道治国，以德治国，以礼治国，就是践行正道，就是务本，就是助人。用人、教化人、提升人，用道德武装人的灵魂，就是一切管理智慧的核心！

治国，是为政者观己的一面镜子！

治企，是领导者评价自己道德的一把标尺！

治家，就是成年人衡量自己品性与智慧的一个标杆！

修己，就是用人类文明智慧识别君子和小人的一个过程！

二 治理之道的思想纲领

孔子在《论语》中谈到了许多为政治国的道理，可归结为个人修行、以德治国、用人智慧和对民教化四个方面。

承担着治国重任的领导者，即使手中掌握的重权会让他们充满力量，即使他们的经历、知识、经验和智慧已经超越了许多人，也要谨慎。责任越大，个人越有可能不堪重负。唯有修行，才能始终保持好的状态与卓越的心智；唯有持续修行，才能让自己不偏离正轨！

自省自律，自正爱民

恪守诚信，吃苦在前，生活节俭，爱老敬祖，行事庄重，谦卑亲民，以正为政，勇于罪己，谨言慎行，以德服人，奉献自我，不敛私财。

德治礼治，可得民心

王者用权，重在德化与礼制。

刑罚只是坚守底线，难以养心、助德提升，故其效难以长久。

礼制让每个人明白如何做人，于是人性力量就有了方向与出口。

德治让人们感受内心的美好，自己有过体验就会相信并去践行。

这才是治国安邦的长久之道。

国君成败，在于用人

王者成事，皆在于用人，关键又在识人和育人。以一时一事断人，多有偏见，唯有从心思所向到言语，再到行动，以及对待结果的态度，基于这样一个连贯的判断体系，才能对一个人做出相对公正的判断。

王者用人，关键在自己，若自己存心不正，必然留下缝隙，一方面伤了大君子之心，另一方面也会给小人以可乘之机。

王者用人，刚柔相济，原则问题上不妥协、不隐晦，小节可以拐弯敲打，但不盲目上纲上线。

王者用人，关键在“补短扬长”这样的交叉结构：能补自己的短，是为“补短”；能扬自己的长，是为“扬长”。反之，利用自己的短即是阴险，不能扬自己的长即是小人。

三　正文心解

学而第一

1·5　子曰："道[①]千乘之国[②]，敬事[③]而言，节用而爱人[④]，使民以时[⑤]。"

【注释】①道：动词，这里是治理的意思。　②千乘之国：乘，音 shèng，意为辆。这里指古代军队的基层单位。每乘包括四匹马拉的兵车一辆，车上甲士 3 人，车下步卒 72 人，后勤人员 25 人，共计 100 人。千乘之国，指拥有一千辆战车的国家，即诸侯国。春秋时代，战争频仍，所以国家的强弱都用车辆的数目军事力量单位来指代。在孔子的时代，千乘之国已经不是大国。　③敬事：敬字一般用于表示个人的态度，尤其是对待所从事的事务，要谨慎专一、兢兢业业。　④爱人：古代"人"的含义有广义与狭义的区别。广义的"人"指一切人群，狭义的"人"仅指士大夫以上阶层的人。此处的"人"与"民"相对而言，可见其为狭义用法。　⑤使民以时：时指农时。古代百姓以农业为主，这是说要役使百姓按照农时耕作与收获。

【释义】孔子对治理国家有独到的见解："治理一个拥有一千辆兵车的国家，就要严谨认真地办理国家大事而又恪守诚信、诚实无欺，节约财政开支而又爱护官吏臣僚，役使百姓，不误农时。"

【要点】(1) 千乘之国。(2) 敬事而言。(3) 节用爱人。(4) 使民以时。

【语境与心迹】很多人以为孔子的思想只体现在教化普通百姓上，实际上，《论语》有相当多内容是在提醒当政者如何治国的。在此处，孔子讲了执

政的三个重点与原则，一是要严肃认真地处理各方面事务，恪守诚信；二是要节约用度，爱护官吏；三是役使百姓应注意不误农时。由此可见，孔子这是在为执政者治理国家、对待百姓出谋划策。

【接圣入心】

自从国家的形态出现以来，如何治理国家，一直是一门很大的学问。

孔子参加过治国，也认真思考过如何治国，因此，他在这里提出了治理国家的三个层次：

- 第一个层次，说的是统治者对治理国家的态度：治理国家时要严肃认真，恪守诚信。众所周知，国家的大政方针牵一发而动全身，所以必须慎之又慎，不能朝令夕改。否则，一旦失去信用，人民不再相信统治者，治理国家就会变得很困难。
- 第二个层次，说的是统治者对个人生活的态度：不要一味骄奢淫逸。一般而言，统治者的个人生活越是奢华，越现败国之相。同时，统治者还要懂得体恤那些为国办事的官员，一方面要选贤任能，另一方面也要安排好他们的生活，让他们能够安心为国办事。
- 第三个层次，说的是统治者对百姓的态度。普通百姓，一方面为国家军队提供兵员，另一方面也通过劳作为国家财政提供支持。统治者要懂得，如果用兵和赋税影响百姓的正常劳作，误了农时，国力就会日益衰弱。

后世有人批评孔子，认为孔子的思想只为统治者服务，这种批评有失公允。在孔子那个年代，有几个思想家不为当时的统治者服务呢？但这不是关键，用思想服务于统治者，如果有助于治理好国家，有利于人民，难道不好吗？

没有多少人批评现代国家的“智库”，那为什么要批评孔子呢？就因为孔子所服务的，是两千年前的封建社会统治者。当时的社会制度还很落后，如果再过两千年，后人看我们今天的社会制度，是不是也会感觉落后？若是这样，今天的很多思想家及其主张，在两千年后也将成为批判的对象。

【格言】敬事守信，节用爱人，使民以时。

1·9 曾子曰："慎终①追远②，民德归厚矣。"

【注释】①慎终：人死为终。这里指父母去世。 ②追远：远指祖先。

【释义】曾子认为，百姓的忠厚老实来源于孝道，孝道也是国泰民安的基础："谨慎地对待父母的去世，追念久远的祖先，自然会使老百姓日趋忠厚老实。"

【要点】(1) 慎终追远。(2) 民德归厚。

【语境与心迹】曾子是个孝子，对于"孝"和"民德"的关系应该是有深刻领悟的。一般而言，"慎终追远"，终，指人死；远，指祖先；慎终追远，旧指庄重地办理父母丧事，虔诚地祭祀远代祖先。后来，"慎终追远"作为一个成语单独使用时，又进一步延伸为做事前先想想动机、初衷以及这样做的后果。不过，此处曾子很显然是在提醒人们，不要将自己的生命变得孤立，而要将自己与父母和祖先联系，成为生命的统一体，这也符合人类文明与亲情代代相传的客观规律。一旦切断了这样的联系，人可能就会失去历史文明与家族情感的支撑与滋养，就会变得短视，就会变得狭隘。在古人看来，生命绝不是孤立的个体，人与人的联系也不只存在于现实中，还有与祖先和父母、民族和历史的联系，这是一种时空生命观。在科技发达的今天，这些联系似乎越来越少，生命的孤独感越来越强，值得我们深思。

【接圣入心】

祭祀自己的祖先，是一个人有孝道的表现。人们心中有孝道，心灵就会变得踏实，就不会无所顾忌，心性就会变得忠厚。

做事要对得起祖宗、要光宗耀祖，这已经成为约束和指引人们现实行为的重要道德准则。

祭祀祖先，讲究孝道，也是中国古代的人们试图理解现实人生与未知世界关系的一种方法。他们认为将现实与非现实、生前与死后建立联系，人的精神才能趋于完整。

千古以来，鬼神这个话题的争议存在于客观与主观两个层面：

- 在客观层面，现代科学手段尚未证实鬼神的存在，但科学是不断发展的，还不能下定论。这与现实中反对装神弄鬼是两回事。
- 在主观层面，在科学给出真正结论前，鬼神之说，更像是人的一种精神活动：人们将所有美好的力量都寄托在非现实的存在上，称之为神。人们将所有邪恶都寄托在非现实的存在上，称之为鬼。从主观上说，更多的是对现实无奈而在精神上寻求寄托。

现实中的人们说到鬼神时，更像是在将心中正义与邪恶两种力量的拟人化、具现化。当很多人都在说，很多人也越来越相信时，鬼神就成为我们内心深处精神力量的一种存在方式。

不管真相如何，鬼神之说存在了几千年，还将继续存在下去。不管鬼神是否存在，它们都寄托着人们对美好的向往和对邪恶的警惕，其积极意义是值得肯定的。

更为重要的是，古代的鬼神之说所蕴含的时空生命观，值得当代人深思。

【格言】慎终追远，生命时空，敬神警鬼，人心有根。

1 · 10　子禽①问于子贡②曰："夫子③至于是邦④也，必闻其政。求之与，抑⑤与之与？"子贡曰："夫子温、良、恭、俭、让⑥以得之。夫子之求之也，其诸⑦异乎人之求之与？"

【注释】①子禽：陈亢，字子禽。郑玄注说他是孔子的学生，《史记 · 仲尼弟子列传》也记载了本段故事。但子禽是否是孔子弟子仍有争议。②子贡：生于公元前 520 年，姓端木名赐，字子贡，卫国人，比孔子小 31 岁，是孔子的学生。子贡善辩，孔子认为他可以做大国的宰相。据《史记》记载，子贡在曹、鲁等地经商，家有财产千金。 ③夫子：古代对年长学问好的人的一种敬称，孔子的学生称他为“夫子”，后来沿用以称呼老师。《论语》中的“夫子”都是指孔子。 ④邦：指当时割据的诸侯国。 ⑤抑：表示选择的文言连词，有“还是”的意思。 ⑥温、良、恭、俭、让：就字面理解即为温顺、善良、恭敬、俭朴、谦让。这是孔子的弟子对他的赞誉。 ⑦其诸：语气词，有“大概”“或者”的意思。

【释义】子禽对于孔子关于国家政事的洞察力颇为不解，于是向子贡询问：“老师每到了一个国家，必定会知道这个国家的政事。这是他自己主动去求得的呢，还是别人主动告诉他的呢？”子贡一下子就说到了点子上：“老师温、良、恭、俭、让，所以才能知道。但他求得的方法或许与别人不同吧。”

【要点】(1）必闻其政。(2）温、良、恭、俭、让。(3）夫子之求异乎人之求。

【语境与心迹】在此，子贡通过回答子禽提出的问题，把孔子为人处世的品格勾勒了出来。孔子之所以受到各国统治者的礼遇和器重，是因为他具备温和、善良、恭敬、俭朴、谦让等各种美德，具有独特的魅力，于是他每到一个国家，都会得到特殊礼遇。由此可见，宣扬仁义道德，自己必须先践行、做模范，否则，嘴里说的道理和自己的行为不一致，是很难让人信任的。很多时候，一旦失信于人，一切就都会变得艰难。当一个人能够稳住自己的内心时，对周围事物的洞察力是一般人没法比的。

【接圣入心】

孔子周游列国，经常得到各国的礼遇，经常被视为上宾。对于这种待遇，子禽有些不解，子贡给予解答。很显然，孔子身体力行，不仅用嘴讲仁德的道理，还亲身践行，是仁德的典范。

当然，孔子一生中也有很狼狈的时候，也曾遭遇危险，用他自嘲的话说，有时也如丧家之犬。不喜欢孔子的人，常常爱说孔子所遭遇的尴尬和险境。

实际上，只要公道一点就会发现，孔子的遭遇主要出于这些原因：一是当时他所在的国家非常混乱，国君也无暇顾及政事；二是孔子的名气比较大，到哪个国家，哪个国家的朝臣就会提防；三是发生了一些误会。

纵观历史，总有一些人对孔子百般挑剔，甚至以反对孔子为生。我们无法知晓这到底是什么样的人，也不知他们的德行是否能超越孔子。

也许，孔子不是完人，孔子也没有认为自己是完人，将孔子神圣化是后人做的事。也许，神圣化本身就是在毁灭一个人。而孔子这样值得后人用几千年时间去神圣化的人，也不是能轻易毁灭的。

从学术的角度来说，揭示圣人的缺点，也许是学术研究的需要。但那些根本不了解真相的人可能就会产生误解，导致严重的问题。

当今时代，无论是国内还是国外，都还有一些敌对势力。没有硝烟的战争始终不曾停歇。一场文化和心灵的战争，惯常使用的武器，就是歪曲一个民族的历史，诋毁一个国家的圣贤，让国民失去精神的寄托，让人们对本民族文化失去自信。对此，每个人都要警惕。

今天宣扬道德的人，自己是道德楷模吗？批评孔子的人，自己能做到温良恭俭让吗？若是不能用美德稳住自己的心，又如何拥有洞察世事的智慧呢？

【格言】圣人自身就是活教材，处处践行温良恭俭让。

1·12　有子曰：“礼①之用，和②为贵。先王之道③，斯④为美。小大由之，有所不行。知和而和，不以礼节⑤之，亦不可行也。”

【注释】①礼：在春秋时代，“礼”泛指典章制度和道德规范。孔子的“礼”，既指“周礼”的礼节、仪式，也指人们的道德规范。　②和：和谐、协调。　③先王之道：指古代君主的治世之道。　④斯：这、此等意。这里指礼，也指和。　⑤节：节制，约束。

【释义】有子对于治国方法有自己的见解：“礼的应用，以和谐为贵。古代君主的治国方法，最宝贵的就是这一点。不论大事小事，都只会按照和谐的办法去做，结果有的时候就行不通了。为什么会出现这样的情况呢？原来，只为和谐而和谐，不以礼来节制和谐，那肯定是行不通的。”

【要点】（1）礼之用，和为贵。（2）小大由之。（3）以礼节和。

【语境与心迹】儒家特别倡导伦理、政治和社会活动中的“中和”原则，孔子甚至将拥有中庸智慧视为人能达到的最高境界。《礼记·中庸》中这样写道：“喜怒哀乐之未发，谓之中；发而皆中节，谓之和。”孔子认为，礼的推行和应用要以和谐为贵。但是，如果事事都只讲和谐，或者为了和谐而和谐，却忘记了用礼约束，促成和谐的局面，那么最终和谐可能就会失去意义。当然，不用礼去约束，想达成单纯的和谐也是很难的。由此可见，孔子所提倡的“和”并不是无原则的调和，而要以礼制作为根基与标准，体现孔子的哲学智慧。现实中，很多人常常片面地引用“和为贵”，却不知“和”之贵，不是无原则的一团和气，而是必须合乎仁道、接受礼制约束。否则，“和”就变成了“和稀泥”。

【接圣入心】

- 孔子的思想是一回事，人们怎么运用孔子的思想又是另外一回事。

- 孔子思想的本意，是通过礼制建立社会秩序，促进人间的和谐。孔子还举了先王的事例来进行佐证。

- 同时，孔子还很辩证地谈到了和谐的问题，反对一味地为和谐而和谐。孔子所强调的是各安其位，每个人都遵守礼制，以此来达到理性的和谐。

- 孔子所处的时代是乱世，他看到了社会的失序、混乱，所以倡导恢复礼制，重建社会秩序。

- 孔子反对为和谐而和谐，当老好人、和稀泥的行为，抨击僭越之举，他自己也是践行礼制的楷模。

- 孔子认为，社会秩序混乱的表现就是礼崩乐坏。他一方面谴责礼崩乐坏，同时，又从恢复礼乐入手，试图解决社会问题，可谓标本兼治。

◎ 在我们的生活中，追求和谐，也必须遵守规矩。对于破坏原则的行为，要表明自己的立场，进行坚决的斗争。和谐也是有原则的，有原则的和谐才能长久！

【格言】 礼之用，和为贵。和为贵，礼之用。

为政第二

2·1　子曰："为政以德①，譬如北辰②，居其所③而众星共④之。"

【注释】 ①为政以德：以，用的意思。统治者应以道德教化来进行统治，即"德治"。 ②北辰：北极星。 ③所：处所，位置。 ④共：同"拱"，环绕。

【释义】 古人的智慧起源，是"观天象、读天意、定人事、行正道"。孔子也从中找到了治国的方向："以道德教化来进行统治，就会像北极星那样，自己居于一定的方位，而群星都会环绕在它的周围。"

【要点】 (1) 为政以德。(2) 譬如北辰，居其所而众星共之。

【语境与心迹】 这是孔子传播很广的一段话，意思是说，统治者如果实行德治，群臣百姓就会自动围绕着你转。自己有德行又实施德治的人，自然会是人心所向，进而自上而下形成治世的积极力量。可见，治世并非国君一人之事，而是需要全体人民共同参与的。虽然这里强调的是统治者的德治对政治生活的决定作用，但也指明了自上而下形成合力的重要性。

【接圣入心】

◎ 这段话，是孔子治世思想的纲领！

◎ 孔子拿北极星做比喻，领导人的德政能够安定人心，众人会像北极星周围的星星一样围绕着他、拥护他。反之，就会离心离德。

◎ 每一个时代，统治者都希望众人团结在自己的周围，但采取的方法是不同的：有的使用威权压制，众人因为恐惧，不得不听从他的调遣；有的使用德政，靠道德教化和自己的品德，赢得众人的心。

按说，这个道理并不复杂，也不难懂，可为什么很多人做不到呢？为政以德，首先要自我约束，还要时时考虑别人的感受，遇到问题还要多反省自己，远没有滥用权力那样“过瘾”和“潇洒”。

所以，孔子所说的德治，是在要求掌握权力的人成为修行者，不要沉溺于玩弄权力。如果统治者做不到，孔子的这句话就很难落到实处。

【格言】以德治国，众力汇聚。

2·3 子曰：“道[①]之以政，齐[②]之以刑，民免[③]而无耻[④]；道之以德，齐之以礼，有耻且格[⑤]。”

【注释】①道：有两种解释：一为“引导”，二为“治理”，前者较为妥当。 ②齐：整顿、约束。 ③免：避免、躲避。 ④耻：羞耻之心。 ⑤格：有两种解释，一为“至”，二为“正”。

【释义】孔子认为，使用刑罚治理属于下策，用道德教化才能让人开智懂礼：“用法制禁令去引导百姓，使用刑罚来约束他们，老百姓只求免于受罚，却失去了廉耻之心；用道德教化引导百姓，使用礼制去统一百姓的言行，百姓不仅会有羞耻之心，而且也会守规矩。”

【要点】(1) 用“道之以德”代替“道之以政”。(2) 用“齐之以礼”代替“齐之以刑”。(3) 民从“免而无耻”变成“有耻且格”。

【语境与心迹】孔子在此给出了两种截然不同的治国方针，下策是刑罚，刑罚只能使人畏惧或者减少犯罪，不能使人懂得犯罪可耻的道理。因此，刑罚只是解决治理末端的问题，没有解决犯罪的根源，只能算是下策。上策是道德教化，这是在解决人心里的问题，自然就比刑罚要高明得多，既能使百姓循规蹈矩，又能使百姓有羞耻之心。如此才能从里到外地解决犯罪问题，故而是上策。在现实中，虽然要“为政以德”，但也不能完全依赖道德教化来解决犯罪问题，因为每个人的道德修养存在着很大的差异。故而，“以德引领，以刑收底”才是治国安邦的较为完整可行的策略。

【接圣入心】

在法治和德治中，孔子是倾向于德治的。但在实践中，孔子倡导

二者并用。

在此处，孔子将法治和德治进行比较：

- 使用法治和刑法来引导和约束百姓，百姓心中就只剩恐惧，失去了道德廉耻的意识。于是，就会“上有政策，下有对策”，陷入恶性博弈。法治意识薄弱，人们就会铤而走险。当这种行为比较多的时候，人们又会因为错误地相信法不责众，对犯罪抱侥幸之心。因此，法治这种外在的力量，治标不治本。
- 使用德治来教化和引导，启动人们内心的力量，当人们从心里认同人间的规矩，并对违反规矩感到羞耻时，每个人就会自发地自我引导、自我约束，这样的约束远远胜于外界的强制性约束。

单纯将法治和德治两种治国模式进行比较，孔子的分析是有道理的。但在现实中，完全依靠德治而放弃法治，那简直无法想象。从孔子为官期间的作为来看，他侧重于德治，但也没有放弃法治，采取的是一种“德刑相济”的模式。

因此，从现实的角度来看，以德治为优先和引导，以法治为底线和保险，二者各司其职，“德刑相济”，才能做到标本兼治。这样的模式也许才是治国的最佳模式。

【格言】政刑可以守底线，但难有上升力。德礼助人向上升，可保世代长久。

2·10 子曰：“视其所以①，观其所由②，察其所安③，人焉廋④哉？人焉廋哉？”

【注释】①所以：所做的事情。 ②所由：所走过的道路。 ③所安：所安心于做的事。 ④廋：音 sōu，隐藏、藏匿。

【释义】孔子深知，治国理政关键在于用人，那么如何考察一个人呢？孔子说：“要了解一个人，应看他言行背后的动机，观察他所走的道路，考察他安于干什么事。这样，这个人怎么能隐藏得了呢？这个人怎么能隐藏得了呢？”

【要点】（1）视其所以。（2）观其所由。（3）察其所安。（4）人焉廋哉。

【语境与心迹】如何识人，孔子给出了一套方法：应当听其言而观其行，还要看他做事的心境。从言论、行动到内心，全面了解和观察一个人，这个人就没有什么可以隐瞒的了。识人，是一项非常重要的能力，统治者用好了、用对了一个人，就会造福一方，否则就会祸害一方。孔子给出的这套识别人的方法，统治者选人用人时可以参考。

【接圣入心】

孔子告诉我们，识别一个人要从三个方面入手：言论、行动和内心。

从这三个方面来考察一个人，就能真正看清楚：

- 单纯听一个人的言论，是很容易上当受骗的，因为人们可以通过语言的技巧，去掩饰自己的真实动机。许多骗子就是这样，善于运用骗术来实现自己的目的。
- 言论不可靠，还要看他的行动，看他的言行是否一致。这样的标准，对于判断一般的人是有帮助的。但必须注意的是，那些工于心计的人也知道这一点，他们会在很多小事上言行一致，以此误导他人。

当然，一个人内心的想法，即使隐藏得再深，也会在平常的生活中露出蛛丝马迹。比如爱好，喜欢的类型，对一些事物的评判，等等。

实际上，对于我们来说，做人完全不必如此复杂。简单一点，真诚一点，质朴一点，坦白一点，也许才是人生的智慧。

【格言】识人三要：视其所以，观其所由，察其所安。

2·16 子曰：“攻①乎异端②，斯③害也已④。”

【注释】①攻：攻击。 ②异端：另外、不同的一端。这里指的是不符合仁德思想的言论与行径。 ③斯：这。 ④也已：这里是语气词。

【释义】孔子对歪理邪说保持着高度的警惕："攻击那些不正确的言论，祸害就可以消除了。"若是任凭歪理邪说肆虐，就会给社会带来巨大的危害，大部分民众对此或者不能识别，或者没有足够的定力抵挡啊！

【要点】(1) 攻乎异端。(2) 斯害也已。

【语境与心迹】人都是活在人群中的，人和人之间是会相互影响的。很多缺乏仁德、定力和智慧的人，很难区分言论的正误，因此，对于正确的言论可能觉得不耐烦，反而会赞同不正确的言论。孔子认为，统治者若想治理好国家，就必须科学地管理思想言论，否则，就很容易让一些人的胡言乱语祸乱民众的心智。"言论自由"是可以的，但发言者是要负责任的。能够公开发表言论的人，往往占据着某种身份上的优势，要么是领导和长辈，要么是专家或权威，人们很容易相信他们所说的话，这就要求这些发言者必须为自己的言论负责。否则，就会误导相对弱势的听众。至于那些只想要言论自由却拒绝承担责任的人，就有点流氓习气了。孔子认为，那些蛊惑人心、让人心偏离仁德的言论，是不可放任其流传的，否则就会滋生更多的祸乱，就会祸害很多人。对于孔子的这个观点，一些人不屑一顾甚至激烈反对，好像言论就是不应该受到管制。这很显然是偏激的。孔子认为，禁止言论是独裁，放纵言论是祸害，并没有不对。因为人生活在社会中，社会中有很多其他的人，你的言论不会随风飘走，而是会飘进其他人的耳朵里。如果你是普通人，人们对你的言论也许就当成耳旁风；如果你是有身份地位的人，你的言论就更有可能左右他人思想和行动。在社会中有影响力的人，必须谨慎思考后再发言，并为自己的言论承担后果。这是孔子给统治者和社会精英的重要提醒和警告。

【接圣入心】

这句话反映了孔子德治的重要思想。对于孔子的这一观点，批评的声音历来很多，有的甚至还很激烈，认为孔子这个观点代表他不能容人，不能接受异议，过于霸道，是赤裸裸地维护封建统治，不符合自由精神。

实际上，这些批评者也许误解了孔子。我们需要搞清楚的是：孔子所说的异端究竟是指什么？如果不搞清楚这个问题，只用当今的理念去诠释异端的内涵，就不是在讨论孔子的思想，而是借着批判孔子来表达偏见。

孔子心目中衡量异端的标准又是什么呢？要搞清楚孔子所说的异端，首先要搞清楚孔子所倡导的正统是什么。很明显，孔子所说的正统就是仁德，就是内在的仁德，外在的礼，观人的忠恕，思己的反省，做事的中庸，为人的孝悌忠义。这就是孔子衡量一种思想是否是异端的标准，而不像一般人认为的，不合乎孔子思想或个人偏好的就是异端。

若是偏离了孔子真正的思想内涵，用自己的观点去置换核心概念，却把罪名安到孔子身上，这就不厚道了。

试想，在治理国家时，如果任凭那些异端邪说去误导群众，制造思想混乱，领导者还能算是尽责吗？"百花齐放，百家争鸣"，不代表可以随意胡言乱语，不等于胡说还可以不负责任。今天某些国家正是这样放任舆论，老百姓受了敌人的蛊惑，最终导致国家分崩离析。

读《论语》这样的经典，关键和难点就在于如何将自己放置到历史的情境中去，通过自己的修行，将"我执"去掉，最大限度地贴近圣人的心思，这样才能懂得圣人之心。否则，就会扭曲圣贤思想，沉浸于自己的偏见，最后害人害己。

当然，任何观点都跟个人的立场有关。个人的立场又跟自己的价值观和社会角色有关。"不当家不知柴米贵"，如果不能设身处地思考问题，就很难进行真正的沟通。

【格言】放纵异端，制造祸乱。扶正祛邪，国泰民安。

2·18 子张①学干禄②。子曰："多闻阙③疑④，慎言其余，则寡尤⑤；多见阙殆，慎行其余，则寡悔。言寡尤，行寡悔，禄在其中矣。"

【注释】①子张：姓颛孙，名师，字子张，生于公元前503年，比孔子小48岁，孔子的学生。 ②干禄：干，求的意思。禄，即古代官吏的俸禄。

干禄就是求取官职。③阙：同“缺”。此处指放置在一旁。④疑：怀疑。⑤寡尤：寡，少的意思。尤，过错。

【释义】 子张要学谋取官职的办法，但做官很难。若是智慧不够，非但做不好政事，还会毁了自己。孔子指导子张说：“要多听，有疑问的地方先放在一旁不说，其余有把握的事情也要谨慎地说出来，这样就可以少犯错误；要多看，有疑问的地方先放在一旁不做，其余有把握的事情也要谨慎地去做，就能少后悔。说话少过失，做事少后悔，官职俸禄就在这里了。”

【要点】（1）子张干禄。（2）慎言其余，则寡尤。（3）多见阙殆，慎行其余，则寡悔。（4）言寡尤，行寡悔，禄在其中矣。

【语境与心迹】 孔子在培养人才方面有个非常重要的倾向，那就是学好了的人要去做官。想想也是，学习优秀却不为社会承担责任，那学习又是为了什么呢？难道要把承担责任的事拱手让给不学无术的人吗？正因为如此，孔子并不反对他的学生谋求官职。只是，孔子特别强调，身居官位者，应当谨言慎行，说有把握的话，做有把握的事，这样可以少失误、少后悔，这是对国家、对个人负责任的态度。如果没有把情况搞清楚就开始发布指令、评价、下结论或者开始行动，肯定是要犯错误的。这种情况，从古至今似乎总在发生，似乎也一直没有减少。若是按照孔子所说的去做，也许就不至于这样了。当然，孔子在这里所说的原则并不仅限于为官，也可以运用在每一个人的生活中。

【接圣入心】

众所周知，孔子是个积极入世的人，他的所知、所学、所思、所虑，都是为了服务社会、造福人民。确信孔子的这一动机，是理解孔子思想的一个门槛。

子张向老师请教谋取官职的方法，孔子给了他这样几条意见：

- 首先要多听，有怀疑的地方先放在一旁不说。
- 即使是有把握的事，也要谨慎地说出来，这样就可以少犯错误。
- 要多看，有疑问的地方先放在一旁不做，其余有把握的事，也要谨慎地去做，就能少后悔。

• 说话少出错，做事少后悔，就可以做好官了。

总的来说，孔子对于为官处事，强调的是要谨言慎行，实事求是，不可鲁莽冲动。

为什么做官要如此谨慎呢？简单地说，就是情况复杂。做官要面对各种各样的人、各种各样的情况、不断变化的各种形势，如果不能驾驭这种复杂与变化，就会出错，就会贻害无穷。

为官者，身处复杂的系统中，若是不具备清醒的认知，多半就会被个人狭隘的见识所拘囿。能力不济，处置不当，即使有服务国家的雄心壮志，也难以把事办好。

【格言】为官谨慎，否则害人。

2·19　哀公[①]问曰："何为则民服？"孔子对曰[②]："举直错诸枉[③]，则民服；举枉错诸直，则民不服。"

【注释】①哀公：姓姬名蒋，哀是其谥号，鲁国国君，公元前494年至公元前468年在位。　②对曰：《论语》中对国君及上位者问话的回答都用"对曰"，以示尊敬。　③举直错诸枉：举，选拔的意思；直，正直公平；错，同"措"，放置；枉，不正直。

【释义】鲁哀公向孔子请教："怎样才能使百姓服从呢？"孔子回答得很直接："把正直无私的人提拔起来，把邪恶不正的人置于一旁，老百姓就会服从了；把邪恶不正的人提拔起来，把正直无私的人置于一旁，老百姓就不会服从。"

【要点】（1）何为则民服？（2）举直错诸枉，则民服。（3）举枉错诸直，则民不服。

【语境与心迹】孔子的很多思想，在他那个时代是具有先进性的，因为颠覆了当时的很多陈旧观念与认识。在选用人才的问题上，孔子强调要荐举贤才、选贤用能，这是孔子德治思想中非常重要的部分。

历史上，宗法制度下，选人用人、选官用吏常常唯亲是举，非亲非故者即使再有才干也不会被选用。因此，孔子所倡导的用人思想，在当时可谓一大进步。用什么人，实际上就是建立一个什么样的环境：用错了人，就会败坏一个组织的环境，就会让贤能之人伤心和无所事事，反而会让小人得志，进而会让众人对领导失望，乃至绝望。用什么样的人，也是民众对领导者道德与能力进行判断的一个重要依据。所以，领导者一旦用人错误，就会产生一连串的错误。“任人唯贤”，就可以造福一方，就能赢得众人之心，这一思想在今天也不失其珍贵的价值。

【接圣入心】

对鲁哀公“怎样才能使百姓服从”的问题，孔子的答案是，要从选人用人上下手。

如何选人用人才能让百姓服从自己?

- 提拔正直无私的人，把邪恶不正的人置于一旁，老百姓就会服从。
- 提拔邪恶不正的人，把正直无私的人置于一旁，老百姓就不会服从。

自古以来，领导者选人用人，一直是决定成效的关键，为什么选人用人这么重要呢?

- 很简单，任用贤能之人，就能把事办好。任用奸佞之人，就会把事办坏。
- 任用什么样的人，一方面关系到人民对统治者能力与人品的判断，统治者重用奸佞之人，人民就会对其失去信心。另一方面关系到整个社会风气的好坏：如果任用的是正直贤能之人，社会风气就会变好，人民对正义就会越来越有信心；反之，若是任用奸佞之人，社会风气就会越来越败坏，人民对正义就会越来越没有信心。

【格言】领导力的关键在于用人和用什么人!

2·20 季康子[①]问："使民敬、忠以[②]劝[③]，如之何？"子曰："临[④]之以庄，则敬；孝慈[⑤]，则忠；举善而教不能，则劝。"

【注释】①季康子：姓季孙，名肥，"康"是他的谥号，鲁哀公时任正卿，是当时最有权势的人。②以：连接词，与"而"同。③劝：勉励。这里是自勉努力的意思。④临：对待。⑤孝慈：一说当政者自己孝慈，一说当政者引导老百姓孝慈，此处采用后一个说法。

【释义】在位掌权的人无不关心部下和百姓的忠诚。季康子向孔子询问："要使老百姓对当政的人尊敬、尽忠，努力干活，该怎样做呢？"孔子表明了自己的观点："你用庄重的态度对待老百姓，他们就会尊敬你；你对父母孝顺、对子弟慈祥，百姓就会尽忠于你；你选用善良的人，又教育能力差的人，百姓就会互相勉励、加倍努力了。"

【要点】(1) 临之以庄，则敬。(2) 孝慈，则忠。(3) 举善而教不能，则劝。

【语境与心迹】此处是季康子向孔子请教为政之道，季康子的问题是执政者所关心的核心问题：一是如何维护自己的权威，二是如何让百姓安心工作。也许，季康子是想让孔子教给他相应的方法，但孔子的回答有点出人意料。孔子告诉季康子，"想让别人怎么做，关键在于你自己怎么做"，这是孔子一贯的思想，强调统治者先要正己，方能正人。孔子主张礼治、德治，这不单单是针对老百姓的，执政者要率先垂范。如果做不到，就无法要求百姓做到。百姓没有做好，首要原因是执政者没有做好。这也是孔子所倡导的礼治、德治的核心逻辑之一，孔子自己就是这样做的。

【接圣入心】

在人们的印象中，季康子似乎只是玩弄权术的权臣。但从季康子向孔子请教这一行为中可以看出，他也十分关心治国的方法。

尽管孔子对季康子这样的权臣没有什么好感，但他依然很认真地给季康子指出了一条正路：

- 要想让百姓尊敬你，你就要用庄重的态度对待百姓。
- 要想让百姓尽忠于你，你就要对父母孝顺、对子弟慈祥。
- 要想让百姓勤勉努力，你就要选用善良的人，还要教育能力差的人。

孔子的这段教导，核心是执政者自己先要做好，才能治理好天下。正所谓上梁不正下梁歪，若是执政者自己做不好，就不要去责怪部下和百姓。

孔子所讲的，也是修行之人要遵循的一个核心法则：遇到问题时，要“内求”而不是“外责”。“内求”就是反省自身，“外责”就是推卸责任。

“内求”法则告诉我们，无论人生中发生什么事情，自己才是核心。要想改变周围的环境，就要改变自己。当我们改变了自己，世界也会因此而改变。外在的一切，都是我们内在心性的外显，好比复印件，自己的心和作为才是原件。如同照片与底版的关系，不修自己的内心，只想改变外部环境，终归是徒劳的。

【格言】善待百姓，善待亲人，善待人才！

2 · 21　或①谓孔子曰：“子奚②不为政？”子曰：“《书》③云：‘孝乎惟孝，友于兄弟，施④于有政。’是亦为政，奚其为为政？”

【注释】①或：有人。　②奚：为什么。　③《书》：《尚书》。　④施：一作施行讲；一作延及讲。

【释义】有人对孔子说：“你怎么不为政呢？”孔子的回答揭示了“为政”的本质：“《尚书》上说：‘孝就是孝敬父母，友爱兄弟，把这孝悌的道理施于政事。’这也就是为政了，又要怎样才能算是为政呢？”

【要点】（1）孝乎惟孝，友于兄弟。（2）施于有政，是亦为政。

【语境与心迹】孔子对于为政有独到的理解。孔子引用了《尚书》中的观点，说明“孝”的本质与功能，进一步阐述了“以孝治天下”的思想。首先，一个人若是连对自己亲人的孝都做不到，又怎么可能真心辅佐国君、善待百姓呢？从这个意义上说，“以孝为本”就是以孝作为国家政治的道德根基，让那些孝父友兄的人才去做官，这样的人才能更好地履行职责。这是孔子德治思想中非常重要的基础。其次，政治的范畴也绝不仅限于政府或者做官，孔子从事教育，实质上是在通过对学生的教育，间接参与国家政治。这是他为政的一种特殊的形式。不管是从思想上，还是从人才培养上，孔子的这些思想都对当时和后世的政治生活产生了重大影响。

【接圣入心】

孔子的这番话，讲明了我们每个人和政治的关系。

很多人认为，政治只是政治家的事，和我们普通人没有多大关系，我们只是在做自己的事，不是在从政。这种看法很显然是没有搞清楚什么是真正的政治。

现在说起政治，一般人认为，政治就是政府、政党等治理国家的行为。孙中山先生认为：“政治”中的“政”就是众人之事；“治”就是管理，管理众人之事。这就是政治。

按照孔子对政治内涵的理解，政治有狭义和广义之分，狭义的政治指的就是统治者的行为，广义的政治指的是全民的行为。每一个人都在政治的网络中，只是每个人发挥的作用和发挥作用的方式不同。

很显然，这段话里别人向孔子询问的政治，是狭义的政治。而孔子的回答，则是广义的政治。

孔子所讲解的政治使我们明白，社会中的每一个人都在通过做自己的事情与政治发生关联，政治所关心的就是大家的事，每一个人做好自己的事，也就意味着政治网络中自己那个节点在发挥作用。在政治网络中，节点和节点是相互联系的，立足于自己的节点，放眼于整个社会的政治网络，心中想着为众人谋利，就是每一个人的政治。

【格言】政治的原则，也就是对待人的原则。

八佾第三

3·26 子曰：“居上不宽，为礼不敬，临丧不哀，吾何以观之哉？”

【释义】孔子专门列举了执政者的一些不端行为：“居于上位的人，不能宽厚待人，行礼的时候不严肃，参加丧礼时也不悲哀。这种情况我怎么能看得下去呢？”

【要点】（1）居上宽。（2）为礼敬。（3）临丧哀。

【语境与心迹】在那样一个礼崩乐坏的时代里，孔子看到了一些上位者的不良行为。也许那样的行为相当普遍，故而孔子直接列出三个典型现象：一是居高位却不能宽厚待人，二是行礼时心不在焉，三是参加丧礼时态度与情境不匹配。通过对这几种现象的批评，孔子向当政者提出实行“德治”和“礼治”的国策，而要实行这样的国策，当政者自己就要率先成为道德典范。倘若为官执政的人不能按“礼”所要求的那样做，自身的道德修养又不够，就无法取信于民，这个国家也就难以得到有效治理。

【接圣入心】

当时，孔子看到社会上礼崩乐坏的各种表现，尤其是当政者的恶劣行径，感到难以容忍。

孔子到底看到了什么呢？主要是执政者出了问题，在这段话中，孔子提到了执政者的三个问题：一是身处高位但不能宽厚待人，二是行礼的时候不够严肃庄重，三是参加丧礼时也不能表现出悲哀。

身处高位但不能宽厚待人，一定是忘记了自己的责任；行礼时不够庄重严肃，一定是忘记了自己的身份；参加丧礼时不够悲哀，一定是自己的角色和心态没有融入当时的环境。总之，就是飞扬跋扈或心不在焉的样子。这样的执政者，别说孔子，很多人都看不下去。

执政者的这些行为，一方面说明他们自己的心态出了问题，另一方面还会直接影响民众的信心。出了问题，如何解决呢？自己内心的德性，如果不足以让自己把持好权力，那和小人得志又有何区别？关键是，一般的教育管用吗？据说，权力越大，需要的信仰力量就越强。如何让为官者有强大的信仰力量呢？这可是世界级的难题啊！

现实中的各级领导应引以为戒。群众的眼睛是雪亮的，领导们的言行和心态都会暴露无遗。只有心中不忘群众期盼，接受群众监督，才能保持状态，做合格的领导。

【格言】领导的法则：居上宽，为礼敬，临丧哀。

里仁第四

4·13　子曰：“能以礼让为国乎？何有①？不能以礼让为国，如礼何②？”

【注释】①何有：何难之有，即“有什么困难”。　②如礼何：怎么能施行礼呢？

【释义】孔子给出了一个帮助官员建立信仰的方法，那就是使用礼来约束思想与行为：“能够用礼让原则来治理国家，那还有什么困难呢？不能用礼让原则来治理国家，又怎么能实行礼呢？”只是很少有人能够理解孔子的心思！

【要点】（1）礼让治国。（2）无礼让则无礼。

【语境与心迹】孔子在此强调，用礼让的原则来约束官员和治理国家，形成信仰体系。统治者与民众如果不相互礼让，就必然互相争利、争理；诸侯国本来都是兄弟，如果不互相礼让，就会因小失大。人与人如果不互相礼让，同样会陷入争斗：亲人不互相礼让，就会伤害亲情；朋友不互相礼让，就会伤害友谊。礼让之所以如此重要，就在于这是给双方关系创造一个缓冲空间，有了这个空间，双方的冲突就不会加剧，就有时间恢复理性。否则，若是没有了礼让，就会增加冲突的发生概率，就会让理性没有回旋的余地。然而，礼让也是有原则的，在非原则问题上可以礼让，但涉及大是大非问题，一味礼让就会变成纵容、姑息，甚至会沦为助纣为虐或者卖国主义。

【接圣入心】

孔子主张以礼制来治理国家，倡导礼让的原则，也就是相互尊重，自我节制。

礼让运用在国家内部治理上，原则上是没有问题的，但不能因为礼让而失去了对原则的坚守。在国际事务上，礼让也是需要的，但礼让不能是无条件的，否则就可能变成了卖国求荣，国家就变成了“软面团”，就会任人拿捏和蹂躏。

根据矛盾论的原理，世间是充满矛盾的，矛盾又是对立统一的。对立是原始的状态，对立的双方要如何达成统一呢？坦率地交换意见，认真地聆听对方的诉求，充分尊重对方的核心利益，在可以合作的方面充分协商，协商中对于违反原则的做法要坚决抵制，最终要达成一致，符合双方的最大利益。

在国与国争端上，面对现实中复杂的情况，我们要有自己的原则，还要根据对方的变化而改变，竭尽全力去推动双方达成一致，但同时也要做好最坏的准备，努力争取和平，随时准备战斗。

不管是个人之间的协商，还是国家之间的协商，地位的主动还是被动，往往取决于个人和国家的实力强弱。因此，最根本的还是要不断提高自己的实力，练好自己的功夫，因为弱者是乞求不来尊敬与和平的。

【格言】礼让为先，坚守底线。

雍也第六

6·1　子曰：“雍也可使南面。”

【释义】孔子对冉雍的能力给予肯定：“冉雍这个人，可以让他去做官。”

【要点】冉雍可使南面。

【语境与心迹】很多人都熟悉中国古代的一个说法，就是“面南背北”。古代以面向南为尊位，天子、诸侯和官员听政都面向南坐。孔子对自己学生的情况了如指掌，之所以说冉雍可以去从政做官，是因为他对冉雍的德行很认可，认为冉雍已经具备了为官的基本条件。

既然孔子对冉雍的德行很认可，那就让我们进一步了解一下冉雍的为人。冉雍的家世也是很了不起的，其祖上是少昊之裔，周文王之子冉季载数传至冉离——冉雍之父，其继母后公西氏闻孔子设教阙里，“命三子往从学焉”。冉雍跟随孔子学习时，品学兼优，为人度量宽宏，“仁而不佞”，故而孔子称其“可使南面”，即可担任封国之君。冉雍在做季氏私邑长官的时候，为政“居敬行简”，主张“以德化民”。冉雍也很有骨气，在辅佐季氏三月后，发现自己也很难发挥作用，就辞去官职，回到老师孔子身边继续学习。

冉雍的风骨也颇受后人敬仰，尤其受到荀子的称赞，在后世也得到追封“薛侯”“薛公”的荣耀。到了明嘉靖九年（1530 年），被尊称为“先贤冉子”。

【接圣入心】

孔子对弟子的教育与指导，是根据学生自身的特点进行的。

孔子认为，做官的先决条件是德性，然后才是其他品质。

冉雍恰恰就是品学兼优、德性敦厚的人，孔子认为这个学生可以做封国之君。

孔子的这一思想，基于“人的任何行为，都由自己内在的德性所决定”这一基本原理。所以在孔子对弟子的教育中，德性永远是排在第一位的。

孔子这一教育思想至今也不落后，倒是现代教育应该反思，我们到底在学生的德性教育上花了多大的功夫？学了那么多现代科学知识的学生，最终德性能够达到什么样的高度？想一想，一个德性不能支撑心灵的人，学了很多知识后，又会变成什么样的人呢？

【格言】天下之位，大德居之。

6·2 仲弓问子桑伯子①。子曰:“可也,简②。”仲弓曰:“居敬③而行简④,以临⑤其民,不亦可乎?居简而行简,无乃⑥大⑦简乎?”子曰:“雍之言然。”

【注释】①桑伯子:人名,此人生平不可考。 ②简:简要,不烦琐。 ③居敬:为人严肃认真,依礼严格要求自己。 ④行简:指推行政事简而不繁。 ⑤临:面临、面对。此处有“治理”的意思。 ⑥无乃:岂不是。 ⑦大:同“太”。

【释义】仲弓也就是冉雍,他真是从政的天才。本段中,他向孔子请教问题,师徒俩的沟通十分顺畅。冉雍问孔子:“桑伯子这个人怎么样?”孔子说:“此人还可以,办事简要而不烦琐。”冉雍说:“居心恭敬严肃而行事简要,像这样治理百姓,不是也可以吗?但是自己马马虎虎,又以简要的方法办事,岂不是太简单了吗?”孔子说:“冉雍这话说得对。”在为政与处事的重要问题上,孔子几乎完全赞同冉雍的见解,实在是难得啊!

【要点】(1)居敬而行简。(2)不可居简而行简。

【语境与心迹】冉雍不愧是孔子所赏识的学生,借桑伯子的话题所阐述的主张,得到孔子的认同。由此可见,冉雍一方面具有为政的天赋,另一方面也颇得老师真传。哲学的智慧,时时处处可见。处理简与繁的关系,很考验人的智慧。“简”如果过了,就是马虎;“繁”如果过了,就显得累赘。这也是中庸之道的智慧,任何事情都不可过分、走极端。冉雍的哲学思维很受孔子赏识,办事和治国的简繁处理也深得要领。所以,孔子听完仲弓的话,认为很有道理。

【接圣入心】

孔子刚刚说过冉雍可以为官,这里是冉雍跟孔子讨论如何为官。

孔子师徒二人通过对桑伯子办事风格的评价,讨论为官问题。桑伯子办事简要而不烦琐,受到了师徒二人的肯定。

冉雍又向老师阐述了自己的理解:在公正严肃的基础上,行事简要是可取的;若是马马虎虎又办事草率,这就不可以了。

孔子听完冉雍的解释，非常赞同。

冉雍在这里向我们展示了做事的两种不同态度：认真而简练，马虎而草率。在现实中，马虎而草率是一种极不负责任的态度，其错误是显而易见的。但认真而简练，这需要智慧，认真的人做事往往比较烦琐，认真而简练是一种更高的境界。

【格言】认真的态度，简便的方法。

6·6　子谓仲弓，曰："犁牛①为之骍且角②。虽欲勿用③，山川④其舍诸⑤？"

【注释】①犁牛：即耕牛。古代祭祀用的牛不能使用一般的耕牛，必须是红毛长角、单独饲养的。　②骍且角：骍，音 xīng，红色的牲口。祭祀用的牛，毛色为红，角要长得端正。　③用：用于祭祀。　④山川：山川之神，比喻上层统治者。　⑤其舍诸：其，难道，表示请问；舍，舍弃；诸，它。

【释义】孔子很欣赏仲弓也就是冉雍的政治智慧，在评论冉雍的时候说："耕牛产下的牛犊长着红色的皮毛，角也整齐端正，人们虽然不想用它做祭品，但山川之神难道会舍弃它吗？"

【要点】（1）出身莫自贱。（2）自有好用处。

【语境与心迹】冉雍真不愧是名门之后，他与冉耕（伯牛）、冉求（子有）皆在孔门十哲之列，世称"一门三贤"。但孔子对冉雍的欣赏似乎更加特别。孔子所说的话中有安抚冉雍的意思，但冉雍确实是个能做大事的人，在孔子去世后，为了继续传承老师的大业，他与闵子骞等贤士共著《论语》120 篇，又独著 6 篇，谓之《敬简集》。

孔子认为，人的出身固然重要，但更重要的是具备高尚的道德和突出的才干。只要具备了这样的条件，就会受到重用。这也说明孔子所倡导的一个选拔任用人才的原则：不能只看出身不看能力。若是只看出身而不看能力，必将错失人才。

【接圣入心】

◎ 古代祭祀的礼仪非常严格，祭祀用的牛必须是红毛正角的。

◎ 孔子借着祭祀用的牛评价冉雍：耕牛产下的红毛正角的牛犊，即使人们祭祀不用它，山川之神也不会舍弃它。

◎ 孔子用这番话来说明，一个人的出身并不重要，重要的是自身的仁德和智慧。只要具备高尚的品德和突出的才干，就一定会受到重用。此处小用，别处大用。俗人小用，天将大用。

◎ 孔子也借此说明了他所倡导的选才用人理念：不重出身重实干，不看出身看表现。重用贤良，可开一代盛世；重用奸佞，自毁一世英名。

【格言】铸圣魂于心，必有大使命。

6·8　季康子[①]问："仲由可使从政也与？"子曰："由也果[②]，于从政乎何有？"曰："赐也可使从政也与？"曰："赐也达[③]，于从政乎何有？"曰："求也可使从政也与？"曰："求也艺[④]，于从政乎何有？"

【注释】①季康子：公元前 492 年，继其父为鲁国正卿，此时孔子正在各地游说。八年以后，孔子返回鲁国，冉求正在帮助季康子推行革新措施。于是孔子应邀对三个学生做出了评价。　②果：果断、勇敢。　③达：通达、顺畅。　④艺：有才能技艺。

【释义】季康子向孔子询问仲由、子贡、冉求三个人的从政能力，孔子给予的评价都是很好的。季康子问："仲由这个人，可以让他管理国家政事吗？"孔子说："仲由做事果断，管理国家政事有什么困难呢？"季康子又问："端木赐这个人，可以让他管理国家政事吗？"孔子说："端木赐通达事理，管理政事有什么困难呢？"季康子又问："冉求这个人，可以让他管理国家政事吗？"孔子说："冉求有才能，管理国家政事有什么困难呢？"

【要点】(1) 评价三弟子：仲由、子贡和冉求。(2) 仲由处事果断。(3) 子贡通达事理。(4) 冉求才能卓越。

【语境与心迹】季康子向孔子询问的三个孔子的弟子——端木赐（子贡）、

仲由（子路）和冉求，在从事国家行政事务方面，都各有其特长。孔子的教育所培养的人才，就是能够辅佐君主或大臣从事政治活动的。当季康子问到孔子对他这三个学生的评价时，孔子都给予了肯定。从这里也可以看出，尽管孔子平时对弟子们严格到甚至有些挑剔，常常会直截了当地指出其存在的问题，但与别人谈起自己的学生时，又往往赞赏有加，舐犊之情感人至深。孔子到底是感性的还是理性的？怎么不同时候给予弟子们的评价不一样呢？实际上，在孔子这个老师看来，虽然学生们算不上完美，但与其他人比起来呢？毫无疑问，接受过自己教育的弟子们还是很有优势的。从个人修为来说，没有止境。从做事来说，有长处就要发挥，同时要管控好自己的短处。

【接圣入心】

看来，季康子对孔子和孔子的弟子还是蛮尊重的，否则也不会就三个弟子向孔子征询意见了。

孔子在回答季康子的提问时，说到了三个弟子的特长：子路处事果断，子贡通达事理，冉求很有才能。

实际上，这几个弟子受孔子的教育，都对仁德有相当深的了解和领悟，也就是能够把心放正，这是孔子最为看重的。在此基础上，再有些个人特长和能力，就可以为国家服务了。

【格言】教子补短，用子扬长。

6·14　子游为武城[①]宰。子曰："女得人焉尔[②]乎？"曰："有澹台灭明[③]者，行不由径[④]，非公事，未尝至于偃[⑤]之室也。"

【注释】①武城：鲁国的小城邑，在今山东费县一带。　②焉、尔、乎：三个字都是文言助词。　③澹台灭明：澹，音 tán，复姓澹台，名灭明，字子羽，武城人，孔子的弟子。　④径：小路，引申为邪路。　⑤偃：言偃，即子游，在这里他自称其名。

【释义】孔子的学生子游做了武城的长官。孔子问："你在那里找到人才没有？”子游回答说：“有一个叫澹台灭明的人，从来不走邪路，没有公事时，从不到我屋子里来。”看看，子游所说的人才，其品格是如此的高尚！专心办公事，不去周旋，不去试图建立私人关系，真是一片公心照乾坤！

【要点】（1）做官重在选人。（2）行不由径。（3）非公事，未尝至于偃之室也。

【语境与心迹】孔子问子游的这段话，反映出他对任用贤才的重视。弟子子游为官时，作为老师的孔子自然很关心子游是如何用人的。老师问到时，子游告诉老师，他看上一个叫澹台灭明的人，此人一片公心，专心公事，真是贤吏啊！

既然说到澹台灭明，就让我们看看这是何许人也！孔子曾见过澹台灭明，但见其状貌甚恶，就以为其才薄。在子游做武城宰时，子游选择了澹台灭明，并称赞：他做事从不走捷径投机取巧，没有公事，从不到我屋里来。后来，澹台灭明亦成为孔子的弟子。再后来，澹台灭明重义轻财的品行以及杰出的才干传遍了各诸侯国，当他往南游学到楚国时，跟从他学习的有三百多人。孔子听到这些消息也进行了反思，很感慨地说：“我凭语言判断人，看错了宰予；凭长相判断人，看错了子羽。”好坦诚的孔子啊，处处为人师表，自己有错就勇敢地承认，认了错就必须用行动去纠正！这样心怀坦荡，弟子们怎会不敬服？为人师者，当学孔子的风范！

【接圣入心】

子游做了武城宰（县令），老师孔子关心的是，子游做县令是否找到了人才。因为孔子知道，要想治理好一方土地，必须有相关的人才辅佐。

子游提到了一个叫澹台灭明的人，说他从不走邪路，没有公事从不到自己屋子里来。

寥寥几句话，说明子游看人的标准，核心就是人要走正道。

从反面来说，那些没有公事也经常往领导办公室跑的人，多半是套近乎，想从领导那里谋取好处。

从领导的角度说，对于那些经常跑来自己办公室“沟通”的人，要有所提防。否则，就很容易被人利用，也容易让那些务实肯干的人伤心。

孔子坦率地承认，自己以相貌判断人，是很容易出错的。一般而言，相貌姣好而又才华出众的人十分罕见，而相貌丑陋的人未必没有过人之处。不能简单地根据相貌判断人的善恶优劣。佛家有“相由心生”之说，但这个“相”也并非一般人所说的相貌，更多是指与相貌相伴生的神态气质。

【**格言**】君子与领导秉公相处，小人对领导从私下入手。

6·16　子曰：“不有祝鮀①之佞，而②有宋朝③之美，难乎免于今之世矣。”

【**注释**】①祝鮀：鮀音 tuó。祝鮀字子鱼，卫国大夫，以能言善辩受到卫灵公重用。　②而：这里是“与”的意思。　③宋朝：宋国的公子朝，《左传》中曾记载他因美丽引发祸乱的事情。成语“娄猪艾豭”与他有关。

【**释义**】孔子说：“如果没有祝鮀那样的口才，也没有公子朝那样的美貌，在今天的社会上立足就比较艰难了。”

【**要点**】(1) 处世立足。(2) 祝鮀之佞。(3) 宋朝之美。

【**语境与心迹**】孔子认为卫灵公昏庸无道，季康子问：“他既然这样，为什么不败亡？”孔子说：“卫灵公有仲叔圉接待宾客，祝鮀管理祭祀，王孙贾统帅军队，这样怎么会败亡呢？”而宋朝呢？身为卫国大夫，既受到卫灵公的宠幸，又与卫灵公嫡母襄夫人宣姜和夫人南子有染。后来他和齐豹、北宫喜、褚师圃一同作乱，把灵公赶出卫国。后来灵公复国，宋朝逃亡到晋。看来，祝鮀管理祭祀还是很受孔子认可的。至于公子朝，孔子只是提到了他的美貌，若论人品，孔子肯定是嗤之以鼻的。人很难面面俱到啊，上天给你美貌，往往不给你美德；上天给你强悍，往往又不给你智慧。好在我们有几十年的人生可活，要好好规划一下：如何避免长处变成灾祸的根源？短处又当如何弥补？若是既没相貌，也没德行，更无能力，就如孔子所说，是个废人了！既然每个人都很难天生面面俱到，那就要靠后天个人的自知和修行来完善。否则，十长抵不过一短！一短主宰人生，万事皆休！

【接圣入心】

孔子借祝鮀之口才和公子朝之美貌来说明，人若想立身于世，一定要有特长和能力。

也就是说，人在世上活着，总要有点不同于一般人的长处，若是没有什么长处，就肯定是平庸之人了。

当然，依照孔子的价值观，孔子赞美了祝鮀的口才，也提到了宋朝的美貌，但孔子肯定不会赞同他们的为人。

孔子一贯认为：卓越的口才和出众的相貌，若没有深厚的仁德作为基础，恐怕就会招来灾祸。没有仁德做基础的才能，只会害人害己。

【格言】仁德决定能力的结果！

6·17　子曰："谁能出不由户，何莫由斯道也？"

【释义】孔子很感慨地说："谁能不经过屋门就走出去呢？为什么没有人走我所指出的这条道路呢？"可见，人们不学习圣贤之道，孔子实在是无奈啊！

【要点】（1）出必由户。（2）行必由道。

【语境与心迹】孔子在这里用比喻来表达感慨：生活中有谁能不经过屋门进出呢？在精神上，我们每个人也需要一条正道啊！可是，在那样一个礼崩乐坏的时代，人们怎么就不走正道呢？不走正道又能走到哪里去呢？这段话表明，当时的统治者和民众，对于孔子所宣扬的德治和礼制很难入心践行，许多人对此不予重视，孔子内心感到有些焦虑，故而发出了这样的疑问。

【接圣入心】

孔子在这里做了一个比喻：正常人出屋，都要从大门走出去。这个比喻说的是日常生活中的活动路线。

紧接着，孔子又讲到了人的心灵活动：人之所以为人，就在于有仁德作为基础。可是，为什么很少有人在意自己心中有没有仁德呢？

两千多年前，重视仁德的人不多。实际上，到了今天，真正重视仁德的人也很少啊！

孔子实际上是发出了一个千古之问：作为人，没有仁德作为基础，不管是君王治国，还是百姓生活，又能走到哪里去？不以仁德作为人生的方向，不在自己的言行中践行仁德，人生的归宿又在哪里？

【格言】行必由道，或正或邪。

6·24　子曰："齐一变，至于鲁；鲁一变，至于道。"

【释义】孔子充满期望地说："齐国一改变，就可以达到鲁国这个样子；鲁国一改变，就可以达到先王之道的水平了。"

【要点】(1) 齐变至鲁。(2) 鲁变至道。

【语境与心迹】在这里，孔子借齐变至于鲁、鲁变至于道，提出了"道"的范畴。此处所讲的"道"是治国安邦的最高原则，也就是天道与仁道的原则。春秋时期，齐国与鲁国都是有实力的诸侯国，又因为地理位置、文化传统的差别，造就了彼此的不同。齐国流行道文化，汇聚了很多方术之士。齐国国土三面环海，有鱼盐之利，不仅富庶，而且由于接近苍茫大海，国民的性格和思路大不同于内地，与孔子的理想国家距离较远。齐国率先实行了一些改革，经济发展较早，成为当时最富强的诸侯国之一。与齐国相比，鲁国经济发展比较缓慢，在意识形态和上层建筑方面更接近孔子所崇尚的周朝正统。所以，孔子认为，齐国应该向鲁国靠近，所以孔子才说"齐国改变，就达到了鲁国这个样子"。而当时的鲁国，与孔子所推崇的周朝正统相比，已经弱化了许多，故而孔子认为，鲁国再改变，就达到了先王之道。这段话表达了孔子对周礼的无限眷恋之情。虽然孔子也很

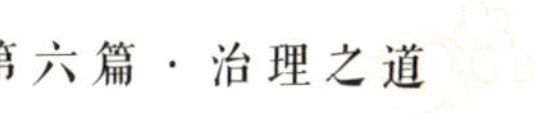

肯定管仲治国的思路与成就，但他还是最为推崇周朝先王的治国方针。

【接圣入心】

孔子与其他圣贤一样，认为“道”是最高理想。

“道”这一概念用在儒家思想中，更多的时候被解读为是一种治国安邦的最高原则，或者是人间道。再进一步追问，治国安邦的原则或者人间道又是什么？实际上，古人早已经找到了答案，圣贤效法天地自然大道，演绎出人间道。因此，天地自然大道，是人间道的原则，二者相互联系，无法分开。

一些人看到孔子提出“齐—鲁—道”这样一个进化顺序时，常常会有疑问：当时的齐国比鲁国发达，孔子为什么还要说齐国要变成鲁国的样子？

齐国的经济比鲁国发达，但鲁国的意识形态和上层建筑比齐国保存得更加完备。在孔子的理想中，思想和精神是第一位的，物质与经济是第二位的。明确了这一点，我们就知道，齐国的经济虽然发达，但还要像鲁国那样去建设和完善自己的意识形态和上层建筑。在孔子那个时代，所谓的意识形态和上层建筑，说简单点，就是周礼和仁德。

在周礼和仁德方面，齐国要向鲁国学习，那鲁国呢？还要向道的方向提升。

在现代社会中，一个国家经济发达但道德水平滞后，这种现象是屡见不鲜的。道德发展水平滞后，在国内会影响人们的生活品质和社会安定和谐；在国际上会影响国与国的关系，甚至会出现经济实力强大的国家欺负弱小国家的现象。

再进一步缩小到一个组织、一个家庭或者个人，道理也是一样的。如果道德发展水平滞后，组织的发展就会遇到瓶颈；如果只注重金钱，一个家庭就难有真正的和谐；个体如果只注重私利，个人的成长终将遇到障碍。

【格言】经济发展，人心皈道。

述而第七

7·11　子谓颜渊曰："用之则行，舍之则藏[①]，惟我与尔有是夫[②]！"子路曰："子行三军[③]，则谁与[④]？"子曰："暴虎[⑤]冯河[⑥]，死而无悔者，吾不与也。必也临事而惧[⑦]，好谋而成者也。"

【注释】①舍之则藏：舍，舍弃，不用；藏，隐藏。②夫：语气词，相当于"吧"。　③三军：是当时大国所有的军队，每军约一万二千五百人。④与：在一起的意思。　⑤暴虎：赤手空拳与老虎搏斗。　⑥冯河：无船而徒步过河。　⑦临事而惧：惧是谨慎、警惕的意思。遇到事情便格外小心谨慎。

【释义】孔子对颜渊说："用我呢，我就去干；不用我，我就隐藏起来，只有我和你才能做到这样吧！"当子路问孔子："如果让您统帅三军，那么您和谁共事呢？"孔子说："赤手空拳和老虎搏斗，徒步涉水过河，即使死了都不会后悔的人，我是不会和他共事的。我要找的，一定是遇事小心谨慎，善于谋划而能完成任务的人。"

【要点】（1）用之则行，舍之则藏。（2）临事而惧，好谋而成。

【语境与心迹】孔子在此提出了"用之则行，舍之则藏"以及不与"暴虎冯河，死而无悔"的人共事的原则。在孔子看来，审时度势是人生智慧，如果有机会发挥能力，就不要躲藏。若是没有机会，就好好地做点自己喜欢的有意义的事。无事时好好修行，积蓄能量；有事时敢于出仕，发挥自己平时积累的本事。同时也要警惕那种视死如归而又勇无谋的人，这样的人是不能共事的，因为以他们的心性难以成就大事。"勇"是孔子道德范畴中的一个条目，但勇不是蛮干，而是"临事而惧，好谋而成"，这种人智勇兼有，符合"勇"的要求。很显然，孔子也是在借机敲打子路。

【接圣入心】

这段对话中，孔子提到了可能面对的两种情景：一是君子要有

“用之则行，舍之则藏”的明智，二是统率三军时选择“临事而惧，好谋而成者”共事。

这段对话中提到孔子、颜回和子路三个人，孔子的话就是针对两位弟子说的。

颜回和子路这两位弟子，一个一直受到孔子的赏识，赞誉有加，就是颜回；另一个经常被敲打，但又颇受信任，就是子路。

颜回年纪虽小，但对于老师的思想，领悟得非常到位和深刻。在“用之则行，舍之则藏”这一君子修行上，孔子将颜回与自己并列，可见孔子对颜回非常赏识。

当子路发问时，孔子所说的话就像是在敲打了。子路为人刚直鲁莽，好勇力，事亲至孝。除学诗、礼外，还为孔子赶车、做侍卫，跟随孔子周游列国。子路也是深得孔子信任的人，经常被老师敲打，也足见其深得老师之厚爱！

孔子十分赏识颜回，这就不用多说了。孔子和子路的关系倒是十分有趣：《史记》记载，子路拜入孔门之前，性格刚强直爽，曾经瞧不起孔子，屡次冒犯。为此，孔子以礼乐教化，慢慢对其加以引导，后来，子路穿着儒家的服饰，带着拜师的礼物，通过其他学生的引荐，请求成为孔子的学生。子路是最敢于批评孔子的学生，知错后勇于改正，深得孔子器重。他为人果烈刚直，为人勇武，为此常遭师之痛责，孔子说他“好勇过我，无所取材”，“不得其死”，等等。子路一生追随孔子，保护孔子，积极捍卫并努力实践孔子的思想学说，对儒家的贡献以及后代的影响都很大，为子至孝，善政为民，诚实守信，忠义仁勇，闻过则喜，闻善则行，见义必为，见危必拯，其德其行如日月在天、江河行地，光照人间，润泽华夏，位列十哲，世称先贤。后来，子路在卫国的叛乱中殉难，孔子闻其死，伤心流泪不已。

【**格言**】圣人之道，进退有据。

泰伯第八

8·9 子曰："民可使由之，不可使知之。"

【释义】关于如何管理民众，孔子认为："对于民众来说，如果他们知道该怎么做，就不要多加干预。如果他们不知该如何做，就要教他们怎么做。"

【要点】（1）民可使由之。（2）不可使知之。

【语境与心迹】孔子总体的思想是"爱民"的。对于这句话，有人解读成"愚民"，实际上是错的，应这样断句："民可，使由之；不可，使知之。"即：如果百姓知道该怎么做，就不要对他们横加干涉；如果他们不知该怎么做，就给他们讲明道理。

很多对中国文化精髓不甚了解的人认为，孔子的思想中有愚民的成分，"民可使由之，不可使知之"这句话就是证据，甚至一些有深厚国学素养的人，也认为这是儒家思想中的糟粕。但纵观《论语》通篇所强调的思想就会发现，孔子对愚民政策是持批评态度的，自己怎么还会去愚民呢？孔子开创的私学教育，不正是通过教化让普通人也能拥有知识、品德与智慧吗？可见，将"不可使知之"定性为愚民思想是非常荒谬的。依郭店楚墓竹简版本，这句话的版本则是："民可使道之，而不可使智之；民可道也，而不可强也。"可以解释为：可以用大道引导民众，但不能让民众去学习智巧之术；可以让他们过上怡然自得的质朴生活，但不可诱导他们一味逞强。

在中国文化中，所谓"愚民"，实际上往往是批评者的误解。古代圣贤一直倡导人们要做真诚的人、过质朴的生活，不要贪恋虚荣浮华，也不要学习奸诈智巧，这样，人似乎"愚"了一些，但圣人也告诉我们，"大智若愚"啊！明白了这一点，也许我们自己的"愚"就会减少一点。

【接圣入心】

孔子的这句话一直为后世所批判，被视为主张愚民的表现，加上孔子一直在倡导恢复周礼，似乎就坐实了他封建制度卫道士的身份。

可是，从古至今，又有几人能够悟得圣人的真意呢？古往今来，许多人一直沉浸于批评圣人所获得的快感之中。我们那可怜的圣人啊！我们那可怜的现代文明啊！可怜的知识渊博的现代人啊！

中华文明一脉相承。智慧的祖先，早已探明了人生的真谛，不厌其烦地教育我们：一定要顺应天道、人道，不可自以为是，不可以学习奸诈智巧之术。否则误人误己，害人害己。

但科技文明的进步，也助长了人的骄傲自大，许多人丝毫没有意识到科技文明的局限性，也没有意识到自身的人性与知识的增长之间的落差，一方面自恃聪明，另一方面妄议圣人，这到底是进步了还是依然停留在“愚”的状态呢？

【格言】圣人帮助百姓开智，主张杜绝智巧狡诈，坚守纯真质朴。

8·10 子曰：“好勇疾①贫，乱也。人而不仁②，疾之已甚③，乱也。”

【注释】①疾：恨、憎恨。 ②不仁：不符合仁德之道的人或事。 ③已甚：已，太。即太过分。

【释义】孔子对于社会人心规律的洞察真是细腻啊：“喜好勇敢而又恨自己太穷困的人，就会犯上作乱。把不仁德的人逼迫得太厉害，也会出乱子。”

【要点】(1) 犯上作乱。(2) 好勇疾贫。(3) 不仁疾甚。

【语境与心迹】作为那个时代的智者，孔子将人间很多乱象背后的心理看得一清二楚。在孔子看来，老百姓如果好勇斗狠又不甘心穷困，就会起来造反，这就不利于社会的安定。当然，这个论断还有一些前提：有没有脱贫的机会，自己愿不愿意吃苦奋斗，以及什么力量在引导他们，所有这些因素加在一起，才能决定好勇疾贫的人到底会走什么样的道路。把那些不仁的人逼迫得太厉害，也会激发祸端。所以，最好的办法就是“民可使由之，不可使知之”，也就是说，以天地自然大道和人道引领百姓，培养百姓的仁德，让他们远离奸诈智巧，并为他们创造机会，积极引领他们去奋斗，社会才会稳定发展。好勇加贫穷会发生祸乱，不仁加压力也会发生祸乱，治理国家必须考虑到这些情况。

【接圣入心】

古往今来，社会祸乱往往来自多股力量的挤压。

在朝代更替后，新的统治者往往又会犯前朝的错误，对民众的疾苦关心不够，又极力打压民众，这就是不少朝代无法延续的原因。

中国共产党之所以领导中国革命获得最终胜利，领导人民建立了新中国，其中一个非常重要的原因就是，中国共产党始终代表最广大人民根本利益，与人民休戚与共、生死相依，没有任何自己特殊的利益，从来不代表任何利益集团、任何权势团体、任何特权阶层的利益。

孔子分析了当时一部分人的心态，也指出了这种心态可能导致的问题。

• 贫穷不要紧，只要统治者体恤民情，百姓自身勤奋，就可以在保持正常心态的情况下不断地改善生活。若是统治者盘剥欺压百姓，百姓好勇但不勤奋耕作，再加上有人刻意引导，就可能引起混乱。

• 人和人总是有差别的，社会上总会有弱势群体，不能把他们逼迫得太厉害，应该想方设法在资源等方面帮助他们。

如今，我国已经摆脱了绝对贫困，但一些地方仍存在物质文明和精神文明发展水平不匹配的情形，一些社会现象值得反思。有些人虽然经济富裕却不修仁德，心态扭曲；有些人因为四处碰壁，陷入焦虑抑郁；有些人惯于投机取巧，散播谣言。甚至有些人仇视社会，做出极端行为，伤害无辜的民众。

孔子的治世之法，至今仍然具有重要的借鉴意义。用仁德来引导百姓，鼓励人们勤奋进取，打击奸佞狡诈之人，扶助贫弱之人。

【格言】圣人治世，体恤民苦，引导仁德，帮助脱贫。

8·11　子曰：“如有周公之才之美，使骄且吝，其余不足观也已。”

【释义】在这里，孔子强调了个人能力与修养的重要性，没有好的修养，有能力又能怎样？孔子说：“在上位的君主即使有周公那样美好的才能，如果他骄傲自大而又吝啬小气，那么其他方面也就不值得一看了。”

【要点】（1）周公之美。（2）使骄且吝。（3）余不足观。

【语境与心迹】孔子认为有才更应有德，有才无德不足观。也就是说，有才气的人，若是能够改正骄吝的缺点，就可以变得更加完美。骄吝就好比壮汉身上的肿瘤，不是美中不足的问题，而是致命伤。很多时候，有些人不是没有才能，而是不能虚心对待有才能的人。高傲有才却没有公正之心，不能善待他人，他的才能就很狭隘。高傲狭隘的人，即便是天下奇才，也会渐渐贬值，最终感叹怀才不遇。你说这要怨谁呢？

【接圣入心】

从古至今，许多有才的人都有这样的毛病：自恃清高，恃才傲物，不拘小节，随心所欲，放荡不羁，不愿随俗，不服管教。

为什么这些有才的人会有这些毛病呢？

- 觉得自己有才华，高人一等，自以为有了蔑视别人的资格。岂不知，这样正好暴露了自己品德方面的缺陷。
- 才华高低也是相对的，自恃清高的人多半是在跟不如自己的人比较，从而生出优越感。实际上，这样的比较本身就说明他的才华十分有限。
- 自恃清高，有才但不懂得人心，不知道这样做会让人讨厌，充满虚幻的优越感，这种人又怎么能算是高明呢？在人心上很无知，能算是有才华吗？
- 有才即傲，多半是没有大志向的人，因为有大志向的人永远有更高的追求，永远在超越自己，根本不会有时间去骄傲。
- 偏才之人，看不见自己的缺失和不足，看不到别人的长处，也不会学习别人的长处。你说，这是有才吗？这不就是愚蠢吗？

中国文化讲究德才兼备，否则就不能算是真正的人才，只能算是偏才，是不完整的。有才无德的人，多半是个祸害；有德无才的人，多半是个废物。

【格言】才能是动力，品德是方向。

8·14 子曰："不在其位，不谋其政。"

【释义】孔子说了句劝人的实在话："不在那个职位上，就不考虑那个职位上的事。"

【要点】（1）不在其位。（2）不谋其政。

【语境与心迹】"不在其位，不谋其政"，这句话常常被后人引用，多用以表达无奈和消极之意。在一个有等级和层次的治理体系中，不在其位而谋其政，有僭越之嫌，会被认为是"违礼"之举。即使到了现代社会，很多时候也会强调这样的原则，只不过转换成了现代语言：做好自己该做的事。若是连自己该做的事都没有做好，却总是去评论别人做的事，那就不是帮忙而是添乱了。孔子这样一句简单的道理，也往往被有些不明事理的后人批判为消极思想、愚民政策。这些人似乎认为，人可以跳过自己的本职工作，去思考或者评论其他人负责的事，甚至强调这是自己的正当权利。实际上，这种论调本身搞混了三个概念：一是做好本职工作，二是按照程序去谏言，三是设计合理的监督机制。每个人要先问问自己：自己的事做好了吗？对自己职责之外的事有足够了解吗？有能力去管吗？即使到了现代社会，做不好自己的本分，还要妄议自己不了解也没有能力负责的事，也是枉然！孔子主张的"不在其位，不谋其政"，给体制设计和治理国家提供了借鉴：一方面鼓励人们做好自己该做的事，另一方面引导人们了解那些可以公开的信息，不至于胡乱猜疑或者相信道听途说，同时广开言路，在各个层面做好必要的沟通。

【接圣入心】

"不在其位，不谋其政"，这句话流传很广，很多人都知道。

后人对孔子的这个观点多有批评，说这是一种愚民政策，剥夺了人们关心政治的权利，是为了维护封建统治，是封建落后的思想，等等。

实际上，这种评价显得有些苛刻，对孔子观点的积极意义明显估计不足：

- 按照批评者的观点，似乎应该“不在其位，而谋其政”，但不在其位，又如何谋其政呢？

- 任何一个岗位都有相应的职责，因为在这个岗位，才能获得相关的信息，掌握这些信息，才能做出相应的判断。否则，不在那个岗位，也不了解那些必要信息，还怎么做出正确判断呢？

- 出于安全的考虑，一些岗位的信息是不能公开的，所以其他人并不了解这些信息，若是非要去判断，或者一定要求信息公开，这不是无理取闹吗？

- 更为重要的是，任何一套系统的正常运行，都需要其中各个要素运行正常、关系顺畅。如果一个人连自己该干的事情都干不好，却还要去关心别人的事情，还要去指点自己根本不明白的事情，这不就是添乱吗？这不就是误了自己还要误别人吗？

话说到这里，一定会有人提出反驳：难道我们就不能过问别人的事了吗？难道我们就不能关心集体和组织的运转吗？实际上，这和“不在其位，不谋其政”所表述的观点已经不再是同一个范畴了：

- 首先，每个人都应该做好自己本职工作范围内的事，跟自己的岗位有关的工作，要主动协调，为别人提供力所能及的帮助。同时，还要根据上级的要求，让自己的工作进度跟集体的步调保持协调。这一切加起来，就是一个人做好本职工作的基本内容。

- 我们需要过问别人的事吗？善意的关心和提醒是必要的，根据请求提供协助是必须的！建立组织内部的沟通机制，增进对不同工作岗位的理解和认识，有的岗位甚至可以轮换，都是有益的。但这些是组织机制设计的问题，如果组织没有这种设计，对别人的事务关注过多，就容易产生误会和矛盾。

- 关心集体和组织也是应该的，但这和“谋其政”是两回事。我们经常会遇到一些很善良和热心的人，总是喜欢给领导提些建议，如果领导不采纳，他就会很气愤。实际上，建议就是建议，是供别人参考的，别人必须执行的那叫指令。指令是由上级发布给下级的，而下级给上级的只能叫建议，不能自己一厢情愿地将建议当成指令。

• 关于参政议政的问题，古往今来，这都是要通过特定渠道来完成的，如果只是根据自己了解的有限信息，或者干脆就是根据道听途说，不通过正常渠道发表意见，而是到处传播不完整的信息或宣泄个人的怨气，这就跟参政议政是两回事了。况且，参政议政不仅仅是一种权利，还是一种能力和责任，并不是每个人都有参政议政的能力，也不是每个人的想法都能够改变决策或者变成新的政策，这是常识。

不在其位，不谋其政；不在其位，难谋其政；要谋其政，必在其位；若谋政位，先精本位。

君不见，从古至今，“不在其位，妄谋其政”者屡见不鲜。一般人看来，他们似乎都是爱国爱民的，但因为见识的局限性，多半会危害社会。

【**格言**】做好本分，设好机制，量力而行。

8·18　子曰：“巍巍①乎，舜禹②之有天下也而不与③焉！”

【**注释**】①巍巍：崇高、高大的样子。　②舜禹：舜是传说中的圣君明主，禹是夏朝的第一个国君。传说尧禅位给舜，舜又禅位给禹。　③与：参与、相关。

【**释义**】孔子对圣君舜和禹无比的崇敬：“多么崇高啊！舜和禹得到天下，不是夺过来的。”

【**要点**】(1) 巍巍舜禹。(2) 有天下而不与。

【**语境与心迹**】在孔子的心目中，舜和禹是为政的典范，他从不吝啬对舜禹的赞美。孔子所在的时代，政局动荡，弑君篡位者屡见不鲜。他借赞颂舜禹，表明对古时禅让制的认同，也是在抨击现实中的那些弑君篡位者。

【**接圣入心**】

很明显，孔子是在借圣君明主舜和禹的美德，来影射和批判当时混乱的政局。

◎ 圣君明主舜和禹，用美德治理天下，不把天下看成自家的天下，而是将天下传给德才兼备的人。

◎ 孔子认为，人类是高级动物，是文明的，不应该再用动物界那种互相残杀的方式来完成政权更替。

◎ 从古至今，打天下时难免有厮杀，但历史最终会作出选择：德者居其位。如果德行不足，即使打下了天下，也不能长久掌握天下。

◎ 既然让德者居其位是历史的铁律，那就不要徒劳地去做违背德的事情，专心修德，全心全意为天下人谋福利。即使跟竞争对手相比，比的也是服务民众的能力，比的是自我约束力，比的是让民众信任的能力。除此之外，一切都是徒劳的。

【格言】天下之君主，必超越自我。

8·19　子曰："大哉尧[①]之为君也！巍巍乎！唯天为大，唯尧则[②]之。荡荡[③]乎！民无能名[④]焉。巍巍乎，其有成功也。焕[⑤]乎，其有文章。"

【注释】①尧：中国古代传说中的圣君。　②则：效法、以……为准。　③荡荡：广阔的样子。　④名：形容、称赞。　⑤焕：光辉。

【释义】孔子说到自己心中的圣明君主，满是向往与赞美："真伟大啊！尧这样的君主多么崇高啊！只有天最高大，只有尧才能效法天的高大。他的恩德多么广阔啊，百姓们真不知道该用什么语言来称赞他。他的功绩多么崇高，他制定的礼仪制度多么光辉啊！"

【要点】(1) 大哉尧帝。(2) 天大则之。(3) 荡荡无名。(4) 巍巍文章。

【语境与心迹】我们都知道，一个人多次赞美的人或事物，多半是他心中最在乎、最向往的，那就是他心灵的灯塔，也是引领他前行的最重要的力量！孔子对圣君尧帝极尽赞美，形容尧的美德，就像上天的至善和上善那样，公正无私而伟大。这种伟大，以至于百姓找不到合适的语言来形容和赞美。正因为尧有这样的美德，所以治理天下才能取得那样崇高的功绩，才能为后世设定那样智慧的制度。

【接圣入心】

孔子对尧、舜、禹这几位圣主明君的赞美，一方面让我们明白了孔子圣德治天下的理想，另一方面我们似乎也能感觉到，孔子之所以能够成为圣人，最重要的一点，是他心中有圣师。想想看，我们崇拜什么人，行动就会向着这样的人靠近，这就是榜样的力量。我们可以问问自己，我们想成为什么样的人？我们心中的榜样是谁？我们现在心中的榜样，真的能代表我们追求的理想吗？若是心中没有榜样，我们又往哪里走呢？

尧、舜、禹之所以能够成为圣君，就在于他们像上天那样公正无私；如天地般滋养万物，从不索取；将天道变成了人道。正因为公正无私，所以他们没有什么敌人，天下人也都愿意归顺。

圣王们的美德给了我们一个极其重要的启示：心中有天道，手中有天下。一个人的影响力，很大程度上取决于其内在美德和境界的高下。如果现实令你不满，现实只是一面镜子，照见的是你自己。改变自己，才能改变世界。

【格言】效法天地，公正无私。

8·20　舜有臣五人①而天下治。武王曰："予有乱臣十人②。"孔子曰："才难，不其然乎？唐虞之际③，于斯④为盛，有妇人焉⑤，九人而已。三分天下有其二⑥，以服事殷。周之德，其可谓至德也已矣。"

【注释】①舜有臣五人：传说是禹、稷、契、皋陶、伯益这五人。　②乱臣：治国之臣。　③唐虞之际：传说尧在位的时代叫唐，舜在位的时代叫虞。　④斯：指周武王时期。　⑤有妇人焉：指武王的"乱臣十人"中有一位是妇女，即武王之妻邑姜，一说文王之妻太姒。　⑥三分天下有其二：《逸周书·程典》中说："文王令九州之侯，奉勤于商。"相传当时分九州，文王得六州，是三分之二。

【释义】舜的治国之道非常神奇，有五位贤臣就能治理好天下。周武王也说过："我有十个帮助我治理国家的臣子。"孔子感叹："人才难得，难道不是这样吗？唐尧和虞舜之际，以及周武王这个时期，人才最盛。武王的十位贤臣如果不算其中的妇女，只有九个人。周文王得到了三分之二的天下，仍然侍奉殷朝，周朝的德，可以说是最高的。”

【要点】(1) 舜武有臣。(2) 人才最重。(3) 周朝德高。

【语境与心迹】这段内容中，孔子论述了两个要点。一是治理天下必须有人才，人才是十分难得的，要懂得珍惜人才。有了人才，国家就可以得到治理，天下就可以太平。当然，这也是孔子的英雄史观：能够代表民心的英雄，就能够发动民众的伟大力量来改变历史。在历史发展过程中，英雄发挥的作用是不可忽视的，他们往往又是民心所向，英雄与人民本来就是一体的。二是赞美了周文王的德，虽然自己已经十分强大，但仍然恪守本位，侍奉殷朝，没有僭越。

【接圣入心】

是英雄创造历史吗？纵观历史，好像尽是英雄战天斗地、翻天覆地的故事。“英雄创造历史”，这是人民的评价！其实是“人民创造历史”。

纵观历史，不难发现一个秘密：那些只为自己的利益奋斗的人，是不可能成为英雄的，只有代表了广大民众的利益，才会具有广泛的号召力，才有可能成为真正的英雄。

孔子所提到的历史上的圣君舜和周武王，就是能够代表广大民众利益的英雄，所以很多贤能之士来辅佐他们。

真正为人民利益奋斗的人，不会嫉贤妒能，而会礼贤下士。他们选才的标准也不是个人喜好，而是看这个人是否可以辅佐他们，为人民、为天下做些有意义的事。

嫉贤妒能的人是成不了英雄的。

大到国家，小到班组，甚至我们每个人，都有成为英雄的可能，就看你是否敢于舍弃个人利益，为他人奋斗！

你想过成为英雄吗？你现在正在做的事会让你成为什么人呢？

【格言】英雄与人民利益一体，为众人谋福则是英雄。

子罕第九

9·14　子欲居九夷[①]。或曰："陋[②]，如之何？"子曰："君子居之，何陋之有？"

【**注释**】①九夷：中国古代对东方少数民族的通称。　②陋：文化闭塞，不开化。

【**释义**】孔子说要搬到九夷去住。有人就质疑说："那里非常落后，闭塞，不开化，怎么能住呢？"孔子却理直气壮地说："有君子住在那里，怎么会落后闭塞呢？"

【**要点**】（1）君子居之。（2）何陋之有。

【**语境与心迹**】按说，人们都喜欢住在比较发达的地方，有谁愿意主动去落后的地方呢？修行者或者看破红尘的高人往往会远离闹市。孔子为何想去九夷那样的地方呢？根据孔子的心思和以往的行为风格，弘扬仁德思想的大志让他无所畏惧，而且弘法者就是要去给落后的人开智的。其他人不理解孔子心中的志向，所以才认为九夷那种闭塞不开化的地方，一般人是不会去的。而孔子敢于选择搬到那里去住，是勇敢吗？表面上看是，实际上，孔子有自己的想法，他的理想是施仁德于天下，越是落后的地方，就越需要有人去教化。这就是孔子自承的使命，也是孔子超越个人私利的伟大之处！正因为如此，他才有那般豪迈的气魄——君子居之，何陋之有？

【**接圣入心**】

孔子的很多想法和做法，确实跟一般人不同，也让一般人难以理解。

孔子也是人，为什么会跟很多人不一样呢？实际上，决定人和人本质差别的，就是人的内在思想，就是人内心的追求及追求的高度。正是因为孔子内心的思想与追求以及追求的高度，与大部分普通人都不一样，所以大部分人才会难以理解孔子。

孔子的追求是伟大的，他关心的是天下苍生，他心中有自己赋予的使命，所以他才有前往落后地区普济众生的勇气。

落后而不开化的地方没有人愿意去，本质上是没有人愿意去为那里的人做些什么。大部分人选择居住地或者工作地，先看是否对自己有利，而孔子考虑的则是在哪里我可以有所作为，这也许就是普通人和圣人的区别吧！

我们中的很多人厌恶平庸，想变得不凡，但又不具备圣人、伟人和英雄那样为别人献身或者服务的理念和追求。

从古至今，能成为英雄和伟人的人，似乎都有一条共同的行动路线：他们心中装着百姓，愿意走进百姓的生活，他们从优裕的环境走向贫穷落后的地方，也许只有那里，才是诞生英雄和伟人的地方。反过来再看看，那些一直为自己选择好环境的人，此生会成为什么样的人呢？应该是没有悬念的！

【格言】志在救世，无所畏惧。

先进第十一

11·1　子曰："先进①于礼乐，野人②也；后进③于礼乐，君子也。如用之，则吾从先进。"

【注释】①先进：指先学习礼乐而后再做官的人。　②野人：乡野平民。　③后进：先做官后学习礼乐的人。

【释义】孔子的这段话十分有趣，关键是，他为何会那样选择人才呢？孔子说："先学习礼乐然后再做官的人，是原来没有爵禄的平民；先当了官然后再学习礼乐的人，是君子。如果要从这两种人中选用人才，那我主张选用先学习礼乐的人。"

【要点】(1) 礼乐。(2) 先进后进。(3) 用人先学。

【语境与心迹】孔子在这里阐释了独特的人才观：对于选择什么样的人去做官这个问题，他主张选用那些出身平民而先学习礼乐的人。似乎，孔子对那些先做了官再学礼乐的人不是特别看好。这是为什么呢？这里有个涉及所有人的“优先程序”的问题：你心里先有什么，它就会成为你的“优先程序”，这个优先程序运行一些年，就会产生固化效应，也就是对后来进入的新程序产生排斥，不是一时半会儿就能改过来的。先学习礼乐的人，实际上是选择了礼乐作为自己的“优先程序”，这一点很重要。同时，平民出身的人更熟悉百姓的疾苦，这是已经埋在他们心中的另外一种“优先程序”。

【接圣入心】

表面上看，孔子选用人才，似乎更重视那些平民出身的人。

实际上，孔子这个用人观，背后暗藏玄机：

- 平民出身，但必须是主动学习礼乐的人，而不是一般的平民。
- 平民出身又主动学习礼乐的人，通常都是有追求的不平凡的人。
- 平民出身、学习礼乐又有追求的人，他的动机是改变命运，这是一种非常强大的力量。
- 已经做了官又学习礼乐的人，通常是因为工作需要，或者提升工作水平，这与改变命运的那种动机相比，内驱力是完全不同的。

当然，人心复杂，也不能单纯从一个方面看人选人。最重要的还是看一个人的核心追求，是为自己翻身，还是为大众造福。这才是一个人生命的底层密码！

孔子看人真是入木三分，对人性的规律也是了然于胸，将他在《论语》中关于看人不同的观点综合起来，也许就能更准确地理解了。

从历史规律看，“自古英雄多磨难，从来纨绔少伟男”这句老话还是蛮有道理的。

【格言】先进者，命运之力。后进者，优先难改。

11·21　子曰："论笃是与[①]，君子者乎？色庄者乎？"

【注释】①论笃是与：论，言论；笃，诚恳；与，赞许。意思是对笃实诚恳的人表示赞许。

【释义】孔子说："人们赞许笃实诚恳的人，但还应看他是真的君子呢，还是伪装庄重呢？"你看，孔子看人绝非单点式，而是从不同角度观察。

【要点】(1) 真君子。(2) 伪君子。

【语境与心迹】孔子希望他的学生们，不但说话要笃实诚恳，而且要言行一致。孔子观察别人的时候，不仅要看他说话时的态度，而且要看他的行动，言行一致才是真君子。在人世间，君子是坦荡的，小人有时也是坦诚直白的，唯有伪君子是最可怕的。孔子和孟子对于表面随和、恭敬有礼，实则没有仁德之心的伪君子都是很不屑的。

【接圣入心】

在公开场合，人们对某个事件或者某个人的观点所表明的态度，未必就能代表他们的真实想法。

如果我们根据别人的态度或评价，就对某个人下了定论，这就是轻信，就容易犯错。

那么该如何判断一个人的表态是否发自真心？从以下三个方面：

- 一是看一个人在表明自己的态度时，他的语气所透露的决心，他的观点中所包含的逻辑是否发自内心。
- 二是看他在遇到相反的观点时，他反驳对方所使用的逻辑与证据。如果遇到相反的观点时从不反驳，那么他所表述的观点就值得怀疑。如果他的反驳只是轻描淡写，并没有实质性证据和有力的逻辑，那么他原来主张可靠程度也要大打折扣。
- 三是他在表明观点之后，行动是否跟观点相一致？尤其是当行动中遇到阻碍或者困难时，他是否会轻易地妥协或者干脆放弃？这也是判断一个人观点真伪的重要标准。

小人的狭隘和自私往往是直白的，君子的坦荡和知错就改也是不加遮掩的。要小心的就是那种当面一套背后一套、口蜜腹剑、两头买好的伪君子。这样的人很有欺骗性，不易识别，我们容易上当受骗。

【**格言**】君子可敬，小人可怜，伪君子可怕！

11·26　子路、曾皙①、冉有、公西华侍坐。子曰：“以吾一日长乎尔，毋吾以也。居②则曰：‘不吾知也！’如或知尔，则何以哉？”子路率尔③而对曰：“千乘之国，摄④乎大国之间，加之以师旅，因之以饥馑，由也为之，比及⑤三年，可使有勇，且知方⑥也。”夫子哂⑦之。“求，尔何如？”对曰：“方六七十⑧，如⑨五六十，求也为之，比及三年，可使足民。如其礼乐，以俟君子。”“赤，尔何如？”对曰：“非曰能之，愿学焉。宗庙之事⑩，如会同⑪，端章甫⑫，愿为小相⑬焉。”“点，尔何如？”鼓瑟希⑭，铿尔，舍瑟而作⑮，对曰：“异乎三子者之撰。”子曰：“何伤乎？亦各言其志也。”曰：“莫春者，春服既成，冠者五六人，童子六七人，浴乎沂⑯，风乎舞雩⑰，咏而归。”夫子喟然叹曰：“吾与点也！”三子者出，曾皙后。曾皙曰：“夫三子者之言何如？”子曰：“亦各言其志也已矣。”曰：“夫子何哂由也？”曰：“为国以礼。其言不让，是故哂之。”“唯求则非邦也与？”“安见方六七十如五六十而非邦也者？”“唯赤则非邦也与？”“宗庙会同，非诸侯而何？赤也为之小，孰能为之大？”

【**注释**】①曾皙：名点，字子皙，曾参的父亲，也是孔子的学生。　②居：平日。　③率尔：轻率、急切。　④摄：迫于、夹于。　⑤比及：比，音 bì，等到。　⑥方：方向。　⑦哂：音 shěn，含有讥讽意味地微笑。　⑧方六七十：纵横各六七十里。　⑨如：或者。　⑩宗庙之事：指祭祀之事。　⑪会同：诸侯会见。　⑫瑞章甫：端，古代礼服的名称。章甫，古代礼帽的名称。　⑬相：赞礼人，司仪。　⑭希：同“稀”，指弹瑟的速度放慢，节奏逐渐稀疏。　⑮作：站起来。　⑯浴乎沂：沂，水

名，发源于山东南部，流经江苏北部入海。在沂水边洗头面手足。 ⑰舞雩：雩，音 yú。地名，原是祭天求雨的地方，在今山东曲阜。

【释义】孔子的教育方式，有点类似今天的博士生教育，结合具体事件和个人，总结概括背后的根本性规律并形成人生法则。孔子的教育把知识教育、思维训练与开启智慧、个人成长紧密结合在一起。这种教育方式，在现代都已经不多见了。你看，子路、曾皙、冉有、公西华四个人陪孔子坐着。孔子说："我年龄比你们大一些，不要因为我年长而不敢说。你们平时总说：'没有人了解我呀！'假如有人了解你们，你们要去做什么呢？"子路赶忙回答："一个拥有一千辆兵车的国家，夹在大国中间，常常受到别国的侵犯，加上国内又闹饥荒，让我去治理，只要三年，就可以使百姓勇敢善战，而且懂得礼仪。"孔子听了，微微一哂。孔子又问："冉有，你呢？"冉有答道："国土有六七十里或五六十里见方的国家，让我去治理，三年以后，就可以使百姓饱暖。至于这个国家的礼乐教化，就要等君子来施行了。"孔子又问："公西华，你呢？"公西华答道："我不敢说能做到，而是愿意学习。在宗庙祭祀的活动中，或者在同别国的盟会中，我愿意穿着礼服，戴着礼帽，做一个小小的赞礼人。"孔子又问："曾皙，你呢？"这时曾皙弹瑟的声音逐渐放慢，接着"铿"的一声，他离开瑟站了起来，回答："我想的和他们三位不一样。"孔子说："那有什么关系呢？各人讲自己的志向而已。"曾皙说："暮春三月，已经穿上了春天的衣服，我和五六位成年人、六七个少年，去沂河里洗洗澡，在舞雩台上吹吹风，一路唱着歌走回来。"孔子长叹一声说："我赞成曾皙的想法。"子路、冉有、公西华三个人都出去了，曾皙后走。他问孔子："他们三人说得如何？"孔子说："也就是各自谈谈自己的志向罢了。"曾皙说："夫子为什么要笑子路呢？"孔子说："治理国家要讲礼，可是他说话一点也不谦虚，所以我笑他。"曾皙又问："那么冉有讲的不是治理国家吗？"孔子说："六七十里或五六十里见方的地方，哪里就不是国家呢？"曾皙又问："公西华讲的不是治理国家吗？"孔子说："宗庙祭祀和诸侯会盟，这不是诸侯的事又是什么？像他这样的人如果只能做一个小相，那谁又能做大相呢？”

【要点】（1）弟子陪坐。（2）孔子问志。（3）以礼治国。

【语境与心迹】孔子问四个弟子治国的方法，其中三个弟子都没有谈到根本，于是孔子只是听听。但孔子很赞赏曾皙的主张，并与他进行了更深入的探讨。之所以如此，就是因为曾皙用形象的说法描绘了礼乐治下的景象，体现了“仁”和“礼”的治国原则，这就谈到了根本。这样，做起事来目标才会清晰。只有理想正确，目标清晰，行动才不会偏离方向，才真正有效率，遇到问题才不会迷失和摇摆不定。在这里，孔子让学生们自述政治抱负，也是要借此对弟子们进行教育。

【接圣入心】

这里看起来是子路、曾皙、冉有和公西华四个弟子在与老师孔子聊天，实际上，这也是孔子教育弟子的一种方式，在现代教育中已经难得一见了。

弟子们各自说了自己的志向，最终孔子表态，说他赞同曾皙的想法。其他三个弟子一会儿就出去了，没有再继续问为什么，只有曾皙留下来继续请教孔子。

曾皙问孔子如何看待其他弟子的志向，孔子一一做了解释，对于子路的做法和态度，对于冉有看问题的方法，也分别给予了指正。

从孔子的评价来看，他似乎对曾皙和公西华的表述比较满意，而子路和冉有的表述更倾向于解决实际问题。

孔子之所以欣赏曾皙和公西华，是因为他们两人明确了目标、抓住了问题的关键。是啊！如果光是埋头做事，解决眼前的问题，大方向不明确，没有抓住问题的关键，就很难担当大任。

孔子在跟四个弟子的聊天中提到了两种人才，一种是将才，一种是帅才。相比之下，子路和冉有更像是将才，曾皙和公西华更像是帅才。针对同一个问题，将才和帅才的思考方式以及着眼点都是不同的。

你呢？是将才思维还是帅才思维？思维方式对一个人的未来有着相当大的影响。

【格言】帅才看格局和终极，将才重事务和眼前。

颜渊第十二

12·7　子贡问政。子曰："足食，足兵，民信之矣。"子贡曰："必不得已而去，于斯三者何先？"子曰："去兵。"子贡曰："必不得已而去，于斯二者何先？"子曰："去食。自古皆有死，民无信不立。"

【释义】子贡聪明，总能以很特别的方式向老师提问题。一开始他问怎样治理国家，孔子做了回答，可精彩的还在后面。孔子说："治理国家，就要保障粮食充足、军备充足，老百姓才信任统治者。"子贡却别出心裁地问："如果不得不去掉一项，那么在这三项中先去掉哪一项呢？"孔子答："去掉军备。"子贡继续追问："如果不得不再去掉一项，那么这两项中去掉哪一项呢？"孔子不厌其烦地回答："去掉粮食。自古以来人总是要死的，如果老百姓对统治者不信任，那么国家就不复存在了。"

【要点】(1) 足食、足兵，民信。(2) 去兵、去食，民信。

【语境与心迹】在这里，孔子回答了子贡连续提出的三个问题。很有意思的是，子贡很会提问题，连着向老师请教，先让老师在三个选项里选择，然后从不重要的开始做减法。孔子认为：治理一个国家，应当具备三个起码的条件：一是食，二是兵，三是信。在这三者当中做减法，孔子最后留下了"信"，这是孔子认为最重要的治国条件。假如只有兵和食，百姓对统治者却不信任，这样的国家很难长久存在。

【接圣入心】

孔子是个修行者，也是个哲学家，逻辑推理能力强。孔子的逻辑能力，来自他对事物本质联系的认识。

当子贡问孔子如何治理国家时，孔子从三个方面回答：一是粮食，二是军备，三是信任。

子贡进行了一串很有趣的连续发问，很显然，聪明的子贡想知道，在治理国家时，哪一个条件是最为关键和重要的。实际上，他是想从老师这里问清这几个关键问题之间的逻辑关系。

孔子根据子贡的发问，将粮食、军备和信任这三个方面依照重要程度进行排序，先去掉军备，再去掉粮食，最后留下了信任。在孔子看来，百姓与统治者之间的信任才是国之根本，统治者若是失去了百姓的信任，国家就会陷入危险之中。

在孔子看来，统治者在治理国家时，如何获取百姓的信任，才是根本。百姓信任统治者，国家就会富强，国家治理就容易成功。统治者要明白，自己的一切言行都要对得起百姓的信任。失信于民，近于失国。

信任，是国君治国的根本，也是我们每一个人为人处世的根本。缺乏诚信，失信于人，就等同于断绝了彼此的关系，因为在彼此缺乏信任的情况下，一段关系是无法维持的。

轻诺寡信，说的是一个人轻易向别人许诺，却又常常不兑现、不落实，最终别人就不再信他所说的话了。动辄反悔，出尔反尔，朝令夕改，这样的人，他们的话就不会再有人相信，再说什么也都没有效力。口是心非，言行不一，就是在展示自己的虚伪，就会遭到人们的鄙视。

正因为信任如此重要，所以人要言出必行，有承诺，必兑现。“曾子杀彘”（音 zhì，猪）是则家喻户晓的故事，通俗而深刻地阐明了父母一旦对子女有所承诺，就一定要守信兑现的道理。曾子用自己的行动教育孩子，要言而有信，诚实待人。

【格言】民信，则有国；民无信，则失国。

12·9　哀公问于有若[①]曰：“年饥，用不足，如之何？”有若对曰：“盍彻乎[②]？”曰：“二[③]，吾犹不足，如之何其彻也？”对曰：“百姓足，君孰与不足？百姓不足，君孰与足？”

【注释】①有若：字子有，孔子的弟子，后被尊称为有子。　②盍彻乎：

盍，何不；彻，抽取十分之一的税。 ③二：抽取十分之二的税。

【释义】鲁哀公问孔子的弟子有若一个很具体的问题："遭了饥荒，国家用度困难，怎么办？"有若回答说："为什么不实行彻法，只抽十分之一的田税呢？"哀公刁难有若："现在抽十分之二的税还不够，怎么能实行十分之一的彻法呢？"有若接着说："如果百姓的用度够，您怎么会不够呢？如果百姓的用度不够，您又怎么会够呢？"

【要点】（1）国遇饥年。（2）税行彻法。（3）百姓足则国家足。

【语境与心迹】这里是鲁哀公问政于有若，有若提出实行彻法，也就是减税为十分之一。这一主张反映了儒家经济思想的核心，"富民为本，民富国强"。鲁国所征的田税是十分之二，即使如此，国家的财政仍然十分紧张。有若告诉鲁哀公，国家财政拮据源于根基不富，民富才能国富，富民是富国之本。明白了这个道理，就要削减田税的税，改行"彻税"即什一税，减轻百姓的经济负担。百姓富足了，国家就不可能贫穷。反之，如果对百姓征税过甚，这种短视的行为必将导致民不聊生，国家经济也会随之衰退。

【接圣入心】

在治国思想方面，儒家学派强调的是"君俭而富民"，简称"富民"。

这一思想的重要价值，主要体现在两个方面：一是"君俭"，这是统治者赢得民众信任的一个重要的条件；二是"富民"，即富国，民富则国富，民为国之本。

纵观历史，那些亡国之君，往往就错在生活上骄奢淫逸，对外穷兵黩武，对内设置各种苛捐杂税，搞得民不聊生，民怨沸腾，国力衰弱，国本动摇。

治理企业也是如此，有些老板过分重视经济方面的把控，却忽视了人心，往往导致企业无法持续健康发展。而那些重视人心与信仰，重视契约精神和制度建设，弘扬正气，提倡正义的企业，老板往往持股很少，企业变成了大家的企业，奋斗变成了大家的奋斗，责任变成了众人的责任，这样的企业才能持续健康地发展。

上级对下级的管理也是如此，上级不谋私利，不搞特权，关心部下的疾苦。这样的领导带出来的团队，才是最具凝聚力和战斗力的团队。

【格言】民富国强，国强民富。

12·11　齐景公①问政于孔子。孔子对曰："君君，臣臣，父父，子子。"公曰："善哉！信如君不君，臣不臣，父不父，子不子，虽有粟，吾得而食诸？"

【注释】①齐景公：名杵臼（音 chǔ jiù），齐国国君，公元前 547 年至公元前 490 年在位，既勤于治国又贪图享乐。作为君主，他不愿放弃其中任何一边，相应的，他身边就有两批不同的大臣，一批是治国之臣，一批是乐身之臣。齐景公在位 58 年，国家相对稳定。他去世后，诸子展开了激烈的王位之争。

【释义】齐景公问孔子如何治理国家。孔子说："做君主的要有君主的样子，做臣子的要有臣子的样子，做父亲的要有父亲的样子，做儿子的要有儿子的样子。"齐景公击掌赞叹道："讲得好呀！如果君不像君，臣不像臣，父不像父，子不像子，即使有粮食，我还能吃得上吗？"

【要点】（1）为政之道。（2）君君，臣臣，父父，子子。

【语境与心迹】春秋时期，当时的社会处在变动之中，社会秩序遭到严重破坏，弑君父之事屡有发生。孔子认为，国家动乱的主要原因就是人间的秩序被破坏了，所以他告诉齐景公，"君君，臣臣，父父，子子"，每个人各安其位，各尽其责，国家就可以治理好。从景公的感慨可以看出，他认同社会秩序对于国家治理的重要性。但是，后世却有很多人不明白，还借此批判孔子是封建卫道士。批评者怎么就不问问自己：在自己家里，你若是儿子却不尽儿子的本分，老爹同意吗？如果你也有孩子，你不好好做爹，却要求孩子孝顺，这有可能吗？在单位，你做领导不以身作则，却一味地要求部下好好工作，这能服人吗？如果作为部下，自己的工作都没干好，却总是归罪于组织和领导，领导能买账吗？孔子的思想，既可以被封

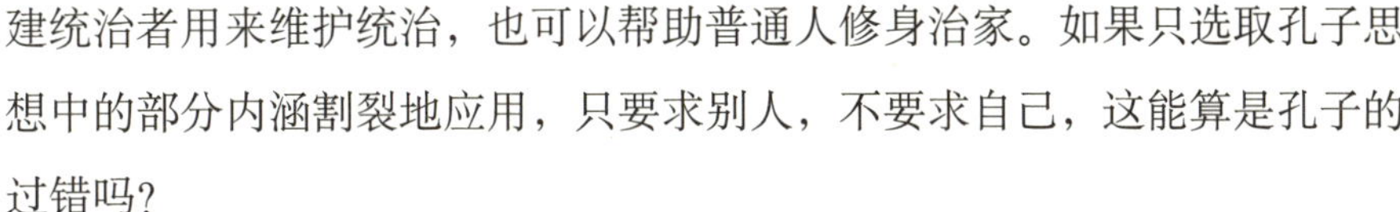

建统治者用来维护统治，也可以帮助普通人修身治家。如果只选取孔子思想中的部分内涵割裂地应用，只要求别人，不要求自己，这能算是孔子的过错吗？

【接圣入心】

历史上每一个朝代的大多数当政者，主观上都想把国家治理好，只是每个人的治理能力和自控能力不同，最终影响了朝代的兴衰。

《论语》中记载了多个当政者向孔子问政的故事，也就是向孔子请教关于治国的学问。孔子对于不同的当政者，在不同的时间点所给予的回答都是不一样的，都是有针对性的解答。

在此处，孔子针对齐景公的发问做出了这样的回答：“君君，臣臣，父父，子子。”这个回答很经典，在后世传播很广泛。

孔子的这个观点也被后世很多人批评，他们认为孔子是在维护封建等级制度。圣人已去，对于后人的批评，已经无法进行自辩和说明。但孔子的这个观点，真像后人所批判的那样吗？

从人心常理角度分析，孔子对齐景公所说的这句话，有这样几层含义：

- 首先，“君君”排在第一位，是在暗示齐景公，作为君主，自己先要有个君主的样子，否则就会上行下效，出问题就怪不得别人了。
- 其次，君主除了管好自己，还有一份责任，就是让国家各个阶层的人都做好自己的本职工作。
- 第三，若是每个人都没有做好自己该做的事，这个国家必然陷入贫穷或者混乱。这样的道理已被历史反复验证，也同样适用于当下。反过来说，难道“君不君，臣不臣，父不父，子不子”才是正确的吗？

我们虽然生在盛世，但很多社会问题，都可以归结为人们在“务本”方面出了问题：领导没做好领导，部下没做好部下；男人没做好男人，女人没做好女人；父母没做好父母，孩子没做好孩子。

◎ 社会是个人的集合，从理论上来说，每个人都做好了自己，社会也就好了；每个人都没有做好自己，社会也就乱了。一部分人做好自己，另一部分人没有做好自己，社会就不和谐了。

◎ 简单粗暴地批评孔子，并不能给我们带来多少收益。相反，应当让心静下来，仔细体会圣人的用意。

【格言】各安其位，各尽其责。

12·17　季康子问政于孔子。孔子对曰："政者，正也。子帅以正，孰敢不正？"

【释义】主政的季康子问孔子如何治理国家，孔子根据季康子的情况，给出了有针对性的回答："政就是正的意思。您本人带头走正路，那么还有谁敢不走正道呢？"

【要点】（1）政者，正也。（2）上正则民正。

【语境与心迹】我们很多人都熟悉"政治"一词，很多人对政治也表现得很不屑，一些为政者把政治偏解成"治"而丢掉了"政"。孔子对"政"的解法，实在是高明。想想看，搞政治也是做人啊，生活或者做生意也离不开做人啊！既然做人是核心，那做人要走什么道呢？当然要走正道。一个"正"字，道尽了孔子思想的精髓。季康子问政，孔子指点他反省自己，为官者若是对自己要求不严格，就失去了治理国家和取信于民的资格。有官职的人若是能够先正己，那么手下的官员和平民百姓就会归于正道。人人都应牢记：正人必先正己。

【接圣入心】

◎ 尽管孔子并不欣赏季康子把持朝政的做法，但季康子来问政时，孔子还是耐心地给予其指导和解答。

◎ 孔子回答问题，绝不就事论事，而是就人论事，道理直指对方内心！

◎ "政者，正也"，可谓中国政治最古老也最经典的名言。何谓"正"？

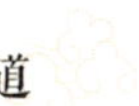

• “正”，当政者首先要正己，要走正道，把心放正，不为自己谋私利。

• “正”，要求当政者摆正自己的位置，上辅佐君王，下服务百姓。

• 孔子的这个观点，对于季康子很有针对性，因为季氏一方面把持着朝政，另一方面又为自己敛财。

• 很显然，孔子是站在国家和百姓的角度来阐释为政之道的。后人以此批评孔子维护封建统治，似乎有失公允。

【格言】政者，正也，正己方能正人。

12 · 18　季康子患盗，问于孔子。孔子对曰：“苟子之不欲，虽赏之不窃。”

【释义】季康子问了很具体的问题，他担忧盗窃案过多，于是问孔子该怎么办。孔子回答说：“假如你自己不贪图财利，即使奖励偷盗，也没有人会那么干。”

【要点】(1) 上不欲。(2) 下不窃。

【语境与心迹】季康子身居要位，但思想上并没有做好足够的准备，有这样那样的困惑，好在他还能够去向孔子请教，有机会纠正自己的错误认识。想想跟他差不多的官员，不去请教，或者无处请教，就按照个人理解去做事，会做成什么样子啊！孔子通过为季康子分析盗窃问题的根本成因，进一步强调了为政者的责任，建议季康子将解决问题的视角从外部转移到自身。孔子希望当政者能够明白，一旦看到民众的问题，就要反观自身，下级的问题，能折射出上级的问题。明白了这个道理，就找到了问题的源头，也就找到了解决问题的钥匙：要以自己的德行感召百姓，百姓的道德水平反映了当政者的道德水平。孔子这种强调统治者做好道德示范的观点，贯穿于其治国和修身思想的始终。对于那些一味使用严刑峻法去制裁的做法，是一次纠偏。从长远和根本上来讲，只有统治者率先垂范，用自己良好的品德去教化百姓，才能从根本上解决犯罪问题。

【接圣入心】

季康子的问题，很显然是撞到了枪口上，有点不打自招。

中国人有句古话：只许州官放火，不许百姓点灯。季康子把持朝政，大肆敛财，已经属于大盗、国贼，此时却担忧百姓盗窃，似乎有些不知廉耻。

既然季康子问到盗窃的事，孔子也毫不犹豫，直言不讳地指出了季康子的问题。

孔子身为一介文人，却敢于对权势熏天的重臣如此直截了当地说话，足见孔子一身正气。敢于这样做的文人，历史上也不多见。

孔子批评季康子的同时，也指出了社会中一种常见的现象，上行下效。孔子还指明了治理国家的根本性原则，即德治。

即使是在强调法治的现代社会，德治也是整个社会健康有序运转的基础。法治与德治，如同一阴一阳，两者相结合才是治国之道。

在现代企业中，领导者的作风直接影响企业的方向。若是领导者贪图私利，他的部下必然会效仿。如果领导者不改变自己的作为，只是用管理制度约束部下，很难达到最佳效果。

学校里老师对学生，家庭中父母对孩子，也是同样的道理。只是学生没有足够的能力和勇气去向老师言明，而孩子也不大可能直接质问家长，因此老师和家长往往很少自我反省，其中一些人会以一种“永远正确”的姿态出现在学生和孩子面前，这是要特别警惕的。

【格言】上贪下盗，上行下效。

12·19　季康子问政于孔子曰：“如杀无道①，以就有道②，何如？”孔子对曰：“子为政，焉用杀？子欲善而民善矣。君子之德风，小人之德草，草上之风③，必偃④。”

【注释】①无道：指无道的人。　②有道：指有道的人。　③草上之风：指风加之于草。　④偃：倒。

【释义】季康子又问孔子如何处理政事："如果杀掉无道的人来成全有道的人，怎么样？"孔子说，"你处理政事，哪里用得着杀戮的手段呢？只要你行善，老百姓也会跟着行善。在位者的品德好比风，其下之人的品德好比草，风吹向草，草就必定跟着倒。"

【要点】(1) 上善而民善。(2) 君子之德风，小人之德草。

【语境与心迹】季康子对于治国的基本问题，看似有一些理解，实际上没有找到关键。孔子反对统治者动辄杀人，主张德政。孔子认为，在上位的人只要善理政事，百姓就不会犯上作乱。这里讲的是仁德的统治者的所作所为。而那些暴虐的统治者滥行无道，必然会引起百姓的反抗。当然，孔子的思想并非只强调德治，而是告诫统治者，要优先进行长期的道德教化，对于那些明显扰乱社会稳定的行为，也要动用刑罚，"以德化之，以刑辅之"。

【接圣入心】

看来，季康子很想把国家治理得井然有序，只是他自己毛病很多，解决问题的思路也有诸多偏颇。

孔子反对季康子的做法，哪怕是用杀无道来成全有道，孔子也不赞同。但是，后人一直用孔子两次杀人的事实来批评孔子。也许，所处位置不同，观点就不同；年龄不同，人生经历不同，对同一个问题的看法，也会有所不同吧！

当然，跟孔子有关的两次杀人事件，都涉及国体君礼，并非个人恩怨，而且也是依律法而行的。用今天的标准来评价历史，也许会有偏颇，历史只能用历史的标准来评说。

从孔子与季康子的对话可以看出，孔子所强调的是执政者自己的作为，核心依然是德治，并用"君子之德风"与"小人之德草"这样形象的比喻说明了这一问题。

【格言】君子小人，生命延续；德风刮到，生命长青。

子路第十三

13·1　子路问政。子曰："先之劳之①。"请益②。曰："无倦③。"

【注释】①先之劳之：先，引导，先导，即教化；之，指老百姓。自己先带头，使老百姓勤劳。　②益：请求多讲一些。　③无倦：不厌倦，不松懈。

【释义】子路询问如何处理政事，问得很具体。孔子给他解释说："自己先带头，使老百姓勤劳。"子路请求多讲一点。孔子接着说："不要懈怠。"

【要点】(1) 为政之道。(2) 吃苦在前。

【语境与心迹】子路向孔子请教为政之道，孔子告诉子路，首先你要给老百姓做个榜样，以身先之，努力工作，成为他们效法的对象；其次，你要想办法让他们也努力工作，如此上行下效，政通人和，庶几可矣。以身先之，不必多言，榜样的力量是无穷的，要想让百姓勤奋，为政者得先勤奋起来。

【接圣入心】

孔子的为政思想，始终强调执政者要率先垂范，也就是自己先做好榜样。

在孔子与子路的问答中，孔子特别强调，要坚持不懈地这样做。

很显然，孔子的观点，更多是对执政者或者君子来说的，很少有直接对着普通百姓说的，似乎孔子对普通人没有太多具体的要求。当然，他在强调君子品德的同时，也在批评小人的行径。

【格言】吃苦在前，享受在后。永远吃苦，心甘情愿。

13·2　仲弓为季氏宰①，问政。子曰："先有司②，赦小过，举贤才。"曰："焉知贤才而举之？"子曰："举尔所知。尔所不知，人其舍诸③？"

【注释】①宰：总管。　②有司：古代负责具体事务的官吏。　③诸：之乎。

【释义】弟子仲弓做了季氏的家臣，孔子不大高兴，因为季氏的为人不是孔子所认可的。尽管如此，当仲弓询问怎样处理政事时，孔子还是说出了自己的观点："先确定负责具体事务的官吏，让他们各负其责，别太挑剔他们的小过错，选拔贤才来任职。"仲弓又问："怎样知道谁是贤才而把他们选拔出来呢？"孔子继续说："选拔你所知道的贤才，至于你不知道的，别人难道还会埋没他们吗？"

【要点】(1) 仲弓问政。(2) 先有司，赦小过，举贤才。

【语境与心迹】孔子强调，领导核心的职能就是用人，若不会用人，自己事必躬亲，众人无所事事，就会处处挑剔而让众人心生怨恨，忙坏自己，耽误人才。用人也要遵循用人之道：让每个人都有明确的分工，不要过于挑剔，要激励和培养他们，同时选择德才兼备的人，分别负责指导、监督和激励的工作，这样就可以建立起正常的工作秩序，从而将工作做好。

【接圣入心】

"先有司，赦小过，举贤才"，可谓孔子为政九字箴言，很受后世推崇。

这九字箴言，用现在的话说，就是要做到责任到人，责任明确；对于过程中的小过失，不要太挑剔，也不要太计较；让专业的人做专业的事，要想把事做好，就要选拔专业的人来做。

这九字箴言，用现在的话说，就是要选拔贤能之人，用人之所长，包容不挑剔。

要选拔怎样的贤能之才？做人老实、处事公正和有工作能力的人。有公心、做人正直、有能力的领导，肯定会选拔贤能之士。与之相反，那些做人狭隘、没能力的人，通常任人唯亲，重用奸佞之徒，喜欢拉帮结伙。看一个领导重用的人，就能看出他的人品和领导力。选用什么样的人，直接影响组织的风气和方向，也将影响领导个人的命运。

选拔了人才之后，如何用呢？现实中，没有人是全才。用其所长，人人都是天才；用其所短，人人都是笨蛋。部下在工作中的表现，实际上是对领导用人能力的证明。

◎ 每个人都在成长，所以用人的同时还要育人。也就是说，领导对于部下，还要充当教练的角色。如果只看重人才的长处，却对他的短处不闻不问，最终难免短处抵消长处。只用人而不育人，最终只会害人。

◎ “赦小过”的原则，讲的是领导对部下不能太吹毛求疵，否则会影响部下的心情和彼此的关系。领导应该具有包容心，但要注意的是，“包容”不能变成“纵容”，否则，因为所谓的包容，让部下的小弱点变成大缺陷，甚至演变成致命的缺点就不好了。

◎ 要将“育人”和“赦小过”两个原则结合起来。“赦小过”，意味着从大局着眼去评价一个人。“育人”，则意味着日常工作中出现小问题，要耐心细致地与部下商量，让部下在情绪上好接受、在认识上有提高、在能力上有长进。这样的领导才是真正的好领导。

◎ 孔子在两千五百多年前提出的“领导原则”，至今仍有重要的借鉴意义：在组织中事必躬亲的领导，多半不善于合理分工，忙坏了自己，带乱了队伍；一味用人但不会选贤任能的领导，多半会经常发脾气，这不是部下无能，而是领导无能；一味挑剔部下细节、小错的领导，把下级搞得很郁闷，时间一久，众人皆没有积极性，只剩下领导有积极性，这样的领导就是失败的领导。

【**格言**】先有司，赦小过，举贤才。

13·3　子路曰：“卫君待子而为政，子将奚①先？”子曰：“必也正名②乎！”子路曰：“有是哉，子之迂③也！奚其正？”子曰：“野哉，由也！君子于其所不知，盖阙④如也。名不正则言不顺，言不顺则事不成，事不成则礼乐不兴，礼乐不兴则刑罚不中⑤，刑罚不中，则民无所措手足。故君子名之必可言也，言之必可行也。君子于其言，无所苟⑥而已矣。”

【**注释**】①奚：什么。　②正名：即正名分。　③迂：迂腐。　④阙：同“缺”，存疑的意思。　⑤中：音 zhòng，得当。　⑥苟：苟且，马马虎虎。

【释义】孔子接到了卫灵公的邀请，子路对此很纳闷，问老师孔子："卫国国君要您去治理国家，您打算先从哪些事情做起呢？"孔子说："首先必须正名分。"子路表示不解："有这样做的吗？您想得太不合时宜了。这名分要怎么正呢？"孔子听后教育子路："仲由，你真粗野啊。君子对于他所不知道的事情，总是采取存疑的态度。名分不正，说起话来就不顺当不合理，说话不顺当不合理，事情就办不成。事情办不成，礼乐也就不能兴盛。礼乐不能兴盛，刑罚执行起来就不会得当。刑罚不得当，百姓就不知道该怎么办。所以，君子一定要先有名分，必须说得明白，说出来就一定能够行得通。君子对于自己的言行从不马马虎虎。"面对乱世，孔子告诫弟子，要行事有方，不可鲁莽轻率。

【要点】(1) 为政之道。(2) 名正言顺。

【语境与心迹】这段话是子路跟孔子谈论去卫国辅政应该从何处入手的问题。基于卫国之混乱，孔子首先想到的是"名正言顺"，子路表示不解，还说老师的思考不合时宜。子路的粗浅理解当即遭到了孔子的训斥。孔子先"正名"，恰恰是考虑到卫国的实际情况，卫国的混乱缘于君臣名分之争，最重要的问题是"正名"。可见，孔子一上来就抓住了问题的要害，这种能力是子路难以企及的。"正名"是孔子礼制思想的重要组成部分，具体内容就是"君君、臣臣、父父、子子"。只有名正，才能有正常的秩序；只有名正，才可以做到言顺，接下来的事情就迎刃而解了。

【接圣入心】

- 名不正则言不顺，这句话在后世流传很广。
- 卫国国君在传位上出现问题，造成了国家混乱。
- 名不正则言不顺。当一个人的名义是否正当惹人怀疑时，他所说的话也不容易被人们相信。
- "名"的背后隐藏着一股力量，就是世人的认同。世人能够认同的名，就是实名，可以产生号召力；世人不能认同的名，就是虚名，无法凝聚人心。

◎ “师出有名”，说的是有正当理由去征伐。“名”就意味着世人的认同。

◎ “名”和“实”又是一对概念。“名副其实”是“名”与“实”的统一，“名不副实”是二者的割裂。

◎ 治国者的正当性是执政的基础。进一步延伸，我们平时做事时，也要根据具体身份来履行自己的职责，一旦不在其位而谋其政，就会被人质疑。

【格言】名正言顺，实至名归，名实相符。

13·6 子曰：“其身正，不令而行；其身不正，虽令不从。”

【释义】很显然，孔子的这段话应该是接着回答子路的问题：“自身正了，即使不发布命令，老百姓也会去干；自身不正，即使发布命令，老百姓也不会服从。”

【要点】(1) 其身正，不令而行。(2) 其身不正，虽令不从。

【语境与心迹】孔子的思想始终围绕着一个核心：每个人自身！孔子此处的话，更多是说给统治者听的，提醒统治者别忘了，自己常常才是问题的根源，不要把自己的问题变成别人的问题。只有改变自己，才能影响别人。一味要求、指责别人，是无法解决问题的。孔子让我们明白了做人做事的一个原则：先做好自己的事！若是连自己的事都做不好，还去要求别人，就很难有好的结果。

【接圣入心】

◎ “一切内求，凡事内省”，是修行的核心法门。

◎ 孔子是红尘中的修行者，在他的思想中，重视“内求”是一以贯之的。

◎ “内求”的背后隐藏着我们都很熟悉的一个道理：无法改变别人时，就要改变自己。当我们改变了自己，往往也就改变了周围的世界。

◎ 孔子之所以一直教育当政者要先做好自己，是因为许多当时的统

治者，宽以律已，严以待人。从古至今，这几乎是个通病，也是个顽疾。

◎ 自卑的人，总爱通过指责别人获得一种虚幻的自我认可。这是最为典型和普遍的自我欺骗游戏，不分年龄，也不分级别。

◎ 之所以说这是一种自我欺骗游戏，是因为这种做法只能欺骗自己，无法欺骗别人，别人把这一切都看得很清楚。当然，之所以能看清楚，常常是因为他们也是这样的人。

◎ 在中国古代的帝王有“罪己”的传统，会在特定情况下向天下颁发“罪己诏”，以此表示自省或检讨自己过失。它通常在三种情况下出现：一是君臣错位，二是发生天灾，三是政权危机。

◎ 在平时的生活中，如果一个人犯了错还要狡辩，就会让人生厌；犯了错主动认错改错，就会赢得信任。

◎ 修行，就是自我修理，就是自我矫正。如此这般，才能够让我们不偏离正确的轨道。领导更应该做修行的楷模，才能带出一个好的团队。

【格言】正人先正己，有错必须改。

13·7　子曰：“鲁卫之政，兄弟也。”

【释义】孔子说起鲁国和卫国的政事，对于两国国君的器量很是不满，于是说：“鲁和卫两国的政事，就像兄弟一样。”

【要点】(1) 鲁卫之政。(2) 兄弟也。

【语境与心迹】在这里，孔子为何说起鲁国和卫国的事呢？这是有历史渊源的。鲁国是周公旦的封地，卫国是康叔的封地，周公旦和康叔是兄弟，当初两国的政治情况有些相似。康叔受封于殷商故都朝歌，建立卫国，成为卫国第一任国君。康叔赴任时，其兄周公旦作《康诰》《酒诰》《梓材》，作为治国法则，并告诫康叔，务必明德宽刑、爱护百姓，向殷商故地贤豪长者询问殷商兴亡之道。康叔统治有方，很快使卫国经济繁荣、社会稳定、百姓安居。但是，到了孔子所处的时代，情况就完全不一样了：鲁国季氏专权，搞得君不君、臣不臣；卫国则君王父子不睦，甚至互相追杀，搞得父不父、子不子。孔子视季氏、卫灵公、卫出公这些人为“斗筲之人”，就是器量狭小的人。孔子生于鲁国，待在卫国的时间又相当长，对两个国家的情况都很熟悉，看到如此混乱的局面，又回想起当初周公旦和康叔两兄弟受封鲁国和卫国的旧事，所以才发出这般感慨！孔子也许是想说，鲁国和卫国，当初就像兄弟一样，可你再看看现在，搞成什么样子了！《论语义疏》中说：“当周公初时，则二国风化政亦俱能治化如兄弟。至周末，二国风化俱恶，亦如兄弟，故卫瓘曰：‘言治乱略同也。’”

【接圣入心】

一个王朝由兴到衰，到底是什么原因造成的？相较于周公旦、康叔，孔子时代的两国君王怎么就变成了现在这个样子？

古代开国之君打天下，没有非凡的智慧与德性不能成。而家族世袭坐天下的，很多皇帝并不具备君王的素质。所以，衰败是必然的。

远古时期的禅让制，后来被世袭制取代了。可以说，这是一种倒退。

在人类社会的发展历程中，社会制度的一大进步就是改变了世袭制的一统天下，选贤任能。

今天的一些家族企业也有类似的问题，因为家族资本起决定作用，在这样的企业里，现代企业制度往往难以完全落实。接班人往往缺乏创业者的素质与经验、品德与能力，无法承担重任。因此，家族企业要想健康发展，接班人就要有特殊的培养选拔机制。同时，要从资本的泥潭中走出来，选贤任能，用现代制度来保障企业的健康发展。

【格言】兴亡在人，人在制度。

13·8 子谓卫公子荆[1]：“善居室[2]。始有，曰：‘苟[3]合[4]矣。’少有，曰：‘苟完矣。’富有，曰：‘苟美矣。’”

【注释】①卫公子荆：卫国大夫，字南楚，卫献公之子。鲁哀公时，鲁国也有个公子荆，所以，卫国这个公子荆在《论语》中只能叫卫公子荆了。 ②善居室：善于管理经济、居家过日子。 ③苟：差不多。 ④合：足够。

【释义】孔子谈到卫国的公子荆时，就像是在介绍一个典型案例，以此告诉学生们处理政事的一些技巧："公子荆善于管理经济、居家理财。刚开始积累财富时，他说：'差不多也就够了。'稍微增加一点财富时，他说：'差不多就算完备了。'财富更多一点时，他说：'差不多算是完美了。'"

【要点】(1) 善政之道。(2) 知足而足。

【语境与心迹】此处孔子赞美了公子荆的财富观。当时卫国有很多贤能之士，公子荆也是其中之一。作为君子，在思想境界上当然与小人不同，心怀天下的人，怎么会一心只想着为自己积累财富呢？一心只想为自己积累财富的人，又怎么可能把国家治理好呢？

【接圣入心】

- 本段阐述了孔子眼中君子的美德：重德而轻财。
- 一个人看重什么、追求什么，决定了他人生的方向。
- 现实中有很多本来很好的人，因为选错了方向，最后走向歧途。
- 孔子认为君子应该具有什么样的财富观念呢？

• 君子重德胜于重财，重德是重内在修为，重财是重外在获取。

• 君子爱财，取之有道，君子与财无仇，但不符合正道的财是绝对不能取的。

- 有些人求财无度，生活奢侈，失去生命的重心和灵魂的方向。把持住德性，合于道的财则取，不合于道的财不要，才有可能德财双收，不迷失。

【格言】德为财魂，无德财鬼。

13 · 9　子适卫，冉有仆[①]。子曰："庶矣哉！"冉有曰："既庶[②]矣，又何加焉？"曰："富之。"曰："既富矣，又何加焉？"曰："教之。"

【注释】①仆：驾车。　②庶：这里指人口众多。

【释义】一次，孔子与弟子们到卫国去，冉有为他驾车。孔子感慨道："这里人口真多呀！”冉有借机询问：“人口已经够多了，接下来要做什么呢？”孔子说：“使他们富起来。”冉有又问：“富了以后还要做些什么？”孔子说：“对他们进行教化。”

【要点】(1) 养民之道。(2) 富之，教之。

【语境与心迹】在这里，孔子提出“富民”和“教民”的主张，而且是“先富后教”，这是治国安邦的智慧啊！若是不能让百姓富裕起来，人口多了就容易激化矛盾，社会就会陷入混乱。若是让老百姓富裕了，却没有对其进行有效的教化，富裕起来的人就可能为非作歹，与那些相对不富裕的人发生冲突。即使是到了现代，为富不仁的人还是不少。很显然，社会需要提供让人们物质富裕的宽松条件，同时也要让人们提高精神境界、丰富精神内涵、提升个人教养。若是以为富裕了就能解决所有问题，那是要犯历史性错误的。教化百姓，始终是任何时代、任何政府无法推卸的责任，也是社会稳定和长期持续健康发展的重要保障。以此延伸，就可以理清社会发展的阶段性任务：先是使物质富裕，然后是提升精神境界和丰富精神内涵，再次是形成精神与物质两个驱动力，最后是促进社会公平，消除社会贫困，向着社会大同的方向前进。

【接圣入心】

在古代，一个国家人口多，通常代表治国有成效，人民安居乐业。否则，如果社会不安定或者战乱频仍，人口就会减少。

冉有问老师：人口多了，治国者还需要做些什么呢？

孔子给出了非常明确的回答：“先富后教。”

毫无疑问，让民众摆脱贫穷是当政者的首要任务，这涉及民众的生存问题。一旦民众长期处于贫穷的状态，就容易生乱。

但是，这里有一个很重要的问题：是先富后教，还是富中寓教？

• 若是先富后教，致富的过程中，人们可能会形成错误的观念、养成错误的习惯。等富裕后再去教育，难度更大，成本也更高。

• 若是富中寓教呢？通过法制、道德和舆论，对于遵纪守法致富的给予鼓励，对于违法缺德致富的给予处罚，也许就能够保障致富的过程健康有序。否则，一旦唯利是图的行为泛滥，一些人越发有恃无恐，社会发展就容易失控。

富民是国策，“富”如果只停留在经济层面，缺乏精神层面的提升，可能就是畸形的。出现了问题再去纠偏，就要付出更高的代价。孔子说：“不教而杀谓之虐。”

富中寓教，这既是当政者治国的原则，也是每个人在个人发展中必须坚持的方向。富而不教，就会形成扭曲的价值观，损害自己和社会。富与教同步发展，才是个人与社会真正的福祉。

【格言】教中寓富，富中寓教，教也是富，富也是教。

13·10 子曰：“苟①有用我者，期月②而已可也，三年有成。”

【注释】①苟：如果。 ②期月：期音 jī，一整年。

【释义】孔子对于治理国家很有信心，这来自他个人的学习积淀，对仁德的坚守，以及对礼制教化等方面的深入思考：“如果有人让我来治理国家，一年便可以搞出个样子，三年就一定会有成效。”试想，如果不是圣人来治国，国家会是什么样子？难怪古希腊哲学家柏拉图强调要让哲学家治理国家！

【要点】（1）孔子治道。（2）治卫，三年有成。

【语境与心迹】孔子对于治国很有信心，不仅有信心，他也确实能够做到。他不仅仅是思想家，还是实践的高手；不只是教育家，也是一位杰出的政治家，治国之能臣。据史书记载，孔子在外交方面也颇有谋略，齐鲁夹谷之会时，他被任为国相。孔子预先安排，调度有序，在盟誓时表现得大义凛然，有理、有利、有节，挫败了齐景公及其宠臣黎弥劫持鲁定公借以要挟鲁国的阴谋，会后，齐景公在相国晏婴的建议下，为表悔过诚意，将原先强占鲁国的欢、郓、龟阴三地归还鲁国。孔子后任鲁国大司寇，为鲁定公治国讲学，立纲陈纪，教以礼仪，培养国人的廉耻观，人们都欣然接受。仅用了三个月，鲁国就风气大变，生意人都不虚抬物价；路不拾遗，夜不闭户；常需物资也不匮乏，各地客商宾至如归。由此可见，孔子乃治国之才。

【接圣入心】

孔子不仅是伟大的思想家和教育家，同时也是杰出的政治家，治国的能臣。

孔子的思想，不是象牙塔里的学问，而是紧密结合社会现实的。孔子之所以被称为圣人，也不仅仅因为他的思想主张，更重要的是，他参与了社会实践并取得了卓越成效。

孔了成为圣人，有几个重要的指标：

- 孔子具有浓烈的家国情怀，他关注的重点不是自己，而是国家与百姓。这决定了他思想的高度。
- 孔子提出的治国理政、富民教民的一系列思想，为当时和后来的社会发展提供了重要的指引。这是孔子思想的价值与贡献。
- 孔子积极参与社会实践，除了给国君出谋划策外，还亲自主持了一些活动，取得了良好的效果。这是孔子智慧的证明。
- 孔子将自己的思想通过其开创的私学体系代代传承，造福社会与百姓。这是孔子在教育方面对后世的贡献。
- 孔子还是个修行者，不仅会启发别人，自己也勤于修身，不断完善自我，保持开放，从而不断提升境界。这是一个修行者的功夫！

【格言】圣人治世，德礼并行。

13·11　子曰：“善人为邦①百年，亦可以胜②残去杀矣。诚哉③是言也！”

【注释】①为邦：治理国家。　②胜：克服。　③诚哉：确实。

【释义】孔子充满信心地预言国家治理的终极目标：“善人治理国家，经过一百年，就可以消除残暴，废除刑罚杀戮了。这话真对呀！”

【要点】(1) 善人为邦百年。(2) 胜残去杀。

【语境与心迹】孔子说，善人治国，用一百年的时间可以“胜残去杀”，达到他所向往的理想境界。善人施行德治，也会用必要的刑罚作为辅助手段，只是最终追求的目标是废除杀戮，让人们都能够成长、自觉守法。故而，德治是永恒的方向，在治理的前期，也必须有法制的保障和推动。

【接圣入心】

孔子在这里讲到治国的几个要素：一是主体，必须是善人；二是时间，一百年；三是目标，胜残去杀；四是过程，以德治为主体，以刑罚为辅助。

孔子说到善人治国，是因为他见过很多昏庸的君王，君王一旦失德，倒霉的就是百姓。在任何组织中，领导者的作用都是巨大的。上行下效，上梁不正下梁歪，领导者一旦失德，就会破坏整个组织或者社会系统的风气和秩序。

孔子说到的“百年”并非实数，况且人的寿命也难活百年，说明孔子看到治国之难，可能需要几代人才能完成胜残去杀的目标。

孔子提出治国的理想目标，就是“胜残去杀”。到了这个阶段，社会非常祥和，人民安居乐业，道德水平普遍提高，刑罚虽然有，但无处可用。

孔子的话里也暗含着深意：治国是一个漫长的过程，要想达到理想的目标，一时恐怕还无法废除刑罚，不得不用。

【格言】治国需善，治法德刑。

13 · 12 子曰：“如有王者，必世①而后仁②。”

【注释】①世：指三十年。 ②仁：指实行以“仁”为核心的治国之道。

【释义】孔子对于治理国家有自己的预期：“如果有王者兴起，也要过三十年才能实现仁政。”

【要点】(1) 王者之道。(2) 必世而后仁。

【语境与心迹】孔子曾经讲过，善人施行德治，需要一百年的时间才能达到理想境界。但若有王者治理国家，用三十年的时间就能实现仁政。为何时间有如此大的差距呢？应该是因为，善者只重德治，而王者能以德治为优先，以法治辅之，所以才能更快地实现仁政吧。

【接圣入心】

孔子讲到了能治国的两类人：一是善者，二是王者。

善者治国，实现仁政需要一百年，王者实现仁政也要三十年。

善者与王者在仁政治国方面为什么会有七十年的差别呢？孔子没有告诉我们答案。

孔子所说的善者，可能是自己的德行很好，但治国的谋略稍差。个人的德行好，可能不善于使用刑罚，不易震慑邪恶力量。王者则不同，孔子所说的真正的王者，应该是既有仁德，又有治国谋略，还善于运用杀伐手段，能够震慑邪恶力量的人。

古代圣贤的智慧主张，基本上遵循着“一阴一阳之谓道”的主线，仁德扶正，刑罚除恶。

中国有句古训：慈不带兵，善不理财，诚不经商，情不立事，这也许是基于生活经验的一种总结：

- “慈不带兵”，兵者，国之利器，是要随时为捍卫国家利益奋勇杀敌的。所以，在平时就要以超越普通人的高要求去训练士兵，如此才能让军队具有战斗力。实际上，真正能带兵的人，非不慈也。真正的慈，是让部下获得真本事，严管即是厚爱，平时多流汗，战时少流血。这才是真正的慈啊！

- “善不理财”，即使是管理一家的财产，也很容易得罪人，这是善者所难以承受的。需要注意的是，不善者也不能理财，因为他们会中饱私囊。此处所说的“善”，是指那种心太软导致不能坚持原则的行为。而真正的善，是既要坚持原则，又要把事办得让人心服口服。

- “诚不经商”，过去有句话叫“无商不奸”，似乎经商就是在算计人，你不算计别人，别人也要算计你。故而商界总说“诚信为本”，也是在提出正面号召或者提醒自己。当然，悟得了商道的人，就不会靠算计人来发展了。相反，还会处处给他人让利，为别人解难。注意，此处的“诚”也许指的是迂腐或者愚蠢，但“诚”本该是一种高级的智慧。

•“情不立事”，说的是多情者难成大事，很容易为情所困，从而失去了谋划大事的能力。当然，能成大事者并非无情之人。相反，伟人英雄多爱恨分明，爱天下苍生，恨一切邪恶。能成大事者，肯定是超越了个人私情的，个人的爱恨不会影响他们承担对万众的责任，私仇也不会影响他们的判断和行动！

【格言】王者治世，德法并用。

13·13　子曰：“苟正其身矣，于从政乎何有？不能正其身，如正人何？”

【释义】孔子说：“如果端正了自身，管理政事还有什么困难呢？如果不能端正自身，又怎能使别人端正呢？”

【要点】(1) 苟正其身，从政何有？ (2) 不正其身，如正人何？

【语境与心迹】“正其身”，孔子多次提出类似的主张，这是孔子治世思想的核心，基于孔子对当时社会乱象的基本判断。上面先乱了，又如何治理天下之乱呢？孔子给当政者开出的药方就是“正己”。俗话说“正人先正己”，这是孔子在治国理政中一贯强调的思想。

【接圣入心】

◎ 当政者或者治国者必须明白：其身正，不令则行；其身不正，虽令不从。

◎ 许多做领导的总是在指责部下，实际上，部下的行为就是领导自身行为的一个缩影。

◎ 修行者，总能从周围人身上看到自己，从而借他人反省自己，发现自己的问题并改正。

◎ 那些总在指责别人的领导呢？自己不完美，可又没下功夫去提升自己。于是，自己的问题就会演化成部下的问题。

◎ 圣贤们强调，“正人必先正己”，就是明白了这一规律。

◎ 领导在指责部下时，能发现自身的问题吗？家长在指责孩子时，能从孩子的身上看到自己的影子吗？

【格言】正人正己，借人观己。

13·14　冉子退朝。子曰：“何晏也？”对曰：“有政。”子曰：“其事也？如有政，虽不吾以，吾其与闻之。”

【释义】冉有退朝回来，孔子问：“为什么回来得这么晚？”冉有回答：“有政事要办。”孔子进一步问：“只是一般的事务吧？如果有政事，虽然国君已经不用我了，我也会知道的。”

【要点】（1）冉有忙碌。（2）孔子疑其政。

【语境与心迹】孔子师徒的这段对话很有意思，但很多人看了之后很是不解：冉有回来晚了，说是有政事，孔子指出，只是一般事务。孔子说若是有政事，他一定会知道。这就有意思了，孔子是半仙吗？能掐会算？

冉有此时是季氏宰。先秦时代王或诸侯等贵族的副官，在内管家称宰，在外理事称相。孔子曾在外流亡十四年，晚年能够回到鲁国，有冉有的功劳。孔子归隐鲁国，亦多受这位弟子的照顾。但冉有为季氏宰期间，帮助季氏进行田赋改革，聚敛财富，也受到了孔子的严厉批评。

【接圣入心】

◎ 孔子这段话，很显然带着一种情绪。

◎ 孔子有情绪，是因为不满冉有作为季氏宰帮助季氏敛财。

◎ 故而孔子对于冉有的所谓政事似乎有些不屑，或者孔子根本没有将季氏家里的事当作政事来看。

◎ 就好比一个贪玩的孩子回家晚了，父母多半会说：“肯定没干什么正事。”

◎ 这段话里，除了对冉有的暗讽之外，孔子还表达了这样一个意思：

真正的政事，我是肯定会知道的。因为孔子的心里想的都是政事，有从政的经历，也有君王向他问政。这样，我们就不难理解孔子在这段话里为何“能掐会算”了。

【格言】知正方正，不知正而以邪为正，即是迷惑。

13·15 定公问：“一言而可以兴邦，有诸？”孔子对曰：“言不可以若是其几也。人之言曰：‘为君难，为臣不易。’如知为君之难也，不几乎一言而兴邦乎？”曰：“一言而丧邦，有诸？”孔子对曰：“言不可以若是其几也。人之言曰：‘予无乐乎为君，唯其言而莫予违也。’如其善而莫之违也，不亦善乎？如不善而莫之违也，不几乎一言而丧邦乎？”

【释义】鲁定公提出了自己的一个疑惑：“一句话就可以使国家兴盛，有这样的话吗？”孔子答道：“不可能有这样的话，但有类似的话。有人说：‘做国君难，做臣子不易。’如果知道了做国君的难处，这不就近于一句话而使国家兴盛吗？”鲁定公又问：“一句话可以亡国，有这样的话吗？”孔子回答说：“不可能有这样的话，但有类似的话。有人说过：‘我做国君并没有什么可高兴的，我高兴的是我所说的话没有人敢违抗。’如果说得对而没有人违抗，不也很好吗？如果说得不对而没有人违抗，那不就近于一句话亡国吗？”

【要点】(1) 知道做君难，近乎一言兴邦。(2) 君不善却无人敢违，近乎一言丧邦。

【语境与心迹】“一言而兴邦”“一言而丧邦”，什么人有如此大的能量？当然只有国君！就鲁定公的提问，孔子劝告说：国君应当自己好好修行，心正身正，然后行仁政、礼治，不能因为自己的话无人敢违抗而感到高兴。作为在上位者，一个念头、一句话不当，就有可能导致亡国的结局。

【接圣入心】

一句话可以定国家兴衰，似乎有点绝对了，但也要看是什么话、谁说的话。

孔子既是思想家，也是哲学家，自然明白这样的话在逻辑方面有什么问题，为此，他借与鲁定公的对话重新解读。

作为普通人，一句话可以兴国或者亡国吗？当然不能。君主的一句话可以兴国或者亡国吗？要看是什么样的话。

解决逻辑问题之后，话题最终聚焦在统治者的状态上：统治者如果正确而没人违抗，也许是好事；但统治者不可能总是正确的，如果统治者说错了也没人敢违抗，就可能一言不慎而导致亡国。

通过这段对话，孔子告诉鲁定公，一个统治者沉湎于“别人不敢违抗自己命令”的喜悦中，是极其危险的。因为，统治者不可能永远是对的，如果说错了也没人敢纠正，就危险了。

用现在的话来说，可能是这样两层意思：

- 作为一个领导，如果说话没人听，就无法发挥作用。
- 作为一个领导，如果说什么别人都听，没人反对或者提出不同意见，既可能在正确的事上发挥高效率，也可能在错误的事上造成严重后果。

孔子的话告诉我们，领导人不能指望别人绝对服从，当别人能够帮助自己完善决策时，才应该感到喜悦。这才是正常的政治生态。

人们有一种比较普遍的倾向：别人听自己的话，就高兴；别人不听自己的话，就生气，却忘了说这些话的最终目的是什么。统治者的最大利益诉求是国泰民安，如此这般，自己的地位才会稳固。如果最终诉求变成了个人的开心愉悦，恐怕就要自毁前程。

本来，一些下级为了自身的生存和利益，有讨好上级的趋向。如果上级看不透这一点，反而喜欢别人的顺从讨好，容易被下级利用，甚至与自己最大的利益诉求背道而驰。

历史上有很多聪明的君主，专门保护那些敢于直言进谏的官员。先秦时期，谏官制度开始萌芽。谏官指规谏君过之臣、劝谏天子过失之官。《孔子家语》中就有“夫人君而无谏臣则失正”的名论。

统治者很难保持永远正确。如果错误得不到及时纠正，就会祸害民众和国家。谏官制度是针对人的普遍弱点进行矫正的。

【格言】忘记理想和目的，一言可以亡邦。要保持理性，谏官制度是保障。

13 · 16 叶公问政。子曰：“近者悦，远者来。”

【释义】叶公来问孔子怎样管理政事。孔子的回答简洁明了：“使近处的人高兴，使远处的人来归附。”

【要点】（1）善政之象。（2）近者悦，远者来。

【语境与心迹】叶公问政，孔子以理想的最终效果作答。也就是说，治国成功，自然就有吸引力，八方归顺。人们都希望安居乐业，所以一个国家治理好了，就会有很多人来定居。管理政事，目标就是让国民安居乐业，吸引外人前来，这样国家就会越来越繁荣。就是在当代，我们也能看到，那些动乱地区的民众在四处迁移，往哪里迁呢？自然是往安全的国家迁！治理国家的目标就是社会安定、和谐发展。

【接圣入心】

人与动物都有趋利避害的本能。远古时期的迁徙，都是向着有利于生存的地方移动的。

一个国家治理好了，本地人快乐幸福，四面八方的人也会来到这里生活。

如果一个国家战乱频仍，人们就会逃离。如果一个国家安泰祥和，欣欣向荣，人们就会向往，尤其是一些有抱负的人就会来投奔。

国家如此，一个组织也是如此。评价一个组织的好坏，看看人才是否愿意加入，组织中的人是否幸福就可以了。

很多人都熟悉马太效应，这是一种强者愈强、弱者愈弱的现象。强者凝聚人心，进而聚合资源；弱者无法凝聚人心，也无法聚合资源。因此，强者愈强，弱者愈弱。

对于国家、组织和个人来说，世上只有一个问题：你自己是什么人，你就会吸引什么人；你吸引什么人，就会有什么样的命运。

【格言】强者愈强，弱者愈弱，核心是人们的诉求。

13·17　子夏为莒父①宰，问政。子曰："无欲速，无见小利。欲速则不达，见小利则大事不成。"

【注释】①莒父：莒，音 jǔ。鲁国的一个城邑，在今山东莒县境内。

【释义】子夏要去做莒父的长官了，于是向孔子请教怎样管理政事。孔子给出了一个原则："不要求快，不要贪求小利。求快反而达不到目的，贪求小利就做不成大事。"

【要点】(1）子夏问政。(2）莫求快，莫贪小利。(3）欲速则不达，见小利则大事不成。

【语境与心迹】"欲速则不达"，这句话很多人都知道，是子夏向孔子请教政事时，孔子叮嘱子夏的话。一般来说，新官上任三把火，快一点出政绩，这是新官比较普遍的心态。但是，事物都有其自身的发展规律，人若是按照自己的主观意志，急躁冒进，反而可能把事情办坏。正是因为很多人常犯这种错误，孔子才对子夏进行了这番教导。"欲速则不达"蕴含辩证法思想，表明对立的事物可以互相转化。孔子劝告子夏，从政时不要急功近利，否则就无法达到目的。同时还要注意，不要贪求小利，也不要只顾眼前，否则就做不成大事。儿行千里母担忧，弟子出任官员，老师也是同样的心情。

【接圣入心】

"欲速则不达"是很多人都知道的一个道理。但有趣的是，很多人在做事时，又总是希望快点，再快点。

"欲速则不达"，"贪小则失大"，是这段话中孔子的两个核心观点。孔子为什么强调这两个观点呢？

• "欲速则不达"，一是凡事都有自身的规律，违背了事物自身的规律，人为求快，就如同拔苗助长，适得其反。二是人们总想在最短的时间内自我成长、发财致富、岗位升迁等，有这样的主观愿望，往往会把事情办坏，所以孔子才专门提醒。

• “贪小则失大”，许多人既想追求大的，也不想放弃小的；既追求眼前的，也梦想着未来的。“吃着碗里的，看着锅里的，想着袋子里的”，说的就是贪欲。贪欲之所以会将人引入歧途，就是因为贪心的人短视又狭隘，心力也会被占用；又因为小利众多，争抢的人挤成一团，容易产生恩怨。当人陷入“贪小”的泥潭时，就会忘记或者无法顾及长远的利益。

当然，“欲速则不达”和“贪小则失大”这两个观点也不能绝对化：

• “欲速则不达”，但也不是说什么事都越慢越好。这是一句纠偏的话，是针对人们更容易犯的错误“欲速”而言的。那到底是快好还是慢好？不要全凭主观，而要就事论事，符合事物发展规律的速度就是合适的。

• 说到“贪小则失大”，有人会问，“贪大”就好吗？如果是对个人利益而言，只要是贪，大小都是错，小贪小错，大贪大错。如果就做事来说，既要有远大的理想，又要注意脚踏实地，不要贪快。

孔子的很多话是针对特定的问题说的，如果不能复归当时的语境，只是将孔子的话当成格言和教条，就可能产生误解，错失孔子的真意。

【格言】欲速则不达，贪小则失大。

13 · 29　子曰：“善人教民七年，亦可以即戎矣。”

13 · 30　子曰：“以不教民战，是谓弃之。”

【释义】这两句意思相连，故一并解释。孔子在说训练百姓与打仗的问题：“善人用七年的时间训练百姓，也就可以叫他们去当兵打仗了。”“让未经军事训练的老百姓作战，就叫抛弃他们，让他们送死。”

【要点】（1）教民七年，可以为武。（2）不教而战，是谓弃之。

【语境与心迹】孔子这两句话都讲了训练百姓作战的问题，从中可以看出，孔子并不反对军事准备，最起码要保家卫国，所以有备无患。孔子主张对百姓进行军事训练，否则遇到战争仓促上阵，恐怕就只能送死，这就等于抛弃了他们。

【接圣入心】

孔子是帝王师，除了给帝王讲治国理想与方略之外，还必须面对现实，做好应对最坏局面的准备。军事训练也是加强国力的一个必不可少的工作。

孔子对内强调仁治和德治，但也不否定刑罚的必要性。孔子倡导和平，但也绝不会罔顾现实，他倡导在思想上和军事上都做好准备。

孔子所推崇的君子是“文质彬彬”的，也就是“文”与“质”两个不同方面的属性要兼具。做人如此，治国理政也是如此。

《易经》说，“一阴一阳之谓道”，看来这是老祖宗们思考问题的基本哲学范式。

每个人的成长和自我完善也是如此：文武兼备，德才兼备，说的都是两个不同方面的组合。

万事万物分阴阳，生活之中处处有辩证法，我们每个人做事也要考虑正反两个不同的方面。

【格言】万物负阴而抱阳，冲气以为和。

宪问第十四

14·5　南宫适问于孔子曰：“羿[1]善射，奡荡[2]舟[3]，俱不得其死然。禹稷[4]躬稼而有天下。”夫子不答。南宫适出，子曰：“君子哉若人！尚德哉若人！”

【注释】①羿：音 yì，传说中夏代有穷国的国君，善于射箭，曾夺太康的王位，后被其臣寒浞所杀。　②奡：音 ào，传说中寒浞的儿子，后来为少康所杀。　③荡舟：用手推船。传说中奡力气大，善于水战。　④禹稷：禹，夏朝的开国之君，善于治水，注重发展农业；稷，传说是周朝的祖先，又为谷神，教民种植庄稼。

【释义】南宫适心中有疑惑，就来问孔子："羿善于射箭，奡善于水战，最后都不得好死。禹和稷亲自种植庄稼，却得到了天下。"孔子没有回答，因为他知道南宫适心中已有答案。南宫适出去后，孔子对别人说："这个人真是个君子呀！这个人真崇尚道德。"

【要点】（1）孔子赞南宫适。（2）重农贬战。

【语境与心迹】一般认为，孔子是道德至上主义者，鄙视武力和权术，崇尚朴素和道德。实际上，孔子强调"德为主，才为辅"，任何才艺都不能失去德的统辖。南宫适认为禹、稷以德而有天下，羿、奡以力而不得其终，这也是针对羿、奡重视武力而轻视仁德的具体情况而言的。后来，儒家的这一思想进一步发展成"恃德者昌，恃力者亡"，要求统治者以德治天下，而不要以武力统天下。实际上，全面反映孔子思想的应该是：恃德者昌，恃力者亡；只恃德者难昌，只恃力者必亡；以德率力者，方可纵横天下。

【接圣入心】

- 这一段对话中，孔子表达了对南宫适的赞许。

- 孔子为何赞许南宫适呢？是因为南宫适发现了两个历史规律：一是禹和稷都亲自种庄稼，带了好头，让百姓将注意力专注在生产上，这样就会有好的收成，百姓就会过上富足的日子。这就是君王的大德啊！二是羿和奡重视武力而轻视仁德，力量失去了德的统摄，就会泛滥，就会给自己和他人带来灾祸。

- 这里昭示了一个真理：那些为民众谋福利的人，才是真正的强者！而一心炫耀自己力量的人，实际上不堪一击。民富则国强，民穷则国弱。民穷又爱以武力解决问题，则会成为社会动乱之源。

- 富民强国，才能安邦定国。对于个人来说，只有仁德优先，才能造福自己和社会。

从来没有空洞的道德，也从来没有战无不胜的力量。道德要转化成利人的行动，才是德的彰显与证明；内心强大，无私助人，才是真正的强大。

【格言】行为昭示方向，方向决定命运。

14·9 或问子产。子曰："惠人也。"问子西[①]。曰："彼哉！彼哉！"问管仲。曰："人也[②]。夺伯氏[③]骈邑[④]三百，饭疏食，没齿[⑤]无怨言。"

【注释】①子西：指楚国的令尹，名申。 ②人也：即此人也。 ③伯氏：齐国的大夫。 ④骈邑：音 pián yì，地名，伯氏的采邑。 ⑤没齿：直到死。

【释义】人们对孔子看人的能力很是佩服，于是就有人来问孔子："子产是个怎样的人？"孔子说："是个能让别人受惠的人。"来人又问子西。孔子说："他呀！他呀！"很显然，孔子欲言又止，来人也就知道了答案。来人又问管仲。孔子说："他是个有才干的人，他把伯氏的三百家骈邑夺走，使伯氏终生吃粗茶淡饭，伯氏却直到死也没有怨言。"

【要点】(1) 有人问子产、子西、管仲。(2) 子产惠民。(3) 子西难评。(4) 管仲大仁。

【语境与心迹】有人问子产、子西和管仲，孔子评价了这三个人。很明显，孔子对子产和管仲赞誉有加，对子西却有些一言难尽。子产能施恩惠，管仲善于治国，正直而有智慧，即使他剥夺了齐国大夫伯氏的三百家骈邑，也能让人家没有怨言，真是高明啊！至于孔子为何对子西没有明确评价，也许是子西的情况比较复杂。据《韩非子·说林下》，孔子认为子西"直于行者曲于欲"。

【接圣入心】

历史是面镜子，伟大的先人为我们树立了榜样。以什么样的人为榜样，也许就会成为什么样的人。历史上这些被孔子赞誉的人，难道还不能成为我们的榜样吗？

子产是春秋时期郑国的政治家和思想家，在郑国为相数十年，他仁厚慈爱、轻财重德、爱民重民，执政期间颇有建树。孔子对子产赞赏有加，后世称之为“春秋第一人”。

管仲注重经济，反对空谈，主张改革以富国强兵，他说：“国多财则远者来，地辟举则民留处，仓廪实而知礼节，衣食足而知荣辱。”齐桓公尊管仲为“仲父”，授权他主持一系列政治和经济改革：在全国划分政区，组织军事编制，设官吏管理；建立选拔人才制度，士经三审选，可为“上卿之赞”；按土地分等征税，禁止贵族掠夺私产；发展盐铁业，铸造货币，调剂物价。管仲改革成效显著，齐国由此国力大增。对外，管仲提出“尊王攘夷”，联合北方邻国，抵抗山戎族南侵。孔子感叹说：“微管仲，吾其披发左衽矣。”意思是如果没有管仲，我们都要遵从披头散发、衣襟左开的习俗了。

看看这些伟大的人，他们做事，想的是国家和百姓，公道之心可昭日月，丰功伟绩彪炳千秋。与他们相比，现实中那些一心为自己谋利的人，太渺小了。

人活一世，当以圣人伟人为师！

【格言】学习当学圣贤，做人当为千秋。

14 · 11　子曰：“孟公绰[①]为赵魏老[②]则优[③]，不可以为滕薛[④]大夫。”

【注释】①孟公绰：鲁国大夫，属于孟孙氏家族。　②老：这里指古代大夫的家臣。　③优：有余。　④滕薛：滕，诸侯国家，在今山东滕州；薛，诸侯国，在今山东滕州东南一带。

【释义】孔子对人的评价可谓具体而微：“孟公绰做晋国赵氏、魏氏的家臣，是才力有余的，但不能做滕、薛这样小国的大夫。”孔子的话仅就当时情况而言，后来的一些事也证明，孟公绰胸有韬略，而且善于审时度势。

【要点】(1) 孟公绰。(2) 可为家臣，不可为大夫。

【语境与心迹】春秋时期，世人无不追名逐利、见利忘义，孟公绰洁身自好、独守清廉，这种品质是极为可贵的。但孟公绰所表现出来的清心寡欲，喜欢过简单闲适的生活，实则是身份与环境所迫。赵氏、魏氏是晋国正卿，他们位高权重，但为人强势，贪欲太重，重大的事情是绝不愿放手的，因此家臣反倒无责无权、清闲无忧，比较适合孟公绰这样清心寡欲之人。滕、薛就不同了，这样的小国要在大国的夹缝中求生存，国家事务繁杂琐碎，大夫责任重大，整日辛苦劳累，实在不适合孟公绰的散漫秉性。当然，孔子下此断语，只是就孟公绰的性情而言的。后来的事实证明，孟公绰既胸有韬略，也懂得审时度势。鲁襄公二十五年（公元前 548 年），齐国崔杼率军伐鲁，入侵鲁国北鄙，鲁襄公慌了手脚，打算派人向晋国求援。孟公绰则胸有成竹地说："君主不必惊恐。从种种迹象来分析，齐军此次并没有主动寻求与鲁军作战，而且齐军军容不整，士兵懈怠，异于寻常，这说明崔杼此举的目的不在鲁国。据我判断，崔杼在国内将有大动作。"后来的事态发展果然印证了孟公绰的判断，齐国军队很快就撤出了鲁国。不久，崔杼在国内发动政变，弑齐庄公。通过这件事可以看出，孟公绰具有敏锐的观察分析能力和精准的大局把握能力，能够对形势发展做出准确的预判。历史上许多人才华出众，最终却没有成名，有时势的原因，也有性情的原因，比如孟公绰。

【接圣入心】

孔子是圣人，让孔子这样的圣人敬佩的人又是什么人呢？是哪些人的思想言行影响了孔子？孔子和他们有共鸣还是分歧？思想的进步来自思想的碰撞！

"孔子之所严事：于周则老子；于卫，蘧伯玉；于齐，晏平仲；于楚，老莱子；于郑，子产；于鲁，孟公绰。"看看让孔子赞叹的这些人，看看这些历史上的伟人，也许就可以理解孔子伟大的原因了——与伟大之人为伍！

• 周——老子，姓李名耳，字伯阳，谥曰聃。孔子和老子分别是中国儒道两大文化体系的创始人和代表人物，每一个中国人都同时受到这两家学说的影响。一般认为，中国文化是儒道互补的文化，实际上也就是孔子和老子学说思想互补的文化，如果说孔子的学说为阳，那么，老子的学说即为阴。阴阳相济，不可分离，二者不同，又不能脱离对方，互为对比、陪衬，互为补充、支撑，唯其如此，中国文化才完整、动人、充实、神秘。

• 卫——蘧伯玉，蘧瑗（qú yuàn），字伯玉，谥成子。春秋时期卫国大夫。封“先贤”，奉祀于孔庙东庑第一位。他自幼聪明过人，饱读经书，能言善辩，外宽内直，生性忠恕，虔诚坦荡。卫国几经战乱、内讧，只能在几个大国的夹缝中生存，但由于蘧伯玉等几个大臣的努力，卫国仍能稳立中原，民众安居乐业。孔子周游列国进入卫国时，竟然发出“庶已乎”的惊叹。蘧伯玉与孔子一生为挚友，二人分别仕于鲁和卫时就曾互相派使者致问候。在孔子周游列国的14年中，有10年在卫国，其中两次住在蘧伯玉家，前后达9年。孔子曾在此处设帐授徒，二人更是无事不谈，充分交流思想。蘧伯玉的政治主张、言行、情操对儒家学说的形成产生了重大影响，他的言行合乎儒家学说的基本观点，为儒家学派的最终确立奠定了坚实基础。

• 齐——晏平仲，晏子字仲，谥平，原名晏婴。春秋时齐国夷维（山东高密）人，齐国大夫。他是一位重要的政治家、思想家、外交家。以有政治远见和外交才能、作风朴素闻名诸侯。他爱国忧民，敢于直谏，在诸侯和百姓中享有极高的声誉。公元前556年，其父晏弱死后，继任齐卿，历任灵公、庄公、景公三世，是名副其实的三朝元老。传说晏子五短身材，“长不满六尺”，貌不出众，但足智多谋，刚正不阿，为齐国昌盛立下了汗马功劳。孔子三十五六岁的时候到齐国访问，和齐景公谈得很投机，谈到关于治国之道，孔子给了八个字“君君，臣臣，父父，子子”，齐景公大喜，觉得很有道理。后来随着多次的交谈，两人关系越来越好，齐景公想给孔子封地加爵，但受到晏婴的劝阻。

• 楚——老莱子，春秋晚期思想家，道家人物。鲁哀公六年（公元前489年），孔子受困于陈、蔡，楚昭王迎孔子来楚国。孔子外出，遇其弟子，其弟子返家，告诉老莱子：“有人于彼，修上而趋下，示偻而后耳，视若营四海，不知谁氏之子。”老莱子说：“是丘也，召而来。”孔子见面，向老莱子请教怎样辅助国君，老莱子向孔子讲述了戒除骄矜、淡泊名利、忘却好恶、顺乎自然的思想主张。老莱子不愿受人官禄，为人所制，于是隐居山林。

• 郑——子产，名侨，字子产，又字子美，是郑穆公的孙子。春秋时期郑国的政治家和思想家，在郑国为相数十年，他仁厚慈爱、轻财重德、爱民重民，执政二十三年，在政治上颇多建树。子产在郑国进行了内政改革，整理田制，整顿贵族田地和农户编制，承认土地私有，按田亩征税，等等。他用200多斤铁铸造了一只鼎，把新制定的刑法铸在鼎上，放置于王宫门口，让百姓都知道新刑法，这就是历史上有名的“刑鼎”。子产推行法治，宽猛相济，安抚百姓，抑制强宗，保持国内政局长期稳定。不毁乡校，以听取国人意见。对外进行了一系列外交活动，维护了郑国的利益，使郑国免遭兵革之祸。子产“知人善用，择其能者而使之”，为政数十年，政绩显赫。郑定公八年（公元前522年），子产卒。《贯氏说林》载：子产死，家无余财，子不能葬，国人哀亡。丈夫舍玦佩，妇人舍珠玉以赙之，金银珍宝不可胜计。其子不受，自负土葬于邢山。子产被清朝的王源推为“春秋第一人”。

• 鲁——孟公绰，姬姓，孟孙氏，名绰或公绰，春秋时期鲁国的大夫，大约生活在鲁襄公时期。他为人静心寡欲，清正廉洁，性情“不欲”，喜欢过简单闲适的生活，遇到大事时沉着冷静，对形势分析透彻，是个能够审时度势的人。孔子在教育弟子的时候常引用孟公绰的事例，他是孔子非常敬重的人之一。

孔子在鲁国很敬重孟公绰，对他的品德满怀敬意。孔子认为他“为赵魏老则优，不可以为滕薛大夫”，只是对孟公绰当时状态的一种判断。

实际上，像孟公绰这样的人物，处处能够安闲处之，得进则进，需退则退。有这般修为的人，如同空气一般，进退显隐，出入自由，达到了超然的境界。

【格言】圣人犹龙，静若死，动如风。

14·15 子曰："晋文公[①]谲[②]而不正，齐桓公[③]正而不谲。"

【注释】①晋文公：姓姬名重耳，春秋时期有作为的政治家，著名的霸主之一，公元前 636 年至公元前 628 年在位。 ②谲：音 jué，欺诈，玩弄手段。 ③齐桓公：春秋时期有作为的政治家，著名的霸主之一，公元前 685 年至公元前 643 年在位。

【释义】孔子对晋国与齐国的两个君主做了简洁明了的评价："晋文公诡诈而不正派，齐桓公正派而不诡诈。"

【要点】(1) 晋齐二国君。(2) 晋文公谲而不正。(3) 齐桓公正而不谲。

【语境与心迹】孔子为何要这样评价晋文公和齐桓公呢？那就要了解一下这二位的一些信息：

晋文公，姬姓，名重耳，是春秋时期晋国的第二十二任君主。晋文公文治武功卓著，是春秋五霸中第二位霸主，与齐桓公并称"齐桓晋文"。晋文公初为公子，谦虚而好学，善于结交有才能的人。骊姬之乱时被迫流亡在外十九年，忍辱负重，公元前 636 年春，在秦穆公的支持下回晋，推翻晋怀公而立。晋文公在位期间任用狐偃、先轸、赵衰、贾佗、魏犨等人，通商宽农、明贤良、赏功劳，使晋国国力大增。对外联合秦国和齐国伐曹攻卫、救宋服郑，平定周室子带之乱，受到周天子赏赐。公元前 632 年于城濮大败楚军，并召集齐、宋等国于践土会盟，成为春秋五霸中第二位霸主，开创了晋国长达百年的霸业。

孔子认为晋文公诡诈而不正派，多半与晋文公心怀复国大志、忍辱负重、心有韬略等事有关吧。

齐桓公，春秋时代齐国第十五位国君，姜姓，名小白，春秋五霸之首。齐国第十四个国君是齐襄公，即小白的哥哥。襄公当政时，荒淫无道，政治腐败，耗费大量民脂民膏兴修宫殿，供其享受。襄公整天狩猎游玩，不理国政，人民生活困苦。他又赏罚不明，随意诛杀臣下，搞得人人自危。齐襄公和齐君无知相继死于内乱后，小白与公子纠争位成功，即国君位，就是后来的齐桓公。齐桓公做了国君后，记恨一箭之仇，想杀死管仲。鲍叔牙对桓公说；“您要想管理好齐国，有高傒和我就够了。您如想称霸，则非有管仲不可！”桓公胸怀大度，尽弃前嫌，当即接受了鲍叔牙的意见，并派他亲自前往迎接管仲，厚礼相待，委以重任。由于桓公求贤若渴，在他周围聚集了许多像管仲、鲍叔牙、高傒、隰朋这样杰出的人物。特别是得到管仲之后，桓公如鱼得水，如虎添翼。管仲在桓公的大力支持下，大刀阔斧地进行了改革。改革很快使齐国国富兵强，实力雄厚，在诸侯林立的政治舞台上成为主要角色。桓公于公元前 681 年在甄（今山东鄄城）召集宋、陈等四国诸侯会盟。当时中原诸侯苦于戎狄等部落的攻击，于是齐桓公打出“尊王攘夷”的旗号，北击山戎，南伐楚国，这就是历史上有名的典故“九合诸侯，一匡天下”。桓公成为春秋时期的第一个霸主，受到了周天子的赏赐。

孔子对齐桓公的赞赏，也许就是因为齐桓公以国家天下为己任，善用人才，重用仇人管仲等一系列不凡的举措吧。

【接圣入心】

公子重耳在齐国受到齐桓公厚待，几乎丧志，整日沉溺于声色犬马之中，幸得狐偃、赵衰等人多次提醒。劝说无效，众人便设计将重耳灌醉，拖上马车，快马出城，就这样，重耳离开临淄，踏上复国之路。

重耳还是懂礼制的，只是在寄人篱下时不得不做一些妥协，结果做了违背礼制的事情，这是他遭到孔子诟病的原因之一。

齐桓公做了国君后，听从鲍叔牙的劝说，重用了管仲。将一己之仇放下，以天下为重，这等胸怀是一般人所难以拥有的，真乃国君风范。加上“九合诸侯，一匡天下”的丰功伟绩，得到了孔子的赞誉。

男儿当立大志，不可沉迷于声色犬马，更不可做出违背礼制的事情。好男儿当超越个人恩怨，以天下为己任。这是孔子评价晋文公和齐桓公二位霸主的精要所在，值得后人深思。

【格言】莫忘使命，重用英才！

14·19　子言卫灵公之无道也，康子曰："夫如是，奚而不丧？"孔子曰："仲叔圉[1]治宾客，祝鮀治宗庙，王孙贾治军旅，夫如是，奚其丧？"

【注释】①仲叔圉：圉，音 yǔ，即孔文子。他与后面提到的祝鮀、王孙贾都是卫国的大夫。

【释义】孔子对卫灵公可谓知之甚深，讲到卫灵公的无道时，季康子疑惑地问："既然如此，为什么他没有败亡呢？"孔子解释说："因为他有仲叔圉接待宾客，祝鮀管理宗庙祭祀，王孙贾统率军队，像这样，怎么会败亡呢？"实在是有趣，虽然孔子对卫灵公评价不高，但卫灵公却幸运地拥有多个干将，于是保住了卫国。

【要点】(1) 卫灵公无道。(2) 仲叔圉、祝鮀、王孙贾辅政。

【语境与心迹】孔子认为卫灵公无道，季康子表示不解。从季康子与孔子的这段对话中，我们可以看到治国中的一个特殊现象：卫灵公无道，却没有败亡。季康子向孔子请教这是何道理。孔子的回答是：卫灵公重用了几位关键的人物掌控国家局面。君主难得完美，但必须善于用人。孔子说卫灵公无道，因为交往中一系列的事情让他有些气恼，但他给卫灵公的评价也是相当高的。

【接圣入心】

人们都知道孔子说卫灵公无道。据《孔子家语》载，在鲁哀公问"当今之君，孰为最贤"时，孔子答曰："丘未之见也，抑有卫灵公乎？"这个评价到底是褒奖还是贬斥呢？哀公说："我听说灵公闺门之内无别（应指南子参政），你怎么说他是贤君呢？"孔子答道："我说的是他在朝廷上的行事，不是指他在家里的事。"你看，孔子将公与私分得多么清楚啊！相比之下，孔子的一些弟子因为看不惯卫灵公宠爱南子而对卫灵公很是不屑，可见与老师的境界差距不小。

哀公又问："他在朝廷中行事如何？"孔子答道："灵公弟子渠牟，其智足治千乘，其信足以守之，灵公爱而任之；又有士林国者，见贤必进之，而退与分其禄，是以灵公无游放之士，灵公贤而尊之；又有士庆足者，卫国有大事则必起而治之，无事则退而容贤，灵公悦而敬之；又有大夫史，以道去卫，而灵公郊舍三日，琴瑟不御，必待史之入，而后敢入。臣以此取之，虽次之贤，不亦可乎？”孔子在这里讲了四个人的事，一是渠牟，即弥牟，字子瑕，乃卫国的将军，智信兼备，所以灵公“爱而任之”。还有林国和庆足（二者皆是士人，但无职务），一个“见贤必进”，一个“有大事则起而治之，无事则退而容贤”，故灵公“贤而尊之”“悦而敬之”。再就是大夫史苟，可能与孔圉政见不合而“去卫”，灵公就到郊外住了三天，禁绝声色，一定要等史苟回来才回宫。

卫国有位贤人蘧伯玉，为人正直且德才兼备，但卫灵公却不肯重用他；另一位叫弥子瑕的，作风不正派，卫灵公反而委以重任。史鱼是卫国一位大臣，看到这种情况，内心很是忧虑，屡次进谏，卫灵公始终不采纳。后来，史鱼得了重病，奄奄一息，去世前将儿子唤了过来，嘱咐他说：“我在卫国做官，却不能进荐贤德的蘧伯玉，劝退不正派的弥子瑕，这是我身为臣子却不能匡正君王的过失啊！生前无法匡正国君，死了也无以成礼。我死后，你将我的尸体放在窗下，这样就算完成丧礼了。”史鱼的儿子听了，不敢不从父命，于是在史鱼去世后，便将尸体移放在窗下。卫灵公前来吊丧时，见到大臣史鱼的尸体竟然被放置在窗下，如此轻慢不敬，为此责问史鱼的儿子。史鱼的儿子于是将父亲的遗命告诉了卫灵公。卫灵公听后很惊愕，脸色都变了，说：“这是我的过失啊！”于是马上让史鱼的儿子将史鱼的尸体按礼仪安葬，回去后便重用了蘧伯玉，接着又辞退了弥子瑕并疏远他。当孔夫子听到此事后，赞叹地说道：“古来有许多敢于直言相谏的人，到死，劝谏便结束了，从未有像史鱼这样的，死了还用自己的尸体来劝谏君王，以自己一片至诚的忠心感化君王，难道不是秉直的人吗？”这就是有名的“尸谏”典故。《论语》有言：“君使臣以礼，臣事君以忠。”身为臣子，为国为民，尽忠职守，劝谏君王，这是本分。

孔子开始周游列国时，第一站到卫国，待了五年。孔子在当时名气很大，卫灵公为博取爱贤之名，比照孔子在鲁国的待遇，给孔子俸粟六万。公叔戌认得孔子，怕孔子站在国君一边，阻碍他和太子蒯聩行事，打算把孔子灭于城下或驱逐出境。于是孔子离开蒲乡向陈国进发，行了半天路程，蘧伯玉所派之人追上孔子，说宫廷风波已经平息，佞臣弥子瑕已被革职，卫灵公十分后悔听信了弥子瑕的谗言，没有重用孔子，请他重回卫国，共谋大业。

君王很容易被近臣所迷惑，卫灵公也遇到过这样的问题。但从知错能改这一点来看，卫灵公还是当得起孔子给他的赞誉的。知错能改，善莫大焉。

孔子与卫灵公的交往和恩怨，告诉了我们几个重要的道理：

- 君王很容易被近臣所迷惑与左右，因为亲近，所以会有较大影响；因为信任，所以更容易被控制。
- 孔子将国事家事分开来理性看待，值得动不动就情绪化的我们反思和借鉴。
- 人都会犯错，一旦知错，能否坦诚地认错和改错，标志着心灵力量强大与否，往往也是未来成败的重要分水岭。
- 孔子对卫灵公，当批评则批评，当称赞则称赞，始终保持难得的理智客观。

【格言】君王位虽高，近臣更厉害。

14 · 37　子曰："贤者辟①世，其次辟地，其次辟色，其次辟言。"子曰："作者七人②矣。"

【注释】①辟：同"避"，逃避。　②七人：即伯夷、叔齐、虞仲、夷逸、朱张、柳下惠、少连。

【释义】孔子将乱世中的贤能之士的作为进行了一番梳理："贤人逃避动荡的社会而隐居，次一等的逃到另外一个地方去，再次一等的逃避别人难看的脸色，再次一等的回避别人难听的话。”孔子又说：“这样做的人已经有七个了。”

【要点】（1）贤者之道。（2）贤次三道。（3）已有七人。

【语境与心迹】毫无疑问，孔子身处乱世，而乱世的特点就是君王大权旁落，诸侯割据称霸，大夫专权，家臣弄权，战乱频仍，生灵涂炭。正因为如此，贤者救世无门，只能逃避。孔子的话，描述了乱世中贤者无所适从的情况，描绘了贤者的无奈，而非倡导避世。孔子的这段话，在历史上一直被视为消极、保守和遁世的代表，许多人认为这与孔子的“知其不可为而为之”的入世气概完全背离。若是真正回到孔子这段话的语境中，就不会如此妄言了。今天的人们倒是应该深思：孔了描述贤者无奈的境况，究竟是在表达什么呢？人们在借一段话批评孔子的时候，是否充分了解孔子这段话的语境呢？至于孔子本人，到底是积极作为还是消极避世，看看老夫子一生的奔波，难道还不明白吗？

【接圣入心】

孔子在这里所说的贤者，他们在乱世能洁身自好，不与世俗的邪恶之人同流合污，心中是非分明。但是，他们都不是圣人。因此，这些作为并不是孔子所推崇的。

孔子所处的时代，遵守道义并保全自我，本来就是非常困难的事，因为那是“天地闭，贤人隐”的时代。张岱《四书遇》中说：“时至春秋，有圣人之力量，方可用世。若只是贤者，只合避世。”由此可见，孔子是站在时代的角度表达自己的忧虑，表明对时代的痛心：贤者无用。

纵观历史，人一般可以分成“三流”：

- 一是“清流”，他们洁身自好，不同流合污，尽职尽责，不能发挥作用时也不会混世。
- 二是“浊流”，他们与清流正好相反，通常贪得无厌，没有原则，唯利是图，狼狈为奸，弄权害人，骄奢淫逸。
- 三是“中流”，是一个时代的中流砥柱，是一个时代的脊梁，是治理乱世的能臣，是大智大勇的人间英雄。

看看你所在的组织吧，是否在重演历史上的这种景象：

• 那些“清流”也就是贤良之人，得到重用了吗？如果流失的是贤良之人，你的组织就出了问题。

• 那些“浊流”有市场吗？他们会不会兴风作浪？他们有没有受到重用？如果有，你的组织的风气已经败坏了。

• 你的组织中有“中流之士”吗？如果只是管理者一个人忙上忙下，那说明他用人的能力不足。当然，一个组织如果能得到诸多“中流之士”的鼎力相助，那就一定能成就大业！

【**格言**】贤者辟世，映照乱世。

卫灵公第十五

15·1　卫灵公问陈①于孔子。孔子对曰：“俎豆②之事，则尝闻之矣；军旅之事，未之学也。”明日遂行。

【**注释**】①陈：同“阵”，军队作战时布列的阵势。　②俎豆：古代盛食物的器皿，祭祀时的礼器。

【**释义**】孔子不是很欣赏卫灵公，在卫灵公向孔子请教军队列阵之法时，孔子的回答就很有趣了：“礼仪祭祀方面的事情，我还听说过；用兵打仗的事，我从来没有学过。”第二天，孔子便离开了卫国。很显然，孔子感觉卫灵公不靠谱，对他询问的事也不屑于回答，于是离开了。

【**要点**】(1) 卫灵公问陈。(2) 孔子感到无趣。(3) 第二天离开。

【**语境与心迹**】卫灵公向孔子询问军事方面的事情，孔子对此不感兴趣。也许，孔子希望他问一些治国安民或者教化方面的事情，但卫灵公却问了军事方面的事情。孔子主张以礼治国，礼让为国，所以他以上面这段话回答了卫灵公，并于次日离开了卫国。《论语》中关于孔子与卫灵公直接交谈的记载不多，也许是两人缘分不够，孔子的思想没有很好地被卫灵公所了解，加上卫灵公身边人的干扰，使得孔子对卫灵公的感觉很复杂。

【接圣入心】

也许，卫灵公要向孔子请教的事情很多，不仅仅是军事方面；也许，卫灵公对孔子也很敬重。但这两位很了不起的人，交往得似乎并不顺畅。

说起两个人的交往，人们总会提到缘分。这缘分，实际上就是两个人、两个生命的对接方式、对接时机和最终关系达到的程度。很显然，孔子与卫灵公二人的对接不那么顺利。

社会中的人都会受到很多因素的影响，尤其是受到身边亲近之人的影响。很显然，卫灵公受到了近臣的影响，没有充分得到孔子思想的滋养。而孔子就没有受到身边弟子的影响，甚至还见了颇受争议的卫灵公的夫人南子。

当然，孔子既赞美了卫灵公的治国智慧，也对其私人生活非常反感。这主要是指卫灵公夫人南子的事。南子与宋国公子朝私通。卫灵公不加阻止，反而纵容南子，召公子朝与其在洮地相会。对于这样的事，孔子和世人都是绝对不能接受的，真不知道卫灵公是怎么想的。这恐怕也是孔子说他无道的原因之一吧？！

【格言】话不投机半句多。

15·5　子曰："无为而治者，其舜也与？夫①何为哉？恭己正南面而已矣。"

【注释】①夫：代词，他。

【释义】孔子对于能够做到"无为而无不为"的舜帝赞叹有加："能够以无为而治理天下的人，大概只有舜吧？他做了些什么呢？只是庄严端正地坐在王位上罢了。"

【要点】（1）先王舜之道。（2）无为而治。

【语境与心迹】“无为而治”是道家所称赞的治国方略。这里，孔子也赞赏了无为而治，并以舜为例加以说明。一向主张积极进取的儒家，也十分留恋夏商周三代法度礼制严明所形成的无为而治的局面。在孔子所处的时代，礼制遭到破坏，又如何做到无为而治呢？所以先要恢复礼制，否则，无为而治只能是空谈。

【接圣入心】

爱看热闹的人向来多，对于和谐的局面，人们很欣赏，但冲突的局面，也会让不少人兴奋。

历史上的儒道之争，也是很多人津津乐道的话题。

但历史的真相也许会让很多人失望：孔子是崇尚无为而治的，从其对舜帝治国的赞美就可以看出。但是，孔子所处的时代，礼崩乐坏，难寻舜帝那样的明君，所以孔子强调要恢复礼制，实行德政，最终实现无为而治。

说到这里，很多人并不理解“无为而治”的真意，以为无所事事就是无为而治。实际上，那只是无为而治的结果与表象，而不是本质。

无为而治是最高级的治国智慧：

- 首先，统治者要有无我之心，这是大前提。如果君王独断专行、昏庸专横，就无法实现无为而治。唯有用众人之力，顺应众心之向往，缔结众人行为之契约，构建自动运行、蓄能、修复之机制，方能摆脱人为干预，形成运转良好的国家系统。
- 其次，统治者要无私。如果君王贪婪无度、骄奢淫逸，就与无为而治背道而驰。无为而治的主体，必须是奉献者，自身必须是楷模，必须能够自律与示范。
- 最后，统治者要无念。无念就是无主观之念，贴近客观规律，规律就是最大的力量，运用规律就是最大的智慧。

由此可见，礼制也好，德治也罢，必须小心领导者主观意志和个人行为对此产生的破坏，尊重规律，避免变成强制，向着无为而治的方向努力。

【格言】舜帝英明，无为而治。

15·11 颜渊问为邦。子曰："行夏之时①，乘殷之辂②，服周之冕③，乐则《韶》舞④。放⑤郑声⑥，远⑦佞人。郑声淫，佞人殆⑧。"

【注释】①夏之时：夏代的历法，便于农业生产。 ②殷之辂：辂，音lù，天子所乘的车。殷代的车是木制，比较朴实。 ③周之冕：周代的帽子。 ④《韶》舞：舜时的舞乐，孔子认为是尽善尽美的。 ⑤放：禁绝、排斥、抛弃的意思。 ⑥郑声：郑国的乐曲，孔子认为是淫声。 ⑦远：远离。 ⑧殆：危险。

【释义】颜渊向孔子请教怎样治理国家。孔子的回答可谓绝妙："用夏代的历法，乘殷代的车子，戴周代的礼帽，演奏如《韶》这样舜时的舞乐。禁绝郑国的乐曲，疏远能言善辩的佞臣。郑国的乐曲浮靡不正派，佞臣太危险。"有选择性继承，也有扬弃。

【要点】(1) 颜渊问政。(2) 行夏时，乘殷辂，服周冕，乐韶舞，放郑声，远佞人。(3) 郑声淫，佞人殆。

【语境与心迹】颜渊问老师如何治理国家，孔子重点讲的是为人处世的道理，这也是治国安邦的核心与基础。夏代的历法有利于农业生产，殷代的车子朴实适用，周代的礼帽华美，《韶》乐优美动听，这都是孔子理想的生活方式。涉及礼的问题，孔子主张"复礼"，当然不是越古越好，而是有所选择。此外，还要禁绝靡靡之音，疏远佞人。

【接圣入心】

孔子给颜回的回答，包含了两个维度和五个方面的思想。

两个维度即可为与不可为：可为，即选择什么才是正确的；不可为，即应当警惕的人和事。

五个方面即历法有利于农业，工具朴实又实用，礼饰华美又庄重，

乐曲优美动听而不奢靡乱性，用人要小心能言善辩之佞人。

选准了正确的方向去努力，要顾及不同的方面，格外小心不要用错人，不要追求奢靡而乱性。

孔子对颜渊的指导可谓提纲挈领，言简意赅，处处直指要害。

【格言】治国之要，方向纲领。

15 · 28　子曰："众恶之，必察焉；众好之，必察焉。"

【释文】孔子站在高层次俯视人间，总有与常人不同的视角，有异于常人的举动："大家都厌恶他，我必须考察一下；大家都喜欢他，我也一定要考察一下。"毫无疑问，这就是智慧啊！反对流俗，即是不俗啊！

【要点】(1) 众恶之，必察焉。(2) 众好之，必察焉。

【语境与心迹】孔子在这段话中讲了两方面的意思：一是绝不人云亦云，不随波逐流，不让众人之标准干扰自己的判断，而要经过自己的调查研究、独立思考，经过自己的理性判断得出结论。二是一个人的好与坏不是绝对的，在不同的地点和不同的人心目中往往有很大的差别。所以，孔子认为必须谨慎，实事求是地去评判一个人。

【接圣入心】

在现实生活中，很多人最容易犯的错误就是人云亦云，丧失了自主判断的能力。

在现实中，很多人厌恶的人，既有可能是道德败坏或者十恶不赦的坏人，也有可能是坚持原则、不向世俗妥协的人。因为，多数人的判断不一定是对的，多数人的评价也未必是公道的。要么站在个人的角度，要么就是道听途说，很难有全面、客观、公正的立场。

明白了这个事实，我们也就明白了孔子为什么要坚持自己的做法，这样能避免犯两类错误：一是可能误解那些坚持原则的人，并沦落成俗人的帮凶；二是可能上当受骗，重用那些奸佞之人，贻害无穷。

领导干部尤其要小心，打着尊重群众意见的旗号却不能知人善任，最终会让那些真正在做事、真正负责任的人伤心。

【格言】圣人智慧，超凡脱俗。

季氏第十六

16·1　季氏将伐颛臾①。冉有、季路见于孔子曰："季氏将有事②于颛臾。"孔子曰："求！无乃尔是过与？夫颛臾，昔者先王以为东蒙主③，且在邦域之中矣，是社稷之臣也。何以伐为？"冉有曰："夫子欲之，吾二臣者皆不欲也。"孔子曰："求！周任④有言曰：'陈力就列⑤，不能者止。'危而不持，颠而不扶，则将焉用彼相⑥矣？且尔言过矣，虎兕⑦出于柙⑧，龟玉毁于椟⑨中，是谁之过与？"冉有曰："今夫颛臾，固而近于费⑩。今不取，后世必为子孙忧。"孔子曰："求！君子疾夫舍曰欲之而必为之辞。丘也闻有国有家者，不患寡而患不均，不患贫而患不安。盖均无贫，和无寡，安无倾。夫如是，故远人不服，则修文德以来之。既来之，则安之。今由与求也，相夫子，远人不服而不能来也，邦分崩离析而不能守也，而谋动干戈于邦内。吾恐季孙之忧，不在颛臾，而在萧墙⑪之内也。"

【注释】①颛臾：音 zhuān yú，鲁国的附属国，在今山东费县西。　②有事：指有军事行动，用兵作战。　③东蒙主：东蒙，蒙山；主，主持祭祀的人。　④周任：人名，周代史官。　⑤陈力就列：按能力担任适当的职务。　⑥相：搀扶盲人的人叫相，这里是辅助的意思。　⑦兕：音 sì。古代犀牛一类的兽名。　⑧柙：音 xiá，用以关押野兽的木笼。　⑨椟：匣子。　⑩费：音 bì，季氏的采邑。　⑪萧墙：照壁屏风，指宫廷之内。

【释义】面对即将发生的战争，孔子同两个弟子谈到了人生的选择：如果能做，就好好做！如果做不到，就离开。季氏将要讨伐颛臾。冉有、子路去见孔子，通报道："季氏快要攻打颛臾了。"孔子责问说："冉有，这不

就是你的过错吗？颛臾，从前周天子让其主持东蒙的祭祀，而且就在鲁国的疆域之内，是国家的臣属啊，为什么要讨伐它呢？”冉有辩解说：“季孙大夫想去攻打，我们两个人都不愿意。”孔子继续说：“冉有，周任有句话说：‘尽自己的力量去负担你的职务，实在做不好就辞职。’有了危险不去扶助，跌倒了不去搀扶，那还用辅助的人干什么？而且你说的话错了。老虎、犀牛从笼子里跑出来，龟甲、玉器在匣子里毁坏了，这是谁的过错呢？”冉有继续为自己辩解：“现在颛臾城墙坚固，而且离费邑很近。如果不把它夺下来，将来一定会成为子孙的忧患。”暴露了他对季氏的劝说无效，实则是因为他自己并非真心，也未尽力。孔子加重了语气：“冉有，君子痛恨那种自己不肯实话实说却另找理由辩解的做法。我听说，诸侯和大夫不怕贫穷，而怕财富不均；不怕人口少，而怕不安定。财富平均了，也就没有所谓的贫穷；大家和睦了，就不会觉得人少；安定了，也就没有倾覆的危险。像这样的情况下，如果远方的人还不归服，就用仁、义、礼、乐招徕他们；如果已经来了，就让他们安心住下去。现在，子路和冉有你们两个人辅助季氏，远方的人不归服，而不能招徕他们，国内民心离散，你们不能保全，反而策划在国内使用武力。我只怕季孙的忧患不在颛臾，而是在自己的内部！”

【要点】(1)孔子与冉有和子路的对话。(2)在位力谏，不行则止。(3)不患寡而患不均，不患贫而患不安。(4)既来之，则安之。(5)祸起萧墙。

【语境与心迹】孔子不主张用军事手段解决问题，而希望采用礼、义、仁、乐的方式解决问题，这是孔子一贯的主张。时至今日，这种思想也有价值。在这段话里，孔子特别提醒弟子们，如果不安心建设自己的国家，礼待他国，却总想着征伐，这祸乱之根实际上是在自己内部，要特别小心啊！同时，孔子通过连续的追问，还探知了冉有真实的内心想法，并对冉有的辩解进行了反驳。

【接圣入心】

在这一段对话中，孔子一方面谈了治国的理念，另一方面教育弟子们如何辅佐别人。

孔子在国家治理方面有这样几个观点：

- 孔子反对用武力征服自己国家的属地。
- 孔子强调了国家财富分配均衡的重要性，重视和睦安定。
- 孔子主张对于不愿意归服的，要用仁义礼乐感召；归服了，就让他们安心。

孔子特别教育弟子们如何辅佐统治者：

- 如果无法承担自己的责任，也就是在重大问题上无法说服统治者做出明智的选择，那就辞职吧。
- 强调辅佐的意义就在于主君即将犯错时有效劝阻。
- 如果无法有效劝阻，出了问题，辅佐者是不能推卸责任的。
- 严厉批评冉有，不要为自己的真实目的做虚伪的辩护。
- 指出季氏真正的忧患在内部，治国思路错误，辅佐者不能正确地出谋划策。

孔子的治国主张非常明确，对辅佐别人的弟子们要求也很严格，尤其不能容忍的是自己的弟子做帮凶。

【格言】心贼乱首，祸起萧墙。

16·2　孔子曰：“天下有道，则礼乐征伐自天子出；天下无道，则礼乐征伐自诸侯出。自诸侯出，盖十世希不失矣；自大夫出，五世希不失矣；陪臣执国命，三世希不失矣。天下有道，则政不在大夫。天下有道，则庶人不议。”

【释义】孔子发现了朝代更替背后的规律，那就是大事到底是由哪个层次的人决定的：“天下有道的时候，制作礼乐和出兵打仗都由天子决定；天下无道的时候，制作礼乐和出兵打仗，由诸侯决定。由诸侯决定的，大概经过十代，很少有不垮台的；由大夫决定的，经过五代，很少有不垮台的。由大夫的家臣决定，恐怕三代就会衰落。天下有道，国家政权就不会落在大夫手中。天下有道，老百姓也就不会议论国政。”

【要点】（1）天下有道，天子做主。（2）天下无道，诸侯做主。（3）诸侯做主，十代必失。大夫做主，五代必失。家臣做主，三代必失。（4）有道则政不在大夫。（5）有道则民不议政。

【语境与心迹】“天下无道”指什么？孔子认为，一是周天子的大权落入诸侯手中，二是诸侯国的大权落入大夫和其家臣手中，三是百姓对政事议论纷纷。孔子对这种情况极为不满，认为这样的政权很快就会垮台。他希望“天下有道”，那样政权就会稳定，百姓也都相安无事了。

【接圣入心】

孔子在这里讲述了“天下有道”与“天下无道”两种不同状态的差别，以及所产生的后果。

“天下有道”时，国家重大事务如施行礼乐和用兵打仗，都是由天子做决定的，大权不会旁落到诸侯、大夫和其家臣手中。百姓们也能够安居乐业，不会去非议朝政。

“天下无道”时，根据情况不同，严重程度也不一样：

- 天子的权力旁落，诸侯代行天子的权力，如此，最多也就十代，国家就会垮掉。
- 再进一步，诸侯的权力落到了大夫手中，这样的情况，恐怕不出五代，国家就会垮掉。
- 最糟糕的情况就是权力落到大夫的家臣手中，到了这个地步，恐怕不出三代，国家就会垮掉。

权力错位，导致社会混乱。不同层级的人不能各安其位、各尽其责，社会就失去秩序。

孔子所强调的社会秩序，重点在于每个人尽自己的责任，不越权、不错位、不失位。

◎ 现代社会也离不开秩序，需要每个人很好地完成自己的职责，不要越权，不要不作为，不要非议自己不懂的事物。

【格言】有道时有序，无道时混乱。

16·3　孔子曰："禄之去公室五世[①]矣，政逮[②]于大夫四世[③]矣，故夫三桓[④]之子孙微矣。"

【注释】①五世：指鲁国宣公、成公、襄公、昭公、定公。　②逮：及。③四世：指季孙氏文子、武子、平子、桓子。　④三桓：鲁国孟孙、叔孙、季孙都出于鲁桓公，所以叫三桓。

【释义】孔子继续阐释他对朝代兴衰的判断，由下层的专权者做决定，肯定是要加速衰败的："鲁国失去国家政权已经有五代了，政权落在大夫之手已经四代了，所以三桓的子孙也衰微了。"

【要点】(1) 鲁国失政五代。(2) 大夫主政四代。(3) 三桓子孙衰微。

【语境与心迹】在孔子所处的时代，三桓掌握了国家政权，这是春秋末期的一种畸形的政治生态。对此，孔子表示不满。依照孔子的观点，社会政治秩序出现错位就是"天下无道"，就破坏了礼制。孔子忧国忧民，十分期望"天下有道"，造福百姓。

【接圣入心】

◎ 在孔子所处的时代，周天子已经是个虚名，甚至在一些诸侯国，国君也已经失去实权。

◎ 孔子说到鲁国，鲁国国君已经五代虚置了，大夫掌权已经四代了，掌权的三桓之子孙也已经开始衰落了。

◎ 看来，打天下的国君与坐天下的国君在很多方面都有差距，那种征伐而获得天下的君主都是很了不起的人。

◎ 一旦坐天下，人就会变得颓废，这似乎已经成了封建王朝的一个铁律。

【格言】有道众兴，无道众毁。

微子第十八

18·11 周有八士[①]：伯达、伯适、仲突、仲忽、叔夜、叔夏、季随、季騧。

【注释】①八士：此处所说八士已不可考。

【释义】这里罗列了周代的八个名士：伯达、伯适、仲突、仲忽、叔夜、叔夏、季随、季騧。

【要点】(1) 周朝兴盛。(2) 八士辅国。

【语境与心迹】周朝的八个名士，如今已找不到相关记载。但微子留下了记录：微子，名启，殷商贵族，帝乙的长子，末代君王帝辛（纣王）的庶兄，周朝初年被周成王封于商丘，建立宋国，成为宋国的始祖。

【接圣入心】

此处提到的周代八士已不可考。

倒是微子可以做一些分析：

- 微子作为纣王的庶兄，曾经向纣王屡谏，但不被采纳。
- 武王灭纣后，微子乞降。
- 后武王赐号封爵，微子也能做到勤政爱民。

微子对纣王尽了劝谏之责，离开纣王也全了自洁之义，归顺武王，最后还能勤政爱民，算是尽了个人之力。

微子的做法，在那个时代也是很智慧的。

【格言】兴盛王朝，必有贤士。

子张第十九

19·18 曾子曰："吾闻诸夫子：孟庄子[1]之孝也，其他可能也；其不改父之臣与父之政，是难能也。"

【注释】①孟庄子：鲁国大夫仲孙速。

【释义】曾子对孟庄子很是欣赏："我听老师说过，孟庄子的孝，其他人也可以做到，但他不更换父亲的旧臣及政治措施，这是别人难以做到的。"

【要点】(1) 曾子言孝。(2) 孟庄子至孝。(3) 不改父之臣，不改父之政。

【语境与心迹】"三年无改于父之道，可谓孝矣。"为什么在父亲去世后不能擅自更改父亲的旧臣和政治措施呢？为了稳定局面。旧臣熟悉政务，可以协助新主君；旧制度有其合理性，可以在一定时间内延续。如果在父亲去世后，新主君急忙更替官员和制度，容易引起不满和内乱。此外，三年无改，也是对父亲的尊重。到了后世，渐渐变成了"一朝天子一朝臣"式的更替，这是孔子所不赞同的。

【接圣入心】

孔子在此处提到了孟庄子三年无改的孝道，后人可能会觉得这也没什么了不起，为何孔子却大加赞誉呢？联系一下现实中的情况，也许能够帮助我们理解孔子的用意。

在现实中，很多人喜欢用自己人，甚至连父亲用过的人都要撤换，好像只有自己选拔的人才值得信任。

实际上，很多老臣、老员工，他们所忠诚的并不是个人，而是事业、原则、使命与真理。

若是不懂得识别这样的大忠之人，只选拔忠诚于自己的人，这样的君王或者上级本身就有问题，他看重的是对他个人的忠诚而不是对事业和原则的忠诚，这就是以小人之心、狭隘之心揣度别人。

一心为公的人就会知道，什么人是忠诚于事业的，什么人只是忠诚于个人的机会主义者。只要有公心，就一定能够赢得大忠之人的拥护。否则，即使有机会主义者的拥护，也难有长久的事业发展。

- 只此一个选择，就能反映当政者的个人立场和水准。
- 孔子为何赞美孟庄子？这番深意你是否已经领悟了呢？

【格言】孝为本，无孝纲乱。

19·19 孟氏使阳肤①为士师，问于曾子。曾子曰："上失其道，民散久矣。如得其情，则哀矜②而勿喜。"

【注释】①阳肤：曾子的学生。 ②矜：怜悯。

【释义】孟氏任命阳肤做典狱官，阳肤向曾子请教。曾子给阳肤分析："在上位的人离开了正道，百姓早就离心离德了。你如果能弄清他们犯罪的情况，就应当怜悯他们，而不要自鸣得意。"

【要点】(1) 曾子教弟子。(2) 上离道，下离心。(3) 得其情，哀矜而勿喜。

【语境与心迹】曾子应该是在劝诫阳肤，不要简单地处罚犯罪的百姓，还要思考当政者无道致使百姓流离失所、饥饿劳顿进而犯罪的情形，提醒阳肤不要把案件的判决当成成就而沾沾自喜。曾子告诉了我们两个道理：一是遇到事情要通过结果找原因，二是不要犯舍本逐末的错误。

【接圣入心】

- 曾子的这段话，强调的是当政者要有担当精神，不能简单地用刑罚去制裁犯罪的百姓，而要从中反思，是不是自己的治理有问题，因为当政者和百姓是联系在一起的。
- 曾子的观点比较典型地反映了儒家修行中"内省""内求"的法门。也是我们平时修行中的核心法门：遇到问题不要责问别人，也不要简单地指责犯错的人（如上级对部下、父母对儿女等），而要借机反省自己、提升自己。
- 同时，我们要准确理解曾子的思想：如果我们是上级或者父母，就要多检讨自己，将问题当成反观自己的镜子。当我们是下级、儿女时，就不能说自己的错都是上级的原因、父母的原因。换位思考不足，也会误了自己。

阳肤要去做典狱官，曾子的提醒可谓恰逢其时。如果以抓犯人判案的数量作为业绩指标，可能就本末倒置了。这一点，常常是一些俗人理不清的。

说到这里，想起了一个经典的故事，一个偷面包的故事：在美国经济最萧条的那段日子，一年冬天，一个穷人居住区内的法庭正在开庭审理一个案子。站在被告席上的是一个年近六旬的老太太，神情愁苦，更多的是羞愧，她因偷盗面包房里的面包，被面包房的老板告上了法庭。法官问道："被告，你确实偷了面包房的面包吗？"老太太低着头，嗫嚅着回答："是的，法官大人，我确实偷了。"法官又问："你偷面包的动机是什么？"老太太抬起头，两眼看着法官说："因为饥饿，但我更需要面包来喂养我那三个失去父母的孙子，他们已经几天没吃东西了，我不能眼睁睁看着他们饿死。"

听了老太太的话，旁听席上响起叽叽喳喳的低声议论。法官敲了一下木槌，严肃地说道："肃静。下面宣布判决。被告，我必须秉公办事，依法裁决。你有两个选择：处以 10 美元的罚金或是 10 天的拘役。"老太太一脸痛苦，面对法官说："法官大人，我犯了法，愿意接受处罚。可如果我有 10 美元，我就不会去偷面包了。如果被拘役 10 天，我那三个小孙子由谁来照顾呢？"

这时，从旁听席上站起一个四十多岁的男人，他向老太太鞠了一个躬，说："请接受 10 美元的判决。"接着，他转身面向旁听席上的其他人，掏出 10 美元，摘下帽子放进去，说："各位，我是现任纽约市市长拉瓜迪亚，现在请诸位每人交 50 美分的罚金，这是为我们的冷漠付费，以处罚我们生活在一个要老祖母去偷面包来喂养孙子的城市。"法庭上顿时一片肃静。片刻，所有的旁听者都默默起立，每个人都拿出了 50 美分，放到市长的帽子里，连法官也不例外。

这故事让人眼眶发热，心发颤。据后人考证，它也许没有真的发生过，但故事中的人性何其美好，与曾子的观点又有多么深刻的共鸣啊！

【格言】勇敢担当，慈悲为怀。

尧曰第二十

20·1 尧曰[①]："咨[②]！尔舜！天之历数在尔躬，允[③]执其中。四海困穷，天禄永终。"舜亦以命禹。曰："予小子履[④]，敢用玄牡[⑤]，敢昭告于皇皇后帝：有罪不敢赦。帝臣不蔽，简[⑥]在帝心。朕[⑦]躬有罪，无以万方；万方有罪，罪在朕躬。"周有大赉[⑧]，善人是富。"虽有周亲[⑨]，不如仁人。百姓有过，在予一人。"谨权量[⑩]，审法度[⑪]，修废官，四方之政行焉。兴灭国，继绝世，举逸民，天下之民归心焉。所重：民、食、丧、祭。宽则得众，信则民任焉。敏则有功，公则说。

【注释】①尧曰：后面引号内的话是尧在禅让时对舜说的话。 ②咨：即"啧"，感叹词，表示赞誉。 ③允：真诚，诚信。 ④履：这是商汤的名字。 ⑤玄牡：玄，黑色谓玄；牡，公牛。 ⑥简：同"阅"，这里是知道的意思。 ⑦朕：我。从秦始皇起为帝王自称。 ⑧赉：音 lài，赏赐。下面几句是说周武王。 ⑨周亲：至亲。 ⑩权量：权，秤锤，指量轻重的标准；量，斗斛，指量容积的标准。 ⑪法度：指量长度的标准。

【释义】孔子总是不失时机地赞叹中华历史上的圣王明主，尧舜汤武多次被提及。尧说："啧啧！舜啊！天命已经落在了你的身上。诚实地保持那中道吧！假如天下百姓都陷入困苦贫穷，上天赐给你的禄位也会永远地终止。"舜也这样告诫过禹。（商汤）说："我谨用黑色的公牛来祭祀，向伟大的天帝祷告：有罪的人我不敢擅自赦免，天帝的臣仆我也不敢欺瞒，都凭天帝的心来分辨。我本人若有罪，不要牵连天下万方，天下万方若有罪，都归我一个人承担。"周朝大封诸侯，使善人都富起来。（周武王）

说："我即使有至亲，也不如有仁德之人。百姓有过错，错也都在我一个人身上。"认真检查度量衡器，周密地制定法度，全国的政令就会通行。恢复被灭亡的国家，接续已经断绝的宗族，提拔被遗落的人才，天下百姓就会真心归服。我所重视的四件事是：人民、粮食、丧礼、祭祀。宽厚就能得到众人的拥护，诚信就能得到百姓的信任，勤勉就能取得成绩，公平就会使百姓高兴。

【要点】（1）五王圣明大道。（2）恪守中道，勇于罪己，接续传统。（3）四件大事：民、食、丧、祭。

【语境与心迹】这一大段文字，是孔子对几位先王圣君的美德和善政所做的概括，也是对治国安邦、平安天下思想的总结，对后代产生了很大的影响。其中最核心也是最具震撼力的，就是先王们勇于罪己的精神，这是一种伟大又无畏的精神！

【接圣入心】

尧舜禹汤武，这是孔子非常崇尚和敬仰的五位圣王。

孔子的思想和理想一直与这五位圣王有着紧密的关联，他们是如何认识和治理天下的呢？

- 尧告诫舜，舜又如此告诫禹：你承载上天赋予的使命，要真诚地保持中道啊，假如在你的治下百姓还要受苦受穷，你就会失去地位！
- 汤王说：我虔诚地祈祷，我要明辨是非，执掌公正。我若是有罪，请让我一人承担，不要祸及无辜的万民。
- 武王说：我有至亲，但治国需要贤能。百姓有过错，责任全在我身。

当政者要勤勉，认真检查度量衡器不要骗人，周密地制定法度，让人们有法可依，如此就可以在全国保证政令畅通。

尊重传统与历史，恢复被灭亡的国家，接续已经断绝的家族，提拔被遗落的人才，天下百姓就会真心归服。

当政莫忘人间"四事"：人民、粮食、丧礼、祭祀。想着人民，而不要只想敛财或者沉迷于骄奢淫逸；安排好生产，让人民过上温饱的日子；办好丧礼，让人民莫忘父母祖先恩德，别只顾自己和当下；祭祀活动也是重要的，让人民始终不忘祖先和天地神灵，免得自我膨胀、自高自大。否则，人心和欲望就会变成脱缰之马。

当政莫忘治国“四要”：只有宽厚才能得到拥护，只有诚信才能得到信任，只有勤勉才能取得成绩，只有公正才能使百姓高兴。

好一个孔子啊，在用一己之力，接续传递着人类文明。这种精神，这种对后世的恩泽，每一个后代子孙都该感激涕零。

【格言】圣王之道，恪守中道，勇于罪己。

20·2　子张问于孔子曰："何如斯可以从政矣？"子曰："尊五美，屏四恶，斯可以从政矣。"子张曰："何谓五美？"子曰："君子惠而不费，劳而不怨，欲而不贪，泰而不骄，威而不猛。"子张曰："何谓惠而不费？"子曰："因民之所利而利之，斯不亦惠而不费乎？择可劳而劳之，又谁怨？欲仁而得仁，又焉贪？君子无众寡，无大小，无敢慢，斯不亦泰而不骄乎？君子正其衣冠，尊其瞻视，俨然人望而畏之，斯不亦威而不猛乎？"子张曰："何谓四恶？"子曰："不教而杀谓之虐；不戒视成谓之暴；慢令致期谓之贼；犹之与人也，出纳之吝谓之有司。"

【释义】子张又来问孔子："怎样才可以处理政事呢？"孔子做了总结："尊重五种美德，排除四种恶政，这样就可以处理政事了。"子张继续问："五种美德是什么？"孔子解释说："君子要给百姓以恩惠，自己却无所耗费；让百姓劳作，而不使他们怨恨；追求仁德，而不贪利；庄重而不傲慢；威严而不凶猛。"子张又问："怎样才是给百姓恩惠而自己无所耗费呢？"孔子接着说："让百姓们去做对他们有利的事，这不就是对百姓有利而不掏自己的腰包嘛！让百姓选择劳作的时间，让百姓去做想做的事。又有谁会怨恨呢？自己要追求仁德便得到了仁德，还有什么可贪图的呢？君子对待别人，无论人有多少，势力大还是小，都不怠慢他们，这不就是庄重而不傲慢吗？君子衣冠整齐，目不斜视，使人见了就生出敬畏之心，这不就是威严而不凶猛吗？”子张接着问：“什么叫四种恶政呢？”孔子继续为他说明：“不经教化便加以杀戮，叫虐；不在过程中加以告诫，只知惩罚，叫暴；颁令迟缓而突然限期，叫害；同样是给人财物，却出手吝啬，叫小气。”为什么说“谓之有司”？就是因为在古代，各项事都有专人负责管理，所以叫有司。而司职的官吏为了做好自己的工作，严格按制度办事，往往会比较严格，甚至苛刻、不近人情，合法不合理。

【要点】（1）子张问政。（2）尊五美，屏四恶。（3）五美：惠而不费，劳而不怨，欲而不贪，泰而不骄，威而不猛。（4）四恶：不教而杀谓之虐，不戒视成谓之暴，慢令致期谓之贼，出纳之吝谓之有司。

【语境与心迹】子张向孔子请教为官从政的要领，孔子讲了“五美四恶”，这是孔子政治智慧的又一个典型，其中包含丰富的民本思想，比如：“因民之所利而利之”，“择可劳而劳之”，反对“不教而杀”“不戒视成”的暴虐之政。由此可以看出，孔子对德治、礼治社会有自己独到的主张，这在今天仍有重要的借鉴意义。“尊五美，屏四恶”，当代还有几人知晓呢？那么多的理论书籍，又有几本书会说到这样深刻的程度呢？

【接圣入心】

大哉孔子！治国的思想如此简练而清晰。

借弟子子张问政，孔子提出了治国的核心主张：“五美四恶”。

“五美”的内涵是什么呢？就是“惠而不费，劳而不怨，欲而不贪，泰而不骄，威而不猛”。

- “惠而不费”：引导百姓去做对他们有利的事情，既有利于百姓，当政者也没有耗费什么，两全其美。
- “劳而不怨”：让百姓去做他们乐意做也能做好的事情，又有谁会埋怨你呢？
- “欲而不贪”：引导人们节制物质欲望，追求精神生活充实，享受平安幸福，精神文明与物质文明均衡发展、互相促进，还有什么要去贪图的呢？

•"泰而不骄"：让人们明白别人与自己不同，不去攀比，过好自己的日子，做好了不骄傲，有了差距不怨恨，不就可以实现人生安泰了吗？

•"威而不猛"：让人们明白做人要庄重、正直，自然就会有威严，还需要张牙舞爪地去吓唬人吗？

当然，若是这"五美"做不好，就会导致一系列的灾难，最终难以收拾。

•"费而惠，难长久"：如果当政者没有引领好百姓，只是许诺给他们好处，就很容易使他们懒惰，时间一久，还会欲望膨胀，把别人的给予视为理所当然，而且若给得不够，还会生怨生恨。

•"强人难，难周全"：不让大家自主选择自己要去做的，而是强制他们去做，或者将自认为好的强加给他们，就会让他们失去自主性，放弃责任，最终双方都不会满意，这怎么能算是周全呢？

•"物欲盛，心灵空"：如果引导不当，人们一味地追求物质利益，欲望就会不断膨胀，满足感越来越小，精神越来越空虚，甚至会扭曲。这种局面一旦出现，贻害无穷。

•"一骄横，命不泰"：扭曲的观念会让生命整体失衡。保持自己的本色，过好自己的日子，有长处、成绩和家产也不傲慢，面对比自己强的人也不会自卑，生活才能安泰。

•"心高贵，方命安"：威严来自品格，尊严来自能力，如果专注于自身的建设与提高，却在行为上耀武扬威，那就一定会搞得鸡犬不宁。

"四恶"又是指什么呢？就是"不教而杀谓之虐；不戒视成谓之暴；慢令致期谓之贼；犹之与人也，出纳之吝谓之有司"。

•"不教而杀谓之虐"：上司具有教育部下的责任，如果不教育就处罚他们，这就是"虐"，相当于残害。这听起来跟钓鱼执法有点类似。钓鱼执法，又叫执法圈套，当事人原本没有违法意图，但在执法人员的引诱下从事了违法活动。钓鱼执法和不教而杀都是败坏的法摧毁人心、道德的表现。不教而杀，是上级没有尽到自己的责任，却把全部责任推给部下。孔子在此强调的是，当政者要承担起自己的责任，以免祸及无辜。

• “不戒视成谓之暴”：在过程中发现问题或者苗头不对时，不加以劝诫，等着酿成恶果后再去惩罚，这就是残暴。“不教而杀”强调的是事先教育，“不戒视成”侧重于过程中的劝诫。总之，如果不能尽职尽责地避免问题发生，或者将问题消灭于萌芽状态，等出现恶果时再进行处罚，这就有点阴险了，也违背了当政执法的初衷。

• “慢令致期谓之贼”：起先懈怠，突然来个限期，搞得人猝不及防，打乱了整个步调和计划，当政者自己随心所欲地要求别人，这就近乎贼了——突然出现，掠走别人财物。如果事先有明确的约定，双方都清楚计划，一方突然要求提前截止时间，这无异于坑害人啊！

• “犹之与人也，出纳之吝谓之有司”：如果执法者傲慢严苛，就会搞得人人紧张不安，必生怨恨，也算是不会办事，没把事办好。既要坚持原则，又要把事情办好，让大家心服口服、心情愉快，这才能体现办事人的能力和品德啊！

孔子真是洞悉人心的大师，真是仁者的楷模！如果当政的人办事时，能以“五美”为标准，该有多好啊，多少人会因此而受益啊！当政的人会办事，有业绩，百姓也会心悦诚服，如此才能创造出美好的局面！

【格言】尊五美，屏四恶。

第七篇

《孝经》今评——孝文化的现代价值

一 篇序

《孝经》的由来

中华文明注重解决人与天地人的关系问题，既包括人与客观环境的关系，也包括人与人的关系，更有人与自己的关系。中国古人早已经认识到，人不是简单孤立的个体。若是离开了与自然的关系，人就无法生存；若是离开了与他人的友善关系，人就难以活得好。在人与人的关系中，子女与父母长辈的关系源自生命的诞生，是生命成长过程中最为重要的关系。正因为如此，中国文化高度重视子女与父母长辈的关系。人们普遍认为，一个人若是对给予自己生命、抚育自己长大的父母与长辈没有足够的尊重和照顾，良知和道德就无法立足，对他人表现出的友善也都不足信。甚至，对于帝王将相来说，若是对父母长辈没有足够的孝顺，其德性也不足信，这也是历史上“以孝治天下”理念的由来。上述这些原理，是中国文化中孝文化的来源。《孝经》是中国孝文化的一部经典，该书以孝为中心，集中阐发了儒家的伦理思想。《孝经》在唐代被尊为经书，南宋以后被列为“十三经”之一。

《孝经》的核心思想来自儒家的思想体系，传说是孔子所作或者是后人根据孔子的思想进一步整理和发挥的一部经典。清代大学问家纪昀在《四库全书总目》中指出，《孝经》是孔子“七十子之徒之遗言”，成书于秦汉之际。之后，自西汉至魏晋南北朝，《孝经》的注解者众多。世上流传的《孝经》注本分古文今文二本，分别为孔安国和郑玄注。全书共分十八章。古文经多出第十九章。自唐玄宗注本颁行天下以后，孔、郑两注并废。现在我们使用的流行版本是唐玄宗李隆基的注本。

《孝经》以亲子的伦理关系为核心与重点，在中国自汉代至清代的漫长社会历史进程中，对于传播和维护社会纲常起了很大作用。《孝经》的影响力巨大，受到历代王朝的重视，历朝历代无不标榜“以孝治天下”的理念与美德。这也是唐玄宗亲自为《孝经》作注的缘由之一吧。

人类文明的五大关系

在人类的进化过程中，文化与文明的发展，以五大和谐关系作为主要的出发点和落脚点：人与自然的关系，人与人的社会关系，每个人的心智与客观规律的关系，人自身心灵的内在关系，每个生命的身心关系。

在人类的生存与进化中，最初的关系也就是人与自然的关系，随着人对自然规律的认识和运用，人对自己和自然关系的信心在不断增加，也渐渐从对自然的掠夺性、破坏性使用，转为良性的、保护性的、有节制的使用。尽管如此，人与自然的关系依然不容乐观。中国道家和儒家思想，也是围绕着这五个方面的关系展开的，只是侧重点和比重有些不同。毫无疑问，要正确理解中华文化的真正内涵，就不能脱离这五个关系的和谐：一是人与自然环境的和谐，二是人与人的社会关系和谐，三是人的主观与客观世界的天人和谐，四是每个人的内心和谐，五是每个人的心与心的和谐。

孝文化是个人、家庭、集体和国家的文化长城

随着人口的增加，生存压力导致的冲突也在增加。再加上区域、种族和国家的文化差异，丰富人类文明多样性的同时，也让人与人之间的冲突变得更加扑朔迷离。人类文化中的大部分内容，都在围绕人和人的关系展开，也是为了避免或者减少个体主义、极端个人主义等思想倾向所带来的人际冲突。对于绝大部分人来说，思维的活动集中在人与人、人与集体、人与国家这样的范畴之中。在人和人关系的范畴，每个人内在的心智

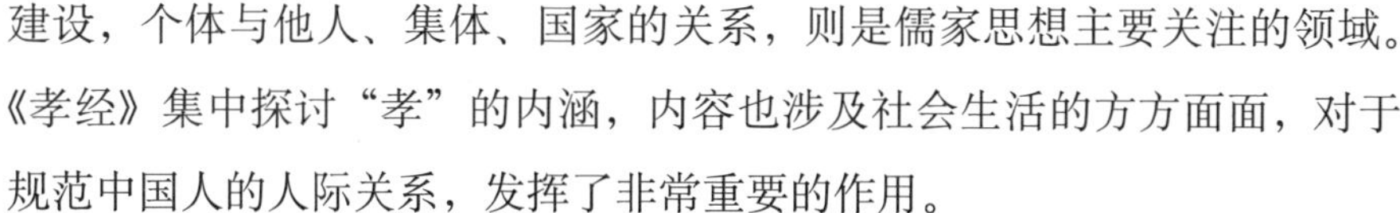

建设，个体与他人、集体、国家的关系，则是儒家思想主要关注的领域。《孝经》集中探讨“孝”的内涵，内容也涉及社会生活的方方面面，对于规范中国人的人际关系，发挥了非常重要的作用。

进入现代社会之后，随着科学的发展和社会制度形态的变迁，人们对于孝的理解和实践也与古代大不相同。虽然《孝经》中所描绘的古代社会关系，如今已发生了重大的变化，但“孝”这一中国人的社会伦理观和其中的一些精髓，依然对维系中国人的家庭关系和家国关系有着非常重要的影响，也是特别值得我们珍视的，绝不可因为书中个别词汇和一些不符合当下价值观的话语而因噎废食。我们必须清醒地认识到，孝文化是中华民族和中华文化能够生生不息的重要力量，万万不可自毁“文化长城”。

孝文化的思想建构与现代性进化

《孝经》肯定“孝”是上天所定的规范，“夫孝，天之经也，地之义也，人之行也”。孝是诸德之本，“人之行，莫大于孝”，国君可以用孝治理国家，臣民能够用孝立身理家，保持爵禄。“孝”“忠”“敬”这些概念的内涵，有相当程度的交织。即使进入了科技发达的现代社会，人类的自信也不应膨胀到蔑视自然规律，也不应放弃长幼之间的孝敬与慈爱，更不应为了个人或小团体的利益而去侵犯或者伤害国家乃至人类的利益，否则人类的自信就会转化成自负，就会变成一种新形式的愚昧。儒家所说的人间道德由天地规定，也是源于人与自然的天然关系，也是基于人与自然不可割裂关系的认知，也是人间伦理关系的一个自然和客观的依据，不可将天地自然的客观规律与封建迷信混为一谈。

《孝经》首次将孝亲与忠君联系起来，认为“忠”是“孝”的发展和扩大，并把“孝”的社会作用推而广之，认为“孝悌之至”就能够“通于神明，光于四海，无所不通”。进入现代社会以来，随着科技、文明和现代社会结构以及思想观念的不断变化与进步，人们对于孝亲与忠君思想的一些具体内涵和表述方式产生了质疑，这是完全可以理解的，也是正常的。但需要仔细区分文明与文化进化中的细微之处，毕竟家庭、长幼、亲子和社会关系依然存在，我们可以修正孝文化的一些内涵和表述方式，但不能将这一主题及其内容一概否定，否则就会导致文明的退化和缺失。

《孝经》对实行“孝”做出系统而详细的规定，这方面就带有很明显的时代痕迹。如主张把“孝”贯穿于人的一切行为之中，“身体发肤，受之父母，不敢毁伤”，是孝之始；“立身行道，扬名于后世，孝经鼎以显父母”，是孝之终。把维护宗法制等级关系与为君主服务联系起来，主张“孝”要“始于事亲，中于事君，终于立身”，并按照父亲的生老病死等生命过程，提出“孝”的具体要求：“居则致其敬，养则致其乐，病则致其忧，丧则致其哀，祭则致其严。”《孝经》还根据不同人的等级，规定了“行孝”的不同内容：天子之“孝”，要求“爱敬尽于其事亲，而德教加于百姓，刑于四海”；诸侯之“孝”，要求“在上不骄，高而不危，制节谨度，满而不溢”；卿大夫之“孝”，则要一切按先王之道而行，“非法不言，非道不行，口无择言，身无择行”；士人阶层的“孝”是忠顺事上，保禄位，守祭祀；庶人之“孝”应“用天之道，分地之利，谨身节用，以养父母”。对于这些思想，我们可以保留其正面意义，转换成现代的内涵。

尤其要注意的是，“领导为民，百姓为国，家国一体”是中华文化的基本社会伦理逻辑，是相互交织的系统关系，不可偏废。也就是说，不为民而为私者，不能成为真正的领导。只为小家而不顾国家的百姓，也不是合格的百姓。如同江河与大海的联系，不能顾此失彼。要特别小心的是，家庭又会跟家族联系在一起，在强调家族文化传承的同时，必须避免家族狭隘意识和封建宗法思想的复活，防止其对国家和法律造成破坏。

尤其要注意的是，随着城市化和人们生活方式的改变，“小家意识”也日益普遍，这是自我意识的萎缩，是小家权力的强化，也是“大家意识”的弱化，可能会严重削弱亲缘关系，也会带来严重的社会问题，非常值得关注。我们需要探索维系新的亲缘关系的模式。否则，当人们的社会伦理意识萎缩到小家的范畴，并日益排斥更广泛的家庭与亲情伦理时，就

会导致文明的倒退。人类的文明有一个极其微妙之处，即如何在维护自己的权利和保持有温度的社会关系之间找到平衡。在这方面，一味地模仿西方某些家庭关系的模式，对中华文化和社会乃至国家的伤害，将是非常深刻的，负面影响也是深远的。

孝文化是以孝为核心演绎的敬天爱人的人间法则

说起孝文化，人们很自然地就会想到儿女对长辈的尊敬和顺从，这也是人们常说的孝顺。实际上，中国的孝文化是以每个人与长辈的亲情关系为核心与原点，由“孝者爱亲”扩大到“仁者爱人”的文化体系。之所以由“孝亲”开始，是因为每个人都由自己的父母长辈生养、抚育才能长大，此恩如天大，是每个人在成长历程中学习和体验“敬人爱人”的最初蓝本，也是衡量人的心性与道德的最基本的标准。中国人认为，若是一个人对自己的亲人都不好，那还不如禽兽。因此可以说，“亲人关系”和“孝亲道德”，是人类最为典型的道德范式。

以“孝亲道德”为圆点与核心，继续向外扩展，就生出了超越血缘关系的宏大的道德系统，这就是“以民族的祖先为自己的祖先而超越家族的祖先界限，以天下老人为自己的父母而超越自己的亲生父母，以天下人为自己的兄弟姐妹而超越家庭中具有血缘关系的兄弟姐妹，以天下的孩子为自己的孩子而视同己出，以天下穷人为自己的责任而保持不忘本的人性道德”等。如此这般，就形成了一个人较为完整的社会道德体系。以此“仁爱之心”“恭敬之心”爱所有人，就可以帮助人们消除狭隘的心机，守住道德的根本。能够明白并做到这一点的人，也就拥有了“圣明之心”。

二　正文心解

开宗明义章第一

仲尼居，曾子侍。

子曰："先王有至德要道，以顺天下，民用和睦，上下无怨。汝知之乎？"

曾子避席曰："参不敏，何足以知之？"

子曰："夫孝，德之本也，教之所由生也。复坐，吾语汝。身体发肤，受之父母，不敢毁伤，孝之始也。立身行道，扬名于后世，以显父母，孝之终也。夫孝，始于事亲，中于事君，终于立身。《大雅》云：'无念尔祖，聿修厥德。'"

【释义】一日，孔子在家里，他的学生曾子侍坐在旁边。孔子问曾子："先代的帝王有至高无上的品行和最重要的道德，以使天下人心归顺，人民和睦相处。人们无论是尊贵还是卑贱，上上下下都没有怨恨和不满。你知道那是为什么吗？"

曾子离开自己的座位站起身来，恭敬地回答说："学生我不够聪明，哪里知道呢？"

孔子接着说："这就是孝啊！它是一切德行的根本，也是教化产生的根源。你回座位坐下，听我慢慢说。人的身体四肢、毛发皮肤，都是父母赋予的，不敢予以损毁伤残，这是孝的开始。人生在世，遵循仁义道德，有所建树，显扬名声于后世，从而使父母显赫荣耀，这是孝的终极目标。所谓孝，最初是从侍奉父母开始，然后效力于国君，最终建功立业，功成名就。《诗经·大雅·文王》说：'怎么能不思念你的先祖呢？要称颂修行

先祖的美德啊！'”

【评述】孔子与曾子的这番对话，向我们展示了中华文化中的两个非常重要的内核：一是先王具有高尚的美德，从而能让天下人心归顺；二是先王们的这份美德之所以能产生巨大的积极作用，是因为其核心就是孝。

孔子的伟大在于，用人们感受最深的亲情，用亲子这样紧密的关系，来演绎“孝”这种美德的重要性，确立了人的心智的基础，也奠定了社会关系稳定的根基。可想而知，若是一个人对于给予自己生命的亲人都不能善待，又怎么可能善待那些没有血缘关系的人呢？推此及彼，这就是社会道德的基本逻辑。

天子章第二

子曰：“爱亲者，不敢恶于人；敬亲者，不敢慢于人。爱敬尽于事亲，而德教加于百姓，刑于四海。盖天子之孝也。《甫刑》云：‘一人有庆，兆民赖之。’”

【释义】孔子说：“能够爱戴自己父母的人，就不会厌恶别人的父母；能够尊敬自己父母的人，也不会怠慢别人的父母。以爱戴恭敬的心情，尽心尽力地侍奉双亲，而将德行教化施之于黎民百姓，使天下百姓遵从效法，这就是天子的孝道呀！《尚书·甫刑》说：‘天子一人有善行，万方民众都仰赖他。’”

【评述】孔子用推己及人的“忠恕”思维，从孝敬自己的父母，推广到爱护别人的父母，以“孝”为核心，演绎出“忠”“敬”“爱”的普遍性美德，诠释了古代天子以孝德治理天下的智慧。这一思想和演绎的逻辑，对于当代仍然具有十分重要的参考价值。

诸侯章第三

在上不骄，高而不危；制节谨度，满而不溢。高而不危，所以长守贵也。满而不溢，所以长守富也。富贵不离其身，然后能保其社稷，而和其民人。盖诸侯之孝也。《诗》云："战战兢兢，如临深渊，如履薄冰。"

【释义】身为诸侯，在众人之上而不骄傲，那么位置再高也不会有倾覆的危险；生活节俭、慎行法度，再富有也不会损失。居高位而没有倾覆的危险，所以能够长久保持尊贵的地位；富有而不奢靡挥霍，所以能够长久地守住财富。能够保持富有和尊贵，然后才能保住家国的安全，与黎民百姓和谐相处。这大概就是诸侯的孝道在自家和为政中的拓展吧。《诗经·小雅·小曼》说："战战兢兢，就像靠近深水潭时担心坠落，脚踩在薄冰之上担心陷下去那样小心谨慎地处事。"

【评述】虽然孔子是在说古代的诸侯，但其倡导的作为领导的品质与美德，在现代依然具有非常重要的价值。在当代的中国，中国共产党为党员干部确立了非常清晰的价值标准，既有对传统价值的继承发扬，又有远远高于古代的独特内容，如"做人民的公仆"。至于孔子所说的其他品质，如居上不骄，生活节俭，忠君爱民，对于现代的领导干部来说，其教化的价值依然毫不褪色。对于社会精英来说，也有非常重要的借鉴意义。

卿大夫章第四

非先王之法服不敢服，非先王之法言不敢道，非先王之德行不敢行。是故非法不言，非道不行；口无择言，身无择行；言满天下无口过，行满天下无怨恶。三者备矣，然后能守其宗庙。盖卿大夫之孝也。《诗》云："夙夜匪懈，以事一人。"

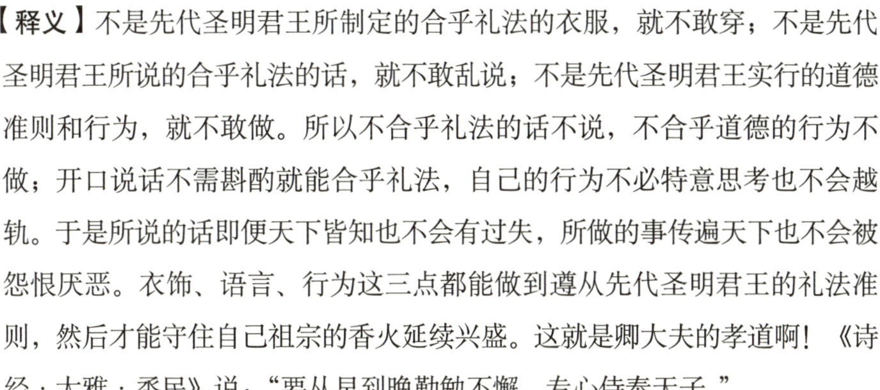

【释义】不是先代圣明君王所制定的合乎礼法的衣服，就不敢穿；不是先代圣明君王所说的合乎礼法的话，就不敢乱说；不是先代圣明君王实行的道德准则和行为，就不敢做。所以不合乎礼法的话不说，不合乎道德的行为不做；开口说话不需斟酌就能合乎礼法，自己的行为不必特意思考也不会越轨。于是所说的话即便天下皆知也不会有过失，所做的事传遍天下也不会被怨恨厌恶。衣饰、语言、行为这三点都能做到遵从先代圣明君王的礼法准则，然后才能守住自己祖宗的香火延续兴盛。这就是卿大夫的孝道啊！《诗经·大雅·烝民》说："要从早到晚勤勉不懈，专心侍奉天子。"

【评述】从周公开始，就对人们的衣着打扮、言谈话语、行为举止这三个重要的方面做出了清晰的规定，对于人类的进化和社会秩序的维系产生了非常重要的作用。到了现代社会，衣着打扮、言谈话语和行为举止的自由度大大增加，但不知自我约束的人也不少，因此惹来了很多的麻烦。而那些极端放纵自己的人也因此迷失了心性，个人自由与社会规范之间的平衡变得越来越飘忽不定。当然，在国家利益和外交层面，类似的规范还是非常清晰的。现代人也必须重新思考，在追求个人自由的同时，如何找到与社会规范、社会秩序之间的平衡点？如果失去了这个平衡点，一定会适得其反。而对社会规范和社会秩序过分强调，又会导致人心的压抑。由此可见，针对不同文化背景、不同时期的状况来明确这个平衡点，依然是非常必要的。

士章第五

资于事父以事母，其爱同；资于事父以事君，其敬同。故母取其爱，而君取其敬，兼之者，父也。故以孝事君则忠，以敬事长则顺。忠顺不失，以事其上，然后能保其禄位，而守其祭祀。盖士之孝也。《诗》云："夙兴夜寐，无忝尔所生。"

【释义】用侍奉父亲的心情去侍奉母亲，爱心是相同的；用侍奉父亲的心情去侍奉国君，崇敬之心也是相同的。所以侍奉母亲是用爱心，侍奉国君是用尊敬之心，两者兼而有之的是侍奉父亲。因此用孝道来侍奉国君就是忠诚，用尊敬之道侍奉上级就是顺从。能做到忠诚顺从地侍奉国君和上级，然后就能保住自己的俸禄和职位，并能守住自己对祖先的祭祀。这就是士人的孝道啊！《诗经·小雅·小宛》说："要早起晚睡地去做，不要辱没生养你的父母。"

【**评述**】这段关于士人孝道的描述，确实有比较明显的封建的色彩。现代社会已经做了更正和优化，如民主协商制度所确定的国家政治运行模式，民主管理制度中对众人思想与平等的重视，都是重大的超越和完善，也是人类文明在这个领域中的显著进化。

庶人章第六

用天之道，分地之利，谨身节用，以养父母，此庶人之孝也。故自天子至于庶人，孝无终始，而患不及者，未之有也。

【**释义**】孔子继续解释孝道自百姓到天子的普遍规律。利用自然的规律，认清土地的高下优劣，行为谨慎，节省俭约，以此来孝敬父母，这就是普通老百姓的孝道。所以上至天子，下至普通老百姓，不论尊卑高下，孝道是无始无终、永恒存在的，有人担心自己不能做到，那是不可能的。

【**评述**】孔子在这段关于耕作、行为、生活和赡养父母的表述中阐明，每一个人应践行孝道的必然性、必要性和永恒性。

三才章第七

曾子曰："甚哉，孝之大也！"

子曰："夫孝，天之经也，地之义也，民之行也。天地之经，而民是则之。则天之明，因地之利，以顺天下。是以其教不肃而成，其政不严而治。先王见教之可以化民也，是故先之以博爱，而民莫遗其亲；

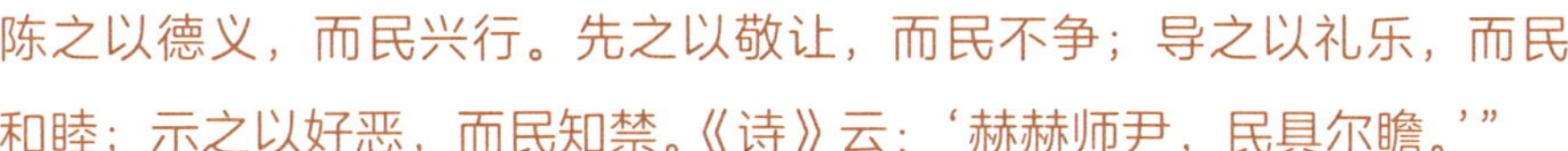
陈之以德义，而民兴行。先之以敬让，而民不争；导之以礼乐，而民和睦；示之以好恶，而民知禁。《诗》云：‘赫赫师尹，民具尔瞻。’”

【释义】曾子说：“太伟大了！孝道是多么博大精深呀！”

孔子进一步将天地法则与人间孝道关联：“孝道犹如天上日月星辰的运行，地上万物的自然生长，天经地义，乃是人类最为根本的品行。天地自然有其法则，人类从中领悟到孝道是自身的法则，从而遵循它。效法上天那永恒不变的规律，利用大地自然四季中的优势，顺乎自然规律，对天下民众施教。因此其教化不须严肃施为就可成功，其政令不须严格推行，国家就能得到治理。从前的贤明君主看到教育可以感化民众，所以他首先表现出博爱，民众因此不敢遗弃父母；向民众陈述道德、礼义，民众就会遵行。他又以恭敬和谦让率先垂范，于是民众就不争斗；用礼仪和音乐引导民众，民众就会和睦相处；告诉民众如何区分值得喜爱的美的东西和令人厌恶的丑的东西，民众就知道禁令而不犯法了。《诗经·小雅·节南山》说：‘威严而显赫的太师尹氏，民众都仰望着你。’”

【评述】在这段话里，孔子把人间的孝道与天地大道融合，论证了人间孝道的客观必然性和中心地位。由此可见，在孔子的思维模式中，自然之道是人间孝道的客观依据，也就是说，人间的伦理道德绝非人为杜撰的，而是顺应天地大道的人文表达。同时，孝道不仅仅是沟通天地的重要桥梁，也是普通人维系正常生活的重要力量，更是治理天下的基础和核心。

孝治章第八

子曰：“昔者明王之以孝治天下也，不敢遗小国之臣，而况于公、侯、伯、子、男乎？故得万国之欢心，以事其先王。治国者，不敢侮于鳏寡，而况于士民乎？故得百姓之欢心，以事其先君。治家者，不敢失于臣妾，而况于妻子乎？故得人之欢心，以事其亲。夫然，故生则亲安之，祭则鬼飨之。是以天下和平，灾害不生，祸乱不作。故明王之以孝治天下也如此。《诗》云：‘有觉德行，四国顺之。’”

【释义】孔子更加细致地对孝道进行说明：“从前圣明的君王以孝道治理天下，不敢轻视小国派来的使臣，更何况自己分封的公、侯、伯、子、男呢？所以能得到各国诸侯的欢心，纷纷来助祭天子的祖先。治理封地的诸侯，不敢欺侮卑微的鳏夫寡妇，何况是对知礼仪的百姓呢？因此能得到百姓的欢心，来恭敬助祭诸侯的祖先。治理家族的卿大夫，不敢失礼于臣仆婢妾，更何况对其妻子儿女呢？所以得到众人的欢心，使他们乐意侍奉卿大夫的父母。这样，才能让父母在世的时候过着安乐的生活，死后成为鬼神，也能安享子孙的祭祀。圣明的君王以孝道治理天下，使天下祥和太平，灾害与祸乱都不会发生。《诗经·大雅·抑》说：‘天子有伟大的德行，四方都来归顺。’”

【评述】在常人眼里，封建君主都是高高在上、骄奢淫逸、善用权术的。确实，历史上不乏此类君主。当代的电视剧为了追求收视率，也爱将权谋宫斗的内容大书特书，这就偏离了真实的历史，误导了很多观众。在中国历史上，许多圣明的君主开创了太平盛世，他们几乎都会“以孝治天下”。注意，这里的“孝”绝不局限于对自己父母的孝敬，而是扩展到以“仁爱之心”“恭敬之心”对待天下所有人。尤其是，格外善待普通而弱小的百姓或者社会中的底层小人物。这就是“圣明”的关键！直至当代，仍然有恃强凌弱的恶霸，欺软怕硬的小人，重视客户胜于家人或者重视人才却轻视普通员工的老板，有热诚对待权贵却总给普通人冷脸的伪君子，等等。这能算是聪明吗？学学“圣明”古人的爱人敬人之道，才能找到自己的本心，才能有真正的道德智慧，才能赢得众人的拥戴啊！有了“圣明之心”，就可以避开不断算计的劳苦，就可以达到最智慧的人生境界！

圣治章第九

曾子曰："敢问圣人之德，无以加于孝乎？"

子曰："天地之性，人为贵。人之行，莫大于孝。孝莫大于严父。严父莫大于配天，则周公其人也。昔者周公郊祀后稷以配天，宗祀文王于明堂，以配上帝。是以四海之内，各以其职来祭。夫圣人之德，又何以加于孝乎？故亲生之膝下，以养父母日严。圣人因严以教敬，因亲以教爱。圣人之教，不肃而成，其政不严而治，其所因者，本也。父子之道，天性也，君臣之义也。父母生之，续莫大焉。君亲临之，厚莫重焉。

"故不爱其亲而爱他人者，谓之悖德；不敬其亲而敬他人者，谓之悖礼。以顺则逆，民无则焉。不在于善，而皆在于凶德，虽得之，君子不贵也。

"君子则不然，言思可道，行思可乐，德义可尊，作事可法，容止可观，进退可度，以临其民。是以其民畏而爱之，则而象之。故能成其德教，而行其政令。《诗》云：'淑人君子，其仪不忒。'"

【释义】曾子从老师的解读中领会到孝道的伟大，同时心中也有些疑惑，于是问孔子："圣人的德行，没有比孝道更大的了吗？"

孔子信誓旦旦地说："天地万物之中，以人类最为尊贵。人类的行为，没有比孝道更为重大的了。在孝道之中，没有比敬重父亲更重要的了。敬重父亲，没有比祭天的时候将祖先配祀天帝更为重大的了，但只有周公能够做到这一点。当初，周公在郊外祭天的时候，把其始祖后稷配祀天帝；在明堂祭祀，又把其父亲文王配祀天帝。因为他这样做，所以全国各地诸侯能够恪尽职守，前来协助他的祭祀活动。可见圣人的德行，哪有比孝道更大的呢？因为子女对父母的敬爱，在年幼时依偎在父母膝下时就产生了，待到逐渐长大成人，则一天比一天懂得敬爱父母。圣人就是依据这种子女对父母尊敬的天性，教导人们孝敬父母；又因为子女对父母天生的亲情，教导他们爱的道理。圣人的教化之所以不必严格推行就能成功，圣人不必采用严厉粗暴的方式就可以治理好国家，是因为他们顺应了孝道这一人类的根本天性。父亲与孩子的亲情，乃是人类的天性，也体现了君主与臣属的义理关系。父母生下儿女以传宗接代，没有比这个更为重要的了；父亲对于子女犹如有尊严的君王，施恩于子女，没有比这样的恩情更厚重的了。

“所以，那种不敬爱自己的父母却去敬爱别人的行为，叫违背道德；不尊敬自己的父母而尊敬别人的行为，叫违背礼法。不顺应人心天理，敬爱父母，偏偏要逆天而行，民众就无从效法了。不在身行爱敬的善道上下功夫，却施行违背道德礼法的恶道，即使一时得志，也是为君子所鄙视的。

“君子的作为则不是这样，其言谈，必须考虑到要让人们称道奉行；其作为，必须要给人们带来欢乐，其立德行义，能使人们尊敬；其行为举止，可使人们效法；其容貌行止皆合规矩，使人们无可挑剔；其一进一退从不越礼违法，成为人们的楷模。君子以这样的作为来治理国家，统治黎民百姓，所以民众敬畏而爱戴他，并学习仿效其作为。所以君子能够成就其德治教化，顺利地推行其法规、命令。《诗经 · 曹风 · 鸤鸠》说：‘善人君子，其容貌举止丝毫不差。’”

【评述】孔子在这里递进式介绍孝道的系统，也就是“天地—人类—孝道—敬父—配祀—治理”。更为深刻的是，孔子在论述中，将天性、人性、亲情、孝道、效法、楷模、大治这几个非常重要的因素，逻辑顺畅地联系在一起，使之成为有机的统一体。

然后，孔子又以周公的两次祭祀活动为例子，来说明孝道的作用：一次是周公在郊外祭天的时候，把其始祖后稷配祀天帝；一次是在明堂祭祀时，又把其父文王配祀天帝。

紧接着，孔子又将小人与君子在孝道上的不同做法做了一个对比，推演出以孝道为中心的国家治理是最美妙的模式。

纪孝行章第十

子曰："孝子之事亲也，居则致其敬，养则致其乐，病则致其忧，丧则致其哀，祭则致其严。五者备矣，然后能事亲。事亲者，居上不骄，为下不乱，在丑不争。居上而骄则亡，为下而乱则刑，在丑而争则兵。三者不除，虽日用三牲之养，犹为不孝也。"

【释义】孔子详细地解释了子女对父母尽孝的五个重要方面："孝子对父母亲的侍奉，在日常居家的时候，要竭尽恭敬；在饮食生活的奉养上，要保持和悦愉快的心情；父母生了病，要带着忧虑的心情去照料；父母去世了，要竭尽悲哀之情料理后事。先人的祭祀要严肃对待，礼法不乱。这五方面做得完备周到了，方可称为对父母尽到了做子女的责任。侍奉父母双亲，要身居高位而不骄傲蛮横，身居下层而不为非作歹，和顺相处、不与人争斗。身居高位而骄傲自大者势必灭亡，在下层而为非作歹者也免不了遭受刑罚，在民众中争斗则会引起相互残杀。这骄、乱、争三项恶事不戒除，即便天天用牛羊猪三牲的肉食尽心奉养父母，也还是不孝之人啊。"由此可见，孝道是中国人道德的根基！

【评述】孔子针对孝道的具体做法，也就是孝子的角色，从正反两个方面做了非常到位的描述和规定。首先列出子女孝敬父母的五项具体责任，同时强调了要戒除"骄、乱、争"三项恶事。

不得不说，随着现代化的进程和思想的多元化，当代社会这样的观念已经越来越淡薄了，这是十分值得警惕的。说到底，人生存在社会中，就是一个社会人，社会人就要承担一系列的社会角色，每一个社会角色都有自己的内涵和规范。毫无疑问，儿女对父母尽孝道，戒除恶事，在当代社会也是不二的法则。在家庭中尽孝，是借此明白人情世故的一个练习场，一个给自己的角色"打样"的人格展示区。能否履行社会职责，更是一个重要的标准。众所周知，观看戏剧时，如果演员不按照自己的角色设定来演出，这是不可想象的，观众也是不能接受的。同样，在扮演社会角色方面，我们如果不能尽职，扮演得不到位，那么在社会中也是很难被他人接受的。

五刑章第十一

子曰：“五刑之属三千，而罪莫大于不孝。要君者无上，非圣人者无法，非孝者无亲。此大乱之道也。”

【释义】孔子说：“五刑所属的犯罪条例有三千之多，其中没有比不孝的罪过更大的了。用武力胁迫君主的人，眼中没有君主；诽谤圣人的人，眼中没有法纪；非议孝子的人，眼中没有父母双亲。这三种行为乃是天下大乱的根源。”从古至今，似乎人类各种各样的错误都能从这三个方面找到根源啊！

【评述】孔子将“不孝”视为人间最大的罪过，并由此进一步延伸出三种祸乱天下的典型行为：武力胁迫君主，诽谤圣人，非议孝子。

非议孝子的人，多半是对自己的父母祖先不敬不孝之徒，这种连自己的父母祖先都不敬不孝的人，又怎么会对社会有积极贡献呢？这个道理背后的逻辑非常简单明了。

诽谤圣人者，肯定不会以圣人作为自己的榜样，多半是自以为是的轻狂之徒，甚至可能是欺师灭祖之辈。这样的人，既然不再以圣人为榜样，那么思想与行为定是依据着其他的标准，那又能是什么标准呢？不难想象，这样的人极有可能是以小人和恶徒作为标准的。在现代社会，即使你觉得圣人离自己很远，即使圣人的教化听不进去，一旦遭遇以小人和恶徒为标准的人，难道你就不会气愤？不会受到伤害？由此可见，学圣人，走正道，是我们每一个人基本的保障。

以武力威胁君主的人，自然是悖逆之徒。这在历史上有两种情况，一种是威胁明君的狂暴之徒，另一种是推翻昏君的改朝换代之人。后人读书时，往往纠结于圣人们在某种情境下的表述，以为圣人们的言论都是在教

导人们“愚忠”，实际上这是一种偏差。在中国历史上，圣人们对于君王的提醒、警示和批评是非常多的，对于能够推翻昏君的明君，歌颂也是非常多的，圣人们怎么可能糊涂到不分是非教导人们愚忠呢？

在当今社会，孝道依然被普遍认可和倡导，但对于不孝之人的各种作为，虽有道德法律约束，但整个社会对此的关注程度却略显不足。

在当今社会，诽谤圣人的现象倒是值得我们特别警惕的，因为历史和文化教育传承的不足，一些不了解圣贤文化，又受了所谓现代教育的人，极有可能用所受的现代科学教育，去诽谤圣贤的思想。如果这些人在社会上还拥有比较大的影响力，那他们的言行对社会的毒害就会更严重。当然，一些敌对势力往往也会诋毁我们的圣人和文明传统。那些在不明事理的人看来颇有道理的诽谤，正是敌对势力发动进攻的惯用伎俩，这也是普通人很难辨别的。

在反对一种极端的同时，能否避免走向另一个极端，这似乎是人类至今依然没有解决的问题。这些问题也从另一方面，彰显出中华文化“中道智慧”的当代价值、特殊价值、永恒价值。

广要道章第十二

子曰：“教民亲爱，莫善于孝。教民礼顺，莫善于悌。移风易俗，莫善于乐。安上治民，莫善于礼。礼者，敬而已矣。故敬其父，则子悦；敬其兄，则弟悦；敬其君，则臣悦；敬一人，而千万人悦。所敬者寡，而悦者众，此之谓要道也。”

【释义】孔子尤其重视对人民的孝道教化：“教育人民互相亲近友爱，没有比倡导孝道更好的了。教育人民礼貌和顺，没有比服从自己兄长更好的了。转变风气、改变旧的习惯或制度，没有比用音乐教化更好的了。要使君主安心，人民顺服，没有比依照礼教办事更好的了。所谓的礼，也就是敬爱而已。所以尊敬他人的父亲，其儿子就会喜悦；尊敬他人的兄长，其弟就会愉快；尊敬他人的君主，其臣下就会高兴。敬爱一个人，却能使千万人高兴愉快。所尊敬的对象虽然只是少数，为之喜悦的人却有千千万万，这就是推行孝道的重要意义之所在啊。”

【评述】孔子在这段论述中，突出了孝道思想与教化在整个社会的思想文化传播中的中心地位。当孝道被激活时，就会如阳光一般辐射全社会，从而让整个社会享受到文明力量的滋养，这对于建设一个文明健康的社会实在是太重要了。孝亲—敬友—爱人，构成了一个文明社会爱的能量场，也是衡量社会发展是否健康正常的重要标准。

广至德章第十三

子曰：“君子之教以孝也，非家至而日见之也。教以孝，所以敬天下之为人父者也。教以悌，所以敬天下之为人兄者也。教以臣，所以敬天下之为人君者也。《诗》云：‘恺悌君子，民之父母。’非至德，其孰能顺民如此其大者乎！”

【释义】孔子接着讲君子教人孝道的方法：“君子教人以行孝道，并不是挨家挨户去推行，也不是天天当面去教导。君子教人行孝道，是让天下的父亲都能得到尊敬。教人为弟之道，是让天下的兄长都能得到尊敬。教人为臣之道，是让天下的君主能受到尊敬。《诗经·大雅·泂酌》说：‘和乐平易的君子，是民众的父母。’不具有至高无上的德行，怎么能使天下民众顺从而如此伟大呢！”

【评述】在这一部分的论述中，孔子讲到了君子教人行孝道的终极落脚点，概括为三个字就是“孝、悌、忠”：让做父母的人得到尊敬，让做兄长的人得到尊敬，让做领导的人得到尊敬。

对于这一思想，后人多有诟病，总以为孔子是站在帝王的角度，在为封建君主说话，在替君主教化普通民众，是封建帝王的代言人。一些人用这种断章取义的理解，蛊惑了很多普通的民众。实际上，中华文化有两个

重要的思维支点，一是不管作为君王还是普通人，都要集中精力做好自己该做的事，而不要花费精力到处对别人指手画脚。二是帝王身边那些有真才实学又敢于担当的人，应充当所谓的“诤臣”，去监督和匡正帝王的思想与做法。

当今世界，别的国家或地区有五种典型的现象，值得人们深思：一是一些领导人追求个人英雄主义和绝对权力，身边没有“诤臣”的监督和匡正。二是一些领导人假惺惺地贴近民众，实则是在利用普通人的非理性诉求，为支持自己的群体服务。三是普通民众可以任意非议自己的领导人，一些所谓的“公知”又利用自己的身份和普通人对他们的信任，对恶意行为推波助澜。四是一些可耻的叛徒，受到敌对势力的收买，充当非议自己国家的历史和领袖的先锋，充当祸乱社会的恶徒角色。五是一些被蒙蔽的民众，相信了那些蛊惑人心的言论，寄希望于换一个领导人来为他们缔造幸福生活，但最终发现，那只是骗人的，实际情况会变得更糟。

广扬名章第十四

子曰：“君子之事亲孝，故忠可移于君；事兄悌，故顺可移于长；居家理，故治可移于官。是以行成于内，而名立于后世矣。”

【释义】孔子进一步将孝道贯穿于人间主要的关系中：“君子侍奉父母孝顺，所以能把对父母的孝心移作对国君的忠心；侍奉兄长敬重，所以能移作对前辈或上司的敬顺；在家里能处理好家务，所以能把理家的才能用在做官和治理国家上。因此，能够在家里尽孝悌之道、治理好家的人，其名声也会显扬于后世。”

【评述】在这一部分，孔子讲了两个重要问题：一是孝道的中心作用，二是孝道的辐射作用。他将这两个作用联系起来，变成一个不可分割的统一体，对于现代社会依然具有重要的参考价值，一个对自己亲人都没有孝悌之心的人，能真诚友善地对待别人吗？

谏诤章第十五

曾子曰："若夫慈爱、恭敬、安亲、扬名，则闻命矣。敢问子从父之令，可谓孝乎？"

子曰："是何言与，是何言与！昔者天子有诤臣七人，虽无道，不失其天下；诸侯有诤臣五人，虽无道，不失其国；大夫有诤臣三人，虽无道，不失其家。士有诤友，则身不离于令名；父有诤子，则身不陷于不义。故当不义，则子不可以不诤于父，臣不可以不诤于君。故当不义则诤之。从父之令，又焉得为孝乎！"

【释义】曾子说："像慈爱、恭敬、安亲、扬名这些孝道，已经听过了天子的教诲，我想再冒昧地问一下，做儿子的一味遵从父亲的命令，就可以称得上是孝顺了吗？"

孔子直接批驳了曾子描述的那种愚孝："这是什么话呢？这是什么话呢？从前，天子身边有七个直言进谏的诤臣，纵使天子是个无道昏君，他也不会失去天下；诸侯身边有五个直言进谏的诤臣，即便自己是个无道君主，也不会失去他的地盘；卿大夫也有三位直言劝谏的臣属，所以即使他是个无道之人，也不会失去自己的家园。普通的读书人有直言劝谏的朋友，自己的美好名声就不会丧失；做父亲的有敢于直言力争的儿子，就不至于陷身于不义之事。因此在遇到不义之事时，如系父亲所为，做儿子的不可以不劝阻；如系君王所为，做臣子的不可以不直言劝谏。所以对于不义之事，一定要劝谏。如果儿子只是一味遵从父亲的命令，又怎么能称得上孝顺呢？"

【评述】你看，两千五百年前曾子问孔子的问题，可能也是我们很多人在学习《孝经》前十四章时心中一直萦绕的疑虑。孔子听到曾子的问题似乎有点恼火。可我们现代人会觉得曾子问了一个很好的问题，因为这也是我们许多人想问的问题。那么，孔子是怎么回答的呢？

孔子的回答有点斥责的味道，向曾子介绍了中国封建社会的诤臣制

度：天子身边有七个诤臣，诸侯身边有五个诤臣，卿大夫身边也要有三个诤臣，普通人身边也要有敢于直言的朋友，父亲身边也要有敢于直言的儿子。注意，将儒家所强调的孝道与这种诤臣直言的道义联系在一起，才能真正全面地理解中国文化，否则就会得出曾子那种偏激的结论。孝道与直言，是看似不同的两个不可分割的方面，丢掉其中的任何一个，另外一个就不能成立。当然别忘了，中国文化中还有非常多的内容，强调上对下的情感与责任，强调每个人都要做好自己的事情，将这些不同层次和维度的内容联系在一起来理解中国文化，才能得出正确的结论，万万不可在圣人们强调某个主题时，忽视其他与之关联的主题，那些都是前提。如果不能建立这样的思维模式，就会落入思维陷阱，自然就只能得出错误的结论。

感应章第十六

子曰："昔者明王，事父孝，故事天明；事母孝，故事地察；长幼顺，故上下治。天地明察，神明彰矣。故虽天子，必有尊也，言有父也；必有先也，言有兄也。宗庙致敬，不忘亲也；修身慎行，恐辱先也。宗庙致敬，鬼神著矣。孝悌之至，通于神明，光于四海，无所不通。《诗》云：'自西自东，自南自北，无思不服。'"

【释义】孔子认为，即使贵为帝王也不能离开孝道，否则道德就会失去根基。他说："从前，贤明的帝王对父亲很孝顺，所以在祭祀天帝时能够明白上天庇佑万物的道理；对母亲很孝顺，所以在社祭后土时能够明察大地孕育万物的道理；理顺长幼秩序，所以就能治理好上下各级阶层。能够明察天地孕育万物的道理，神明感应其诚，就会降临福瑞来保佑。所以虽然尊贵为天子，也必然有他所尊敬的人，这就是指他有父亲；必然有先于他出生的人，这就是指他有兄长。到宗庙里祭祀，致以恭敬之意，是没有忘记自己的亲人；修身养性，谨慎行事，是怕因自己的过失而使先人蒙受羞辱。到宗庙祭祀表达敬意，神明就会出来。对父母兄长孝敬顺从达到了极致，即可以通达于神明，光照天下，任何地方都可以感应相通。《诗经·大雅·文王有声》说：‘从西到东，从南到北，没有人不心悦诚服的。’”

【评述】孔子的逻辑性实在让人惊叹，面对曾子那个让他非常恼火的问题，他的论述依然不会偏离孝道的中心。孔子论述了诤臣的制度与责任，而后话题重新回到帝王本身的孝道上，一方面详细说明帝王本身的孝道责任，另一方面继续阐发帝王的孝道对整个社会的示范作用，同时暗示孝道对于帝王地位与权力的制衡作用。可见，孝道在人生的方方面面都处于中心，起关键作用。

事君章第十七

子曰：“君子之事上也，进思尽忠，退思补过，将顺其美，匡救其恶，故上下能相亲也。《诗》云：‘心乎爱矣，遐不谓矣。中心藏之，何日忘之。’”

【释义】孔子批评愚孝并倡导一种尽心尽责的孝道模式：“君子侍奉君王、在朝廷为官的时候，要想着如何竭尽忠心；退朝居家的时候，要想着如何补救君王的过失。对于君王的优点，要顺应发扬；对于君王的缺点和过失，要匡正补救，如此君臣才能够相互亲敬。《诗经·小雅·隰桑》说：‘心中充溢着爱的情怀，无论多么遥远，这片真诚的爱心永久藏在心中，从不会有忘记的那一天。’”

【评述】在这部分，孔子以“君子侍奉君王”为典型案例，讲述了上下关系中每个人的“君子思维”，主要体现在两个方面：上班的时候要看自己是不是忠于职守，尽心尽力；下班之后，也要想着如何学习上级的优点并加以发扬，匡正上级的缺点或补救上级出现的过失。

与此相反的就是“小人思维”：工作时三心二意，不精益求精，不积

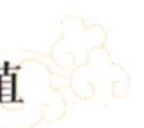

极配合，应付差事，心中总有抱怨，总觉上级对自己不公；下班后回到家，多半会非议上级的做法，发泄对上级的不满，嘲笑上级的过错，也许还会加上几句自吹自擂。而对于上级高于自己的地方，要么不具备学习和识别的能力，要么拒绝承认，任凭自己一直落后下去。若是与同事聚会，或者喝了一点酒，就可能把对上级的不满到处乱说，这样就会搞坏上下级关系，也无助于解决问题。有这种小人思维的人，一方面自己不会快速进步，另一方面还会在组织中产生负面影响，扰乱其他人的情绪和判断。

丧亲章第十八

子曰："孝子之丧亲也，哭不偯（yǐ），礼无容，言不文，服美不安，闻乐不乐，食旨不甘，此哀戚之情也。三日而食，教民无以死伤生。毁不灭性，此圣人之政也。丧不过三年，示民有终也。为之棺椁衣衾（qīn）而举之，陈其簠簋（fǔ guǐ）而哀戚之；擗踊哭泣，哀以送之；卜其宅兆，而安措之；为之宗庙，以鬼享之；春秋祭祀，以时思之。生事爱敬，死事哀戚，生民之本尽矣，死生之义备矣，孝子之事亲终矣。"

【释义】孔子说："孝子失去了父母亲，要哭得声嘶力竭，发不出悠长的哭声，举止行为失仪，言语没有了条理文采，穿上华美的衣服就心中不安，听到美妙的音乐也感受不到快乐，吃美味的食物不觉得好吃，这是做子女的因失去亲人而悲伤忧愁的表现。父母之丧，三天之后还是要吃东西，这是教导人们不要因失去亲人而损伤身体，不要因过度哀伤而灭绝人的天性，这是圣贤君子的为政之道。为亲人守丧不超过三年，是告诉人们居丧是有期限的。办丧事的时候，要为去世的父母准备好棺材、外棺、穿戴的衣饰和铺盖的被子等，将其妥善地安置进棺内，陈列摆设簠类祭奠器具，以寄托生者的哀痛和悲伤。出殡的时候，捶胸顿足，号啕大哭，哀痛地出送。占卜墓穴吉地以安葬。兴建起祭祀用的庙宇，使亡灵有所归依并享受生者的祭祀。在春秋两季举行祭祀，以表示生者的无限思念。父母亲在世时以爱和敬来侍奉他们，在他们去世后，怀着悲哀之情料理丧事，如此才算尽到了为人子女应尽的本分和义务。养老送终的大义都做到了，才算是完成了作为孝子侍奉亲人的义务。”这一切，都是孝道的具体表现。

【评述】古人重视丧礼的传统，大部分已经被现代人抛弃了。这既有进步，也有退步。人生大事，无非生死，如何看待和处理生与死的问题，也是人类是否尊重自己、尊重生命的具体表现。

在这段话里，孔子列举孝道的具体表现，阐发对生命的人文关怀，他将丧礼分成了八种形式：

一是备礼，办丧事的时候，要为去世的父母准备好棺材、外棺、穿戴的衣饰和铺盖的被子等。

二是哭礼，发自真情的哀哭，放弃平时的端庄，不在意言语的条理文采，绝不穿华美的衣服，绝不听美妙的音乐，绝不吃美味的食物。

三是停礼，古代风俗，人死了要在家停尸七天，新中国成立之后改为三天。古人认为人死后要七七四十九天方可以投胎转世，头七天是回魂夜，这一天，死者会回来看家人最后一眼。现代人的丧礼，大部分是把遗体存放在医院的停尸房，在家里或殡仪馆挂上死者的照片，再做些简单的布置。

四是占礼，占卜墓穴吉地以安葬。我国现已由土葬改成了火葬，墓地也多是集体公墓。

五是发礼，出殡的时候捶胸顿足，号啕大哭，哀痛出送。这种风俗在一些农村还保留着，在城里已经做了大幅度的简化。

六是食礼，办完父母的丧事，三天后就要恢复正常饮食，以免伤着自己的身体，爱护自己的身体，也是对去世父母尽孝道的一种表现。

七是守礼，古人父母去世之后要守丧三年，以示孝道。但总有人质疑

这种制度，现代社会基本将其废止了。孔子的弟子曾问孔子，三年时间太长了，是否可以短一点？但孔子的弟子中也有一个很特别的人，就是子贡，他为孔子守丧六年，遂成千古佳话。

八是祭礼，兴建起祭祀用的庙宇，使亡灵有所归依并享受生者的祭祀。在春秋两季举行祭祀，以表示生者的思念之情。在我们部分农村还保留着“七七”的祭祀形式，也就是去世后以七为单位祭祀。有的是周年祭，更多的是清明祭和春节祭。

对于现代人来说，尤其是对于现在的城里人来说，跟父母去世有关系的这八种丧礼的形式，显得有些烦琐，因此不断简化。

随着时代的发展，沿用古代的丧礼形式是不现实的，但不管怎么改革，也不能忘记了丧礼本身所昭示的对生命的理解：

首先，中国人对死亡的理解与处置方法，是中华文化非常重要的一个部分，不可视之为文化糟粕并全部抛弃。

第二，父母在世时，子女应该尽忠尽孝，这是中国人独有的以家庭为单位的社会保障体系。父母去世后，子女和后代应该用祭祀的方式保持与他们的独特联系，祭祀活动也是身处两个不同空间的生命进行对话与沟通的方式，而非迷信。

第三，中国人认为，去世的人只是到另一个世界去生活，因此，应该在哀伤的同时，为去世的人庆祝。至今，在中国民间，老人高龄去世还有“喜丧”的说法。

第四，每个人都是要死的，“向死而生”是中国人一种非常理性和达观的人生态度。人活着时要懂得珍惜自己的生命，人死时要带着升级的快乐离开人间。

第五，儿女对父母的尽孝是不能疏忽的，因为随着儿女长大成人，父母在人间的时间也在一天天减少，父母儿女相处的时间也在不断减少。因此，凡是相聚的时刻，父母和儿女都要格外珍惜。

第六，与去世的父母和祖先的“定期沟通”，应该是活着的人思想情感活动中必不可少的内容，祭祀祖先，就是家族亲人之间跨时空的链接和沟通。忘记过去就意味着背叛，若是忘记去世的亲人，心中一定会时常生出莫名的烦躁。生命并不是一个个孤立的个体，生命的本质是个体之间的联系。

第七，即使现代人没有三年守丧的习俗，心中也应该保留着守丧的意识，这是恢复与父母亲人特殊生命链接的机会，也是一个人在生命的时空中的重要修行。

三　结语：活着尽孝，然后等待相聚

人们忙碌起来，有时就会忘记父母，自然，忙碌也会让人心思浮躁。于是，父母往往会以生病为由，将子女召唤回身边，让子女暂时停下那份让人烦躁的忙碌。

忙碌又心情不好的人，往往也没有好心情，不能善待父母。此时，父母往往沉默承受着、忍受着，有时甚至希望自己快点离开人世。

只想个人生活清静自由的年轻人，也不愿意跟父母住在一起，父母只好拿着孩子儿时的照片怀念过去。如今的父母，早已经没有过去家长的威风，忍受着身体的病痛，心里却依然想着为儿女做些什么，在儿女为生活奔波而心情不好时，父母还要像受气包一样，剩下的就是度过自己有限的时光……

我年轻时，是那般不懂事，那般不理解父母，那般自私，只忙于自己的事情，却置年迈的父母于不顾……

等到自己也懂些事了，父母却已经老了。愧疚的心，让我总想跟他们整天相守，总想送他们喜欢的东西，来赎我过去的罪……

有一天，他们都走了，只剩下孤零零的我。那两个无条件爱自己的人离开了，那两个对自己的进步和成就只有欣喜的老人走了，天塌了，从此我要一个人往前走，真累……

好在，我们都还有希望，总会有那么一天，我们会与一直等待我们的父母相会。活得久了，经历得多了，这便是一种温暖的期待……

论语心读

立君子风范（中）

齐善鸿 著

華夏出版社
HUAXIA PUBLISHING HOUSE

图书在版编目（CIP）数据

论语心读 ： 立君子风范. 中 / 齐善鸿著. -- 北京 ： 华夏出版社有限公司，2024.9

ISBN 978-7-5222-0702-5

Ⅰ. ①论… Ⅱ. ①齐… Ⅲ. ①《论语》—研究 Ⅳ. ①B222.25

中国国家版本馆CIP数据核字（2024）第085819号

第三篇

修行之道

君子，是从小人中冲出来的幸运者！

君子，是受到圣人的感召向上升腾的生命！

君子，依然会在红尘中遭遇小人的挑战！

君子，出路在于一心向圣与抵御小人的修行！

一　篇序

人不是低等动物，人不能变成低等动物！

要做人，最起码要做君子，不能做小人！

要做君子，自然就要知道什么是君子的标准。

当不清楚君子的标准时，就可能无意中做小人！

只有清楚了君子的具体标准时，才会有一个明确的追求方向。

当然，要成为君子，必然要经历一个成长和成熟的过程！

实际上，没有人以做小人为目标，可在向着君子方向努力的过程中，很多人出了错。

人若要成为人，就要知道人是如何思考、如何行动的，又是如何不断修正自己的。

没有修行的过程，人生就不可能完美；没有修行的方向，人生就必然会一点点迷失。

世间人，性本纯净，皆因后天熏染，弄得自己灰头土脸，若是不能时时拂拭，则难见人之真面。

因此，还要懂得成为君子的修行方法，也就是懂得如何处理现实中各种各样的具体问题。

懂得了正确的修行方法，就能够处理好现实问题，最终，每一次正确的处理都会成为自己接近君子的一个台阶。

人生，从低等动物成长为人的过程就是修行，就是自我修理，就是自我矫正。

没有主动的修行，就会被生活修理。修行，并非出家人的专属，它是每个人必需的生命活动。

君子，不只是一个概念，也不只是一种理念，而是一系列连续不断的行动，是通过具体的作为，一步步认识自己和证明自己的过程。

红尘中，小人肆虐，皆因他们不懂君子之道，并非天生就是小人。于是，不明君子之道的人们将害人害己的行为视为聪明之举。若是早修君子之道，小人也会成为君子，世间就会成为君子的天堂。

红尘中，假君子横行，皆因他们不懂得君子之道。于是，就出现了一批戴着君子面具的小人。可悲可叹！若是早知真正的君子之道，又何必那样装模作样？

像君子一样追求正道，像君子一样恪守正道，像君子一样一步步修行过坎，像君子一样行动，如能如此，我们就走在成为君子的道路上。根器上乘者，也许无意中还会成圣。

这才是人生一切念头和行动最终的归宿——成为什么样的人！

这才是对生命最大的诱惑！

核心纲领：君子永不怨人，永远反省自己！

内心方向：永远恪守正道，不畏邪恶奸佞！

全面责任：对己独善其身，对人兼济天下！

学习方式：凡事皆是修行，小人也是老师！

智慧模式：只存善心待人，精进善法善果！

二　修行之道的思想纲领

君子的方向——重道、信道、弘道

人生最重要的问题是方向！

若是方向错了，一切努力都不会有好的结果！

圣人孔子给我们指出了一条被2000多年的历史证明了的正确道路——重道、信道、弘道！

君子心性定位——正道

明道在命，立志弘道！

弘道红尘，当立心道！

心道已立，勤行悟道！

君子修行之道——自省修己

人并不完美，人生即完善自己。

人非圣贤，孰能无过，关键不犯大过，不贰过。

人生在红尘，无心也有过，关键是知错改错。

人生难免错，关键是有承认的勇气和改正的决心。

人生总有过，改过就能进步，粉饰自辩自是堕落。

有过无心，日月可鉴。有心为过，即为大恶。

君子行动之道——谨言慎行

道理懂得再多，若是没有行动，道理也是自欺。

谨言慎行，行胜于言，事实胜于雄辩。

小事为私，只是小人；小事为人，即可悟道。

三　正文心解

学而第一

1·1　人不知[①]而不愠[②]，不亦[③]君子[④]乎？

【注释】①知：了解、理解。　②愠：怨恨、恼火。　③亦：也。　④君子：这里指有道德有修养的人。

【释义】人家不了解我，我也不怨恨、不恼怒，不也是一个有德的君子吗？

【要点】(1) 人不知。(2) 不愠。(3) 亦是君子。

【语境与心迹】人们在什么时候容易生气伤心呢？就是别人不理解自己、误解了自己，好心被当成驴肝肺的时候吧！“人不知而不愠，不亦君子乎？”这像是跟人说话时或者劝说别人时对别人的反问。自己做了好事，有了正确的主张，明明是对他人对社会有益，可是得不到大家的理解、赞成、支持、褒扬，有时还会招致些误会、曲解甚至诽谤、攻击。在这种情况下，我不生气、不抱怨、不恼怒、不颓废、不放弃，继续行善积德、探求真理，丝毫不在意自己的声誉。这样的修养、德行，当然符合君子的品行。

【接圣入心】

很多人最受不了的是什么呢？就是被人误解。

被人误会了，我们会怎么样呢？很恼怒，很愤慨，很伤心。

误会，就是人家不了解我们，可人家那么忙，哪有那么多时间了解我们啊！

况且，即使了解我们，也是用他们各自的方式，大概其不会用我们所希望的方式。我们总是要求别人理解我们，但我们又理解别人多少呢？

总是要求别人理解我们，我们真的有这种权利吗？

实际上人和人之间做到完全理解是很困难的。实际上，祈求别人完全理解我们，这本身就是一种妄想。若是别人不理解我们，我们还要恼怒、生气，这又管什么用呢？

被人误会也不伤心，适时做些说明和解释，或者给对方补充一些新的事实，也许误会就化解了。若是误会继续，那就不要纠缠了，继续前进，日久见人心，生命中哪有那么多的时间花在这上面呢？这就是君子的定力：理解别人，勇往直前。

若是因为别人的误会而怨恨别人，或者终止自己该做的事，你就一定会失去自己的方向。只要有人不理解你，你就改变方向、动摇意志，你还能成什么事呢？

【格言】理解的是知己，不理解的是常人，理解不理解才是大智慧！

1·4 曾子①曰："吾日三省②吾身：为人谋而不忠③乎？与朋友交而不信④乎？传不习⑤乎？"

【注释】①曾子：姓曾名参（音 shēn）字子舆，生于公元前505年，鲁国人，是被鲁国灭亡了的鄫国贵族的后代。曾参是孔子的得意门生，以孝出名。 ②三省：省，检查、察看。三省有几种解释：一是三次检查；二是从三个方面检查；三是多次检查。其实，古代在有动作性的动词前加上数字，表示动作频率高，不必认定为三次。 ③忠：此处指对人应当尽心竭力。 ④信：诚实之谓信。要求人们按照礼的规定相互守信，以调整人们之间的关系。 ⑤传不习：传，老师传授给自己的；习，指温习、实习、演习等。

【释义】曾子提出来的自省之法，令无数人受益："我每天多次反省自己：为别人办事是不是尽心竭力了呢？同朋友交往是不是做到诚实可信了呢？老师传授给我的学业是不是复习践行了呢？"

【要点】(1) 曾子格言。(2) 吾日三省吾身。(3) 为人谋而不忠乎？与朋友交而不信乎？传不习乎？

【语境与心迹】曾子的个性，既不像子路那般勇猛，也不像子张那样愤世嫉俗，更不像子贡那样活跃。曾子喜欢深入思考。了解了这一点，也就知道曾子为何重视自省了。曾子修行的总纲是“吾日三省吾身”，具体内容有三：“为人谋而不忠乎？与朋友交而不信乎？传不习乎？”一个修行者，若是能够按照曾子所言去做，就有可能修成君子。

【接圣入心】

很多人平时对别人做得最多的是什么呢？就是指责和批评。这在修行的君子看来，就是小人的作为。

很多人平时最没有勇气做的是什么？就是自我批评，就是认错改错。为什么呢？因为不修行的人并不知道怎么做才真正有利于自己的成长、符合自己的根本利益，于是做了很多不利于自己的事情。

我们指责别人时，别人会感激我们吗？多半会憎恨我们，这也无助于别人的改变。为什么会这样呢？因为没有人喜欢被指责，一旦被指责，就会启动非理性反应：自辩和怨恨。而喜欢指责别人的人，并不懂得人心的这个规律，尽管自己被人指责时也会很不舒服，但在指责别人时已经忘记了自己曾有的这份体验。

心理学规律告诉我们：自卑的人是不会接受别人用批评的方式所传递的善意的；相反，还会暗暗地憎恨。只有真正的修行者，才会满怀感激地接受别人批评时传递的善意。现实生活中真正自信地、积极地、充满感激地寻求和接受别人批评的人有多少呢？很少啊！怎么办呢？

作为修行的君子，曾子找到了一个高级程序：修行总纲——每天，至少三次或者从三个方面，反省自己。这里的要点是：每日不断，重点是连续性、不可中断；至少三次或者三个方面；反省自己的过失，而不是指责别人的过错。具体内容列出了三个方面：替别人办事是否尽力？与朋友交往有没有不诚实的地方？先生教的知识是否去践行了？如果发现做得不妥，能立即改正吗？

君子找到了通达人性的法门：自省、自我批评、主动征求别人的批评。万不可在别人没有发出邀请时主动批评别人。否则，人们表面上还会做足虚心接受的样子，可内心深处的怨恨却难以消除。此时，主动批评别人的人，也许心中是好意，却适得其反。你看，到了这个地步，非但没有产生预期的良好效果，非但没有解决问题，反而增加了新的问题，而且是短期很难解决的问题。

中国共产党有一个优良的传统，就是“批评与自我批评”。这一传统的确立，来自战争时期那些同甘共苦的战友们的心心相印。现如今，这一传统又如何发挥作用呢？按照人性的规律，应该是每个人进行自我批评，然后主动地寻找同志（最好一对一，而不是集体）给自己提建议，而不是简单地批评，这样就绕过了人性中怨恨的那道坎。作为批评者，并不是直截了当地像是下结论一样给予对方批评，而是仅仅站在自己的角度把感觉到的告诉对方，并且提出改进的方法。这样的好意，才容易被人接受。

曾子在这里提倡的反省，简单点来说就是要问自己：为别人做事尽心尽力了吗？对朋友做到实心实意了吗？老师教我们的知识真的去反复思考和践行了吗？对每个人来说，修行中的反思可以着重于以下几个方面：今天比昨天有进步吗？昨天发现的不足或者过失今天又重犯了吗？今天又有何过错或者不妥或者需要改进的？我学习到别人的优点了吗？别人的什么过失是值得我借鉴的？

试想，遇到问题都从自身找原因，都在找自己的错，都在道歉，都在主动承担责任并去改正，都在学习别人的优点，都在感恩别人的帮助，人间还会有不和谐吗？还有怨恨和争吵吗？

当然，如果你遇到的人不懂得这些，只是一味地指责你和推诿自己的责任，你能反其道而行之吗？你有这份勇气吗？若有，你就是君子；若无，你就是跟对方一样的人。你愿意变成你厌恶的人吗？

【格言】唯有自省，方能进步！

1·8　子曰：“君子不重①，则不威。学则不固②。主忠信③。无④友不如己⑤者。过⑥，则勿惮⑦改。”

【注释】①重：庄重、自持。　②学则不固：不庄重就没有威严，所学也

不坚固。 ③主忠信：以忠信为主。 ④无：通“毋”，不要。 ⑤不如己：不如自己。 ⑥过：过错、过失。 ⑦惮：害怕、畏惧。

【释义】孔子讲了君子的5个重要特点：“君子，不庄重就没有威严；学习可以使人不闭塞；要以忠信为主；不要和不如自己的人交朋友；自己有了过错，就不要怕改正。”

【要点】（1）君子之道。（2）庄重而威严。（3）学则不固。（4）忠信为主。（5）不交异道。（6）有过即改。

【语境与心迹】孔子给弟子们讲解君子之道，既讲了仪态形象，也讲了学习，也说到了忠信，还提到了如何看待朋友，以及若是自己有了过失要怎么办的问题。俗话讲，“小鸡不尿尿，各走各的道”。君子和小人也是各有各的道。君子之道，因为庄重而有威严，因为好学而不顽固，因为忠信而无背叛，因为懂得朋友的长处而知心，因为知错必改所以不会重犯。小人呢，恰恰相反。

【接圣入心】

一个人不庄重、不恭敬，会有人尊敬他吗？一个人不学习，能不落后吗？一个人不忠不信，会有朋友吗？一个人跟自己不同道的人相处，会有乐趣吗？有了过错又千方百计遮掩，会有重来的机会吗？

想想看，现实中的很多人是不是就像上面所说的那样？你是什么样的？

君子会怎么样呢？当然跟上面说的正好相反。

君子庄重而恭敬，于是处处受人尊敬；永远在不断学习，不会骄傲自满，于是自己不断进步；对朋友讲究忠信，不贪不算计，也不会被骗，还能交下好朋友；君子知道，三人行都有师可学，何况自己的朋友呢？能看到朋友的长处，友谊才能长久；君子有了错就认错改错，就不会重复犯错误，就会赢得别人的信赖。

想想看，不这样做君子，人生还会有什么收获？

君子日常的这几条，你愿意去践行吗？

【格言】自庄重，勤学习，主忠信，赞友长，有过改。

1·16 子曰："不患[①]人[②]之不己知，患不知人也。"

【注释】①患：忧虑、怕。 ②人：指有教养、有知识的人，而非民。

【释义】孔子坦言，不去责怪别人不了解你，关键是你自己了解自己吗？他说："不怕别人不了解自己，只怕自己不了解别人。"

【要点】（1）君子智慧。（2）不患而患。

【语境与心迹】孔子教育自己的弟子时有一条核心的主线：不要外求，而要内求。甚至可以说，这是孔子所倡导的君子的核心思维模式。孔子为什么要这样教育人呢？孔子发现，人们（包括自己的弟子）似乎都有一种自己难以察觉的思维倾向：总是希望别人了解和理解自己，但却很少下功夫去了解和理解别人。这样下去，就很容易使自己郁闷和怨恨别人。孔子深明君子之道，这是他的智慧不断增长的重要原因。君子不会刻意要求别人理解自己（实际上，要求也没什么用），但时刻提醒自己是不是懂得了别人（这个事是自己可以去做的）。小人往往在这方面比君子聪明：他们总是不遗余力地了解别人、理解别人，常常会刻意逢迎、讨好别人，对别人的了解和理解往往会超过那些自以为是君子的人。当然，因为小人自己的德行不高，讨好别人也往往是为了利用别人，所以最后往往没有好结果。但自以为是君子的人，若是不能够首先、时时、事事注重理解别人，即使是再好的用心，也往往不会被人理解，甚至会闹出误会。

【接圣入心】

很多人对一句话很熟悉：理解万岁！我们理解别人呢，还是期望别人理解自己？恐怕大多数时候我们都是希望别人理解自己，而不是我们理解别人。

不被理解会是什么感受呢？很难受、很窝火、很痛苦。

那我们理解别人吗？我们有权利要求别人理解我们吗？要求别人理解，别人就能够按照我们的意愿理解我们吗？

君子找到了做人的智慧门路：不是要求别人理解我们，而是我们要永远理解别人！

那什么才是真正的理解呢？就是理解那些不能理解的，理解那些误解我们的！想想看，能够理解的，还需要理解吗？只有不能理解的，才需要理解！

在修行的智慧中，有个“他心通”，说的就是在任何时候、在任何事情上都能懂得别人的心、体谅别人的苦处、懂得别人那样做的必然性，甚至在自己感到不舒服时，也要替别人着想，即使别人对自己造成了伤害，也要为其辩护。

人生中所遇到的人和事都是对自己的启示。明白了这些启示，就能理解别人，就会替对方着想，然后，别人也就开始为你着想。反之，你不体谅别人，别人也很难体谅你。看来，修好自己是改变人间一切局面的起点。

停止对别人的期待吧，放弃要求别人理解自己吧！只要求自己理解别人，一切就都可以改观。

人生中，理解很重要。懂得什么是理解很重要：所谓理解，就是进入对方的心，知道他的想法的合理性，而不是按照自己的标准给别人做简单的评判。所谓理解，就是懂得我们所不理解的人或者事情背后的道理，而不是以己度人。所谓理解，就是永远站在对方的角度去说对方的理，永远地为他辩护，这是让一个人明白对错的最智慧的方法。

【格言】所谓理解，就是理解那些不能理解的！

为政第二

2·13 子贡问君子。子曰：“先行其言而后从之。”

【释义】子贡问怎样做一个君子。孔子就针对子贡的短板坦言道：“对于你要说的话，先实行了再说出来，这就能够说是一个君子了。”

【要点】（1）子贡请教如何做君子。（2）先行其言而后从之。

【语境与心迹】这里，说的是子贡向老师请教如何做君子。要是完整回答这个问题，也许需要说上几十句话（《论语》中就有很多关于君子的论述），但孔子在此却只是说了很简短的一句话："先行其言而后从之。"这是为什么呢？因为孔子是在对着具体的人说话，是在教育人，而不是在做文章。所以，这句话是孔子针对当时子贡的状态说的。子贡是个什么样的人呢？他才思敏捷，语言表达能力强，具备像外交官一样的雄辩之才。但人有一长必有一短，孔子感觉这个学生一方面需要加强仁德的深厚修养，另一方面还要平衡一下"所言与所行"的关系，故而建议子贡"先做了再说出来，不要说得多做得少"。孔子认为，作为君子，不能只说不做，不能多说少做；而应先做后说，多做少说，甚至有时只做不说。只有这样，才算是踏实，才能稳住自己的心神，才可以取信于人。可见，孔子对弟子的教育是因材施教、精准施教、循序渐进的，由此可见一个伟大的教育者的良苦用心。

【接圣入心】

很多人平时多半是先说后做，而不是先做后说，或者说得比做得多，说得比做得好。

这样的人会被视为虚张声势、油嘴滑舌、华而不实、好大喜功、浮夸唬人的人，因此，会丧失别人对他的信任。

有修养的君子只做不说，或者少说多做，但绝不会事先说得又好又多，做起来又差又少；做完了事别人来说时，更会表现出谦谦君子之风度——贬低自己再去抬高别人，把自己的进步和成绩之恩情算在别人身上，而且不虚滑、很实在、很具体。

你知道为什么要做君子吗？因为做君子会赢得别人的信任，人们认为君子不会出卖自己。

【格言】君子之风范，先行而后说。

八佾第三

3·24 仪封人①请见，曰："君子之至于斯也，吾未尝不得见也。"从者见之②。出曰："二三子何患于丧③乎？天下之无道也久矣，天将以夫子为木铎④。"

【注释】①仪封人：仪为地名，在今河南兰考县境内。封人，指镇守边疆的官。 ②从者见之：随行的人见了他。 ③丧：失去，这里指失去官职。 ④木铎：木舌的铜铃。古代天子发布政令时摇它以召集听众。

【释义】世间的君子还是很懂得孔子的价值的。仪封这个地方的长官请求见孔子，他说："凡是君子到这里来，我从没有见不到的。"孔子的随行学生引他去见了孔子。他出来后（对孔子的学生们）说："你们几位何必为没有官位而发愁呢？天下无道已经很久了，上天将以孔夫子为圣人来号令天下。"

【要点】(1) 孔子见仪封人。(2) 何患无位。(3) 天将以夫子为木铎。

【语境与心迹】孔子在他所处的那个时代，已经是十分有影响力的人了，尤其是在礼制方面，信服孔子的人很多，仪封人便是代表。他在见过孔子之后，就认为上天将以孔夫子为圣人号令天下，可见他对孔子真是佩服极了。当然，他还不忘开导一下孔子的学生们：不用着急没有官位，当今天下无道，你们老师就是老天派来唤醒世人的圣人。看来此人还是很有眼力和见识的，比孔子的某些弟子更能懂得孔子的价值。

【接圣入心】

- 很多人比较在乎的是自己有无官位。
- 当自己所学不能让自己获取官位时，就会灰心丧气，甚至怀疑老师。
- 仪封人是明眼人，自然能看出背后的名堂，故而劝慰孔子的弟子。
- 孔子是带着使命来的，他所追求的岂是简单的官位呢？
- 只想着自己利益的人是看不清世道的。孔子的弟子中肯定有人领悟不到跟随孔子替天行道的伟大使命。

你呢？你在跟随什么人？你能看到跟随的人正在引领你走向什么方向吗？

【格言】愚人不知圣人在身边，天将以夫子为木铎。

里仁第四

4·8 子曰："朝①闻②道③，夕④死可矣。"

【注释】①朝：音 zhāo，早晨。 ②闻：一般解释是"知道了，明白了"。闻，也有出名之意。也有人进一步引申为"闻达"之意。根据孔子自身的性格与追求，应该是闻达更加接近本意。 ③道：古人言道，首先是指天地大道、正道；其次是指仁德仁政之道。 ④夕：日落的时候，泛指晚上。

【释义】孔子的求道之心啊，激励了古往今来多少人啊！他说："早晨时听闻天地仁德大道在世间施行，就是当天晚上死去也心甘了。"如果一个人早上能达成一直坚持的理想，实施了自己的政治主张（仁政），那么他就算晚上死去也是值得的。

【要点】(1) 君子重道。(2) 朝闻道，夕死可矣。

【语境与心迹】人生何求？不同的人，求的是不一样的。像孔子这样心怀天下的人，跟那些食求饱、居求安的普通人所追求的当然就不一样了。孔子是个入世修行者，他肯定不会满足于只是听闻人间大道的一时欣喜，更不是独自修行以求个人对大道的领悟，一定希望听到或者看到天地仁德大道在人间被普遍施行的美妙局面。否则，怎么会有"朝闻夕死"这样的感慨呢？故而此处的"闻道"特指天地仁德大道在人间的施行。"朝闻道，夕死可矣"这段话常常被人们所引用，一般理解更多倾向于对真理或某种信仰追求的迫切感。孔子所说的"道"究竟指什么？这在学术界是有争论的。实际上，以孔子的境界和古人言道的内涵，他所理解的"道"，肯定既有天道的成分，也有人道的成分。天道，指的是天地万物的自然运行规律，人道指社会、伦理的最高原则和做人的最高准则，主要是指仁德的内

容。天道是根本，人道是表现，二者相互联系，密不可分。

【接圣入心】

◎ 孔子一生，学道、修道、悟道，并将此看成是一生中最重要的事情。

◎ 孔子在此处用朝夕的比喻，进一步说明只要悟道，就死而无憾了。

◎ 人生经历的各种事情，都是为了帮助我们明白天、地、人的基本规律。

◎ 若是经历了很多，却没有领会天、地、人的基本规律，就等于是在重复昨天。

◎ 一个总在重复昨天的人，是没有真正的未来的。

◎ 你若是忙碌疲惫，一定是因为没有领悟到基本规律，还在使用蛮力。

◎ 等到搞清楚了天、地、人的基本规律，遵道而行，人生才会有自由，才会自在和轻松。

◎ 停下忙碌的脚步，学习、反思、修行，只要摸到基本规律，一切就会变得容易和轻松。

【格言】朝闻道，夕死可矣。

4 · 9　子曰："士①志于道，而耻恶衣恶食者，未足与议也。"

【注释】①士：上古时掌刑狱的官。商、西周、春秋为贵族阶层，多为卿大夫的家臣。春秋末年以后，逐渐成为知识分子的统称。战国时的"士"，有著书立说的学士，有为知己者死的勇士，有懂阴阳历算的方士，有为人出谋划策的策士等。

【释义】孔子对那些患得患失的小知识分子很是不屑，他说："士有志于学习和实行圣人的道理，但又以自己吃穿得不好为耻辱。这种人，是不值得与他谈论道的。"

【要点】（1）士志于道。（2）耻恶衣恶食。（3）未足与议。

【语境与心迹】到了孔子那个年代，"士"主要指有知识的人。孔子认为，社会中有知识的人，要想着为国家贡献力量，而不能只是满足于个人的吃穿等生活琐事。毕竟，在那个时代有知识的人很少，也显得很珍贵。况且，知识是人类的财富，若是占有了人类的财富却只想着为自己谋生活，就有点对不起祖宗和社会了。孔子说上面那句话时，既像是在表白自己的志向，又像是在批评某些没有志向的“士”。而且，对那些一方面心中有志于道，另一方面在生活上又嫌弃衣食不好的人，孔子认为他们还不够纯粹，既然志于道，为什么还会去计较生活中的那些皮毛之事呢？对这样的人，孔子有些不屑，认为根本就不必与这样的人去讨论什么道的问题。

【接圣入心】

中国有句古话：鱼和熊掌不可兼得。实际上，在不同的时点上二者是可以兼得的。

人之欲望在于想得到所有好的东西，但需要你拥有相应的品德与能力。

人的需要总是两个方面的：一是精神的，二是物质的。只追求一个方面肯定是有问题的。

一般人的困惑往往不是追求精神或者物质的问题，而是需要搞清楚两个基本的问题：一是精神的内涵和质量决定着物质收益；二是人不能在精神匮乏甚至扭曲邪恶时获得健康的物质收益。

基本的策略就是先学习提升自己，此时要甘于寂寞和贫穷。等到提高了自己的精神内涵和品格能力之后，物质的收益才会有明显的增加。学习是人“充电”的过程，如果不专心，如果三心二意，“电”不足怎么会有光明的人生呢？

当然，在获得富足的物质收益之后，个人怎样不变质，如何不至于陷入纸醉金迷的糜烂生活，对于以精神求物质的人来说，仍然是一道坎。

孔子一贯倡导：无限的精神追求和有限的物质欲望，这才是人生追求的最佳结构。孔子给人们描绘了人生追求的四种模式与境界：以无知状态求无限物质，这是愚昧的人的蠢行；以精神为手段去追求物质，是一般人的平凡；以卓越精神追求为主导、为人生目的，附带有限的物质需要，这是君子的品行；将精神使命作为主导的人生，安于贫穷，或者将物

质投入对精神追求的支持中，是伟人和圣人的境界。

【格言】志于道者，何计衣食。计于衣食，何足为道。

4·10 子曰：“君子之于天下也，无适[①]也，无莫[②]也，义[③]之与比[④]。”

【注释】①适：音 dí，意为亲近、厚待。②莫：疏远、冷淡。③义：适宜、妥当。④比：亲近、相近、靠近。

【释义】孔子说：“君子对于天下的人和事，没有固定的厚薄亲疏，只是按照义去做。”

【要点】(1) 君子无厚薄亲疏。(2) 义之与比。

【语境与心迹】君子要为国家承担重任，就不能局限在一般人的思维中，不能再按照普通人的价值观去区别人和人之间的亲疏关系，关于一些事情，不能只看重是否有利于自己，而是要按照天下大义去考虑。孔子看到了很多有官位的人还在为自己谋私：要么照顾自己的亲人或者朋友，要么只是为自己敛财或者追求奢华的物质生活。故而，孔子提出了这样一个君子的标准，也是在批评和警示现实中那些自私的人们。在这里，孔子提出了君子看问题和处理事情的核心标准：“义之与比”。有高尚人格的君子为人公正、友善，为人处世严肃灵活，不会厚此薄彼。

【接圣入心】

- 一个人站的高度如何，决定了他看待人间万事是否公平公正。
- 君子心怀天下，只为天下人谋事，不为自己一人谋利。于是，君子就会得到天下人的尊敬和爱戴。
- 正因为君子是站在天下的高度看待人间万事的，所以对天下的人和事，没有厚薄亲疏的分别，而是一视同仁。
- 小人则不同，因为他想的只是自己的事情，只为自己谋利，别人都是他利用的对象，利我者亲，无利则远，有损必恨。
- 只为自己谋利，这算不算是自私呢？他本人是想自私的，但这样做恰恰没有办法满足自己的私利，相反还会出卖自己。这就是自私之人的愚蠢之处。

在现实当中，小人的模式还是处处可见的：认为谁对自己有用，就跟谁亲近。若是觉得别人对自己没用，就疏远人家。正所谓，用人朝前，不用人朝后；对自己好的，就认为是好人；对自己不好的，就认为是坏人。小人的判断模式和行动方针，就是看是否有利于自己。很显然，这是低级动物的模式。

君子超越了小人的模式，视天下为自己的天下，将所有的人看成是自己，将自己奉献给天下和所有的人。于是，他就能合于天下、拥有天下。实际上，是他将个人与天下、与众人完全合一了，这就是君子的伟大与智慧。

【格言】君子交于天下，哪里还有亲疏，一切义之与比。

4·11 子曰："君子怀①德，小人怀土②；君子怀刑③，小人怀惠。"

【注释】①怀：思念。 ②土：乡土。 ③刑：法度。

【释义】孔子很清楚君子和小人内心的想法，他说："君子思念的是道德，小人思念的是乡土；君子想的是法度，小人想的是恩惠。"

【要点】(1) 君子怀德，小人怀土。(2) 君子怀刑，小人怀惠。

【语境与心迹】在孔子的时代，只有少数人能够坚守道德，某些貌似君子的人也还是忘不了关心自己的物质生活。至于小人们，不管是在古代还是当代，当然就只会关注自己的乡土和是否能够得到恩惠了。孔子认为，君子应该成为治世的骨干，但若是不能心怀道德与天下，只顾自己的那点小私利，这可怎么行啊！孔子在此处提出了君子与小人这两种不同类型的人格形态，认为君子有高尚的道德，他们胸怀远大、视野开阔，考虑的是国家和社会，而小人则只知道思恋乡土和小恩小惠，考虑的只有个人和家庭的生计。这是君子与小人的不同之处。

【接圣入心】

君子与小人，是儒学中的两种人格类型，通过比较让人们知道人格境界的差别，从而明确自己的追求方向。

君子品德高尚、视野宽广，考虑的是如何为国家和社会的兴盛做事。

小人品德低下、心胸狭隘，考虑的是个人生计而忽视对别人的贡献。

故而君子可以成为社会精英，小人只能苦苦忙于个人生活。

古往今来，在众人的生活形态中，小人居多。关键是想成为社会精英的人或者已经坐在社会精英位置上的人，是否具备了君子的品性。如果坐在精英位置上的人持有小人的心态，不管对个人还是社会，都将是一场灾难。

有人会问：要那么高境界干什么？不可能所有人都达到那么高的境界啊。

- 高境界，是一种比较合理的状态，能让一个人减少内耗和冲突，避免顾此失彼的损失。
- 高境界能够达到吗？肯定不是一下子能够达到的，但人生几十年也够长了，只要知道这个方向，努力往前走，人生就会不断进步。
- 所有人都可以达到高境界吗？估计很难，因为人和人不同，先天因素、后天努力、个人经历、周围环境等诸多因素决定了人和人会有很多差异。但对于大部分人来说，最根本的差异出现在精神领域：你是否知道这样一个境界？你是否会拒绝这样的境界？你是否会坚定地向着这个境界努力？

实际上，重要的不是高境界何时能够达到，而是在与他人的竞争中，你是否比其他人的境界更高，这才是要害所在！

【格言】君子思考的是道德与法度，小人思虑的是乡土与恩惠。

4·14 子曰："不患无位，患所以立。不患莫己知，求为可知也。"

【释义】孔子是注重内求的修行者，格外注重自己的状态而非别人的看法。他说："不怕没有官位，就怕自己没有可以支撑自己位置的品性与能力。不怕没有人知道自己，只在意是否有真才实学而值得为人们所知道。"

【要点】(1) 不患无位，患所以立。(2) 不患莫己知，求为可知也。

【语境与心迹】这段话极有可能是孔子对着自己的弟子们说的。因为，从各种迹象来看，孔子的弟子中有些人对能否获取官位一直心存疑虑，故而对是否跟随老师学习产生了怀疑与犹豫。于是，洞察到弟子心迹的孔子，向弟子们指出了学习成长与为官成就的关系，这也是孔子在对弟子们进行有针对性的“劝学”。此处孔子所表达的观点，既是孔子和学生经常谈论的问题，也表明了他立身处世的基本态度。孔子并非排斥成名成家，并非不想身居要职，而是希望他的学生必须懂得这样一个道理：首先要立足于自身学问、修养、才能的培养与提高，只有具备了足以胜任职位的各方面素质与能力，机会才会降临，学问才有实际价值。“机会总是给那些早有准备的人的。”只是，看古今中外，学问高的人未必能够身居高位，其“质”（本质、实力）弱而遭打压，“太有文化”而缺手段和布局能力，尤其是缺认定正道方向、长期布局和那“临门一脚”的功夫，故而这类人多呈现为“文胜质”的迂腐状态。

【接圣入心】

儒家孔圣的一个核心思想就是：首先强大自己，方能成为社会有用之才。若是放弃自身建设，一味追求外在物质，就会沦为外物的奴隶，就不是君子正道了。

在生活中，很多人千方百计地为自己谋利益、谋位置、找机会，却忘记了用学习提升自己。这就是投机钻营之人。

在现实中，投机钻营之人也会得到位置与机会，但位置与机会最后考验的是自己的功夫。由于投机钻营者没有在自身下功夫，所以遇到事情就会出丑，就会被人看穿，就会出事故而担责任，最后因为内在品性与能力无法胜任外在的需求而落得个自取其辱的下场。

你一定在想着谋位置或者谋利益或者谋机会，但你同时在提高自己吗？如果这二者不匹配，要想得到机会就会失去人格、尊严，甚至触犯法律。即使一时得到利益而没有受到惩罚，后续的过程也将是十分纠结和危险的。

如果你现在感觉不是很得志，是否羡慕那些比你位高的人呢？是否知道比你发展好的人是在背后下了功夫的？你往往看不到人家背后下的功夫，人家也不会轻易告诉你。或者，某些位置比你高的人没有良好的品性与能力，只是靠投机钻营而一时得势，你是羡慕他们，还是嫉恨他们，还是同情他们？羡慕他们说明你糊涂；嫉恨他们说明你在内耗；若能在同情他们的同时努力学习提高自己，说明你是个明白人。

【格言】君子不求位，而问自己德行。君子不求扬名，只虑能否承受。

4·15　子曰："参乎！吾道一以贯之。"曾子曰："唯。"子出，门人问曰："何谓也？"曾子曰："夫子之道，忠恕而已矣。"

【释义】孔子跟曾参说："曾参啊！我讲的道是由一个基本的思想贯彻始终的。"曾子说："是。"孔子出去之后，同学便问曾子："这是什么意思？"曾子说："老师的道，就是忠恕啊。"

【要点】(1) 吾道一以贯之。(2) 夫子之道，忠恕而已。

【语境与心迹】此处的场景，是孔子在跟曾子说话，其他的弟子也都听着呢。孔子在此处告诉曾子，他的道是有一个基本思想一以贯之的，但没有明确说是什么内涵。等到孔子出去后，弟子们来问曾子：老师那话到底是什么意思啊？曾子说，老师那个一以贯之的道就是"忠恕之道"。孔子所说的那个一以贯之的道是不是就是忠恕？孔子自己没有直接说出来，也许是，也许不是。这里只是曾子根据自己的理解所做的解释。当然，忠恕之道是孔子思想的重要内容，待人忠恕，这是仁的基本要求，贯穿于孔子思想的各个方面。

若是结合孔子在整部《论语》中的思想来看，孔子所说的那一以贯之的道会是什么呢？第一，对于古人来说，很多关于人间的思想是从观察自然、演绎客观而来的。古人普遍认为，天地博大长久，核心就是无私。这就是天地之道。第二，将天地的客观属性主观化之后，就出现了这样的逻辑：人乃天地造化之物，天地既然是无私的，人的根本属性也应该是无私的。这就是人性之道。第三，天地无私，人亦无私，于是应该敬天爱人。故有仁者爱人之人间道德准则。这就是仁德之道。第四，仁者，爱人者，也就是助人者，自然应该根据对方的需要决定自己的行动，而不能不管对方情况而强加于人。这就是忠恕之道。第五，事情做起来，要注意分寸火候的拿捏，这种把控做事程度的智慧，也就是中庸之道。可见，这个一以贯之的道，从源头上，是天、地、人合一的立场；从思想价值上，是仁德纲领；从待人思维上，是忠恕思维；从做事艺术上，是中庸智慧。也许，这就是孔子心中的那条一以贯之的主线吧！也许，孔子的哲学思维才是能解释所有问题的那个道。

【接圣入心】

普通人看待人间万事万物，总是感觉很复杂，而且变幻莫测。孔子为世人揭示了一个人间真理：看到的现象是千变万化的，而决定其根本的却是最简单稳定的规律。这就是哲学式的思维，即“大道至简”。

在学习和实践中，我们必然面对许许多多、各种各样的情况，但在这些现象的背后却隐藏一个根本的规律，这就是中国文化中所说的“道”。“道”是世间一切事物发展变化的总法门，如能悟道，就能掌握世间一切事物发展变化的总规律。这也是孔子发出“朝闻道，夕死可矣”感慨的重要原因。

那为何曾子认为孔子一以贯之的道就是“忠恕”呢？姑且不论“忠恕”是不是孔子认同的那个道，这忠恕思想确实很重要，但它到底妙在何处呢？

• 曾子是比较善于思考和得到老师赏识的弟子，自然对老师的思想有比较深的领悟。也许，孔子在这段话之前正在跟曾子谈论相关内容，只是没有被记录下来，所以才一开头就有了“参乎，吾道一以贯之”这样带有强调、结论性的话语。进一步再臆测一番：孔子为何这样强调呢？是不是孔子觉得曾参在理解自己的思想时有点偏离根本，所以才做了这样的申明和强调呢？这些都不得而知了，但皆有可能。

• 毋庸置疑，“忠恕”是儒家非常重要的思想。但从字意看来，“忠”字，取“中”和“心”，意为将自心立于中正，无愧天地，可昭日月，不欺天自然不欺人，为人老实忠厚即由此而来。“恕”字，取“如”和“心”，如谁之

心呢？首先是自己的本心、初心、真心、诚心。活在现实中的人们，很多人已经忘记了自己的本心和初心，很多时候也找不到自己的真心和诚心了。这样的一种本心迷失的状态，已经让人们陷入迷茫，如同无头的苍蝇到处乱撞。找回本心，从迷失中走出来，是人生的一项重要任务。其次，就是别人的心。自己的心找到了、明白了，也就差不多知道了别人的心：别人迷失的心跟自己类似，别人渴望和追求的心与自己也相似。你懂得了别人的心，别人就不是别人，而会变成你整个生命的一部分。儒家之"己所不欲，勿施于人""己欲立而立人，己欲达而达人"，正是这一思想的表现。

"忠恕"难啊！

- 想想看，人能立于天地，心思中正，不偏不倚，无愧天地，可昭日月。从道理上来讲，虽然人应该如此立世，但受个人私欲和环境影响，还有多少人能够做到呢？立心不正，敢于欺天，自己迷失了又怎么会忠诚于别人呢？
- 如果连自己的心都立偏了，又怎么能懂得、理解、体谅他人呢？心立偏了的人，都是因为私欲过重，满心想的都是自己得利、都是自己有理，这样的状态是无法进入别人的内心的。若是无我，见谁就进谁的心、就懂谁的心，世间还有什么纷争和误会？如此绝对的客体思维——像你面对的对象那样思维，真是智慧啊！

古语云，得人心者得天下，世间一切问题的症结皆在于人心。通过"忠恕之道"进入人心，就可以破小我而合人心，人就可以在天地间逍遥，就可以有自由的心灵。

【格言】吾道一以贯之，夫子之道忠恕。

4·16 子曰："君子喻①于义②，小人喻于利③。"

【注释】①喻：明白，通晓。 ②义：道义，也就是利于众人的责任。 ③利：利益。此处专指个人利益，尤其是物质利益。

【释义】孔子直接说出了君子和小人的核心诉求："君子通晓万众道义，小人只知道个人小利。”

【要点】（1）君子喻于义。（2）小人喻于利。

【语境与心迹】关于“君子重义、小人重利”的思想，几乎贯穿整部《论语》的始终。《论语》中用很多不同的方式在不断地强调、重复和阐释这一思想。孔子为何如此重视这个问题呢？首先，这个问题是一个人思想的立场和理解一切问题的出发点，更是人生追求的内在驱动力。对这个问题的认识与选择，直接决定了是君子还是小人的发展方向。其次，孔子肯定是因为这个问题在现实中存在普遍性和严重性，才会如此迫切地不断强调这个问题的重要性。当然，这也是孔子教育思想的核心价值取向：走“君子重义”之路，反“小人重利”之弊。

“君子喻于义，小人喻于利”是孔子学说中为后世广为流传的一句名言，也对后世产生了非常大的影响。这句话围绕“义与利”这个经典的问题展开论述。但需要澄清的是，孔子不是将“义与利”对立起来，而是认为义为先，利为后，利要服从义，要重义轻利。若是一味追求个人利益，就会因为没有道义的方向和约束，而变成极端的自私自利、无原则的唯利是图，就会破坏社会道义的秩序，最终也会因为自己的片面追求而难有圆满的人生。所以，这句话也是孔子在提醒弟子和世人，不要做一味地、不择手段地追求个人利益的小人。

【接圣入心】

《论语》中的一个核心思想就是让人们明白君子和小人的区别，从而使得人们能够找到一把尺子来丈量一下自己和他人，也帮助人们找准人生定位和制定清晰化的目标。

义与利，说的就是精神与物质。过分看重物质利益的人被人瞧不起，看重情义的人受人尊敬和信赖。最好的生意，就是在相互信赖、相互体谅、相互让利的人之间进行的，彼此考虑对方的价值，愿意为对方提供增值服务，这就是商道的智慧。

在日常生活中，忙碌的人们几乎时时刻刻都面临着义与利的选择、前后顺序、二者比例等一系列实践性问题。可见，“义利”二字是我们生

活中非常普遍的实用性话题。

◎ 关于义利的理解，历来争论很大，但仔细分析这些争论发现，基本上是没有深切体会义利有机关系的人所发的议论。

- 批判儒家重义思想虚伪的人，实际上是肢解了儒家的思想，忘记了儒家还有“君子爱财，取之以道”的思想。
- 将义作为生利或者获利手段的人，才是将义低俗化和贬低化了。最后，义成了交易的前奏，义的本质就改变了，也就没有了其独有的精神价值了。
- 在因义而得利之后，很多人原形毕露，只是沉迷于所得的物质利益，忘记了“以利养义”的原则，“义利相生”的循环就中断了，背叛了义，利也就消失了。

◎ 实际上，义不仅仅是可以生利的前因，其本身更是人最重要的精神财富。义既可以单独滋养人的生命，也可以伴生出外在之利，还可以让人不至于因为外在之利而沉沦迷失。

◎ 义既是外在之利的“母”，也是外在之利的“魂”。因义生利，利中有义，得利弘义，以利证义，义赋利魂。

◎ 遇到义利相冲突时，一是冷静分析，巧妙化解，不要人为认定冲突；二是实在不能协调时，留给时间慢慢解决；三是若是紧急容不得等待，就要舍利取义，当是此刻人生之“大义大利”。

◎ “大义大利”就会吃亏吗？若这样看，就一定还是不懂得义利在人间运行和扩散的规律。大义之时损小利和一时之利，因人是活在人群中的，在对手那里证明的大义和损失的小利，会在更大范围内有助于积极价值观的传播。天道酬善！

【格言】君子喻于义，喻于义则君子；小人喻于利，喻于利则小人。

4·17　子曰：“见贤思齐焉，见不贤而内自省也。”

【释义】孔子的学习状态是恒定的，从贤者和不贤者那里都能有收获。他说：“见到贤人，就应该向他学习、看齐；见到不贤的人，就应该自我反省（自己有没有与他相类似的错误）。”

【要点】（1）君子修行法门。（2）见贤思齐。（3）见不贤而自省。

【语境与心迹】孔子的弟子跟随老师学习，弟子们来自社会各个阶层。弟子们不仅个性不同，每个人的人生经历和原有的基础也不尽相同，甚至差异很大。再加上跟随孔子学习的方式是开放型的，跟随老师学习，接受圣人和君子的思想教育的同时，也会受到两个方面力量的影响：一是自己过去的经历、沉淀下来的经验、以往的价值取向和自我的个性；二是来自现实社会中各种渠道和各种方式的影响。孔子肯定感受到了这两方面力量对弟子们的影响，在此处着重从如何看待现实社会中所遇到的“贤与不贤”的人的角度，提出了“见贤思齐，见不贤而内自省”的基本立场与方法。如此，就可以避免出现“见贤症”——“嫉贤妒能”或者“见贤自卑”，“见不贤病”——反对邪恶又无奈，厌恶小恶又羡慕，剪不断，理还乱。实际上，这也是孔子所倡导的“好学”的一个法门：见着贤者学优秀，见到不贤者学教训。总之，就是要能从所遇到的各种人那里得到正面的收获。这是多么理性、精辟而智慧的见解啊！

【接圣入心】

人是社会性的动物，人的思维与言行常常是基于特定的社会环境的，也必然会受到其他人的影响。

在任何人周围，这种影响都无处不在。关键是如何处理这些影响我们的信息：

• 小人的处理方式往往是：见到比自己好、比自己强的人，心中就会生出嫉妒和不悦，进而可能会去诋毁和中伤别人。若是见到不如自己的人或者别人倒霉了，小人往往在心中生出喜悦感和自我安适感。

• 君子则不同于小人，见到比自己好、比自己强的人，就会去亲近、请教和学习；见到比自己弱的人就会心生怜悯而去帮助，见到别人倒霉也不会幸灾乐祸，而是引以为鉴，随时随地都能吸纳到正能量来帮助自己成长。

君子和小人的两种不同做法，自然给人带来了两种不同的结果：

• 小人因为嫉妒那些优于自己的人，暴露了自己的狭隘，诋毁别人时也没有让自己得到什么进步和实际的利益，相反会被别人视为品德低下者，可谓百害而无一利。小人对弱者的欺负和对邪恶的羡慕，反映的正是自己的糊涂；若是遇人有难时再有“落井下石”之举动，就更是坐实了小人的低劣品性。

• 君子学习优于自己的人的长处，于是得到了进步，也交上了朋友；借鉴别人的教训，可以让自己不至于重蹈别人的覆辙，也减少了损失；对于需要帮助的弱者，君子伸手去扶助，更是彰显了无畏的勇气和高尚的品格。

回顾一下自己的过去：自己是在用君子的方法吗？自己因此有哪些受益？还是在用小人的方法？又在哪些方面受损了呢？若是不明白，就很有可能继续运行小人的模式！

【格言】见贤思齐焉，近贤；见不贤而内自省也，远恶。

4·22　子曰：“古者言之不出，耻躬之不逮也。”

【释义】孔子特别强调做不到就不说，他说：“古人不轻易把话说出口，因为他们以自己做不到为耻啊。”

【要点】（1）古人慎言。（2）耻于言过其行。

【语境与心迹】孔子的弟子中既有口才好的人，也有思想很活跃的人。在跟随孔子学习时，也许有些人更偏重于思考和表达思想，而在践行方面就显得有些不足。弟子们之间肯定也会讨论一些问题，有时可能还会有些争论，于是，“练嘴巴上的道理”可能就会多一些。对此，孔子开始给大家纠偏：别光是练嘴巴能耐，也不要以为嘴巴上把道理说明白了就是真明白，更不要无意识地走入“逞口舌之能”的误区。孔子把古人搬出来，让大家知道历史上的优良传统：古人不会轻易说出来，万一做不到就是耻辱啊，就是吹牛啊，就会被别人耻笑啊！孔子一贯主张谨言慎行，不轻易允诺，不轻易表态，因为如果做不到，就会失信于人。不说不代表不做，先做后说，多做少说，或者干脆就只做不说，反正事实才是最能表达心意的。所以孔子说，古人就不轻易说话，更不说随心所欲的话，因为他们为不能兑现允诺而感到耻辱。

【接圣入心】

◎ 当我们的情绪状态不佳时，总会急于做点什么：要么急于给别人下结论，要么急于否定别人的观点，要么急于摇头拒绝。当我们情绪状态好时，要么急于去跟别人争论，要么在还没了解清楚情况时急于反应，要么未加深入思考就急于承诺。总之，我们很多人是带着情绪思考和做出反应的。当然，也有的人对待任何事情都不太积极反应，显得很消沉。

◎ 处在情绪状态中时，思考、话语和行动都是带着情绪的，也就无法理性。

◎ 有的人很率性，急于表态，当然，随着形势的变化，前面做出的表态往往不合时宜了，于是就会因为冲动而尴尬。

◎ 有的人喜欢把自己的承诺告诉别人，有时会兑现，有时会忘记。如果兑现了，别人认为他只是做了应该做的；若是忘记了，就知道这个人说话不算数。

◎ 一个成熟的人，把自己要做的默默记在心里，付诸行动。事先不说，过程中不说，有了结果也不用说。渐渐地，人们就知道他是踏实做事的人。

◎ 古人之所以有话不轻易说出口，就是因为知道万一做不到会很尴尬。当然，一旦说出口，就必须做到，否则就会自责。孔子引用古人的话，也是在提醒现实中的人们，因为总有人说了却兑现不了，从而失信于人。

◎ 人与人之间的信任很脆弱，伤了一次，就无法消除，会永存在记忆中。宽容，只有理性运行时才能做到。至于那沉积在心中的隐痛，却是难以彻底消除的。

【格言】君子守诺，以言出未达为耻。

4·24 子曰：“君子欲讷①于言而敏②于行。”

【注释】①讷：迟钝。这里指说话要谨慎。 ②敏：敏捷、快速的意思。

【释义】孔子郑重其事地说：“君子说话要谨慎，而行动要敏捷。”

【要点】(1)君子之风范。(2)讷于言而敏于行。

【语境与心迹】这句话好像是接着前面的话在继续阐释。作为君子，不要像小人那样巧言令色，不要将功夫花在嘴巴上，而应该用行动和事实来说话。孔子在反复强调少说话多做事，肯定是看到了现实中有的人或者自己的弟子中，有人说话轻巧或者醉心于在嘴巴上讨论道理，却在行动上迟钝拖延的现象。因此，他用这样一种方式来阐释君子的标准，也警示人们不要走到相反的方向上去，否则，就可能成为小人。

【接圣入心】

- 说话轻巧，行动迟缓，就会被人视作花言巧语之人。用现在流行的话说，就是忽悠人。
- 话少但却做得实在，会形成“讷言与厉行”的反差，会给人很务实、很可靠的感觉。
- 与其把力气花在嘴巴上，不如落实在行动上。
- 检查一下自己，是否过于注重在嘴巴上表现智巧，而在做事上却没有花足心思?
- 行胜于言，行动就是最好的表达。一次快捷的行动和一个扎实的结果胜过千言万语。
- 人间有个基本规律：言语入耳，行动入心!

【格言】君子厚道，讷言敏行。

公冶长第五

5·4　子贡问曰：“赐也何如？”子曰：“女，器也。”曰：“何器也？”曰：“瑚琏①也。”

【注释】①瑚琏：古代宗庙盛放黍稷的祭器。比喻治国的才能。

【释义】子贡忐忑地问孔子：“我这个人怎么样？”孔子坦率地说：“你呀好比一个器具。”子贡疑惑地问：“是什么器具呢？”孔子说：“是瑚琏吧。”

【要点】（1）孔子评说子贡。（2）子贡如瑚琏。（3）可用之器。

【语境与心迹】孔子曾经提出一个著名的论断“君子不器”，可此处又将子贡比喻为“器”，是一种叫作“瑚琏”的器。这师徒俩到底是在表达什么样的心迹呢？瑚琏，是宗庙盛黍稷即小米、黄米的器皿。但它绝非一般的盛食器，而是上至周王、诸侯，下至卿大夫祭祀所用，极为尊贵，因而可以和鼎相配而且同用，是世代享有、须臾不离并永远流传的大宝礼器。孔子以瑚琏比子贡，是说对于国家社稷来讲，子贡是大器、足堪重用。可见孔子对子贡的评价之高、之妙。孔子肯定子贡有一定才能的同时，心中是否还另有深意呢？瑚琏是华美的器，孔子是否想让子贡用心去体会：不要追求过于华丽的东西，也不要仅仅满足于自己某些方面的才能而成个大器，器毕竟是器啊！人毕竟不能只是个东西或者物件，而是个鲜活的人啊！作为人，就要崇尚圣贤，心怀天下，以仁德为本，重义轻利，讷于言而敏于行，修己安人，博施天下，青史留名。若孔子真有此意，那老师对学生的敲打和指点，可谓是很玄妙了。

【接圣入心】

孔子很了解自己的学生，用瑚琏来比喻子贡的才能：虽然重要，但不全面。

现实生活中的一些事确实很有意思：聪明的人常常不踏实，能干的人常常不厚道，过于漂亮或者帅气的人常常心浮气躁，身体某个方面有缺陷的人却常常有些过人的特长。

也许造物主造人只是造了个毛坯，把后续任务留给了我们每个人，以便我们有足够的空间来完成对自我的完善与再造。

人生中，我们常常成于自己的长处，又败于自己的短处。

人生的基本原则就是：在眼前事情上要“扬长避短”，在未来发展上要“扬长补短”。

人生的结局常常就是看长处发挥到什么程度、短处能控制到什么地步。很多人之所以成为反面教材，就是“一失足成千古恨”，一着不慎，全盘皆输。

【格言】贤者瑚琏。

5·6　子使漆雕开[①]仕。对曰："吾斯之未能信。"子说[②]。

【注释】①雕开：姓漆雕名开，字子开，孔子的弟子。　②说：音 yuè，同"悦"。

【释义】孔子让漆雕开去做官，似乎是在考验他。漆雕开回答说："我对做官这件事还没有信心。"孔子听了很高兴，知道自己的这个学生有自知之明。

【要点】(1) 孔子赞漆雕开。(2) 漆雕开有自知之明。

【语境与心迹】孔子在给学生漆雕开做测试吗？实际上，老师对学生的测试是随时随地都在进行的，因为这是因材施教的必然步骤。从此处的对话中，我们可以看出，孔子对弟子的自知和诚恳、谦虚是非常肯定的。

【接圣入心】

孔子对自己的学生要求严格，对漆雕开的自知之明很欣赏。

是啊，人贵有自知之明，自知者贵。人不自知时，别人已经看得很清楚。

别人已经看清，唯独自己还迷糊时，就只能上演滑稽剧，只是别人笑话他时他还以为是在为他喝彩，真是尴尬啊！

总是自我感觉良好的人，常常无法找到进步的路径，陷入自恋中。

在思考和做事上有个万全之策，这就是：多听不同意见，主动征询意见，尊重不同意见。

知己知彼，百战不殆。自知能力差的人，常常会连续遭遇挫折。疏忽大意而又感觉良好的人，常常会被众人耻笑。

【格言】人贵有自知之明，进退自知者贵。

5·7　子曰："道不行，乘桴[①]浮于海，从[②]我者，其由与！"子路闻之喜。子曰："由也好勇过我，无所取材。"

【注释】①桴：音 fú，木筏子。　②从：跟随、随从。

【释义】孔子说："如果我的主张行不通，我就乘上木筏子到海外去。能跟从我的大概只有仲由吧！"子路听到这话很高兴。孔子又说："仲由啊，好勇超过了我，其他没有什么可取的才能。"

【要点】（1）孔子知时。（2）无道则隐。（3）子路善勇。

【语境与心迹】我们在《论语》中能够深切感受到，孔子对弟子的教育是那样应景应时，谈笑间已经将所要传授的内容植入其中，弟子们也从老师的有针对性的指点中看到了自己的现状和未来努力的方向。这里，孔子好像是在跟弟子闲聊，说到自己的主张若是无人去用，就乘上木筏去海外，但谁会跟从孔子呢？是子路！由此可见，孔子对子路的忠诚与仗义是非常肯定的。子路听到这里，为老师给予他这样的认可而欣喜。但孔子对子路的教育也许刚刚开始：在孔子看到子路的欣喜表情后，又加了一句——子路好勇超过我，其他就没什么可取的才能了。老师真会捉弄人啊，刚刚给予几乎至高无上的表扬与肯定，紧接着又浇下来一盆凉水。实际上，孔子给子路浇了何止一次凉水啊！"不得好死"这样的话，就是孔子说给子路听的。当然，很不幸，孔子的话一语成谶，子路最终死得真是凄惨啊！子路是孔子弟子中年龄最大的，性格豪爽坦直，对孔子忠心耿耿，孔子很喜欢他，也经常批评他。孔子有那么多的弟子，但孔子认为，能够在患难的时候陪伴他的只有子路。那么多有思想、善于思考的弟子，在对老师的忠勇方面，似乎都赶不上子路。看来，一个人既有仁德之心又能够有忠勇之品质，是可遇而不可求的。只是可惜，子路没有学到老师的全部思想，最后落了个凄惨的下场。尽管后人对子路的死感到惋惜，但子路追随老师的历程和从孔子那里获得的疼爱也是没有几个人能比的啊！

【接圣入心】

为何孔子认为只有子路才会陪伴他周游世界呢？

看一个人的本质，有一个十分重要的标准：在老师落魄时，他是否还会忠诚地跟随和追随。

很显然，孔子认为，在他的弟子中，子路具备这样的品质。当然，颜回也是没问题的。

◎ 在人们的印象中，子路是一个体格健硕、勇猛好斗的人，但经过孔子的调教，他具备了一些文化素质。也许这样一种“忠义组合”，恰恰接近孔子所说的君子的特点：文质彬彬，然后君子。

◎ 有人可能会问：孔子有那么多的弟子，很多人既有能力又有思想，为什么不是他们陪伴着孔子呢？实际上，孔子早已经看透了，即使是他的弟子，那些个有能力有思想的人，更多想的还是自己，跟随老师的目的，很可能是要从老师这里学习本领，一旦学到本领，就离开老师，自己去奋斗了，还有谁会一生跟随老师呢？子路这样的大仁大义大忠大孝，不是那些人能具备的品质啊！

◎ 孔子对子路的大仁大义大忠大孝给予了极高的评价，也给了每个人一个重要的修行提示：要在文和武两个方面达成一种巧妙的组合，这样才具备了一个君子所必备的刚柔并济的品性。在现代社会中，很多人对自己都说不上忠义，都在忙着追逐名利，像子路那样的大仁大义大忠大孝，恐怕更可遇而不可求了！

◎ 不过，说话归说话，也不能仅就这么一句话忽视了其他人的作为：孔子去世之后，子贡为师守丧 6 年！宰我也帮助子贡整理老师的思想！子张、曾子、言偃、子游、子夏等也开门立派去传播老师的思想。

【格言】子路忠勇，孔子信任。

5 · 10　宰予昼寝。子曰：“朽木不可雕也，粪土[①]之墙不可杇[②]也，于予与何诛[③]！”子曰：“始吾于人也，听其言而信其行；今吾于人也，听其言而观其行。于予与[④]改是。”

【注释】①粪土：腐土、脏土。　②杇：音 wū，抹墙用的抹子。这里指抹墙。　③诛：责备、批评。　④与：语气词。

【释义】宰予白天睡觉。孔子说：“腐朽的木头无法雕刻，粪土垒的墙壁无法粉刷。责备宰予这个人，还有什么用呢？”孔子进行自我检讨：“起初我判断人，是听他说的话便相信他的行为；现在我判断人，听他讲的话还要观察他的行为。宰予让我改变了观察人的方法。”

【要点】（1）孔子呵斥宰予。（2）朽木不可雕。（3）听其言而观其行。

【语境与心迹】孔子所结识的人中有各种各样的人。《论语》中被孔子直接给予负面评价的人有两个：一个是孔子的老相识原壤，再一个就是孔子的学生宰予了。宰予是个什么样的人呢？孔子怎么会收这样一个徒弟呢？为何孔子对他大加责难？那就让我们来看看宰予是个什么样的人吧。宰予又称宰我，《史记》记载，宰予小孔子 29 岁，能言善辩，曾跟从孔子周游列国。在可查到的记载中，关于宰予有三个关键的信息点：一是他白天睡大觉；二是他能言善辩，多次挑战老师的思想；三是“听其言观其行”。先说白天睡大觉的事。古时人们普遍认为应当遵循太阳的起落来调整自己的作息，做到日出而作，日落而息。孔子认为白天时光短暂，应该努力奋发。因此，他把宰予白天睡觉这一违背正常作息的举动看作懒惰和愚昧的表现，并严厉斥责他为“朽木”和“粪土”，真是恨他不成器啊。再说他的能言善辩，《史记》称宰予“利口辩辞”，但“利口辩辞”并不等同于“巧言令色”之“巧言”。“巧言令色”在形式上是能够讨很多人喜欢的，但“利口辩辞”则多让人厌烦。宰予很另类，在一些基本问题上提出跟孔子不同的看法。第一次向孔子挑战是质疑“三年之丧”的古礼。在当时礼崩乐坏的情形下，对此提出质疑的大有人在，宰予也是其一。宰予说：“三年之丧，期已久矣。君子三年不为礼，礼必坏；三年不为乐，乐必崩。旧谷既没，新谷既升，钻燧改火，期可已矣。”看看宰予的论述逻辑，好像也是很妙啊。“三年之丧”本是礼的一种体现形式，宰予则以子之矛攻子之盾——若是行“三年之丧”，不恰恰使礼乐崩坏了吗？夫子只是反问宰予，不服三年之丧“于汝安乎？”，宰予答以“安”，夫子喃喃曰“汝安则为之”。宰予得意而去，夫子痛心曰：“予之不仁也！”实际上，宰予的这一论述有逻辑错误。第二次挑战是针对孔子所说的“志士仁人，无求生以害仁，有杀身以成仁”。宰予一日问曰：“仁者虽告之曰‘井有仁焉’，其从之也？”夫子答曰“何为其然也。君子可逝也，不可陷也，可欺也，不可罔也”。估计敢这样给孔子出难题的人也就是宰予了。第三次挑战是“哀公问社于宰我。宰我对曰：‘夏后氏以松，殷人以柏，周人以栗。曰：

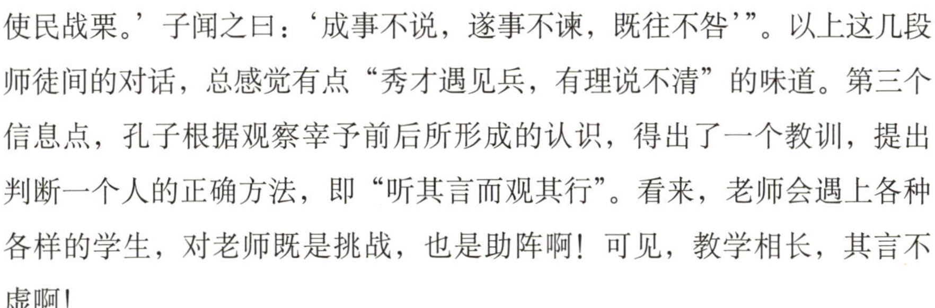

使民战栗。’子闻之曰：‘成事不说，遂事不谏，既往不咎’”。以上这几段师徒间的对话，总感觉有点“秀才遇见兵，有理说不清”的味道。第三个信息点，孔子根据观察宰予前后所形成的认识，得出了一个教训，提出判断一个人的正确方法，即“听其言而观其行”。看来，老师会遇上各种各样的学生，对老师既是挑战，也是助阵啊！可见，教学相长，其言不虚啊！

【接圣入心】

我们平时听说过这样一句话：朽木不可雕，粪土难上墙。

在平常的生活中，我们常常感慨，名师难求。实际上，师父也有师父的苦恼：那些个能够跟随师父一心一意学习和传承思想的徒弟，也是难求的。

师父在收徒的过程当中，最尴尬的一件事，就是遇到那些顽劣之徒；最让师父欣喜的一件事，就是遇到能够领悟、践行并传承思想的弟子。

在后世人的心目中，孔子是至圣先师。我们从孔子的思想和言行中能够看到，圣人也是靠后天修行出来的。孔子遇到一个顽劣之徒，就明白了该如何准确识别人：听其言观其行。若是只听信其言，就很有可能被欺骗。但仅凭这些言论，也无法下什么结论。孔子去世之后，宰予是跟子贡一起支持并整理老师思想的人啊！

我们都知道一个很有名的词：教学相长。常规情况下，是老师在教育学生。特殊情况下，学生的言行也可以启迪和教育老师。孔子和学生宰予相遇，就让孔子明白了一个如何识别人的道理。

学佛的人都知道这样两句话，听起来似乎有些矛盾：一是佛法无边，二是佛度有缘人。佛法无边，说的是佛所阐明的天地人间的道理，是无处不在的，一切都难逃因果。佛度有缘人，是指佛对众生的教化，也是需要内外各方面条件的，在这个问题上，佛并不能包办一切。每个人学佛就是要明白，多种善因，方得善果。佛的伟大，就是在教育人们明白这样一个人间的真理。

【格言】朽木不可雕，粪土难上墙，然粪土也助圣人；听其言观其行，可知其为人，然知今难知后。

5·11　子曰："吾未见刚者。"或对曰："申枨[①]。"子曰："枨也欲，焉得刚？"

【注释】①申枨：枨，音 chéng。姓申名枨，字周，孔子的学生。

【释义】孔子说："我没有见过刚强的人。"有人回答说："申枨就是刚强的。"孔子反对说："申枨这个人欲望太多，怎么能算刚强呢？"

【要点】(1) 孔子评价申枨。(2) 欲多不刚。

【语境与心迹】孔子在跟人聊什么呢？也许就是在聊什么样的人是刚强的人吧。孔子说，我没有见过刚强的人。旁边有人提到了一个叫申枨的人（也是孔子的学生），认为他似乎应该算是刚强的人了。但孔子不这么看：申枨欲望很多，怎么能够做到刚强呢？孔子向来认为，一个人的欲望多了，就会违背仁德。人的欲望过多不仅做不到"义"，更做不到"刚"，自己反而会成为欲望的奴隶。有欲望就有短板，敌对关系中，战胜对方的一个很重要的方法就是寻找对方的喜好或者弱点。当然，孔子也并不是一味地反对人们的欲望，而是倡导以义节欲。若是想成为崇高的君子，那就要最大限度地舍弃自己的私欲，一心向道。

【接圣入心】

我们到名山旅游时，常常会见到一个很熟悉的词：无欲则刚。

不同的人看到这个词时，会有不同的反应：普通人会觉得过于高妙深远，与自己的生活遥不可及。一些混世的人会说，无欲则刚？人若是无欲，与死人有何区别？没有了欲望，人活着还有什么意思？对于修行者来说，看到"无欲则刚"这个词，则会成为又一次观照自己心性的机缘。

为什么"无欲则刚"会引起不同的人完全不同的反应呢？原来，很多人误解了其真意。"无欲则刚"，先说"无欲"，并不是说人活着没有了欲望，而是"少私寡欲"，只有圣人、伟人和修行上真正觉悟的人，才会真正彻底地去掉私欲，将人生的所有精力全部投入到为人民服务的过程当中去。再说"刚"，就是坚不可摧的意思，如何才能做到"刚"呢？难

道有欲就不能做到刚强吗？根据我们的人生经验，人只要有私欲，就难抵诱惑，就会被很多名利牵着走，就容易沦为名利的奴隶。不管是古人还是现代人，恐怕都能从自己的人生经历中明白这一点。

由此看来，无欲，是原因；刚，是结果。解决好欲望的问题，后面的结果也就好了。

• 欲望，通常指的是一个人渴望获取的人生资源。恰当的欲望，是我们生存的基础。过分的欲望，就会影响我们的生存质量，乃至于生命。当一个人将自己内心的这种力量指向为他人服务时，欲望的能量就转化成了理想的动力。

• 当一个人用牺牲自己生活和生命的代价去追求自己并不需要的过分的利益时，就是我们通常所说的私欲膨胀，就会自毁。当一个人将满足自己生存的欲望降到最低，并愿意和敢于将自己的生命奉献给众人时，就会获得天下人的拥戴，就会拥有天下。

• 一个人为自己的私欲而不懈奋斗时，就会常常与人发生利益冲突。一个人将自己的欲望与奉献天下人的理想合一时，其人生也将达到极致和巅峰。

• 人的欲望有两种类型：一种是物质的欲望，一种是精神的欲望。对物质欲望的过分追求，会伤害一个人。对低级精神欲望的追求，会让一个人深陷痛苦之中。而当一个人把对物质的欲望降到最低，而专心于高级精神欲望的追求时，就会变得伟大，就会变得神圣和崇高，就会脱离低级趣味，就会摆脱因为个人私欲而产生的痛苦。

古往今来的圣人和伟人都在教导我们，要警惕个人私欲的膨胀，要有伟大的追求，如此这般才能提升人生的境界，才能不致迷失在世俗名利的诱惑中，摆脱由此造成的痛苦。

许多人不明白，总以为圣贤、伟人、老师和家长教导我们的美德是一些空洞的、没有用的教条。实际上，当人真的陷入世俗名利的“实在”时，就会陷入欲望的深渊，就会痛苦到无法自拔。从这种意义上来说，美德不是一般的有用，而是拯救人生的一剂良药。

【格言】无私欲则刚，强私欲则贱。

5·12　子贡曰："我不欲人之加诸我也，吾亦欲无加诸人。"子曰："赐也，非尔所及也。"

【释义】子贡说："我不愿做别人强加于我的事，我也不愿将其强加在别人身上。"孔子说："赐呀，这不是你能做到的。"

【要点】（1）孔子教导子贡。（2）己所不欲勿施于人。（3）子贡难及。

【语境与心迹】子贡是孔子比较欣赏的弟子，自然对老师的思想领悟较深。此处，子贡在向老师汇报自己践行忠恕之道的做法与体会。但孔子却直接告诉他：这些你现在做不到啊！我们知道，子贡是非常有作为的一个人，也是个特别有主张、有主意的人。通过师徒俩的这一段对话，我们看得出孔子是在教育子贡，意思是说，你现在能够说得出来，但还是做不到。儒家的这个道理，来自孔子对人性的一种理解：既然我不愿意被别人强加、强制，当然，我也不应该将自己的意愿强加于别人，这就是我们平时所说的"将心比心"。

【接圣入心】

忠恕之道，是儒家仁德思想的一个表现。在孔子看来，即使像子贡这样有才华的人，也是很不容易做到这一点的。当然，一个人越有主意，往往就越难关注别人内心的感受。

在日常生活中，我们常常因为被别人强加和强制而感到痛苦。但是，我们又常常将自己的意愿强加于别人。也就是说，我们既承受着别人强加于我们痛苦，也给别人制造着这种痛苦。

人性的基本规律告诉我们：人们可以接受协商，又常常难抵诱惑，但对于强制一定会产生反感，乃至于反抗。

儒家的忠恕之道告诉了我们一个重要的人生道理：不管是出于善意还是恶意，只要是强加于别人的，都不会产生好的效果。

受到儒家忠恕之道的启发，为人处世当中我们就要注意这样一个原则：即使出于非常美好的意愿，也要在方式上注意不要强加于别人，而要懂得去与别人协商，这样才容易被别人接受，才容易收到良好的效果。

现实中的人们容易犯的错误是：因为自己是出于好意，所以不注重方式方法，甚至使用了伤害别人的方式方法。在酒桌上强迫别人喝酒，将所谓的喝酒的礼数强加于人，并将此作为衡量别人品性的一个标准，以至于有的人竟然喝死在酒桌上，这到底是热情还是愚昧？在家里，父母为儿女做了太多的事情，却没有培养孩子的独立自主能力，剥夺了孩子成长的权利，虽然在形式上彰显了父母对儿女的爱，但这能算是真爱吗？

由此可见，对于好心人来说，想把好心办成好事，需要的是能够让别人接受并帮助别人成长的人生艺术。

【格言】忠恕之道，将心比心。

5·20　季文子①三思而后行。子闻之，曰："再，斯②可矣。"

【注释】①季文子：季孙行父，鲁成公、鲁襄公时任正卿，"文"是他的谥号。　②斯：就。

【释义】季文子每次都要几番考虑后才行动。孔子听到后说："考虑两次就可以了。"很显然，孔子对季文子的做法不甚欣赏。

【要点】(1) 孔子圣师。(2) 善思者三思则迂腐。

【语境与心迹】很多人都十分熟悉"三思而后行"这句名言，但却很少有人知道孔子曾经在特定的场合反对过这句话。一般人以为，凡事三思，总是利多弊少，为什么孔子听说季文子"三思而后行"之后，并不同意他的这种做法呢？那就要看看季文子是什么样的人了："文子生平盖祸福利害之计太明，故其美恶两不相掩，皆三思之病也。其思之至三者，特以世故太深，过为谨慎；然其流弊将至利害徇一已之私矣。"(官懋庸：《论语稽》) 当时季文子做事过于谨慎，顾虑太多，反而容易误事。可见，孔子并不是简单地反对"三思而后行"这句话，而是说不同的人要结合自己的实际，用智慧的自观来弥补自己的短项，万不可机械照搬，反而加重了自己的弱点。看来，智慧思想怎么个"吃法"也是很有学问的啊！

【接圣入心】

"三思而后行"这句格言被后世引用得非常广泛，但很多人并不知道这句格言的出处，也不清楚这句话恰恰是孔子针对季文子所进行的批判。

众所周知，没有思考的行动是盲动，思考再三而错过了最佳时机就是一种迂腐了。当然，孔子的话是有特定对象的：

- 对于太过算计的人，孔子提醒不要思虑过多。否则，就会心智迷乱或者难分主次大小，最终反而抓不住关键和要害。
- 对于懒于思考和轻率鲁莽的人，孔子一定会教育他要慎之又慎、思之再思。

在儒家思想中，中庸之道是儒家智慧中的一个典范。这个智慧所强调的就是无过无不及，说的就是思考和行动的恰到好处和恰如其分。遇事欠考虑，做起来多半会后悔；若是遇事反复思虑，就可能错过最佳时机，后悔也就来不及了。

人间有些事是十分有趣的，那些知识经验很丰富的人，常常容易把简单问题复杂化，以至于找不到问题的关键和根本。而有智慧的人，总是善于将复杂问题简单化，找到问题的要害，果断出手，甚至出乎对手的意料，让敌人无法防备。

在现实当中，有人对此做出了非常精辟的总结：将简单问题复杂化的人可以做学问，因为他们不负责解决问题；而要解决问题的人，则必须将复杂的问题简单化，这就是做事的智慧。用一句话来说就是：学问是复杂的，智慧是简单的。

由此可见，欠缺与过分，盲动与迂腐，选择任何一个极端都是错误的。故而历史上的各个门派，几乎不约而同地都在倡导中庸之道。

【格言】多虑者，再思即可；冲动者，三思而行。

5·21　子曰："宁武子①，邦有道则知，邦无道则愚②，其知可及也，其愚不可及也。"

【注释】①宁武子：姓宁名俞，卫国大夫，"武"是他的谥号。　②愚：这

里是指装傻的意思。

【释义】孔子说："宁武子这个人，当国家有道时，他就发挥才干；当国家无道时，他就装傻。他的那种聪明别人可以做到，他的那种装傻别人就做不到了。"

【要点】（1）孔子赞宁武子。（2）邦有道则知，邦无道则愚。（3）其愚不可及。

【语境与心迹】人在乱世，实在不易啊！宁武子是一个为官有方的大夫，当形势好转有利做事时，他就充分发挥自己的聪明智慧，为卫国竭力尽忠。当形势恶化不利做事时，他就退居幕后或处处装傻，以便等待时机。孔子赞叹：宁武子的聪明也许有人能够做到，但他装傻的能耐可是一般人比不了的。后世树宁武子为"国家有道则进用其智能、无道则佯愚以全身"的政治家典范。

清代有板桥先生的"难得糊涂"之传世名言，乃是他为官之道与人生之路的自我感慨："聪明难，糊涂难，由聪明而转入糊涂更难。放一着，退一步，当下心安，非图后来福报也。"

【接圣入心】

古往今来，为官是最考验人智慧的一种职业。有智慧的人能够审时度势，能进能退，既做了事也能得以自保。

在一般的情况下，能够审时度势、适时进退，不失为一种为官之道。当然，在现代人看来，这种为官之道显得有些保守，有点明哲保身的味道。但古人认为，明哲保身也是一种人生的智慧。"其愚不可及"，说的是宁武子能够审时度势的大智若愚之智慧。今人说起"愚不可及"常常是贬义，可能是不理解古人的智慧吧。

同时我们也能够看到，圣人们也经常赞美那些在逆境中坚守正道的人，即使他们个人遭到打击，也依然被人们所称颂。与明哲保身那种类型的人相比，这种在逆境中坚守正道的人，更多了一份勇敢和无畏。

当然，对于那些心怀使命的伟人们来说，越是逆境越是坚守，愈挫愈勇，坚定正确的方向矢志不移，无畏无惧。这样的人，就是开创新时代的人。

由此看来，以上几种模式不存在孰优孰劣，需要根据具体的情况和个人的特点来进行选择：如果你有能力而少了一份勇气，那就选择在顺势中积极作为，在逆境中明哲保身；如果你既有能力又有勇气，那就要在顺势中智慧作为，在逆境中大义凛然，如此也能名垂千古；如果你心怀伟大的使命，心中对正义的方向矢志不移，那就要在逆境中勇往直前，绝不回头，如此就可能开创一个新的时代。

当然，人若没有能力，也没有勇气，也就只能随波逐流。如果没有能力，却有勇气，那就要小心，有可能付出无谓的牺牲。如果有抱负，却没有找到正确的方向，也只能是胡乱折腾，最多算个乱世枭雄，很难成为伟人。如果既没有勇气也没能力，既没抱负也没有正确的方向，那就会成为每个时代的芸芸众生：无可奈何地抱怨着，自以为是地指责着，莫名其妙地同流合污，这真是对自我最大的嘲讽啊！

当然，对于心中有信仰的人来说，已经不再考虑个人的荣辱，心中装的都是使命。在逆境中，就要好好修炼自己的心性、心胸、眼光和忍耐力，以便为将来做好铺垫和准备。在顺境中时，要格外地注意把控自己，免得自己失控而走向反面。如果一个人懂得修行，不管是逆境还是顺境，都是自己修行的考题。因为，逆境会毁了懦弱的人，顺境会毁了得意忘形不知自制的人。

【格言】邦有道则知，邦无道则愚，知易及而愚难及。

5·22　子在陈[①]曰："归与！归与！吾党之小子[②]狂简[③]，斐然[④]成章，不知所以裁[⑤]之。"

【注释】①陈：古国名，指陈国。　②吾党之小子：古代以 500 家为一党。吾党即我的故乡。小子，指孔子在鲁国的学生。　③狂简：志向远大但行为粗率简单。　④斐然：斐，音 fěi，有文采的样子。　⑤裁：节制。

【释义】孔子在陈国时，冉求收到季康子的召唤，于是孔子不耐烦地说："回去吧！回去吧！家乡的学生有远大志向，但行为粗率简单，有文采但

还不知道怎样来节制自己。”

【要点】（1）孔子提醒冉求。（2）志大狂狷。（3）文丰欠礼。

【语境与心迹】孔子说这段话时，正值鲁国季康子执政，欲召冉求回去，协助处理政务。所以，孔子说回去吧，去为官从政，实现自己的抱负。但同时又指出他在鲁国的学生尚存在的问题：行为粗率简单，还不知道怎样节制自己，没有这些教养是难成大事的。这是老师对学生的谆谆教导啊！当然，老师是了解自己的学生的。考虑到冉求性情偏安分做事而弱于引导别人，孔子因而对其进行指点。对自己的认识和工作上的弱项，孔子的教导是一语双关的。

【接圣入心】

◎ 学而优则仕，这是儒家门生的基本理想。换句话说，学习就是为了要去做官，要去报效国家，造福黎民百姓。

◎ 应鲁国大夫季康子之邀，冉求要回去协助其处理政务。孔子在弟子临行时，谆谆教导，也是在提醒弟子，即使心中有远大志向，也不可行为简单草率；即使拥有才华，也要懂得节制。

◎ 孔圣人对弟子的教诲真是智慧啊！即使在今天，我们也能够看到，那些有一技之长的人常常会犯类似的错误：因为心中有远大志向，行为上却简单草率，最终难以成事。因为有一技之长，常常放纵自己，任性而节制不够，最终也是功败垂成。

◎ 通过孔子的这段话，我们能够受到这样一些启示：一是学习却不思报国，就失去了学习的意义。若是学习只为自己私利，等于自动贬低了自己的价值。二是有心报国，若是没有智慧，也会遭遇报国无门的尴尬。三是通过学习有了一定的能力和才华，若是不懂得自我节制，一味地表现自己，不懂得审时度势和与别人合作，最终也无法成就事业。

【格言】志大狂狷，文丰欠礼。

5 · 23 子曰：“伯夷、叔齐①不念旧恶②，怨是用希③。”

【注释】①伯夷、叔齐：商朝末年孤竹君的两个儿子。周武王起兵伐纣，他们认为这是以臣弑君，是不忠不孝的行为，曾加以拦阻。周灭商统一天下后，他们以吃周朝的粮食为耻，饿死在首阳山中。 ②恶：过错、过失。 ③希：同“稀”，稀少。

【释义】孔子说：“伯夷、叔齐两个人不记旧日仇怨，因此，别人也很少怨恨他们。”

【要点】（1）大贤伯夷、叔齐。（2）不念旧恶。（3）怨是用希。

【语境与心迹】伯夷、叔齐，这是孔子所赞美的前世名人，孔子主要称赞的是伯夷、叔齐的“不念旧恶”。司马迁把《伯夷列传》放在列传之首，可谓独具匠心，意义深远。伯夷、叔齐认为周武王伐纣是“以暴易暴”，故而既反对周武王暴力伐纣，又反对商纣王昏庸无道，但为了维护君臣之礼，他们还是阻拦武王伐纣，最后因不食周粟，而饿死在首阳山中。孔子则从伯夷、叔齐不记别人旧怨的角度，对他们加以称赞，因此别人也就不记他们的旧怨了。孔子用这样一个故事讲述了为人处世应有的态度。

【接圣入心】

在历史上，伯夷和叔齐的故事被广为传颂。故事的核心有三个关键点：一是二人互相让位，这在争权夺利的年代，实在是太罕见了；二是二人以仁孝之道为准则劝阻武王伐纣；三是二人不食周粮，饿死在首阳山中。

单纯从个人的角度来说，伯夷和叔齐二人，可谓是大仁、大义、大气节的典范。

如果从纯粹个人的修为来说，伯夷和叔齐二人的三项美德对当代依然具有重要的借鉴意义：看看在家族中为争权夺利而兄弟反目、父子反目的反面案例吧，哪里还有仁德大义可言？看看那些为了个人的私利而出卖朋友和国家利益的人吧，哪里还有气节可言？

但是如果将个人的修为放在时代和历史中来看，除了二人相互让位的美德今人难以企及之外，纯粹以礼教为准则，一味地维护腐朽的统治，就很难说是明智之举了。随着时势的变化，二人既没有报国复仇之心，也没有顺应时势而安天下苍生之心，最终饿死在山中，这又怎么能值

得提倡呢？君不见，即使二人的美德在历史上一再被人传颂，可又有几个人去效仿呢？至于说完全忽视对世道昏暗还是圣明的判断，一味地以礼教作为最高准则，就显得有些迂腐了。

在现实生活中，一个人能够做到不念旧恶、不记仇是很不容易的。人们之所以容易记仇，是因为那个仇常常连着自己的伤痛。而能够容人之过的人，也是能够自我疗伤的人。记仇常常会给人带来长久的伤害，因为记仇就会增加仇恨，就是在连续制造对自己和别人的伤害。俗话“冤家宜解不宜结”，就是在说这样一个道理。

当然，要想化解仇怨，就要搞清楚仇怨的产生机理。在现实生活中，如果一个人心胸狭隘、极端自私、唯我独尊，就会将那些不合自己意的人和事都视为仇怨。亲人之间若是有这样的人，即使平时你对他千好万好，只要有一个他认为的不好，你的功劳与恩情就会烟消云散，他心中就只剩下仇恨。有些夫妻反目、朋友撕破脸皮之后，一心想着将对方置于死地。在当今社会，这样的复仇之人并不罕见。看来，要学会古人伯夷、叔齐那“不念旧恶”的情怀，确实不易啊！如果不修行，遇到事情可能就会引发灾难。

一个为仇恨和报复活着的人，等于将自己的一生困于一个自觉有理、痛苦自担但结局又是灾难性的事件中。这是极其愚蠢的人生选择！

【格言】不念旧恶，怨是用希。

5 · 24　子曰：“孰谓微生高[①]直？或乞醯[②]焉，乞诸其邻而与之。”

【注释】①微生高：姓微生名高，鲁国人。那时的人认为他直率。　②醯：音 xī，即醋。

【释义】孔子质疑微生高的直率，他说：“谁说微生高这个人直率？有人向他讨点醋，他不直说没有，却暗地到他邻居家里讨了点给人家。”

【要点】（1）微生高。（2）讨醋。（3）直率。

【语境与心迹】有趣的《论语》，所描述的生活场面处处体现做人的智慧。故而后人总是说“做人第一，做事第二”。实际上，任何时候做事，不都是在表现自己怎么做人吗？做人，要通过做事来表现或者证明自己是什么人。微生高从邻居家讨醋给来向他讨醋的人，并不直说自己没有。对此，孔子认为这就不是什么“直”了。孔子为何将“直”看得如此之重要呢？因为“直”就是真诚，如果离开了这一点，任何其他的方法都可能最终走向狡诈。孔子的这个观点，倒是很符合他所一贯倡导的仁德第一的思想。

【接圣入心】

在这一段中，很多人觉得难以理解，甚至不同意孔子的观点：怎么帮助了人还要受谴责呢？

在儒家思想中，一贯强调仁德第一、方法第二。这是为了防止一些人忽视仁德的重要性，而把关注重点转到方法上。现实中，只是善于使用方法或者招数的人，通常不是很厚道。当然，厚道的人做事又往往不太注重方法的选择。人们如果不警惕这一点，日久要么会生出违背仁德的狡诈，要么会好心办坏事。

下面我们来设想几种方案，看看哪一种更加符合儒家思想：

- 第一方案：按照儒家“直”的原则，就直接告诉对方自己家没有醋。这样做，等于在别人需要时回绝了别人。虽然符合了“直”的原则，但似乎少了一点仁的味道。
- 第二方案：若是既要符合“直”的原则，又要有点仁的味道，那该如何做呢？那就直接告诉对方自己家没有，再去邻居家借了给对方。但是，这样做可能会让对方很有心理负担。当然，如果对方此时选择感谢，并说我自己去借好了，就显得很圆满。但如果没有对方的配合，恐怕很难找到一个圆满的方案。
- 或者我们选择第三种方案：一是直接告诉对方自己家没有，这符合了“直”的原则。二是热情地询问对方：我去到邻居那里帮你借吧？或者我陪你过去借。如果对方同意，一起到邻居那里，温和地向邻居说明自己家没有醋但陪着过来的缘由，也许就会皆大欢喜。

孔子所说的这件小事，在生活中有着一定的普遍性。也许这件小

事十分平常，但孔子能够借生活中的普通事，来说明人的品德和办事能力的问题，这是很值得借鉴的。

通过以上分析，我们明白了如何运用儒家的思想去处理一件生活中具体的事情：直接回绝，肯定是不礼貌的；不告诉对方自己家没有而去找人借了给他，则不符合“直”的原则；用真诚温柔的话语告诉对方真实情况，并热情陪伴，再与邻里做真实的沟通，也许这才是儒家所真正倡导的做人原则和做事方法统一的智慧。

【格言】直即道，道亦直，直则入心。

5·25 子曰：“巧言令色足恭①，左丘明②耻之，丘亦耻之。匿怨而友其人，左丘明耻之，丘亦耻之。”

【注释】①足恭：过分恭敬的样子，有点虚伪或者刻意地逢迎。 ②左丘明：鲁国史官，相传是《左传》一书的作者。

【释义】孔子对虚伪之人很是鄙夷，他说：“花言巧语，装出好看的脸色，摆出逢迎的姿势，低三下四地过分恭敬，左丘明认为这种人可耻，我也这么认为。把怨恨装在心里，表面上却装出友好的样子，左丘明认为这种人可耻，我也这么认为。”

【要点】（1）巧言令色恭逢。（2）藏怨面恭。（3）孔子与左丘明皆以为耻。

【语境与心迹】左丘明也是名人啊，也是孔子非常认同的人，他最大的贡献在于写了《左传》与《国语》二书。左氏家族世为太史，左丘明又与孔子一起“如周，观书于周史”，故熟悉诸国史事，与孔子的思想有共鸣。孔子对“巧言令色”很反感，这在《论语·学而》中已经提及。他提倡人要正直、坦率、诚实，不要口是心非、表里不一。这符合孔子培养健康人格的基本要求。这种思想在今天仍有一定的意义，对那些当面一套、背后一套的人，有很强的针对性。

【接圣入心】

在儒家思想中，“内在的仁德与外在行为的统一”是一条主线。

孔子在此处所强调的道德，从反面的角度提出了三种可耻的行为：

• 第一是内心怨恨别人。内心怨恨别人的人，不会体谅别人，多半用自己的标准衡量别人，一定不会从自身反省自己，一定总认为自己正确、别人错了。明白了这个道理，我们就知道，怨恨别人，一定是跟自私和愚昧连在一起的。

• 第二是待人花言巧语。在现实生活当中，如果有人是个“巧嘴巴”，这样的人多半内心缺乏一份实在。至于那些油嘴滑舌的人，则是在用嘴巴糊弄别人。至于那种“笑面虎”，就更可能是心怀叵测的人。用嘴巴上的技巧糊弄人，而很少付诸行动，肯定是虚伪的人。

• 第三是内心怨恨，又在表面上用花言巧语讨别人喜欢。把内心的仇恨隐藏起来，又用花言巧语讨别人的喜欢。这样的人，多半是阴险狡诈的人。

孔子看透了人间这三种类型的人的愚蠢和狡诈，将其行为视为可耻的，一方面是提醒我们，不要做这三种类型的人；另一方面也是提醒我们要警惕这三种类型的人，否则就很有可能上当受骗。

但我们也必须知道，孔子一方面强调仁德，另一方面也强调忠恕之道和中庸之道。也就是说，孔子不仅反对上面三种类型的人，也反对那种以为自己是好心而不顾及说话和办事的方法，更不顾及对方感受而粗鲁行动的人。

要想破除“内心怨恨别人”的这个“魔鬼程序”，就要找到产生怨恨的那个愚昧的症结。要想破除花言巧语带给人的那种虚伪狡诈的印象，就要少说多做，就要诚实守信。要想说话和办事能够取得好的效果，就要考虑对方的感受、当时的情景和说话的气氛以及周围的对象，也不能想说什么就说什么。否则，即使是好心，也会出现坏的结果。

【格言】巧言令色，藏怨面恭，君子以为耻。

5·27 子曰：“已矣①乎！吾未见能见其过②而内③自讼④者也。”

【注释】①已矣：完了。 ②过：错误。 ③内：发自内心。④讼：责备。

【释义】孔子说：“完了，我还没有看见过能够看到自己的错误便责备自己的人。”

【要点】(1) 孔子悲叹。(2) 有错不省己。

【语境与心迹】心理学中有一个规律：心怀自卑的人，总是放大自己的长处，掩盖自己的短处；而看别人时，又总是强调别人的短处，同时淡化别人的长处。这就是伪君子的认知与思维模式。孔子肯定是看到了很多这样的人和事，故而提出了“见其过而内自讼”的观点。在现实生活当中，这样的伪君子似乎不少啊！孔子说他没有见过有自知之明、有错即改的人。当今社会，这样的人也不多啊！

【接圣入心】

人类社会虽然进化了2000多年，但孔子那个时代的现象，在今天依然比比皆是。

不管是在家庭里还是在工作单位里，最普遍的现象就是人们都在指责别人，却很少指责自己。

为什么在自己不完美甚至明显有错的情况下，还要去指责别人呢？原因可能有下列几种：

- 很多人缺乏自知的能力，总以为自己想的和自己做的都是正确的。很多人给自己确定了这样一个滑稽的标准：只要不合乎自己的标准，就是问题，错误就是别人的。很显然，这是一种愚昧无知的表现，因为个人观点不代表就是真理。
- 没有人是完美的，不管我们想的还是我们做的，都可能会出现错误。这是每个人都必须面对的事实。但是，要面对自己的不完美和错误，并去承担自己的责任，这是需要勇气的。可是，很多人缺乏面对自己错误和承担这份责任的勇气，即使看起来威武之人，内心也未必敢于自我承担，更难以公开认错。很显然，这是一种懦弱的表现。
- 有了前面这份愚昧和懦弱作为基础，当然就只剩下了一个选择：将责任推给别人，撇清自己，如此似乎自己就没有过错。很显然，这是掩耳盗铃，是自欺欺人。

当我们出现上述愚昧和懦弱的行为时，别人并不会忽视我们的责任，甚至会更加清楚地看到我们的错误和为人的懦弱与虚伪。到了这个地步，不同的人可能就会有完全不同的选择：

- 一是君子的反应：君子不会再去指责对方，或者揭穿对方，而是躬身自问：对方的这份愚昧和懦弱，其背后的缘由或者其合理性是什么？甚至更深一步，对方的这种问题和错误，是否也有自己的责任？我该如何通过改变自己来进一步影响对方呢？君子的思维是将别人的表现作为观察自己的一面镜子，而不是拿着一把自认为正确的真理的尺子去找别人的错误。由此可见，人间的灾难循环到了君子这里就会被切断，这也是君子在人间的重要价值。
- 二是小人的反应：当别人指责自己时，小人们心里会想：我只有错吗？我的正确为什么不说？为什么只盯着我那一点过错？你难道没有错吗？凭什么把全部的错都说成是我的？你为什么不认自己的错，却把全部的错误说成我的错？我虽然有错，但也不全部都是错，为什么你只说我的错，却不说我的正确？最起码，这不公平，也不全面。既然你有错不认，我凭什么要承认自己的错和承担所有的责任？于是，这种指责就变得理直气壮、无休无止。到了这里，我们也就清楚了人间的恩恩怨怨为什么会如此连绵不断。原来真相是小人遇到了小人，于是就会灾难不断。

如果在现实中你想中断自己的灾难，就只能学习君子的反应方式。否则，你若是选择了小人的反应方式，就一定会成为灾难的推手；到了这个地步，即使你厌恶小人的作为，自己也会成为小人中的一分子，与众多小人共同制造人间持续不断的灾难。

通过以上分析，我们就能明白，为什么要学习君子的作为，为什么要规避小人的反应。因为只有这样，我们才能够切断灾难的链环，走上幸福的康庄大道。试问，你看清了遮掩自己错误的那份愚昧吗？你拥有了承认并改正自己错误的那份勇气吗？你能不再用愚昧、懦弱和虚伪，去犯自己那些会被别人看穿的错误吗？

【格言】君子遇事先省己，小人遇事先责人。

雍也第六

6·3 哀公问："弟子孰为好学？"孔子对曰："有颜回者好学，不迁怒[①]，不贰过[②]，不幸短命死矣。今也则亡[③]，未闻好学者也。"

【注释】①不迁怒：不把对此人的怒气发泄到彼人身上。 ②不贰过："贰"是重复、一再和叠加的意思。 ③亡：同"无"。

【释义】鲁哀公问孔子："你的学生中谁最好学呢？"孔子毫不犹豫地说："有一个叫颜回的学生好学，他从不迁怒于别人，也从不重复犯错。不幸短命死了。现在没有那样的人了，没有听说谁是好学的。"

【要点】(1) 颜回好学。(2) 不迁怒，不贰过。(3) 回死无随。

【语境与心迹】这是鲁哀公与孔子的一段对话，哀公问孔子，弟子中谁最好学，孔子回答是他的得意门生颜回，认为他好学上进，但自颜回死后，已经没有如此好学的人了。在孔子对颜回的评价中，他特别谈到"不迁怒、不贰过"这两点，从中可以看出孔子教育学生重在培养他们的道德情操。在这里，"不贰过"以往只是解读为不重复犯同样的错误，但从《论语》中孔子对"过"的相关解释来看，似乎还有一个对错误的主观叠加问题：先犯了一个错，这已经是客观事实了，但个人没有从主观上做出正确认识，非但没有认错改错，反而在主观上刻意进行文饰，从而产生了第二个"过"——主观上有意为之的"过"。人人皆可能犯第一种类型的"过"，可能有意或许无意，"人非圣贤，孰能无过"。关键是有了过失之后个人主观上的态度和作为是怎样的，若是刻意掩饰或者推诿，这第二个"过"就是主观有意了，其性质比第一个"过"更加恶劣。《论语》中，子曰："过而不改，是谓过矣。"子夏曰："小人之过也必文。"子贡曰："君子之过也，如日月之食焉。过也，人皆见之；更也，人皆仰之。"从这几段话中我们可以看到，孔子所说的"过"，不是人人都可能犯的过失，而是"过而不改"的"过"。

【接圣入心】

如今的人们，好学的人似乎很多，许多人都在拼命地学知识，提高自己的学历，但真正懂得好学真谛的人似乎不多。

在鲁哀公与孔子的对话中，孔子提到了自己弟子中最好学的人，就是颜回！

孔子提到颜回的好学，有两个重要的特征：

• 一是“不迁怒”。看看现实，联系自身，“不迁怒”好难啊！许多人常常会把在一件事上的怒气带到别的事情上，常常会把对一个人的怒气带到跟这个人不相关的人身上。用现在的话说，就是一个人的情绪管理出了问题。我们每时每刻都是带着一种情绪的，或者消极或者积极。这份情绪，都是跟前面的事情有关系的。我们都会不由自主地将跟前面的事情有关的这份情绪带到当前的事务中来，积极的情绪就不用说了，而那消极的情绪，就是迁怒的问题。想想看，直接对着别人发怒，是我们不知省思自己的责任，不能理性地分析问题，而用情绪发泄代替了处理问题，当然这样只会使问题更加复杂，无益于解决问题。若是再把这种愤怒的情绪迁移到毫不相关的人身上，那我们就是在制造问题了。如果你已经是成年人了，你明白了这个道理，能够做到制怒和不迁怒吗?

• 二是“不贰过”。用句通俗的话来讲，就是不会重复犯同样的错误。关于什么叫愚蠢，流行着这样一种说法：所谓愚蠢，就是在同样一个地方跌倒两次。这也是一般意义上的“不贰过”的问题。想想我们自己，看看周围的人，有几个人能够有错必纠、举一反三，从此“不贰过”呢？对于一个刻意掩饰自己错误、明知错了也要为自己辩护的人来说，未来就不是贰过的问题，而是会无数次犯同样的错误，这当然就是愚蠢至极了。照着这样的一种模式发展下去，恐怕人一辈子就是在连续不断地犯同样或者类似的错误，这样的人生还有什么前途可言呢?

要想做到“不迁怒”，就要学习用理性的方式分析和处理问题，而不能用感性的方式来认识问题和处理问题。若是再将一个情境中的消极情

绪迁移到另外一个毫不相干的情境和对象身上，那就不是解决问题，而是在制造问题了。

◎ 要想做到“不贰过”，就要对自己所犯的过错及时总结、深刻剖析、找到问题的原因并举一反三，这样就可以减少重复犯同样错误的概率。

◎“不迁怒”，需要我们认识迁怒的危害，深刻认识发泄情绪的于事无补和继续制造新问题的荒谬，提升自己冷静、理性认识与处理问题的能力。“不贰过”，需要我们认识重复犯类似错误的危害性，勇敢地去面对，理性地去分析，坚决地去改正。

【格言】贤者之风范，不迁怒，不贰过。

6·9　季氏使闵子骞①为费②宰。闵子骞曰：“善为我辞焉！如有复我③者，则吾必在汶上④矣。”

【注释】①闵子骞：姓闵名损，字子骞，鲁国人，孔子的学生。　②费：音bì，季氏的封邑，在今山东省费县西北一带。　③复我：再来召我。　④汶上：汶，即今山东大汶河。汶上，是说要离开鲁国到齐国去。

【释义】季氏派人请闵子骞去做费邑的长官，闵子骞对来请他的人说：“请你好好替我推辞吧！如果再来召我，那我一定跑到汶水那边去了。”因为季氏有专权的恶名，闵子骞就直接拒绝了。

【要点】(1) 子骞仁义。(2) 宁为百姓。(3) 不辅乱臣。

【语境与心迹】闵子骞的厚道颇得孔子真传，此处拒绝到季氏那里做官即表现出他明辨是非而知进退的智慧。宋代名儒朱熹对闵子骞的这一做法极表赞赏，他说：处乱世，遇恶人当政，“刚则必取祸，柔则必取辱”，即硬碰或者屈从都要受害，又刚又柔，刚柔相济，才能应付自如，保存实力。拥有这样的智慧，才能处乱世而不惊，遇恶人而不辱。

【接圣入心】

◎ 这一段通过孔子的弟子闵子骞为官的态度，表明了儒家所倡导的为官风骨。

对于那些对社会有责任感和使命感的人来说，为官是报效国家和发挥自己才能的重要途径。因此，儒家倡导“学而优则仕”的思想。

但在此处，借孔子的弟子闵子骞为官的态度，儒家又提出了为官的前提：

- 遇到恶人当政，儒家的君子是不屑与其为伍的。按照儒家的道德，与恶人同流合污是不可取的，也是会遭到人们鄙视的。
- 在恶人当道的年代，凭借君子个人的力量，自保都是有困难的。所以，儒家的君子，采取了避世的态度。

明朝有一个著名的大儒，就是方孝孺老先生，他有众多的弟子。他视朱棣为谋权篡位之逆臣，坚决不与他合作，最后落了个株连十族的下场，既是千古佳话，也是千古悲剧。

一般人都认为道家是消极遁世的，实际上并非如此。积极而智慧入世的道家人物并不罕见。历史上有一个著名的人物，就是冯道。冯道是一位颇具争议的历史人物，历仕后唐、后晋、后汉、后周四朝，先后效力于后唐庄宗、后唐明宗、后唐闵帝、后唐末帝、后晋高祖、后晋出帝、后汉高祖、后汉隐帝、后周太祖、后周世宗十位皇帝，始终担任将相、三公、三师之位。后世史学家出于忠君观念，对他非常不齿，欧阳修骂他“不知廉耻”，司马光更斥其为“奸臣之尤”。但他在事亲济民、提携贤良方面，在五代时期就有“当世之士无贤愚，皆仰道为元老，而喜为之称誉”的声望。

当然我们要清楚地知道，冯道的做法不适用于与民族之敌的相处。否则，像历史上的汪精卫和诸多汉奸，也就找到了合理的借口。

【格言】贤者助贤，奸者助奸。

6·11　子曰：“贤哉回也，一箪[①]食，一瓢饮，在陋巷[②]，人不堪其忧，回也不改其乐[③]。贤哉回也。”

【注释】①箪：音 dān，古代盛饭用的竹器。　②巷：此处指颜回的住处。

③乐：乐于学。

【释义】孔子赞扬颜回那超越世俗修行者的心性和行为，他说："颜回的品质是多么高尚啊！一箪饭，一瓢水，住在简陋的小屋里，别人都忍受不了这种穷困清苦，他却没有改变他好学的志向。颜回的品质是多么高尚啊！"

【要点】（1）颜回大贤。（2）一箪食，一瓢饮，在陋巷。（3）人忧回乐。

【语境与心迹】"贤哉回也，贤哉回也"，谁能让孔子如此赞美和感叹呢？一部《论语》中，就只有颜回了。颜回有很多美德，最让老师孔子感慨的是颜回的自立和求学问道的高贵精神，超越了世俗中无数迷恋物质和只图个人利益的人。因此，此处孔子对颜回这般感慨，实是对颜回高尚灵魂的赞美啊！也难怪孔子这般欣赏颜回，想想看，古往今来，又有几人能够像颜回一样"一箪食，一瓢饮，在陋巷"却不忘求学问道呢？时至今日，颜回的这种精神境界依然给予了我们很深刻的启示：人总是要有一点精神的，为了自己的理想，就要不断追求，即使生活清苦困顿也自得其乐。否则，只要精神做了物质和个人利益的"婢女"，生命就已经被廉价地出卖了。

【接圣入心】

颜回这种安贫乐道的精神，今天的很多人可能会不屑一顾：时代不同了，怎么可以让今天的人还去学习颜回的这种苦行僧式的做法呢？

但我们现代人的很多想法也是相互矛盾的：一方面，我们在拼命地改善自己的物质生活条件，另一方面，又深陷精神空虚所带来的痛苦中。一方面急功近利，另一方面似乎也赞同"十年磨一剑"的工匠精神。但最终，社会中踏踏实实的人还是越来越少。虽然很多人不断地抱怨社会过于浮躁，但自己不也是浮躁的一员吗？

颜回安贫乐道的精神，犹如历史上的一盏明灯，为浮躁的今世之人提供了重要的借鉴：

- 人们都喜欢财富，但若不稳扎稳打，财富又怎么会自动到来？
- 有些人忙忙碌碌地投机钻营，不少人也得到了很多财富，但物质的财富替代不了精神的空虚。

• 现实中不少的人，为了物质利益或者职位，丧失人格与尊严，违背法律与道德，背弃信仰与原则，最终，违法所得成了罪证，精神空虚，人生迷茫。这样的人生道路怎么会是智慧的道路？

想明白了，就可以这样做：必须以扎实的苦干用功，作为赢得财富的前提与基础，而不是靠投机钻营或者出卖人格来获取财富，因为这种不合道的财富，不是我们人生中的利润，而是我们人生的负债。

在我们通过合道的方式致富了之后，我们是否可以“安富乐道”，而不是到处炫富，也不是继续一味地追求骄奢淫逸的生活？

总之，人的一生中，提升精神境界与个人能力是获得财富的前提。获得了财富之后，人的精神该走向何方，也是今天富裕起来的人必须做出的一个选择。当然，答案也很简单：人要随时随地追求物质与精神双丰收，让物质彰显精神，让精神促进物质，最终达到不二的合一境界。如果二者发生冲突，我们就要选择精神和道德，而不是牺牲精神和道德去选择物质利益。

【格言】志于道者，衣食简陋，人忧自乐。

6·13 子谓子夏曰：“女为君子儒，无为小人儒。”

【释义】孔子对子夏说：“你要做君子儒，不要做小人儒。”

【要点】（1）要做君子儒。（2）莫做小人儒。

【语境与心迹】孔子将“儒”分为两种：一种叫君子之儒，一种叫小人之儒。先谈什么叫“儒”。根据《说文解字》的解释：“儒”是人类社会所需要的人，所以在“人”字旁边加一个需要的“需”字，便成了“儒”。我们再看“佛”——“弗人”，不是人，是超人。“仙”——“山人”，深居高山上的修行者。“需人”，则是人类需要他，即社会当中不可缺少的人，这就是“儒者”。如果再进一步参考《礼记》中的《儒行篇》，便有很多儒者类型的标准。一个儒者应当有怎样的行为，他的作风以及人格的规范，

《儒行篇》中说得很清楚，也包括孔子在这里所提两种儒者之一的君子之儒行。说到底，“儒者”就是有文化、有理想、有教养且在行为上有涵养的儒雅之谦谦君子。说白了，就是有知识的文化人，就是被文所化的人，这跟纯粹的有知识相比又多了一份个人的修养和对社会的责任。

什么叫小人儒呢？书读得很好，文章写得很好，学理也讲得很好，但除了读书以外，把天下国家交给他，却不能治理好；与人相处也显得很迂腐，看样子是有些涵养的，但又常常与众人格格不入；若是遇到不同的人，也很难相处；若是被冒犯，就会火冒三丈。学了那么多知识，只是为了自己谋生或者谋取个人私利，这就是典型的书呆子，也就是小人儒。所以处理国家大事，不但要才、德、学三者兼备，还要有真正的社会经验，如果毫无经验，只懂得书本上那一套，拿出来用是行不通的；不知道天下大势，只是空论道理也行不通。君子儒与小人儒有什么不同呢？君子儒就是人情练达、深谙世故、了解现实、不责于人、遇事有见解但更有方法、有知识更有涵养、卓然于群却又合于众生，这样的人才能把知识化成力量，才能将自己的学养变成服务社会的力量。若是子路的“义”、子贡的“达”和冉求的“艺”都具备了，就是君子儒了吧。孔子对着子夏提出了君子儒和小人儒两个选项，要求子夏做君子儒，不要做小人儒。若是能够达到“君子大儒”的境界，就能成为地位高贵、通晓礼法、人格高尚、对社会有所贡献的知识人；否则，若是沦落成小人儒，就只能成为地位低贱、不懂礼数、品格平庸、空有满腹经纶却对社会无益的人。

【接圣入心】

孔子在与子夏的对话中提出了君子儒和小人儒两个不同的概念。

“儒”，一般是指读书人，或者指那些有知识的人。拥有了知识，并不等同于就是君子，这给了我们当代的知识分子一个重要的警示：有儒样但非真儒并非君子儒。

孔子所说的君子儒和小人儒有什么区别呢？

• 君子儒，用今天的话来说，是指那种德才兼备的人。也就是说，既要有知识有才华，还要有仁德、高尚的情操和立志报国的情怀。二者不可偏废，更不能用自己的知识和才华，一味地为个人谋私利。

• 小人儒，用现在的话来说，是指那种有才无德之人。这样的人通常会有很多的知识和才华，但德行偏弱，他们用自己所掌握的知识和才华，一心为自己谋私利，不愿意为社会做贡献，或者想贡献也找不到对接点，如同山上无人摘的药材，最终变成荒草。虽有知识，但没有高尚的人格与情操，也没有立志报国的伟大情怀，这就是一个貌似儒雅实则残缺的生命！

反观一下我们今天的教育和有知识的人，现实社会中受教育、有学历的人越来越多了，学校和老师也越来越多了。可是，还有多少人和机构真正地重视德行的修养与熏陶？还有多少人真正地能够做到德才兼备？若是社会中有知识的人，都丧失了理想，都忽视道德，都一心为自己而不思报国，我们的社会如何能够和谐？又怎能健康发展呢？

当今社会，从事教育的机构和有知识的人，都应该认真地反思：我们所有人都认为道德很重要，但在我们的教育当中，给德育分配了多少时间呢？德育怎么能只是书本讲授呢？讲道德的老师是不是学校最优秀的？自己是不是能够做到垂范？道德跟具体生活如何对接？道德若是不能够落地到生活中的方方面面，只是墙上的口号和口头的说教，那么道德的能力是没法培养出来的。

道德指明人生的方向，道德深刻影响着一个人知识与才华所产生的结果，甚至决定着结果对人生和生命的价值。道德，既是一种品质，更是一种能力，这就是“道德力”的概念。

对于有知识、有学历、有才华的当代人来说，我们应该审视和评价一下自己：我们是君子儒还是小人儒呢？

【格言】儒者也有小人，君子必是儒者。

6·18　子曰：“质[①]胜文[②]则野[③]，文胜质则史[④]。文质彬彬[⑤]，然后君子。”

【注释】①质：质朴。　②文：文采。　③野：粗鲁、鄙野。　④史：言

词华丽，这里有虚伪、浮夸的意思。⑤彬彬：指文与质的配合很恰当。

【释义】孔子说："质朴多于文采，就像个没有见过世面的人，会流于粗俗；文采多于质朴，就流于虚伪、浮夸。只有质朴和文采配合恰当，才是个君子。"

【要点】（1）君子风貌。（2）质胜文则野，文胜质则史。（3）文质彬彬。

【语境与心迹】孔子进一步阐释君子的内涵，提出了君子人格的内在结构中两个重要的方面，也是中国文化中"一阴一阳之谓道"的思想，也就是"文"和"质"这两个方面以及它们之间的关系。"文"与"质"看似两种完全不同的品质，但恰恰反映了中国文化中的"阴阳和合之道"。经过两千多年的实践，能够悟透和自如践行孔子"文质思想"的人却少之又少，这也凸显了中华文化之深奥。

【接圣入心】

◎ 我们很多人都知道"文质彬彬"这个成语，但很多人却不知道它的出处。即使人们说到"文质彬彬"，也未必真正明白这个成语的意思。

◎ 孔子在这里提到了一个关于君子的重要思想："文质思想"。这一思想的本质，就是中国文化中的内外兼修、性命双修、阴阳和合与德艺双馨的思想。

◎"文质思想"的内涵可以概括为这样几个方面：

• 做人要质朴，品行要厚道，遇事要勇敢，做事要担当，这是做人的基础，也是每个人的心灵力量的根本。若是一个人失去了淳朴和厚道，失去了勇敢和担当，即使他拥有再多的知识和能力，也不会真正对社会有所贡献。

• 做人不仅要有优秀的品格，还要不断地学习突破，不断地增长知识，不断地提升能力。否则，就可能成为一个没有用的、做不成事的老好人，这样的人对社会又有什么价值呢？

◎ 反观现实，一些不学习、没有知识、不追求进步的人，常常行为粗野粗暴。没有内在的道德内涵做支撑，就很容易做蠢事、做错事。这样的人可能看起来勇敢仗义，但因为道德和思想没有达到一定的境界，常常局限于小圈子的仁义，缺乏对社会对国家对人类的大仁大义。最终，对社会的贡献不多，危害不小。这样的人，恐怕最终很容易成为小人。

再看现实中一些有知识有文化的人，常常缺乏维护正义的勇气，面对危难时没有担当，常常会将简单问题复杂化，一味地将现实问题学术化，却找不到解决问题的智慧方法。这样的人即使拥有了很多知识和文化，又能创造什么样的价值呢？

“质胜文则野，文胜质则史。文质彬彬，然后君子”，这一千古名句，对于今天的我们来说，依然具有非常重要的意义啊！可是如何做到呢？看看孔子的文武双全、家国情怀和无畏的精神也许就明白了！

【格言】质胜文则野，文胜质则史。文质彬彬，然后君子。

6·19　子曰：“人之生也直，罔[①]之生也幸而免。”

【注释】①罔：不正直的人。

【释义】孔子说：“一个人的生存是靠正直，而不正直的人也能生存，那只是他侥幸地避免了灾祸。”

【要点】（1）正直则生。（2）不正幸存。

【语境与心迹】孔子及其弟子经常面对的人中，肯定有人不是很正直但好像活得也不错。是啊，社会是个现实的社会，高尚的人比的是境界，大部分人只要比一般人有所长，就能活得相对好。但是，孔子并不赞同羡慕或者认可那些不正直的人所取得的成就，认为他们只是侥幸而已。看看我们的现实，并非所有的坏人都被绳之以法了，没被抓起来的也不一定都是好人，因为法律既有标准也有成本。但孔子倡导人要活得坦然，活得问心无愧，不能只等着法律的制约或者制裁来确定人间的是非曲直，而是要好好地问问自心，别丢了良知这把尺子。

“直”，即直心肠，意思是正直、正派，同虚伪、奸诈是对立的，是儒家的道德规范。社会生活中也有一些不正直的人，他们也能生存，甚至似乎活得更风光，但一切外在成就都骗不了自己的心，他们之所以还没有受到惩罚，只是因为侥幸地避免了灾祸，不代表他们的不正直是值得效法

的。这一点，对于那些在善良和正直的认知方面还不是很清晰、很坚定的人来说，非常具有警示作用。从某种意义上说，若是一个人不懂得这些问题的本质，甚至羡慕那些得了好处的坏人，心就已经开始“出轨”了，行为上出事是早晚的问题。

【接圣入心】

在儒家所强调的道德当中，“正直”是一个核心的品质。

与正直相对的品质，当然就是虚伪和狡诈。

正直对我们的人生，有许多重要的意义和价值：

- 做人正直，会赢得朋友、赢得信任，会避免出卖自己的人格和尊严。
- 做人虚伪和狡诈，会失去朋友、丢掉信任，会出卖自己的人格和尊严。

需要特别小心的是，现实中很多人认为，做人正直就会吃亏，经常感叹好人难做。实际上，还可以反过来问：难道坏人好做吗？稍微有一点生活经验就会知道，做坏人的风险更高。即使做坏人会一时得逞，但那只是侥幸而已；即使不被抓住，内心的自我折磨也是持久的，也就是说，从生出坏念头开始，一直到行动结束和出现结果，坏人实际上一直备受折磨，根本谈不上占了什么便宜。一旦东窗事发，那所有的收获都将成为罪证，非但得不到利益的滋养，还会让自己身陷囹圄。难道这样的事情还值得那些所谓的好心人羡慕吗？若是一个人羡慕坏人，恐怕就已经行走在危险的边缘了。

同时需要明白的是，作为一个真正的好人，光有好的愿望是不够的，光有勇敢也是不够的，还要有好的方法和一定的能力。否则，有勇无谋的行动就会事与愿违，就会好心办坏事。

此时此刻就到了一个重要的关头，当好心办了坏事时，我们做什么样的选择呢？是调整方向，还是改变方法呢？愚昧的人在这样的时刻做了一个错误选择：改变了正确的方向，却不是去调整和改善方法。智慧的人此时此刻能够明白，问题不是方向错了，而是方法错了，于是就会去调整方法，而不会改变方向。

纵观历史，有一个十分有趣的现象：正确的事情如果被一个愚蠢的人坚持着，这份正确就会受辱；错误的事情被一个貌似聪明的人坚持着，就会制造出人生的灾难。

【格言】正直者生。不正者死，活也侥幸。

6·26 宰我问曰："仁者，虽告之曰井有仁[①]焉，其从之也？"子曰："何为其然也？君子可逝[②]也，不可陷[③]也；可欺也，不可罔也。"

【注释】①仁：这里指有仁德的人。 ②逝：往。这里指到井边去看并设法救之。 ③陷：陷入。

【释义】宰我常给老师出难题："对于有仁德的人，别人告诉他井里掉下去一位仁人，他会跟着跳下去吗？"孔子说："为什么要这样做呢？君子可以到井边去救，却不可以跳入井中；君子可以被欺骗，但不可以被迷惑。"

【要点】(1) 君子仁德。(2) 救人讲法。(3) 自保救人。(4) 遇难冷静。

【语境与心迹】宰我这个人我们已经有所了解，是个思维有些怪异的人，会提出一些尖锐的问题，实际上这些问题在逻辑上是禁不住推敲的。这不，他又向孔子提出了一个比较尖锐的问题："井有仁焉，其从之也？"其背后暗含着这样的一种质问：老师你不是很强调仁德吗？不是说可以"杀身以成仁"吗？那好了，现在有人掉进井里了，要不要跳下去救呢？对此，孔子的回答是：下井救人是不必要的，只要到井边寻找救人之法就可以了。对此，有人评说孔子的回答似乎不那么令人信服，这与他一贯倡导的"见义不为非君子"的观点是截然相反的，又似乎为君子不诚心救人找到这样一个借口。实际上，这种评述近乎荒唐，严重违背生活常识：勇敢地跳到井里救人就是大义之举吗？遇到这种情况当然是首选站在井边救人。否则，不知井中情况就贸然跳下去，一定能成功救人吗？一个不会游泳的人跳到水很深的河里救人是勇敢呢，还是愚蠢？飞机上，空姐向乘客演示遇到突发情况自救的方法，要先为自己戴好氧气面罩，再去帮助别人。很显然，宰我和类似的人，即使想挑战孔子，也选错了话题和情景。当然，孔子早就识破了这样的雕虫小技，知道这是拿出来迷惑人的，君子

可不是傻子啊!

【接圣入心】

◎ 孔子与弟子的这段对话，讲到了一个特殊的情境：别人告诉君子有人掉到了井里，君子会怎么做呢？会跟着一起跳下去吗？

◎ 孔子否定了跟着一起跳下去的做法，告诉弟子可以到井边去救。同时讲到了君子可以被欺骗，但不可以被迷惑。

◎ 孔子为什么会这么说呢？其中的道理又是什么呢？

• 关于救人的方案，君子虽然是仁者，但并不是傻瓜，遇到事情，他要寻找合适的方法，而不是用愚蠢的方法去践行仁德的原则。

• 君子可以因为自己的善良被小人欺骗，但不能因为盲信别人的一些信息而陷入迷惑。“君子可以被欺骗”，强调的是君子不会事先恶意揣测别人，不会总是把别人往坏处想。“君子不可以被迷惑”，强调的是我们遇到事情时，需要冷静分析，寻找合适的解决方法。

◎ 一个拥有仁德的人或者自称君子的人，若是遇事总找不到合适的方法，甚至总把事情搞砸，就会受到耻笑，甚至因此会动摇很多人成为君子的信心。这样的人，就不能算是真君子。

◎ 一个人做人做事或者说话，谨言慎行是必要的。但也要注意不能走向另一个极端——事先恶意揣测别人。

【格言】君子仗义，行事善法。

6·27 子曰：“君子博学于文，约①之以礼，亦可以弗畔②矣夫。”

【注释】①约：约束。 ②畔：同“叛”，背离。

【释义】孔子说：“君子广泛地学习古代的文化典籍，又以礼来约束自己，就不至于离经叛道了。”

【要点】(1) 君子之风。(2) 博学于文，约之于礼。

【语境与心迹】孔子为什么这样重视“离经叛道”的问题呢？似乎现代的人已经不太使用“离经叛道”这个成语了。原因之一就是很多人一方面不知道“经”和“道”是什么，另一方面也不懂得尊经重道对人生到底有什么样的意义。孔子所处的年代，社会处于礼崩乐坏的状态，但同时也是思想大繁荣的时期，故而孔子懂得什么是“经”和“道”，也知道“经”和“道”是人生中最重要的精神财富，是被古人实践证明了的、积累了上千年的智慧。人若能尊经重道就能找到正确的人生方向，就能少犯错误，就能提升人生的价值。因此，孔子极力主张人不能离经叛道，唯有广泛学习古代典籍，汲取人类文明智慧，再用“礼”来约束自己的言行，就能循经行道。说到底，没有博学，就会无知；不懂礼数，难免粗野。而君子正是懂得并践行这些道理的人。

【接圣入心】

在我国古代，君子是不会离经叛道的。离经叛道，也是对一个人非常负面的评价。

离经叛道，现在已经很少提及。在现代社会，人们的思想观念和生活方式越来越多元化，也越来越尊重差异化。在尊重多元化的同时，人们似乎不知道“经”与“道”是什么，自然也不知道“经”和“道”的价值。

离经叛道的说法，在今天还有意义吗？

• 孔子认为，作为君子，应该广泛地学习人类文明的成果。这一做法，叫作好学与博学。今天的人们，在正规的教育当中，更多是进行专业的学习，博学之人越来越少了。这种专业的学习，将人们的知识局限在一个特定的领域或者方向上，虽然也鼓励博学，但专业的学习已经占用了人们太多的精力，使得人们已经没有余力再去达到博学的境界。这样的教育培养出了许多专业人才，却很难培养出博学之士。因此，尽管培养出了很多专家，但他们看问题只是从专业的角度，而很难站在全局的高度。不同专业的专家聚在一起，也是各说各的话，很难进行沟通。若是专家自己也不清楚这一局限，就极可能用专业判断来代替全局判断，此时就会产生偏见。

• 孔子认为，即使是博学之人，也不要忘记用礼约束自己。与人交谈时，

不要总是刻意地强调自己的观点，不要吹嘘自己，要懂得尊重别人，而且要保持谦卑的态度。在今天的社会当中，我们经常能够看到不少的专业人士，在一些会议或者很多场合，总是按捺不住要吹嘘自己的专业特长，总是在强调自己观点的正确性，而很少去赞同别人或者向别人请教。在这样的人身上，文人所应该具有的文明与礼仪的素养，几乎荡然无存。

◎ 当然，更为严重的是，现在学习专业知识的人，很少涉猎经典，甚至有的人对经典的认识处在很无知的状态。也许正是因为无知，还会经常妄议经典，或者非议那些自己根本不了解或者根本不熟悉的事情或者人。无知加上偏见，这样的状态，还到哪里找经寻道呢？

◎ 一些有知识或者有学问的人，总是不忘自吹自擂，经常简单粗暴地反对别人，尽管自己还没有理解别人的观点，或者根本没有理解别人观点的知识基础。用这种方式与别人讨论或者沟通，还会有好的沟通效果吗？看起来很有知识有学问的人，若是如此作为，似乎就缺乏了文人的基本修养。但现实中，这样的人似乎并不罕见。

◎ 通过以上分析，我们知道，儒家所警示我们的离经叛道，依然具有非常重要的现实意义。“经”在哪里？“道”又在哪里？毫无疑问，“经”在经典，“道”在人心。

【格言】君子尊经重道，博学于文，约之于礼。

6 · 28　子见南子①，子路不说②。夫子矢③之曰：“予所否④者，天厌之！天厌之！”

【注释】①南子：卫灵公的夫人，生得十分俏丽，富有风情，当时实际上左右着卫国政权。　②说：音 yuè，同“悦”，高兴。　③矢：同“誓”，此处说的是坦荡而坚定。　④否：不对，不是，指做了不正当的事。

【释义】孔子去见南子，子路不高兴。孔子坦荡而坚定地说：“如果我做什么不正当的事，让上天谴责我吧！让上天谴责我吧！”

【要点】（1）圣心坦荡。（2）可昭日月。

【语境与心迹】卫灵公夫人南子是个极其妖冶的女人，久闻孔子大名，一定要求见孔子。孔子很是踌躇，但不见不行啊，否则就失去了一次践行自己的政治主张的机会。故太史公说“不得已而见之”。但在相见时隔着用细葛布做成的帷幕，以示男女有别。又施稽首礼，乃臣拜君、下拜上之最高礼仪。再拜，南子在孔子稽首之前已拜过一次。第一拜为“君拜其辱”，这是诸侯聘问礼，说明南子是把孔子当作他国的公卿；二拜为“男女相答谢”，为当时男女相见必需之礼，这说明南子对孔子的尊敬。孔子见南子，自有孔子的用意与分寸，但子路无法理解老师内心的考虑，故而显得有些不高兴，孔子对他解释说：“我刚才并没有直接见到南子的面，如果见了，也会以礼相答。”孔子所言属实，南子是在帷帐中与孔子相见的，南子在帷帐中向孔子行礼再拜，孔子只是听到环佩的声音很清脆。子路依然不高兴。看到子路还是不相信的样子，孔子便发誓道：“如果和我说的不一样，上天都会厌弃我！上天都会厌弃我！”这师徒俩是真性情啊，子路对老师如此直率，孔子对子路也是如此。这便是历史上著名的“子见南子”的故事。

【接圣入心】

在这一段中，很多人觉得难以理解，甚至不同意孔子的做法，子路就是持这种观点的代表。我们知道，在孔子的弟子中，子路是非常刚猛和直率的，对于自己所不喜欢的人和事，反应也是比较直接的。

孔子是老师，心中坦荡荡啊，心中无所惧啊！在处理事情时就比他的弟子们要理性和周到得多。从相见的过程可以看出，双方并没有违礼的地方。孔子也没有因为有情绪而拒绝相见。相反，为了实行自己的主张，造福天下黎民百姓，孔子总是愿意去联合各种各样的力量，这反映出孔子为了实现理想，可以放下个人喜好乃至于个人尊严，去联合各种力量。也就是我们所熟悉的“放下小我，才有格局”。

孔子在对南子问题的处理方法上，给了我们几个重要的启示：

- 每个人都可以按照自己的价值判断来处理跟别人的关系：你认为正确的

就去接近；你认为错误的，就去疏远。像子路这样的人就是这样做的。作为一个普通人，能够这样坚守原则和知道亲疏，已经十分难得。

• 如果你是一个有伟大志向的人，就要懂得个人的喜好与实现伟大志向之间的关系。毫无疑问，要让个人的喜好让位于伟大志向的实现。也就是说，要想实现伟大的志向，就必须最大限度地去联合一切力量，这样才能够实现伟大的目标。孔子就是这样的人，他就是这么做的。

许许多多的普通人容易犯一个错误：为了个人在一些小事上的喜好而决定了彼此的关系，但最终忘记了还有更高的目标，用低级目标代替了高级目标。或者，根本就没有高级目标，所以才会在诸多小事上斤斤计较。

我们都知道，一个人的心胸大，天地就大。但是一个人又如何做到心胸大呢？实际上，心胸大就是目标高远，就是超越了个人的私利，就是在为众人谋福。当我们在心中锁定这样一个目标时，就不会再去计较一般的琐事，就能够最大限度地把众人团结在一起。由此可见，无论是从生活的角度，还是从事业的方向上看，我们都应该去寻找那个根本的目的和那个最高的目标。若是认识不到这一点，就一定会在具体事情上纠缠不休，最后失去自己人生的目的和所能达到的高度。

通过孔子见南子这件事，我们看到了孔子和子路完全不同的看法和反应，也看到了圣人和普通人的区别。由此，联想到深受佛祖释迦牟尼赏识的维摩诘居士，虽然表面上混迹于红尘，可心灵却一尘不染，他所达到的智慧的高度，他的圆融和通达，连佛祖座下十大弟子都十分佩服。

通过以上分析，我们明白了一个重要的道理：真正的修行不是独自一个人打坐冥想，而是在解决各种各样的现实问题的过程中考验自己，破解自己的一个个心结。真正的修行是能够看穿红尘中各种各样的表象，不再执着于一般人的是非善恶的判断，由对心中价值观的坚守上升到对真理的追求，如此就能不被红尘中的一切表象所迷惑。

【**格言**】圣心坦荡，可昭日月。

6·29　子曰："中庸[①]之为德也，其至矣乎！民鲜久矣。"

【注释】①中庸：中，谓之无过无不及；庸，平常。

【释义】孔子将中庸视为最高的道德智慧，他说："中庸作为一种道德，该是最高了吧！人们缺少这种道德已经很久了。"

【要点】（1）中庸最高。（2）红尘难见。

【语境与心迹】中庸，可谓是儒家文化中最具代表性的思想之一，在后世广为流传，但误解也很多，比如有人将"中庸"视为无原则的"骑墙"策略或者将其视为一种"城府"。实际上，中庸即中道，中道就是不偏向对立双方的任何一方，使双方保持均衡状态。中庸又称为中行，即人的气质、作风、德行都不偏向一个方面，对立的双方互相牵制、互相补充，着重寻找双方都可以接受的价值与方法，中华文化跟正反合理论有不谋而合之处。这个分寸可不是凭自己感觉而是由对方的感受来判定的，也不是根据暂时的结果而是由长远或者最后的结果来判定的。

【接圣入心】

中庸，被儒家视为一种最高的道德。中庸到底高在哪里呢？

中庸之道亦被古人称为中道或中和之道。中庸是人生的大道，是有助于事业成功、生活健康的根本理论，包含三层核心要义：

- 第一层要义：中不偏，庸不易，指人生不偏离天地大道，将自己的目标和主张与大道合一，并且持之以恒。
- 第二层要义：中正、平和。人需要保持中正平和，如果失去中正平和，就一定会在喜、怒、哀、乐情绪出现时表现太过，以至于失控。制怒唯有乐，制过喜莫过礼，守礼的方法在于敬。只要保持一颗敬重或者敬畏的心，中正平和就能得以长存，人的健康就能得以保障。
- 第三层要义：做人做事不走极端，总能找到恰如其分的时机、方式和方法。并且，随着形势的发展变化，总能在坚持原则的方向上去变通，最终取得最佳效果。

对中庸的智慧把握得当，就能在动中取恒、静中持重。不辞中道，不偏不倚。

孔子感叹世间人缺乏中庸这种道德已经很久了。那么，离开了中庸这种道德，人又会怎么样呢？

• 离开了天地正道，人生就会失去方向，生命就会被欲望引向深渊。君不见，如今的很多人，为了个人私利整日奔忙，牺牲了生活，牺牲了健康，这怎么能说是人间正道？中庸之道，就是人不能离开天地大道，否则就会失去方向。

• 人的思考、情感与行为若是偏离了中和与中正的尺度，就会出现过分的反应，以至于失控。当生命处在失控状态时，还能说什么呢？还能做什么呢？中庸之道，就是人不能因为外部事件而使自己失控或者被奴役，否则失控的了自己就会把一切事搞砸。

• 人在社会中思考问题和做事情，容易因为个人经验、偏好或者情感产生偏见，容易让理性被蒙蔽，容易启动非理性的情绪反应，容易在自己偏见的主导下走向极端。中庸之道，就是要避免因为个人偏见而走极端。

简而言之，中庸的智慧告诉了我们人生中三个维度上的指标：一是方向，二是自控，三是尺度。方向如果错误，结果必然错误。如果方向正确，但个人处在失控状态，一切事情也会因此带上个人的感情色彩，若是再没有把握好做人做事的尺度，最终必将功败垂成。

《中庸》里有这样一句话："天下国家，可均也；爵禄，可辞也；白刃，可蹈也；中庸不可能也。"可以解释为：天下国家难治，但圣君明主也可以治理好；官爵俸禄人人追求，但高洁之士依然可以放弃；雪亮的刀刃很容易伤人，但有功夫的人也可以践踏而过。人间这样三件难事都有人做得到，可时时刻刻、方方面面都能做到中庸，却是难以想象的。孔子这是在说明做到中庸很不容易。

中庸的智慧，超越了时空，超越了民族。它是中华民族伟大思想中最重要的理论之一，也是东方式的"普世价值"。

【**格言**】中庸至德，民间罕见。

述而第七

7·3　子曰：“德之不修，学之不讲，闻义不能徙①，不善不能改，是吾忧也。”

【**注释**】①徙：迁移。

【**释义**】孔子忧虑地说：“许多人不去修养品德，不去讲求学问，听到义不能去做，做了不善的事不能改正，这些都是我所忧虑的事情。”

【**要点**】（1）孔子四忧。（2）品德不修、学问不求、闻义不行、有恶不改。

【**语境与心迹**】也许有弟子或者他人问孔子：您现在似乎想明白了人间所有的事，那您还有什么担忧的事吗？孔子已经以身许国，当然不会再为自己的个人利益或者荣辱而担忧。那孔子还担忧什么呢？当然，他担忧的就是这个国家、这个时代中的很多人不明所以或者不走正道而带来的各种问题。孔子叙述了现实社会中的一些让他感到忧虑的问题：品德不修、学问不求、闻义不行、有恶不改。这就是圣人的情怀，永远关注的是社会和众生。普通人跟圣人有何差距？一是只想私利；二是身上存在孔子所忧虑的情况。2000多年之后的人们，又有几人彻底解决了上述问题呢？如果只是追求物质富有，精神却处于日益贫困的状态，会有好生活吗？

【**接圣入心**】

圣人之伟大，就在于他的所有的思考和忧虑，都超越了个人的生命与生活。当然，俗人之庸俗，也在于他的所有的思虑全部都是为了自己的生命和生活，而不会为天下其他的人去思虑。

说到这里，想起了张载先生的“横渠四句”：为天地立心，为生民立命，为往世继绝学，为万世开太平！这就是一个伟大的人所具有的伟大的情怀！

孔子在这段话里，表达了自己对世人的“四个忧虑”：

• 第一忧虑：许多人不追求内在德行的修行，一味地追求外在的利益，又因为德不配位，获得外在的利益时困难重重。或者，即使获得了外在利益，也因为自己内在德行的匮乏，内外不协调。君不见，许多人忙忙碌碌，却难以获得健康、幸福和成功。

• 第二忧虑：从古至今，整日忙忙碌碌的人是很多的，但能够安排出时间去学习、去修行、去提升自己的人却有些少。自己的能力得不到提高，只是忙忙碌碌，也只能是使用蛮力，甚至有可能会投机钻营，更有可能走上邪路。

• 第三忧虑：许多人只是一味地为自己的私利而奔波，无暇顾及社会的正义，总认为那是社会的事情，跟自己没有关系。当每个人都不去维护社会正义时，社会正义又在哪里呢？

• 第四忧虑：在现实生活中，很多人到处指责别人，似乎自己永远是正确的。试问，有哪一个人真正能够做到随时随地、每时每刻都是正确的呢？又有几个人会认真反思自己的错误呢？有错误，但没有反思，也没有改变，错误就会继续复制，这就是很多人找不到人生方向和步入痛苦深渊的原因。

孔子对世人的四个忧虑，可以作为我们观察自己的四个指标。如果不能够看清自己，也就没有办法优化自己。如果看不清楚自己的错误，也就不会去改正自己的错误，错误就会继续复制。到了这个地步，人的命运不就很清晰了吗？也就不用再去找人算命了。

【格言】品不修德弱、学不求愚痴、义不行心亏、恶不改罪大。

7 · 4　子之燕居①，申申②如也，夭夭③如也。

【注释】①燕居：安居、闲居。　②申申：衣冠整洁。　③夭夭：斯文舒适的样子。

【释义】孔子闲居在家里的时候，也不是散漫邋遢，依然是衣冠楚楚，仪态温和舒畅，悠闲自在。

【要点】（1）居家有样。（2）舒缓自乐。

【语境与心迹】很多人想到孔子，浮现的是他正襟危坐、不苟言笑、刻板威严的形象。其实，这是一个历史的误会。遍观《论语》所描述的情景可知，孔子有常人都有的喜怒哀乐，而且毫不隐瞒，他和学生之间有玩笑、有误会、有冲突，而且彼此都能充分、直接地表达出来。他在朝廷、在社会、在家中，通达或者穷困时，都能根据情势的变化作出准确的自我定位，采用适宜的举止，这叫作“时”，用他自己的话说就是“无可无不可”，所以孟子才称他为“圣之时者也”。正因为有如此的修养和人格魅力，孔子周游列国颠沛流离14年，赢得了那么多虔诚的追随者。孔子是至圣先师、礼乐文化的倡导者与践行者，也是一个活泼可爱、形象丰富、持经达变、可亲可敬的长者。

【接圣入心】

人们所了解的孔子，似乎一直在到处奔波，好像没有自己的生活。实际上，这是一种误解。通过这段话，我们了解到，孔子也有闲居在家的时候，并且在家里也活得非常舒适、悠闲和自在。

将孔子为天下奔走呼号和在家中悠闲自在两个方面合在一起进行思考，我们知道了人生中一个重要的道理：我们既要专心工作，也要舒心生活。

联系我们所熟悉的现实，我们看到了两种偏向：

• 第一种偏向：有的人整日在外奔忙，一遇到工作就像打了鸡血一样，满血复活。但是，一旦回到生活中，就变得了无情趣，无精打采，没有任何生活的心情。难道人活着就是为了工作吗？难道工作不是为了生活吗？如果后者的回答是肯定的，那我们不应该拿出点心情来思考生活吗？任何事情，你用多少心就会有多少乐趣，生活也同样如此。

• 第二种偏向：有的人在工作当中无精打采，一份工作做了很多年，重复了无数次，依然会出很多低级的错误。很显然，这是不用心和不认真的状态。但对于自己的生活，这样的人却下足了功夫，处处讲究，事事用心。其对生活的用心程度是值得称道的。可是，一个人来到世上并不是为了吃吃喝喝，一个生命的价值还在于为社会为他人创造价值，也为自己的生活提供保障和基础。若是只用心生活，却不用心工作，自己的生活又如何保障呢？

孔子对待事业和生活的态度，很值得当今的人们去借鉴和学习。工作与生活是人生的两个方面，彼此不能分离，若是将工作与生活割裂开来，恐怕两个方面都会受到伤害。

当然，作为组织的领导人，若是能够将工作设计成为一种生活，工作中的同事若是能够相处成为亲人，家中的亲人如果能够相敬如宾、互相关心、互相体贴，那我们的工作与生活就合一了，也许这才是人生的圆满。

【格言】居家有样，外庄内舒。

7·12 子曰："富①而可求②也；虽执鞭之士③，吾亦为之。如不可求，从吾所好。"

【注释】①富：指升官发财。 ②求：指合于道，可以去求。 ③执鞭之士：古代为天子、诸侯和官员出入时手执皮鞭开路的人。

【释义】孔子选择做事的标准很清楚，那就是合乎于道，他说："如果富贵合乎于道就可以去追求，即使是给人执鞭的下等差事，我也愿意去做。如果富贵不合乎于道就不必去追求，那就还是按我的爱好去做事。"

【要点】（1）合道之富可求。（2）执鞭之士可为。（3）从吾所好。

【语境与心迹】很多人可能觉得孔子是个不食人间烟火的人，好像对财富、富贵之类俗人在意的东西很鄙视，实际上这是个误会，孔子可没有那么极端，也不会那般偏执。孔子赞赏"安贫乐道"，但也不排斥合乎于道的富贵。只要富贵合乎于道，就可以去追求；富贵不合乎于道，就不能去追求。无道时，就去做自己喜欢做的事情。从此处可以看到，孔子不反对做官，不反对发财，但必须符合道，这是原则问题。只要合于仁德的大原则，做什么事也不用太介意，也不用分出高低贵贱，执鞭之士也可以。《论语·为政》中写道：或谓孔子曰："子奚不为政？"子曰："《书》云：'孝乎惟孝，友于兄弟。'施于有政，是亦为政，奚其为为政？"孔子是个只追求做官的人吗？是个瞧不起普通百姓或者普通工作的人吗？后人对孔子的很多武断批评，常常是来自自己的成见，并非事实。

【接圣入心】

物质与精神，道德与财富，二者的关系是人类永恒的问题。

人间有一个准则，体现了儒家鲜明的立场，这就是“主导法则”：人类的健康生活，必须以精神引领物质，以道德引领财富。违背了精神原则和道德准则的物质与财富，就不会给人类造福。相反，是灾难的开始。

人生中有两个至关重要的准则，一是在哲学中认识世界的法则：物质第一，意识第二。认识世界时若不坚持这一准则，人类的精神就会迷失，就可能陷入迷信。二是现实生活中的准则：精神第一，物质第二。若是不能坚持这一准则，人类就会变得唯利是图，就会丧失精神的方向。现实中很多人所出现的问题，是因为没有搞清楚这两个法则的适用对象。

在现实生活当中，很多人也许对这样的道德说教有些厌烦，但只要看看现实中的各种现象，静下心来想想这些现象背后的原因，也许就会对精神与道德的问题有新的认识：

• 如果你在现实中遇到那些只重利益不重情义的人，你会跟他交朋友吗？换句话说，如果你认识的人，他们用伤害你的方式来为自己谋利，你还会继续跟他做朋友吗？此时，你还认为道德是可有可无的吗？

• 在现实社会当中，我们会看到一些失去良知的商人，他们唯利是图，为了获得物质利益而伤害公众利益。此时，你不觉得应该让他们增长道德的觉悟吗？也有一些贪官污吏，他们公权私用、拉帮结派，破坏了制度和社会风气。此时，你还觉得道德是可有可无的吗？

精神与道德在我们人生中处于决定性的地位，这是作为主体性的人所拥有的基本能力。若是一个人处在人云亦云、是非不分的跟风状态，很显然是一种不成熟的表现。但要特别小心的是，在精神与道德这个问题上，每个人都是根据自己掌握的信息与知识来进行判断的，关键是每个人的主观认知都是有局限性的，要对此保持自知力就成了关键所在。

孔子在此处还告诉了我们一个道理：思考与行动都要以道作为衡

量的标准，而不要使用其他的标准将人的工作划分等级。用一句我们所熟悉的话来说就是：一切工作都是为人民服务的。上级和下级，只是分工不同，不能借此确定人格的高低和贵贱。

当然，在我们坚持原则时，还有最后的一个“开口”：若在现实中无法用合乎于道的方式求富贵，那么还可以去做点自己喜欢的事，当然也必须是合乎于道的事。

【格言】合道之财可求，不分贵贱。背道之财不取，自是增福。

7·16 子曰：“饭疏食①饮水，曲肱②而枕之，乐亦在其中矣。不义而富且贵，于我如浮云。”

【注释】①饭疏食：饭，吃饭，作动词；疏食即粗粮。 ②曲肱：肱，胳膊。曲肱，即弯着胳膊。

【释义】孔子超凡脱俗，这就是他成圣的标志啊！他说：“吃粗粮，喝白水，弯着胳膊当枕头，乐趣也就在这中间了。用不正当的手段得来的富贵，对于我来讲就像是天上的浮云一样。”

【要点】（1）孔子倡导“安贫乐道”。（2）自乐于饭疏食饮水，曲肱而枕之。（3）不义而富绝不取。

【语境与心迹】孔子提出了人生的两种模式：一是“安贫乐道”，认为有理想、有志向的君子，不应总是为自己的吃、穿、住而奔波。“饭疏食饮水，曲肱而枕之”，对于有理想的人来讲，可以说是乐在其中。二是合于道的富贵他不拒绝，但不符合道的富贵荣华，他是坚决不接受的，这些东西，如天上的浮云一般。这种思想深深影响了古代的知识分子，也为一般老百姓所接受。真是“无可无不可”啊！贫穷时有道可以安心，富贵时有道可以追求。这样的人生还有什么可抱怨或者遗憾的呢？

【接圣入心】

人基本上可以划分成两种类型，一种是以精神为主导的，一种是以物质为主导的。

以精神为主导的人，因为心中的理想像太阳一样照耀着自己的灵魂，即使生活比较贫困，依然能够乐在其中。那些以物质为主导的人，所做的一切都是为了让自己获得更多的物质利益，这使得他们的生命、生活和人生都处在外在奴役之下，无法达到精神自由的高度，这就更加接近动物的状态。由此可以看出，只有以精神来主导物质，人才能够真正与低等动物区分开来。

孔子不愧是圣人，他想明白了这个问题，所以，对于那些不合于道的荣华富贵，孔子是不屑一顾的。

看看历史和现实中的那些成功者，有一时兴盛而很快衰败了的，也有一直兴盛的。他们之间到底有什么区别呢？很显然，那些只重物质而忽视精神需求的人，在追求物质利益的过程当中迷失了自己。这样的人一旦获得了物质，就如同着魔一般沉迷于物质的享受，对于精神的追求不屑一顾，从而失去了人生方向。

在当代，我们时常有所耳闻：一些有钱的人患了抑郁症，甚至有自杀倾向。后代又不学习上进，追求奢靡的生活。中国有句老话，富不过三代。我们也见到一些企业家，一心为了挣钱，甚至连自己的魂都丢了，于是到处去求神拜佛。想想看，人到了这个地步，神和佛还会灵验吗？如果忽视了这一点，人就会因为精神的迷失而让财富失去了造福人的价值。

很多人以为富有了就会幸福，最后发现这是骗人的。当一个人不断地向外索取时，他就是穷人！当一个人不管面对什么境遇，一直在尽心尽力、无怨无悔地为他人付出时，他就是富人！

【格言】守道自足，心定自乐，看穿诱惑。

7·23　子曰："天生德于予，桓魋[①]其如予何？"

【注释】①桓魋：魋，音 tuí，任宋国主管军事行政的官——司马，是宋桓公的后代。

【释义】孔子大义凛然地说："上天把德赋予了我，桓魋能把我怎么样？"

【要点】（1）孔子与桓魋；（2）天生德于予。

【语境与心迹】孔子从卫国去陈国时经过宋国。宋景公知道孔子是天下闻

名的圣人，门下有数十名文武兼备的弟子，如果把他们师徒长久地留在宋国做事，便可使宋国不再受大国的欺凌。因此，宋景公准备出城迎接孔子。桓魋却怕孔子师徒来后会削弱其权势，竟不经宋景公同意，带领人马去杀孔子。结果孔子被赶出宋国，宋景公怏怏不快。

孔子临危不惧，认为自己是有仁德的人，上天把仁德赋予了他，所以桓魋对他是无可奈何的。好气魄啊！心中有正道，身上有使命，就可以如此大无畏，可见正道所赋予人的力量有多大啊！

【接圣入心】

人来到世上，就被环境赋予了很多角色：在家做儿女，在学校做学生，在单位做职工，等等。这是我们许多人都已经习惯了的事，也没有多少人觉得这有什么不正常。

在命运问题上，有一个隐藏的亦是公开的秘密：人的命运就是角色的方向与轨迹。关于人的角色，按照赋予的主体来划分，可分成两类："人赋角色"和"自赋角色"。前者，说的是别人说你是什么人，安排你做什么；后者，说的是你自己认为自己是什么人，应该干什么。不管是别人说的还是自己做的，只要一个人认定了一个角色，就形成了他命运的方向和轨迹。

世上的大部分人，是遵循着别人赋予他的角色前行的，多半活得平庸。卓越的人，是自己赋予自己一种卓越的角色，甚至认为这是天赋的，于是就有了天大的力量！也有的人认定了一种角色，但是很片面和狭隘，因此走上了狭隘和固执的人生道路。

圣人孔子给自己赋予了一种角色，他不为自己的功名利禄活着，他为天下苍生而奔走，就像天赋予了他这一使命一样。这使他一生充满了无穷的力量，为后世创造了宝贵的精神财富，成为一代圣人。

孔子的无畏，让人联想起世间的两种人：自畏者和无畏者。

• 自畏者中又分自乱者和悟道者：自乱者常常就是无中生有，自己吓唬自己，相信虚幻的危险，最终抑郁无法自拔。或者胡思乱想，鬼迷心窍，幻鬼附身，最终自乱而垂死挣扎。悟道者，懂得谨小慎微，因为他明白天道不可违，人道不可欺，故而去除了非分之想和莽撞之心。

• 无畏者中又分无知者和大智者：无知者无畏，是因为无知，所以才会放纵自己，最终招来灾祸。大智者，正道在心，正义凛然，自可吓退人间妖魔鬼怪，这就是正能量的力量。

在礼崩乐坏的乱世中，一般人看孔子，认为他是孤独的。实际上，孔子心中有众生，有自认的天赋使命，因而具备了不可思议的能量，因此才有了面对世间邪恶时的那种无所畏惧的英雄气概！人生一世，当如孔子！

【格言】天生德于圣，何惧世间恶。

7·31　陈司败①问："昭公②知礼乎？""孔子曰："知礼。"孔子退，揖③巫马期④而进之，曰："吾闻君子不党⑤，君子亦党乎？君取⑥于吴，为同姓⑦，谓之吴孟子⑧。君而知礼，孰不知礼？"巫马期以告。子曰："丘也幸，苟有过，人必知之。"

【注释】①陈司败：一说为人名，一说为官名。　②昭公：鲁国的君主，名裯，音 chóu，"昭"是谥号。　③揖：作揖。　④巫马期：姓巫马名施，字子期，孔子的学生。　⑤党：偏袒、包庇。　⑥取：同"娶"。　⑦为同姓：鲁国和吴国的国君同姓姬。周礼规定：同姓不婚，昭公娶同姓女，是违礼的行为。　⑧吴孟子：鲁昭公夫人。

【释义】陈司败问："鲁昭公懂礼吗？"孔子说："懂礼。"孔子出来后，陈司败向巫马期作揖，走近他并对他说："我听说，君子是不偏私的，难道君子还包庇别人吗？鲁君在吴国娶了一个同姓的女子做夫人，是国君的同姓，称她为吴孟子。如果鲁君算是知礼，还有谁不知礼呢？"巫马期把这句话告诉了孔子。孔子说："我真是幸运。如果有错，人家一定会知道。"

【要点】（1）陈司败、巫马期与孔子论鲁昭公是否知礼。（2）孔子庆幸，苟有过，人必知之。

【语境与心迹】按照当时的礼仪，国君娶同姓女子是不合礼制的。不管怎样，经巫马期询问说明之后，孔子马上就意识到了自己的错误，并且为此感到很幸运，因为别人指出了他的错误，真是闻过则喜啊。至于孔子是否事先知道鲁昭公娶了同姓女子一事，尚不得而知。但孔子知道了真相之后的态度，再一次证明了成圣之路是这么走的：随时随地反省自身。这是多么坦荡的心胸和智慧的心性啊！

【接圣入心】

此处借鲁昭公娶同姓女子的事，重点说明孔子的态度。

我们一般人遇到别人的责问时，通常会启动两个思维程序：一是解释，二是自辩。这么做的理由是：要么认为是误会需要解释，要么认为是误解，需要为自己辩护。或者，对于那些有头有脸的人或者内心自卑的人来说，只要别人责问自己，就觉得自己没有面子，就会急不可待地为自己辩解。

孔子不愧是圣人，也是个修行者，随时都在省察自己的过失。当被别人责问时，他既没有生气，也没有辩解，而是感到自己很幸运。这应了那句话："闻过则喜"。

圣人孔子就省去了许多俗人没意义的多余动作——觉得没面子、气恼和自辩。

孔子的修行智慧在于，遇到事情时他只关注此时此事带给自己的"礼物"——"借事我又明白了什么"，这才是关键。

对于现实中的我们来说，从孔子那里，我们应该明白这样一个重要的道理："闻过则喜"，才会对自己真正有益。当过错发生后又去解释和自辩时，实际上就是错上加错了。并且，在加固自己错误的同时，也失去了借事吸收能量、提升完善自己的机会。若是心中一直运行着君子的心志程序，时间久了就要成圣了。

由此可见，圣人们所倡导的仁德，并不是口头上的一种美好，而是真正有益于生命和人间和谐的能力。

【格言】有过人知，闻过则幸。

7·33　子曰："文，莫[1]吾犹人也。躬行君子，则吾未之有得。"

【注释】①莫：大概。

【释义】孔子谦虚地说："就书本知识来说，我和别人大概差不多，做一个身体力行的君子，那我还没有成功。"

【要点】(1) 孔子自谦。(2) 文吾犹人。(3) 躬行未得。

【语境与心迹】也许，《论语》告诉我们的最重要的一个道理就是孔子是如何成为圣人的。成圣的心性程序是什么样的呢？一是谦虚，放空自己，不自满，于是才有空间吸收更高级的能量。二是不断地反躬自身，随时检讨自己还没有做到的地方，不断地查找自己的过失，这跟卫国大夫蘧伯玉多么类似啊！所有的人都认为孔子太谦虚了。当然，按儒家观念，谦虚也是美德。孔子这番谦虚的话语也意味着他向学生做了这样的暗示：躬行实践、增长学识修养是永无止境的，我和众弟子还要努力呀！

孔子在此处说的"文"，主要是指文献典籍、诗书礼乐、典章制度等，也可泛指文化知识；"行"，则是指实践。"文"和"行"，都是孔子教育弟子的内容。"子以四教：文，行，忠，信。"孔子认为，在"文"这一方面，大概他还比得上别人。但是，在"行"这一方面，也就是在躬行实践上，他还没有达到君子这一境界。在后世儒家心中，孔子已不只是达到君子这一境界，而是已超凡入圣，与尧、舜、禹、汤、周公并称，为后世敬仰，万古流芳。

【接圣入心】

从这段话里，我们能够看出，孔子是个十分谦虚的人。在他所处的那个时代，就所掌握的知识而言，能够跟孔子相提并论的人，恐怕不会很多。能够像孔子那样躬行君子美德的人，恐怕更是寥寥无几。

孔子的这番话，也许并不是简单地表达自己的谦虚，在其语言的背后，可能另有深意！

孔子这番话，可能是在告诉我们这样的道理：

• 学习很多知识，成为一个让人看起来很博学的人，这似乎并不是特别难

的。但是，掌握很多知识和具备相应的能力，这是两个方面的问题，是不能够等同的。一个在学校里可以给学生讲企业管理知识的老师，可能不会管理企业。但如果没有掌握企业管理的科学知识，要想管理好一个企业也是不容易的。

• 若想在拥有了知识之后还拥有相应的能力，就必须深入实践。这也是实践出真知的道理。实际上，很多人为了学透知识和提升能力，走的就是这样一条路线：学习，实践，总结，提高；再实践，再总结，再提高。伟大领袖毛主席的著名哲学著作《实践论》，值得我们反复认真阅读和体会。

当然，孔子也可能是在提示那些只掌握知识却没有行动的人。以孔子的境界，这句话更多是自勉和自励。也就是说，孔子也是在实践中不断地学习领悟和提升实践君子美德的能力的。

对于现实中的我们来说，学习知识是第一位的，我们可以借鉴别人的经验和知识。但一定要明白的是，掌握了知识并不等于拥有了相应的能力。

现实生活中，当老师的只是给学生讲授知识，老师在知识方面的优势已经足以让学生佩服。但是，当老师的应该有一个清醒的认识：学生的认可，只是对其教学能力的认可，而未必是对其实践能力的认可。作为领导，通常领导的是一群综合能力不如自己的人，若是领导相信了部下对自己的肯定，就有可能迷失。因此，对于老师和领导来说，如何突破特殊地位赋予自己的光环，是能否突破自我和走向更高境界的一个重要的理性门槛。满足于学生和下属的赞美，必将落后。不断突破自我，才能不断接近真理。

【格言】文在知，更在行。行在进，害自满。

7 · 35 子疾病①，子路请祷②。子曰："有诸③？"子路对曰："有之。《诔④》曰：'祷尔于上下神祇⑤。'"子曰："丘之祷久矣。"

【注释】①疾病：病情严重。 ②请祷：向鬼神请求和祷告，即祈祷。 ③有诸：诸，"之于"的合音。意为：有这样的事吗？ ④诔：音 lěi，祈祷文。 ⑤神祇（qí）：古代称天神为神，地神为祇。

【释义】孔子病情严重，子路向鬼神祈祷。孔子说："有这回事吗？"子路说："有的。《诔》文上说：'为你向天地神灵祈祷。'"孔子说："我早就在祈祷了。"

【要点】（1）孔子病重。（2）子路为师祈祷。（3）子之祷久。

【语境与心迹】孔子患了重病，子路代他祈祷，孔子问子路是否有这个事情。孔子好像并没有批评子路，似乎对此举并不反对，而且还说自己已经祈祷很久了。有人根据这段话，认为孔子本人也向鬼神祈祷，证明他是信天地神灵的。但这个结论显然有些过于简单化了。根据孔子的一贯言行，他对生死问题是很坦荡的，肯定不会想方设法用祈祷的方式来影响自己的生死。对于这个"丘之祷久矣"，《太平御览》引《庄子》中一段类似的说法，权且可以参考："孔子病，子贡出卜。孔子曰：'吾坐席不敢先，居处若齐（斋），饮食若祭，吾卜之久矣。'"结合这句话来解释，孔子大概是想跟子路说：如果说祈祷有用的话，那么我平时一举一动都恭敬小心，居处饮食都如同在斋戒祭祀一般。这一点一滴，上天肯定能看到的。如果我这样的祈祷没有用的话，那么你的祈祷也不会有用的。实际上，孔子重视平时所思所言所行，不是很赞同将重点转到祈祷上，一个将生命与使命联系在一起的人，只会为了理想去践行"使命"，怎么会仅仅为了自己的命而去祈祷呢？再联想现实中那些践行不足却一味祈祷神灵保佑的人，他们的祈祷真的灵验吗？也许相信"人在做，天在看"会更靠谱一些。

【接圣入心】

许多人看到这一段所表达的思想，会想起孔子"敬鬼神而远之"的训导。不是说孔子不信鬼神吗？怎么他自己也向鬼神祈祷呢？

孔子劝说人们敬鬼神而远之，是在告诫人们，要想让自己"命好"，就要按照仁德的标准将自己修成君子，就要在现实生活当中反躬自问，而不是求助于鬼神！

既然孔子是那样劝说众人的，那他自己为什么一直都在祈祷呢？孔子"敬鬼神而远之"的话是对着不修行的普通人而言的。但对于修行者来说，则一切都是可以借助的法门。

• 在古人的修行当中，自己的一切言行，包括内在的思虑，首先不是要向别人有个交代，而是要向自己的良知有个交代。当一个人跟自己对话时，“鬼神”就变成了监督自己的那个代表和象征。

• 在老师病重时，弟子子路向鬼神祈祷，希望鬼神能够帮助老师恢复健康，这是弟子们的心愿，而孔子回答说我已祈祷很久了，实际上说的是自己的修行，与子路所做的祈祷是不一样的。

有人可能会这样说，这样解释是不是在美化孔子？实际上，只要了解孔子一生的作为，就知道他所倡导的思想和对别人的劝诫，自己都先身体力行。孔子说自己“五十而知天命”，这样一个知道了自己天命的人，到了晚年难道还不知道自己的天命已尽吗？还会像普通人那样奢求自己长命百岁吗？

实际上，在孔子病重之时，他是在告诉弟子们自己长久以来修行的一个法门，也就是要让自己的思虑和言行像是在接受“鬼神”监督一样，把控住自己的良知和方向。

再看看我们普通人，为了个人的私利，要么视法律为儿戏，想方设法地挑战法律，或者逃避法律以获得个人私利；要么只是给别人讲道德；要么对于那些没有受到惩罚而获得个人利益的人，还有羡慕之情；要么在自己做错了事情之后，还抱着侥幸心。这些行为，都是没有修行的人才会做的啊！

人间真正的修行者，有一个重要的特征：他们已经将人类文明的精神，内化成了自己的思想、法律意识、道德和良知，就好比，自己的灵魂也如同自己的神灵，成为监控自己、管控自己野性的一种持久的力量，时时管控和观照着自己，不再抱有侥幸心，也不再依赖外部的管控，这就是一种生命自觉的境界。

【格言】圣人自律，做事对天，神在自心。

7·37　子曰：“君子坦荡荡①，小人长戚戚②。”

【注释】①坦荡荡：心胸宽广、开阔、容忍。　②长戚戚：经常忧愁、烦恼的样子。

【释义】孔子看到君子和小人内心世界，他说："君子心胸宽广，小人经常忧愁。"

【要点】（1）君子坦荡荡。（2）小人长戚戚。

【语境与心迹】在《论语》中，孔子的思想观点基本上都是针对现实中的人和事阐发的。虽然此处呈现的只是孔子的一句话，但他一定是因人因事而发的。针对的是什么事和什么人呢？多半是现实中自认为是君子的人遇到了郁闷之事，真正的君子有什么好郁闷的呢？真正的君子永远都是坦荡荡的，不会怨天尤人，不会因为一时的不顺利而灰心丧气，否则，就可能在实质上还没有脱离小人的思维与情感模式。当然，具体是指谁并不清楚。现在看来，也不是很必要说清楚是谁，因为从古至今，这样的人是很多的。现实中什么样的人才会经常内心忧虑呢？是那些一心为自己斤斤计较，而没有达到真正彻底地、心甘情愿地、无怨无悔地、坚定不移地为天下奉献的境界的人。因此，忧愁和焦虑就是对心胸狭隘之人的一种惩罚。而真正的君子呢？他们之所以心胸宽广，是因为他们不为自己活着，不计较个人的得失，所以也就摆脱了那些低级的痛苦。

【接圣入心】

◎ 当今时代，抑郁症越来越成为一种常见的心理疾病。

◎ 一些人有了抑郁倾向之后，没有得到正确的治疗指导，轻易地开始使用药物，虽然一些症状得到了暂时的缓解，但并没有找到问题的根源和解决之法。

◎ 俗话讲，心病还需心药治，孔子所说的小人与君子的不同心态，也许可以帮助一些现代人摆脱抑郁的倾向：

• 小人长戚戚，说的是普通人总是对这人间的一些小事、小利和小理过于在乎和计较，而人间小事和小利又特别多，因此，需要费心思的事儿也特别多，这就极容易导致心理压力过大，精神过于疲惫，心绪过于烦乱，加上又不能及时有效地进行处理和消化，久而久之，就极容易形成心理上的说不清

的压力，自我感觉内心如同一团乱麻，理不出头绪。

• 君子坦荡荡，说的是君子因为心怀天下，不为自己谋私利，所以不会跟许多人计较小事、小利和小理。君子的心思就会变得比较简单，就没有那么多的心事，心理上非常轻松，也就不会产生莫名其妙的、长期的心理压力。

由此看来，圣人让我们学君子，是教给我们保持心理健康的一个重要的方法。若是我们不能够心胸宽广、心怀坦荡、心怀天下，那必然会为生活中许许多多的琐事而计较、而忧愁、而忧虑。久而久之，就会形成过大的心理压力，导致抑郁倾向的发生。

通过分析，我们知道，学习君子的美德不是空洞的说教；学习君子的美德也不是空洞的口号，是有利于我们身心健康的一项重要的能力。

以上分析可以帮助我们找到摆脱抑郁症的一个有效方法，那就是开阔自己的心胸，提高自己的目标，提升自己的境界，学习君子的美德。这就是古人给现代人开的解决心理问题的一剂药方。

再进一步说，心理上的抑郁倾向实际上是我们个人品格和境界的一种折射。这样的判断，不是在否定或挖苦哪一个人，而是给我们提供一个审视自己的方法，因为人患生理疾病，多少有心理因素的作用。而要治愈疾病，就要寻找内在的原因，这是当代心身医学的一个基本共识。明白了这个道理，我们就要下定决心，此生要学习君子，要做君子，否则，我们就要承受做小人而产生的各种痛苦。

【格言】君子心亮，小人心乱。

泰伯第八

8·3　曾子有疾，召门弟子曰："启[①]予足！启予手！诗云[②]：'战战兢兢，如临深渊，如履薄冰。'而今而后，吾知免[③]夫，小子[④]！"

【注释】①启：曾子让学生掀开被子看自己的手脚。　②诗云：以下三句引自《诗经·小雅·小旻》。　③免：指身体免于损伤。　④小子：对弟子的称呼。

【释义】曾子病了，把他的学生召集到身边来，说道："看看我的脚和手（有没有损伤）！《诗经》中说：'小心谨慎呀，好像站在深渊旁边，好像踩在薄冰上面。'从今以后，我知道我的身体是不会再受到损伤了，弟子们！"这哪里是在说身体，实际上就是在借病说道啊！

【要点】（1）曾子有疾。（2）观手足。（3）战战兢兢，如临深渊，如履薄冰。

【语境与心迹】曾子是孔子的弟子中传承孔子思想比较有名的一个人，他借用《诗经》里的三句话，来说明自己一生谨慎小心，避免损伤身体，能够对父母尽孝。古人将自己的身体看成尽孝的证明，一个孝子应当极其爱护父母给予自己的身体，包括头发和皮肤都不能有所损伤。曾子在临死时要他的学生们看看自己的手脚，以表明自己的身体完整无损，是一生遵守孝道的。儒家思想是很强调自我修行的，反对那些只是嘴巴上讲而行动上不落地的行为，而曾子就是这方面的榜样。也是啊，如果你说儒家思想好，你为何不在自己身上验证呢？我们知道，卖假药的人自己肯定不吃这种假药。所以，要证明自己所倡导的思想，最有力的做法就是像孔子和曾子那样躬身践行。

【接圣入心】

在《论语》中，这一段话存疑较多。先是说曾子有疾，但又没说是什么样的疾病，所以也说不清楚到底是内伤还是外伤。然后，曾子又让学生掀开被子看自己的手脚，但也没明说手脚上是否有伤。紧接着又引用了《诗经》中的话，似乎是在对弟子们谆谆教导，关键是最后提到了"从今以后，就可以不再受到伤害了"，难道是在这之前受到了什么伤害吗？此文没有明确交代，让我们这些后人费尽思量，也只能去揣测。

从我们这些后人看问题的角度来说，曾子是孔子非常得意的学生，一生谨慎，勤于修行，应该不会有外伤。所以，掀开被子让弟子们看他的手脚，应该是看没有外伤的手脚。也就是说，曾子的疾病，可能是由年龄造成的。

那么，曾子后面的话又是在告诫弟子们什么呢？可能有这样两层

意思：

• 上面这段话，若是曾子在临终时对弟子们说的，可能就是在用自己完整的体肤，来向弟子们展示一个人生的道理：因为坚守孝道，所以我们才可以有一个完整的体肤。曾子在临终时要他的学生们看看自己的手脚，以表明自己的身体完整无损，来证明自己一生遵守孝道的成就。据《孝经》记载，孔子曾对曾参说过："身体发肤，受之父母，不敢毁伤，孝之始也。"

• 文中所讲的"从今以后"，也许就是指自己明白了《诗经》中传递给人的那些道理之后，才获得了完整的体肤。

◎ 古人特别看重保持自己身体的完整性，我们知道最严酷的刑罚之一就是五马分尸。未得善终者最典型的表现，就是身首异处。到了最后的关头，人们渴望的是留个全尸。曾子在临终时向弟子们展示自己完整的身体，是在借机阐明一个道理：修好内在的仁德与孝道对自己身体的重要性。

◎ 概括起来，《诗经》中的这句"战战兢兢，如临深渊，如履薄冰"，算是对曾子一生为人处世基本精神的概括。

【格言】君子重道，战战兢兢，如临深渊，如履薄冰。

8 · 4　曾子有疾，孟敬子①问②之。曾子言曰："鸟之将死，其鸣也哀；人之将死，其言也善。君子所贵乎道者三：动容貌③，斯远暴慢④矣；正颜色⑤，斯近信矣；出辞气⑥，斯远鄙倍⑦矣。笾豆之事⑧，则有司⑨存。"

【注释】①孟敬子：鲁国大夫仲孙捷。　②问：探望、探视。　③动容貌：使自己的内心感情表现于面容。　④暴慢：粗暴、怠慢。　⑤正颜色：使自己面色端庄。　⑥出辞气：指注意说话的言辞和口气。　⑦鄙倍：鄙，粗野；倍同"背"，不合理。　⑧笾豆之事：笾（biān）和豆都是古代祭祀和典礼中的用具。　⑨有司：这里指主管祭祀、礼仪事务的官吏。

【释义】曾子生病了，孟敬子去看望他。病中的曾子也没有忘记与孟敬子谈论大道的修行，他说："鸟快死了，它的叫声是悲哀的；人快死了，他说的话是善意的。君子所应当重视的道有三个方面：使自己的容貌庄重严肃，这样可以避免粗暴、放肆；使自己的脸色一本正经，这样就接近于诚信；使自己说话的言辞和语气谨慎小心，这样就可以避免粗野和悖理。至于祭祀和礼节仪式，自有主管这些事务的官吏来负责。"

【要点】（1）鸟之将死，其鸣也哀；人之将死，其言也善。（2）君子贵三。（3）容貌庄重，神态正直，言辞谨慎。

【语境与心迹】"鸟之将死，其鸣也哀；人之将死，其言也善"，这句话流传千年，被很多人传诵，说的是人在去除了私欲和骄横之心时，心态就会归于平和与善良。那么，人在什么时候才最接近这种状态呢？除了修行能够达到这种境界之外，恐怕就是将近死亡的时候，因为这种时候还有什么好想的呢？还要去占别人便宜吗？还要去抱怨社会吗？若是不必等到死之前才会口出善言，这才是修行的大用处啊！故而，君子看重三个方面的品质：庄重不粗暴，正直而诚信，言辞谨慎不粗野。达到这样的境界，活着就都是收益了。用今天的白话来说，人这样活着，怎么做都是赚的。对于那些曾经在死亡边缘转了一圈又回来的人来说，他们通常会对人生中的各种名利和纠葛都释然、淡然了。若是不必等到这种悲惨经历发生就能够做到释然，这样的人生就太美好了！

【接圣入心】

通过我们的生活经验可以得知，人在特别得意的时候，说话就会比较放肆，也不会顾及别人的感受。但当人生病或者处在比较虚弱的状态时，说话就会比较温柔。

这一段又是在说曾子生病时候的状态，其感受跟我们的生活经验比较接近：鸟之将死，其鸣也哀；人之将死，其言也善。

同时，曾子也借机阐明了君子所看重的人生的三个方面：

• 第一是时刻要注意，保持自己的神态友好亲和、庄重平静，时刻保持一种正常的心态，这样就可以避免自己乱发脾气或者胡言乱语。

• 第二是让自己的容貌保持正经和正派的样子，这样就容易赢得信任，不容易引起别人的猜疑。

• 第三是说话时，言辞上谨小慎微、语气上礼貌客气，这样就可以避免乱说话和说错话，也就能够少犯错误。

曾子的这几句告诫，对于管理我们自己的神态、容貌和言辞而言非常有意义。在现实当中，很多人不太在意自己的神态、容貌和言辞，所以犯了很多不该犯的错误。

【格言】君子道三，容貌庄重，神态正直，言辞谨慎。

8·5 曾子曰："以能问于不能，以多问于寡，有若无，实若虚；犯而不校①。昔者吾友②尝从事于斯矣。"

【注释】①校：同"较"，计较。 ②吾友：旧注上一般都认为这里指颜渊。

【释义】曾子说："自己有才能却向没有才能的人请教，自己知识多却向知识少的人请教，有学问却像没学问一样，知识很充实却好像很虚空；被人冒犯却也不计较。从前我的朋友就是这样做的。"

【要点】(1) 拥有才能、知识和学问。(2) 不傲慢、不自满、不自夸。(3) 不与人计较。

【语境与心迹】曾子是个大修行者，他向人们展示的是一副君子修行的风貌：虽有才能、有知识、有学问，但不傲慢、不自满、不自夸，反能躬身继续向人请教，时刻保持内心虚空，也不跟人计较。就这样一种风度，古今中外，又有几个人能做到呢？做不到这些，又怎么能叫君子呢？

不修行的人，一旦拥有了某些优点、优势或者成就，就开始变质：变得不可一世，变得傲慢无礼，变得夸夸其谈，变得自吹自擂。你喜欢这样的人吗？人变成这个样子，就一定会让人讨厌。看来，只要不修行，即使有了优点和成就，迟早也会转向反面，修行的好处就在于，坏的能转成好的，别人的坏可以借鉴，自己的好也不会激发出贱性。这般的人生大好，又有什么可以与之相比呢？

【接圣入心】

从曾子的这段话里，我们能够看出他真是个认真的修行者，并且颇有心得。

此处，曾子的做法恰恰是普通人一般做不到的，因此需要认真体会。

一起来看看曾子给我们介绍的五个很接地气的修行方法：

• 自己有才能，却向没有才能的人请教。很多人会觉得有点不可思议，实际上，这恰恰是一个真正的修行者难得的自知的状态。我们知道一句名言：人贵有自知之明，自知者贵。一个人即使有某个方面的才能，也不可能在所有方面是全能的。明白了这一点，就不会以一个方面的能力过分地标榜自己，而是心中始终想着自己还有不足。会欣赏和学习别人的长处，就不会因为自己某个方面的长处而骄傲自满，于是就能够不断进步。

• 自己知识多，却向知识少的人请教。听起来也有些匪夷所思，实际上，人有一长往往就会有一短，知识多的人往往书生气较重，行动力偏弱。知识少的人，虽然敢想敢干，但往往因缺乏知识而变成蛮干。作为君子，能够看到自己的短处，又能够看到别人的长处，取长补短，才能让自己不断完善。

• 有学问，却像没学问一样。看起来有点像在装样子，实际上在现实当中，我们都知道这样一个道理：学问是无止境的。如果有一点学问就骄傲自满，就意味着停止了进步。所以，明白了这样一个道理，就不会让已有的学问成为自己成长的障碍。当然，学问多了，常常容易将简单问题复杂化，从而找不到复杂问题当中的关键和核心要害。此时，学问很容易让人变得迂腐。这一点，也是有学问的人要特别小心的。

• 知识很充实，但许多博学的圣人表现得却又很空虚。这个道理，我们一般人觉得很难理解：怎么这些圣人的做法跟我们普通人的想法有那么大的差别呢？实际上，这正是圣人自我修行的一种境界：拥有的就放下，不让它成为自己的心理负担。只有这样，我们才可以步履轻盈地前进。只有清空自己的内心，我们才能够拥有更多、更新的知识和更高的智慧。

• 被别人冒犯了，却从不计较。普通人可能觉得这有点窝囊。实际上，这

恰恰是圣人修行出的一种功夫：在一般人看来的冒犯，对于圣人来说根本算不上冒犯。一方面是因为自己有坚定而崇高的目标，所以那些小小的冒犯根本不会伤着自己。只有那些没有坚定和崇高目标的人，才容易被别人的冒犯所伤害。另一方面，修行的圣人最能体恤普通人的无奈和焦虑，所以当遭遇别人的冒犯时，他们启动的心灵程序是去理解和体谅别人的无奈和不幸，而不是不假思索地去体味自己所受的伤害，更不会与别人纠缠。

若是明白了圣人的这几项功夫，再来看看我们自己，审视一下自己在类似的情境中会产生什么样的情绪，又会如何反应。圣人的修行就是自我反思的一把标尺，由此可以知道自己的差距，也会明确自己修行和努力的方向。

想想看，现实中的我们会不会面临这样一种局面：

• 我们会用自己卓越的才能去跟别人的短处比较吗？如果是这样，那就肯定不会向别人学习。自己的短处又如何去弥补呢？到此，知道自己傻了吧！

• 当我们拥有了很多知识的时候，是不是会觉得自己也拥有了相应的能力呢？如果是，那一定是产生了错觉。而一直活在错觉中的人，又怎么提高自己的能力呢？

• 当自以为是个很有学问的人的时候，很可能会骄傲自满，于是乎不再努力提高自己的学问。再问自己，正因为有了很多的学问，是不是会经常把简单问题复杂化？正因为过于复杂化了，反而不知道该如何行动。最终，空有很多道理，却没有实际的行动，也就没有什么实际的结果。想想看，这样的学问有什么用呢？

• 古人教导我们，活到老，要学到老，就是要让我们放下过去的包袱，不断地更新自己的知识，不断地追求更新、更高的境界。

• 当别人冒犯了我们的时候，我们会受伤吗？我们会反击吗？如果狗咬了我们，我们会反过来去咬狗吗？当在生活中遇到很多小小的冒犯或者伤害的时候，我们总是忙着去报复、去回击。这般不能承受，这般脆弱的心灵，还能够承担什么样的大任呢？如果我们总是纠结于这些没有意义的事情，还有足够的时间和精力去做自己真正该做的事儿吗？当一事无成时，我们岂不是虚度人生？将自己的生命浪费在没有意义的事情上，才是人间最愚蠢的事情啊！

通过以上对照，也许我们能够参照圣人的修行，调整一下自己在日常生活中的行为反应方式，将那种没有经过思索的反应方式调整成为更加明智和高级的、对自己生命更有意义的反应方式，如此才可能拥有智慧的人生。

【格言】君子之心，有若无，实若虚。君子之行，以能问于不能，以多问于寡；君子之度，犯而不校。

8·6 曾子曰："可以托六尺之孤[①]，可以寄百里之命[②]，临大节而不可夺也。君子人与？君子人也。"

【注释】①六尺之孤：未长大成人的孤儿。托孤，受君主临终的嘱托辅佐幼君。 ②寄百里之命：寄，寄托、委托；百里之命，指掌握国家政权和命运。

【释义】曾子说："可以把年幼的君主托付给他，可以把国家的政权托付给他，面临生死存亡的紧要关头而不动摇屈服。这样的人是君子吗？是君子啊！"

【要点】（1）可以托六尺之孤。（2）可以寄百里之命。（3）临大节而不可夺。（4）大君子、真君子。

【语境与心迹】君子活得窝囊吗？如果你这么看，你就肯定错了。君子不争小利，不争无义之利，但对于大义，君子是要敢于担当的，否则，就不能说是真君子。在平常的生活中，我们似乎习惯了谦谦君子的形象。曾子给我们展示的是另外一种君子的风度——勇于担当。若君子仅仅表现的是个人的一种教养，遇事没有担当精神和勇气，这样的君子对社会的积极作用就很有限，也就像是个老好人。而真正的君子、大君子，是一定要为社会、国家承担重任的。曾子的这段话也是在给一些所谓的君子纠偏，也是给君子的一种提醒。君子若不是这样的，还能算是真正的君子吗？

【接圣入心】

在这里，曾子讲到了一个大君子的标准，一个人能够做到这几点，真就可以让人完全信任了。

人生中有几件很难的大事：一是父亲临终将自己的幼子托付给什么人？二是国君在临终时，可以将幼君托付给谁？三是国家的政权与未来又能够托付于谁？四是面临生死存亡或者危难关头时，有什么人可以信赖？

曾子提到了人生中的四件难事，也提供了衡量一个人是否是大君子的核心标准：

- 对于年幼的孩子来说，父亲是他的保护人，而一旦父亲不在了，其他人还可以给他父亲般的关怀和呵护吗？在这样的事情上，什么人可以代替父亲？什么人可以让孩子父亲的在天之灵感到欣慰呢？若是有人能够做到，那当然是人间的大君子。
- 国君即将去世，而继位者尚且年幼，国家大事事无巨细，宫廷斗争复杂难料。此时国君担忧的是，在自己离世之后，谁可以毫无二心地辅佐幼主？难啊！若是有人能够做到，一定是人间的君子。
- 从历史上看，历代王朝，不管是王朝确立还是维系，似乎都少不了刀光剑影。因为争夺王位，或争夺领导权，或者争宠，许多人失去了生命。治理国家和掌控政权实在太复杂了，这样的事又能托付给谁才让国君放心呢？世上若是有人真的能够做到让国君放心，那可真是人间的大君子、真君子啊！
- 每个人都有求生的本能，在正常的情况下，人都会趋利而避害。但在现实人生中，总会有一些危难和危机的关头，什么人能够在这样的时刻不畏死亡、大义凛然、挺身而出、舍生取义和毫不动摇？这样的情况，对一般的君子都是莫大的考验啊！若是有人能够做到，甚至都不能再用一般的君子荣誉来赞美他们，他们简直就是人间的大英雄啊！是人中蛟龙！是天地间的人杰！

身体的重量，可以称出来。生命的重量，却是在危难关头考验出来的。不面对生命的考验，我们都可以说自己是好人，都可以自称是君子，但在危难关头，一切伪君子都会现出原形。

◎ 在危难关头，或者跟自己有切身利害关系的重大问题上，能够无所畏惧的人，他们的生命中有一种不同凡响的力量，而这种力量才是君子生命的灵魂，是一种坚不可摧的、坚定不移的信仰的力量。

◎ 反观一下自己，我们在日常生活中的小事上达到君子的标准了吗？假如我们面临重要关头，还能像上述的君子那样作为吗？

【格言】大君子风范：托六尺之孤，寄百里之命，临大节而不可夺。

8·7 曾子曰："士不可以不弘毅[①]，任重而道远。仁以为己任，不亦重乎？死而后已，不亦远乎？"

【注释】①弘毅：强毅。

【释义】曾子说："士不可以不刚强而有毅力，因为他责任重大，道路遥远。把实现仁作为自己的责任，难道还不重大吗？奋斗终生，死而后已，难道路程还不遥远吗？"

【要点】（1）士不可不弘毅。（2）任重道远。（3）仁以为己任。（4）死而后已。

【语境与心迹】作为孔子思想的传人之一，曾子把广布仁爱于天下和践行恕道于世人作为自己的理想，其所肩负的责任实在是很重大啊！他这段话，也许是对着当时一些自称君子但又苟安于世的人说的。作为社会中掌握知识的"士"，怎么能够将知识这样一种公共资产仅仅用于自己的生存？还要服务社会、弘扬道义才可以啊！古人的这种沉毅持重的生命意识、壮怀激烈的悲悯情怀和敢将历史之使命一肩扛起的气概，才是真君子、大君子的风范啊！

【接圣入心】

◎ 曾子提出了要完成使命的知识分子所应具备的品格。

◎ 在古代，士这个阶层常常起着承上启下的作用。这样的一个阶层，若是没有使命和责任感，就无法上达。若是没有坚定的意志和有效的方

法，就无法贯通上下。

曾子的这个思想给了我们这样几点启示：

• 社会中有知识的人，不能为了个人的私利而苟活。掌握了知识的人，不能只是为自己谋利，要有社会和时代的使命感与责任感。只有这样，才符合社会赋予士这个阶层的身份和地位。

• 知识分子，要担当起弘扬人间正义的责任；若想承担起这样的责任，就必须有宏大的理想和坚强的意志。这是因为许多人需要他的引领，这是因为在实现理想的路途中会有很多意想不到的困难。这个过程中会有很多人动摇意志，这时需要作为社会精英的士来引领和支撑他们。

有使命的社会精英，要将弘扬社会正义作为自己终生的使命，既不能有一蹴而就的急躁，也不能在遇到困难和波折时动摇。相反，要将之作为毕生的信念，坚定不移地去践行，直至生命的终结。

任何一个时代，这样的社会精英都是社会的中流砥柱，是社会正义的脊梁。

选择这样一条道路，就是选择了一种人生模式，就是确立了自己的人生信仰。曾子的这番教导，对于我们现代社会的知识分子来说，依然有指导性的作用。作为知识分子的我们，是在用知识为自己谋利呢，还是在用知识为社会做奉献？是成为社会中最高级的牟利者呢，还是真正成为社会的中流砥柱和正义的脊梁？

古人所倡导的学习和士子的使命，都是为社会大众服务的。而今，很多人学习知识，似乎就是为了方便找个工作，或者能够为自己找个挣钱多的工作。古人所倡导的士子之心和士子使命，在今天的知识分子群体中已经很少被提及了。

【格言】士志弘毅，任重道远，死而后已。

8·13　子曰："笃信好学，守死善道，危邦不入，乱邦不居。天下有道则见[①]，无道则隐。邦有道，贫且贱焉，耻也；邦无道，富且贵焉，耻也。"

【注释】①见：音 xiàn，同"现"。

【释义】孔子旗帜鲜明地说出了大君子的风范："坚定信念并努力学习，誓死守卫并完善治国与为人的大道。不进入政局不稳的国家，不居住在动乱的国家。天下有道就出来做官；天下无道就隐居不出。国家有道而自己贫贱，就是耻辱；国家无道而自己富贵，也是耻辱。"

【要点】(1) 笃信好学，死守善道。(2) 危邦不入，乱邦不居。(3) 有道则见，无道则隐。(4) 有道时贫贱则耻，无道时富贵亦耻。

【语境与心迹】孔子所倡导的这些理念与做法，更多是说给一般君子听的。作为圣人的孔子，他自己则与一般君子有所不同，是个典型的无所畏惧、明知不可为而为之、舍我其谁的时代勇士。孔子的学习精神是了不起的，一心为匡复周礼而奋斗，政局不稳的国家他也去过，造反的人他也见过，乱世时他也做过官。即使是一些荒蛮之地，即便身处别人看来很艰苦、很简陋的生活环境中，也阻挡不了他的弘道之决心，那一句"君子居之，何陋之有"，俨然是降临人间的天使才有的大气魄。那些一般人所在意的荣华富贵，对他这样心系天下、心系民众的人来说，早已经淡如云烟了。

【接圣入心】

孔子在这里讲到了君子为人处世的几个基本的原则和方法：

• 坚定信念，努力学习。这个道理听起来没有什么深奥的，但真正做起来时人和人之间的差别就很大了。敬爱的周恩来总理在十几岁的时候就喊出了时代的强音："为中华之崛起而读书"。这是多么伟大的信念啊！今天的人们又是抱着什么样的信念在学习呢？如果只是为了自己的生存而学习，其所迸发出的生命力量就不可能是伟大的。

• 不管身处什么样的环境，都能够誓死守卫善道，坚定而不动摇，践行而无怨气。这样的人在当代还有多少呢？许多人恐怕只是死守着自己的私利，

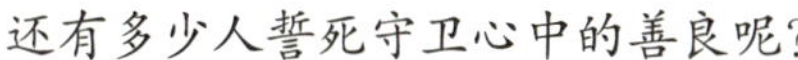

还有多少人誓死守卫心中的善良呢？

• 君子的明智在于明哲保身，因为他的生命是用来完成弘扬天地大道使命的。他们不是怕死，而是不想死得毫无价值。要做到这一点，就要不入死地，而那些动荡之地恰恰是很容易伤及性命的，也不能让贤者发挥能力，故而是君子所不居的。想想现代人，不少人为了一己私利而深入险地，最终命丧异乡，实在是不明智啊！

• 天下有道就出来做官，因为做官不是为谋私利，而是为实现为天下人谋福祉的理想。天下无道就隐居不出，因为无法实现自己的理想，此时去做官享受俸禄，却不能造福于人，这是十分可耻的！

• 国家有道而自己却很贫贱，这是没有找到为社会创造价值的机会，这是愚昧可耻的。国家无道而自己却很富贵，大概其是贪天下不义之财，是趁乱谋私，这也是十分可耻的。

从以上孔子所讲的五条原则中，我们能够看出君子和小人的区别。

孔子所谈的2500多年前的君子原则，我们今天的人是不是都做到了呢？看看那些背叛了自己信念和理想的贪官污吏，看看那些只为学历而读书的人们，看看那些为了一己私利而命丧异乡的人们，看看那些对社会中的弱势群体袖手旁观的人们，我们就知道了孔子所谈的为人处世的思想，依然具有非常强烈的现实意义。

当然，我们一方面要听从孔子教导的关于君子的道理，另一方面更要从孔子的行动来领悟圣人的情怀：心怀使命敢于为天下担当，心有正气因而不畏艰险。

【格言】笃信好学，死守善道。危邦不入，乱邦不居。有道则见，无道则隐。有道时贫贱则耻，无道时富贵亦耻。

8·16　子曰："狂①而不直，侗②而不愿③，悾悾④而不信，吾不知之矣。"

【注释】①狂：急躁。　②侗：音 tóng，幼稚无知。　③愿：谨慎、朴实。　④悾悾：音 kōng，同"空"，诚恳的样子。

【释义】孔子说："狂妄而不正直，无知而不谨慎，表面上诚恳却不守信用，不知道为什么会有这样的人。"

【要点】（1）小人三病。（2）狂而不正。（3）无知不慎。（4）诚而不信。

【语境与心迹】孔子看到了当时小人的几种表现，这些小人的作为都是害人害己的，孔子表示不可理解。实际上，也没有什么不可理解的，只是感慨和无奈吧。因为不学习的人，是不懂得人间大道的，也就不知道提高自己和成就事业的做法，故而选择了那种自以为聪明实则愚蠢的做法。想想看，时至今日，那些不正直而心虚的人，不都是用狂妄来遮掩的吗？那些无知的人，不都是用鲁莽来表现勇敢的吗？那些不懂得信义的人，才自以为聪明实则虚伪啊！今天不也有很多人这样吗？

【接圣入心】

在这一段中，孔子看到了小人的三种典型表现，值得我们当代人认真对照和反思。

孔子谈到了小人的三种典型表现：

- 第一种，狂妄而不正直，以狂妄为正直。
- 第二种，无知而不谨慎，以无知为智慧。
- 第三种，诚恳但不守信，以诚恳为守信。

先说第一种，狂妄而不正直。几乎在每个时代，都有这样一种人，他们要么贫穷而骄横，要么富有而狂妄，或者以为自己学历高而有智慧。这些都是内心缺乏仁德和智慧的表现。正因为精神虚弱和缺乏智慧，所以才会刻意地用行为上的粗野来表现自己的不凡和掩盖内心的自卑。这样的人，内心缺乏仁德和智慧的力量，故而对维护社会正义和造福社会没有丝毫的责任。作为君子，他们贫穷时却不卑贱，他们富有时却不骄狂，有优势时不自以为是，时时刻刻为维护社会正义而战。君子之所以能够如此，是因为君子的内心是强大的，是有仁德作为灵魂支撑的，故而用不着再通过外在的骄横来掩饰内心的虚弱。

再说第二种，无知而不谨慎。这里说的无知，主要是指缺乏知识，

不懂得周礼和君子之道，也没有深厚的仁德作为立命之本，自以为有知识或者学历高或者已经是孩子们眼里的专家就了不起，但内心的欲望又很强大，故而才会有鲁莽之举。在现代社会中，没有心思学习专业知识，更不会潜心修行自己的仁德，在欲望的引领下一心想着为自己谋利，故而就会轻信他人、轻易投资而上当受骗，这样的人实在太多了。至于说在平时的交谈中，对自己所不了解的事情妄加评论，对自己并不专业的事情出言轻率，根据只言片语的信息就妄下结论，这样的人也不少啊！甚至，有的人还可能是某个方面的专家，但依然会对自己不明白的事情妄加评论，真是不自量力、厚颜无耻啊！作为君子，他们知道自己在很多方面无知，因此不会妄加评论，如果需要，他们会去了解、请教和学习。

再说第三种，诚恳但不守信。这样的人极具欺骗性，因为人们容易因他表面上的诚恳而相信他，却一时看不清楚他背后不守信用的本质。这样的人，可谓是虚伪而狡诈。当然，只要他出现不守信用的行为，他那表面上虚伪的诚恳就会被看破，从此不再被人信任。这样的人，实际上是愚蠢的小人。而作为君子，表面上的诚恳和行为上的守信是完全一致的，每一个事件和每一次行动，都是对自己品德的证明，都是个人信用的积累，这才是人间的智慧啊！

【格言】小人三病，狂而不正，无知不慎，诚而不信。

8·21 子曰："禹，吾无间然矣。菲①饮食而致②孝乎鬼神，恶衣服而致美乎黻冕③；卑④宫室而尽力乎沟洫⑤。禹，吾无间然矣。"

【注释】①菲：微薄。 ②致：致力、努力。 ③黻冕：音 fú miǎn，祭祀时穿的礼服叫黻，祭祀时戴的帽子叫冕。 ④卑：低矮。 ⑤沟洫：洫，音 xù，沟渠。

【释义】孔子十分崇尚大禹并视其为偶像，他说："对于禹，我没有什么可以挑剔的了。他的饮食很简单而尽力去孝敬鬼神；他平时穿的衣服很简朴，而祭祀时尽量穿得华美；他自己住的宫室很低矮，而致力于兴修水利事宜。对于禹，我确实没有什么可挑剔的了。"

【要点】（1）大禹无暇。（2）食简敬神。（3）衣素祭美。（4）室陋治水。

【语境与心迹】孔子成圣，有一个非常重要的原因，就是他找到了“圣师”。孔子赞美了圣王禹的几个作为，也是他言行的标准：自己饮食简单但敬奉鬼神庄重，平时穿着简朴但祭祀时又华美隆重，自居低矮宫室但致力于兴修水利。说起来，就是一个圣主在两个维度上的作为：自己的生活简单、简朴和简陋，在天地大道、鬼神祭祀和为民谋福方面却庄重、认真和勤恳。说得简单一点就是，自己的个人欲望少一点，尽职尽责，认真地多做一点。

【接圣入心】

在中华民族历史上，三皇五帝的品德是受到广泛推崇的。三皇是指燧人氏（燧皇）、伏羲氏（羲皇）、神农氏（农皇）；五帝是指黄帝、颛顼、帝喾、尧、舜。

孔子在这里赞美了禹的美德，禹是黄帝的玄孙、颛顼的孙子。

禹有什么样的美德而这样受到孔子的推崇呢？

- 作为王的禹，不贪图个人享受，却恭敬地敬奉天地。
- 他平时衣着简朴，而在祭祀时却穿着华美，以此表明对天地的尊敬。
- 他自己的居室很低矮，却致力于兴修水利以造福百姓。大禹治水的故事，我们从很小的时候就知道了：相传四五千年前发生了一次特大洪水灾害，为了解除水患，部落联盟会议推举了大禹去治水，他身先士卒，三过家门而不入，最后胜利了。

正是因为如此，孔子认为禹的品德是无可挑剔的。

回到现实中，我们以禹的三项美德来对照一下现实中的人们：伟大的领导，他们穿着带补丁的衣服，却一心想着造福百姓，深受人民的爱戴。一些有良知的企业家，他们用自己挣到的钱去帮助很多贫困的人，受到人们广泛的赞美。一些有觉悟的普通人，遇到集体和国家的需要，会毫不犹豫地放下个人私利，去献身于集体和国家的事业，平凡中彰显着伟大。再看看那些腐败的官员，追求骄奢淫逸的生活，对民众的疾苦漠不关

心，却热心于拉帮结伙，为自己的小团伙谋私利。一些有钱人热衷于炫富，不断地追求物质生活享受，却不愿意去帮助那些贫困的人，也不愿意为国家尽力。

当然，现实中的不少人一直在抱怨社会，却不思进取，不问自己的奉献。指责别人，却又感叹自己没有机会。这种不修自己品德的人，嘴里还会有真正的正义吗？想起美国总统肯尼迪的一句名言：不要问国家给予了我们什么，要问我们为国家奉献了什么！

【格言】大禹无暇，食简敬神，衣素祭美，室陋治水。

子罕第九

9·4 子绝四：毋意①，毋必②，毋固③，毋我④。

【注释】①意：同“臆”，猜想、猜疑。 ②必：肯定。 ③固：固执己见。 ④我：这里指自私之心。

【释义】孔子杜绝了四种弊病：没有主观猜疑，没有必定的奢望，没有固执己见之举，没有自私之心。

【要点】(1) 孔圣绝四。(2) 毋意，毋必，毋固，毋我。

【语境与心迹】了不起啊，孔子能够杜绝这四种弊病，不愧是圣人。人有主观意识却不做主观猜疑，那就是没有偏见，永远实事求是。人有愿望但又不僵化，这种应时而变的心性真如水一般智慧啊！人人都有自己的思想，况且孔子还是思想家，但却没有固执己见，真是豁达啊！人人都有私心，也大多会图谋私利，但孔子没有私心、不谋私利，真是圣洁啊！再看看现实，很多人之所以让生命贬值或者得不偿失或者自取其辱，不正是因为在这几个问题上一筹莫展或者根本不知晓是这样的心魔在折磨自己吗？人人有主观意识，但不猜疑和没成见的人有几个？有目标却能够随机应变的有几个？有想法但不固执的有几个？忙来忙去不为私利的有几个？我们作为后学，真是很幸运，因为有孔子的思想和言行像日月一样给我们带来光明的指引。

【接圣入心】

孔子是伟大的圣人，他之所以成为圣人，就在于他具备了常人不具备的美德，就在于他超越了普通人的局限。

孔子杜绝了常人难以避免的四种弊病：

- 第一，孔子不会在不了解情况的前提下去主观地猜疑别人，不带偏见，没有成见，永远实事求是。
- 第二，孔子不会刻板僵化地固守自己要实现的目标，懂得应时而变，当做什么就做什么，但方向不变。
- 第三，孔子在遇到具体事情和人时，不会固执坚持自己的见解。对于有思想的人来说，善于倾听，懂得调整自己，不刻意、不固执，真是太难得了！
- 第四，孔子遇到人和事，不会想着利己。没有利己之心，专门想着利人，这是多么纯粹啊！

孔子所做到的这四个“杜绝”，可能恰恰是现实中很多人难以做到的：

- 很多人不正是在不了解情况的时候去主观地猜疑别人吗？有了主观猜疑，就一定会生出偏见，用偏见去思考人和事，怎么能够知道真相？
- 很多人不正是在情况发生了变化时依然固守自己的目标吗？情况变了，依然故我，这不就是让自己的心态和行为不合时宜了吗？
- 很多人在与人相处时，不正是经常固执己见而去反驳别人吗？不去理解别人的合理和积极之处，只是一味地坚持自己的意见，这哪里是跟人交流交谈呢，简直是油盐不进！
- 很多人在遇到事情时，首先想的不正是如何对自己有利吗？大家都想为自己谋利，你也这样做，岂不是落入了俗套？哪里还会看到人生的重大机会与价值呢？

圣人的作为，是一把尺子，用来审视自我；是一盏明灯，照亮我们修行进步的道路！

【格言】圣人绝四：毋意，毋必，毋固，毋我。

9·5 子畏于匡[①]，曰："文王[②]既没，文不在兹[③]乎？天之将丧斯文也，后死者[④]不得与于斯文也；天之未丧斯文也，匡人其如予何？"

【注释】①畏于匡：畏，围困；匡，地名。 ②文王：周文王，姓姬名昌，西周开国之君周武王的父亲，是孔子认为的古代圣贤之一。 ③兹：指孔子自己。 ④后死者：指孔子自己。

【释义】人在危难之际，会如何思考？看看孔子在面临危难时的内心世界。孔子被匡地的人围困时说："周文王死了以后，周代的礼乐文化不都体现在我的身上吗？上天如果想要消灭这种文化，那我就不可能掌握这种文化了；上天如果不消灭这种文化，那么匡人又能把我怎么样呢？"

【要点】(1) 文王赋命。(2) 使命在身。(3) 匡人奈何。

【语境与心迹】在孔子所生活的年代，已经很少有人再去关注历史和文化的传承，能够像孔子那样醉心于文明之火接续的人已经很罕见了。而孔子恰恰选择了这样一项伟大的事业，这也让孔子的内心充满了强大的力量。匡人受到当时鲁国卿大夫阳货的伤害，因而憎恨阳货。碰巧的是孔子与阳货长相相似，故而被匡人围攻。当然，这是一场误会。在这场遭遇中，孔子表现得大义凛然，是因为他心中有着伟大的使命，因此无所畏惧。

【接圣入心】

在一般人眼里，孔子只是个手无缚鸡之力的文人，那样四处奔走，到底是什么样的力量支撑着他呢？

孔子自己给出了关于这个问题的答案：天降大任于是人也！

孔子心中正是因为有了这样一个伟大的愿望，所以有了那样非同凡响的力量和坚定不移的意志。不管面对什么样的困难，不管受到世人什么样的挖苦和责难，他都能矢志不移。

由此可见普通人与圣人的区别：普通人为一己之私，在遇到困难的时候就会退缩；圣人为天下，不管遇到什么样的困难，能彰显坚定的意志，永不言弃，越是困难，越能彰显出圣人伟大的情怀和过人的毅力。

由此我们也可以明白，现实中很多人之所以无法拥有克服千难万险的勇气与智慧，就是因为他们是为自己谋利。而那些为天下谋福祉的人，在他们的生命当中就会生出一股伟大而神奇的力量。通过对比，我们也许能够找到人生方向！

【**格言**】圣人使者，无惧万难。

9·9　子曰："凤鸟[①]不至，河不出图[②]，吾已矣夫！"

【**注释**】①凤鸟：古代传说中的一种神鸟。传说凤鸟在舜和周文王时代都出现过，它的出现象征着"圣王"将要出世。　②河不出图：传说在上古伏羲氏时代，黄河中有龙马背负八卦图而出。它的出现象征着"圣王"将要出世。

【**释义**】孔子多么渴望自己的理想能够实现，他说："凤鸟不来了，黄河中也不出现八卦图了。我这一生也就完了吧！"

【**要点**】(1) 凤鸟河图。(2) 圣王救国。

【**语境与心迹**】孔子为了恢复礼制而辛苦奔波了一生。到了晚年，他看到周礼的恢复似乎已经成为泡影，于是发出了以上的哀叹。孔子借凤鸟、八卦图之说来表达自己对圣王的渴望和悲天悯人的情怀。后人批评孔子是满脑子封建迷信思想，显得有些可笑。圣人孔子只是借凤鸟、河图这一有象征意义的事物来表达自己的情感，竟然被后世子孙给扣上各种"帽子"，也许这一切正是被孔子言中了：即使过了2500多年，后世子孙中那种不懂事的人还是太多了点。

【**接圣入心**】

在这里，孔子告诉了我们圣人和圣王之间的联系与区别：圣人只是用思想来引导人们，而只有圣王才可以将天下治理成盛世。

相传，在上古伏羲氏时代，黄河中有龙马背负八卦图而出。在舜和周文王时代，凤鸟曾出现过。它们的出现，象征着圣王将要出世。

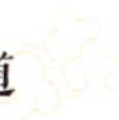

孔子在此悲叹：既没看到凤鸟，也未见到河图，看来圣王不会出现了。没有圣王的出现，只有圣人，又怎么能够将天下治理成盛世呢？

由此看来，孔子所思所想，都是为了那个时代的天下苍生。这就是圣人伟大的情怀啊！

任何一个时代，都需要像孔子一样的圣人。任何一个盛世，也都离不开圣王的出现。也许，圣王是可遇而不可求的。我们今天的知识分子和社会精英，是否应该学习一下孔子的那种悲天悯人的情怀，跳出学术名利化和功利化的旋涡，真正地为天下苍生去奔走呼号呢？这是任何一个时代的知识分子和社会精英应该承担的社会使命啊！

【格言】圣人情怀，兴国使命。

9·13 子贡曰："有美玉于斯，韫椟①而藏诸？求善贾②而沽③诸？"子曰："沽之哉，沽之哉！我待贾者也。"

【注释】①韫椟：音 yùn dú，收藏物件的柜子。 ②善贾：识货的商人。 ③沽：卖出去。

【释义】子贡说："这里有一块美玉，是把它收藏在柜子里呢，还是找一个识货的商人把它卖掉呢？"孔子说："卖掉吧，卖掉吧！我正在等着识货的人呢。"看似是玉的事，实则是孔子的心事。

【要点】(1) 美玉变现。(2) 仁人治国。

【语境与心迹】孔子这是借子贡关于美玉的话题来表达自己积极入世的情怀。众所周知，孔子满怀济世报国的理想，却屡屡受挫，心中渴望着能遇到明主，能够展示才华进而造福于民。只是当时的社会实在太乱了，周朝的体制已经形同虚设，诸侯纷争，生灵涂炭，奸臣当道，明君难寻，这样的乱局之中已经没有多少人还有心思去好好地经营这个社会，更多的是陷入保位与争位、诸侯国如何生存等底线性纷争。在这样一种形势下，孔子的悲天悯人情怀难有施展的平台，还常常遭俗人耻笑、被恶人威胁。难得孔子还能够带着众弟子奔走呼号，独自发出那个时代文明的最强音。

【接圣入心】

在这段话中，孔子借美玉这样一个话题，来表达自己渴望为社会服务的愿望。

虽然这段对话中说的是一块美玉是收藏还是卖掉这一选择，但从孔子选择“卖掉它”，一方面能够看到孔子并不喜欢收藏什么宝物，另一方面也借此暗示孔子为社会做贡献的渴望！

历朝历代都有不少人喜欢收藏各种各样的宝贝，无非是想将这些宝贝卖个好价钱。但从孔子的感慨中，我们知道，孔子自认为他的这些仁德的思想，才是社会中真正的宝贝，他多么希望有人能够知道思想的价值，并运用思想去治理社会啊！

由此我们明白，高贵的思想、高尚的仁德、崇高的智慧、家国天下的伟大情怀，才是人世间无价的宝贝。一心为自己积累财物的人能从中得到什么启示？在家庭中，如果只把财富传承给后代，却没有把思想、智慧和品德传承给后代，那么财富就可能是贻害后代的毒药。看看国内外那些传承了许多代的家族，许多人看到的只是他们家族的财富，却看不到这些家族成员的智慧和品德，甚至是信仰。如果接近他们，也许能够从他们超越常人的勤劳和家族精神或者家训乃至于信仰中，明白家族兴盛的秘诀。

孔子一心想着让自己的智慧造福社会，无所保留，也没想着借此为自己谋取私利，对弟子和儿子的教育也没有区别，更没有想着将自己的思想当成宝贝只传给自己的后代。今天的人们，若是自己有什么本事或者技艺，会像孔子这样吗？

【格言】圣人为国，小人为家。

9·15　子曰：“吾自卫反鲁[①]，然后乐正[②]，雅颂[③]各得其所。”

【注释】①自卫反鲁：公元前484年（鲁哀公十一年）冬，孔子从卫国返回鲁国。　②乐正：整理乐曲。　③雅颂：《诗经》中两类不同内容的名称，也指乐曲名称。

【释义】孔子说到自己从卫国回到鲁国后做的事："我从卫国返回到鲁国以后，乐才得到整理，雅乐和颂乐各有适当的安排。"

【要点】(1) 圣人思国。(2) 小人思己。

【语境与心迹】孔子自卫国返回鲁国，结束了14年漂泊不定的生活，心中想着什么事呢？是中华文化如何传承的事。真是了不起的人啊，经历那样的漂泊和受挫，志向不改！孔子正是用自己的行动践行着自己的理想，也正是因为孔子思考的都是民族国家的大事，所以他才成了中华民族的圣者。

【接圣入心】

通过孔子所说的这段话，我们知道，孔子一直在忙于整理那些可以传承的文明。

在那样的一个时代，孔子做这样的工作，会有人付他报酬吗？在使命的驱动下，孔子是不需要别人付他报酬的。

今天的人们，会做那些得不到报酬的工作吗？

当今的时代与孔子那个时代相比已经发生了巨大的变化。国家会拨出巨款支持科学家从事科学研究，每年都会有大量的科技论文和专著出版，科研成果到底为社会奉献了什么样的价值呢？

接触一些年老的科学家知道，他们在从事科学研究时，没有想过要得到多少报酬。一些老专家在退休之后，通过多年的积累，写出了惊世之作。

由此看来，今天的科研条件越来越好了，科研人员似乎更应该多些为人类文明和民族文化传承而奋斗的情怀与精神。在社会精神成果的管理方面，也应该在增加投入的同时，考核产出的价值。尤其是需要改变过分注重量化指标的倾向，增加质量和价值的指标考核。还应该考虑一些学科的特点，关注一下退休之后年迈科学家的创造活动和他们的价值。

【格言】圣人为国，心系天下。

9·16　子曰："出则事公卿，入则事父兄，丧事不敢不勉，不为酒困，何有于我哉。"

【释义】孔子说："在外事奉公卿，在家孝敬父兄，有丧事不敢不尽力去办，不被美酒所困，这些事对我来说有什么困难的？"

【语境与心迹】"出则事公卿"，是为国尽忠；"入则事父兄"，是为长辈尽孝；"丧事不敢不勉"，说的是尽礼；"不为酒困"，说的是修己。忠、孝、礼、省是孔子特别强调的四个相互关联的道德标准。它是对所有人的要求，而孔子本人就是这方面的身体力行者。在这里，孔子说自己已经基本上做到了这几点。我们呢？尽礼和修己做得怎么样呢？后世喜欢反对孔子的人，这些事情要不要做呢？不做这些，自己又是什么人呢？这样的人批评孔子又是为了什么呢？

【要点】（1）外事公卿。（2）家事父兄。（3）丧事用心。（4）不为酒困。

【接圣入心】

在这里，孔子讲到了自己的人生当中必须做好以下四点：

- 首先是在外侍奉公卿，也就是忠君爱国，尊重上级，善待朋友！
- 其次是在家庭中坚持孝悌的原则，也就是孝敬自己的父母，爱护自己的兄弟姐妹。
- 遇到丧事，要竭尽全力去把它办好，遵从礼制，不可轻率。
- 不能酗酒，做大事者不可沉湎于酒色，修己方能安人，否则以酒乱性必然误事。

孔子做到这四点没有任何困难，也不会因为这四点而耽误思考天下的大事。

对于当今想做大事的人来说，真的应该从这四个方面反思一下自己：

- 我们是否还有报效国家的情怀？若是只是一心为自己谋私利，恐怕此生只能落入平庸。若是还被国家民众养着，却只管自己谋生，岂不就变成了体积巨大的"寄生虫"了？

• 我们在家里是否能够很好地孝敬父母、爱护自己的兄弟姐妹？是否能够营造和谐的家庭氛围？若是连自己的小家都经营不好，还谈什么做大事的理想呢？

• 遇到亲朋好友的丧事，我们是否会尽心尽力地去把它办好？是否愿意花精力让死者走得顺畅、让生者活得安康？

• 现在社会上有一股很不好的风气，似乎对人热情就是要把别人灌醉，或者求人办事就必须送礼。真应了民间那句话——酒壮㞞人胆。一些人在酒场上，喝坏了身体，有时又伤了感情，喝酒时承诺多多，酒醒后又概不兑现。有的人酒后乱性，胡说八道，酒醒后又后悔莫及。这样的人还能做什么大事吗？更荒唐的是，有的人竟然喊出“酒品就是人品”的荒谬之言。这样的人难道还可以担当大任吗？

毋庸置疑，我们活在经济和物质的盛世。但必须警醒的是，许多人却活在心灵和精神的乱世中：蔑视法律，忽视道德，信仰缺失，精神空虚，贪图享受，投机钻营，拉帮结伙，坑蒙拐骗，骄横霸道，等等。这些状态并不是我们在喝多了酒之后出现的窘态，而是许多人在清醒时的状态，这就尤其显得可怕！

【格言】君子四德：外事公卿，家事父兄，丧事用心，不为酒困。

9·19　子曰：“譬如为山，未成一篑[①]，止，吾止也；譬如平地，虽覆一篑，进，吾往也。”

【注释】①篑：音 kuì，土筐。

【释义】孔子用生活中的例子给学生讲道理，他说：“譬如用土堆山，只差一筐土就完成了，这时停下来，那是我自己要停下来的；譬如填土平地，虽然只倒下一筐，这时继续前进，那是我自己要前进的。”

【要点】（1）半途而废。（2）成在恒心。

【语境与心迹】孔子为何说出这样一番话呢？孔子带着弟子们学习和修行，自然会看到有的弟子意志不坚定，学习和修行不能持之以恒，于是进进退退，进步很慢。基于此，孔子用“为山”和“平地”这两个日常生活中大家都很熟悉的事来做比喻，想让弟子们明白“功亏一篑”和“持之以恒”的道理；说明办事情不管是已经接近成功，还是刚刚开始，“止”是自己止，“进”也是自己进，最后达到什么样的成就或者高度，都是由自己心的状态决定的，用不着去怨天尤人。在这一段中，先是说“为山”，一直往上堆，最后只差一篑土就到顶了，可又停下了，因为缺少这一篑，也还是没有山，并不等于成功，这就是“功亏一篑”；接着说的是“平地”，地上坑洼不平，有深有浅，只能一篑一篑地填土，才能将地填平。若只是填了一篑土，坑还没有填平，就又往前走了，这不就是半途而废吗？这样下去，看似做了不少事，但又没有完成，最终一无所成。《论语》中有几处直接讲到类似的道理，如“不恒其德，或承之羞”，“得见有恒者，斯可矣”，“士不可以不弘毅，任重而道远”。这些话也都是教人要坚忍刚毅，始终一贯地朝着既定目标奋进。可见，孔子带着弟子们学习和修行，是把恒心、刚毅、有始有终看作人的一种很重要的美德，此处的“为山”和“平地”只是说得更明确和具体罢了。在学问和道德上，孔子鼓励弟子们应该坚持不懈、持之以恒、无怨无悔、勇往直前。对于立志要有所作为的人来说，这是必不可少的，是十分重要的。

【接圣入心】

人都想在自己的一生中拥有高度与价值，甘于平庸者，也实属无奈。

如何才能拥有人生的高度与价值？需要日积月累的功夫！若是不愿意做小事，世间就无大事可做。若是简单地重复做小事，此生就只能做小事。若是做小事时能够顺应大势，小事也就是大事。

虽然每个人都不想碌碌无为，但很多人最终还是落入了平庸。究其原因，无外乎以下几种：

- 朝三暮四者，没有一个恒定的方向，做任何事情，不深、不精、不透，浅尝辄止，终究一事无成。
- 选错方向者，走上邪路，也就是绝路。靠歪门邪道得到的并不是人生的

利润，而是人生的负债，最终落个得不偿失。

• 自暴自弃者，一次挫折变成一生中跨不过去的一座山，正是自己软弱的意志打败了自己。

• 半途而废者，虽有正确的方向，也有了一定的积累，但缺乏最后一份坚持，于是前功尽弃。

• 自卑自贱者，在事实印证前，主观上就已经做出了消极的结论，还没有开始就已经终结。

• 投机取巧者，在耍小聪明的过程中，丢失了练基本功和积累的机会，绕了一大圈，最终又回到无知的原点。

走不走？往哪儿走？是停下，还是继续前进？一切取决于自己，怨天尤人，天不应，神不灵，白做无用功。荀子说过一句极其精辟的话："自知者不怨人，知命者不怨天；怨人者穷，怨天者无志。"

神救自救者，自毁者无人可救。如果一个人连自己都靠不住，在人间就将没有依靠。早点明白，早点觉悟，生命就可以少走弯路！

【格言】大成秘诀：日积月累，持之以恒。

9 · 24　子曰："法语之言①，能无从乎？改之为贵。巽与之言②，能无说③乎？绎④之为贵。说而不绎，从而不改，吾末⑤如之何也已矣。"

【注释】①法语之言：合乎礼法规范的话。　②巽与之言：巽，音 xùn，恭顺，谦逊。这里指恭顺赞许的话。　③说：音 yuè，同"悦"。　④绎：分析。　⑤末：没有。

【释义】孔子说："符合礼法的好言规劝，谁能不听从呢？但只有按它来改正自己的错误才是可贵的。恭顺赞许的话，谁听了不高兴呢？但只有认真推究它的真伪是非，才是可贵的。只是高兴而不去分析，只是表示听从而不改正错误，对这样的人，我也不知该怎么办了。"

【要点】(1) 劝人不如自改。(2) 听信要辨真伪。

【语境与心迹】孔子说出这样一番话，显然是在指导弟子们的学习和修行。

跟人的交往是重要的修行内容之一，而跟人的交往中，最常见的就是言行问题。听正言规劝，虽然乐意听从，但必须付诸行动去改正自己的错误才是可贵的。不光要听批评，还要改正，不能当是疾风过耳。人人爱听委婉的善言，但要小心甄别真伪，好话当然让人高兴，但必须仔细分析，俗语云“无事献殷勤，非奸即盗”，所以听到好话要认真分析。孔子在修行中极其重视言行，他认为言行问题不仅有外在的标准，更主要还是内在的自我问题。若是不能甄别和付诸行动，修行就不可能有进步。

【接圣入心】

孔子在此，给了人们两个重要的规劝。听明白了，就要去行动！知道错了，就要去改正！

孔子在此，还规劝人们，听到表扬和赞许时别光顾高兴，要知道甜言蜜语、花言巧语会迷惑人。心里知道了，不必戳穿，礼貌感谢就是了。忠言常常逆耳，听到了是福气，前提是不能动情绪，情绪一动，智力下降。

明白了这些，就是人间最难能可贵的了。若是不明此理，圣人也没有办法。

【格言】听劝改过为贵，美言辨伪为智。

9·26　子曰：“三军①可夺帅也，匹夫②不可夺志也。”

【注释】①三军：12500人为一军，三军包括大国所有的军队。此处言其多。　②匹夫：平民百姓，主要指男子。

【释义】孔子豪迈地说：“一国军队，可以夺去它的主帅；但一个男子汉，他的志向是不能被改变的。”

【要点】（1）三军可以夺帅。（2）匹夫不可夺志。

【语境与心迹】孔子是那个时代最有理想、理想最坚定的人之一。在那个时代，很多人的欲望极其强烈，于是生出很多攻讦征伐，甚至连自己的亲人也不能幸免。很显然，行为一味受欲望驱动，就会沦落到动物的层次。用伟大的理想引领自己，才能走上正道。“理想”这个词，在孔子时代称

为"志"，就是人的志向、志气。"匹夫不可夺志"，反映出孔子对于"志"的高度重视，甚至将它与三军之帅相比，甚至胜过"三军之帅"的重要性。一个人无志，生命元神不醒，人生就处在迷糊状态，做人做事都没有方向和动力。孔子希望弟子们能够用"志"锁定生命的方向，激活生命的动力。对自己，要矢志不移，学会坚守，用行动塑造自己的尊严，用正心坚守自己的方向，使之不受威胁、利诱，敬天爱人，以仁礼约束自己，务求形成一个健全而伟大的人格。对他人，则充分尊重，不强夺其志。如此，方可少走弯路，免入歧途，在正道上服务众生，赢得人生的成就与平安。

【接圣入心】

◎ 孔子的这段话，流传甚广，但真正能够懂得并去践行的人却不多见。

◎ 一个男人，一个真正的男人，唯有志向伟大，方能激活其生命的能量！

◎ 一个等待着别人帮助而不能自立的人，必定是个婴儿。一个死要面子、爱慕虚荣的人，一定是没有实力和心灵空虚的人。一个不愿意将自己奉献给众人的人，必定是个没有出息的人。一个总在计较小利的人，必定是个小人。一个喜欢打听是非、议论是非和搬弄是非的人，必定是个是非之人。一个总想自己幸福的人，必定是个深陷痛苦的人。

◎ 对于人来说，伟大的志向和理想如同人生路上每逢黑夜都高悬着的的明灯。人生的目标，是要在伟大的志向和理想的明灯照耀下前行，即使一生实现不了志向和理想，前行的路也是一片光明！

【格言】君子风骨：三军可以夺帅，匹夫不可夺志。

9·27 子曰："衣①敝缊袍②，与衣狐貉③者立而不耻者，其由也与？'不忮不求，何用不臧④？'"子路终身诵之。子曰："是道也，何足以臧？"

【注释】①衣：穿。 ②敝缊袍：敝，坏；缊，音 yùn，旧的丝绵絮。这里指破旧的丝绵袍。 ③狐貉：用狐和貉的皮做的袍子。 ④不忮不求，何用不臧：出自《诗经·邶风·雄雉》。忮，音 zhì，嫉妒；臧，善，好。

【释义】孔子表扬子路说："穿着破旧的丝绵袍子，与穿着狐貉皮袍的人站在一起而不认为是可耻的，大概只有仲由吧。《诗经》上说：'不嫉妒，不贪求，为什么说不好呢？'"子路听后，反复背诵这句诗。孔子又说："只做到这样，怎么能说够好了呢？"孔子鼓励子路要继续努力。

【要点】（1）不嫉不贪。（2）底线难守。

【语境与心迹】这一段是孔子与子路的对话，是孔子对子路悉心教导的一个具体事例。子路小孔子 9 岁，是弟子中侍奉孔子最久者。他以政事见称，为人伉直鲁莽，好勇力，事亲至孝。除学诗、礼外，还为孔子赶车、做侍卫，跟随孔子周游列国，深得器重，是孔门七十二贤之一。《史记》记载，子路在拜入孔门之前，志气刚强，性格直爽，头戴雄鸡式的帽子耍威风，佩戴着公猪牙装饰的宝剑显示自己的无敌，曾经瞧不起柔弱的孔子，屡次冒犯和欺负孔子。知道了子路的过去，也就能够理解此处孔子对子路的赞扬。前半段是在夸奖子路的进步，因为子路过去很张扬。子路听到老师的赞扬很有体会，于是将其作为信条反复背诵。但孔子看到子路停留在这种状态，恐其停步不前，于是又加了一句话提示子路：那样做只是起码的标准，还不算什么，别停在那里自鸣得意。此处记述的孔子对弟子子路先夸奖又批评的两段话，可谓因材施教、因态施教的范例。穿着破旧，不以为耻，强大的精神力量反而使其显得鹤立鸡群——这样的确不同凡响，尤其是对于入师门之前喜欢张扬的子路来说，就更是显得难能可贵。孔子看到了这一点，也不失时机地夸奖了弟子。不过，子路似乎太率真，得到老师的夸奖后有点沾沾自喜，把持不住，不太谦虚，人前人后总重复孔子引用的那两句诗。孔子便当头一棒，警告子路不要满足于目前已经达到的水平，因为仅仅是不贪求、不嫉妒是不够的，还要有更远大的志向，方能成就一番大事业。有孔子这般的师者，受其如此谆谆教诲，真是人生莫大的荣幸啊！

【接圣入心】

◎ 孔子欣赏子路，因为子路尊重老师，又勤于践行，非常忠义，这已经是很难能可贵了。

◎ 孔子在此处肯定了子路的两个优点：不嫉妒，不贪求。这两点，对于许多人来说是很难做到的，但子路做到了。

◎ 孔子在肯定子路两个优点的同时，又告诉他仅仅做到这两点是不够的。

◎ 孔子还希望子路做到什么呢？那就要根据子路的优点和缺点来寻找答案了。

◎ 子路是个什么样的人呢？他刚猛有余，但周密思索能力有些不足。他踏实践行，但又缺乏必要的远见。他忠诚老实，但灵活处事能力不足。他为人仗义，但又缺乏深入分析和预判的能力。也许，孔子希望子路能够在保持自己优点的基础上，进一步弥补自己的欠缺，修行更加全面，实现更有层次的成长与发展。

◎ 实际上，作为圣人的孔子，当然知道任何人都有一长必有一短。孔子喜欢子路，是因为子路追求正道、尊重老师、知行合一、不动心机、踏实可靠。孔子之所以为子路指出更高的目标，是希望子路能够不断进步。孔子还是很喜欢子路的，因为子路身上具备了儒家最为看重的仁德的品质。

◎ 一个人的缺点会让他犯错误。很多人会忽视这样一个事实：当一个人满足于自己的长处、优点或者美德的时候，就会放任自己的缺点。长处和优点，会在人生中一点点地积累出一个人的成就；但缺点的爆发，会毁掉长处和优点所积累的所有成果。孔子的弟子子路是有优点的，也许子路对自己的优点是很满意的，但同样他的缺点也很明显，如果不改变这些缺点，一旦爆发就会毁掉所有的成绩。正是基于对这一事实的认识，孔子才给自己的弟子提出了新的要求。你呢？将自己的优点和缺点列个清单，也许就会发现自己未来努力的方向！

【格言】心道自贵，不贪不求，一心为道。

9·28　子曰："岁寒，然后知松柏之后凋也。"

【释义】孔子说："到了寒冷的季节，才知道松柏是最后凋谢的。"

【要点】(1) 岁寒知松柏。(2) 患难见真情。

【语境与心迹】人们常常用松柏比喻人的风骨和志气。实际上，松柏并非不凋，而是"后凋"，它们的新陈代谢自有规律，只是在常人看来，它们四季常青罢了。孔子观察缜密、持久和细致，发现松柏并非不凋，而是后凋。那孔子为什么在此赞美松柏呢？众所周知，孔子所处的年代，是文明的冬天，许多人在那个礼崩乐坏的时代堕落了。但孔子依然执着地坚持、践行并呼吁文明的复兴。这段感慨也许就是感叹时代和自己的坚持吧！在那样一个文明的冬天，许多人丧失了信心，因为看不到希望，所以会犹豫、质疑、观望和逃避，也许孔子的有些弟子也有这样的情绪吧？从下文这一段中应该就可以看出弟子中有人带着这种彷徨和游移不定的心态："仪封人请见，曰：'君子之至于斯也，吾未尝不得见也。'从者见之。出曰：'二三子何患于丧乎？天下之无道也久矣，天将以夫子为木铎。'"后世赞美松柏的诗句和成语有很多，例如傲雪挺立、不畏严寒、四季常青、高大挺拔等。孔子在这里赞美松柏，是在托物言志，说明人在艰难处境中应有的风骨，也许，他还在感慨，只有到了危难之际，才能够见到一个君子的品格。

【接圣入心】

有很多赞美劲松的诗篇，是人们借赞美劲松，来表达人应该具有的高尚品格。

大雪压青松，青松挺且直。要知松高洁，待到雪化时。(陈毅《青松》）瘦石寒梅共结邻，亭亭不改四时春。须知傲雪凌霜质，不是繁华队里身。[（清）陆惠心《咏松》]

孔子阅人无数，自然对识别人的品格有一套自己的方法，此处的感慨告诉了我们这样几个道理：

• 患难见真情。在平常的生活中，做到"你好我好"还是比较容易的。但

人们更加看重和珍惜一起共同经历过苦难和艰险的这份友情，因为这是被考验过的。许多人在患难时形成的友情，常常会滋养他们一生。

• 危难识人品。当感受到危险或者威胁时，很多人会本能地采取自保的方法。对于普通人来说，这似乎无可厚非。但对于社会精英来说，若是在危难时刻退缩，就会被人们瞧不起，就会被视为懦夫。而在这样的时刻，敢于挺身而出的人，就会成为人们心目中的英雄。

• 落魄见人格。当你得势时，会有很多人凑近你、吹捧你、巴结你。当你落魄时，那些只想利用你的人就会远离你，甚至讽刺挖苦你。而君子是不会贬斥一个落魄人的。相反，会给予他们安慰，甚至给予他们帮助。当然对于落魄的当事人来说，身处低谷而志向不改，虽然穷困却不潦倒，这也是君子面对逆境时应有的品格。

随便从历史上截取一些画面，有些人在危难时刻挺住了，而有些人退缩了。当年红军在井冈山受到国民党军队围困时，就有一些人的革命信心开始动摇，发出了这样的质疑：红旗到底还能打多久？伟大的领袖毛主席以战略家的眼光给出了答案：星星之火，可以燎原。

古代的人，师徒如父子，形成了生命联合体，很多徒弟是跟随师父一辈子的。但在现代教育中，学生只是过路客，上完课或者毕业了，跟老师就再也没有关系了。现在的学生，还有多少人能够敬师如父呢？当然，师生关系是双向的，如今的老师，还有谁能够爱学生如爱子呢？有时候所谓的现代教育，却充满了现代的功利和冷漠。

【格言】岁寒知松柏之毅，患难见真情之贵。

9·29　子曰："知者不惑，仁者不忧，勇者不惧。"

【释义】孔子说："有智慧的人不会迷惑，有仁德的人不会忧愁，勇敢的人不知畏惧。"

【要点】（1）智者不惑。（2）仁者不忧。（3）勇者不惧。

【语境与心迹】孔子的这段话在后世广泛流传，他是在告诉弟子们，那生活中的迷惑、忧愁和畏惧，都是因为缺乏相应的美德而产生的。没有智，就必然产生疑惑；没有仁，就无法立身；没有勇，就无法应物。智慧的人明理，故而无惑；仁德的人无私心、无私欲，故而无忧；勇敢的人一身正气，故而无惧。因此，孔子对此反复强调："子曰：'君子道者三，我无能焉，仁者不忧，知者不惑，勇者不惧。'子贡曰：'夫子自道也。'"作为君子，其道此三者兼具，同时"有德者必有言，有言者不必有德；仁者必有勇，勇者不必有仁"。若是像子路那样"不忮不求"，必有忧虑，有勇也必有惑，就是修己的功夫不够所导致的。

【接圣入心】

现实中的人们有很多迷惑，也有很多忧愁和恐惧，但很多人并没有找到这些问题的症结所在。因此，迷惑越来越多，忧愁依旧，恐惧不断地咬噬着自己的心灵。

圣人孔子帮我们找到了这些问题的症结所在和处理办法：

- 人们迷惑是因为没有智慧，要解决迷惑就要学习智慧。
- 忧愁是因为仁德不厚才患得患失，要解决忧愁就要走出自我和自私。
- 恐惧是因为没有勇敢，是因为没有坦坦荡荡的胸怀，要解决恐惧就要用坦荡的心培养勇敢的品质。

如果你有很多迷惑，你找到了学习并获得智慧的方法和路径了吗？如果你有很多忧愁，你找到了走出自我和自私的伟大情怀了吗？如果你心中有恐惧，你找到了如何让自己变得坦荡和勇敢的方法了吗？

【格言】智者通达无惑，仁者不私无忧，勇者坦荡无惧。

9·30　子曰："可与共学，未可与适道①；可与适道，未可与立②；可与立，未可与权③。"

【注释】①适道：适，往。这里是志于道、追求道的意思。　②立：坚持道而不变。　③权：变通。

【释义】孔子说："一起学习的人，未必都能学到道；能够学到道的人，未

必能够坚守道；能够坚守道的人，未必能够做到随机应变。”

【要点】(1) 学习不等于学道。(2) 学道不等于守道。(3) 守道不等于行道。

【语境与心迹】孔子的这段话，似乎是在给弟子们讲解学习修行中的四个次第：学—适—立—权。学、适、立、权，乃是人生进身之阶，孔子将“权”作为最高境界。可见，循规蹈矩，遵守原则，还未至善至美，应该因地制宜，具体问题具体分析，充分发挥个人的主观能动性，灵活机动地权衡各方面的关系，做出最入情入理的选择，才能处变不惊而立于不败之地。这样的学习修行的次第，非常具有辩证法的味道：共同学习知识和一起追求大道，是有区别的；学到道和能够行道，也是不同的；坚守道和能够随机应变，又是两个不同的境界。学习知识，往往只是知道了一事一物是什么，却领悟不到为什么是这样和根本的规律。学习到了技能，往往又不懂得如何做人，此时，技能越多反而越有害。明白了如何做人，事事都能够做到也不容易。即使事事能够做到遵循正道，但情况千变万化，能够做到随变而变，最终达成最佳效果，也是非一般功力的人所能企及的。这段话中，也许每一种状态都对应着弟子们学习修行的状态：有人只是学习，有人学习可以领悟本质，有人领悟了还可以依此践行立世，有人践行中还能根据情况不同而智慧应对从而取得最佳效果。当然，孔子是反着说的，估计是在提醒弟子们注意一些有问题的状态。

【接圣入心】

孔子看问题是很有层次和境界的：学习知识与学道境界是不同的；学到了道并不等同于能够行道；能够坚守道，在面对具体问题时能够进行有针对性的调整和对接，这体现了一个人领悟道的不同境界。

先来说说学习知识和学习道有什么不同以及二者的关系：

• 现在的人很熟悉学习知识的过程，但对如何学习道和领悟道，可能就很陌生了。实际上，学习知识和学习道这二者之间有很多的联系，很难将这二者截然分开。浅层的知识是对事物本身进行一般性的描述。深层的知识也就是道，是对事物根本规律的揭示。在人类的整个知识体系当中，既有关于事物的知识，也有关于人生的知识。甚至在很多时候，大道和智慧也是通过知识的形态来呈现的。

• 孔子提醒我们的是：不要以为学习了浅层的知识，就等于懂得了深层的规律。也不要以为懂得了关于事物的知识，就等于明白了人生的道理。更不要以为看到了一些表述智慧的文字，就以为拥有了智慧。

再来说说明白了道和行道的区别与关系：

• “明白了”，这只是头脑中的一种意识，还不能说是行动中的一种能力。实际上，此时所说的“明白了”最多算是知道了，还不能说是真正意义上的“明白”。

• 心学大师阳明先生说过一个著名的观点，就是“知行合一”。其核心思想是：只知不行不能谓之真知，只行不知不能谓之真行。

• 伟大领袖毛主席在哲学名篇《实践论》中这样写道：“实践、认识、再实践、再认识，这种形式，循环往复以至无穷，而实践和认识之每一循环的内容，都比较地进到了高一级的程度。”（出自《毛泽东选集》第一卷）

• 由此我们知道，我们所获得的一切真知和能力，都来自我们头脑中的知识、行动与实践的反反复复的互动。缺乏了这样一个过程，知识不等同于能力，知识也不能算是真知，能力也不能算是真能。

• 学道与学习一般知识和关于道的知识，是不能画等号的。学道悟道，是为了领悟知识的深层规律，是为了应用大道的原理来灵活应对生活中的各种状况，是为了获得能够闭上眼睛去读懂人生这本无字天书的能力，是为了让自己的生命随时随地都在优化、提升乃至于达到重生的境界。

大道是一种永恒不变的规律，其形态又会随时变化。不能将大道作为僵死的教条，也不能在灵活变通中失去大道的准则和方向，这正是人生智慧与生活艺术的关键所在。在这个问题上，人最容易犯四种极端的错误：

• 一是不懂得人生中的根本大道，只是靠着自己的小聪明，在生活中处处临时思考应对的方法，只能顾及眼前和表面，不能顾及长远和根本。这样的人生是很辛苦的，是不保险的，是随时会出错的。这就是耍小聪明的问题所在。

• 二是只懂得大道永恒不变的根本规律，却不了解大道会在生活中变化形态，于是就将大道坚持成了僵死的教条。这样的人，看起来坚守大道，但由于缺乏相应的方法，所以显得很僵死、刻板和顽固。这样的人，虽然不会犯大的错误，但也很难在现实中成就伟大的事业。

• 三是懂得大道的根本规律和变化形态，但没有处理好二者的关系，尤其是在灵活变通时失去了原则和方向。

• 四是在处理具体问题遇到困难时，本来应该调整方法，但却转移和改变了正确的方向。一旦丢失了正确的方向，就又回到了第一种错误上。这是要特别小心的！

【格言】学习为了悟道，悟道必然行道，行道必须通权。

9·31 “唐棣①之华，偏其反而②。岂不尔思？室是远而③。”子曰：“未之思也，夫何远之有？”

【注释】①唐棣：棣，音 dì，一种植物，属蔷薇科。 ②偏其反而：形容花摇动的样子。 ③室是远而：只是住的地方太远了。

【释义】古代有一首诗这样写道：“唐棣的花朵啊，翩翩地摇摆。我能不想念你吗？只是你住的地方太远了。”孔子说：“他还是没有真的想念，如果真的想念，有什么遥远的？”

【要点】(1) 假意矫情。(2) 真心自至。

【语境与心迹】在一般人的印象中，孔子是个文人，而文人难免比普通人多一些浪漫和矫情。实际上，孔子是个能文能武、多才多艺的人。在此处，孔子只用一句话，就把那种矫情给说破了：若是真的想念，还给自己找什么借口呢？由此可以看出，“直”和“真”在孔子身上的表现，也是孔子非常可爱的地方。孔子借着浪漫的诗句，也是在类比求学、求道、修德等，正如“子曰：仁远乎哉？我欲仁，斯仁至矣”。若是真正思念，还有距离远之借口？若是真心求学问道，还讲什么客观条件？凡是找借口或者讲客观条件的，都并非出于真心，这和六祖慧能开释求道者的“道在汝心”如出一辙。孔子为何说出这样一番话来呢？一定是弟子中或者所遇到的人中有人既想求学问道，又摆出一些困难，似乎想告诉人们：不是不想学，是条件不具备啊！孔子真是快人快语，一句话就给戳穿了：若是真想那么做，夫何远之有？

【接圣入心】

红尘中的很多人是不自由的，不自由的根本原因在于挣不脱自己心灵的桎梏：停留在愿望，不付诸行动；停留在想象，而没有措施；停留在说话，而没有真正地去践行。

也许，从社会分工角度来说，文人只要将自己内心的感受与感叹变成文学作品，来启迪人们就可以了。但对于大部分人来说，仅仅停留在内心的感受上，而不付诸行动，是不可能等到自己所期望的事实出现的。“心想事成”，不是说只要你心里想事情就能成，而是说你首先要在心里虔诚地想并付诸行动，才能够收获真正的成果。否则，想得越多，心病越重。

当然，我们要认真地反省一下自己：对那些最有意义的和必须做的事情，我们是不是在寻找各种各样的理由和借口拒绝或者拖延？我们每个人都会为自己做了不该做的事情寻找合理的借口，又会为那些该做而不去做的事情寻找各种各样拒绝和拖延的理由。你是这样的吗？

如果我们真正明白了，就要毫不迟疑地去做，自己该做的事情不要再去寻找各种各样的理由和借口。人生百年，如白驹过隙，不要在自己的迟疑当中浪费自己的生命，错过做事的最好时机。因为，时不我待，要只争朝夕！

【格言】真心有，起念至。

先进第十一

11 · 6 南容①三复白圭②，孔子以其兄之子妻之。

【注释】①南容，即南宫括。 ②白圭：指《诗经 · 大雅 · 抑》中的诗句："白圭之玷，尚可磨也；斯兰之玷，不可为也。"意思是白玉上的污点还可以磨掉，我们言论中有毛病，就无法挽回了。这是告诫人们要谨慎言语。

【释义】南容反复诵读"白圭之玷，尚可磨也；斯言不玷，不可为也"这句诗。孔子把侄女嫁给了他。看来，孔子很认可南容的品质。

【要点】(1) 谨言慎行。(2) 嫁女托信。

【语境与心迹】这个小故事里出现了三个人物：孔子、南容、侄女。孔子极力提倡"慎言"，不该说的话绝对不说，如此才可以远离祸患。在这里，用白玉做了一个比喻：白玉被玷污了，还可以把它磨去，而说错了的话，则无法挽回。"说出口的话，如同泼出去的水"，覆水难收，强调的是说话要谨慎。南容具有慎言的美德，颇得孔子信任，故而孔子把自己的侄女嫁给了南容。

【接圣入心】

南容慎言，颇受孔子赏识，于是孔子将自己的侄女嫁给了他，也是对南容莫大的信任。

为什么儒家如此提倡"慎言"这种美德呢？俗话说，说出去的话如泼出去的水，覆水难收啊！

"慎言"这一原则如何运用呢？

• 看到一个现象，不要轻易下结论，因为背后必有原因。在不明原因的情况下下结论，就一定会犯错误。

• 听到别人说的一些话，不要轻易附和，因为别人说的话是经过他自己主观加工过的，加工过程中经过了他自己的剪辑和编排。知道了这样一个过程，就明白别人说的话可能已经和事实本身相去甚远。此时随意附和，就一定会被利用，也会显得很愚蠢。

• 当要表明自己的一些看法时，要先交代一下自己所掌握的事实，并且声明自己的观点只是根据所掌握的这些事实所做的判断，不一定全面，仅供大家参考。

• 当被问到对一些事情的看法时，首先要表明自己是否掌握这些事实，如果不掌握事实，就明确表明自己无法判断，不能轻易地表明看法或者下结论；或者根据别人陈述的事实，进行有限的判断，并且声明只是根据别人提供的事实所做的判断。

• 如果表明了自己的看法之后，又发现了新的事实，就要及时地去调整自己的看法和判断，而不要一味地固守先前所做的判断，这就是实事求是的精神。如此，人格才得以被人尊重，观点才可以被人相信。

• 与别人讨论问题时，不要罔顾事实而一味争论。如果双方掌握的事实是不一样的，观点通常也会有差别。过去有句话，对我们很有借鉴意义，这就是"摆事实，讲道理"。在这个过程当中，要注意吸纳别人所提供的事实，不能一味地坚持自己的事实，而忽视别人提供的事实。

• 当然，在说话时要注意使用协商和征询式的语气，不能过于武断或者骄横。当然，一些不应该说的话就不要说，一些不该问的事也不要问，那些不能见诸当事人的事和观点也不要去谈论，一些不能够公开说的话绝对不要说。若是能坚持这些基本的原则，就能够少犯错误，避免被牵连到一些意想不到的是非中。

【格言】管住嘴巴，远离灾祸。

11·16　子贡问："师与商①也孰贤？"子曰："师也过，商也不及。"曰："然则师愈②与？"子曰："过犹不及。"

【注释】①师与商：师，颛孙师，即子张；商，卜商，即子夏。　②愈：胜过，强些。

【释义】子贡问孔子："子张和子夏二人谁更好一些呢？"孔子回答说："子张过分了，子夏则不足。"子贡说："那么是子张好一些吗？"孔子说：

“过分和不足是一样的。”

【要点】（1）有过有不足。（2）过犹不及。

【语境与心迹】这段话讲子贡问孔子关于子张与子夏的优劣比较。孔子认为，子张做得过分、子夏做得不足，那么两人都没做到恰到好处。子贡又问，是不是子张会更好一些呢？孔子的回答是“过犹不及”。过分和不足都是有问题的，二者不存在哪个更好的问题。朱熹曾注释说：“子张才高意广，而好为苟难，故常过中。子夏笃信谨守，而规模狭隘，故常不及。”《中庸》中说：“道之不行也，我知之矣。知者过之，愚者不及也。道之不明也，我知之矣。贤者过之，不肖者不及也。”“执其两端，用其中于民，其斯以为舜乎？”这是说，舜于两端取其中，既非过，也非不及，以中道教化百姓，所以为大圣。这就是对中庸思想的进一步具体说明。通过这样一段对话，可以看出，子贡思考问题还不是用中庸的思维，总是喜欢找出更好的一端来。对此，孔子直接进行了否定，这也是孔子有针对性地指教子贡做人做事的原则：以中庸中道为准绳。当然，对于子贡喜欢将人进行比较或者喜欢评论人的习惯，孔子也表达了自己的态度：“子贡方人。子曰：‘赐也贤乎哉？夫我则不暇。’”子贡评论别人的短处，孔子说：“赐啊，你真的就那么贤良吗？我可没有闲工夫去评论别人。”

【接圣入心】

在现实生活中，人们做事时最容易犯的两种错误是：要么做得过分，要么做得不够。“过分”与“不够”是做事的两个极端，在儒家看来，做事恰到好处才是真正的智慧，而走任何一个极端都是错误的。

想想现实生活就会发现，我们犯了太多极端的错误：要么懒散，要么拼命；要么欣喜若狂，要么悲观绝望；要么对人好得不分彼此，要么就反目成仇。这样的事例太多了，而将事情办得恰到好处，是比较难的。

中庸的智慧告诉我们，当自己很得意时，要懂得有所收敛。当自己很激动时，要懂得平复心情。当自己很贫穷时，要懂得立高远的志向。当自己很富有时，要懂得节俭、低调和谦卑。总之，我们要具备两种能力：一是识别自己现状的能力，二是改变现状的能力。将正反两个方面做周全的考虑，让一切事物的阴阳两方面达到平衡，人生就有智慧了。

【格言】过也错，不及也错，唯有恰到好处是对的。

11·18　柴[①]也愚[②]，参也鲁，师也辟[③]，由也喭[④]。

【注释】①柴：高柴，字子羔，孔子学生。　②愚：旧注云：愚直之愚，指愚而耿直，不是“傻”的意思。　③辟：偏激。　④喭：音 yàn，鲁莽，粗鲁。

【释义】孔子的几个弟子各有所短：高柴愚直，曾参迟钝，子张偏激，仲由鲁莽。

【要点】（1）师说弟子。（2）各有所长。（3）均不健全。

【语境与心迹】这是孔子对几个弟子的偏激之处的评价：第一个是高柴，智慧不足而厚道有余。《孔子家语》记其“足不履影，启蛰不杀，方长不折。执亲之丧，泣血三年，未尝见齿。避难而行，不径不窦”，可见其为人矣。第二个是曾参，16 岁拜孔子为师。他勤奋好学，颇得孔子真传，积极推行儒家主张，传播儒家思想。孔子的孙子孔伋师从参公，又传授给孟子。因之，曾参上承孔子之道，下启思孟学派，对孔子的儒学学派思想既有继承，又有发展和建树。但《孔子家语》中也有所载，孔子亦对其行事有些恼火，因其将孔子的教诲转化成了刻板的教条，丢失了孔子“无可无不可”的精微。第三个是子张，才高意广，但却是一个完美主义者，因为过于追求完美，其所失反而常在于过之，过之亦偏辟矣。第四个是仲由，他自从跟随了孔子，就成了孔子的保镖，甚至保护神，使得孔子“恶言不闻于耳”，这是说没有人敢在孔子面前诋毁孔子。为什么呢？怕子路喭也，所以孔子才能恶言不闻于耳。

孔子知道，他的这些学生各有所偏、不合中庸，因此需要对他们的品质和德行加以完善。孔子用中庸思想教育弟子，一方面表现出了其对弟子的了解，另一方面也表达了希望弟子拥有完善人格的美好期望。中庸是一种强调阴阳平衡的思想，不平衡是事物发展过程中的一种常态，而平衡是相对的、暂时的。孔子揭示了事物发展的这一规律，并将之概括为中庸，

是对人类文明的重大贡献。

当然，老师评价弟子是很严苛的。孔子的诸位弟子，在当时其实都是人中龙凤，已非一般人所能企及，但在孔子看来，又都是有严重不足的。作为老师的孔子，对弟子们之所以如此苛刻，乃是因为恨铁不成钢之迫切，因材而施教之本意。如此直指其弱处，是希望弟子能够内省诸己，正视其非，日有所进啊!

【接圣入心】

在这一段中，孔子对四个弟子的特点做了很精准的概括，正是基于对弟子们的深入了解，才有明确的指导方向。

孔子借四个弟子的特点指出了四种人格类型的问题与调整方向：

• 高柴愚直，说的是看问题和做事没有深入的思考，想得比较简单，做起来也比较直率，但常常会好心办坏事。

• 曾参迟钝，说的是看问题和做事时反应不够灵敏，虽然思考问题会很深入，但也容易僵化。有这样人格类型的人，在面临紧急情况时就可能耽误事；若是遇到不紧急的事，则往往能够发挥自己的长处，能够进行比较深入的思考。

• 子张偏激，说的是看问题和做事容易走极端。若是好，就一好百好；若是坏，就倾向于彻底否定。很显然，这样思考问题和做事的方法，是很容易出问题的。

• 仲由鲁莽，说的是还没有深入思考问题，甚至还没有把情况搞得很清楚时，就倾向于采取行动。这样的做法，很容易让人误解，也很容易让自己后悔。

孔子所说的弟子们的这四种状况，在现实中也很常见，值得我们反思：

• 遇到问题要深入思考，不要把问题想得过于简单，也不要把问题搞得过于复杂。不要以己度人、事事猜疑。要把握好这一点，就需要多了解情况，并在行动的过程中，根据了解到的新情况，随时进行对接和自我调整。

• 我们无法对日常生活中遇到的所有问题进行特别深入的思考，但又不能过于简单和鲁莽。这就需要我们针对一般的情况作出礼貌性回应，对不清楚的情况，多去询问或者请教，避免一味陷入主观思索中，显得冷漠，或急于作出反应而出现尴尬。

• 如果我们看人做事有偏激的倾向，就要特别小心，因为这种倾向很容易损害人际关系，也很容易与别人搞对立。在平常事上，一个人做得不好，并不能说明他就是坏人；同样，一个人把事情做好了，也并不代表他就是个完全的好人。每一个人总是这样的，我们不能草率地对人进行评价和判断，否则就容易犯极端化的错误。

• 在现实生活中，我们经常会遇到一些比较鲁莽的人，他们常常急于表达自己的观点或者采取行动。如果我们是这样的人，就要时常提醒自己：等到别人把话说完了，再表达自己的观点；等到把事情搞清楚了，再去采取相应的行动。

【格言】知己长，可以做事；明己短，可以避祸。扬长避短生存，取长补短完善。

颜渊第十二

12·4　司马牛问君子。子曰："君子不忧不惧。"曰："不忧不惧，斯谓之君子已乎？"子曰："内省不疚，夫何忧何惧？"

【释义】司马牛问孔子怎样做一个君子。孔子结合司马牛的状态说："君子不忧愁，不恐惧。"司马牛继续问："不忧愁，不恐惧，这样就可以叫作君子了吗？"孔子答道："自己问心无愧，那还有什么忧愁和恐惧呢？"

【要点】（1）君子不忧不惧。（2）内省不疚。

【语境与心迹】司马牛是宋国大夫桓魋的弟弟。桓魋在宋国犯上作乱，遭到宋国当权者的打击，全家被迫出逃。司马牛逃到鲁国，拜孔子为师，并和其犯上作乱的兄长断绝了兄弟关系。在此处，孔子回答司马牛关于怎样做才是君子的问题，也是针对司马牛的状态（此时的司马牛内心有些焦虑，“忠”与“悌”发生冲突，让其内心有些纠结）而言的，即不忧不惧、问心无愧。意思是说，你自己按照大义做事，问心无愧，就不要纠结了。否则，做了选择又反复去合计，岂不是自寻烦恼？作为君子，大仁大义何忧之有？勇敢选择何惧之有？不过，司马牛的问题也不是这么两句话就能解决的。司马牛见到师兄子夏，忧愁地说自己没有兄弟。子夏安慰他说，君子和人交往时，态度恭谨而合乎礼节，那么普天之下到处都是兄弟。

【接圣入心】

司马牛受到哥哥桓魋犯上作乱的牵连，于是跟哥哥断绝了关系，其心理上的焦虑、困惑和惶恐感很明显，孔子知道他内心的这份纠结。

正是因为孔子知道司马牛内心的苦闷，所以才会在此讲到了“不忧愁，不恐惧”和其背后的道德基础——问心无愧。

- 忧愁，源于自己无法解开的难题；恐惧，源于难以消除的威胁或者危险所产生的情绪。
- 产生忧愁的难题之所以存在，常常是因为自己的智慧不够。受到威胁或者被险境困扰，常常是因为身陷险地，或者即使危险已经过去，但心理上仍有阴影。司马牛的心理状态应该属于后者。
- 如何解除忧愁和恐惧呢？孔子给出的办法是“问心无愧”。

在红尘中为人处世，有上、中、下三策：

- 上策是只有大君子才能做到的，即无我无私的干净心态，一心只为天下思虑，尽自己所能，又能随遇而安。既能做事得体，又能理解和悦纳一切境遇。自知一生只能尽自己所能，而无法圆自己所愿，故而能够尽力而为，最后又能无心、无愧、无憾。
- 中策可能就是大部分普通人所要明白的：合理为己，适当为人。对自己的欲望加以适当节制，以免欲望膨胀而使自己失控；也懂得为人的必要性——赢得信任、减少对立、创造机会，最终能够合作共赢。

• 下策，如现实中一些迷茫的人：不思努力，却一直想着多多获取私利；为一己私利而不择手段，最终落得个得不偿失；一味冲撞社会法律和道德底线，没有自省之心，怨天尤人，得过且过。这种人就是处在“社会化失败”状态的人。

你心中有忧愁吗？如果有，那可能是你欲望过多，已超出自己的能力范围；或者是你的思维方式出了问题，对一些普通事和常见事，也就是该过去的事，依然视之为问题；或者对于已经发生的事，你总是懊悔，陷入了“若是不发生这些事多好”这样的虚幻假设中。

你心中有恐惧吗？如果身陷险地，恐惧的情绪也无助于摆脱险境，此时需要的是冷静的状态和理性的思考。如果危险已经过去，但心中一直难以摆脱恐惧，那就是前一个事件的余波在作怪，需要的是赶紧调整自己，用新的生活内容充实自己，将自己从过去的情绪中拉出来。

如果你尽心尽力地做事但依然出现了问题，就要反思自己的过失，避免重犯。如此，也就能够吃一堑长一智，也算是没有白白地经历一回磨难。如果是别人的事情让自己受到了牵连，也不要去抱怨别人，勇敢面对现实，不要活在假想中。

【格言】内省不疚，自在圆满。

12·8 棘子成[①]曰：“君子质而已矣，何以文为？”子贡曰：“惜乎，夫子之说君子也！驷不及舌[②]。文犹质也，质犹文也，虎豹之鞟[③]犹犬羊之鞟。”

【注释】①棘子成：卫国大夫。古代大夫都可以被尊称为夫子，所以子贡这样称呼他。 ②驷不及舌：指话一说出口，就收不回来了。驷，拉一辆车的四匹马。 ③鞟：音 kuò，去掉毛的皮。

【释义】这里说的是君子内在品质的“文”与“质”的关系问题。棘子成说：“君子只要具有好的品质就行了，要那些表面的仪式干什么呢？”子

贡说："真遗憾，夫子您这样谈论君子。一言既出，驷马难追。本质就像文采，文采就像本质，都是同等重要的。去掉了毛的虎皮、豹皮，同去掉了毛的犬皮、羊皮是一样的。"

【要点】（1）君子之质文。（2）文质彬彬。

【语境与心迹】这里讲的是卫国大夫棘子成与子贡就君子品质中"文与质"的关系展开的对话。棘子成很明显将君子品质中的"文与质"割裂开来了，认为作为君子只要有好的品质就可以了，无须外表的文采。只重质，不重文，若一个人真这样做，就会表现粗野。子贡对棘子成的这种看法委婉又鲜明地给予了批驳，认为良好的本质应当有适当的表现形式，否则，本质再好，也无法显现出来。哪有没有形式的内容？哪有没有内容的形式呢？在这里，子贡阐释了"文与质""表与里""形式与内容"的统一问题。

【接圣入心】

平时，我们会批判形式主义，是因为有人用过度的形式代替了内容的本质和方向，或者干脆形式不符合内容。这样的形式主义，劳民伤财，败坏风气，当然是我们要反对的。

同时，我们也要警惕另外一种倾向：过分强调本质和内容，完全不顾及形式。这样的做法，同样无法让内容通过合适的形式得到恰当的表达，导致形式与内容割裂或者对立起来。实际上，没有不彰显内容的形式，也不可能存在没有形式的内容，形式与内容是一个问题的表里两个方面，缺一不可。

在平常的生活当中，只有好心，没有恰当的行动就够了吗？只有美好的愿望，没有相应的行动就会有结果吗？这里说的是内外、表里的一致性，也是哲学中智慧思维的基本表现方式。

子贡对棘子成的批评，恰恰就是在说明这样一个问题：君子不能仅仅重视内涵，也要重视表达内涵的恰当的形式。否则，内涵与形式脱节，事情就会变得离奇古怪。

我们要特别注意的是，若没有用恰当的形式来表现内容，内容常常就会被扭曲。当一个人有内涵但不善表达时，就是我们通常所说的“茶壶里煮饺子”的状态，又有谁能真正准确、全面地知道他的内涵呢？另外一个极端就是，有的人很善于使用各种各样的形式，语言上华丽、内容上苍白，或者花言巧语、华而不实。这些都是将形式与内容对立或者割裂开来的错误。

【格言】只质不文粗野，只文不质迂腐。

12·10　子张问崇德①辨惑②。子曰：“主忠信，徙义③，崇德也。爱之欲其生，恶之欲其死，既欲其生，又欲其死，是惑也。‘成不以富，亦只以异。’④”

【注释】①崇德：提高道德修养的水平。　②惑：迷惑，不分是非。　③徙义：向义靠拢。　④诚不以富，亦只以异：这是《诗经·小雅·我行其野》篇的最后两句。此诗表现了一个被遗弃的女子对其丈夫喜新厌旧的愤怒情绪。

【释义】子张向老师请教怎样提高道德修养水平和辨别是非的能力。孔子说：“以忠信为主，使自己的思想合于义，这就提高道德修养水平了。爱一个人，就希望他活下去，厌恶起来就恨不得他立刻死去，既要他活，又要他死，这便是迷惑。正如《诗经》所说的：‘即使不是嫌贫爱富，也是喜新厌旧。’”

【要点】（1）子张问辨惑。（2）主忠信，徙义，崇德。（3）爱之欲其生，恶之欲其死。（4）诚不以富，亦只以异。

【语境与心迹】子张向老师请教如何辨惑，孔子耐心地给子张讲了什么是惑，以及如何辨惑。子张也是孔门弟子中深得孔子真传的人，他好学深思，喜欢与孔子讨论问题。在忠信的思想上深受孔子影响，把孔子关于忠信的教导写在大带上，以示永远不忘，并在实践中收到明显效果。他鄙视品德修养低下者，认为缺乏道德、信仰不坚定的人有了不为多，没有不为少。他随孔子周游列国，曾被困于陈、蔡。他提出，士应该看见危险便肯豁出生命，看见所得便考虑是否该得，祭祀时考虑是否严肃认真，居丧时

则应悲痛哀伤。在此，子张请教的问题就有了一些深度，问的也不再是一般性的“什么？是什么？”的问题。孔子提出了三个纲领：忠信、徙义、崇德。他希望人们按照忠信、仁义的原则去办事，守住真爱，绝不背叛。若爱是外求的，人就会陷于迷惑之中。

【接圣入心】

在现实生活中，道德是十分具体的，平时没事的时候说道德是比较轻松的，遇到事情还能够正确勇敢地表现道德，则是不容易的。

孔子的弟子子张问如何提升自己的道德修养水平和明辨是非的能力，孔子在此指出了这样一条道路：以忠事君，以信对友，以义待人，以永恒不变的爱来对待真情，以恒定的心守住仁爱不变。如此，就能守住仁德之根，就找到了定命之法。

若是事君不忠，必遭天下人唾弃；若是对友无信，必将失去朋友；若是待人不义，必将自陷绝境；若是背叛真爱，必落得孤家寡人；若是真爱以外部为条件，必将丧失内心仁德之根，也必然会产生困惑和怨恨，这也就不是真爱了。

如今的人啊，还有多少人对上讲忠而不设条件，对友讲信而不讲回报的？对真爱讲永恒而不管发生什么的？因为不明仁德的这些道理，不少的人自以为聪明，实则是被自己的小道理困住了，又被众人看穿，遭人唾弃、众叛亲离并背上忘恩负义的骂名，最终背叛自己的初衷、丢失自己的初心而成为活着的孤魂野鬼！

【格言】坚守忠信，可提升道德。坚持真爱，无求即无惑。

12·21　樊迟从游于舞雩①之下，曰：“敢问崇德、修慝②、辨惑。”子曰：“善哉问！先事后得③，非崇德与？攻④其恶，无攻人之恶，非修慝与？一朝之忿，忘其身，以及其亲，非惑与？”

【注释】①舞雩：一种祭天求雨的坛。　②修慝：消除心中隐藏的恶念和邪念。　③先事后得：先做事，后得益。　④攻：批判。

【释义】樊迟跟随孔子在舞雩台下散步，说：“请问如何提高德行、消除恶念、辨清迷惑？”孔子说：“问得很好啊！先去做事，然后获得收益，不就能提高德行吗？自己犯了错就自我批判，不苛责别人的过失，不就消除了邪恶了吗？忍不住一时的气愤，而忘掉自身的安危，甚至连累自己的父母，不就是迷惑了吗？”

【要点】（1）樊迟从游。（2）问崇德、修慝、辨惑。（3）先事后得，严己宽人，制怒不忿。

【语境与心迹】好一幅师徒同游的画面啊！樊迟好学，而且很迫切，在此处的情景中，似乎是有点缠着老师请教的味道，也真是的，不让老师休息一会儿。此处孔子的兴致看来也不错，首先表扬樊迟问了个好问题。是啊，老师的很多思想都是由学生的好问题给挖掘出来的。师者的思想如同宝库，就看谁会挖掘了。樊迟问了三个问题：崇德、修慝、辨惑。这几个问题有些深度，难怪孔子给予其赞扬。这三个问题确实也是人生中很常见的关键问题，想想看，不劳而获还能谈德吗？粉饰自己、苛责别人能不生恶吗？不能制怒、惹是生非、连累父母，能无惑吗？这几个问题，击中了世俗中很多人的软肋，是很多不修行者的顽疾。

【接圣入心】

樊迟是个兴趣广泛和求知心切的弟子，不仅向孔子请教“仁”的思想，还向孔子问起种庄稼和种树的事。虽然孔子当时不悦，但对这个弟子还是诲人不倦的。

孔子就樊迟问的三个问题，做了很精妙的回答：

• 如何才能做到崇德呢？遇事不要心急火燎，要沉住气，把事做好了，收益自然就有了，这就是崇德啊！

• 如何才能做到修慝呢？遇人遇事不要总是指责别人，首先反省自己的错误，查找自身的原因，甚至还要宽慰别人，这样就能够消除内心的恶念了！

• 如何才能做到辨惑呢？遇事不急不躁，因为一旦急躁或者发怒，就会失去理性，就容易迷惑，就会带来很多不良的后果。如能制怒和冷静思考，就能辨惑了！

真是伟大的孔子，对人心中的那些事洞若观火、明察秋毫，而且所用的语言如此精炼，如此接地气，相信樊迟应该很有收获吧!

通过樊迟问和孔子答，我们是否也进入了这对师徒同游的队列了呢？我们能够将这三点放进自己的心里成为修行的程序吗？

【格言】先做后得为崇德，省己宽人能修慝，忍怒思危可辨惑。

宪问第十四

14·10 子曰:“贫而无怨难，富而无骄易。”

【释义】孔子说：“贫穷而能够没有怨恨是很难做到的，富裕而不骄傲是容易做到的。”

【要点】(1) 贫而无怨。(2) 富而不骄。

【语境与心迹】“贫而无怨，富而不骄”，这一直是中国的古训。只是孔老夫子这句“贫而无怨难，富而无骄易”的断言在现实中也遇到了挑战：贫穷又怨恨的人固然很多，富裕而骄傲的人却也不少啊。也许，孔子只是将贫富与怨骄做了一个比较吧，并不是说富而无骄就很容易做到。历史和现实中，富而无德、富而骄横的大有人在。贫而无怨的贫，主要指经济上的贫穷，但经济上的贫穷往往不是孤立存在的，可能还会与很多其他方面相关联：活而无志，志而不得，知而不通，能而不全，智而无仁，等等。人一旦在物质和精神两个方面都处于贫穷状态，怨天尤人、牢骚满腹等情绪恐怕就会表现出来。

【接圣入心】

为何“贫而无怨难”呢？

• 人在贫困的时候，很难没有怨言。这是因为，贫困并不是一个孤立的现象。贫困的形成，除了受一些客观外部条件影响之外，还可能跟个人的懒惰、懦弱的意志和不学习上进（也可能实在缺乏必要的条件）等有关。也就是说，这样一些主观因素对贫穷产生了很大的作用。在这些因素预先存在的情况下，若是再加上贫穷的事实，就很难没有怨气了；但抱怨又会反过来加剧贫穷，因为抱怨也是贫穷的一个重要的内在原因。

• 抱怨是什么？就是把对现实或者境遇的不满推诿给外部，这就是“外部归因”。悲哀的真相是：自己不努力不自省，依靠推诿责任到外部来获得心理平衡。平衡是有了，可并没有改变所抱怨的现实，外部也不会因为人将责任推诿给它而担责。原来，抱怨是一场自导自演的滑稽戏，一种地地道道的自我欺骗。

• 抱怨不仅仅是贫穷的表现，也常常是贫穷的原因，更要命的是由此让贫穷的人获得了心理平衡。这就是孔子所说“贫穷而无怨难”的背后原理。

为何“富而无骄易”呢？

• 实际上，这事儿也不容易，看看今天一些人的炫富和骄横之举。也许，孔子那个时代的富人骄横的少？不得而知。

• 孔子说“贫而无怨难，富而无骄易”，也许是他看到了物质贫穷背后的精神贫穷很难改变，而富裕的人常常会受到好的教育，因而做到不骄横还是有可能的。

• 富而不骄的是什么人呢？他们多半是靠自己的勤劳和艰苦奋斗得到的富裕，所以知道生活的不容易，不忘初心，对事业更是如履薄冰，懂得珍惜，又见多识广，自己勤奋学习，甚至可能是个修行者，所以杜绝了骄横的毛病。若是缺乏这些人生的历练，可能就会走到另一面去：富而骄横！

• 第一代创业者若是富裕了还知道学习，就能够把持住自己，就能够做到富而不骄。若是富裕了也不学习，就可能追求骄奢淫逸的生活，就会相信金钱万能，就会因为有钱而变得骄横。当然，没有创业经历的富二代，若是仅仅依靠父辈的基业活着，自己不思进取，也缺乏人生历练，就可能变成纨绔子弟。

【格言】贫而无怨须有志，富而不骄是贵人。

14 · 25　蘧伯玉[①]使人于孔子，孔子与之坐而问焉。曰："夫子何为？"对曰："夫子欲寡其过而未能也。"使者出，子曰："使乎！使乎！"

【注释】①蘧伯玉：蘧，音 qú。人名，卫国的大夫，名瑗，孔子到卫国时曾住在他的家里。

【释义】蘧伯玉派使者去拜访孔子。孔子让使者坐下，然后问道："先生最近在做什么？"使者回答说："先生想要减少自己的错误，但未能做到。"使者走了以后，孔子说："好一位使者啊，好一位使者啊！"实际上，孔子是在感叹：使者啊，你不懂啊，你哪里知道你们家主人是个修行者啊，而修行就是不停地查找自己的过失啊。

【要点】（1）修者同频。（2）永省己过。

【语境与心迹】初看起来，孔子因为使者说了那样一句话就对其如此赞叹，也没有因为蘧伯玉没能减少过失而对其嘲笑，这到底是怎么回事呢？很显然，孔子一方面认为能够这样想的人已经十分难能可贵，另一方面也知道减少犯错是件不容易的事。但要真正理解这段话，就必须知道蘧伯玉到底是什么人以及他和孔子的交往情况。蘧瑗（音 qú yuàn），字伯玉，谥号"成子"，春秋时期卫国大夫，封"先贤"，奉祀于孔庙东庑第一位。汉代刘向《列女传 · 卫灵夫人》所载之蘧伯玉事：灵公与夫人夜坐。闻车辚辚，至阙而止，过阙复有声。公问夫人曰："知此谓谁？"夫人曰："此必蘧伯玉也。"公曰："何以知之？"夫人曰："妾闻礼下公门，事上，此其人必不以暗昧废礼，是以知之。"公使视之，果伯玉也。蘧伯玉是个贤人君子，他平日服侍君上很礼敬，这个人一定不肯在暗昧的地方失了礼的。如此看来，蘧伯玉真是一位智慧优雅的修行者啊！孔子和蘧伯玉成为好友，估计和两个方面的因素有关：一方面，两人的仁德相同；另一方面，两人都是注重修行的人，见面谈话和做事能够高度契合、互相欣赏。那么，没有减少过失的蘧伯玉跟孔子怎会有如此深交呢？原来，他们两个人都是修行者，而真正的修行者都是连续不断地查找自己过失的人，永远不会自满，永远不会觉得已达到了完美无缺的地步。只有不修行的人才会自满，而修行的人总在查找自己的不足，正因为如此才能不断完善自己啊！这回明白了吧？这就是圣者的情怀！

【接圣入心】

◎ 世人皆有不足，可敢于面对并坚定不移去改正的人少啊！

◎ 那世人在干什么呢？在忙着为自己的错误做掩饰，为自己的过失做辩护，为自己的不足寻找合理的理由。这一点，不用人去教，几乎人人都会。

◎ 作为卫国大夫的蘧伯玉，能够想着去减少自己的过失，史书上记载他年五十而知四十九岁之非，是个擅长反省自己、有着很好修行的大夫。仅此一念，当官的人中有谁会经常这样想呢？很多人当了官不都是到处在指责别人的错误吗？

◎ 只要是人，就会犯错误，犯了错误就要反省，就要改。如果人不承认自己有错误，那不是无知就是自大，这样的人肯定难有进步。修行就是修正自己错误的行为，蘧伯玉能知道自己的过错，想减少自己的过错，这说明他是真正的修行者。

◎ 真正的修行者，是要日日反省、日日知非、日日进步的，是不能中断的，修行的真谛也在于此。正因为蘧伯玉连续反省自己的过失，总能发现自己的过失，好像总有过失或者过失没有减少一样，实际上这正是一个真正的修行者的作为。故而，当孔子问起时，他的使者那样描述了他。使者说的是实话，也是在说蘧伯玉是一个持之以恒的真正的修行者，恰恰是对他的赞美。孔子赞叹这位使者，是因为孔子通过使者的话知道了这个真相，真正听懂了使者的话。

◎ 今天的人们，还有谁能够连续不断地反省自己的过失呢？如果不这样做，又怎么能算是一个真正的修行者呢？孔子上面的这段话实际上告诉了我们一个真正的修行者的作为：永不停止地自省、改过，永不自满，永不责人。你呢？

【格言】自省可连续进步，同道能互相加持。

14·28　子曰："君子道者三，我无能焉：仁者不忧，知者不惑，勇者不惧。"子贡曰："夫子自道也。"

【释义】孔子在做自我检讨："君子之道有三个方面，我都未能做到：仁德的人不忧愁，聪明的人不迷惑，勇敢的人不畏惧。"子贡说："这正是老师的自白啊！"

【要点】(1) 君子道三。(2) 仁者无忧，智者无惑，勇者无惧。

【语境与心迹】这段话描述的是孔子与弟子们一起聊天的情景，这师徒聊天，聊的都是各自关注或者面临的问题，又在轻松愉快的氛围中聊，真是寓教于乐啊！孔子不仅仅是君子之道的倡导者，更是君子之道的践行者。孔子为什么会特别强调"仁、智、勇"作为君子的三道呢？作为君子，其必需的品格可能有很多，要覆盖人生和生活的所有方面，但孔子提炼出了这三个核心：仁是立世之根，不仁者自绝于世，必然成为人人喊打的过街老鼠；智是明事理之本，不明事理，仁也会变成愚鲁；勇是生命担当之志，没有勇气担当，必然成为人人嗤之以鼻的懦夫。但这三个品质不能分离，以仁统摄智、勇，否则就会成为江湖流寇；智，若是失去了仁的统摄，就会成为奸佞、狡诈；勇，若是离开了仁的指引，就会成为鲁莽、愚鲁。在《论语·子罕》中，孔子也讲到以上这三个方面。孔子为什么特别强调君子三道呢？肯定是自己就在长期践行、总结和提高。肯定是弟子们当中很难有人做到这三点。当然，社会中的人，能够做到这三点的比例可能更低。此处孔子说自己没有做到这三点，但子贡认为老师做到了。有人说，孔子那是谦虚，也许这是孔子的实在，因为孔子是修行者，是在不断反省和不断前进的，是不允许自己自满和停步不前的。至于子贡的评价，对于比老师水平低的学生来说，这样的评价也算是实在，只是按照子贡的标准来理解罢了。

【接圣入心】

孔子在这里讲到了君子之道的三个方面：仁者不忧，智者不惑，勇者不惧。

但孔子却认为，这三个方面他是没有做到的。但是，孔子的弟子子贡却说这正是老师的自我描述，也就是说，老师孔子是做到了这三点的。这和前文提到的蘧伯玉派去拜访孔子的使者所说的几乎是一样的。

当我们懂得了蘧伯玉的使者所说的话的真意之后，也就不难理解孔子所说的话和子贡对孔子的评价：原来，像孔子和蘧伯玉这样真正的修行者，都是能够连续不断地反省自己的过失的，他们一直在做，却从不认为自己已经做到了。

君子的修行是没有止境的，真正的修行者是处在连续不断的修行过程中的，不会以为自己已经完成了修行，或者达到了修行的最高境界。从孔子和蘧伯玉对自己修行的评价中，我们看到了真正的修行者的那种博大的胸怀和永不停止修行的意志。

回到现实中反观我们自身，会发现大部分人在修行方面存在几个典型的问题：

- 很多人在听到一个观点后，常常会说“明白了”或者“我懂了”。实际上，这种“明白”只是自己的主观认识，并非真的明白。相反，只要以为“明白了”或者“我懂了”，就会让自己的认识出现停滞。
- 不少的人会去问师父或者修行者：修行的最高境界是什么呢？实际上，修行是无止境的，任何以为修行到达了最高境界的想法，都是一种错觉和幻觉，都不是认真修行的态度和做法。
- 现实中也有不少的修行者，他们会打坐、练功、吃素，自己的身心也发生了一些积极的变化，但却始终难以走上修行的正道。这修行的正道又是什么呢？按照孔子的说法，最起码应该以“仁者不忧，智者不惑，勇者不惧”三个标准，不断地反省自己在现实中的心念与作为，不断地发现，不断地改正，永不停歇，永不满足。
- 如果自己一方面打坐、练功、吃素，另一方面很少反省和改正自己的过失，又不断地指责别人、怨恨别人，这就是嘴巴上吃素、心灵上吃荤，这就是现实中的伪修行者，值得立志修行的人警惕。

【格言】君子有仁、智、勇，无忧、无惑、无惧。

14·29 子贡方人①。子曰："赐也贤乎哉②？夫我则不暇。"

【注释】①方人：评论、诽谤别人。 ②赐也贤乎哉：疑问语气，批评子贡不贤。

【释义】子贡聪明，但也有毛病，有时会评论别人的短处。孔子教育他说："赐啊，你真的就那么贤良吗？我可没有闲工夫去评论别人。"

【要点】(1) 非议他人费己命。(2) 收心自强才是真。

【语境与心迹】"谁人背后无人说，哪个人前不说人"，这句古语道尽了人间是非的真相。无聊的人，没有将精力用在自己该做的事情上，才会有闲工夫议论别人。用佛家的话来说，很多人总是处处造口业。什么人喜欢造口业呢？心地不善的人，以贬损别人作为自己的快乐；闲着无聊的人，将议论他人是非作为自己的乐趣；思维敏捷又缺乏内心定力的人，想得多，说得也多。孔子的弟子子贡，多才多艺，思维敏捷，但像现实中的很多聪明人那样也喜欢对别人做一些评价，尤其是揪着别人的短处发表一些评论。孔子对这种做法给予了质疑和批评，并告诉了子贡自己的做法：我可没工夫去议论别人，还是集中精力提高自己，多去省思自己的过失吧。

【接圣入心】

在现实中，那些不修行的人，总是喜欢议论别人的是非。这就是我们很熟悉的那种是非之人。

正如孔子质问子贡那样：你去评价别人的短处，难道你自己已经很完美了吗？如果自己不是很完美，那为什么不花精力和时间去省思自己的过失呢？

在现实中，能力不如子贡，却跟子贡有类似毛病的人是很多的。我们为什么容易犯这样的错误呢？

• 现实中的很多人，有一种习惯性的、本能般的心理反应：看到别人比自己好的地方，心里就有些不舒服；看到别人不如自己的地方，会莫名其妙地产生虚幻的优越感。

• 若是真问起来，现实中的每一个人都不会说自己已经很完美。不完美并不可怕，真正可怕的是用评价或者指责别人的短处来掩饰自己的短处，从而让自己的短处得不到识别和弥补，让短处继续存在或者放大。这种自我欺骗的行为，在现实中相当普遍。

• 孔子告诉了我们日常生活中的一种正确的修行方法：充分认识自己的不完美，将关注的视角转向自己的短处而不是评论别人的短处，若是看到别人的短处也要回来反省自身，将自己的精力锁定在自我完善上，持之以恒，永不懈怠。这才是一个真正的修行者修行的正道。

• 若是做不到以上几点要求，就会持续性自我欺骗而让自己失去改过的机会，就会成为搬弄是非的人而遭人嫉恨，就会让自己的短处持续存在并发展到不可救药的地步。由此可见，圣人给我们指出了一条自爱和自救的正确修行道路。

不认真修行的人，走的是一条伤人误己的道路。真正修行的人，走的是一条利人善己的道路。人生到底要走什么样的道路？那就要看自己的选择了！

【**格言**】方人无益，收心自强。

14·30　子曰："不患人之不己知，患其不能也。"

【**释义**】孔子告诫自己的弟子说："不担心别人不知道自己，应担心自己没有本事。"

【**要点**】（1）莫重扬名。（2）沉心练功。

【**语境与心迹**】孔子阐释这个观点，一方面是表明自己的心声和做人做事的准则，另一方面也是鞭策和鼓励弟子们不要外求，而要用心练好基本功，练好服务社会的本事。也许弟子们学着学着就开始心里"长草"，心想：就这样一直学习下去吗？何时才会有人知道我？我何时才能去做官呢？用现在一些人的话来说，你有本事的同时还要会做个人包装、宣传和

营销，提升自己的知名度。但孔子反对这样的浮夸。在这段话中，孔子提到了一种生存方式：潜心提升自己的能力和品德，用不着总是担心别人不知道自己。如果别人知道了你，而你却没有本事，又能怎么样呢？当你有了很好的本事，别人又怎么会不知道你呢？

【接圣入心】

现在的很多人，总是着急地想让别人知道自己，但却忽视了自己能力和品德的提高。

一些人通过商业运作或者包装，很快让自己出名了。但因为他们的能力不够优秀，品德不够厚实，随着知名度的提高，自己飘飘然起来，最终摔了个鼻青脸肿。这样的教训值得许多急于出名的人借鉴。

电视上也有些节目给了许多普通人展示自己的机会。一些默默无闻的人因为自己有优秀的能力和厚实的品德，很快得到了人们的认可。当然，让我们担忧的是，这样的人在出了名之后是否还能够保得住自己的品德？是否会因为出名而慢慢丧失自己的德行？若是这样，就可能像那些很快出事的名人一样，最终落得个身败名裂的下场。

孔子一定是看到了很多人的失败，一定是看到了那些急于出名或者急于获得位置而又没有真正用心提升自己能力和品德的人的悲惨结局，所以才发出了上述那样的警告。

随着各种科技手段和商业平台的出现，很多人有了展示自己的机会。但我们心中必须清楚：这是一个最好的时代，也是一个非常糟糕的时代。这是一个造就人的时代，也是一个毁灭人的时代。如何让自己生活在最好的时代和成就人的时代？唯一的答案就是认真用心地好好修行，从自身能力和内在品德上持续不断地下功夫，而不是急于表现、急于出名、急于获利和急于获得位置。否则，当一个人德不配位时，就会有灾难降临，就会毁掉自己。

当然，当自己拥有了卓越的能力和优秀的品格时，就很容易出名、获利和获得位置。当这样的时刻到来时，对人的新的一轮考验也就开始了。若是此时放弃了修行，也很难逃过第二轮的毁灭。可见，修行是人的一生中任何时刻、任何情况下都不能中断的一门基础性的、永恒的功课。

【格言】命运莫问他人，一切映照自身。

14·35　子曰："莫我知也夫！"子贡曰："何为其莫知子也？"子曰："不怨天，不尤①人，下学而上达②，知我者其天乎！"

【注释】①尤：责怪、怨恨。　②下学而上达：下学人事，上达天命。

【释义】孔子感慨地说："没有人了解我啊！"子贡说："怎么能说没有人了解您呢？"孔子说："我不埋怨天，也不责备人，下学礼乐而上达天命，了解我的只有天吧！"

【要点】（1）俗人难解圣人心。（2）不怨天不尤人。（3）下学上达天自知。

【语境与心迹】这是孔子与子贡的一段对话。有人质疑，孔子不是劝人要懂得"不患人之不己知，患其不能也"，怎么他自己也在抱怨没有人了解他啊？实际上，这是句半调侃的话，聪明的子贡就听明白了，对老师的感慨表达了不同意见。后面才是孔子的真心话：我不怨天尤人，我下学上达，老天肯定是知道我的。一般人的抱怨，往往是因为自己并没有准备好就要去做什么，孔子则不同，他已经在当世成为闻名的圣人，只是因为身在乱世，许多人关注的重点是基本的生存问题，整个社会的治理岂是一般人能够思虑的。正因为如此，孔子才有生不逢时的那种无奈和感慨。

【接圣入心】

孔子的这段话，后世很多浅薄的人视之为讽刺和挖苦孔子的一个依据：您老人家不是教育我们不要关注别人知不知道自己吗？怎么你自己也感慨没有人了解您呢？

我们很多人都知道，一个人要想做成事情，需要天时、地利、人和。孔子所处的时代，恐怕这几项条件都不理想。

那么，孔子的这种无奈和感慨，是不是意味着孔子放弃了自己的理想和修行呢？历史已经证明，孔子肯定没有放弃自己的理想和修行，否则他为什么会成为圣人和万世师表呢？

那孔子为何还要那样感慨呢？实际上，我们看这段话时，一定有这样的感觉：孔子发感慨之前，定是与子贡（或者旁边还有其他弟子）谈论了一些相关的内容，只是前面的谈话没有记录，只记录下了孔子的感慨。他们大概在谈论传播仁德思想和推行周礼过程中遇到的很多人不理解、不支持甚至嘲讽的状况，故而有了这种感慨。

虽然孔子面对压力有诸多感慨，但圣人自有坚守正道的信念：天了解我，天懂得我。这正是圣人与我们普通人最不一样的地方：秉承天意，替天行道，不畏乱世，坚守正道。这也是助推孔子成圣的最根本的心灵的力量，现实中许多优秀的人因为缺乏这样的信念而最终沦为普通人。

【格言】不怨天不尤人，上学下达有天知。

14·36 公伯寮①愬②子路于季孙。子服景伯③以告，曰："夫子固有惑志于公伯寮，吾力犹能肆诸市朝④。"子曰："道之将行也与，命也；道之将废也与，命也。公伯寮其如命何！"

【注释】①公伯寮：姓公伯名寮，字子周，孔子的学生。 ②愬：音 sù，同"诉"，告发，诽谤。 ③子服景伯：鲁国大夫，姓子服名伯，"景"是他的谥号。 ④肆诸市朝：古时处死罪人后陈尸示众。

【释义】公伯寮向季孙告发子路。子服景伯把这件事告诉给孔子，并且说："季孙氏已经被公伯寮迷惑了，我能够把公伯寮杀了，把他陈尸于市。"孔子说："道能够得到推行，是由天命决定的；道不能得到推行，也是由天命决定的。公伯寮能把天命怎么样呢？"

【要点】(1) 天命定道。(2) 俗人无道。(3) 大道自行。

【语境与心迹】孔子的人生是在是是非非中度过的。只是，圣人孔子将这些看得清楚，根本不会在意那些恶人的行径。孔子借公伯寮向季孙告发子路一事，表明了对那些诽谤的态度：只要行得正，恶人告状又能如何？公伯寮还能把天意改了不成？看来，圣人心灵的强大来自自承天命的情怀，圣人的伟大也是在残酷现实中历练出来的。

【接圣入心】

在任何一个时代，笃行正道的人都可能会遭遇别人的误解、讽刺挖苦乃至诽谤。这是对一个笃行正道的人的考验。

面对着现实中恶俗力量的压力，不同的人会做出不同的选择：

• 缺乏智慧和勇气的善良之士，在面对恶俗势力的压力时，会摇摆、会选择放弃。

• 拥有仁德和智慧的人，在面对恶俗势力的压力时，可能会选择变通。

• 拥有仁德和勇气但缺乏智慧的人，面对着恶俗会选择死顶硬抗。

• 同时拥有仁德、勇气和智慧的人，不会受到恶俗势力的干扰，会专注于自己的正道，会坚守自己的信仰而不妥协。

上述几种不同的选择，会让人有不同的命运：

• 做出第一种选择，善良的人会因为放弃自己的正道而成为善者和恶人共同蔑视的对象，最后变得一文不值。

• 第二种选择，看起来是很聪明的变通，很可能让自己偏离正道，并会激励恶人的信心。

• 第三种选择，看起来勇猛无畏，但因为花费精力与恶人交手，一方面会激发恶人的斗志，另一方面也会耽误自己在正道上的修行。

• 第四种选择，不被外部影响所干扰，让自己能够不断强大，这本身就是对恶俗势力的最大的胜利。战胜敌人最有力的一击，就是漠视他的存在。只有具备了这样的品质，才能真正成为天下无敌的人，仁者无敌的真意正是如此。

人生就是战场，每个人生来都是战士。那些会被敌人动摇的人，就是懦夫，就注定是失败者。而那些能够动摇敌人意志的人，就是战神，就是胜利者。在这场人生的搏斗中，你要做什么样的人呢？这是每一个人或者用语言或者用行动或者用结局作答的一个问题。

【格言】大道自在，无需用我。

14 · 39　子击磬[①]于卫，有荷蒉[②]而过孔氏之门者，曰："有心哉，击磬乎！"既而曰："鄙哉！硁硁[③]乎！莫己知也，斯己而已矣。深则厉[④]，浅则揭[⑤]。"子曰："果哉！末[⑥]之难矣。"

【注释】①磬：一种打击乐器。　②荷蒉：荷，肩扛；蒉，音 kuì，草筐，肩背着草筐。　③硁硁：音 kēng，击磬的声音。　④深则厉：穿着衣服涉水过河。　⑤浅则揭：提起衣襟涉水过河。"深则厉，浅出揭"是《诗经 · 卫风 · 匏有苦叶》中的诗句。　⑥末：本末之"末"，专指修行从"修心"到"践形"。此处是指避世自安容易，但需要找到解决现实问题的办法。

【释义】孔子在卫国时有一次正在敲击磬，有一位背扛草筐的人从门前走过说："这个击磬的人有心思啊！"一会儿，这个人又说："声音硁硁的，真可鄙呀，没有人了解自己，自己相信自己就是了。水深，就穿着衣服蹚过去；水浅，就撩起衣服蹚过去。"孔子说："果然如此啊，真正去践行而不是逃避确实很难做到啊！"

【要点】（1）孔子与荷蒉者。（2）感恩规劝。（3）志道不移。

【语境与心迹】通过这样一段对话，一方面，我们能够看出孔子忧国忧民的情怀；另一方面，也能够看出真正能够理解孔子的人确实很少啊！这个背草筐的人也劝诫孔子，要懂得审时度势、量力而行，不要太难为自己。很显然，孔子对此心领神会，但也自有主张，正所谓"道不同不相为谋"。荷蒉者可以自安于小日子，但孔子要以道援天下，怎能不显迹呢？逃避容易，真正入世去救世就要行动才行啊！面对着现实中那么多的问题，谁能够找到真正有效的方法呢？逃避不是办法啊！佛家也说"根本智易得，方便智难求"。这段话通过对比的方式解释了两种不同的人生：背草筐的和背使命的。

【接圣入心】

一个真正忧国忧民的人，是时时刻刻、事事处处都在为国为民思虑的人。

也许在普通人看来，这种“明知不可为而为之”的做法有点过于难为自己，但圣人不是为自己啊！也许正因为如此，圣人才无法得到许多平民百姓的理解。也许，这正是圣人的思想能够光照千秋的原因——人类社会需要圣人的智慧，但普通人又很难领会圣人的思想。

一般人做事，若是能够做到“审时度势、量力而行”，就算是很有智慧了。但普通人所涉及的大多只是个人的事，所以相对简单。圣人们思虑的却是天下之事，因此很艰难。思考天下之事若是像思考个人之事那样，遇到困难和别人的不理解就放弃，就会导致两种后果：一是天下会越来越乱，二是个人的事越办越难。

孔子听到别人对他的劝告，也就知道了劝告他的人是什么样的人。孔子理解人家的好意，没有去责问什么，但也没有放弃自己心中的理想。这就是圣人的情怀和对理想的坚持。

【格言】笃信大道，践形救世。

卫灵公第十五

15·15　子曰：“躬自厚而薄责于人，则远怨矣。”

【释义】孔子说：“多责备自己而少责备别人，那就可以避免别人的怨恨了。”

【要点】（1）多自责。（2）少责人。（3）怨就少。

【语境与心迹】人与人相处难免会有各种矛盾与纠纷，核心问题是双方都从自我出发，都在指责别人，都在为自己辩护，而不是站在对方立场上思考，也不会反省自身、谦恭道歉。一旦发生矛盾，若是双方都能主动地做自我批评，而不是一味指责别人，主动向别人的想法靠拢，在不失原则的情况下去协商和妥协，那么还会有那么多矛盾冲突吗？责己严、待人宽，这是保持良好的人际关系的原则。说他人理，言自己短，虚心请教，友好协商，才是心智正常的人处理人际关系的准则与应有的风度。

【接圣入心】

在现实中，无论是在家中对亲人、与朋友交往中对朋友，还是在工作中对上下级，很多人都习惯了责备别人而不是责备自己，由此一直生活在相互怨恨当中。这样做的后果是亲情被破坏，友情被亵渎，上下级关系被恶化，社会风气被败坏，最终发现，自己的生活没有质量可言。

圣人孔子给我们的这种困境指明了一条道路：无论何时何地，无论遇到什么样的情况，都要坚持“多责备自己，少责备别人”的原则。

很多人在现实生活中往往有这样的经历：被别人责备时，自己是痛苦的，但当去责备别人时就忘记了这种痛苦，也不会体谅别人的痛苦，甚至为自己责备别人的行为辩护，总觉得自己的做法是正确的，是理直气壮的。可一旦这样的做法造成了别人的痛苦，启动了别人的非理性程序，双方还可能进行理性的对话吗？

实际上，不少人也明白这个道理，可为什么还会这样做呢？人们为自己编织了一套非常美丽的理由和借口：

- “责备他，我是为他好啊！”可是，为他好的动机却给别人制造了痛苦。
- “是他有错，我不说出来，岂不是不诚实？”是啊，你的诚实是表现出来了，你是为了表现自己的诚实呢，还是为了让别人进步、与别人和谐相处呢？如果别人因为这种方式而变得不理性，结果又会是什么样的呢？
- 我们很容易看到别人的错，有谁能够首先看到自己的错呢？又有谁能够做到责备自己先于责备别人呢？真的有人只责备自己而不责备别人甚至为别人的过错辩护吗？看来，这些只有那些真心修行的人才能做到啊！

人心有三条根本的规律：

- 有错时，自己常常是清楚的，但又对此充满恐惧，因此难以面对。此时他最需要的是别人对他的体谅、原谅和鼓励！一旦他感受到了这种力量，就会有认错和改错的勇气。若是此时受到责备，他就会进入激愤的状态，奋起为自己辩护。

• 当人犯错却有人愿意跟他站在一起时，他就会格外感激，就会敞开心门，就会生出愧疚。而这些才是一个人能够改错的真正的动力。只是很多时候我们很难遇到有人对我们这么做。

• 当一个人犯了错，你却好像完全忽视了一样，反而去表扬他的优点时，他就会心存感激并去思索自己的错误。当一个人的优点得到别人的欣赏、认可和赞美时，他的优点就会发挥、成长和放大。当一个人的优点被忽视而缺点得到重视时，他的缺点就会加重、持续和膨胀。

若是不懂得人心的这些基本的规律，即使你认为自己的做法有理，也会把事情搞得越来越糟。平时总认为自己有理，又总喜欢责备别人的人，要特别小心警惕啊！

【格言】自责是自爱，责人是害人。

15·19　子曰："君子病无能焉，不病人之不己知也。"

【释义】孔子把君子的内求模式说得很清楚："君子只怕自己没有才能，不怕别人不知道自己。"

【要点】（1）君子专注提高自己。（2）君子不去刻意炒作。

【语境与心迹】孔子的这句话和前文提到的"不患人之不己知，患其不能也"十分相似。看来，圣人是将提升自己的能力作为永恒的核心的目标，也就是修行者都知道的一条准则：君子内求，小人外求。

【接圣入心】

君子内求，因此可以集中精力提升自己的能力与品德。小人外求，因此会分散自己的精力，让自己无法有足够的精力提升自己的能力和品德。

君子内求，因此对外没有抱怨，没有责备。小人外求，因此会生出很多抱怨、责备和不公平感。

君子内求，因此可以有定力抗拒外部的干扰，可以直奔自己的理想，最终可以达到或者最接近理想的境界。小人外求，因此容易被外部的

力量所干扰，纠缠于与别人的是是非非之中，也就没有机会去实现或接近自己的理想，而在纠缠中渐渐忘记了自己的初衷。

◎ 君子内求，因此可以不断地提升自己的能力与品德，若是以后有了知名度，也有能力和品德保驾护航。小人外求，若是求得了知名度，也会因为缺乏相应的能力和品德而让自己加速身败名裂。

◎ 君子与小人这两种不同的人生模式，从古至今一直被很多人重复着。似乎人类没有真正地进化，只是在历史的铁律中轮回。

【格言】自强自爱，可爱人爱。

15·24 子贡问曰："有一言而可以终身行之者乎？"子曰："其恕乎！己所不欲，勿施于人。"

【释义】子贡问孔子："有没有一个字可以终身奉行的？"孔子回答说："那就是'恕'吧！自己不愿意的，不要强加给别人。"

【要点】（1）终身行一字。（2）恕。（3）己所不欲，勿施于人。

【语境与心迹】子贡聪明，总是问一些大部分人很关心的问题。对于老师孔子的思想，很多人也许会觉得复杂，一时也难以掌握；或者孔子的很多思想都是应景、应时、应人而说，显得变幻莫测。子贡就想：老师的思想有没有一个核心的纲领可以用在所有时候、所有事上，甚至可以用一生呢？子贡这么想着，就把它当成问题来问老师。孔子似乎心领神会，提出了非常著名的思想——忠恕之道，可以作为一辈子的准则。当然，既然是对着子贡说的，也是以此来给子贡"点穴"的，告诫子贡要懂得与他人共情。这一思想可以说是孔子的发明，对后人的影响很大。孔子把忠恕之道看成是处理人际关系的一条准则，这也是儒家伦理的一大特色。遵循忠恕之道，可以消除别人对自己的怨恨，缓和人际关系，安定社会秩序。曾子对孔子的这一思想有深刻领悟："子曰：'参乎，吾道一以贯之。'曾子曰：'唯。'子出，门人问曰：'何谓也？'曾子曰：'夫子之道，忠恕而已矣。'"

【接圣入心】

子贡真是个聪明的学生，他向老师发问，竟然问出了儒家的千古准则：恕道！

孔子为什么把恕道看得如此重要？竟然将一个“恕”字看成处理人和人之间关系的核心准则？

原来，这个恕道恰恰是解决人世间许多纠纷的妙方：

• “己所不欲，勿施于人”，说得好啊！人间的很多问题，不正是某些人总想将自己的意志强加于别人而导致了冲突吗？正是基于恕道和现实中的问题，公平公正、契约精神、民主协商、礼貌征询和谦卑请教等美德，才成了人际关系中的文明准则。在这一点上，中华民族为人类的文明精神贡献了自己的智慧。

• 实际上，“己所不欲，勿施于人”只说了一半的意思，另一半则是“己欲立而立人，己欲达而达人”。想想看，我们光想着自己得好处，没有为他人谋福利，这不就是自私自利的本质吗？这样做会得到别人的信任和拥护吗？纵观历史，伟人和圣贤们恰恰是明白了前后这两句话，他们将自己的私欲放到最低，却愿意将自己的生命奉献出来为别人谋福利，这就是他们伟大和受后人拥戴的根本原因。由此明白，许多失败者和让人讨厌的人恰恰是违背了这两句话的精神：己所不欲，偏施于人！只是立己，从不达人！

“己所不欲，勿施于人”，告诉我们一种与人相处的智慧：自己不喜欢的，别人也多半不喜欢。如果是大家都不喜欢又必须去做的，比如管理和控制、纪律与约束等，那就必须平等协商，最终达成统一，形成共同的心灵契约。这就是规则和制度形成的心理基础。若是失去了人性的基础，那些身处高位掌握权力的人，硬要将一种自认为合理但人们不愿接受的准则强加于人时，就会遭遇人们的抵抗，就会形成对立，那个叫作纪律或者制度的东西，就可能名存实亡。亲人、朋友，甚至是国家之间，都应该遵循“恕道”这一准则。

“己欲立而立人，己欲达而达人”，告诉了我们在与人相处中赢得

别人信任和拥戴的领袖法则。从一般意义上讲，大部分人都是首先为自己考虑的，如果你也是这样的，那你就是他们中的一员，就会与他们陷入无休止的争斗当中。如果你懂得并践行了“己所欲，先施于人”的法则，人们就会把信任和拥戴给予你。当然，要小心的是，即使人们把信任与拥戴给予了你，他们之间仍然会无休止地争斗。如何终止或者减少这种局面带来的群体内耗，就需要领袖的引导和智慧。

【格言】一恕通心，人人皆我。

15·29　子曰：“人能弘道，非道弘人。”

【释义】孔子说了人在弘道中的作用：“人能够使道发扬光大，而不是道使人发扬光大。”

【要点】(1）人与道。(2）谁弘谁？（3）道不可违。

【语境与心迹】孔子的这句话是在强调人必须先提高修养、扩充自己、提升自己，才可以把道发扬光大。反过来，以道弘人，用来装点门面、哗众取宠，那就不是真正的君子之所为。这两者的关系是不可以颠倒的。当然，人本身就是道体，又是道器，学道修道，道能养人，这也是不虚的。

【接圣入心】

“人能弘道，非道弘人”，这是对现实中许多修行者的警告。

人的生命承载着天地大道，人生就是弘扬大道，让大道发扬光大，从而悟得人生的真谛。

现实中有些修行者，以大道做旗帜，以修道做幌子，却没有真正地去修理自己。在世人眼中，他们说得好听而离奇，而他们所做的并没有脱俗。他们自己所说的大道与修行，恰恰成了讽刺自己的证据。这样的人非但没有为自己增加荣耀，反而自取其辱，并用自己的虚伪亵渎了大道，进而影响了很多人对修行和大道的信心。到了这个地步，这种虚伪的修行，实际上已经是一种罪孽。

大道无言，修道无声。真正的修行者，不是用嘴巴来证明自己的。修行者所修成的德行，本身就是最有力的证据，也是最具说服力的语言。

如果一个人所表白的和其真正拥有的德行形成了反差，那就是用最廉价的方式出卖了自己。

◎ 修行者还应该明白，大道是客观规律，你懂得规律、按照规律去做，就能运用规律的力量。若是违背规律，也会受到惩罚。不是大道惩罚人，是不明道的人自己跟自己内斗。

【格言】人能弘道是使命，道亦弘人是天命。

15·30 子曰："过而不改，是谓过矣。"

【释义】孔子说："有了过错而不改正，才是真的过错。"

【要点】(1) 有错不改。(2) 错上加错。(3) 是为真错。

【语境与心迹】人非圣贤，孰能无过？世俗之人，关键不在于有过，而在于能否改过，并保证今后不再犯同样的错误。也就是说，有了过错并不可怕，可怕的是坚持错误，不加改正。孔子以"过而不改，是谓过矣"的告诫，向人们道出了人生的一个真理，也是对待错误的唯一正确态度。难怪孔子那般地赏识颜回的美德——"不迁怒，不贰过"。

【接圣入心】

◎ 人生一世，没有人生而知之。人的知识、智慧和品德，基本上都是在后天的生活实践中通过学习和试错得来的。"吃一堑，长一智"，说的就是这个道理。

◎ 既然如此，那么每一个人在人生当中都是无法避免犯错的。注意：这并不是说犯错是正确的，而是说犯错很难彻底避免。

◎ 也正因为如此，暂时没犯错的人，也不要笑话那些已经或者正在犯错的人。犯了错的人，也不要认为自己很倒霉。在难免犯错这个问题上，大家彼此彼此，半斤八两。

◎ 知道了这样一个客观事实，也不要以为就可以放开去犯错。因为只要犯错，个人就会付出代价。因此，一方面要通过学习和修行，尽量减少犯错；另一方面，一旦犯错，就要勇敢面对，不要遮掩和粉饰，改过就是进步，改错就是自己最大的福利。

若是明知犯了错，就是不改正，那就是错上加错，就是真正的错误了，个人就会持续地为此付出代价，这就是真正的愚蠢。

【格言】俗过难免，心过难饶。

季氏第十六

16·7　孔子曰："君子有三戒：少之时，血气未定，戒之在色；及其壮也，血气方刚，戒之在斗；及其老也，血气既衰，戒之在得。"

【释义】孔子总结了君子的"三戒"："君子有三件事情应引以为戒：年少的时候，血气还不成熟，要戒除对女色的迷恋；等到身体成熟了，血气方刚，要戒除与人争斗；等到老年，血气已经衰弱了，要戒除贪得无厌。"

【要点】(1) 君子有三戒。(2) 少时戒色，壮时戒斗，老时戒得。

【语境与心迹】这是孔子在忠告人们在人生各个阶段需要注意的问题，通过"君子三戒"，让人们了解各个人生阶段的特点，用"戒"来平衡每个阶段的状态，以免走偏。孔子针对人生各个阶段最可能犯的错误所发出的警告，也让我们明白了不同人生阶段自我管理的重点。虽然已经过去了2500多年，"君子三戒"对于今天的人们来说，依然具有十分重要的指导意义。

【接圣入心】

不同的人生阶段有着不同的特点，明白这些特点，就能让人的长处得以弘扬，让弱点得到有效把控。如此，方能步步安稳前行。

每一个人都需要根据这些特点确定自己每个阶段的生命准则：

• "少之时，血气未定，戒之在色。"人年少时，正在成长发育，经历青春期的剧烈变动，身心尚处在动荡不稳的状态。尤其是荷尔蒙躁动而心灵力量又偏弱，故把控力弱，极容易被情色迷惑。若是沉迷其中，就会让尚未发育成熟的身体遭受重创，就会对一生的身心健康乃至于人生方向产生重大影响。

• “及其壮也，血气方刚，戒之在斗。”人至壮年，意气风发，斗志昂扬，身体已经成熟并充满力量，心灵力量也呈现向上飞腾之势，但人生价值观与方向尚处在求证和外部验证阶段，故容易在没有必要争斗的事情上产生过分的争斗之心，如此下去，就很容易损耗生命的力量和偏离人生的方向。此时，需要冷静思索、静心学习、去伪存真，锁定正确的方向，摒弃不必要的争斗导致的无谓消耗，是为上策。

• “及其老也，血气既衰，戒之在得。”人至老年，处在生命衰微趋势中，一生得失了然，基本格局已定。至此，一方面提振内在精神，以抗衡生命气息的衰微；另一方面力戒贪得之欲，要处处想着帮人，保持内心平和，以利于他人作为自己生命延续和放大的方向，可保晚年平安与隆昌。

不修行的生命可能会在任何一个阶段走偏，甚至走向邪路：

• 年少之时，若是不能将精力锁定在勤勉与精进上，若是不能及时地收心以养生命与性情，就会让生命早早地偏离正道。以后的人生道路，也会步步遇坎，处处有难。如同一棵树，如果小时已经长歪，再长大也很难挺拔，这样的代价将是生命难以承受的。

• 年壮之时，若是不分轻重，左冲右突，大小不分，必然无谓地消耗生命的能量，无法找到正确的方向，无法为人生做好连续的积淀，以至于该用之时无所用，无用之时又乱用，如同迷途的羔羊，四处奔走，其实一直是在原地打转。这样的状态，就会导致一切忙碌最终徒劳无功。

• 年老之时，若是心气不平，必然与年壮之人相争，也失去了对年幼之人的扶持之恩，最终因为生命时间的限制，而在无谓的争斗中黯然神伤。人至老年，如同枯草朽木，让位给年幼与年壮之人，拉开距离远观，于无声处相助，不求功名利禄，方能让后代尊崇，也可得善终之正果。

【格言】放纵即魔鬼，守戒即圣徒。

16·8 孔子曰："君子有三畏：畏天命，畏大人，畏圣人之言。小人不知天命而不畏也，狎大人，侮圣人之言。"

【释义】孔子总结了君子的"三畏"："君子有三种敬畏：敬畏天命，敬畏身份高贵的人，敬畏圣人的话。小人不懂得天命，因而也不敬畏、不尊重身份高贵的人，轻侮圣人之言。"

【要点】（1）君子有三畏。（2）小人无所畏。（3）畏天命、畏大人、畏圣人之言。

【语境与心迹】人的生命乃天地造化之灵物，因此人的生命必然受制于造就生命的天地大律。在人间，高贵的人是践行天道、天命有所领悟的人，圣人则是将生命与天道、天命接通了的人，人们若是能够敬畏天命、尊重大人和圣人，就能少走弯路。

一个人该不该有所畏？我们都知道一句名言：彻底的唯物主义者是无所畏惧的。很多人错误地将其理解为天不怕，地不怕，没有什么可畏惧的。试想，一个人能逃离客观规律的制约吗？实际上，这句话的真意是：彻底的唯物主义者，就是不迷信鬼神而搞清楚了客观事物的规律、人心规律和社会规律，一切按照规律去做，就没有什么可畏惧的了。可见，一个人总要对规律有所畏才好。敬畏天命，敬畏大人，敬畏圣人之言，这是孔子所要求我们的。这里涉及三大方面的问题：天命是关于人与天地规律的关系，属于信仰层面；大人是关于社会规范方面的；圣人之言是关于思想智慧的。一个人保持对这些方面的敬畏，心灵、精神和信仰就会有所归依，生活就会有所规范，思想就会有一个中心和立场原则。在此基础上活着，人生才能目的清晰，生活才会有道可循，生命才会感到有意义，事业心、成就感才会油然而生。相反，一个人如果没有这些敬畏，就基本上等同于没有精神的信仰、生活的规范和思想的原则，那就会肆意妄为，就会无视社会道德和行为规范，最终就会无所不为、无恶不作，因而是非常危险的。人类文明几千年的演进，告诉了我们一个重要的古训：人要有敬畏之心！孔子所言，告诉了我们管控自己的关于敬畏的几个基本维度，核心是要讲“敬畏之心”。人无敬畏之心，必然导致野性、兽性与自我的恶性膨胀，如此下去，或沦为禽兽，或沦为恶人。

【接圣入心】

现实中很多人为什么没有敬畏之心而导致胡作非为和骄横张狂呢？原因就是不知天命，切断了自己有限的生命与天地的联系，断了天缘。

何为“天命、天缘”？此非圣人自言自语，而是每个生命的真相：人与万物皆因天地造化而成，父母受托而生命。从亲缘而言，人皆由父母生养；从天缘来说，人与万物皆由天父地母造化而成。没有天地造化，父母难以成命。百年之后，人回归天父地母之怀抱，无人例外。这是人生百年中理解一切的根基，脱离这一根基，必然是无根之草、无本之木。明白了这个道理，怎能没有敬畏之心？

人皆有私，你之私心，如同别人之私心。别人知你，你往往不知别人。这就导致你不自知，别人已知。若是还自鸣得意，纵情表演，岂不是变成跳梁小丑？若知人心如镜，岂能不畏？不畏又是什么？绝不是勇敢，而是自欺。

有了对天地大道和人心之敬畏，人生也就找到了走向觉悟的门径。如此，方能理解圣人所言“君子三畏”，并由此获得人生三个觉悟：

• 第一是敬畏天命：人一生不能断了天缘、亲缘，方能避免让自己沦为断线之风筝。尊重天道，顺遂天意，了悟天训，方是降伏心魔之正道法门。否则，妄想漫天，自我膨胀，利欲熏心，必然会违背自然大道，最终必遭天惩。父母乃承接天命之人，方有吾等生命成形与成长，故“孝敬”父母为人间行道第一要务。不孝之人，已经违背天道，必是人间乱臣贼子，终得报应。明白天缘、亲缘而知天命，乃是人生第一觉悟。

• 第二是敬畏高贵之人：能在人间处于高贵之位的人，必然是已经证明可以接续天意之人。若是位高而命不贵，当是人间大危大险之象。若是命贵而无高位，当是人间仙圣之吉象。故而明辨高贵、敬畏高贵，避开位高不贵、

位低不贤之人，是谓人生第二觉悟。

• 第三是敬畏圣人之言：圣人乃是被历史证明的能上承天意、下接人心的通达之人。圣人之力多在后世呈现，当世多半颠沛流离。这是因为圣人之智慧超前于现世，故而现世难用。圣人在史中，指向的是未来，照亮的是当下。现世中，除了高贵之人的自证之外，其他人的智慧皆不足挂齿。故而学习圣人之智慧，是照亮我们的现实和明确未来方向的明智之举，也是现世人生的第三觉悟。

◎ 君子有三畏，故能顺天命、敬大人、随圣意，终得天助而圆天命。君子之德厚，故而借万事可明天意，不躁不狂，故而定静生慧；亲高贵之人可见人生正道，远离邪佞，故而人和命安；谨遵圣训，去除自我狭隘，看清世事变化，方向坚定又顺应万变，始终不偏离正道，可得道赏而无忧恐。

◎ 小人则不然，不知天命，不敬高贵之人，远离圣训，故成卑贱之命。小人德浅，有才轻狂，有位骄横，得财亡命，因命贱而怨天尤人，终因小才、邪财、危位而命丧中途。

【格言】知畏自知，畏接天缘。

16·11　孔子曰："见善如不及，见不善如探汤。吾见其人矣，吾闻其语矣。隐居以求其志，行义以达其道。吾闻其语矣，未见其人也。"

【释义】孔子说："看到善良的行为，努力追求怕自己赶不上似的；看到不善良的行为，就好像把手伸到开水中一样赶快避开。我见到过这样的人，也听到过这样的话。以隐居避世来保全自己的志向，依照义而贯彻自己的主张。我听到过这种话，却没有见到过这样的人。"

【要点】（1）见善如不及。（2）见不善如探汤。

【语境与心迹】很多人的一生始终处在正邪两极的拉扯中，忽而正又忽而邪，一会儿向往正义，一会儿又羡慕邪恶。向往正义，也是因为要么被邪恶所伤，要么就是呼吁正义符合个人利益，要么就是坚守正义而无善法，终落得怀才不遇。憎恨邪恶往往是被邪恶所伤，羡慕邪恶常常是看到邪恶能够给自己带来利益。可见，这背后的关键是一个人的心智模式：小人利己，对正义邪恶的态度是按照利己的思维来判断的。君子利他，崇尚正义首先不是因为利于自己，而是利于社会众生；憎恨邪恶也不是因为个人恩怨，而是邪恶对社会的破坏与对众生的伤害。西方哲学家说过：人一半是天使，一半是魔鬼。如何不至于在这种撕扯中被撕裂，最终能够超越正邪而达至善，是许多人所面临的人生的一大艰巨课题。答案当然也很简单：崇尚正道，践行正道，修成君子品格，并向着圣人的方向靠近。孔子听说过这样的话，也见过这样的人，但能够在红尘的煎熬中矢志不移并厉行正义的人，却是只闻其声，未见其人。

【接圣入心】

在正邪的利诱中选择什么？这是人生自我修行的首要课题。能够在纷乱的现世中保持志向不变并笃行不怠，这是衡量一个人能否承担使命的基本标准。

现实中的人，通常都在两极撕扯中经历无数次的摇摆，经受无数次的煎熬。大部分人在危难和困苦中会放弃志向而苟活，余生也不能坚守大义而厉行正道。

孔子告诉人们两个修道的情景：

- 对于个人自修来说，见善思进，见恶如祸。也就是儒家一贯的思想主张：见贤思齐，见恶自警。如果不是这样，反而嫉贤妒能、落井下石、助纣为虐、同流合污，那就背道而驰了。能够在是非善恶面前保持清醒的人，孔子见过，也听说过。
- 对于大君子来说，不仅要保持头脑清醒，还要能够威武不屈，绝不向邪恶屈服，不在乱世中苟安，宁可隐居避世也要保全自己的志向，时刻不忘厉行和彰显正义大道。对于这样的人，孔子只是听说过（历史上的古人），但没有见过（当世没有了）。

孔子的思想智慧，给我们指明了人生的方向：用见贤思齐代替嫉

贤妒能，用雪中送炭代替落井下石，用威武不屈代替助纣为虐，用隐居避世代替苟且偷生，用行侠仗义代替自私自利。

◎ 现实中，很多聪明人并不知道自己正行走在什么样的道路上，从善有理而乏力，从恶有理也心慌，左右摇摆，这就是最典型的糊涂脑袋。乱世中不作为但却混迹官场空享厚禄而不觉耻，盛世中不作为而游荡于江湖又不觉愚，这就是典型的人生定位错误。

【格言】见善思进如福至，见恶避让如祸临。

阳货第十七

17·4　子之武城①，闻弦歌②之声。夫子莞尔而笑，曰："割鸡焉用牛刀？"子游对曰："昔者偃也闻诸夫子曰：'君子学道则爱人，小人学道则易使也。'"子曰："二三子！偃之言是也。前言戏之耳。"

【注释】①武城：鲁国的一个小城，当时子游是武城宰。　②弦歌：弦，指琴瑟。以琴瑟伴奏歌唱。

【释义】孔子是常人中的君子，故而既有常人的性情，又有君子的风范。孔子到武城，听见弹琴、唱歌的声音。孔子微笑着说："杀鸡何必用宰牛的刀呢？"子游回答说："以前我听先生说过：'君子学习了礼乐就能爱人，百姓学习了礼乐就容易听指挥。'"孔子说："学生们，言偃的话是对的。我刚才只是开个玩笑而已。"

【要点】(1) 圣人明道。(2) 见错自纠。

【语境与心迹】孔子到了武城这样一个小城，心情比较放松，看到子游在用礼乐治域，觉得有点小题大做，故说了那样一句"风凉话"："割鸡焉用牛刀？"但听完子游的解释之后，孔子马上纠正了自己的笑话，并告诉弟子们，子游的理解是对的。从这里可以看出，孔子有时也是很感性的，当他意识到自己的感性错误的时候，即使这种错误是被自己的弟子指出的，他也会毫不犹豫地去改正。这就是圣人的风范，有过则改，绝不文饰，绝不犹豫，绝不拖延。

【接圣入心】

在一般人的印象中，到处宣讲仁义道德的孔子，一定是个一本正经、不苟言笑的刻板人。

但从孔子与弟子的很多交谈中我们可以看到，孔子也是个很随和、很感性、很率真的人，只是他勇于知错、善于改错。这是很值得我们学习的。

孔子的弟子子游能够用礼乐治理一个小地方，是十分难能可贵的。这也证明了礼乐的思想是可以被普遍使用的。

孔子的弟子子游的这一做法也给了我们一个重要的启示：即使是在一个小地方，也可以用天下大道进行治理，而不必拘泥于面积大小。

现实中的很多人，都处在一个很具体的岗位上。绝大多数人，只是在管理很少的一部分人。但只要胸怀天下，心中有大道，方寸之地也是天下，而能够行大道的人，虽身居方寸之地，也是王者风范。理想不死，灵魂不灭！

【格言】犯错文饰错变大，见错自纠是修行。

17·16　子曰："古者民有三疾，今也或是之亡也。古之狂①也肆②，今之狂也荡③；古之矜也廉④，今之矜也忿戾⑤；古之愚也直，今之愚也诈而已矣。"

【注释】①狂：狂妄自大。　②肆：放肆，不拘小节。　③荡：放荡，不守礼。　④廉：不可触犯。　⑤戾：火气太大，蛮横不讲理。

【释义】孔子说："古代人有三种毛病，现在或许都没有了。古代的狂者不过是愿望太高，而现在的狂者却是放荡不羁；古代骄傲的人不过是难以接近，现在那些骄傲的人却是凶恶蛮横；古代愚笨的人不过是直率一些，现在的愚笨者却是善于欺诈啊！"

【要点】(1) 古之三疾、今之三疾。(2) 狂、矜、愚。

【语境与心迹】经历漫长的岁月，人们不但没有改掉狂、矜、愚这三种毛

病，而且每况愈下，到了不可理喻、难以容忍的地步。这就更加需要用道德的力量加以引领，也希望有这三种毛病的人警醒：有伟大理想，可能有点傲气，但不要过于放荡不羁；如果自己有什么特殊才能，可能会有些傲慢，但不要变得凶恶骄横；虽然没什么长处可言，显得愚笨，但要恪守朴实厚道，不要走向欺诈。

【接圣入心】

从孔圣人的描述中，我们看到，即使是在 2500 多年前，人类的缺点也在不断地翻新啊！

“狂、矜、愚”实际上是在说君子与小人的区别：

- 关于狂：君子之狂，在于德能厚实而志向高远，是对现实与自我的超越。小人之狂，则是放荡不羁，德能虽薄却自视甚高。
- 关于矜：君子之矜，最多是因为超脱而显得曲高和寡或者难以亲近。小人之矜则不然，表现得凶恶蛮横，恃强凌弱，一副张牙舞爪的嘴脸。
- 关于愚：君子之愚，最多是因恃善而简单率直，因善意迫切而欠分寸与火候。也就是说，君子的愚，只是方法问题，而不是方向问题。小人之愚则不同，不守正道，却又极尽方法技巧之能，这就是我们现在所说的狡诈和欺骗。

看来，上古之人虽然没有那么多的知识，但保持着做人的诚实与质朴。因此，即使他们做事方法简单一些，也不会在做人的方向上出现问题。后来的人们，看起来越来越聪明了，但由于仁德并没有相应变得深厚，反而在做人的方向上出了问题。这真是应了那句话：聪明反被聪明误。过了 2500 多年，今天的人们更加聪明了，但仁德深厚程度是否能与聪明程度相匹配呢？如果二者无法匹配，恐怕越聪明，越误了自己。

【格言】优点长得慢，缺点如毒蔓。若是毒蔓缠，生命就蜕变。

17 · 25　子曰：“唯女子与小人为难养也，近之则不孙，远之则怨。”

【释义】孔子说：“只有女子和小人是难以教养的，亲近他们，他们就会无礼，疏远他们，他们就会抱怨。”

【**要点**】(1) 女子与小人。(2) 近之则不孙。(3) 远之则怨。

【**语境与心迹**】很多没有读过《论语》的人也听说过这句话，当然，人们说起来时，更多是在说前半句，后面两个要点是很多人说不上来的。人们为什么会对这句话如此津津乐道呢？要么就是生活中确实很有感触，要么就是觉得好玩。孔子站在男人立场上说“女子难养”，实际上说的是很难跟女人沟通与相处。这一点，即使是今天的很多男人也会这样想。若是站在女人的立场上由女人来说，这话可能就会变成“唯男子与小人难养也，爱他多多就会贬值，不爱他就会出去寻花问柳”。对于孔子的这段话，批评的声音很多，最典型的评价是说孔子重男轻女，是封建思想，没有男女平等的思想。实际上，今天已经是文明社会了，远离封建社会那么多年了，对于男人来说，“女人好养”吗？对于女人来说，“男人好养”吗？看来，男女关系问题是跨越了历史的一个永恒的问题。这个问题之所以恒久存在，主要是两个方面的原因：一是男女生理、心理存在巨大差异，二是如果男女不修行都是小人，那就不是简单的男女问题，而又加重为“男女加小人”的问题。不过，古往今来，不管什么样的历史环境，也还是有些心地善良、有些修行的男女能够相敬如宾、互相珍惜。“小人难养”这个话题相对简单，因为小人心胸狭隘、一切唯我、所思所想都是利己的，加上没有修行，故而跟他近了他就会造次，离着远了他又会抱怨，很难长久相处。历史记载十分有限，孔老夫子与女人相处得如何我们也不得而知，也不知他这话是说所有的女人呢，还是特指自家的，还是说某个女人。至于小人难养的事，大家就好理解了。只不过要记住：女人中也有“丈夫”，男人中也有“小人”。我们所有人应该关注的重点是：男女会不会成为君子？会不会沦落成小人？这才是问题的本质。

【**接圣入心**】

◎ 任何人的思想，都带有那个时代的特征，孔子的思想也不例外。

◎ 在漫长的人类社会演进中，生理、社会和自然各个方面因素综合作用形成了男尊女卑的伦理观念。

孔子所说的“女子与小人”，实际上社会也没有真正给他们必要的提升教养的机会，加上他们社会地位的卑微和内心的压抑，自然也就出现了孔子所说的那种缺乏教养的状态。

孔子所说的“女子与小人难养”的状态是什么样子的呢？

- 一是“近之不孙”，“孙”通“逊”，说的是亲近他们时，就会发现他们无礼；跟他们关系很亲密时，他们通常就会造次而失了分寸。君不见，人越是亲近越没有规矩吗？对他（她）越好，对方要求就越高吗？
- 二是“远之则怨”，说的是疏远他们时，他们就会抱怨。按照小人的逻辑，你对他（她）好都是应该的，若是远了或者做得少了，你就是错误的。

当我们了解了这两个群体形成的历史原因和他们当时的社会地位时，就很容易理解这两个群体所出现的反应。关键是我们不能忽略历史和社会的原因与责任，却将这两个群体的状态归罪于他们自身。对此，我们必须有一个公道的认识。

如果你不认同重新认识这一问题的必要性，那我们就可以看看现今的情况：当今世界上大部分地区都在倡导男女平等，女人和男人一样，社会中的每个公民也一样，都有着同样的参与各种社会活动的权利，于是出现了许多有教养的女性，其教养的程度甚至超过了某些男性。这部分地改变了过去那种男尊女卑的状况。

我们必须看清楚孔子这句话的逻辑：虽然说了女人，但也说到了小人，也就是那些缺乏教养的人。注意，这里重点说的是缺乏教养的人，无论是男是女，只要教养不够，都会出现孔子所说的“近之则不孙，远之则怨”的问题。在生活当中，我们不难看到一些女人有孔子所说的这种毛病，一些男人也同样有类似的毛病。可见，核心与重点是人的教养问题。而一个人的教养水平，跟遗传有关，但更多跟后天的社会经济条件有关。当然，除了这些因素之外，一个人对自我的认识和后天的修行起着决定性作用。

【格言】小人不分男女，难养的都是小人。

子张第十九

19·4 子夏曰："虽小道[1]，必有可观者焉，致远恐泥[2]，是以君子不为也。"

【注释】①小道：指农、工、商、医、卜之类的技能。 ②泥：阻滞，拘泥。

【释义】子夏认为沉迷于小的技艺就难以达成大的目标，他说："虽然都是些小的技艺，也一定有可取的地方，但用它来达到远大目标就行不通了。"

【要点】(1) 小道可观。(2) 难以致远。

【语境与心迹】子夏的这种说法只是从现实生活的角度进行的观察和评价。实际上，生活的任何积累都可以成为悟道的基础，小事精做依然可以体悟万事万物的根本规律，正所谓"格物"格的是自己的主观之心，格的是万事万物自身的机理与规律。也许，子夏的本意是说君子不要沉迷于小的技艺，还要有远大的人生理想。

【接圣入心】

孔子曾经说过，自己年轻时地位卑微，所以学了很多技艺，但孔子一生，一直在笃行人生大道。

孔子的弟子子夏认为，那些小的技艺虽然有用，但不足以靠这些技艺达成远大目标。不知孔子对弟子的这个观点是怎么看的，会像子夏这样将小的技艺与通晓天地大道完全割裂和对立起来吗？我们不得而知。

子夏可能是根据民间那些拥有很多小技艺的人没有远大理想这一现象得出的结论。但这样作出判断的方式，似乎并不是十分严谨。历史上既掌握一些小的技艺，又通晓大道的人也是有的。生活中跟普通百姓无异，但又心怀天下的人，也确实不乏其人，这就是所谓的民间高人。

一个人有胸怀天下的远大抱负，并非与他掌握一些小技艺不兼容，孔子自己不就是这样的人吗？远大的目标和伟大的抱负也并非生来就有，往往是在具体的生活和社会实践中渐渐形成的。

实际上，当一个人拥有胸怀天下的抱负时，即使做着眼前的小事，也会通过小事而领悟天地大道的规律，因为大道无处不在，大事和小事都是道的载体。况且，要实现的那个远大的目标，最终不也是要落在人间许许多多细小的事物上吗？

因此，一个有伟大抱负的人，也要时刻亲近民众，了解民情，深入他们的生活，同吃同住同劳动，与普通人建立深厚的感情。只有这样，他才能拥有民心，他的思想才能够接地气，他的行动和号召才容易赢得民众的理解与支持。

【格言】小亦有道非大道，明白真道无大小。

19·7　子夏曰："百工居肆[①]以成其事，君子学以致其道。"

【注释】①百工居肆：百工，各行各业的工匠；肆，古代社会制作物品的作坊。

【释义】子夏说："各行各业的工匠住在作坊里来完成自己的工作，君子通过学习来掌握道。"

【要点】（1）百工成其事。（2）君子学以致其道。

【语境与心迹】在这一段当中，子夏继续阐释他的观点，要说明的问题也是一样的。子夏想说明的是：一般人只是在做事，君子是在做事业。做事是为了满足自己的需要，做事业是为了社会的需要。为自己的需要没错，但可能会变得目光短浅和唯利是图，到了这一步，对他人和自己就都是有害的了。君子并非不做事，而是做事就是学习，通过做事领悟大道，做事时能够坚守仁德，不会唯利是图，所以君子对社会有更大的价值。当然，若是将君子的学习与工匠劳作完全割裂和对立起来，就显得过于粗暴武断了。

【接圣入心】

大道无处不在，能成其事的工匠，也是悟道之人。只是子夏强调的是人间之道，或者说的是人道而不是天地大道。

君子通过学习通达大道，而不仅仅限于成就一件具体的事。但君子明白了大道，反过来不也是要去成就人间之道吗？

◎ 是否有君子只靠学习理论知识就能悟道的呢？肯定是没有的。

◎ 对于子夏在此所描绘的百工与君子的区别，需要仔细斟酌：百工成其事者，古来有之，但往往又不通人间之道，他们沉浸在创造中，而对于人间之事往往无暇顾及，也无法通达。君子致其道，也是学习得来的，学习什么呢？既要学习理论知识，也要参与社会实践，这是两个不可或缺的过程。

◎ 大君子或者圣人，肯定是既能通过生活技艺来领悟天地人道，又能将其所悟回过来用在生活处处。这才是圣贤修行的真正法门。

【格言】百工精事亦可悟道，君子悟道必精百事。

19·8　子夏曰："小人之过也必文。"

【释义】子夏说："小人犯了过错一定会加以掩饰。"

【要点】（1）小人之过。（2）必文。

【语境与心迹】看到子夏的这句话，不少人也许会联想起身边的一些人：他们犯了过错后，总是想方设法找理由为自己开脱，甚至将责任推卸给别人，尽量让自己没有任何责任；实在说不过去的，也对自己的不足和责任轻描淡写，随后一转折，用"但是"再把主要责任推卸出去。子夏是在说他那个时代的人，到了今天，这样的思维和做法并没有绝迹。小人为什么会对过错做无益的掩饰呢？小人愚钝，小人自卑，因此选用掩饰过错的方法来维护自己的虚荣。结果，前有一过是事实，"文过"等于又加一过，于是有了两过，而且还会被人看穿心性，从此很难再被人信任。天哪，这是多么大的过失啊！君子则是智慧的人，明白有过难免，但可以用承认和改正过错的方式来总结教训，避免重犯，也证明了自己光明的心性和忠厚的品德，如此改过后还会继续被人信任，不会因一过而失未来，相对于不敢这么做的小人来说，自己的相对实力又见长。因此，"知错改过"成了人类倡导的美德。

【接圣入心】

人人都会有过错，但对待过错的态度，却可以区分出小人与君子。

君子之过如日月，人人都看得见，因为君子之过不是有意谋划出来的，是一时无知之过。小人之过则不同，其过错常常是构思出来的，是要刻意瞒人的。

正因为君子之过只是无知之过，不存在主观故意，也就不存在刻意隐瞒。一旦被指出后，也就不会再去刻意地遮掩与粉饰。小人之过，常常存在着主观故意，只是想让别人看不出来；一旦被别人识破，就会想方设法去遮掩和粉饰。

对于大部分人来说，人非圣贤，孰能无过，关键看出现了过失之后的态度与行动：君子很感谢有人指出自己的错误，小人很憎恨别人指出自己的错误；君子知道了错误之后就会去改正，小人不仅不知错，还会去粉饰错误，所以很难改正错误，会让错误持续下去。

人一生难免犯错，像君子那样见错改错，就能不断进步。若是像小人那样，见错粉饰，就失去了进步的机会，还会因为粉饰错误暴露自己低劣的品性，再加上以后不断犯类似的错误，就会堕入万劫不复的深渊。

【格言】小人有过必文，越抹越黑。君子有过必改，越改越亮。

19·21 子贡曰："君子之过也，如日月之食焉。过也，人皆见之；更也，人皆仰之。"

【释义】子贡说："君子的过错好比日食和月食。他犯错了，人们都看得见；他改正过错，人们都仰望着他。"

【要点】(1) 君子之过如日月。(2) 君子改过，人皆仰之。

【语境与心迹】子贡这话实在太重要了，因为这涉及很多人心知肚明但又往往忽视的一个重要问题：虽然人人都可能犯错，但君子犯错和小人犯错是有本质不同的。君子犯错是"主观非故意"，他的错不是事先谋划出来的，故而其犯错的同时不会遮掩，因为他当时没有意识到那是错。一旦君子自己知道或者被别人指出了错误，才会突然醒悟，于是很大方地改过。

小人则不同，小人犯错往往是事先知道是错而仍要为之，这就存在“主观故意”了，做错事的过程中因为知道是错，所以会想方设法遮掩，即使被发现了，也会继续遮掩和狡辩。打个比方，一个刚刚学会走路的孩子，跟父母去超市，拿了自己喜欢的东西就往外走，也不遮掩，这不能视为偷盗。但如果是心智正常的成年人这么做，这就是偷盗了。可见，君子和小人犯错与改错的心理过程是完全不同的。君子事先不知错，一旦发现有错就果断去改，所以君子依然会受人尊重。小人就不同了，他的错经过事先谋划，被发现了也不去改，所以会遭人唾弃。

【接圣入心】

君子之过和小人之过，有很多都是类似的，都是人们可以看得见的。正因为如此，任何掩饰都是多余的，都是错上加错的。

那君子之过与小人之过又有何不同呢？君子做事是坦坦荡荡的，因此，他的过错能够被人们看到，因为他没有偷偷摸摸地去犯错，更没有刻意地去掩饰。小人则不同，小人的有些过错，一般人是看不到的，因为小人的一些过错是主观故意构想和瞒着人做的。

君子之过和小人之过的这样一种差别，实际上反映了过错的不同性质：君子之过，是无意中造成的，不存在主观愿望。小人之过，是有意而为的，所以他害怕被别人看见。打个不恰当的比方：在杀人犯中，有故意杀人和过失杀人之分别，这二者的性质和要承担的责任都是不同的。

正因为如此，君子一旦发现了自己的过错，就会坚决地毫不犹豫地去改正。人们看到了君子犯错，也看到了他们改过的决心和勇气，非但不会否定他们，反而会更加尊敬他们。小人则相反，一是偷偷摸摸地犯错，二是犯了错之后又想方设法地去掩饰，但结果是欲盖弥彰、错上加错，这就是小人不受人尊敬的原因所在。

让我们来问自己两个问题：既然在人的一生当中每个人都难免犯错，那么你的错是有意而为呢，还是无意中造成的？犯了错之后，你是在一味地掩饰和自我狡辩呢，还是知错就改、绝不犹豫呢？在这两个问题上如何做，是区分君子和小人的重要标准！

当我们明白了这个道理之后，我们会做出什么样的选择呢？是像小人一样偷偷摸摸、费尽心机地犯错，然后千方百计地掩饰和自我狡辩，还是像君子那样知错必改呢？若像小人那样做，就会错上加错，就会被众人看穿把戏，就会遭到众人的嘲笑和耻笑，人格就会贬值，信用就会丧失，损失巨大。若是像君子那样做，虽有过错，但因为及时改正，就会避免重复犯错。又因为改过的勇气和坦诚，让人们看清了君子的本质，反而更加受到信任和尊重。这样两笔账如果算对了，也就知道了此生为什么要选择做君子而不是做小人了。你现在想清楚了吗？对于你已经犯下的过错，你打算怎么办？当下你的决心，就是你的未来！

【**格言**】君子有过非有意自有天知，改过不文显真心日月可鉴。

第四篇

作为之道

君子之作为，向上以圣人为方向，向下以小人为镜像，对内反观自心！

君子之作为，是人与低级动物相区别的一道护栏！

君子之作为，也是人的一面镜子，忙碌之余想想自己是做事还是做自己！

一 篇序

为何做君子很难？为什么小人很多？

我们是君子还是小人？这是个严肃的话题！

若是说起君子与小人，很多人还是振振有词的。

若是让人在君子与小人之间做一个选择，那恐怕没有人选择做小人。

可是，为什么历史和现实中有那么多的小人啊？

很重要的一个原因就是：很多人自诩为君子，却不知道君子的标准与作为，最终，莫名其妙地做了小人；很多人厌恶小人，往往也是因为受小人所害。但是，厌恶小人并不能代表自己就是君子，对着小人的作为沉默或者跟风，也就莫名其妙地变成了小人。

若只是说说而已，很多人肯定是赞同做君子的。但等到真正做起事来，很多人只是关注如何对自己有利，对小人与君子的事就全忘了。

都说人类是群居性的动物，人最害怕的就是孤单！

不过，人类的很多苦恼，还来自与他人的相处。

当然，如果一个人不惧孤单，甘于寂寞，也就具有了非常强大的心灵的力量！

看来，对于人类来说，孤单难忍，相处不易。

若是走得近了，最终可能是伤害！

若是离得远了，彼此又会生猜疑！

你对别人好，若是也期待着别人对你好，最终落得个伤心！

对别人不好，绝对不可能收获别人的好，最终是孤家寡人！

你相信别人，但很少有人值得你相信一辈子，因为最不可靠的就是人！

你猜疑别人，自己就会活在胆战心惊之中，况且我们每个人都有脆弱的时候！

你一心对别人好，还必须懂得别人的感受，否则，就会自作多情！

你若总算计别人，最后吃大亏的肯定是你，因为，算计就是出卖！

孔子的“君子行道”告诉我们，如何做才是君子，如何行才是小人！

二　正文心解

学而第一

1·1　子曰："有朋[①]自远方来，不亦乐乎？"

【注释】①朋：同门、同师为朋，同志为友。以此划分，朋为同学，友则是同道。东汉许慎《说文解字》明确表示：朋，假借也，表示群鸟聚在一起的情形。故而推测，此处之"朋"泛指有类似思想追求的人。

【释义】有志同道合的人从远方来，不是很快乐吗？

【要点】(1) 有朋自远方来。(2) 不亦乐乎。

【语境与心迹】人是社会性的高级动物，正常情况下过着群居生活（少数人离群索居或者独自修行）。当然，人群中有各种各样的人，一个人与别人的关系也有远有近。离得远的人，客观上是存在着，但对人没有直接的意义。亲近的人，与你的生活有交集，成为你的生活资源。什么人会离你近呢？亲人自不必说，再有就是所认识的其他人了。在其他人中，有同事、有合作者，也有见面也不认识的陌路人。当然，除了亲缘关系之外，对人最重要的外部关系就是朋友关系了。认识的人都能叫作朋友吗？肯定不是的！能够作为朋友的人，一定因为彼此交往而积累了足够的信任、彼此有高度的认同、情感上有深入的交流、相互无害而有益、交谈入心而温暖等。更为重要的是，朋友一定是在价值观和思想追求上类似的人，这样的人聚集在一起才能够同频交流。正因为如此，有朋友的人才会活得充实。若是有远方的朋友来相会（尤其是古代交通不便的情况下），自然是满怀欣喜，相见甚欢。若是朋友能够志同道合，彼此就会十分依恋，相见时就更是给生命和生活增添了巨大的喜悦。这些，恐怕是那些没有真正朋友的人很难感受到的。

【接圣入心】

真朋友，是生命的外部支撑；假朋友，是未来的伤心隐患。

人人需要朋友，没有朋友的人活得很失败。

孔子交的朋友都是他所认可的仁德之人，如卫国的蘧伯玉。这也是孔子交友的基本原则：“君子以文会友，以友辅仁”，要志同道合，否则，“道不同，不相为谋”。

但是，朋友也是分层次的，如果不清楚这一点，人生就可能交错朋友，就会极大地影响人生质量。一般来说，朋友分成这样几个层次：

- 经常见面，互相寒暄，彼此友好，互相支持，绝不拆台。
- 一起共事，心心相印，坦坦荡荡，没有猜疑，不信流言。
- 偶尔见面，志同道合，相互欣赏，经常联手，互不计较。
- 很少相会，一生承诺，超越时空，生命相合，此生不弃。
- 共同信仰，命运相连，坦诚相对，忠诚不移，共成大业。

不少的人，错误地把不是朋友的人当成了朋友：

- 经常相见，很少深交，互无恶感，并无交情。
- 利益交换，并无失信，相互寒暄，未经考验。
- 相互利用，狼狈为奸，利消情尽，随意翻脸。
- 平时笑脸，冲突翻脸，一坏全坏，从此陌路。

通常来讲，我们会对对手或者敌人保持警惕，但对朋友却很少设防。如果我们不会识别朋友，真正的对手和敌人可能就在我们身边，这是很多人人生中的重大教训。

当然，人和人之间的信任有时会转化成一种可怕的力量。如“铁哥们儿”失去理性立场，只是一味地维护自己的哥们儿，如“拜把子兄弟”一起做案犯罪。如因为交情过深而在重要的时刻失去理性判断能力，典型例子就是三国时的刘备。因为关羽被东吴所杀，刘备报仇心切，听不

进任何劝告，最终酿成了巨大的悲剧。

所以，真正的朋友是一起走正道的生命伙伴！人生旅途，有挚友相伴，一切经历都是幸福的。

【格言】 交到真友是自己生命的加强，交到假友就会在未来伤心。

1·6 子曰："弟子①入②则孝，出③则弟，谨④而信，泛⑤爱众，而亲仁⑥，行有余力⑦，则以学文⑧。"

【注释】 ①弟子：一般有两种意义：一是年纪较小为人弟和为人子的人；二是指学生。这里是用第一种意义上的"弟子"。 ②入：古代时父子分别住在不同的居处，学习则在外舍。《礼记 · 内则》："由命士以上，父子皆异宫。"入是入父宫，指进到父亲住处，或说在家。 ③出：与"入"相对而言，指外出拜师学习。出则弟，是说要用悌道对待师长，也可泛指用悌道对待年长于自己的人。 ④谨：寡言少语称之为谨。 ⑤泛：广泛的意思。 ⑥仁：仁即仁人，有仁德之人。 ⑦行有余力：指有闲暇时间。 ⑧文：古代文献，主要有诗、书、礼、乐等文化知识。

【释义】 孔子这样教导弟子们："在父母跟前时，要孝顺父母；出门在外，要顺从师长，言行要谨慎，要诚实可信，寡言少语，要广泛地去爱众人，亲近那些有仁德的人。这样躬行实践之后，还有余力的话，就再去学习文献知识。"

【要点】 (1) 弟子之道。(2) 入则孝，出则弟，谨而信，泛爱众，而亲仁，行有余力，则以学文。

【语境与心迹】 孔子的众多弟子中，既有豪门出身的显贵，也有底层出身的平民，更有犯过罪的人。在孔子所处的时代，大部分百姓是没有机会接受文明教化的，所以就会有很多不懂人伦之理的"粗人"。因此，孔子的教育也是从生活场景抓起：家庭中如何对待老人和兄弟姐妹？如何与别人相处？如何争取条件学习知识？这就是孔子教育的核心，就是用道德教育帮助弟子们掌握做人的准则。与此相比较，我们现代的教育，知识教育的比重很大，道德教育的比重就显得太小了。想想看，如果道德不够强大，掌握的知识多了或者能力强了，会有什么样的后果呢？

【接圣入心】

中国的父母在儿女面前多了些严厉，中国的上级在部下面前也多了一些严肃，中国的老师在学生面前又多了一些威严。也许这些都是需要的，但如果仅仅是这些，人间就多了一些冷漠和对抗。

实际上，不管辈分与年龄或者地位有什么样的差别，人人都要有平等之心。父母要视儿女为独立的人，不是自己的附庸；上级要视部下为有尊严的人，不可以居高临下；老师要视学生为国家未来的栋梁，精心培养，鼓励支持，不可伤害他们的信心。

每一个人都要做好自己，对别人不可求全责备，也不要一味地拿着自己的标准去衡量别人，即使真心对别人好，也要顾及别人的感情和尊严。在与人交往当中，既不可趋炎附势，也不要自卑自贱。只要诚心，做好自己可以做的，用行动和事实来证明自己，无论大小事，就都可以赢得别人的尊敬。

我们的教育体系是这样安排的吗？先从家里说起，家长认为德育重要还是智育重要？是做人重要还是考试分数重要呢？可能家长们会说，德育肯定是第一重要的，可智育也很重要啊。那我们看看实际是怎么做的：我们花在德育上的时间与功夫多呢，还是花在智育上的时间与功夫多？很显然，德育的时间、精力分配和实际的重视程度是不及智育的。学校里的情况又是什么样的呢？恐怕跟家里相似。

在各级各类组织中，平时关注的是道德成长呢，还是工作业绩呢？很显然是后者。想想看，一个人如果懂得很多知识、掌握很多技能，但唯独在仁德方面薄弱或者欠缺，这样的人会成为什么样的人呢？一个人道德有问题时，他的未来又将是什么样的呢？世界上，一个人的道德问题导致整个组织崩溃的事例不胜枚举。又有多少组织将道德表现的考核做到像业务考核那样详细呢？

孔子一再感慨，世间哪里还有重德胜过重利的啊！

德和智这两者，哪一个处在统御的地位，直接决定着人和组织的

走向。你平时是如何做的呢？

【格言】有德有才，无德即祸。

1·7 子夏[①]曰：“贤贤[②]易[③]色；事父母，能竭其力；事君，能致其身[④]；与朋友交，言而有信。虽曰未学，吾必谓之学矣。”

【注释】①子夏：姓卜，名商，字子夏，孔子的学生，比孔子小44岁，生于公元前507年。孔子死后，他在魏国宣传孔子的思想主张。 ②贤贤：第一个“贤”字作动词用，尊重的意思。贤贤即尊重贤者。 ③易：改变，此句即为尊重贤者而改变好色之心。 ④致其身：致，意为献纳、尽力。这是说把生命奉献给君主。

【释义】子夏说：“一个人能够看重贤德而不重女色；侍奉父母，能够竭尽全力；服侍君主，能够献出自己的生命；同朋友交往，恪守信用。这样的人，尽管他自己说没有学习过，我也一定认为他已经学习过了。”

【要点】(1) 君子正道。(2) 贤贤易色。(3) 事父母能竭其力。(4) 事君能致其身。(5) 与朋友交，言而有信。

【语境与心迹】孔子的弟子子夏在这里讲了君子的四个表现，也是普通人很难做到尽善尽美的四个表现：一是贤德与女色孰轻孰重，君子当然是以贤德为重；二是侍奉父母是否尽力，君子当然会尽心尽力地孝顺自己的父母；三是服侍君主是否舍命，君子为官自然是忠臣；四是与朋友交往是否诚实守信，君子交友自然是不会辜负朋友的。若是能够做好这四点，也就是人间的君子了。

【接圣入心】

- 人间君子，当然能够在人间重要的事情上表现出仁德的本质。
- 尽管子夏在这里谈到的衡量君子的标准距今已经2000多年了，但对于今天的人们来说，意义依然十分重大：

• 先说贤德与女色的问题。今天的人们有多少重视贤德超过重视女色的？贤德是人的精神需求，女色是男人的生理需求，如果生理需求胜过精神需求，人与低级动物何异呢？这个问题是人类永恒的主题，似乎是超越了历史时空的。进化了2000多年的人类，其中精神需求能够战胜生理需求的又有多少呢？

• 再说侍奉父母的问题。如今在很多地方，老人得不到善待，儿女忙着挣钱，挣了钱甚至也不给老人花。想想看，这样对待父母的人会成为好老板或者好员工吗？人都有老的那一天，如此循环下去，我们的亲情如何维系？社会秩序又如何维持？孝敬、善待父母本来是做人的本分，如今这种本分的底线一再被突破，甚至不得不设立法律来保障，说明“孝”的德行已经快荡然无存了。这难道不值得我们警醒吗？

• 再说侍奉君主是否能舍命的事。事君的概念来自封建社会，在今天已经不存在了。但是，下级对上级的尊重同样是需要的。当然，上下级关系不是单向的，上级自己做得好不好，直接关系到下级的忠诚度。尤其是，上级在知识经验、人生阅历等方面远胜过部下，就更应该先把自己做好，而不是依仗权力或者资本优势去强制部下忠诚。如果上级做不好，只是一味地要求部下忠诚，收效也是十分有限的。

• 最后说朋友关系。诚信是基础，志同道合是根本，基于相互利用、酒场上的一时冲动或者脱离共同价值观的“结义”，都不可能形成真正的朋友关系。

尤其值得注意的是，儒家强调的上述思想，需要再思考平衡性的问题：

• 贤德与女色不是二选一的问题，而是在贤德基础上对待女色的问题。

• 侍奉父母是儿女的基本道德，但同时，父母的慈善和教育智慧也是不能忽视的。社会没有设置专门教育父母的体系与制度，导致很多父母可能不会教育孩子，父母们自己也不会反躬自省。在这样一种局面下，只是强调儿女孝敬父母是片面的。

• 再有就是侍奉君主的问题，转化成现今的关系就是上下级关系问题，性质上跟前面父母与儿女的关系类似，若是上级自己做得不好，却一味要求下级的服从与忠诚，恐怕也是难以做到的。

• 最后是朋友关系问题。通常情况下，只要朋友中的一方不守信用，关系

就有可能逆转。朋友得之不易，维护友谊更是需要智慧，体谅朋友、深入沟通、化解误会、深化友情才是交友和保护友情的正确道路。若是交往中缺乏原则共识而只是酒肉关系，这种朋友的质量就会很低。人们总是渴望拥有志同道合、患难之中见真情的朋友，但又不会寻求这样的人，患难之时，很多朋友反而表现得很冷漠。相反，那种相互利用、酒肉之交的所谓朋友似乎较为普遍。很显然，这样的交友模式本身就是靠不住的。

【格言】自身正，德胜色，事父母用心，事上级尽力，待朋友真诚。

1·8 子曰："无友不如己者。"

【释义】孔子认为，在自己的朋友当中，每一个人都有值得自己学习的地方。

【要点】（1）交友之道。（2）近墨者黑。

【语境与心迹】也许，弟子们在向老师询问交友之道：发现朋友的缺点，自己心中不舒服该怎么办？孔子给弟子们的答案是：交友多看人的长处，多向别人学习。这是孔子关于交友的重要警示：在慎重择友的基础上，要学习每一个朋友的长处，取人之长，补己之短。若是与那些没有仁德的人交友，最终就会落得自取其辱的结果。想想看，能够成为朋友已经实属难得，若是不懂得维护友情，不懂得互相尊重和相互学习，友谊就会变得很脆弱。

【接圣入心】

◎ 在我们的现实生活中，很多伤心来自对朋友的失望。既可能因为利益瓜葛而失和，也可能是被朋友背叛或者出卖。这样的伤害通常会让我们心中的伤口流血不止，甚至一生都难以愈合。

◎ 遇到朋友反目的情况，很多人一味地责怪朋友，却很少有人反思是不是自己交友不当或者缺乏维护友谊的善法。

◎ 中华智慧各门各派的核心修行法门，就是遇事要内求，多反思自己的错误，少去责怪别人。以万物为镜，借事修正自己，就能够少犯错误并且提升自己的智慧。

交友中出现的问题，常常最能反映我们自身的、自己意识不到的那些很重要的缺陷，与朋友交往，距离很近，事务很多，正因为如此，才是对我们最好的检验。

圣人孔子给我们的建议是，要寻找在道德品质和核心价值观方面与我们接近或者相同的人，心灵与精神的投契，道德与素养水平的一致，才是人和人之间长久相处的保障。

当然，对方的这些品性，常常需要在交往中才能识别。我们一方面要通过一些间接的证据来判断一个人的品性，另一方面在交往过程当中，也要注意通过具体的事例来认识对方的品性，及时及早地剔除那些道德品质不好的人，才是交友的上策。

在现实生活中，最明智的策略是根据对方道德品质的层次来确定与之交往的深浅，不要与那些道德品质比我们差的人搞对立。即使是真正志同道合的人，交往中也要注意分寸，不要因为过度而走向反面。

交友中若是出现了问题，双方都要各自检讨，不能一味地指责对方。物以类聚，人以群分。真正的智慧之人，要时刻观察自己所交往的朋友，视之为自己的一面镜子，反思自己存在的问题。

【格言】学人之长，省己之短。

1·13 有子曰：“信近①于义②，言可复③也；恭近于礼，远④耻辱也；因⑤不失其亲，亦可宗⑥也。”

【注释】①近：接近、符合的意思。 ②义：义是儒家的伦理范畴，是指思想和行为符合一定的标准。这个标准就是“礼”。 ③复：实践。 ④远：音 yuàn，动词，使动用法，使之远离的意思，此外亦可以译为避免。⑤因：依靠、凭借。 ⑥宗：可靠。

【释义】孔子的弟子有子说：“讲信用要合乎义，合乎义的话才能实行；恭敬要合乎礼，这样才能远离耻辱；所依靠的都是可靠的人，也就值得尊敬了。”

【要点】（1）有子之道。（2）信近乎义。（3）恭近乎礼。（4）近尊可敬。

【语境与心迹】在古代，“子”是对一个人的尊称，孔子的徒弟称呼孔子就用的是“子”。在《论语》中，能够被称为“子”的人不多，这“有子”又是什么人呢?

此处“有子”即有若，春秋末年鲁国人。他勤奋好学，能较全面深刻地理解孔子的学说，尤其重视孝道。他主张藏富于民，称“百姓足，君孰与不足？百姓不足，君孰与足？”。因他品学兼优，且“状似孔子”，在孔子死后，曾一度被孔门弟子推举为“师”。有若为众人推举为师，说明其确有卓异之处。据《孟子》记载，有若认为孔子在人群中好比“麒麟之于走兽，凤凰之于飞鸟，泰山之于丘垤，河海之于行潦”，宣称“出于其类，拔乎其萃，自生民以来，未有盛于孔子也”。可见有若对老师孔子的崇敬之心。从有若此处所说的话可以看出，他在领悟老师的思想方面确实较为精确：信用要合于义，恭敬要合于礼，依靠那些靠得住的人才会赢得尊敬。信用若是为了私利、恭敬如果只是为了利用、信了虚伪狡诈之人，那就是不仁、违利，也就会自取其辱。

【接圣入心】

在这里，儒家提出了君子在信用、恭敬和信任三个问题上的三个标准：

- 一味讲究信用，若是放弃了义的宗旨，是不可取的。
- 恭敬若是不符合礼的要求，可能会自取其辱，故恭敬不能违礼。
- 选择要倚重的人，要看是否可靠，否则就会贻笑大方。

可见，儒家不仅仅是简单地强调普通人认为的那种单一的仁德品质，而是强调诸个仁德品质之间的关系与遵循的原则：

- 朋友间讲信用符合大义吗？如果不是，岂不是同流合污？这样的信用因为失去了义的原则，也就转变了信用的性质，变成了无原则的江湖死党。
- 恭敬合于礼吗？若是恭敬超越了仁德为原则的礼，这种表面上的恭敬背后可能就隐藏着祸心，最后就会被人识破。

• 一个人，依靠和信任或者重用什么样的人，直接关系到最后是否值得受人尊敬。若是依靠小人、重用奸佞，这样的领导可能就会众叛亲离，也就不值得大家尊敬了。

如今的人们，反省一下自己，在这几个重要的问题上，我们的原则很清晰吗？如果糊涂，即使讲信用、重恭敬、重信任，恐怕也不是真正的仁德，而是基于愚蠢的对真正仁德的亵渎了。

【格言】信合义，恭合礼，依可靠。

1·14　子曰："君子食无求饱，居无求安，敏于事而慎于言，就[①]有道[②]而正[③]焉，可谓好学也已。"

【注释】①就：靠近、看齐。　②有道：指有道德的人。　③正：匡正、端正。

【释义】孔子说："君子，饮食不求饱足，居住不求舒适，工作勤劳敏捷，说话却小心谨慎，到有道的人那里去匡正自己，这样可以说是好学了。"

【要点】（1）君子乐道。（2）食无求饱，居无求安，敏事慎言，有道而正。

【语境与心迹】从古至今，大部分人可能只是追求饮食温饱和居住舒适等生活条件的保障和优化。一旦做起事来，很多人迟钝懒惰，说话又不谨慎，也懒于亲近正道之人去匡正自己。儒家提出了对治这种状况的君子之道。也许孔子看到弟子们当中有人存在这方面的问题，或者他听到人们在议论社会中一些人的类似行为，故而向弟子们阐述了君子之道。

【接圣入心】

人需要物质生活，但不能仅仅为了物质生活而活，因为人还有精神需求，这一点也是人区别于低级动物的重要标志。作为人，若是一味沉湎于物质享受而忽视道德修养，就难以成为君子了。

• 君子是不苛求饮食和居处的。反观现实，很多人不断地追求美食，不断地购房让房子越来越大、越来越多，但不重视道德修养，也就是说，其生活以物质和生理活动为主。或者刻意地、片面地追求物质生活享受，物质与精神变得不平衡，精神对物质的主导作用没有体现，也没有让生命变得充实，

这怎么能够成为君子呢？这不是在小人的道路上愈行愈远吗？

• 若是在工作上不敬业，得过且过，做不到干一行爱一行，朝三暮四，对别人交代的事又不用心，马马虎虎，这怎么能够让人信赖呢？这样混日子的做法不但提升不了自己，也无法得到别人的信任，如此下去又怎么能够成长发展呢？

• 若是平时总对别人品头论足、说三道四，遇到问题总是指责别人、推卸责任，不能反躬自省，这种爱搬弄是非又没有担当精神的人，又怎能进步呢？又如何能够赢得别人的尊敬呢？

• 如果平时亲近的都是不求上进或者不走正道的人，自己恐怕也会被带到沟里去，自己又如何能够不断地修正自己的错误和不断进步呢？

这四个方面，是区分君子与小人的重要标准，对于我们每个不想做小人而想做君子的人来说，反省一下自己，我们又是怎么做的呢？

【格言】君子四道：食无求饱，居无求安，敏事慎言，有道而正。

1·15　子贡曰："贫而无谄①，富而无骄，何如②？"子曰："可也。未若贫而乐，富而好礼者也。"子贡曰："《诗》云，'如切如磋，如琢如磨③'，其斯之谓与？"子曰："赐④也！始可与言《诗》已矣，告诸往而知来者⑤。"

【注释】①谄：巴结、奉承。　②何如：《论语》中的"何如"，都可以译为"怎么样"。　③如切如磋，如琢如磨：此二句见《诗经·卫风·淇澳》。有两种解释：一说切磋琢磨分别指对骨、象牙、玉、石四种不同材料的加工，否则不能成器；一说加工象牙和骨，切了还要磋，加工玉石，琢了还要磨，有精益求精之意。　④赐：子贡名，孔子对学生都称其名。　⑤告诸往而知来者：诸，同"之"；往，过去的事情；来，未来的事情。

【释义】子贡说："贫穷而能不谄媚，富有而能不傲慢，怎么样？"孔子说："也算可以了，但是不如虽贫穷却乐于道，虽富裕而又好礼。"子贡说："《诗经》上说'要像对待骨、角、象牙、玉石一样，切磋它，琢磨它'，就是讲的这个意思吧？"孔子说："赐呀，你能从我已经讲过的话中领会到我还没有说到的意思，举一反三，我可以同你谈论《诗经》了。”

【要点】(1) 君子精道。(2) 贫而无谄，富而无骄。(3) 安贫乐道，富而好礼。(4) 举一反三。

【语境与心迹】在这一段里，子贡在向老师请教君子之道。子贡聪明能干，是孔子比较赏识的学生，也得到孔子很多具体的指点。在此，先是子贡谈了“贫穷而不谄媚”“富有而不自大”这两个品质，然后问老师这样能不能算是君子。子贡所表述的君子的品质，在红尘中已经是一般人做不到的了，但标准还是有点偏低。孔子对子贡所表述的君子品德表示认同，但觉得层次境界上还应该再提高一些，于是使用正面的、更高层次的表述方式阐释了君子的境界：贫而乐道，富而好礼。子贡对老师的思维方式深有体悟，就引用了《诗经》里的比喻，这让孔子非常高兴，于是夸奖子贡在学习上能够举一反三，勤于思考，善于总结。知道子贡已经领悟了《诗经》的真意，孔子欣然表示这样就可以一起谈论《诗经》了。

【接圣入心】

子贡谈及的“贫穷但不谄媚”“富有但不自大”这两对关系，是君子修行中十分重要的命题。

儒家是十分看重人的气节的，若是一个人在物质上贫穷又没有气节，就会不顾人格地去奉承巴结富裕的人，陷入物质与精神的“双贫困”。这样的人，肯定只能算是小人了。现实中那种“宁愿坐在宝马车里哭，也不愿坐在自行车后座笑”的人，不也是当今社会的一景吗？“笑贫不笑娼”不是也有人很赞同吗？看来，小人在当代又有了新的表现形式。

儒家认定的君子应该是这样的：虽然贫穷但仍坚守气节，精神上不被物质的窘困压倒，这就是君子风范。同样，与物质贫穷相对的另外一极就是富裕。如果一个人因为富裕而骄横傲慢，心性被物质扭曲了，自己也就失控了，完全变成了外部力量的奴隶，这是儒家所反对的。一般而言，贫穷或者富裕这种物质的极端状态，特别能考验一个人的品质。

孔子着重倡导的是“安贫乐道”和“富而好礼”，比起子贡的“贫而无谄”和“富而无骄”更上了一个层次。只是，我们要将这两者结合起

来考虑才符合孔子的真意：

• “贫而无谄”是底线，贫而思进是正道。若是安于贫穷却仅仅恪守仁德，恐怕在现实中也无法得到广泛认可，毕竟改善物质生活条件也是人的正当需求，只要物质的获取和享用符合仁德的标准就可以了。若是一味地安于贫穷，也会影响很多人对仁德的信心。

• “富而好礼”则显示出孔子的良苦用心。古往今来，因为富裕而放纵自己的人绝不是少数，君不见某些富裕家庭的孩子是如何炫富的吗？不仅如此，那股傲慢劲、那种无礼真的是让人担忧啊，怪不得人们感叹富不过三代呢！再看看许多人有了钱之后会做些什么：一会儿换车一会换房，再过几年甚至换妻。看来，富裕后能把控自己更难了。这很值得当今的人们反思啊！

当然，从学习精神来说，子贡的举一反三、勤于总结的学习方法值得今人继承。

要特别提一下子贡引用的《诗经》里的比喻和孔子的赞赏，学诗，能领会自然，也是领悟人间大道的一个重要途径。

【格言】贫而无谄不易，安贫乐道更高；富而无骄不易，富而好礼才是觉悟。

为政第二

2·12 子曰：“君子不器①。”

【注释】①器：器具。

【释义】孔子说：“真正的君子不能像器具那样，只局限于某一方面的用途。”

【要点】（1）君子省道。（2）君子不器。

【语境与心迹】真正的君子是孔子心目中具有理想人格的人，非凡夫俗子，他对内可以妥善处理各种政务，对外能够应对四方，不辱君命。真正的君子应当博学多识，可以通观全局、应变全局、领导全局，成为合格的领导者。

“君子不器”，孤零零的就四个字，孔子说这句话的真意是什么呢？让我们回到2500多年前孔子与弟子的对话场景，估计会有这样几种可能：

第一种对话场景：孔子的弟子各有长处，但很少有全才，故而就一个问题进行讨论时，弟子们往往都会从自己擅长的角度去看待与分析。于是，人在那个时刻的状态就如同一个只有某种功能的物件，无法全面系统地分析和判断。于是，孔子对这种状态提出了“君子不器”的警告。

第二种对话场景：在孔子那个时代，很多人只是在思考自己及自己亲近之人的一些生存之事，很少有人会站在国家和时代的高度去思考问题，人就显得像个一般的物件。就孔子与弟子的处境而言，时有悲凉和凄惨的时候，弟子当中有人可能会意志动摇，或者遭遇一些世俗人的讽刺挖苦。当有弟子开始犹豫和摇摆时，孔子坚定地给予其警告：“君子不器”。

第三种对话场景：即使自己有些长处，也不能只使用自己的那个能力，还必须要有深厚仁德统帅其能力。否则，若只是满足于发挥自己某个方面的能力，就可能成为恶人的帮凶，完全沦为被人利用的工具。故而，孔子提出严重警告：“君子不器”。

【接圣入心】

每个人总会有一些长处，正因为如此，君子看人总是能看到长处。

每个人都应以君子周全的人格作为理想，不能因一长而遮一短，绝对不能满足于“一俊遮百丑”的自我安慰，沉浸在自我编织的虚幻之中。

现代社会，出现了太多的专业人才或者专家，但这样的人常常只是拥有某个方面的特长，而在很多其他方面有明显的漏洞和短板，往往成了偏才而不自知：

- 有些专业人才不尊重其他专业的人才，有些专家瞧不起其他专家，或者表现出民间流传的“文人相轻”等恶习。这都是因为个人在知识技能方面有某个长处而忽视了全面的成长与发展，处在长短不一的不平衡状态。
- 大家所熟悉的一些天才人物，就更是偏于一个领域或者方向，而在其他方面呈现出明显缺陷、低能甚至智障的状态，比如有的人智商很高，但情商很低。

◎ 我们也知道，不平衡的生命常常是不幸福的，有时甚至是短寿的。

◎ 我们所熟悉的教育的目标是要培养“德智体美劳”全面发展的人才，我们选人用人时强调的是“德才兼备”，再往前看，我们熟悉的关于接班人的标准就是“又红又专”。不管是什么说法，讲的都是人的仁德与才能两个方面的全面性和道德对能力的统摄性问题。

◎ 你呢？肯定有自己的长处，你的长处会被自己的短处抵消掉吗？你拥有工作和业务的长处，会尊重其他领域中有长处的人吗？会向其他领域中的人学习吗？你有专业的长处，同时具有与人合作的能力吗？你有高智商，同时也有高情商吗？你有胆商，同时也拥有逆商吗？你有能力，是在仁德统摄之下发挥的吗？别人重用你的长处时，你还能坚守自己的道德水准吗？

◎ 人间有个铁律：成在长处，毁在短处！

【格言】莫以短处而自卑，莫以长处而自负。

2·14　子曰：“君子周①而不比②，小人③比而不周。”

【注释】①周：合群。　②比：音 bì，勾结。　③小人：没有道德修养的凡人。

【释义】孔子说：“君子合群，有原则和立场而不与人勾结，小人无原则，与人勾结而不合群。”

【要点】（1）君子道，合群不勾结。（2）小人术，勾结而斥众。

【语境与心迹】在孔子那个年代，他一定看到了太多没有仁义之心的人只是一时苟合又不知何时分崩离析的人间滑稽剧。君臣也好，所谓的朋友也罢，竟然是那般不稳定，为了利益可以翻脸不认人。可这样做能怎么样呢？不管胜负如何，好像谁都不是真正的胜者。

孔子看到了其中的核心问题：君子心中有正义，也可以与人在非原则问题上保持和气与和睦，但绝不会为了私利而建立超越原则的私人关系。君子要交的是那些志同道合的朋友，而不会交有利益交换或者彼此有利益输送的所谓的朋友。小人的问题也恰恰在此，他们不是因为志同道合而走近，而是因为利益互换而结交。当然，当利益关系发生变化时，彼此的关系也就随之变化。可见，那句“没有永恒的朋友，只有永恒的利益”是适用于小人的。只是这里所说的“朋友”不是因为志同道合而是因为利益所驱而结交的，故而只是苟合而已，不能算是真正的朋友。至于说“永恒的利益”，利益的主体会变，故而利益主体的关系也会变，因此也是不稳定的。只有超越了利益的以共同理想而结交的志同道合的人，才能算是朋友，才会有稳定、牢固的关系。

孔子在这里提出了君子与小人的区别之一，就是：小人结党营私，与人相勾结，不能与大多数人融洽相处；而君子则不同，他们胸怀广阔，与众人和谐相处，从不与人相勾结。

【接圣入心】

君子之所以成为君子，在于自己的仁德无私之心，故而能够去爱各种不同的人，因而也能化解很多误会与仇怨，君子坚持“和为贵”的原则。

小人之所以成为小人，在于缺乏真正的仁德之心，他们只是出于自己的私利去勾结少数人为自己谋利（客观上制造了与众人的对立），又在利益格局发生变化时彼此拆台、互相背叛，“临时苟合”很快破产。毫无疑问，这样的心智模式是愚蠢至极的。

看看当今社会中那些充满正能量的人，还有社会的主流价值观，就是在倡导君子文化。

再看看那些结党营私、搞小团伙、无原则而相互利用的各种关系网或者组织，他们在一起能成事时就是败坏、走向深渊的开始。他们内部也常常因为团伙意识分裂成各种帮派，内斗不休，无事生非。

从古至今，小人的这类表演从没有中断，一拨一拨前赴后继。人类文明进步了吗？现实中的小人们从历史中借鉴到教训了吗？想想人生几十年光景，竟然有那么多小人自贱自毁，真是令人扼腕叹息啊！

你呢？如果你是组织领导人，你是在培养团队意识还是团伙意识？你是把心放正想大家的事，还是利用机会谋自己的事？若是后者，你领导的组织就会被你败坏。从个人角度说，如果不走正道，必将与众人、与正

道相对立，个人又能走多远呢？

【格言】君子正道而长远，小人邪道而自残。

2·22　子曰："人而无信，不知其可也。大车无輗[①]，小车无軏[②]，其何以行之哉？"

【注释】①輗：音 ní，古代大车车辕前面横木上的木销子。大车指的是牛车。　②軏：音 yuè，古代小车车辕前面横木上的木销子。没有輗和軏，车就不能走。

【释义】孔子说："一个人不讲信用，是不可以的。就好像大车没有輗、小车没有軏一样，它靠什么行走呢？"

【要点】(1) 无信之喻。(2) 大车无輗，小车无軏。

【语境与心迹】也许，孔子与弟子们聊天说起了某些人的悲惨结局，而孔子凭借智慧看到了背后的原因——无信。孔子给弟子们分析了当时社会中那些无信之人的最终下场，剖析了无信之人被众人唾弃落得个悲惨结局的原因。孔子提醒人们，千万不要让自己成为无信之人，否则，下场不妙。为了说明这个道理，孔子用生活中大家都熟悉的大车、小车缺乏关键部件以致整车无法使用的例子，来提醒人们认识信用的重要性。

我们总有一种感觉：当一种道德被强调时，通常是社会中很多人都做不到的时候，这也是圣人思想在一个时代中的独到价值所在。

孔子对弟子的教育，几乎都是结合社会现实中的问题来进行的，常常辅之以生活中大家都熟悉的事例，这样就更加便于弟子们理解那些抽象的道理。

孔子将"信"这样一个重要的伦理准则，设定为人们立身处世的基点。在《论语》中，信的含义有两种：一是信任，即取得别人的信任；二是对人讲信用。《子张》《阳货》《子路》等篇中都提到了信的重要性。

【接圣入心】

- 若是没有信用，人会变成什么样子？
- 言而无信，说出来的话不付诸行动，言行不一致，于是，自己的话再也没人相信。背信弃义，承诺了的却不去践行和兑现，令别人失望，从此失去别人的信任，导致无法在人群中立足。说一套做一套，两面三刀，阳奉阴违，这不就是在告诉别人自己是个不能相信的人吗?

对父母，言行不一，是不孝。对上级，言行不一，是不忠。对朋友，言行不一，是不义。对承诺，言行不一，是不可靠。对做事，言行不一，是虚伪。对情义，言行不一，是背叛。

儒家重视的君子之德，是言而有信，是重信重义，是言行一致，是人前人后一致，是承诺与行动相一致。

【格言】人无信不立。

2·24 子曰："非其鬼①而祭之，谄②也。见义③不为，无勇也。"

【注释】①鬼：一是指鬼神，二是指死去的祖先。这里泛指鬼神。 ②谄：谄媚、阿谀。 ③义：人应该做的事就是义。

【释义】孔子说："不该你祭的鬼神，你却去祭它，这是谄媚。看到应该挺身而出去做的事情，却袖手旁观，这是怯懦。"

【要点】（1）谄媚之祭。（2）怯懦不仁。

【语境与心迹】也许，当时弟子们正在就当时看到的一些现象请教孔子：诸侯臣僚有人僭越礼制去祭祀不合自己身份的鬼神，但却对民生十分冷漠；或者自己一方面祈求鬼神护佑，另一方面却在拼命敛财和追求奢华的生活。也许弟子们看到了民间那些一味重视祭祀却不愿意帮助别人的伪君子。就像我们今天看到的一样：贪官拜神，痴迷者千方百计通过祭祀和法会等形式为自己求财、求官、求平安。

古人是很重视祭祀活动的，什么人可以祭祀什么是有非常严格的礼制规定的。简单点说，祭祀活动要合乎自己的身份。比如关于祭天的活动，就不是诸侯臣僚能主持的，而应该由帝王来主祭。但像祭祀灶王爷之类的活动，普通百姓都是可以做的。孔子在这里，重点并不是单纯地解说祭祀之礼，而是提示人们在日常生活中要能够见义勇为。孔子提出"义"和"勇"的概念，这也是儒家塑造高尚人格的规范之一。

【接圣入心】

即使在当今社会，如果一个人大张旗鼓地去祭天，恐怕也会被人嘲笑。

在现实社会当中，有一些人会花很多钱举办大法会为自己祈福，但却不愿意去做公益，也不愿意善待周围的人。这样的人和这样的做法，孔子在这段话中已经给了评价：去举办法会，求助于鬼神，又是为自己祈福，就是谄媚；满口仁义道德，一副慈悲模样，却不去帮助那些需要帮助的人，就是懦弱。

对于真正的修行者来说，应该明白“鬼神在心”这样一个道理：当你只为自己祈福时，实际上是鬼心作祟；当你愿意扶弱济贫时，就如有神助。

由此延伸出来人生中一个最简单的道理：一心为自己的人，就会撞到鬼，实则不是撞见鬼，是遇到了自私的自己；诚心为别人的人，就会遇到神，实则不是遇到神，是遇到了善良的自己。

反观现实，唯利是图、有用即亲、用人朝前不用人朝后、临时抱佛脚等表现，皆是儒家所说的小人之行径。反之，仁者爱人，众生平等，不以利用交人，用仁德之心、无私之心爱人，方是君子。

若是见利就上，见危就躲，遇险装傻，则是小人懦弱之本质。反之，见危挺身而出，见难舍己为人，方是人间君子。

如今，社会中的各种现象似乎在告诉我们，很多人有事相求即亲人，难事难过去即求神，就是孔子所说的谄媚之卑劣。遇人有难却旁观，闲聊之时怨冷淡，事不关己高高挂起，多一事不如少一事，当是孔子所言的无勇和懦弱。社会上邪气滋生，如“碰瓷儿”（设计好圈套讹人），也是一些善良的人们害怕和变得懦弱的原因之一。若是不采取有力措施弘扬仁德，整治不良，社会风气就难以好转。

【格言】非礼而祭是谄媚，见义不为是懦弱。以仁德之心爱众即君子，挺身助人方是英雄。

八佾第三

3·20 子曰："《关雎[1]》，乐而不淫[2]，哀而不伤。"

【注释】①关雎：这是《诗经》的第一篇。此篇写一君子对淑女的追求与相思。 ②淫：意思是放纵、恣肆，过度而无节制。

【释义】孔子说："《关雎》这诗，快乐而不放荡，悲哀而不太过伤感。"

【要点】（1）关雎。（2）乐而不淫。（3）哀而不伤。

【语境与心迹】在孔子那个时代，能够欣赏诗歌或音乐的人大都在官宦之家，一般人可能在出席一些祭祀活动时才有机会欣赏到。孔子并不欣赏"乐而淫，哀而伤"的内容。故而，孔子借对《关雎》的评价提出了自己的观点，诗歌和音乐要像《关雎》一样做到"乐而不淫，哀而不伤"，否则，就会迷乱人的心性，对人没有什么好处。

"乐而不淫，哀而不伤"，是孔子中庸和仁德思想的体现。孔子通过评价《诗经》告诉人们：无论哀与乐都不可过分，否则就会走向反面。

【接圣入心】

孔子从《诗经》中找到了中庸的精髓。

人们都知道，中庸思想是儒家智慧的经典代表：无过无不及。

任何事物的本质都只是在一定的限度内才成立的，只要超过了这个限度，性质就会改变。

我们都知道"物极必反"的道理，在生活中怎么运用呢？

- 快乐的时候，注意不要过分，否则就会变得有些放荡。
- 悲哀的时候，注意不要过分，否则就会变得过分伤感。

任何一种情绪，都很容易让人的理性变得脆弱，快乐与悲哀，是两种比较典型的情绪，也是最容易让人的理性失灵的情绪，所以孔子借此给予大家提醒。

如果做不到对情绪的觉知，就很容易走向反面：乐极生悲，悲极

生伤。

人不能没有情绪，也不能因为情绪而让自己失控。这就是理性智慧的尺度。

【格言】乐而不淫，哀而不伤。

公冶长第五

5·16　子谓子产[①]有君子之道四焉："其行己也恭，其事上也敬，其养民也惠，其使民也义。"

【注释】①子产：姓公孙名侨，字子产，郑国大夫，做过正卿，是郑穆公的孙子，为春秋时郑国的贤相。

【释义】孔子评论子产，说他有君子的四种道德："他行为庄重，他恭敬地侍奉君主，他教养百姓有恩惠，他役使百姓有法度。"

【要点】(1) 孔子赞子产。(2) 君子四德。(3) 行己恭，事上敬，养民惠，使民义。

【语境与心迹】《论语》中提到了几个在当世受到孔子推崇的人，子产（郑国的贤相）就是其中之一。孔子认为，子产有君子的四项美德：行己恭，事上敬，养民惠，使民义。能够做到这四点，真可谓是一代贤相了。孔子重点讲的是君子的美德与为政之道。

【接圣入心】

孔子在这里借对贤相子产的赞美，提出了君子的四个美德：第一是自己行得正；第二是对待上级虔诚、恭敬、忠诚；第三是心中总是想着百姓的疾苦；第四是管理百姓时法律使用得当、客观公正。

孔子在这里所讲的君子的四个美德，核心思想就是：君子个人要有良好的修为，以一颗真诚无私的心待人，办事时要客观公正和得体。

是啊！不管是为人还是做官，一个人的修为是一切的起点。因此，君子要严于律己，宽以待人，养练自己的浩然正气。只有彻底无私的人，才能够拥有智慧、勇敢和风度；只有心灵干净、公正无私的人，才能经历世事和时间的考验，最终赢得人民的拥戴。如果没有这一人格基础，而是用不正当的手段谋得官位，就会放大自己卑劣的品性，又因为能力与责任的不匹配，无法很好地尽职尽责，最终往往落得个身败名裂的下场。

在现实中，我们能够看到，一些有能力的人通常有些傲慢，一些做出成绩的人又常常自恃有功。这样的人对上级不恭敬、对同级不谦和、对下级不爱护。这些有一定能力的人，很显然无法驾驭自己的能力和由能力产生的功绩。虽然有能力，但是德不配位，他所拥有的能力反而成了伤害自己和别人的工具。

我们也能够看到，从古至今，不具备君子道德的人做了官，要么鱼肉百姓，要么徇私枉法，他们心中只有为自己的私心，根本不想为民谋利，也没有捍卫真理的勇气与使命。

在当今社会的企业中，我们也能够看到一些管理者，他们动辄训斥部下，自己永远是正确的，部下永远是错误的，一旦出现问题，永远是把责任推给部下。不仅如此，他们还会自以为是地对抗上级，利用各种机会为自己谋私利。如此品德的人，怎么能够当好管理者呢？

【格言】君子四德：行己恭，事上敬，养民惠，使民义。

5·17　子曰："晏平仲①善与人交，久而敬之②。"

【注释】①晏平仲：齐国的贤大夫，名婴。《史记》卷六十二有他的传，"平"是他的谥号。　②之：这里指代晏平仲。

【释义】孔子给予齐国大夫晏平仲很高的评价，他说："晏平仲善于与人交朋友，相识久了，别人依然尊敬他。"

【要点】（1）晏婴善交。（2）久而敬之。

【语境与心迹】《论语》中被孔子直接赞美的人并不是很多，前面提到了郑国贤相子产，现在提到了晏婴。晏婴可是春秋时期十分有名的人物，也是为齐国作出重大贡献的高人。他是当时知名的政治家、思想家、外交家，以有政治远见和外交才能、作风朴素闻名于诸侯。曾奉景公之命，与晋联

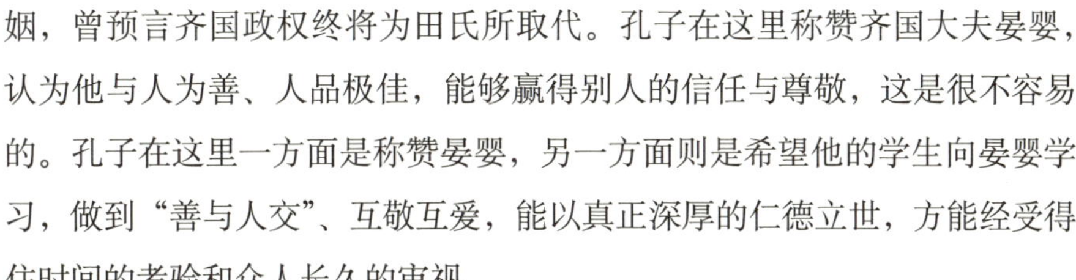

姻，曾预言齐国政权终将为田氏所取代。孔子在这里称赞齐国大夫晏婴，认为他与人为善、人品极佳，能够赢得别人的信任与尊敬，这是很不容易的。孔子在这里一方面是称赞晏婴，另一方面则是希望他的学生向晏婴学习，做到“善与人交”、互敬互爱，能以真正深厚的仁德立世，方能经受得住时间的考验和众人长久的审视。

【接圣入心】

人是社会性的动物，人的生活就离不开与别人的交往。因此，我们会不会与人交往，就直接决定了我们与别人交往的质量高低。

孔子在这里称赞齐国的大夫晏婴，是因为晏婴在与人交往中，讲原则又不失和气。能够做到这一点，是需要高超智慧的。

不具备高超智慧的人，在坚持原则的时候会伤了和气。这样做事的人，就是典型的有勇无谋者。久而久之，人们就会厌恶他，又因为厌恶他，进而使用非理性的状态去厌恶他所坚持的原则。到了这个地步，我们就能看得很明白，因为原则被这种有勇无谋的人所坚持，原则反而会受到很多人的反对，不管对于个人还是对于原则来说，都是莫大的损失啊！这就是所谓的“成事不足，败事有余”的人。

不具备高超智慧的人，也往往会放弃原则而求和气，这就是典型的老好人作风。这种为了和气而放弃原则的人，时间久了，也不会受人信赖和尊敬。

孔子之所以赞美晏婴的这种美德和智慧，一方面是自己很欣赏，同时也是希望他的弟子们好好学习晏婴的这种智慧，从而成为一个合格的贤大夫。

我们可以借此来反思一下自己：我们是不是经常会为了坚持原则而不讲究方法与艺术？我们是不是经常会因为自己是好心而用粗鲁的方法对待别人？在逆境中，我们是不是缺少了坚持原则的勇气和智慧？我们会不会在面对压力时放弃原则，或者为了自己的私利而一味地求和气？如果是这样，我们就真的应该好好学习一下晏婴的勇气和智慧了。

【格言】坚持原则但要讲究方法，追求和气不能牺牲原则。

雍也第六

6·4　子华[①]使于齐，冉子[②]为其母请粟[③]。子曰："与之釜[④]。"请益。曰："与之庾[⑤]。"冉子与之粟五秉[⑥]。子曰："赤之适齐也，乘肥马，衣轻裘。吾闻之也：君子周[⑦]急不济富。"

【注释】①子华：姓公西名赤，字子华，孔子的学生，比孔子小42岁。②冉子：冉求，在《论语》中被孔子弟子称为"子"的只有四五个人，冉求即其中之一。　③粟：在古文中，"粟"与"米"连用时，粟指带壳的谷粒，去壳以后叫作米；"粟"字单用时，就是指米了。　④釜：音fǔ，古代量名，一釜约等于六斗四升。　⑤庾：音yǔ，古代量名，一庾等于二斗四升。　⑥秉：古代容量单位，一秉合十六斛。斛，音hú，旧量器名，亦是容量单位，一斛本为十斗，后来改为五斗。　⑦周：周济、救济。

【释义】子华出使齐国，冉求替他的母亲向孔子请求补助一些谷米。孔子说："给他六斗四升。"冉求请求再增加一些。孔子说："再给他二斗四升。"冉求却给他八十斛。孔子说："公西赤到齐国去，乘坐着肥马驾的车子，穿着又暖和又轻便的皮袍。我听说过，君子只是周济急需救济的人，而不是周济富人。"

【要点】(1) 子华，冉求。(2) 请粟。(3) 君子周急不济富。

【语境与心迹】借着一件具体的事，孔子教育冉求"周急不济富"的道理。子华出使齐国，其衣着和乘坐的马车都是很富裕的样子。冉求此时还去跟孔子请求给他补助。尽管如此，孔子还是答应了，并增加了补助。可是，冉求却给了八十斛。对此，孔子是有些不满意的，借着此事向冉求阐明了一个原则：周急不济富。这是儒家君子的一个重要标准。孔子认为，周济的对象应该是穷人而不是富人，应当"雪中送炭"，而不是"锦上添花"。实际上，需要周济的只有穷人，而富人需要的更多是面子或者尊严。君子的这种"周急不济富"的思想与小人总是鄙视穷人和巴结强者正好相反，由此反映出一个具有仁德的君子应该有的作为。

【接圣入心】

◎“周急不济富”是儒家君子的典型风范，也是与小人相区别的一个重要标准。

◎现实中，君子以仁德之心爱人，故而对需要帮助的人施以仁爱，而不是以功利心判断应该给什么人好处。

◎小人则相反，对需要帮助但对自己没什么直接用处的穷人，小人是不会伸手援助的。但对自己有用的人，小人却可以屈尊献媚。当然，没有仁德的小人会有几副嘴脸：用完人也就不理人了，可用的人一旦没有了利用价值，小人也就变换了态度，对没有用的人当然就不理不睬。

◎中国有句名言：人算不如天算。进一步延伸到“仁爱”主题上，就有“人爱”和“真爱”之分：

- “人爱”，说的是人根据自己的认识和理解所决定的对他人的爱：爱父母是孝顺，爱儿女是本分，爱朋友是情分，爱爱自己的人是回应，爱对自己有恩的人是报恩，爱对自己有用的人是利用，爱了别人又要求别人爱自己是交易，施爱于那些需要帮助的人是慈悲，爱那些伤害过自己的人是宽恕，爱与自己无关的人是博爱。
- “真爱”，说的是根据天道博爱的原则，无分别、无所求、无所怨、无所变地去爱所有的人。
- 根据自己的理解和自己的需要去爱别人，爱的背后就藏着一种功利心，也就不是真正的爱了。虚假的爱，在条件发生变化时，就一定会露馅，就一定会被别人看穿，爱的伪装一旦被揭露，其背后的用心也就昭然若揭了。

◎人算不如天算，人爱不如真爱，人的算计总是有局限性的，总有算计不到的地方，总有犯错的时候，算错了就会被别人看穿，况且，总是算计也很累。

◎圣人给我们找到的解决方法是：不用算计，博爱众生，量力而行，尽力而为。同时要注意的是，在资源有限的情况下，优先帮助那些特别需要帮助的人，也就是“君子周急不济富”。当然，要坚决地杜绝小人的作为：鄙视那些看起来对自己没有用的穷人，刻意巴结那些看起来对自己有用的富人。

回到生活中，可以用此标准来反省我们自己，若是周富不济贫，或者帮人需要回报，或者对无关的穷人非常冷漠，则是小人作为。

这一原则也可以用在交友或者遴选人才方面，那些小人嘴脸的人当然不能作为朋友或者当成人才，还要远离这种人。

【格言】君子周急不济富，小人献媚不助贫。

述而第七

7·13　子之所慎：齐[①]、战、疾。

【注释】①齐：同“斋”，斋戒。古人在祭祀前要沐浴更衣，不吃荤，不饮酒，不与妻妾同寝，整洁身心，表示虔诚之心，这叫作斋戒。

【释义】孔子特别重视又谨慎小心地对待三件事：斋戒、战争和疾病。

【要点】（1）孔子慎道。（2）齐、战、疾。

【语境与心迹】也许，孔子与弟子们讨论的问题很多，毕竟社会中有丰富的话题可以用来讨论。讨论了那么多问题，结合老师平时的作为，弟子们发现老师对三类问题格外慎重和重视，这就是斋戒、战争和疾病。是啊，孔子作为圣人，很重视人生的三件大事：一是节欲自修，虔诚修己；二是小心战争，否则生灵涂炭；三是警惕疾病，一旦生病就会改变人生，如有大病，此生也就再没什么指望了。

【接圣入心】

“大事不明，小事乱忙；忙小荒大，终究无成。”这段话可能概括了很多人的人生模式，从古至今，并没有太大的变化。

现在的人都很忙，天天有做不完的事，可人生中的大事是什么呢？人生中绝对不可忽视或者不能犯错的事是什么呢？也就是说人生百年中人人都输不起的关键事是什么呢?

孔子告诉了我们人生有三件大事:

- 第一件大事，就是克己修身，安排好自己的精神生活，不断地调整心态，生活有信仰。如果遇事不自省而只是责怪或者抱怨别人与外界，这样的人怎么能够保持正常的心态呢?如果忙来忙去，没把做事当成自己的修行，做再多的事又怎么样?又怎么能做好呢?每日只知吃饭穿衣，唯独没有关注和安排自己的精神生活，这样的活法怎么会有健康的心灵呢?
- 第二件大事，就是戒躁戒斗。一个人若是好斗，处处、事事争理争利，就会引得处处、人人不得安宁，又怎么能有美好生活呢?中国道祖老子在《道德经》中提出了“不争”的思想:小事值得争吗?大事是争来的吗?古往今来，好斗好战者，在日常生活中到处惹是生非、无事生非，令人生厌。在国际上，好斗好战者，到处煽风点火，妄图坐收渔利，可最终不也弄得个引火烧身吗?
- 第三件大事，就是不要为名为利而拼命。很多人忙来忙去，做事越来越专业、越来越熟练了，但对于生命规律所知甚少，拼命却透支了健康。结果呢?没了健康，丢了性命，一切都变成别人的了。这就是典型的失败人生。

此三件大事，是我们每个人无法忽视也最输不起的大事。否则，不借事修己，没有自己的精神生活，就会心智迷乱，就会错上加错。不致力于和平与和谐，到处鸡飞狗跳，人人不得安宁，生活就失去了基本的局面。没有了健康，一切就将归零，健康是“1”，其他的全是“0”，失去健康就意味着失去一切!

这三件重要的事，你做得怎么样?以后打算启用新的模式吗?孔子所说的“诚修己、远战乱、保健康”的新模式对你有何启迪?若是明白了道理，接下来就看你的选择和行动了。

【格言】节欲自修、致力和平、保持健康。

7·26　子曰："圣人吾不得而见之矣！得见君子者，斯①可矣。"子曰："善人吾不得而见之矣！得见有恒②者，斯可矣。亡而为有，虚而为盈，约③而为泰④，难乎有恒矣。"

【注释】①斯：就。　②恒：恒心。　③约：穷困。　④泰：奢侈。

【释义】孔子感慨地说："圣人我是不可能看到了，能看到君子，这就可以了。"接着又说："善人我不可能看到了，能见到始终如一保持好的品德的人，也就可以了。没有却装作有，空虚却装作充实，穷困却装作富足，这样的人是难有恒心保持好的品德的。"

【要点】（1）亡而为有。（2）虚而为盈。（3）约而为泰。

【语境与心迹】孔子大概是在感慨吧。孔子所认定的圣人基本上就是他所崇敬的几位先王圣主，但面对春秋末期社会礼崩乐坏的状况，孔子已经不再指望能见到圣人和善人了。相反，"虚而为盈、约而为泰"的人却比比皆是，在这样的情况下，能看到"君子""有恒者"也就心满意足了。孔子好感慨，也好无奈啊！

【接圣入心】

2500多年前的孔子发出了那样的感慨，今天我们感受的会比孔子那时好多少呢？

孔子说，在他的时代见不到圣人了，见不到至善之人了，虚伪的人却比比皆是。时间过去了2500多年，在当代我们能见到圣人吗？我们又能够见到几个至善之人？倒是虚伪的人经常会不期而遇。

孔子的伟大就在于，他以历史上的圣人为榜样，心中和行动中充满了至善，他自己如谦谦君子般行事。在那样一个礼崩乐坏的时代，孔子没有同流合污，也没有只是抱怨，而是高举一盏文明的明灯，照亮了人类历史前进的方向。"天不生仲尼，万古如长夜"！

从孔子这里，我们看到了一个人成圣的基本的心理路程：出身平凡，心中却装着神圣；身处乱世，却不去同流合污；一人孤苦，却坚定地执着文明的明灯！

反观我们自己，总说自己是小人物的人，实际上是心中没有装着神圣；身在红尘总说自己是迫不得已的人，是心中没有使命与原则；浮躁喧闹却又心烦意乱的人，是没有找到或者没有勇气一人高执文明的明灯！因此，虽心有不甘，但最终还是落入平庸！若是至死如此，恐难以瞑目。

由此可见，人生的命运，不是别人为你安排了什么，也不是在自己的人生中遭遇了什么，而是一个人选择了什么！

【格言】心中有圣，绝不虚伪，高执明灯。

乡党第十

10 · 27　色斯举矣①，翔而后集②。子曰："山梁雌雉③，时哉时哉！④"子路共⑤之，三嗅而作。

【注释】①色斯举矣：色，脸色；举，鸟飞起来。　②翔而后集：飞翔一阵，然后落到树上。鸟群停在树上叫"集"。　③山梁雌雉：聚集在山梁上的母野鸡。　④时哉时哉：得其时呀！得其时呀！这是说野鸡时运好，能自由飞翔，自由落下。　⑤共：同"拱"。

【释义】孔子在山谷中行走，看见一群野鸡在那儿飞，孔子神色动了一下，野鸡飞了一阵落在树上。孔子说："这些山梁上的母野鸡，得其时呀！得其时呀！"子路向它们拱拱手，野鸡便叫了几声飞走了。

【要点】(1) 圣人情怀。(2) 见物思志。(3) 感慨得时。

【语境与心迹】孔子为何能够成为圣人？读《论语》时，若是搞不清楚这个问题，那就是没有学好啊！孔子是"好学"的典范，无论做什么都能参悟大道。他与弟子游山观景时，感到山谷里的野鸡能够自由飞翔，这是"得其时"，而自己却不得其时，东奔西走，没有获得普遍响应。因此，他看到野鸡时，神色动了一下，随之发出了这样的感叹（注意：神色一动，这一点是很关键的，好像灵感开关打开一样）。正因为如此，孔子的生命始终处在参悟大道的状态，这就是孔子成圣的重要原因。有人说，孔子的命运很悲哀。实际上，这种判断是不高明的，悲哀的不是孔子，而是那个时代许多放弃追求的人。孔子的内心是充实的，精神是高远的，是在俯瞰当世的乱象！

【接圣入心】

孔子触景生情，是他那满腔的热情和身处乱世所激荡出的一种感慨。

毫无疑问，孔子对他所处的时代是很失望的，但从来没有放弃心中的坚持。也许，这看起来是两种非常矛盾的情感，但生命的趣味也许就在“不易不弃”的相互作用中激荡而出。

中国道家有这样一种修行的思想：“顺势修身，逆势修仙”。很显然，孔子思想的立意是逆势的，可正因为是逆势，才符合并顺应了文明的大势，才成就了孔子光耀千秋的伟大思想和圣人的伟岸。

许多看起来很聪明的人，倒是懂得顺势而为，也常常会有一番成就，最起码个人能得到一些好处。但值得注意的是，这里的“顺势”到底顺的是什么势？如果顺的是乱势和恶势，岂不是推波助澜、助纣为虐？这样的人，除了能够满足小日子的苟安之外，还能有光耀千秋的成就吗？

特别需要重视的是，孔子是“好学”的典范，自己的心志始终处在参悟大道的状态中，因此时时刻刻都在给自己的生命赋能。想想看，这样的生命状态实在是“恐怖”啊！

【格言】逆境不弃，逆势不遑，成就千秋。

颜渊第十二

12·6　子张问明。子曰：“浸润之谮[①]，肤受之愬[②]，不行焉，可谓明也已矣。浸润之谮，肤受之愬，不行焉，可谓远[③]也已矣。”

【注释】①浸润之谮：谮，音 zèn，谗言。这是说像水那样一点一滴渗进来的谗言，不易觉察。　②肤受之愬：愬，音 sù，诬告。这是说像皮肤

感觉到疼痛那样的诬告，即直接的诽谤。 ③远：明智。

【释义】子张问怎样做才算是明智的。孔子说："像水润物那样暗中挑拨的坏话，像切肤之痛那样直接的诽谤，在你那里都行不通，那你可以算是明智的了。暗中挑拨的坏话和直接的诽谤，在你那里都行不通，那你可以算是有远见的了。"

【要点】（1）子张问明。（2）圣言明智。（3）明识恶语。

【语境与心迹】弟子子张问老师什么才算是明智，孔子告诉他：所谓明智也就是明辨是非，不为那种貌似为你好的坏话所感动，即使是让人心惊的诽谤也吓不到你。如前面所说，若是轻信别人的恶语，自己的头脑就失灵了，完全变成了别人所传信息的奴隶。人的脑子若是如此运行，还能说什么呢？据说，好狗忠主，尚能识别亲朋和盗匪。人若不识恶语，狗眼也会乜斜。按照这种标准，我们很多人真的要警惕了，因为这并不容易做到啊！

【接圣入心】

在现实中，每一个人随时随地都可能被别人的观点或者态度影响心情和改变行动的方向，原因就是我们处在不明智的状态。

人一旦处在不明智的状态，就会做出错误的判断和行动。我们需要知道，人在什么样的情况下最容易陷入不明智的状态呢？

• 当我们的身体不适或者情绪不佳时，我们就容易陷入不明智的状态。

• 当我们对某些事物或者人拥有强烈的正面或负面的记忆时，就容易形成偏见而陷入不明智的状态。

• 当比较信任的人给我们传递某些观点信息时，我们就容易失去判断力而陷入不明智的状态。

• 当我们被别人的说法或者做法激怒时，也非常容易陷入不明智的状态。

• 当我们涉及个人最关注的利益时，思维方式和判断力也容易出现偏差，容易陷入不明智的状态。

• 让我们遭遇大的利益诱惑或者威胁时，心理上就会出现异常状态，容易陷入不明智的状态。

以上只是粗略地罗列了生活中我们可能会遇到的一些比较典型的情况。现在，我们需要搞清楚的是，如何判断自己是否处在明智状态呢？

- 当我们只是听信了别人的话而进行判断和行动时，我们肯定处在不明智的状态。
- 当我们情绪不佳时，急于想说什么或者要采取什么行动，肯定是不明智的。
- 当我们说话或者行动有极端倾向时，那肯定是不明智的。
- 当我们不听任何劝告或者不顾任何威胁或者不留任何后路地去做一件事情时，多半是不明智的。

一个人若是处在不明智的状态，就容易失去控制自己的能力，此时发表观点或者去做事，就很容易犯错误。

【格言】状态不对，不言不行。

12·14　子张问政。子曰："居之无倦，行之以忠。"

【释义】子张向老师请教君子是如何处理政事的。孔子说："居于官位不懈怠，执行君令要忠实。"

【要点】（1）子张问政。（2）居位勤勉。（3）行令笃忠。

【语境与心迹】子张问老师如何处理政事，孔子借自己所看到的懒政、政令不通和执行君令阳奉阴违的现象，指出了为政者的基本道德素养：各级为政者身居官位，就要勤政爱民，以仁德的标准要求自己，以礼的原则治理国家和百姓，通过教化的方式消除民间的诉讼纠纷，执行君主之令切实努力，不打折扣，不懈怠，不观望，勤勉无怨，这样才能做一个好官。

【接圣入心】

联想现实，我们会想到当今一些官员的"不作为"，也会想到一些昏官的阳奉阴违或者乐于非议等蠢行。

孔子2000多年前提到的为官之德，也许是针对当时的时弊而言的。如今看来，似乎又是说给当今的人们听的。看来，历史虽然演进了2000多年，但人们的仁德之心依然没有很厚实。

一般而言，平民百姓会犯的错，官员就不应再犯，因为任何时代的官员都是人群中的精英，也是那个时代民众的希望。因此，官员的道德水平应该高于普通人。

任何时代的官员都应该是一个有信仰的群体，其基本信条都应该是燃烧自己，奉献社会，造福百姓。当然，这并不意味着为官者都要过清教徒的生活，只是要有自己的精神高度和人生信仰。相信社会机制也会保障这样的人的生存。若是背离了这一基本信条，就会出现公权私用、买官卖官、权钱交易等一系列的官场丑闻。

请每一个为官者扪心自问：自己是在为信仰而工作吗？自己是在丝毫不懈怠地解决百姓的诉求吗？若是为官不勤、居位不为、公权私用或者抱怨懈怠，岂不是背离了自己的使命信仰？

【格言】为官求上品，低俗即自害。

12·16 子曰："君子成人之美，不成人之恶。小人反是。"

【释义】孔子说："君子成全别人的好事，而不助长别人的恶。小人则与之相反。"

【要点】(1) 君子成就人之美，不助长人之恶。(2) 小人诋毁人之美，助长人之恶。

【语境与心迹】孔子在这里说出君子与小人的又一个重要区别：君子光明磊落、受人尊敬，伪君子既可能成就别人的好事，同样也会助长别人的恶，总之就是无原则地讨好人、不得罪人。小人既见不得别人比自己好，嫉贤妒能，诋毁诽谤，又会助长别人的恶行，同时还会幸灾乐祸，好像别人倒霉他就有了收获一样。

【接圣入心】

孔子的伟大贡献之一，就在于他能够把世间人生百态进行归类并提炼总结，将正反面都呈现在人们面前，让人们做人、识别人都有一个标准可循。

孔子在此提到的是君子与小人的不同行为，我们可以对照一下自己，看看自己是不是纯粹和真正的君子，看看自己心中动过的念头、做过的事是不是亦如小人一般。

孔子在此给出了四个选项：

- 一是真正的君子作为：成人之美，不成人之恶。
- 二是伪君子的作为：既成人之美，也成人之恶，无原则讨好。
- 三是小人毁人之美，别人倒霉，自己心里就快乐。
- 四是小人成人之恶，推动别人的恶不断膨胀，看似朋友，实则是奸友。

我们每一个人都可以拿这四个选项对照自己，判定一下自己的人格类型。

坦率地说，不修行的人，在心念和行动上很难像君子那样始终如一地作为。对于大多数人来说，也许对好友还可以像君子那样作为，但对自己不喜欢的人，恐怕就很难成就其美，也常常乐见其恶。

【**格言**】君子成人之美，不成人之恶。小人反是。

12·23　子贡问友。子曰："忠告而善道之，不可则止，毋自辱焉。"

【**释义**】当子贡问怎样对待朋友时，孔子告诉他："忠诚地劝告他，恰当地引导他，如果不听也就罢了，不要自取其辱。"中华文化中，五伦八德，人伦之道也。五伦是指君臣、父子、夫妇、兄弟、朋友。八德是指孝、悌、忠、信、礼、义、廉、耻。

【**要点**】(1) 子贡问友。(2) 忠告善道。(3) 不可则止。

【**语境与心迹**】子贡是个很爱交朋友的人，也是个对人很热情的人。虽然这些看起来都是很好的品质，但实际会遇到很多问题。孔子正是基于对子贡的了解，指出对待朋友也要把握好分寸，不能一味地按照自己的美好意愿去强迫对方：对待朋友的错误，要开诚布公地劝导，推心置腹地讲明利害关系。如他坚持不听，也就作罢。如果别人不听，你还一再劝告，就会自取其辱。这是交友的分寸。孔子在这里所强调的是对别人作为一个主体的一种承认和尊重，也是自知的一种表现，当然也是中庸之道的一种智慧

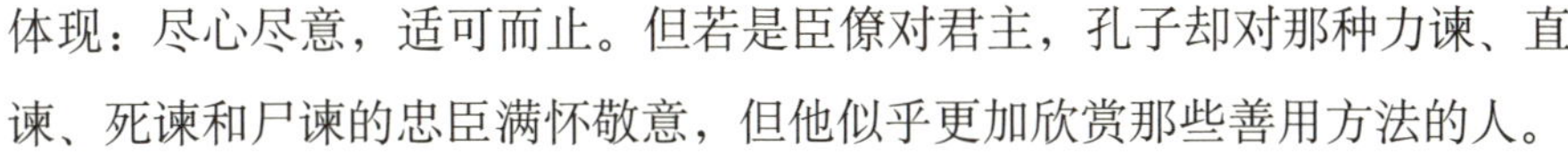

体现：尽心尽意，适可而止。但若是臣僚对君主，孔子却对那种力谏、直谏、死谏和尸谏的忠臣满怀敬意，但他似乎更加欣赏那些善用方法的人。

【接圣入心】

在这里，孔子是在跟弟子子贡谈论关于交友的一些具体的准则。

在孔子看来，朋友之间相处时，既不能没有原则地一团和气，也不能不讲艺术与分寸。

遇到朋友有错时，不能丧失原则而一味迁就，也不能睁一只眼闭一只眼装糊涂。应该选择合适的场合，对朋友的错误进行劝导。

如果朋友不听劝导，自己仁至义尽，也就不要再继续坚持，否则会自取其辱。

在现实中，面对类似的情况，我们可能常常犯下列几种错误：

- 根据道听途说，以为是朋友的错误，就直接去批评，这样就会误解朋友。明智的方法是先去向朋友询问，搞清楚了真实的情况再做判断。
- 也许情况是清楚的，但我们是以个人的价值标准来做判断的，而我们又没有办法保证自己的价值标准是绝对正确的，照此下去，就可能会跟朋友产生激烈的争执。明智的做法是跟朋友进行开诚布公的讨论，而不是轻易地下判断，或者简单地去指责。
- 也许朋友确实是错误的，在劝说过程当中，我们也尽了力，但朋友并没有听从我们的劝说。此时若还是一味坚持，最后就可能搞得不欢而散。这样，既没有解决原有的问题，还制造了一个新的问题。
- 也有这样的情况，朋友犯了错，我们非但不去劝说，反而还一味地为他辩护或者遮掩，以至于朋友的错误越犯越大，最终害了朋友。

人世间，朋友关系难得，要小心地呵护、智慧地维护，否则，朋友关系就会发生变化。

【格言】善心善法，冷静求善。

12·24　曾子曰：“君子以文会友，以友辅仁。”

【**释义**】曾子说：“君子以文章学问来结交朋友，依靠友情帮助自己培养仁德。”

【**要点**】(1) 曾子友道。(2) 以文会友。(3) 以友辅仁。

【**语境与心迹**】曾子是个很善于思考的人，对老师的思想往往有很深刻的体会。此时此刻，曾子也许是在跟同门议论交友的事。也许，同门提到了交友方面的问题。对此，领悟了老师思想的曾子指出了现实中“朋友”关系出现问题的症结和解决的方法。必须承认，现实中的“朋友”很多是夹杂着各种利益和私心的，因而会让友情变质。曾子主张，要以君子之心来交友，要以文章学问和志同道合作为交友的准则，以互相帮助和共同培养仁德作为交友的目的。这就是君子的交友之道。

【**接圣入心**】

在人生中，我们每个人都离不开朋友，朋友关系对我们每个人的生活都很重要，那用什么样的力量来滋养友谊呢？

曾子建议人们按文章学问和志同道合的标准来结交朋友，彼此以增加对方的仁德为价值诉求。也许，这个观点的背后暗含着这样的思想：君子以文会友，小人以利交友。

儒家圣人强调朋友之间在精神层面上的交往，比较排斥和不太赞同在交友中涉及太多的利益关系。

也许圣人们早就看到了因为利益而交友的不稳定性。现实中的人们，因为利益关系而成为“朋友”的较多，纯粹因为志同道合和精神上契合而成为朋友的很少。

漫漫人生路，也许最伤心的事就是朋友因利而反目。可是，又有几人明白，建立在利益上的友情，实则是建立在沙漠上的高楼。小人有句名言：“没有永远的朋友，只有永恒的利益。”正因为如此，那些将建立在利益基础上的勾结关系错看成朋友关系的人，在现实中总会遭遇朋友反目的悲惨结局。

【**格言**】以利交友情不稳，以文会友友情长。

宪问第十四

14·2 子曰："士而怀居①，不足以为士②矣。"

【注释】①怀居：怀，思念、留恋；居，安居。指留恋安逸的生活。 ②士：古代统治阶级中次于卿大夫的一个阶层，即士族、士大夫。旧时也指读书人，即士子。

【释义】孔子认为"士"应以责任为重，而不是安于过小日子："士如果留恋安逸的生活，就不配做士了。"

【要点】(1) 士子之道。(2) 士不怀居。

【语境与心迹】也许弟子当中有人很怀恋安逸的生活，也许弟子中有人提到了某些士子过于沉迷自己的小日子，而不是心怀天下和想着报效国家。针对这种情况，孔子告诉弟子们：既然做士子，就享用了社会高端资源，自然就有了对社会的责任，就要有对个人生活的超越，就要有奉献自我和利民救国的情怀；否则，就是欺世盗名，就是辜负社会的培养，当然，这样的人也不可能有什么大的作为。推而广之，对于任何一个人来说，将自己的生命界定在什么样的高度上，直接决定着他生命的价值，由一个人的追求可以看出他生命的高度。若只是贪恋个人的舒服日子，也许对于普通百姓来说无可厚非，但作为社会中的精英，这样的定位很明显就太低了。若是身居官位，不为天下人谋利益，而只为自己谋福利，这样的社会定位显然错位了。

【接圣入心】

在古代，士子都是读书有学问的人，因此孔子认为，这样的人应该有高于普通人的精神追求，而不能还是在自己生活的小圈子中转悠。按理说，因为读过圣贤书，相比普通百姓而言，应该有更高层次的精神追求，这不应该是什么额外的要求，应该是读书人自然而然做到的。但是，既然孔子说起这事，妄加揣测一下，可能在那个时代依然有人为官时沉迷于个人的物质享受，追求个人的财富积累，没有全身心地投入到服务与奉献社会中去。为官或者读书若是变成了个人谋利的工具，一个社会就会沦为“强者豪夺，弱者自怜”的悲惨世界。

反观现实中的官员和读书人，似乎历史又在重演。为何如此呢？士人之德没有确立、士子给自己的社会定位偏低，恐怕是根本原因。

基于历史的教训与经验，中国共产党提出了“全心全意为人民服务”的宗旨，也是当今社会普遍推崇的。

那为何还有那么多的官员腐败和文人唯利倾向呢？这是因为，当今的士子文人陷入了精神不振的信仰空虚状态。在这样的状态下，知识就变成了谋生的工具，官位也就蜕变成了谋利的机会。因此，大力提倡士人之德，唤醒为官者和读书人的精神追求，使他们找到生命的精神信仰，把他们从甘于物质生活层面拉升起来，这才是我们这个时代的希望。

对于人的欲望来说，物质追求是没有止境的。也就是说，追求物质欲望是永不满足的，这就是欲望的深渊。有知识有使命的人，应该大力提升精神生活在全部生活中的比例，这样才符合自己的身份；否则，就会成为高级掠食者、精神追求与现实行动的分裂者，有的人甚至会堕落成为衣冠禽兽。对此，社会的精英层应该格外警惕。

对于人来说，精神生活是一种高层次的奢侈享受。作为社会的领导人，更应该旗帜鲜明地打起精神追求的信仰旗帜，率先垂范，培养有真正精神追求的社会精英。运用舆论的力量，运用制度制约的力量，运用民众监督的力量，将有真正精神追求的精英分子推到领导岗位上。

【格言】士子报国，文人品高。定位决定生命高度，错位沦为社会掠食者。

14·3 子曰：“邦有道，危[①]言危行；邦无道，危行言孙。”

【注释】①危：正直。

【释义】孔子说：“国家有道，要正言正行；国家无道，还要正直，但要谨言慎行。”

【要点】（1）处事之道。（2）有道时，正言正行。（3）无道时，谨言慎行。

【语境与心迹】也许，孔子看到了一些士子虽有报国情怀，但不知审时度

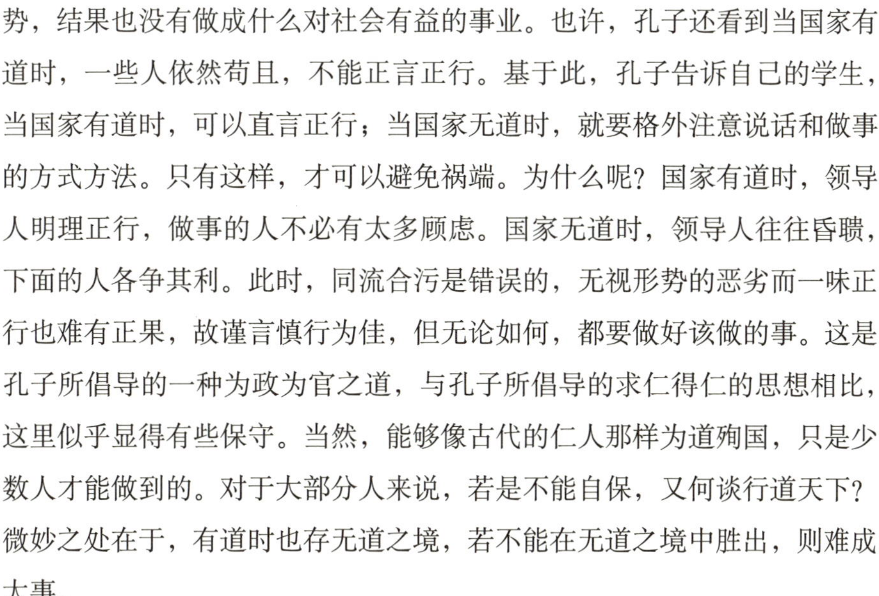

势，结果也没有做成什么对社会有益的事业。也许，孔子还看到当国家有道时，一些人依然苟且，不能正言正行。基于此，孔子告诉自己的学生，当国家有道时，可以直言正行；当国家无道时，就要格外注意说话和做事的方式方法。只有这样，才可以避免祸端。为什么呢？国家有道时，领导人明理正行，做事的人不必有太多顾虑。国家无道时，领导人往往昏聩，下面的人各争其利。此时，同流合污是错误的，无视形势的恶劣而一味正行也难有正果，故谨言慎行为佳，但无论如何，都要做好该做的事。这是孔子所倡导的一种为政为官之道，与孔子所倡导的求仁得仁的思想相比，这里似乎显得有些保守。当然，能够像古代的仁人那样为道殉国，只是少数人才能做到的。对于大部分人来说，若是不能自保，又何谈行道天下？微妙之处在于，有道时也存无道之境，若不能在无道之境中胜出，则难成大事。

【接圣入心】

关于孔子的这个观点，批评之声也众。很多人觉得，这样的观点似乎显得有些保守，那种舍生取义的勇气似乎有点弱化，似乎有点明哲保身的消极。当然，批评者自己也未必就是敢于舍生取义的人。孔子的“舍生取义，杀身成仁”和“心在正道，谨言慎行”可能是适用不同层次对象的，片面的批评并不公道，也许我们对这两句话的理解本身就有些片面。

这里，需要弄清“有道与无道”的认识标准问题，包括两个方面：一是主体，二是价值标准。

• 先说主体问题。纵观历史，邦或者国家只是一个说辞，进一步聚焦，应该指的是邦之君主或者国家之领导人。也就是说，到底什么“指征”能判断邦国有无道？要是从整个国家或者全体国民来说，恐怕从古至今、中西内外，能达到“有道”标准的几乎没有。故而将范围缩小一点，应该是指邦国领导人的作为和整个社会的主流，这个标准才更可行或者现实一些。孔子的前半句似乎没有异议，但也算不上高标准，只是顺势而为而已。难点就在于后半句：邦无道，士人应当如何？若是邦无道时，社会精英只管明哲保身，邦之希望何在？那就只能等待？谁来拯救处于苦难中的百姓呢？士人倒是可以比一般百姓活得自在一些，但此时士人的自在不也是一种颓废和堕落吗？

• 再说如何在价值标准上判断“有道无道”的问题。这个问题十分重要，也十分有难度。从历史上看，昏君当道，即无道。昏君不思为天下黎民苍生造福，沉湎于享受个人的权势和生活的骄奢淫逸，重用奸佞，残害忠良，社会风气败坏，自然是无道。明君在世，一心思虑国家振兴、民族富强、正气树立，个人勤俭自律，不谋私利，重用忠良，风清气正，民风淳朴，自然是有道。似乎这样的道理是说得通的，也是立得住的。

• 对于很多人来说，还存在着另外一种更普遍的局面：大局有道而小境无道。如何不被无道小境同化，又能自保自净，还能脱颖而出，恐怕这才是考验人智慧的真正考题。周旋在小人中间不被同化、不被边缘化、不被陷害，还能上进赢得前途，这要怎么做呢？这就是区分糊涂与聪明、表面与背后、实在与虚滑、局内与局外的节点。

关于这个话题，我们还必须关注一种特别的情况：当国家面临外族入侵时，已是国难之时，此时此刻，是与外族入侵者同流合污、苟安自保，还是挺身而出、为族舍命，当是士人的大仁大义之抉择？纵观历史，吴三桂勾结外族，被世人唾骂。抗日战争时期，汉奸伪军，认贼作父，被钉在历史的耻辱柱上。如今，仍有一小撮失去民族大义的人，一心图谋分裂国家，这种背叛民族之徒，也为国人所不齿。

在这里，孔子告诫我们，无论社会风气如何，我们都要正言正行，以己之正行带动国家社会形成优良的风气。多做实事，力戒空谈，实干兴邦。

【格言】邦有道，正言正行。邦无道，谨言慎行。有道中无道，考验智慧。大仁者，舍生取义。

14·20　子曰：“其言之不怍①，则为之也难。”

【注释】①怍：音 zuò，惭愧的意思。

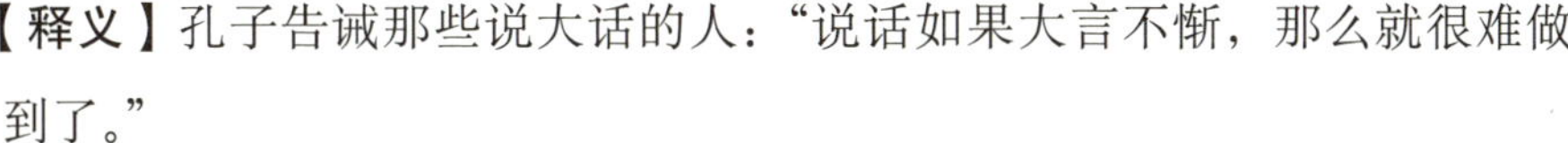

【释义】孔子告诫那些说大话的人："说话如果大言不惭，那么就很难做到了。"

【要点】(1) 小人大话。(2) 虚而不行。

【语境与心迹】看来，从古至今，都不乏那些喜欢说大话的人。孔子在此跟弟子们强调的是：既要有报国的情怀，又要有脚踏实地的行动。若是没有报国情怀，就是围绕自己小日子转圈的小人。若只是空有理想，却缺乏实实在在的行动，也会成为一事无成的人。此处孔子所秉承的是儒家的一贯主张：反对那些语言夸张、虚华不实的做法。看看现实中的小人，基本上都是好说大话而最终落实不力之人。

【接圣入心】

这是儒家关于言行的比较经典的观点。

现实中，说得比做得好的人多了，说得比做得多的人也多。这样的人，多半会失信于人，给人浮夸、轻飘飘、浅薄、不可靠的印象。

有人会问：难道只做不说才是正确的吗？按照儒家的智慧，说到做到是守信，说的比做的多是浮夸。也就是说，少说多做！

有人又较真了：少说也还是要说呀！说什么呢？不说什么呢？

- 第一，少说为佳，免得说到做不到反而让人耻笑。
- 第二，可以悄悄地跟自己说未来的理想，暗暗使劲，可以励志，给自己鼓劲。
- 第三，可以说向优秀者学习的话。
- 第四，可以说别人的恩情。
- 第五，可以说自己的不足，表现敢于面对的勇气。
- 第六，多说别人的贡献。

什么不能说呢？

- 第一，别跟别人说眼前做不到的，否则有吹牛之嫌，还可能被人嘲笑。
- 第二，不要在心里泄自己的气，不要自怨自艾，否则有自虐之嫌。

• 第三，不要表达跟不如自己的人相比较后产生的虚幻的优越感，否则有阿 Q 精神之嫌。

• 第四，不要说夸大自己能力而忘记别人恩情的话，否则，有忘恩负义之嫌。

• 第五，不要只说自己的长处、成绩和优点，否则，会让人觉得你对自己缺乏信心，有故意粉饰之嫌。

• 第六，要多说别人的贡献，不用表白自己，否则有贪功和自我标榜之嫌。

有人可能会不以为然或者有些困惑：我只是说这些，我的那些贡献、优点和长处岂不是很容易被埋没？这多冤啊！实际上，人心是杆秤，你有的、你做的，别人心中有数，事实就会说话，事实胜于雄辩。你越是不说自己，别人赞扬和欣赏你的可能性就越大。若是不明白这个人心的规律，就很难把握好言谈的尺度。

【格言】君子之仁德，慎言而重行。

14·26　子曰："不在其位，不谋其政。"曾子曰："君子思不出其位。"

【释义】孔子强调做好自己该做的事："不在那个职位，就不要考虑那个职位上的事情。"曾子说："君子考虑问题，从来不超出自己的职责范围。"

【要点】（1）君子谋道。（2）恪守本位。（3）思不出位。

【语境与心迹】也许，孔子看到了一些不专心做好自己能做的事，却满怀兴致地去议论一些自己根本搞不懂也做不到的事的人。或许，孔子看到了自己的弟子中有人有类似的言行。孔子当然知道，一个连自己该做的和能做的事都做不好的人，难道还能做好自己搞不懂的事情吗？议论国政，自己又没有那样的高度，也不掌握相关的信息，这不是既误了自己，还会给社会添乱吗？孔子和曾子所强调的是每个人都要做好自己分内的事，不要在自己位置或者角色之外的事上白花心思。因为，自己之外的很多事，你可能根本搞不明白，知道一点信息也是道听途说，却又十分热心地去议论或者指手画脚，这又有何益处呢？做好自己，这是一个社会和谐和发展的基础。好心人、能力强的人和责任感很强的人，最常犯的错误就是越出了

自己的本位，进入自己不了解、不内行和没有权力的区域，想了很多，说了很多，因此错话很多，也没有帮到什么忙，反而可能添乱。当然，孔子所处的年代还没有民主政治的概念与制度设计，当时的体制只是在谏官谏言方面有所涉及，民主政治还没有出现。当然，孔子和曾子的说话对象肯定不是国君，他们的观点是说给一般人听的。若是不偏离对话场景，也许就不会有那么多无谓的责难了。

【接圣入心】

试想，一个连自己该做的事都做不好的人，难道还能够为别人或者社会做贡献吗?

再看看现实，一些人连自己该做的事情都做不好，却始终不忘去议论别人的事情：

- 一些人对国家没有基本的认识，也不掌握全面的信息，凭自己一丁点有限的经验和某个方面的专业知识就妄议全局。
- 一些人不具备历史知识，也不掌握现实中某些事情的全部事实信息，却带着个人的偏见去评价历史或者某些重要的事件。

认真想想，上述做法其实都是在做无用功，没有什么贡献，反而可能是添乱，这样的人还特别固执，就认为自己是正确的，像一个不懂事的孩子般任性。遗憾的是，可能这其中有些人还是某个方面的专家，他们的言论对普通民众就更加具有迷惑性和危害性。尤其是社会中总有不好的现象存在，甚至有些还让人们心焦心急心烦心痛，此时这些专家的观点就会更加有市场。

当然，孔子和曾子的这个观点一直以来饱受诟病：似乎是让人们只做自己该做的、能做的事，不用管其他的事情，这好像是剥夺了人什么权利，于是一些人就批评孔子和曾子宣扬的是一种替封建王朝安民的愚民理念。

众所周知，孔子和曾子的年代是封建王朝，民众基本上没有参政的权利，这与今天的情况是有差距的。那个时代，圣人们对君王提出的要求是要爱民如子，对民众的要求是要恪守本分和忠君爱国。中间似乎缺了一个君民之间进行有效沟通的机制，故而就有了礼贤下士、微服私访等非制度性的安排。很显然，这是当时的封建政治体制的局限性。

现今国家的政治体制与那个年代不同了，人民真正当家做主，人民代表参政议政，公司员工也可以通过民主管理委员会反映情况并参与管理。

但要注意三个问题：反民主偏向、虚化民主、民主渠道阻塞：

- 虽然有民主制度，但一些人将那些不合自己意图的民主结果视为不民主。这当然是一种反民主的个人主义意识在作怪。
- 今天一些组织的领导人依然缺乏民主意识或者将民主虚化，行动中依然表现出独断专行的偏好，这是值得组织领导人反思的。
- 政令不畅，导致人心不通；人心不通，导致民意难以上达。如此下去，就很难打动人心和集聚众力，领导人容易因为信息不全、缺乏理性制衡、个人局限而决策失误。

除此之外，现实中更为常见的是那些心眼好、能力强、责任心强的人，很容易越出本位去做事，这样做的结果往往就是打乱了秩序。同时，他们常常因为不了解全面情况而事与愿违：白操心，别人不领情，误会别人，强迫别人，于事无补。

【格言】一切美好愿望都要基于这样一个前提：首先做好自己！

14·27 子曰："君子耻其言而过其行。"

【释义】孔子说："君子认为说得多而做得少是可耻的。"

【要点】(1) 君子之耻。(2) 言过其行。

【语境与心迹】孔子之所以这样说，一定是看到了社会中一些人只会说大话，却做不成什么事。也就是"嘴巴上的巨人，行动上的矮子"。这样的人，通常是思想上的自我中心者，也是没有自知之明的人。他们表现得很精明强干，但做事往往是虎头蛇尾，或者言过其实，或者只是嘴巴上的强

者、行动上的弱者。或者，孔子看到自己的弟子中有人喜欢空谈却很少付诸行动，或者说得很好做得较差，故而用此话来提醒弟子。这和前文所提到的慎言重行思想是一致的，只是又加强了一下价值判断和情感色彩。知过加上知耻，一个君子的心灵力道就会变得强大！

【接圣入心】

◎ 言多必失，言大必虚。

◎ 与其说些可能失误的话，不如静下心来好好用心做事，行胜于言。

◎ 说多了就容易说错，不如用事实来表达和证明自己。

◎ “言过其行”不为耻，是小人。“言过其行”以为耻，方为君子。

◎ 说起来，这也是一个人心智程序的设置问题：如果总说很多大话，却不见行动与成果，就会被人看作是“说大话，放空炮”。这样的做法，既败坏了自己的声誉，又失去了成长的机会，何苦呢？

【格言】言过其行，君子之耻。

14·31 子曰：“不逆①诈，不亿②不信，抑亦先觉者，是贤乎！”

【注释】①逆：预先猜测。 ②亿：同“臆”，猜测的意思。

【释义】孔子真是智慧啊，始终怀有仁德之心，同时又能够明察秋毫。他说：“不预先怀疑别人欺诈，也不猜测别人不诚实，然而又能事先觉察到别人的欺诈和不诚实，这就是贤人了。”

【要点】(1) 贤人智慧。(2) 不疑而预察。

【语境与心迹】师者真是用心良苦啊！在当时的社会中，孔子的弟子们算是文化程度比较高的人了。这样的人常常容易犯一些毛病：比如总是事先怀疑别人的诚实或者揣测别人的用心，若是有了这样的心智，学了文化反而会变得不纯洁了，就会劳苦自己的心，污染自己看人的眼睛。到了这个份儿上，学习就走偏了。孔子告诉自己的弟子们，千万不要走到这样错误的道路上去，要学会正确地使用自己的心智，要像贤人们那样，不会无端事先做负面的揣测，而是会根据经验和事实判断一个人的品性。这里所强调的是君子的两个标准：不妄测，善洞察。前者主要提示的是一种非理性：不要无端怀疑别人，这是底线，不能突破，否则就是小人。后者强调的是一种高级理性：不妄测，但能明察，如此，便是贤人。

【接圣入心】

现实中，患上“事先怀疑别人欺诈、猜测别人不诚实”的“疑心病”的人总是有的。

所谓“疑心病”，是在毫无证据或者证据有限的情况下，更多依靠自己的联想或者道听途说而进行个人判断。“疑邻盗斧”的典故形象地告诉了我们“猜疑”给人一种虚幻真实的暗示，这自然是非理性的。正所谓“谣言止于智者”，“用人不疑，疑人不用”。

现实中总会有一些不良社会风气与现象，这就为“疑心病”提供了土壤。还有一些人精神空虚，总爱随意妄断他人，人心不古，人心莫测。

妄断别人的人自身也是痛苦的，陷入了一种被负能量包围的人生困境。

但若要做到事先洞察，也绝非易事。这需要拥有丰富的生活经验、缜密的思维方法、见微知著的卓越智慧和提取有效证据的非凡能力。观其行而知其言真伪，观其行之一贯性而知其心性，观其大小甄别与取舍而知其智高低，临危遇乱而知其智勇层次，临色诱利惑而知其气节，观其怨怒而知其心胸。

被人信任时，不要滥用别人的信任，要用行动、事实和有效的沟通证明自己可信；信任他人时，不要轻易相信其他人对所信之人的评价和说辞。当然，要去主导建立一种有效的信任机制，不要用一种理念代替机制，否则“用人不疑，疑人不用”的信条可能就会贻害双方。能做好这一点，就是仁德与智慧的结合。

【格言】不妄测，能明察。

14·42　子路问君子。子曰："修己以敬。"曰："如斯而已乎？"子曰："修己以安人[1]。"曰："如斯而已乎？"子曰："修己以安百姓[2]。修己以安百姓，尧舜其犹病诸！"

【注释】①安人：使上层人物安乐。　②安百姓：使老百姓安乐。

【释义】子路向老师请教什么样的人算君子。孔子说："修养自己，保持严肃恭敬的态度。"子路又问："这样就够了吗？"孔子接着说："修养自己，使周围的人们安乐。"子路继续说："这样就够了吗？"孔子接着说："修养自己，使所有百姓都安乐。修养自己使所有百姓都安乐，尧舜还怕难做到呢！"

【要点】(1) 子路问君子之道。(2) 修己以敬。(3) 修己安人。(4) 修己安天下。

【语境与心迹】大家知道，子路在被孔子教化之前是个很无礼而傲慢的人，追随孔子之后才算是有所长进。但毕竟过去的习气习得已久，想修成君子也不是一朝一夕的功夫。故而，当子路问老师什么样的人算君子时，孔子针对子路的"短板"（曾经的傲慢无礼）强调了对人要恭敬这一君子的品质，这是根据子路的特点"对症下药"的。当我们将这些背景信息与子路和老师的对话联系起来时，也许就能够更加真切地理解孔子的用意了。此处，子路连续三次发问，孔子也借机谈了君子的三个品质：一是首先要有恭敬之心，努力修好自己；二是让周围人安乐；三是再让天下百姓安乐。这三个品质层层递进，基本归结为两个方面：核心永远是自己要有恭敬之心，努力修好自己，这是一切的基础；然后就是能够让别人安乐。

【接圣入心】

成为君子，是每一个时代的人都要努力实现或者坚守的为人的基本目标。否则，就可能会沦落为小人。

如何看一个人是不是君子呢？主要有两个标准：一是在修己方面是否下了真功夫；二是看他能否让身边和周围的人安乐，当然不能仅仅局限于身边的少数人。

君子修己，有三个递进的层次：一是修好自己；二是能够让周围的人安乐；三是能够造福天下百姓。

若是只修己不安人，最多算是个避世的隐士。若是不修己想安人，则必定会用上很多小人的伎俩。修己是本分，安人是责任。修己是安人的基础，安人又是对修己的一种检验。

扪心自问：你修己是否肯下功夫？你安人是否在用伎俩？你在安人方面处在哪个层次上？这是每个不想虚度人生的人必须回答的，否则，就会贻误自己一生。

【格言】尊道贵德，修己安人。修好自己，安乐别人。

14·43 原壤[①]夷俟[②]。子曰："幼而不孙弟[③]，长而无述焉，老而不死，是为贼。"以杖叩其胫。

【注释】①原壤：鲁国人，孔子的旧友。他母亲死了，他还大声歌唱，孔子认为这是大逆不道。 ②夷俟：夷，双腿分开而坐；俟，音 sì，等待。 ③孙弟：同"逊悌"。

【释义】原壤是个反面教材，他叉开双腿坐着等待孔子。孔子骂他说："年幼的时候，你不讲孝悌，长大了又没有什么可说的成就，老而不死，真是害人虫。"说着，用手杖敲他的小腿。

【要点】（1）原壤夷俟。（2）长而无述，老而不死。（3）子叩其胫。

【语境与心迹】原壤是什么人呢？他姓原，名壤，春秋时期鲁国人，是孔子的老相识。原壤这个人，是孔子所倡导的仁德的反面典型：年幼不讲孝悌，长大没有作为，年老而不死。可见，孔子对这样一个一生"既没仁德安乐父母兄弟，也无智慧帮助他人，最后老而不死成为害人虫"的人是多么鄙视。用今天的话说，活了一辈子，也没有活明白，更没有活出个人样来。孔子用手杖叩其胫，表达自己的鄙视。慈悲的孔子，无奈的孔子啊！如此下愚之人，谁能改变他呢？

【接圣入心】

这应该是孔子借原壤这个人，从反面阐释人一生必须具有的几种

基本美德：

- 小时候懂事，知道尊敬父母、友爱兄弟姐妹。
- 长大之后能用自己的力量帮助别人以获得人生的成就。
- 年老了也不给人添麻烦，不给后代和社会添负担。

如果能做到这三点，人这一生也就没有什么大的遗憾了。

你呢？年幼时如何表现的？现在长大了是否对社会有用？对儿女的教育和示范能让他们自觉生出孝悌的美德吗？当然，如果你现在正值壮年，会为将来的养老做什么样的准备？会不会在自己进入老年时给儿孙或者社会添麻烦？这几个问题，是每一个人都应该认真思考的！

【格言】幼不孙弟——幼懂孝悌；长而无述——大智成就；老而不死——老而无碍。

卫灵公第十五

15·2　在陈绝粮，从者病，莫能兴。子路愠[①]见曰："君子亦有穷乎？"子曰："君子固穷[②]，小人穷斯滥矣。"

【注释】①愠：音 yùn，怒，怨恨。　②固穷：安守穷困。

【释义】孔子与弟子一行人在陈国断了粮食，随从的人都饿病了。子路很不高兴地来见孔子，说道："君子也有穷得毫无办法的时候吗？"孔子说："君子虽然穷困，但还是坚持着；小人一遇穷困就无所不为了。"

【要点】(1) 断粮从病。(2) 子路惑问。(3) 君子虽困而守，小人遇困而滥。

【语境与心迹】此处所描绘的是孔子与弟子们在陈国被困断粮的情景。在那样一个乱世，上层勾心斗角，下层生灵涂炭，整个社会处在混乱的状态。在这样的乱世中，愿意追随孔子学习和弘扬仁德的人，也算是很了不起的人了。尽管如此，孔子的弟子们也是参差不齐的，毕竟出身不同、境遇不同、性情不同。子路算是孔子弟子中个性很鲜明的一个人。当追随老师弘道遭遇逆境和险境时，子路显得有些不耐烦，尤其是一些跟随的人又生了病，可能影响到子路的情绪，故而他才会带着些情绪去问老师：君子遭遇如此窘境是不是也没有办法啊？孔子对当时所处的境遇以及弟子们心中的郁闷肯定是心知肚明的，但孔子是个心怀天下、天赋使命的人，所以在面对困境和弟子们的消极情绪时，讲出了一个真君子的心性与情怀：在困境面前方能看出一个人的心灵力量——面对困境，小人可能会消极悲观、无所事事，而君子深知，要承担使命，就必须有面对和克服各种困难的勇气，即使面临绝境，也不能改变自己伟大的志向。君子若是遇到困难就轻易改变自己的志向，怎么能够承担大任呢？

【接圣入心】

人是环境的产物，这是一个总的判断。

但在环境中会成长为什么样的人，面对着不同的环境会做出什么样的反应，就要看人的志向和在个人修为方面的功力了。

孔子与弟子一行人在陈国断了粮，子路有些动摇，问老师君子在此时应该怎么办，方有了孔子这番话。

看人的修为功夫，无非是两种极端情况：

- 一是在极好的情况下：人在极其丰裕的生活状态中会不会丧失责任心和同情心？是否还会努力进取而不自满？是否能把控自己而不骄横？这是一种考验。对于那些一心想给孩子最好生活条件的父母来说，是否想到了人在这种优渥环境下会面临的特殊困境？
- 二是在极坏的情况下：人在极其贫穷的状况下是否会丧失斗志？是否还有进取心？理想信念是否会动摇？这是衡量一个人心灵力量的关键时刻。

当然，人生中有很多这样的极端情况，都是考验人的：

- 极受信任之时，会不会自我膨胀？
- 遭人贬斥之时，会不会抱怨颓废？

- 极其顺利时，会不会得意忘形？
- 面临一连串的打击时，会不会消极厌世？
- 有人宠爱之时，会不会忘形而造次？
- 失去所爱之时，会不会暴怒而失去理性？
- 孤身一人身陷小人、恶人包围时，能否冷静处理得以保全自身？
- 身处优秀卓越的人群当中时，会不会自卑嫉妒？
- 面临压力时，会不会焦躁？
- 日常生活中是否能够保持生活的热情？
- 面对屈辱，能否保持镇定自若？
- 面对荣誉，是否可以淡然处之？

正常情况下，做一个好人和正常人并非难事。但面临考验时，你会是什么样的人呢？

【格言】君子无畏于处境，顺不奢逸，逆不改志。

15 · 6　子张问行①。子曰："言忠信，行笃敬，虽蛮貊②之邦，行矣。言不忠信，行不笃敬，虽州里③，行乎哉？立则见其参④于前也，在舆则见其倚于衡⑤也，夫然后行。"子张书诸绅⑥。

【注释】①行：通达的意思。　②蛮貊：古人对少数民族的贬称，蛮在南，貊，音 mò，在北方。　③州里：州里指近处。据我国第一部断代史《汉书》记载："五家为邻，五邻为里，四里为族，五族为党，五党为州，五州为乡。"换句话来说，五百户为党，一万二千五百户为乡。　④参：列，显现。　⑤衡：车辕前面的横木。　⑥绅：贵族系在腰间的大带。

【释义】子张曾经遭遇过重大挫折，故而向老师请教如何才能使自己到处行得通。孔子说："说话要忠信，行事要笃敬，即使到了蛮貊地区，也可以行得通。说话不忠信，行事不笃敬，就是在本乡本土，能行得通吗？站着，就仿佛看到'忠、信、笃、敬'这几个字显现在面前；坐车，就好像看到这几个字刻在车辕前的横木上，这样才能使自己到处行得通。"子张十分重视老师的教导，把这些话写在腰间的大带上。

【要点】（1）子张问行。（2）言忠信，行笃敬。（3）子张书绅。

【语境与心迹】子张，出身微贱，且犯过罪行，经孔子教育成为“显士”。虽学干禄，未尝从政，以教授终。可见，对于像子张这样出身低且遭遇过打击的人来说，如何做人做事才能在社会上行得通，是个困扰他们很久的问题。借子张的问题，孔子针对子张的情况讲述了君子通行天下的基本法则，或者也可以说是一张行走天下的“通行证”：说话忠信，行事笃敬，走到哪里都可以畅行无阻。而且，不论是站着还是坐车，心中始终不能忘记这个法则。这就是人间大道，须臾不可离。对老师讲的这段话，子张感到十分受用，因为这也是老师针对他的短处开出的一剂“药方”。联想起自己的过去，子张感受颇深，将老师的教导写在腰间大带上，以表永生不忘。当然，这一通行天下的法则不仅仅适用于子张，也适用于所有人。

【接圣入心】

孔子与弟子的这段对话，给我们指出了可以通行天下的大道：言语上，要体现忠信；行事时，保持虔诚恭敬；心灵上，时刻不离这个准则。

想想自己平时的情况吧：

- 言行举止，让人感到你是真诚可信的吗？
- 做事的时候，让人感到你是认真恭敬的吗？
- 无论何时何地，你心中始终按照这两个原则说话做事吗？

如果做不到会怎么样呢？

- 一说话就让人感觉虚伪狡诈，一说话就把自己的品性出卖掉，往后还怎么跟人一起相处呢？
- 如果你做事让人感觉是马虎不用心的，那还会有人相信你和依靠你吗？
- 如果你的状态时好时坏，别人对你又怎么会有信心？

像子张这样受过挫折的人，如果不是跟随孔子学习，如果不从自身角度反思自己“撞墙”的原因，恐怕就会憎恨社会、报复他人、殃及无辜。

你是什么样的呢？你遇到过挫折吗？你会因为挫折而怨恨别人和社会吗？你会从自己身上找原因去改正吗？人间的事，说得简单点，无非就是说话做事。人间所遇到的事，都是内外因共同作用的结果。一个人若是一味地将受挫折的原因归于外界和他人，就容易误入歧途。

【格言】说话忠信，行事笃敬，须臾不离。

15·7 子曰："直哉史鱼[①]！邦有道，如矢[②]；邦无道，如矢。君子哉蘧伯玉！邦有道，则仕；邦无道，则可卷而怀之。"

【注释】①史鱼：卫国大夫，名鳍，字子鱼，他多次向卫灵公推荐蘧伯玉。②如矢：矢，箭。形容其直。

【释义】孔子在这里赞美了两个大君子："史鱼真是正直啊！国家有道，他的言行像箭一样直；国家无道，他的言行也像箭一样直。蘧伯玉真是一位君子啊！国家有道就出来做官，国家无道就辞退官职，把自己的主张藏在心里。"

【要点】(1) 君子直曲。(2) 史鱼蘧瑗。(3) 有无道直，史鱼也。(4) 有直无曲，蘧瑗也。

【语境与心迹】这段文字中讲到了两个卫国的知名人士，一是大夫史鱼，二是史鱼非常欣赏的蘧伯玉。孔子在这里描述了卫国这两个名人，很显然，在孔子看来，史鱼与蘧伯玉是两种不同的类型：一个是"直"，一个是"君子"。不论国家有道还是无道，史鱼都同样直爽，而蘧伯玉则只在国家有道时出来做官。所以，孔子说史鱼是"直"，伯玉是"君子"，这是儒家特别看重的品性。需要说明的是，"知其不可为而为之"是儒家的使命精神，是敢于承担历史使命，但并非意味着做事时不讲究方法。所以，将使命精神与通权达变、忠恕中庸的方法论结合起来，方能全面正确理解孔子的思想。

【接圣入心】

此处孔子赞美了史鱼，其忠诚正直之勇气是值得敬佩的。

但孔子似乎更加欣赏蘧伯玉，其内在品德不输史鱼，而在处事方法上更能够体现儒家的君子风范："直己"而"不直人"，内直而外宽，严以律己，宽以待人。"用之则行，舍之则藏"，审时度势，能屈能伸，通权达变。

很显然，史鱼就有点"正直有余，刚猛有过，进退失度"了。但是，史鱼在活着时没能举荐成功，死后却以尸谏的"转弯"方式达成了目的，这样的做法也颇值得玩味！任何一个时代都十分需要这样的刚忠之豪杰！

儒家所说的君子，既要有内在的仁德、正直的勇气，也要审时度势、进退有度，也就是智慧君子的内外统一。

【格言】君子无畏："明知不可为而为之"。君子智慧："通权达变""用之则行，舍之则藏"。

15·8　子曰："可与言而不与之言，失人；不可与言而与之言，失言。知者不失人，亦不失言。"

【释义】孔子特别讲究说话的原则与艺术，他说："可以同他谈的话，却不同他谈，这就是失掉了朋友；不可以同他谈的话，却同他谈，这就是说错了话。有智慧的人既不失去朋友，也不说错话。"

【要点】（1）君子言道。（2）言而可言。

【语境与心迹】语言是人类沟通的一种基本方式，会说话自然是十分重要的生活能力。此处，孔子在跟弟子们谈论如何说话的问题。也许弟子中有人遇到了这样的问题或者有弟子提到有人遇到了这样的问题，孔子就借这个话题向弟子们说明君子的言谈之道：能说的话不说，就会失去朋友的信任；不能说的话却说了，就会陷入尴尬。有智慧的人呢，就是知道该说的必须说，而不该说的就绝对不说。孔子真是智慧啊，他总能为人生中的诸多问题找到智慧的应对方法。

【接圣入心】

人这辈子，大部分时候都是通过说话与人交往的，因此，说话的学问可就大了。

•会说话的，自然知道什么该说和什么不该说，这样就能与朋友和谐交往。

• 不会说话的，不管什么都说，这就是乱说，自然就会让别人不舒服。

当然，说话的学问涉及内容、方式、分寸、火候、气氛、场合、情感等诸多因素及其动态的变化。

• 在说话的内容上，根据与对方关系的深厚程度、当时在场的人员及其关系、说话气氛等有所选择。原则上，不要过问太多隐私，即使对方说了，也不要进一步探问。涉及对其他人的评价不要说，这是背后议论人，容易惹是生非。

• 在说话的方式上，不要居高临下，不要用质问、审问、反问等不礼貌的方式，可以礼貌地询问，耐心地请教，站在对方角度接话并适时把话题交给对方，不能一味自说自话，不能说起来没完没了像个“话痨”。

• 在说话的分寸上，不要表现出过分好奇、惊讶、质疑，根据关系的性质与程度注意措辞，但体谅、理解、同情等倒是需要适时表达。

• 在说话的火候上，不要一味地追问、探问，也不要表现得毫无兴趣。

• 气氛方面，根据主题和彼此的心情，选择或者改变谈话的内容，尽量营造轻松、适宜的谈话氛围。

• 说话的场合也很有讲究，在公共场合，不适合在许多人面前谈两个人的私事，也不适宜大声说话，更不要在客人多的时候只顾你俩说话而冷落了他人。

• 情感方面，要配合谈话的主题和内容表达适度和相配的情感，谈喜事要喜悦，谈悲伤事要略带伤感，谈平常事要平和自然。

人这辈子，说话是大学问。任何时候的谈话，都会将一个人的品性和智慧表露无遗。

【格言】当说不说失朋友，想说就说造是非。

15·12　子曰：“人无远虑，必有近忧。”

【释义】孔子说：“人没有长远的考虑，一定会有眼前的忧患。”所谓的近忧，都是因为缺乏远虑。

【要点】（1）人无远虑。（2）必有近忧。

【语境与心迹】这句话为后世广为流传，孔子为何说这样的话呢？多半是因为看到有的弟子急功近利，或者羡慕某些急功近利的人，所以才发出了这样的提醒。实际上，师者的作用就在于时时刻刻能够帮助学生认识自己的状态，在既有的状态上再连接一个管控的程序或者提升一下境界。是啊，人生如同一段旅程，没有长远目标，必然会被眼前事务所困，被眼前事务纠缠，就看不清楚未来，就无法提前为未来做好准备，就无法赢得未来的机会。因为，未来的机会，总是给予那些有准备的人的。

【接圣入心】

方向，决定了走什么样的路。方法，决定了如何走得稳、走得快。方向是指向未来的，方法是为了达成目标的，是与未来联系的。

一个有着长远目标的人，会在现实中懂得轻重缓急、善于取舍，因为凡是与长远目标相契合的就长期坚持，与长远目标相背离的就舍弃。比如，读书学习，这是决定长远发展的内在力量，活到老学到老，以此滋养自己的灵魂，保证灵魂不迷失。比如健康和锻炼，没有健康就没有一切，故而将锻炼作为生活中不可缺少的组成部分，也是人生的一种战略安排。比如人生价值选择，这辈子做什么事是最有价值的，花上几十年寻找和摸索，一旦确定就坚定不移。

现实中，小人为何唯利是图、自私自利、只顾眼前呢？因为小人没有长远目标，故而只顾眼前，丧失了多次机会却浑然不知。整日忙碌的人呢？没有想清楚此生到底要成就什么，所以只能被事务推着走，走上被动而无奈的人生道路。

有伟大理想的人呢？他们可以舍弃一切包袱与负担，坚定不移地向着理想挺进。

君子呢？因为明白仁德是生命的根基，故而能够对外忠君报国，对家坚守孝悌，对朋友秉持忠恕仁义，思考与做事坚守中庸，临危不乱，穷不改志，富不骄蛮，从而赢得信任，成就人生大业。

你是用人生理想引领自己呢，还是被欲望驱动着呢，还是理想迷茫、欲望受限，长期被无奈和事务缠身呢？

不管怎么样，你和众人一样，一天天地走向生命的终点。若是想明白了，就不要再像个木偶一样被没有多大意义的事务缠身了！解放自己，源于明白！

【格言】人生两大问题：方向与方法。

15·16 子曰："不曰'如之何①，如之何'者，吾末②如之何也已矣。"

【注释】①如之何：怎么办。 ②末：这里指树梢、末尾和最终。

【释义】这段话有两种解释：一是孔子说："从来不说'怎么办，怎么办'的人，我对他也不知怎么办才好。"二是孔子说："从来不说'怎么办，怎么办'，要说我怎么办才行啊！"

【要点】(1) 不曰如之何。(2) 末如之何也。

【语境与心迹】孔子在说这句话时，很显然是带着情绪的，可能是对那些只善言谈不善行动的人有点不耐烦了。后世对这句话的解读也有很多争论，上文列出了两种释义。关键是"末"字，很多人解读成了"未"，也就是没有的意思，但"末"字指的是末梢和最终的意思。将这个字的用意搞清楚了，意思也就明白了：不要说来说去就是不说怎么办怎么办，一定要说最终怎么办才行啊。虽然解读方式不同，但核心要义基本上类似：孔子强调的是不要总是高谈阔论，而要进一步思考行动的措施，否则光是说来说去的又有什么用呢？

【接圣入心】

在讨论问题时，总能听到一些人煞有介事地分析来分析去，说得都有道理，就是不说最后到底怎么办。

很显然，习惯于不断分析的人，属于口头派，分析半天也不知道到底该怎么办。

毫无疑问，分析问题是必要的，但解决问题才是真正的目的。

如果只是停留在分析阶段，总觉得自己的分析有道理，但就是找不到行动方法，这种人也就有个耍耍嘴皮子的能耐。

我们需要注意的是：不分析就行动，会显得鲁莽，最终常常事与愿违。只是分析而没有进阶到行动，就是空谈。“空谈误国，实干兴邦”，既不要拒绝认真的分析，也不要只是分析而不采取行动。

【格言】分析是必要的，行动才能有结果。

15·17　子曰：“群居终日，言不及义，好行小慧，难矣哉！”

【释义】孔子说：“整天聚在一起，说的话却不符合道义，专好卖弄小聪明，这种人真难教导。”

【要点】（1）小人度日。（2）群居终日，言不及义，好行小慧。

【语境与心迹】孔子是在说谁呢？也许是针对社会中某些人的作为而言的，也许是对着弟子中的某些人说的。如果是在说自己的弟子，孔子的这句话就近乎训诫。如果是针对社会上的一些人说的，表达的可能就是一种无奈的感慨。

【接圣入心】

孔子的教育原则是“有教无类”，可孔子在此感叹那些没有仁义之心的人是很难教导的。

现实中，我们肯定会遇到一些难以沟通的人：没有知识却又固执己见的人，有知识但不接受别人不同观点的人，总是使用对立思维，永远跟你唱反调的人，永远在自己的知识和经验中思考的人。

孔子在此提醒我们，要注意现实中那些小人的作为：整天聚在一起聊些不正经的事，毫无仁义道德可言；全是人间是是非非，都是负能量；都是片面的信息，很多是道听途说没有核实过的信息；牢骚满腹，抱怨别人，指责别人，唯独不思己过。

想想看，你过去的经历中遇到过这样的人吗？自己与人聊天时是否也聊些人间是非？是否也会偏好那些负面信息？是否聊得自己也很郁闷？如果是这样，我们自己就是小人啦！通过一个人总在说的话，就可以判断其内心的状态。正所谓，言为心声。

时间对于每个人来说都是有限的。与其做一些无聊的事情，还不如做一些对自己和他人有益的事情。这笔账很简单，值得我们每个人经常算一算，免得白白耗费自己的生命。

【格言】君子忙正事，小人聊是非。

15·18　子曰："君子义以为质，礼以行之，孙以出之，信以成之。君子哉！"

【释义】孔子说："君子以义作为根本，用礼推行它，用谦逊的语言来表达它，用忠诚的态度来完成它，这就是君子了。"

【要点】(1) 君子行道四步。(2) 义以为质，礼以行之，孙以出之，信以成之。

【语境与心迹】孔子常常对着某个弟子或者某种情况强调君子的某种品性，但在这里，孔子似乎对什么是君子做了较全面的表述。也许是弟子们讨论什么是君子时提到了某个方面或者某几个方面，孔子听完，就提出了君子行道的"四部曲"：义为根本，以礼行之，谦逊表达，诚信态度。如此，可为君子。孔子对君子行道所做的表述，是在强调行道中"义、礼、逊、信"四个要素的连贯性和不可分割性。也许，孔子是在为弟子们片面强调君子某个品性的认识纠偏。毫无疑问，行道中缺少任何一个要素，君子的作为就不可能完整。

【接圣入心】

君子行道，"义、礼、逊、信"，一气呵成。

在现实中，你若是问有没有人想做小人，得到的回答肯定是否定的。

可是，不想做小人的人就能做君子吗？那要看他是否知道君子的标准。

孔子提出了君子行道的"四部曲"，可以帮助我们审视自己和在此方向上该付出的努力：

• 如果一个人内心没有仁德，而是自私自利、不择手段、背信弃义、忘恩负义、懒散懒惰、搬弄是非、不求上进，那么这样的人就一定会走上小人之路。

• 若是内心有了仁德，但实施时不懂礼数，时常僭越，就从外部证明了其内心的仁德不真实、纯粹。

• 若是仁德和礼都有了，但语言上粗鲁野蛮、飞扬跋扈、傲慢损人，那从其语言特点就可以断定，这样的人必是小人。

• 如果一个人说得很好却很少践行，承诺很多却兑现很少，说话出尔反尔，这样的人必是小人。

凭以上四点，就足以证明这是个小人了。

君子呢？必定是内心仁德厚实、真实，外在以礼行之，语言谦逊礼貌，态度诚恳，言而有信的。

【格言】君子行正道，时刻言行一致。

15·20　子曰："君子疾没世[①]而名不称焉。"

【注释】①没世：死亡之后。

【释义】孔子说："君子担心死亡以后他的名字不为人们所称颂。"

【要点】（1）君子两世。（2）今世行善，后世留名。

【语境与心迹】孔子在此强调的是君子的名利观。也许是他看到或者听到了人们谈论君子时的一些观点，可能很多人更加重视眼前和活着时的个人收益，很少有人将重心放在死后留名这样一个远大目标上。因此，孔子提出了君子的"两世生命视野"：今世所做一切，皆以后世被人们称颂为追求。小人则不同，别说两世了，连当世的"眼前与长远、物质与精神、得与失"维度都无法顾及，又何谈后世？当世活不明白，活着时就遭人鄙视，还能期望死后留美名吗？

【接圣入心】

君子现世所做，皆为后世留名。小人则相反，只相信"今朝有酒今朝醉"的醉生梦死，只管自己的个人私利，故而一遇事情就会败坏自己。

想想我们自己，今天和现在所做的一切，有把握在后世留美名吗？也许，很多人现在所做的一切，都会随着生命的陨落而很快烟消云散。

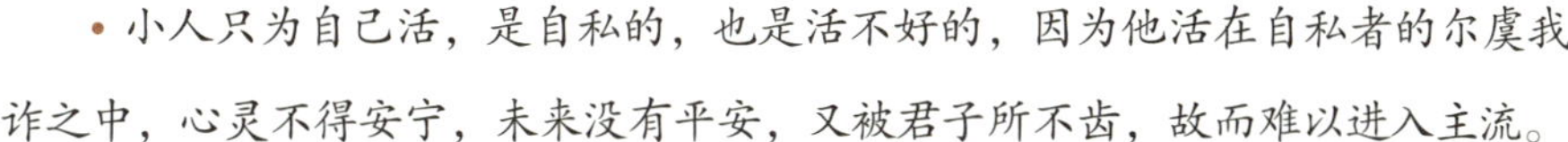

• 小人只为自己活，是自私的，也是活不好的，因为他活在自私者的尔虞我诈之中，心灵不得安宁，未来没有平安，又被君子所不齿，故而难以进入主流。

• 君子为众人活，不用算计和计较，心灵坦荡，心胸宽广，不与人为敌，又善于随机应变，故而其人生可以积累下后世可以传扬的精神财富，从而成为后代、家族、民族与国家，甚至是人类的共同楷模。

君子的人生是：活着时，心安；做事时，受人尊敬；处事时，受人敬佩；百年后，受人敬仰。

看看你自己的追求，是在效仿小人，还是成为百年后流芳千古的君子呢？

【格言】小人只活自己和当世，君子则求后世留美名。

15 · 22　子曰："君子矜①而不争，群而不党②。"

【注释】①矜：高贵、大气、庄重的意思。　②党：在现代通常是指为了政治目的结合起来的团体，即党派、党团。在古代，通常是指意见相合的人或由私人利害关系结成的团体。孔子在这里说的"党"，专指因为个人私利而结合起来的与众人利益相违背的私人团伙。

【释义】孔子说出了君子品格的立意之高："君子大气而不与别人争执，合群而不结党营私。"

【要点】(1) 君子群道。(2) 矜而不争。(3) 群而不党。

【语境与心迹】君子在红尘中如何处事呢？以孔子的见识，肯定见多了世间小人的争斗，看多了一时因利而聚而最终又因利而散的人间荒唐剧。也许弟子中有人谈到社会中这样的现象，于是，孔子说君子不争，小人恶争；君子合群乐众，小人结党营私。故君子天地渐宽，小人领地渐小。也许弟子们还会接着问：君子若是遇到小人，君子不争，但小人要争，此时该当如何呢？实际上，这个问题很简单：其一，相争，必然有两方要争才能构成，君子与小人相遇，小人要争，君子不争，就不会相争。其二，若是如此下去，那君子岂不是亏死了？岂不是什么都让小人争去了？实际上，小人之所以是小人，就在于他们争的都是小利益，他们看不清楚人生的重大利益，所以只会争小、不会争大，只争眼前、不争未来。如此下去，就会争了小的，丢了大的；争到眼前的，丢了未来的；争到了有限有形的，失去了无限无形的。如此局面，君子还担忧什么？

【接圣入心】

君子使命在身，不争俗利；君子仁德在心，取财有道；君子为民，故而乐群。

小人则反之，利欲熏心，逢利必争，落得个与众为敌；小人欠缺仁德，见利忘义，得小失大，得眼前而失未来；小人为已，结党而营私，故而自绝于众人，自我孤立，自我贱卖。

看看现实中，有成就的人多有君子风范。郁闷不得志的人，多有小人之习。

你呢？渴望成功又不改小人品性，陷入自相矛盾的境地，这样怎么能够走向成功呢？

【格言】君子明道不必争，小人迷糊必恶争；君子无我成大我，小人小我成恶我。

15·23 子曰："君子不以言举人，不以人废言。"

【释义】孔子说："君子不凭一个人说的话就举荐他，也不因为一个人不好而不采纳他的好主张。"

【要点】（1）君子人道。（2）以行举人。（3）无偏纳言。

【语境与心迹】这句话多半是孔子对着弟子说的，说的多半是社会中的某个人或者某些人。为什么说他们呢？因为他们犯了错误——"以言举人，以人废言"，也就是说听信某个人所说的，并没有见到他所做的，就信以为真而去举荐他，这就可能会产生误判，因为一个人那样说但并不一定就那样做，这个人可能是个巧言令色、吹大牛的家伙。还有的人，因为对某个人产生了成见，因此不管人家说什么都会带着成见去判断，很显然，这是非理性的。孔子告诉大家，君子不以言举人，也不会因人废言，这就是君子的理性智慧。

【接圣入心】

在现实中，我们会发现：很多人听风是雨，盲目相信别人加工后传递过来的信息，似乎根本不过脑子就开始下结论。你说，这样的人留着脑子还有什么用呢？

如果你交了这样的朋友，关系就会非常脆弱，因为这样的人有个致命的缺点：轻信！一旦有人说你不好，他就会不分青红皂白地否定你，根本不管说那些坏话的人是什么人或者有什么证据。

作为君子，一定是“听其言而观其行”，看重一个人的行动，而不是轻信一个人的言语。否则，就会上当受骗。当然，如果遇到高级骗子，因为他懂得人的这种心理，于是就会不仅说还能做到，这就证明了自己，也会让你相信，从而将你引入一个骗局。

现实中的人们日常使用的多半是非理性程序：

- 一好百好，一坏全坏。若是跟一个人好，就什么都会替他辩护。
- 若是一旦交恶，就会把对方说得一无是处。很显然，这样认识人和判断人是错误的。

君子则不同，即使不是很喜欢一个人，也会认真倾听其言语，汲取其中合理和有益的成分。

君子是理性的人，是可以长久交往的人。

孔子是这方面的楷模，他不喜欢阳虎，但在与阳虎的交谈中也能够汲取其合理的意见。

你是什么人呢？你平时使用的是君子的程序，还是小人的程序？

【格言】君子重行不重言，言行一致乃为君子所崇尚；君子重实，不以个人喜好或者成见而全面否定一个人。

15·25　子曰：“吾之人也，谁毁谁誉？如有所誉者，其有试矣。斯民也，三代之所以直道而行也。”

【释义】孔子说：“我诋毁过谁，赞美过谁？如有赞美的，必须是曾经通过考验的。夏、商、周三代人都是这样做的，所以三代能直道而行。”

【要点】（1）君子定人。（2）赞有所试。（3）三代直道。

【语境与心迹】孔子在说谁呢？在对着谁说呢？可能就是针对某个弟子的言行说的。可能是有弟子在诋毁或者赞美什么人，于是孔子教导弟子们说：你们看见我诋毁过谁或者赞美过谁吗？我是不会轻易这样做的。如果去赞美谁，一定是通过一些事情考察或者考验过他，而不会轻易地以自己的有限见识和个人喜好去说别人的。可见，孔子坚持对人的评价要基于事实，不要道听途说，更不要无中生有。孔子一般不会轻易去评价他人。一次，当发现子贡在评说他人时，孔子告诉子贡：我可没工夫去评说别人。孔子对夏、商、周时期的人非常推崇，因为他们都是推崇这样的原则的，孔子将此视为“直道”。当然，孔子这么说只是举例，也并非认为夏、商、周时期的每个人都是这样做的。

【接圣入心】

- 我们会经常评价人吗？很多人会的。
- 人成熟到一定程度，就不会轻易地评价人了，因为要全面准确地评价一个人是很难的，各方面的信息、具体情境、相互关系等复杂因素纠缠在一起，很难分得清楚。
- 实际上，每个人只能根据自己与当事人接触时的具体状况做具体的评价，很难做出全面性评价。
- 正是因为如此，孔子对人的评价是十分慎重的，这一点值得我们警醒。

【格言】注重事实，做好自己，少议他人。

15·27　子曰：“巧言乱德。小不忍，则乱大谋。”

【释义】孔子说：“花言巧语足以败坏人的德行；小事情不忍耐，就会败坏大事情。”

【要点】（1）君子忍道。（2）巧言乱德。（3）小不忍则乱大谋。

【语境与心迹】也许孔子是在跟弟子们讨论某些人的言行，对于那些花言

巧语的人，孔子看到了他们华丽语言背后的“德弱”，这样的人又会让其他“德弱”的人心智迷乱，故发出“巧言乱德”的提醒。孔子又看到一些冲动型的人，遇事不冷静，因为小事不能忍，所以无法成大事，故而发出“小不忍则乱大谋”的提示。这些话在后世极为流行，甚至成为一些人用以告诫自己的座右铭。的确，这些话对于那些有志于修成大丈夫人格的人来说，显得至关重要。有志向、有理想的人，不会斤斤计较个人得失，更不会在小事上纠缠不清，唯有如此，才能成就大事，才能达成远大的目标。现实中的失败者，大多有一个共同特征：与小人因小事而纠缠不休，虽胜犹败。因此可以发现一个规律：大度和隐忍，是志向远大的人的专利!

【接圣入心】

◎ 此处所表述的是儒家一贯的道德标准：警惕花言巧语的人掩盖着的背后的德行问题；不能忍辱，计较小事，一定是心中没有大的志向，因此也就难成大事。

◎ 在现实中，花言巧语的人通常在言语上花费了太多的心思，在仁德的修行上就显得薄弱了。这是那些有语言才能的人要小心的，否则就可能顾此失彼。

◎ 人一旦成熟，就越来越能体会“祸从口出，言多必失”的道理，说得越多，漏洞就越多，即使有口才，也很难说得让所有人都满意。

◎ 尤其要注意的是，那种无法控制说话欲望与冲动的人，往往是最容易惹祸的人。当一个人的情绪处在极端状态，此时是其最想表达自己的时候，也是其最不理性、最容易犯错的时候。

◎ 但是话又说回来，该说的话不说也会带来不良影响，总不说话会让人摸不着头脑，甚至会让人感觉有些阴险。正如前文所说“可与言而不与之言，失人；不可与言而与之言，失言。知者不失人，亦不失言”。如何把话说得妥当、恰当，是人生一大学问。

◎ 与说话相关联的就是一个能不能忍的问题，人们总说，“忍”字是心字头上一把刀，有修行的人总在强调忍的功夫：

• 怒气不忍必冲动，冲动之后就是后悔。

• 受辱不能忍，必然会激化矛盾，甚至可能有性命之忧。

• 人世间，哪有没有成本的诱惑？哪有白吃的饭？哪有白占的便宜？若是面对诱惑无法忍耐，必然会落入圈套。

• 对敌斗争中，若是不能忍，就容易上当受骗；若是能让敌人忍不住，就会赢得战机。

• 现实中因小事与小人不断纠缠的，多是无大志之人，最终在没有多大意义的事情上耗尽了自己的精力，一无所成。

因此，一个人在面临危机或者诱惑时，是否有管控自己冲动的理性程序，直接决定着其一生的前途好坏。若能忍住，即使一时情况不明或者没有好办法，但赢得了时间让自己冷静，也可在这段时间里获得进一步的信息，或者让敌人无法忍受而急躁出手，这就是做大事的人必须有的心理品质与能力。

【格言】花言巧语德行薄，不能忍小志向短。

15·32　子曰："君子谋道不谋食。耕也，馁[①]在其中矣；学也，禄[②]在其中矣。君子忧道不忧贫。"

【注释】①馁：音 něi，饥饿。　②禄：做官的俸禄。

【释义】孔子谈到了君子内心的追求："君子只谋求行道，不谋求衣食。耕田，有时也要饿肚子；但是在学习时，俸禄自在其中了。君子只担心道不能行，不担心贫穷。"

【要点】（1）君子志道。（2）谋道不谋食。（3）耕馁学禄。（4）忧道不忧贫。

【语境与心迹】有人要做君子，但又追求富贵。估计孔子看到了有人表现出这种倾向，故而明确提出君子追求的主导方向：谋道不谋食，忧道不忧贫。很显然，孔子所倡导的君子，是典型的以精神生活为主导生活模式的人。君子谋道不谋食，强调的是注重学习，心怀天下，而不是一心为自己谋取物质生活利益。君子只忧道不能行，并不忧虑自己是否贫穷。如此君

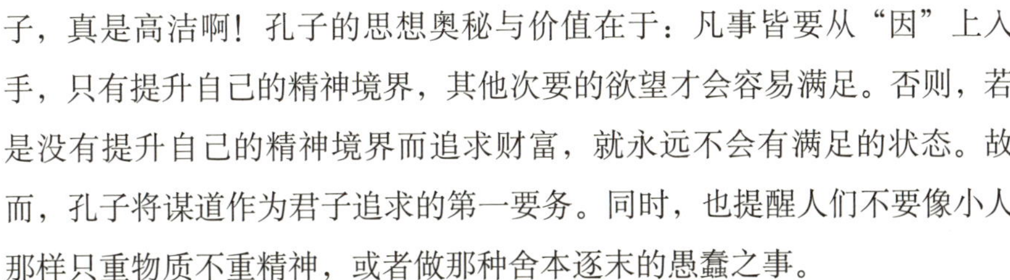

子，真是高洁啊！孔子的思想奥秘与价值在于：凡事皆要从“因”上入手，只有提升自己的精神境界，其他次要的欲望才会容易满足。否则，若是没有提升自己的精神境界而追求财富，就永远不会有满足的状态。故而，孔子将谋道作为君子追求的第一要务。同时，也提醒人们不要像小人那样只重物质不重精神，或者做那种舍本逐末的愚蠢之事。

【接圣入心】

◎ 很明显，君子与小人是人间两种不同类型的人，君子想的总是天下正道能否弘扬的问题，小人则只是关心自己能否吃饱的问题。

◎ 人间一切结果都蕴含在自己修行的过程之中。比如，耕田自然会收获果实，学习自然会收获智慧。

◎ 君子注重学习，书中自有颜如玉，书中自有黄金屋。对于君子来说，精神的满足，智慧的攫取，都是人生中最重要的收获。小人则是轻视学习的，整日忙忙碌碌，就事论事，长期重复低级模式，不愿花精力提高自己，时间一久，就会江郎才尽。

◎ 君子心怀天下苍生，时刻关心天下大道能否施行，并不担心自己是富有或贫穷。故而君子精神充实，心灵富足，自己的精神能够统摄生理的欲望。

◎ 儒家的君子，是一种典型的理想人格，是精神对物质的超越，是精神对物质欲望的管控，是精神对物质的胜利。尤其美妙的是，君子的生活，不仅仅是精神对物质的胜利，也是精神变物质、物质变精神的哲学式生活——一切自足。

【格言】君子谋道不谋食，反之，小人谋食不谋道。小人是物质的奴隶，君子是精神的主人。君子忧道不忧贫，小人忧贫不忧道。

15 · 34　子曰：“君子不可小知①而可大受②也，小人不可大受而可小知也。”

【注释】①小知：做小事情。　②大受：承担大任。

【释义】孔子谈到了用人问题：“不能让君子做那些小事，但可以让他们承担重大的使命。不能让小人承担重大的使命，但可以让他们做那些小事。”这也是领导者一定要搞明白的，否则就会造成重大损失。

【要点】（1）君子只可大受。（2）小人只能小受。

【语境与心迹】也许，孔子看到了社会现实中一种特殊的错位现象：领导用人时打压君子，不愿意给他们担负大任的机会，结果君子的能力无法发挥，反而变得郁闷。相反，领导却常常重用小人，因为小人往往具备窥视领导喜好和讨好领导的能力，因而常常让领导觉得这样的人尊重领导、听话、会办事，同时又让领导舒服。于是，领导个人的低级程序被激活——能受人尊重，能得人忠诚，自己又很舒服，这简直太好了。就这样，小人俘获了领导的心，于是就获得了信任和机会。可小人所做的一切都是利用领导为自己谋利的，有时也做出为别人的样子，于是真假混杂在一起，领导也不容易识别出明显的破绽。可小人毕竟是小人，欺上瞒下、糊弄四方是他们的拿手戏，可真正思考大事和办大事，凭小人的胸怀和智力是不够的。在这样一种情况下，普通人和君子们看到领导重用小人，看着领导被小人哄得团团转，就变得很失望、很伤心。而被哄得团团转的领导一般是不知道这些的。由此可见，君子与小人，是社会中的两个不同层次、不同类型的人，如果领导英明，就要让君子做大事，就要过自己的心坎这一关——君子常常不会刻意讨人喜欢，很难满足领导个人的情感需求。如果领导过不了这一关，就会重用小人去担大任，而让君子去做小事。小人只会讨领导喜欢，做大事的能力是不够的，只能让他们做些具体的小事。否则，君子不得志，众人皆失望，小人偏得志，祸国又殃民。这样下去，领导带着一群小人怎能做成伟大的事业？时间久了，就只能走向失败。当然，有个问题也值得君子们反思：能做大事的人，能否也让领导喜欢呢？毕竟，领导也是有感情的。当然，领导要小心，自己的喜好一旦被人瞄准，就可能被小人、坏人、恶人所利用，自己就可能成为小人的傀儡。

【接圣入心】

◎ 有人对儒家的君子人格颇有微词：君子，只是人的理想人格，现实中的大部分人是无法做到的。但是，这些持有微词的人不明白，理想的重要功能，恰恰就是给现实中的人们提供一个标准、一个方向。若是所有人都不知道君子的标准，那他们往哪里去努力呢？

作为社会中的精英，当然就要以君子的风范作为自己的行动方针和人格标准。社会中的小人，即使达不到君子的标准，也要知道努力的方向，而不能任凭自己停留在小人的龌龊状态。

领导者要将那些心怀天下、不谋私利、心怀坦荡的君子选拔到领导岗位上给予重用，不要重用小人却将君子置于俗世琐事中不闻不问。能否正确地使用君子和小人，也是考验领导者是否英明和是否拥有智慧的关键所在。

一旦用人出错，贤人、君子纷纷隐世不出，小人横行，贪污腐败，陷害忠良，鱼肉百姓，欺骗上级，拉帮结伙，搅得国无宁日、乌烟瘴气，人才随之流失。

选拔重用君子，就会仁德扎根，百姓安分，奸佞成不了气候，风清气正，政令通畅，人与人和睦，上级不会被愚弄。正如孔子所言："举直错诸枉，则民服；举枉错诸直，则民不服。"

很显然，君子是治国或者管理一个组织的最合适的人才。领导要经常自问：我重用的都是君子吗？

你若是想被组织重用，就要认真反思一下自己是否正在践行君子的标准。若是，总有希望。若不是，即使被重用，也面临重大危险。若没有被重用，也就没有未来和希望。

【格言】君子做大事，小事废君子。小人做小事，否则坏大事。

15 · 37　子曰："君子贞①而不谅②。"

【注释】①贞：一说是"正"的意思，一说是"大信"的意思。这里选用"正"的说法。　②谅：信，守信用。

【释义】孔子说："君子固守正道，而不拘泥于小信。"

【要点】（1）君子信道。（2）不拘小信。

【语境与心迹】真正的君子，必定是正派的人，但往往让人感觉有些僵硬。君子没有害人之心，但往往不会讨人喜欢。从古至今，君子的风格似乎差不多都是这样的，孔子肯定看到了君子所存在的这个弊病。毕竟，生活中大部分事情是不能太认真的，因为很多小事无关大局，有些妥协也无伤大雅。孔子曾说过“言必信，行必果”也是有条件的，君子作为要依势而为。小人则要么无信，要么只重小信。孔子注重“信”的道德准则，但它必须以“道”为前提，即服从于仁、礼的规定。离开了仁、礼这样的正大原则，就不是真正的“信”了。在此，孔子实际上是给君子提出了一个不必要澄清的重要问题：正道统摄小信，万不可迷于小信而失了大道。

【接圣入心】

真是太有趣了。我们很多人一直传颂的“言必信，行必果”原来还有前提啊！也许，这句话只是对于那些最低层次的人才有意义，因为他们通常是言而无信、行而不果的，但君子却可以在更高层次上进行抉择。

在儒家的道德次序中，仁德是核心和根本，是人间大道，其他的一切品德都是因此而生的。因此，像“信”这样的单项美德，必须符合仁德的大原则，这是衡量和处理各种品德关系时的基本准则。

明白了这一点，也就懂得孔子此处强调君子要固守正道而不必拘泥于小信的道理了。

让我们来看看以下两种情景：

- 一是正式的组织与非正式组织。正式组织一定是强调仁德的，也就是仁者爱人，就是那种正道上的道理，也是可以公开的道理。非正式组织常常是为了部分人谋利益的，有自己的立场，只代表自己的利益团体，这样的道理通常也无法见诸天日，因为不属于大道，一旦公开就会暴露自己。因此，谋私方面的“言必信，行必果”恰恰是错误的，而在正道上坚持“言必信，行必果”还要看形势是否有变化、对象是否有问题。否则，就有点教条化了。

- 二是同志与敌人。同志之间是要讲信用的，而对敌人则不必拘泥于所谓

的信用，因为在敌对关系中，只要不是反人类的手段，都是可以作为战胜敌人的战略和战术来使用的。若是搞不清楚这一点，就会犯严重的错误。

检讨一下我们自己吧，如果在任何时候、对任何人都是言而无信、行而不果的，那么我们就是最低层次的人。如果我们在小集团、小团伙谋私利方面是坚持信用这一原则的，同样也是错误的。在君子层面上，在大道方向上，要根据情况变化来确定是否坚持"言必信，行必果"的原则，如此才是智慧的。

【格言】大道统摄信用，信用服从仁德。

15 · 40　子曰："道不同，不相为谋。"

【释义】孔子说："立场、主张不同，不可一起共谋大事。"若是不能坚持这一点，迟早会付出代价。

【要点】(1) 君子谋道。(2) 道同共谋。(3) 异道不谋。

【语境与心迹】想想看，这样的话会是在什么情况下说的呢？如果是孔子自己在跟人交往中发现对方并非同道者，心中会告诉自己"道不同不相为谋"。如果是弟子或者朋友在与人相处或者办事中出现问题时，孔子可能会告诉弟子或者朋友"道不同不相为谋"。孔子的这句话在后世流传很广，但很多人却没有遵守这个忠告。很多人不是因为同道而相谋，而是因为一时一事的需要而相聚，因为共同的利益而刻意装扮成朋友。时间一久，不同道的人就会产生嫌隙，此时的损失就会很大。所以，先察是否同道，再定是否相谋。

【接圣入心】

从古至今，很多人间悲剧都归结为一个共同的原因：因为一时的需要而走到了一起，但过程中或者最终又因为立场不同和人生追求不同而分道扬镳。

这一类现象在历史上并不罕见。也许，这预示着在大多数时候，这样的问题会一直持续发生。

◎ 历史上的伟人和智者，觉察到了这一历史悲剧，于是想出了解决这类问题的一些办法，非常值得借鉴：

• 要通过共同的理想来吸引人和筛选人，而不是以一时的利益诱惑来建设自己的队伍。

• 准确地识别一个人是很困难的，形势发生变化的时候，人自身也会发生诸多的变化。这就需要在整个过程中不断地去梳理和强化共同的信仰和价值观，及时地与那些偏离信仰和价值观的思想与行为进行斗争，并将一些顽固的投机分子清理出队伍，这样才能够保持队伍的纯洁性。

• 在一支队伍中，人的个性是有差别的，这需要我们相互包容和磨合。但包容的对象并不包括那些在立场上与我们存在着巨大差别的人。如果不分原则地包容，或者遇到立场完全不同的人仍然姑息，最后就会犯姑息养奸的错误，就会遭受重大的损失，就会动摇许多人的信念和信心。

【格言】道同谋远，道异苟合。修道促合变同修，包容不能变纵容。

15·41　子曰："辞达而已矣。"

【释义】孔子说："言辞只要能表达意思就行了。"

【要点】（1）君子言道。（2）辞达而已。（3）辞过则佞。

【语境与心迹】在普通人眼里，孔子是个很善言谈的人。对于某些人来说，孔子的言语能力有时会被看作是花言巧语。这可不是真相。孔子一贯的言语风格是简练、生动、达意。孔子认为做到这样就可以了，不必追求语言上过分的花哨。不仅如此，一旦在言辞上追求过分的华丽，就很可能让仁德受损，甚至可能走向不仁的方向，即巧言谄媚之佞。也许，孔子在此处是在劝告语言能力很强的某个弟子，告诫他不要在语言上追求过分的华丽。

【接圣入心】

◎ 有的人口才很好，口若悬河，滔滔不绝，引经据典，潇洒自如。可是，听上半天也不知他到底要表达什么，都是些漂亮而无用的辞藻堆砌

出来的话。

我们平时说话，言辞达意是基本标准，也就是让人家知道你要说什么，不要遮遮掩掩，不要说些空洞无物的话，不要绕圈子太远太久。

因此，君子说话有几个忌讳：

- 一是空话连篇，没有实质内容。
- 二是过于注重辞藻华丽，而让人搞不清主题。
- 三是一味关注自己的表达方式，而没有因时、因事、因人地选择表达方式。
- 四是语言过于啰嗦，增加了听众从中寻找关键信息的难度。
- 五是分析得过于详细，但缺乏能落地的行动措施。
- 六是说话含混不清，表述不准确，让人难以准确理解。
- 七是语气霸道，给人压迫感，没法创造谈话或者讨论的自由氛围。
- 八是说话太多，不精练，而且是长篇大论，像是“话痨”，剥夺了别人发言的机会，变成了一言堂。
- 九是缺乏及时、正确的回馈，让人无法知道你的态度，显得有点目中无人；或者总抢话题，说起来喋喋不休又不知给人递话题，交谈变成了讲课。

如果在这九个方面出了问题，这样的谈话一定会让人厌烦。你说话时有这些毛病吗？

【格言】说话要表现出的是仁德的品质、对人的礼貌、头脑的清醒。

季氏第十六

16·4 孔子曰：“益者三友，损者三友。友直，友谅①，友多闻，益矣。友便辟②，友善柔③，友便佞④，损矣。”

【注释】①谅：诚信。 ②便辟：惯于走邪道。 ③善柔：善于和颜悦色骗人。 ④便佞：惯于花言巧语。

【释义】孔子说："有益的朋友有三种，有害的朋友有三种。同正直的人交往，同诚信的人交往，同见闻广博的人交往，这是有益的。同惯于走邪道的人交往，同善于阿谀奉承的人交往，同惯于花言巧语的人交往，这是有害的。"

【要点】(1) 益损三友。(2) 益者：友直，友谅，友多闻。(3) 损者：友便辟，友善柔，友便佞。

【语境与心迹】也许，弟子们在向老师请教交友之道。也许，孔子先给弟子们讲解了交友中遇到有益的朋友会有什么样的增益，遇到有害的朋友又会遭受什么样的危险与损失。孔子讲解后又做了总结：益者三友，损者三友。在交友方面，孔子对弟子的指导是非常具体的，他总结出三种有益的交友方式和三种有害的交友方式，至今值得我们学习和借鉴。很多人的人生，往往会受到自己最亲近的人的影响，这亲近之人，除了亲人之外，恐怕就是朋友了。若是交错了朋友，人生可能会走错方向；若是交对了朋友，人生大概会走向正确的方向。

【接圣入心】

交友是人生中非常核心的一项活动，关键是选择什么样的人来交往。选对了，就是有益的，就会给生命助力；选错了，就是有害的，就会给生命阻力。

孔子在这里告诉我们，这三种交友方式是有益的：

- 一是交正直的人为友，而不是亲近搬弄是非的人。如此，为生命增益而不加阻力。
- 二是交诚信的人为友，而不是结交口是心非的人。如此，可省去很多麻烦。
- 三是交见闻广博的人为友，而不是混迹于狭隘无知的人中。如此，可为自己提供很多新鲜的知识与能量。

孔子也告诉了我们，与这三种人交友是有害的：

• 一是总走邪门歪道的人，一旦交往就容易同流合污。

• 二是善于阿谀奉承的人，一旦交往就容易丧失理性。

• 三是惯于花言巧语的人，一旦交往就容易上当受骗。

道理摆在这里是简单的，但做起来并不容易，这是因为：

• 正直的人常常会让我们感觉不是很舒服，搬弄是非的人常常让我们觉得很可信。

• 诚信的人，常常会让我们觉得不是那么聪明伶俐，而口是心非的人，利用花言巧语来蒙蔽我们。

• 见闻广博的人，常常会让我们觉得自己很无知和自卑，而面对狭隘无知的人，我们又常常觉得自己很有自信。

• 走邪门歪道的人，常常会让我们觉得很有背景，或者很有人脉，或者觉得他们很仗义，于是我们就像被催眠一样跟着走进深渊。

• 善于阿谀奉承的人，常常会让我们觉得很舒服，于是我们就会轻信他们，喜欢他们，最终远离那些正直的人，而让小人包围我们。

• 惯于花言巧语的人，常常会让我们觉得他们说得很有道理，以至于会让我们罔顾事实，听信谗言，最终迷迷糊糊毁了自己。

人在交友当中，若是不能够时时刻刻警惕这些偏差，就一定会交错朋友，从而铸成大错。

【格言】交益友，同益。交损友，共损。

16·5 孔子曰："益者三乐，损者三乐。乐节礼乐[①]，乐道人之善，乐多贤友，益矣。乐骄乐[②]，乐佚[③]游，乐晏乐[④]，损矣。"

【注释】①节礼乐：孔子主张用礼乐来节制人。 ②骄乐：骄纵不知节制的乐。 ③佚：同"逸"。 ④晏乐：沉溺于宴饮取乐。

【释义】孔子说："有益的喜好有三种，有害的喜好有三种。以礼乐调节自己为喜好，以称道别人的好处为喜好，以有许多贤德之友为喜好，这是有益的。以骄傲为乐，喜欢闲游，喜欢大吃大喝，这就是有害的。”

【要点】（1）益损三乐。（2）益乐：乐节礼乐，乐道人之善，乐多贤友。（3）损乐：乐骄乐，乐佚游，乐晏乐。

【语境与心迹】人总是有自己的喜好的，喜好会对人产生重大的影响。一种喜好，甚至会暗暗地引导着我们人生的方向。喜好如此重要，那到底什么样的喜好才是有益的呢？有害的喜好又有哪些呢？也许这正是此时此刻弟子们向孔子提出的问题。对此，孔子提出了“益者三乐，损者三乐”这样一个基本的论断，实际上也是从另一个角度谈论君子与小人的区别。君子之所以成为君子，在于选择三种有益身心的喜好：以礼乐调理自己的身心，以称道别人优点为风度，结交贤德之人。小人则不同，他们喜欢骄横欺人，喜欢大吃大喝，喜欢到处游荡。一个人到底是什么样的人，看他喜欢做什么和经常做什么，也就有基本的判断了。此处的“三益三损”告诉了我们审视自己命运的三个维度：一是以精神生活为核心，还是以生理和物质生活为核心？二是如何对待别人，又在结交何人？三是我们闲下来时是无所事事、游荡惹事，还是方向目标明确，勤勉行动？

【接圣入心】

孔子在这里谈到的“益者三乐，损者三乐”，代表的也是君子与小人不同的诉求。

看看现实，看看自己，除了吃喝，灵魂与精神生活质量如何？如果没有健康的精神生活，灵魂何以康健？

总是自以为是，说话必责人短，又如何用人之长？如何带出能干的队伍？

结交一群势利之人或者与自己层次相近的人员，自己又如何提高？

没有精神信仰，忙碌时排遣无聊，闲下来时又会精神空虚。

以上几个问题，是人生中非常重要的问题，很多优秀的人正是很好地解决了这几个问题，而一些落魄或者失去人生目标的人，恰恰是在这几个问题上出了错。

【格言】身心嘈杂其心乱，自以为是众人短，混迹庸俗自身烂，骄横欺人

贼心欢，陷于吃喝魂不见，游荡惹事一生完。

16·6 孔子曰："侍于君子有三愆[①]：言未及之而言谓之躁，言及之而不言谓之隐，未见颜色而言谓之瞽[②]。"

【注释】①愆：音 qiān，过失。 ②瞽：音 gǔ，盲人。

【释义】孔子说："陪君子说话，要注意避免犯三种过失：还没有问到你的时候你就说话，这是急躁；已经问到你的时候你却不说，这叫隐瞒；不看君子的脸色而贸然说话，这是盲人。"

【要点】(1) 侍君三愆。(2) 躁、隐、瞽。(3) 言未及之而言谓之躁，言及之而不言谓之隐，未见颜色而言谓之瞽。

【语境与心迹】这里是孔子在给弟子们讲解与君子的相处之道。君子是有教养的人，如果你不懂得跟他相处的方法，就会暴露自己的弱点，就无法与之融洽相处。当然，要想避免出丑，就要学习君子之道。当自己也成为君子时，与君子的相处也就如同跟自己相处一样游刃有余了。孔子告诉我们，在自己还没有成为君子之时，与君子的交往过程也是学习过程，应当注意去跟君子的"频道"对接：与君子交往时，注意没问你时不要急着说话、问你时该说的不要隐瞒，更不要不管别人感受而只管自己说话。与人说话，是我们在生活中经常要做的事，但如何说话、何时说话、怎样说话，这些问题都是关于说话的学问，每个人都应该好好学习这门学问。

【接圣入心】

与君子交往，就要注意让自己向他们靠近。在此，孔子讲了与君子交往中要注意的几个问题：

- 还没有问到你时你就说话，这是急躁，是不稳重。
- 问到你时却不直言，这叫隐瞒，是不坦率。
- 不顾君子的感受而贸然说话，就是草率和不懂事。

孔子之所以提醒人们与君子交往中要注意的问题，目的是让人们能跟君子进行更好的沟通，避免因为一些技术问题而产生误解。

孔子在这里并没有直接说跟小人交往时要注意些什么，我们可以引申几种情况：

- 与小人交往时，不可随意附和，因为你不知道背后是否有陷阱。
- 与小人交往时，不可多言，否则容易被利用，甚至被陷害。
- 与小人交往时，不必做太多无谓的争执，否则是对牛弹琴。
- 与小人交往时，不可久处，否则要么会潜移默化地受到影响，要么在别人看来你也是小人。

【格言】亲近君子，学做君子。

16·10　孔子曰："君子有九思：视思明，听思聪，色思温，貌思恭，言思忠，事思敬，疑思问，忿思难，见得思义。"

【释义】孔子总结了君子的九种思考模式："君子有九件要思考的事：看的时候，要思考看清与否；听的时候，要思考是否听清楚；自己的脸色，要思考是否温和；自己的容貌，要思考是否谦恭；言谈的时候，要思考是否忠诚；办事时，要思考是否谨慎严肃；遇到疑问时，要思考是否应该向别人询问；愤怒时，要思考是否有后患；获取财利时，要思考是否合乎义的准则。"

【要点】（1）君子九思。（2）视思明，听思聪，色思温，貌思恭，言思忠，事思敬，疑思问，忿思难，见得思义。

【语境与心迹】这段话很像是弟子问孔子"如何思"时孔子所做的总结。思考，是每个人随时都在进行的，但究竟如何思考？孔子用"九思"进行了概括，"九"是阳数之极，"九思"即全方位地思考问题。同时，孔子还告诉弟子们思考的具体方法：要有思考的对象，要有思考的载体，要有思考的内容。"君子九思"，把人的言行举止的九个方面都考虑到了。这是孔子培养君子的一套方案和标准，要求弟子们一言一行都要认真思考和自我反省，包括个人道德修养的各种规范，如温、良、恭、俭、让、忠、孝、仁、义、礼、智等，这些是孔子关于道德修养学说的组成部分。

【接圣入心】

孔子谈论君子的境界，已经具体到非常生活的层面。

•“视”：看到表面能透到本质吗？看到部分能联想到全面吗？看到静止的片段，能想到相联系的系统吗？看到结果，能洞察原因吗？看到现在，能预测未来吗？若不能将这些联系起来，看到什么就是什么，则可能误了自己。

•“听”：能听清楚吗？能听到背后的动机吗？能听到背后剪辑信息的“剪刀”声吗？能听到说者本人的人品吗？

•“色”：能随时觉察到自己的脸色吗？能知道自己的脸色带给别人的感觉吗？能知道自己的神色一变就是在展示自己的内心吗？能够始终对不同的人、在不同的场景下保持温和、亲切吗？

•“貌”：容貌是内心的展现，知道自己要保持谦虚、恭敬的神态吗？

•“言”：言为心声，说话能表达你的诚恳、真挚和诚实吗？别人在不在场你都能说同样的话吗？知道花言巧语或者人前人后言行不一会出卖自己吗？

•“事”：我们办事是否可靠？办事是否雷厉风行？办事是否用心认真？办事结果证明了什么样的人品和能力？

•“疑”：遇到疑问，是会谦虚请教，还是轻率表达自己的意见？是不懂装懂，还是冷漠不语？

•“忿”：情绪来了，是否一泄为快？是否先想想发泄的后果？发怒后是否会后悔？自己是否无法制怒？是否经常被不如意的人和事所操控而失态？

•“得”：见到利益是否会一下子被吸进去而不再思考是否合乎道义？是否一门心思为自己谋利而忘记了德为利之母、德为财之魂？是否记得无德之利实是债务的人间铁律？

君子的这九个方面的属性，可以作为省思自己的标准。

【格言】九思智慧，观照自我，俯瞰天下。

阳货第十七

17·12　子曰："色厉而内荏①，譬诸小人，其犹穿窬②之盗也与？"

【注释】①色厉而内荏：厉，威严；荏，虚弱。外表严厉而内心虚弱。②窬：音 yú，洞。

【释义】孔子对虚张声势的小人很是不屑，他说："外表严厉而内心虚弱，就如小人，像是挖墙洞的小偷吧？"

【要点】（1）小人之行。（2）色厉内荏。（3）犹穿窬之盗。

【语境与心迹】孔子在说谁呢？也许是他的某个弟子，也许是弟子们提到的某个人。当然，时至今日，这样的人也并不罕见。你看，在现实中，那些内心虚弱的人，不能聚神于内，只靠外表唬人，实则不堪一击。而那些真正有力量的人，力藏于心而貌平和，不会轻易显露。孔子也是借剖析这类人来教育自己的弟子们，一定要好学，一定要充实自己，提升自己的文化素养和各种能力，千万不能成为外强中干的小人。

【接圣入心】

人之不同，在于着力点和发力点不同，练好自己成为有实力的人。徒有其表的人内在空虚，如同行尸走肉。

这辈子，你是选择下功夫增强自己的实力呢，还是装装样子唬人呢？不同的选择，就有不同的人生方向与命运。

父母在儿女面前凶狠，是缺乏智慧自失亲情；领导在部下面前威武，是倚强凌弱自失境界；老师在学生面前傲慢，是缺乏志向自失动力；专家在百姓面前装相，是忘记养育自失风度。

人生时间有限，何必去装相呢？为何不去利用一切机会提升自己的能力和品德？看看自己每日的时间分配，你是在表演着自己的虚荣，还是在提升自己的实力？如此，就能知道从过去看你是什么人，从现在看未来你会成为什么样的人了。

若是想改变不满意的现状，就要在自己身上下功夫，舍掉那些虚华无用的表演，静下心来好好提升自己。

【格言】实力助人，虚力吓人。明人练功而善态，蠢人练形而恶貌。

17·13 子曰："乡愿[①]，德之贼也。"

【注释】①乡愿：指乡中貌似忠厚，而实与流俗合污的伪善者。

【释义】孔子在这里痛斥了"乡愿"型伪君子："没有道德修养的伪君子，就是破坏道德的人。"

【要点】（1）无德伪君子。（2）败德真小人。

【语境与心迹】"乡愿"是古人对一类特殊的人——没有道德原则，只是一味地媚俗之人的专称。孔子所说的"乡愿"，就是指那些表里不一、言行不一、阳奉阴违、八方讨好，看似忠厚而实际没有一点道德原则的人。这种人欺世盗名，却可以堂而皇之地自我炫耀。这种人属于那种随波逐流、表面和气实则道德败坏的小人。孔子曰："恶似而非者：恶莠，恐其乱苗也；恶佞，恐其乱义也；恶利口，恐其乱信也；恶郑声，恐其乱乐也；恶紫，恐其乱朱也；恶乡原，恐其乱德也。"小人无德，令人生厌。乡愿无德，却讨俗人喜欢。故而有"真君子无害，伪君子乱德"的古训。孔子反对"乡愿"，就是主张人要以仁、礼为原则，不能以讨好人为目的。

【接圣入心】

什么人最容易害人呢？小之恶人，会被我们知觉而可以规避，虽然有时也会有损失，但会在我们的知觉能力范围之内。

大贼者能够蛊惑人、诱惑人、欺骗人，让人防不胜防。初次相识，人们就很容易被某些人的花言巧语所蒙蔽，进而上当受骗。这样的人，心口不一、知行不一，被孔子视为大祸。

从个人修为来说，骗人、坑人终会被看穿，从而身败名裂，这是绝路，人不可取。

从防范角度来说，那些善于辞令的人很容易用语言打动人。我们要对其加强提防，不要轻信他们，更不要在不知情的情况下与之交往过快、过密。我们也不要轻信各种诱惑，因为天下没有免费的午餐。

◎ 故而，君子不以言惑人，而以行证己；小人则以言惑人，以行骗人。

【格言】小恶损人，大贼害人。

17·14 子曰："道听而涂说[①]，德之弃也。"

【注释】①道听而涂说：在道上听到不可靠的传闻，途中又向别人传说。涂，同"途"。

【释义】孔子说："在路上听到传言便轻信并到处传播，这是有道德的人所唾弃的行为。"

【要点】（1）小人道听。（2）道听而涂说。（3）弃德之举。

【语境与心迹】也许，弟子们跟孔子说起了某个人或者某件事，孔子首先问："你是怎么知道的？"弟子可能回答："路上听人说的。"孔子听完摇摇头，说了上述这番话。道听之说，之所以有害无益，是因为这样的信息已经由多个人进行了取舍和加工，已经有多个人的偏好加入其中，已经真假难辨，不可信。到处去传播这种信息是一种背离道德准则的行为，是一种对有关当事人不负责的不自重的做法。况且，传播这种似是而非的消息并无任何积极的意义。故而世界上有句名言：谣言止于智者！当然，圣者更无暇去关注这种惑乱人心的消息，因为他们心中有更加需要关注的大事。

【接圣入心】

◎ 在现实生活中，道听途说得到的信息，大多是经过别人主观加工后的信息，大多是背离事实的信息。这些信息之所以会通过"道听途说"的方式传播，多半是能满足一些人的猎奇心和某种不健康的心理需要。

◎ 据社会心理学研究，谣言的传播符合这样几个特点：一是出乎意料，二是传播中被重重改编，三是能够让人有莫名的愉悦，四是当事人和事件本身往往被夸大和扭曲。

◎ 国外专家研究发现，世界上有将近三分之一的人，在听到关于别人的"倒霉信息"时会产生愉悦感，对于身边那些某个方面超过自己又有些傲慢的人，听到他们的负面信息，其相识的人中有五分之四的人会产生

“解气感”。

实际上，姑且不论当事人的是与非，就拿听众来说，这些所谓的满足感实际上是一种虚幻的心理感觉，类似于自我欺骗，因为除了自己偷偷窃喜之外，别人倒霉并不会给那些窃喜的人带来增益。

《荀子·大略》中是这样说的：“流丸止于瓯臾，流言止于智者。”

现实社会中，有些道德品质差又闲着无聊的人，并不仅限于道听途说，还四处打听别人的隐私，然后到处传说，以此作为生活的乐趣，实乃卑鄙之小人。

令人遗憾的是，这种以传播别人隐私为职业的人，在现代社会中找到了市场，很多时候还披上了合法的外衣。

至此，我们也就清楚了一个道理：君子成人之美，小人乐人之恶。

【格言】说话以事实为依据，传播以利人为目的，信“道听而涂说”有点憨憨的。

17·19 子曰：“予欲无言[1]。”子贡曰：“子如不言，则小子何述焉？”子曰：“天何言哉？四时行焉，百物生焉，天何言哉？”

【注释】①言：指孔子所说的道理。

【释义】孔子好像进入了悟道的状态，他说：“我不想说话了。”子贡急了：“你如果不说话，那我们这些学生还传述什么呢？”孔子说：“天何尝说话呢？四季照常运行，百物照样生长。天说了什么话呢？”

【要点】(1) 子欲无言。(2) 子贡惶恐，小子何述。(3) 天道无言，四时行焉，百物生焉。

【语境与心迹】我们尚不知此段话的背景是什么，是孔子在表达某种暂时的情绪吗？若是这样，孔子一定是处在一种特殊的情绪状态下不想说话了，有点对人失望或者跟谁赌气的感觉。对于常人来说，这样的状态再正常不过了。孔子是圣人，也是人，自然也有情绪。孔子这样意欲无言的状态是悟道吗？看起来很像，因为圣人们强调“多言数穷，不如守中”“行胜于言”“言多不仁”。孔子重视教育，更注重实际效果。其语言固然可以让学生传述，而其真正目的则是普及教化，达到学以致用并改造社会、驱除愚昧的目的。若只是传述而无效果，则违背了教育的初衷。由此可以看出孔子这一感慨背后的真意：孔子并非真的不想再说话了，而是在反思教育的成效。也许，孔子已经说了很多，但发现有些人和事依然难以撼动，故而想停下来再冷静地想想。天虽不言，而其运作的效果就在那里。以天喻道，反映了古人的一种信念，就是以天为“造生者”与“载行者”，天是万物的根源，万物运行与生死，皆由天道规律决定。

【接圣入心】

平时，我们说了很多话，对着亲人、对着朋友、对着部下、对着网络上未曾谋面的各种人。

回顾一下过去，话说了很多，管用的少，没用的多，有的还伤了人，甚至引起了别人的怨恨。

当然，一个人心中的痛苦也常常会跟别人说的某些话有关。我们有时搞不懂为什么会得罪人，实际上也是因为太喜欢说话，无意中伤了别人，只是自己没有察觉这种意想不到的后果。

孔子效法天地，以天地大道为师，是中国圣人的觉悟，是我等俗辈的典范。

你能少说而效法天地不言吗？你能让人人各得其所而不加干扰吗？你能在不言中弘法布道吗？行胜于言！事实胜于雄辩！这就是合道之举。

【格言】人言如能传道自是功德，多言若是背道当是罪孽，不言布道当是悟道得道。

17·23 子路曰：“君子尚勇乎？”子曰：“君子义以为上。君子有勇而无义为乱，小人有勇而无义为盗。”

【释义】子路问孔子：“君子崇尚勇敢吗？”孔子答道：“君子以义作为最高尚的品德，君子有勇无义就会作乱，小人有勇无义就会偷窃。”

【要点】（1）子路问勇。（2）义以为上。（3）有勇无义：君子乱，小人盗。

【语境与心迹】子路问这个问题很符合他的性情，因为子路就是一个尚勇之人。子路尚勇，在追随孔子之前，他还是个骄狂无礼之人。《史记》记载，子路在拜入孔门之前，志气刚强，性格直爽，头戴雄鸡式的帽子耍威风，佩戴着公猪牙装饰的宝剑显示自己的无敌，曾经瞧不起温文尔雅的孔子，屡次冒犯和欺负孔子。为此，孔子设计出少许礼乐仪式慢慢对子路加以引导，后来子路穿着儒服，带着拜师的礼物，通过孔子学生的引荐，请求成为孔子的学生。子路看起来野蛮彪悍，但又有极孝之心，是“二十四孝”中为亲负米的主角。正是因为了解子路的性情，所以孔子为他的“尚勇”加上一道管控程序——“尚义”。仁德与大义是君子的立世之本，离开了这一点，任何其他的品质都可能是肇事的祸端。

【接圣入心】

君子者，恪守仁德与大义，而不会在没有这一前提的情况下盲动。

君子若是有勇无义就会变得自以为是，就会进入智障的状态，就会丧失方向，就会作乱而自害。

小人有勇无义就会心血来潮，就会冲动蛮干，就会仇恨，就会为作恶积蓄合理的理由，就会走向万劫不复。

扪心自问：

- 我的勇敢会超过仁义吗？若是如此，勇敢就是祸端！
- 我容易冲动而只顾泄愤吗？此时的勇敢就会制造未来的后悔！
- 我在有错时经常厚着脸皮将过错推给别人吗？此时的勇敢就是懦弱。

【格言】仁义为根，勇敢从之。大道为本，人心从之。

17 · 24　子贡曰：“君子亦有恶乎？”子曰：“有恶。恶称人之恶者，恶居下流而讪①上者，恶勇而无礼者，恶果敢而窒②者。”曰：“赐也亦有恶乎？”子贡曰：“恶徼③以为知④者，恶不孙⑤以为勇者，恶讦⑥以为直者。”

【注释】①讪：诽谤。　②窒：阻塞，不通事理，顽固不化。　③徼：音jiǎo，窃取，抄袭。　④知：同“智”。　⑤孙：同“逊”。　⑥讦：音

jié，攻击、揭发别人。

【释义】子贡向老师孔子请教："君子有厌恶的事吗？"孔子说："有啊。厌恶四处说别人坏话的人，厌恶身居下位而诽谤在上位的人，厌恶勇敢而不懂礼节的人，厌恶固执而又不通事理的人。"孔子问子贡："赐，你有厌恶的人吗？"子贡说："厌恶窃取别人的成绩而作为自己的知识的人，厌恶把不谦虚当作勇敢的人，厌恶揭发别人的隐私而自以为直率的人。"如此这般，师徒二人将小人行径做了一个汇总。

【要点】（1）君子四恶：称人之恶，居下讪上，勇而无礼，果敢而窒。（2）子贡三恶：徼以为知，不孙为勇，恶讦为直。

【语境与心迹】现在的学生上学，集体往教室一坐，老师站在前面按照教学大纲讲课。再看2000多年前的教育，就是师徒聊天，就是触景生情，就是结合时事进行讨论，针对性极强，实用性极强，这让人多么欣喜啊！此处，就是孔子与子贡聊天。子贡问老师："君子也有厌恶的事吗？"孔子的答案始终不离君子仁德的主线。师徒俩一问一答，又一来一往，加起来就有了君子的"七恶"。儒家师徒真是好性情啊，让人觉得亲切可爱。若是厌恶之余，能够懂得这些遭人厌恶的人是不幸之人，将对其的厌恶转化成慈悲和怜悯并伸手相助，当是圆满了。

【接圣入心】

孔子和子贡谈到了君子所厌恶的七类行为——小人的七种作为：

- 一是传播别人坏话、损人不利己。
- 二是不守本分妄议自己并不了解的人。
- 三是一味冲动莽撞而不懂得礼节。
- 四是一味固执己见，油盐不进，冥顽不化。
- 五是偷窃别人知识据为己有而不知感恩。
- 六是将傲慢、专横、粗鲁当作勇敢。
- 七是窥视揭发别人隐私以为是率直。

这七类行为，即小人之为，是君子所厌恶的。

反省一下，自己有这七类行为吗？经常做这些事，还以为自己是君子吗？

【格言】损人不利己当是小人，利人后得利当是君子，得利不私有即圣人。

微子第十八

18·6　长沮、桀溺[①]耦而耕[②]。孔子过之，使子路问津[③]焉。长沮曰："夫执舆[④]者为谁？"子路曰："为孔丘。"曰："是鲁孔丘与？"曰："是也。"曰："是知津矣。"问于桀溺。桀溺曰："子为谁？"曰："为仲由。"曰："是鲁孔丘之徒与？"对曰："然。"曰："滔滔者天下皆是也，而谁以易之[⑤]？且而与其从辟[⑥]人之士也，岂若从辟世之士哉？"耰[⑦]而不辍。子路行以告。夫子怃然[⑧]曰："鸟兽不可与同群，吾非斯人之徒与而谁与？天下有道，丘不与易也。"

【注释】①长沮、桀溺：两位隐士，真实姓名和身世不详。　②耦而耕：两个人合力耕作。　③问津：津，渡口。询问渡口。　④执舆：执辔。　⑤之：与。　⑥辟：同"避"。　⑦耰：音 yōu，用土覆盖种子。　⑧怃然：怅然，失意。

【释义】这里充分体现了儒家的入世济世情怀。长沮、桀溺在一起耕种，孔子路过，让子路去询问渡口在哪里。长沮问子路："那个拿着缰绳的是谁？"子路说："是孔丘。"长沮说："是鲁国的孔丘吗？"子路说："是的。"长沮说："那他是早已知道渡口的位置了。"子路再去问桀溺。桀溺说："你是谁？"子路说："我是仲由。"桀溺说："你是鲁国孔丘的门徒吗？"子路说："是的。"桀溺说："像洪水一般的坏东西到处都是，你们同谁去改变它呢？而且你与其跟着躲避坏人的人，为什么不跟着我们这些躲避社会的人呢？"说完，仍旧不停地干田里的农活。子路回来后把情况报告给孔子。孔子很失望地说："人是不能与飞禽走兽合群共处的，如果不同世上的人群打交道，那还与谁打交道呢？如果天下太平，我就不会与你们一道来从事改革了。”

【要点】（1）二隐讽孔。（2）异道不谋。（3）乱而求治。

【语境与心迹】子路本来是去找人问路的，可那两个人非但没有告诉他，反而还将孔子师徒奚落一番。即使如此，孔子也没有生气，因为他知道，他所追求的社会改革不能够脱离开人，要依靠人和服务人。这一段对话，反映了孔子关于社会改革的主观愿望和积极的入世思想。儒家不倡导消极避世的做法，即使不能齐家、治国、平天下，也要独善其身，做一个有道德修养的人，孔子就是这样一位身体力行者。正因为如此，在社会动乱、天下无道时，他心怀天下，兼济苍生，与自己的弟子们不知辛苦地四处呼吁，为社会改革而努力。在那个年代，许多人忙于个人名利的争夺，许多人又无奈地颠沛流离，但还有像孔子师徒这样的一群人，他们为正义和众生奔走呼号，即使遭人讽刺挖苦、屡屡受挫也不改其志，这是多么难能可贵啊！

【接圣入心】

◎ 看看我们的现实中，身处盛世，还有几人尚存忧患意识？一味追求物质享受的人多，生病吃药住医院的人也多。

◎ 身处逆境，还有几人愿意坚持为众人和社会奉献？一味自私自利，又有几人真正得到了生命的全利真益？

◎ 身陷孤苦，真心为人好而人家不领情却还要挖苦讽刺时，还有几人能不改初衷？若是改变了对人好的初衷，我们的选择又怎么能算是明智的呢？

◎ 是啊，圣人的情怀确实是一般百姓所无法理解的。也正因为如此，圣人是圣人。

◎ 即使很多人不能理解，圣人也不改为天下百姓谋福的情怀，这才是真正的信仰啊！

◎ 你是这样的人吗？你从圣人对使命和信仰的坚守中得到生命的启示了吗？

【格言】乱世不求自安而为众生当是圣人情怀，遭遇异道挖苦不改其志而

能坚定自是天道使者。

18·7　子路从而后，遇丈人，以杖荷蓧[①]。子路问曰："子见夫子乎？"丈人曰："四体不勤，五谷不分[②]，孰为夫子？"植其杖而芸。子路拱而立。止子路宿，杀鸡为黍[③]而食[④]之。见其二子焉。明日，子路行以告。子曰："隐者也。"使子路反见之。至，则行矣。子路曰："不仕无义。长幼之节，不可废也；君臣之义，如之何其废之？欲洁其身，而乱大伦。君子之仕也，行其义也。道之不行，已知之矣。"

【注释】①蓧：音 diào，古代耘田所用的竹器。　②四体不勤，五谷不分：一说这是丈人指自己，意为：我忙于播种五谷，没有闲暇，怎知夫子是谁？另一说是丈人责备子路或者孔子，说他们手脚不勤劳，五谷不能分，还行什么道义？很多人持第二种说法。但是，子路与丈人刚说了一句话，丈人并不知道子路或者孔子是谁，没有可能说出这样的话。所以，第一种说法似乎更加贴近真实。　③黍：音 shǔ，黏小米。　④食：音 sì，拿东西给人吃。

【释义】子路跟随孔子出行，落在了后面，遇到一个老丈，用拐杖挑着除草的工具。子路问道："你看到我的老师吗？"老丈说："我手脚不停地劳作，五谷还来不及播种，哪里顾得上你的老师是谁？"说完，便扶着拐杖去除草。子路拱着手恭敬地站在一旁。老丈留子路到他家住宿，杀了鸡，做了小米饭给他吃，又叫两个儿子出来与子路见面。第二天，子路赶上孔子，把这件事向他做了报告。孔子说："这是个隐士啊。"叫子路回去再看看他。子路到了那里，老丈已经走了。子路说："不做官是不对的。长幼间的关系是不可能废弃的，君臣间的关系怎么能废弃呢？想要自身清白，却破坏了根本的君臣伦理关系。君子做官，只是为了实行君臣之义的。至于道行不通，早就知道了。"

【要点】（1）子路问师。（2）老丈自忙。（3）君子行义。

【语境与心迹】过去有一个时期，人们认为此文中老丈所说的"四体不勤，五谷不分"是劳动人民对孔丘的批判。实际上，这极可能是脱离了当时历史情境的一种自以为是的说辞。此处真正的重点实则是子路所作的总结：隐居山林是不对的。老丈与他的儿子的关系仍然保持，却抛弃了君臣之伦，这是儒家向来不提倡的。此处也是借事说理，老丈到底是何人？并未详表。此处重点在于表达儒家积极入世的救世精神，不赞同远离社会的清高自处。

【接圣入心】

◎ 虽说人人是平等的，但在现实中人和人之间是有很大差距的。说得中性一点，是各有各的活法。

◎ 但是，普通人若只是停留在自救的层面，恐怕心性会因为自私而受到困扰，反而难以自救。

◎ 君子和精英，自是人间使者，若等同于普通百姓，也只是追求个人小安，恐怕废弃的是自己的灵魂。普通人也许还能在小安中自处，精英若是忘记使命，则恐难自安。

【格言】君子救世，小人自救。精英小安，灵魂自煎。百姓求安，难得自安。

18·8 逸①民：伯夷、叔齐、虞仲、夷逸、朱张、柳下惠、少连②。子曰："不降其志，不辱其身，伯夷、叔齐与！"谓柳下惠、少连，"降志辱身矣，言中伦，行中虑，其斯而已矣。"谓虞仲、夷逸，"隐居放③言，身中清，废中权。""我则异于是，无可无不可。"

【注释】①逸：同"佚"，散失、遗弃。 ②虞仲、夷逸、朱张、少连：此四人身世无从考，从文中意思看，当是没落贵族。 ③放：不再谈论世事。

【释义】被遗落的人有：伯夷、叔齐、虞仲、夷逸、朱张、柳下惠、少连。孔子说："不动摇自己的意志，不屈辱自己的身份，这是伯夷、叔齐吧。"他说柳下惠、少连是"被迫动摇自己的意志，屈辱自己的身份，但说话合乎伦理，行为合乎人心"。说虞仲、夷逸"过着隐居的生活，说话很随便，能洁身自爱，离开官位合乎权宜"。孔子说："我却同这些人不同，可以这样做，也可以那样做。"

【要点】（1）孔子大道。（2）集大成者。

【语境与心迹】此处，孔子以比较的方式阐释了自己的人生模式。孔子提到的这 7 个人，其美德和气节已经算是凤毛麟角了。孔子既赞美了 7 个人各自的不凡，也说明了自己与他们的不同：既不同于伯夷、叔齐，也有异于柳下惠和少连，更不取虞仲和夷逸之作为，而是集合几方优点于大成，真是超凡超贤的大智慧啊：顺应时势，坚定不移地恪守仁德理想与意志，不向困难低头；若是需要忍受委屈，自己也不会丧失意志和忘记仁德；当行退却之时，潇洒自如，洁身自爱。看来，人有一德易，但有多德难，而这正是孔子所倡导的仁德的本质特征——非一孤德，而聚全德。在其他场合，弟子们问到具备某个方面美德的人算不算仁时，孔子没有给予肯定回答，也即此意。

【接圣入心】

芸芸众生之中，虽然混世者众，但从不乏不屈之高洁雅士。

忍受委屈，不改其志者，犹如人类文明长河中的盏盏明灯。

虽然世人中恋位专权者众，但也不乏审时度势、进退自如之智者。

然而，孔子却是集合了几种优点于一身的人：既不会因为追求自我的高洁而愤世嫉俗，也不会因忍辱负重而感觉冤屈，更不会自恃清高而遁世，一切都在仁德理想不变的情况下审时度势、随机应变。

这就是圣人的智慧啊！这也正是圣人与雅士、忍士和遁世者的重要区别吧！

儒家的“无可无不可”，与道家的“无为而无不为”是多么相似啊！

【格言】一德不易，全德更难。圣人智慧，无可无不可。

18 · 10　周公谓鲁公①曰：“君子不施②其亲，不使大臣怨乎不以③。故旧无大故，则不弃也。无求备于一人。”

【注释】①鲁公：指周公的儿子伯禽，封于鲁。　②施：同“弛”，怠慢、疏远。　③以：用。

【释义】周公是圣人级的，对鲁公的谆谆教导可见其心性，他说：“君子不疏远他的亲属，不使大臣们抱怨不用他们。旧友、老臣没有大的过失，就不要抛弃他们，不要对人求全责备。”

【要点】（1）周公对鲁公。（2）不施其亲，不使臣怨，不苛旧臣。

【语境与心迹】周公是孔子心目中的圣人，孔子对其推崇备至。此处引用周公对儿子鲁公的教导，也是在阐释君子的德行：作为君子，不要疏远自己的亲人，不要让贤能者无用武之地，不要过于苛责旧友、老臣。好一番充满慈父温情的教导啊！

【接圣入心】

周公对自己的儿子谆谆教导，治世者应该有君子的仁德，表现为三个方面：

- 一是不要疏远自己的亲人。
- 二是重用贤能之士。
- 三是不要苛责旧友老臣。

反观现实，忙碌的人们处在什么样的状态呢？

- 顾不上亲人，究竟追求什么样的生活？
- 重用花言巧语或者协助作恶的帮凶之徒，事业还有前途吗？
- 世事变幻，残酷淘汰有功之人，不善待他们，卸磨杀驴，宽厚仁德去哪了？

当然，人们这样做时，已经为自己编造了许多借口：

- 拿钱养家就可以了。但是，钱怎能等同于亲子相处的温情？
- 重用可用之人就可以了。但是，重用奸佞，岂不是共同作奸？
- 苛责有功之人，淘汰落后老人，但仁德不存何以服众？即使给了年轻人机会，也让老人心生寒意，这怎么能算是万全之策？

【格言】周公治世大智，心中仁德厚实。

子张第十九

19·1　子张曰："士见危致命，见得思义，祭思敬，丧思哀，其可已矣。"

【释义】子张这样的品性，注定是有造化的人，他说："士遇见危险时能献出自己的生命，看见有利可得时能考虑是否符合义的要求，祭祀时能想到是否严肃恭敬，居丧的时候想到自己是否哀伤，这样就可以了。"

【要点】（1）子张曰士。（2）见危致命，见得思义，祭思敬，丧思哀。

【语境与心迹】子张也是孔门弟子中学习特别用心的一个，几句话中可见其深悟师意。"见危致命，见得思义"，这是君子之所为，在需要自己献出生命的时候，他可以毫不犹豫，勇于献身。同样，在有利可得的时候，他往往想到这样做是否符合义的规定。这是孔子思想的精华。在举行祭祀活动时，必须保持庄重恭敬。参加丧礼时，必须显露哀伤。子张在此处谈了君子的一些品行与作为，简而言之，在不同的情境下，要明确行动的准则，不能事先不明，遇事慌乱。这些，可为有君子抱负的人所参考。

【接圣入心】

人生会面临许多不同的时刻，修行者借助圣贤智慧、他人经验与教训为自己应对各种情境准备好了相应的行动准则，能够遇事不慌、临危不乱。

看看现实，一些人的作为离着君子标准好远啊：

- 一些人临危慌乱，要么旁观，要么盲动。
- 一些人见利忘义，没有深厚仁德，一下子就会被名利吸进去而丧失自我。
- 一些人祭祀之时，草草应付，对先祖圣贤没有真诚之心，多是见利忘义、忘恩负义之徒。
- 一些人丧时思哀，不思恩情，不念教导，事过则忘。
- 一些人面对侮辱，不思己过，怨天尤人，遇坎倒伏，等待下次受侮辱。
- 一些人面对背叛，只有仇恨，甚至报复，不思自己的罪过，最终错上加错。

◎ 我们为人生的各种情境准备好了什么？若是没有准备高级程序，一定会被动物般的本能和小人的低级程序所驱动，于是，遇事难过，摔倒难起，一怨终生，自我作践。这样的人生过得有意思吗？这样的过法好吗？

【格言】见危致命，见得思义，祭时思敬，丧时思哀。

19·2 子张曰："执德不弘，信道不笃，焉能为有？焉能为亡？"

【释义】子张是个特别重视知行合一的人，他说："实行德而不能发扬光大，信仰道而不忠实坚定，这样的人怎么能说他有德有道，又怎么能说他没有无德无道？"

【要点】(1) 执德不弘，有德乎？无德。(2) 信道不笃，有道乎？无道。

【语境与心迹】子张跟随孔子学习时，将老师对自己的教导书写在腰间大带上，可见其学后践行的决心。在此，子张所表述的观点又切中了很多人的误区：自以为心里有，却未付诸行动。好像有心，却没有行动和结果，自己就满足于此了？怎能说是真心？以为明白了，却没有真正坚定地去践行，又怎么能说是真明白？看起来好像是有了想法，但又没有做出结果或者坚持行动，这又怎么能算是真的有想法呢？这不是自己糊弄自己吗？阳明先生的知行合一思想与此如出一辙："只知不行不能谓之真知，只行不知不能谓之真行。"

【接圣入心】

◎ 说起这些来，有人会觉得人生真是不容易，好复杂啊！

◎ 实际上，这些就是人活着的基本条件，失去了这些基本条件，人生一定不会轻松，相反还会处处为难。

◎ 从哲学上说，"仁德动机愿望—合道手段方法—时机艺术把握—结果效果核查—见果自处称重—省思升级自新"是一个人最核心的程序，任何断裂或者缺失都将导致整个链条的失效，即使做了很多，也会事倍功半，甚至前功尽弃。对此，我们不可不察！

【格言】实行仁德，必问结果。拥有信仰，必问践行。心中明白，必问行动。有了行动，必问效果。

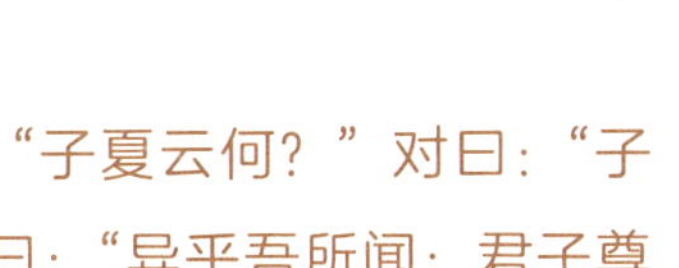

19·3　子夏之门人问交于子张。子张曰："子夏云何？"对曰："子夏曰：'可者与之，其不可者拒之。'"子张曰："异乎吾所闻：君子尊贤而容众，嘉善而矜不能。我之大贤与，于人何所不容？我之不贤与，人将拒我，如之何其拒人也？"

【释义】子夏的学生向子张询问怎样结交朋友。子张说："子夏是怎么说的？"答道："子夏说：'可以相交的就和他交朋友，不可以相交的就拒绝他。'"子张说："我所听到的和这些不一样：君子既尊重贤人，又能容纳众人；能够赞美善人，又能同情能力不够的人。如果我是十分贤良的人，那我对别人有什么不能容纳的呢？我如果不贤良，那人家就会拒绝我，又怎么能拒绝人家呢？"看来子夏的学生还没学到位，在师叔面前露怯了。

【要点】（1）子夏、子夏的学生、子张。（2）问交友。（3）子夏随性，子张道性。

【语境与心迹】这段对话中涉及三个人，子夏、子夏的徒弟、子张。子夏与子张在个性上有明显的差异，若是二者在同样一个问题上有不同的观点，或者对老师孔子的思想有不同的领悟，也不足为奇吧。

孔子的弟子子夏和子张也都有自己的门徒，这些门徒应该算是孔子的徒孙了。即使是一个老师教的，由于学生各自理解不同，对老师思想的领悟也会出现差异。一般来说，当学生转述老师的思想时，肯定会带着个人的痕迹，会无意识地对老师的思想做出取舍，而能够完完全全理解圣人思想的弟子恐怕很少。若是学生能够完完全全领悟圣人的思想，传播或者传承时也不会丢失信息，更不会扭曲本意，这样的学生也就很接近圣人了。子夏和子张都是孔子的学生，二人是否能够全面接受和理解老师的思想尚不好下结论，但二人与孔子有差距是可以肯定的，二人之间存在差异也是必然的。再到徒孙这一辈，差异可能更大。于是，就出现了子夏的弟子在交友这个问题上与子张见解不同的情况。因为是子夏弟子转述子夏是如何说的，也不能就此认定那就是子夏的本意或者全部意思，也不好就此认为子夏不如子张。但不管怎么样，关于交友，子夏学生所转述的和子张的主张有着明显的不同：子夏只是按照自己的认知交与不交；子张则不同，尊重容纳而不拒绝。很明显，子张的交友境界高于子夏（弟子所转述的），似乎更加接近老师孔子的境界。

【接圣入心】

很显然，子夏弟子所理解的子夏的交友原则显得过于僵硬，缺乏了一些智慧，容易产生无谓的对立，也显得胸怀不是很宽广。

子张的交友原则就很有智慧，很值得我们借鉴：

• 君子既尊重贤人，又能包容众人，体现了君子交友的原则性与灵活性。

• 君子既能够赞美善人，又能够同情能力不强的人，体现了君子交友的智慧与慈悲。

• 如果你是贤良之人，就一定能够包容别人；如果你不贤良，自然也会受到别人的拒绝，也就不是自己拒绝别人的问题了。

由此可见，儒家所倡导的交友智慧，既有原则，也有灵活，既有智慧，也有慈悲，核心依然是客观理性地审视自己。

【格言】君子交友，尊贤容众，自省不责。

19·9　子夏曰："君子有三变：望之俨然，即之也温，听其言也厉。"

【释义】子夏说："君子有三变：远看时，他庄严肃静；接近时，他又温和可亲；他说话时，语言有力道且谈吐不凡。"

【要点】(1) 君子三变。(2) 望之、即之、听之。(3) 貌之俨然，态度温和，言语藏力。

【语境与心迹】子夏不愧是"文学"科的高材生，他把君子描绘得多么美妙啊：第一视角——用眼睛望，君子是庄重正派的样子；第二视角——走近看得更仔细了一些，又感到君子温暖可亲；第三视角——听君子说话，见其不慌不忙，娓娓道来，平静中蕴含着力量。子夏所描绘的君子，庄重、温和、有力道，体现了生命的功力。

【接圣入心】

好一幅君子的画像啊，太耐人寻味了——君子有三变：望之俨然，

即之也温，听其言也厉。想想看，多么迷人，多么有魅力啊！

根据儒家对于君子的画像，我们反观一下现实众生相：

• 有多少人平时会看到自己的形象？是吊儿郎当，是嘴眼歪斜，是目露凶光，还是鄙夷弱者？

• 走起路来，我们又是什么形象？又有几个人看到过？是歪歪扭扭，是匆匆忙忙，是心虚烦乱，还是悠闲自得？据说，若是将一个人平时的形象录制下来让他自己看，很多人会吓一跳：我怎么会是这个样子啊？可你不是很久以来一直就这样吗？

• 当跟人亲近时，你是否能够让人感到温暖？你是否能够感受到对方心门一点点无声地打开？你是否能够感觉到对方接收到了你的友善？

• 说起话来，是铿锵有力，是温润中透着一点力道，还是根据对方的感受和反应能做到见好就收？

这些，对于一个想成为君子的人来说，是必须首先明白，然后再去不断修行才能拥有的功夫啊。

【格言】君子三变，随进随感，温和力道。

19·10 子夏曰：“君子信而后劳其民；未信，则以为厉己也。信而后谏；未信，则以为谤己也。”

【释义】子夏说：“君子必须取得信任之后才去役使百姓，否则百姓就会以为是在虐待他们。要先取得信任，然后才去规劝；否则，君主就会以为你在诽谤他。”

【要点】（1）君子先道。（2）先信而劳，无信为厉。（3）先信而谏，无信疑谤。

【语境与心迹】子夏这个“文学”科高材生，确实对人与人交往中的心理敏感之处有独到的洞察力。我们一起进入子夏所说的情境中去神游一下：如果一群人对你没有信任感，但你有权力去指挥他们，此时，彼此的关系会和睦吗？你去劝说别人，可别人跟你没交情，你说的话别人会相信吗？

劝说会有好的效果吗？可见，子夏所言役使百姓和劝说君主这两件事，若是没有信任作为基础，恐怕就很难有好的效果了。这让我们更加深刻地认识到人与人之间的信任作为交往的前提或者第一个步骤，是多么智慧啊！否则，在缺乏信任的情况下，人们会曲解很多信息，甚至导致沟通失败。无信时劳民，则易生怨。无信谏君，易生谤疑。不过，我们也看到那些孤胆英雄，他们在没有什么信任基础的情况下，依然能够说服别人，这是另外一种高级“套路”，非一般人所能及。

【接圣入心】

看看现实中不会说话、不会沟通、不会办事的人，他们通常会怎么做？上来就单刀直入，没有热身，没有气氛营造，直奔主题，以为如此就可以快捷高效。但在结果上，这样的做法常常会引起对方的防范和对抗，反而容易吃闭门羹，或者引起无谓的纠纷。

看看那些智慧的人，如同中医看病把脉，总是能够先摸准对方的状态，找准对接点，以无声无息的方式接近对方的心灵，像一阵不易察觉的暖风一样，温暖对方的心灵，让对方解除戒备，敞开心门，让交流从一味地说服或者表白变成一种心灵感应。这样的人总是善于寻找利益上的共同点、心灵的交汇点和志趣上的类似点以及频道上的相通点，从而将沟通变成一段愉快而优美的心灵舞蹈。这样的人生，就是艺术的人生、智慧的人生。每一次交往都有倾心的交谈，每一次交谈都会成为生活中的经典。之所以如此作为，是因为智者非常清楚，信任是人与人之间心灵贴近的基础。

只是很可惜，现实中很多好心人不懂得这一点，于是往往把好办的事变成难办的事。

你呢？是哪一种情况呢？从子夏的智慧中找到方向了吗？成年人都懂得，若想有爱，必须可爱，必先去爱。有了这样的精神开端，才能开启爱的共振。

不明白这个道理，人生中就只剩下冷漠、自私与功利！

你若明白，就请记住：人类首先需要的永远是温情和信任！君不

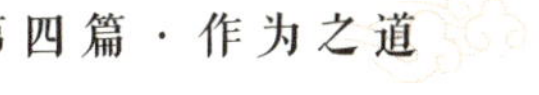

见，人类的大部分问题都来自猜忌和怀疑吗？

【格言】首取信任，再做沟通；以沟通夯实信任，以信任促进沟通。

19·11 子夏曰："大德[①]不逾闲[②]，小德出入可也。"

【注释】①大德、小德：指大节、小节。 ②闲：木栏，这里指界限。

【释义】子夏说："大节上不能超越界限，小节上有些出入是可以的。"

【要点】(1) 子夏节道。(2) 大德不逾闲。(3) 小德出入可。

【语境与心迹】在一般人的印象中，讲究礼数的儒家君子都是比较刻板的，实际上这是个误会。孔子自己就是个性情中人，平时看人看事的豁达自不待言，就是说起话来也是蛮幽默的，会给人一种亲切感和随和感。此处所说的大节、小节的问题，也是现实中每一个人都会面对的问题：作为君子，大事不马虎，小事不计较。小人就正好相反，大事上没原则，没有坚定的立场；小事上又斤斤计较，无理搅三分，得理不饶人。这有关大节、小节问题的态度和作为，也是区分君子与小人的重要标准。

【接圣入心】

现实中，最容易出现四种极端：

• 一是在原则问题上坚守，但僵硬又死板，让人生厌，这种方式又很容易激发非理性的情绪，使他人由反感坚持原则的方式进而演变成反感原则本身。

• 二是有原则，但又很容易丧失原则，或者此时此处对此人有原则，而对别人、别的事没原则。于是，原则就成了一个方便自己的工具：如果坚持原则能让自己得利就去坚持原则，如果放弃原则能让自己得好处就放弃原则，实际上是没有原则，或者以原则为幌子，悄悄地将原则替换成为唯我、唯利的工具。

• 三是一味讲灵活，最终放弃或者破坏了原则。

• 四是心怀叵测、别有用心，为了破坏原则而片面地讲灵活。

实际上，这是人生中非常重要的能力或者智慧：坚持原则一贯性、普遍性不动摇，但在坚持的方式方法上保持变通，变通的边界又回到维护原则和不伤害原则上。

【格言】坚守大节不僵硬，灵活小节不犯规。

19·20　子贡曰：“纣之不善，不如是之甚也。是以君子恶居下流[①]，天下之恶皆归焉。”

【注释】①下流：地形低洼，各处来水汇集的地方。此处指人的悲惨处境。

【释义】子贡为商纣王说了一番公道话：“纣王的不善，不像传说的那样厉害。所以君子憎恨处在下流的地方，否则，天下一切的坏名声就都会归结到他的身上。”

【要点】（1）子贡说纣。（2）不善不如是之甚。（3）恶居下流。（4）万恶皆归。

【语境与心迹】说起纣王，后人认为他简直是十恶不赦、千夫所指，算是历史上最坏的君王。纣王是个什么人呢？纣王就是商朝第三十代君主帝辛，本名受德，帝号辛王，也是商朝的亡国之君。“残义损善曰纣”，纣是一个恶名，是后人定的称呼。帝辛除了天资聪颖、领悟力奇高之外，也是少见的大力士。

对于商纣王帝辛，子贡说了一句公道话，也是给那些乱评历史人物的人当头一棒。历史上的人物，没有几个像后人所说坏得那样彻底的，也没有几个像后人所推崇的那般完美的。也就是说，坏人做的也不全是坏事，好人做的也未必全是好事。这是对待历史的理性，一面倒式的评价都是非理性的。只要主流上是有重大贡献的，就要给予肯定，不要对小错吹毛求疵，否则世上就没有好人和可以尊敬的人了。若是犯了重大过失，也不要一棍子打死或者全面否定，还要看功绩和时代的局限性，不能脱离具体的情境妄断是非功过，更不能将功过全算在一个人身上。

针对后世对帝辛的评价，子贡通过思考告诫人们：公众的历史观是非理性的，只要一个人坏，就会把他的坏放大，他的好就会被淡化，久而久之就会被人们遗忘，以至于再说起他来时，人们头脑中马上涌现出的都是负面信息，真是可怕啊！这就是所谓的人言可畏吧！因此，做人做事要小

心，一旦进入了坏的评判序列中，就没有人再去说他的好了。当然，懂得了这一点，也会让我们在评价历史人物时能够识别非理性的险恶，从而找到理性客观的模式。

【接圣入心】

◎ 现实中总有一些以责难历史伟人为乐的人，他们自己成不了伟人，因为他们不懂得伟人的无奈和时常被人欺骗与愚弄的悲哀。

◎ 当然，我们评价现实中的人也要小心谨慎。有几个原则还是要坚持的：一是不要完全相信别人说的；二是正常情况下只能就事论事，不要因一事而轻易地给人下结论；三是如果非要评价时，必须以客观事实为依据；四是下结论时要考虑个人与集体的关系，不能将所有责任都推到一个人身上；五是一个人的行为，常常是在复杂特殊的情境中做出的，不要忽视客观因素而主观地评价某种行为；六是一个时代中某个人的行为，常常带有时代的印迹，单纯地就事论事，往往也是不懂历史的表现。

◎ 对于大部分人来说，既然没有足够的资格和精力去研究历史，还是省省心吧，评价人太复杂。最实在的，还是多花些精力学习别人的优点、借鉴别人的教训，做好自己，提升自己，谨慎评价，莫信传言，给自己的心留一块干净、安静的地方吧！

【格言】历史理性：无人全善无瑕疵，无人全恶无功劳。看主流贡献是否有人替代，看过失的情境是否有人共担。若是推崇到极致，即反对和颠覆；若是反对到极致，即愚昧和非理性。

尧曰第二十

20 · 3　孔子曰：“不知命，无以为君子也；不知礼，无以立也；不知言，无以知人也。”

【释义】孔子说：“不懂得天命，就不能做君子；不知道礼仪，就不能立身处世；不善于分辨别人的话语，就不能真正了解他。”

【要点】（1）孔子三道。（2）知命为君，知礼立世，知信知人。

【语境与心迹】众所周知，《论语》是孔子的弟子们编纂的孔子的语录集。《论语》中孔子作为说话主体时出现了两种不同的称谓：通常大家最熟悉的就是“子曰”，在《论语》中专指孔子说的。但有的地方用的是“孔子曰”这种称谓。这就涉及《论语》的成书时间和编撰者有哪些人的问题。一般而言，“子曰”显得亲近些，而“孔子曰”就显得疏远些。我们可以猜测一下，孔子的弟子说到老师的言论时可能会用“子曰”这样亲昵和尊敬的称谓。若不是孔子的弟子引用孔子说的话，则很可能会使用“孔子曰”这样的称谓。就像亲近的人可以称呼对方的昵称，而陌生人就只能称呼对方正式的名字一样。若是错了位，亲近的人称呼正式的名字，就会显得疏远而不恰当；陌生人若是使用了亲昵的称呼就显得唐突而失礼。此处，使用了“孔子曰”，也许就是孔子弟子之外的人在引述孔子的话。孔子在《论语》中多次提到君子的一些品性，此处又总结性地提出君子的三种重要品质与能力——知命、知礼、知言，并认为这是君子立身处世的三个基本点。

【接圣入心】

对于现代人来说，一说到“天命”多半是一头雾水。

实际上，古人所说的天命跟古人对天与人的关系的认知有关。正如《中庸》中所说，天命之谓性，性又是什么？就是天性，就是天地造人所赋予人的与天地大德相一致的本性。此处，孔子变了个方式在强调仁德的根本性和不可回避性。同时，孔子强调天命，也是在唤醒每个人，最起码是社会精英的使命感。心中有了仁德，就要表现出人礼：一是做人的规范与规矩，二是为人处世的基本方式。同时，还要善于识人，不要被表面现象所迷惑，而要听其言而观其行，观其一贯，知其当下与未来，观其所为而明其志，观其所好而知其心。

古人知道识人之难，乃人间最难之事，于是想出了很多方法，至今仍有重大的价值。

• 魏人李悝提出识人的“五视法”：居视其所亲，即考察该人经常和谁在一起。因为物以类聚，人以群分，近朱者赤，近墨者黑。从一个人平时所喜欢亲近的人那里，就可以知道他的人品。富视其所与，即考察该人在生活富裕时将钱花在什么上面。达视其所举，即考察该人身居高位时，提拔重用的是什么样的人，是任人唯亲还是任人唯贤。穷视其所不为，即考察该人在身处逆境时的作为，是否会人穷志短，牺牲原则换取利益。贫视其所不取，即考察该人在贫困境地时的作为，看能否洁身自好，不取不义之财。

• 诸葛亮提出了识人七法：问之以是非而观其志，即通过观察该人对一些大是大非问题的态度和观点，了解他的信仰和志向。穷之以辞辩而观其变，即通过和该人展开辩论以观察其应变能力。咨之以计谋而观其识，即通过请该人出谋划策以了解其学识和视野。告之以祸难而观其勇，即通过将灾事、祸事等告诉他，看他的反应，由此来观察他是否有勇气直面苦难的现实。醉之以酒而观其性，即将其灌醉以后，观察他的真实性情。临之以利而观其廉，即用物质利益引诱他，以观察他是否能保持廉洁。期之以事而观其信，即托给他办一些事，看他是否讲信用。